# 365 Mots croisés

## Un jeu chaque jour !

# 365 Mots croisés

**Direction**
Alain Delorme

**Coordination et rédaction**
Esther Tremblay

**Infographie couvert et mise en pages**
Katia Senay

**Conception informatique des jeux**
Sylvain Hogue


600, boul. Roland-Therrien
Longueuil (Québec)
J4H 3V9

Dépôt légal : troisième trimestre 2007
Gouvernement du Québec
Programme de crédit d'impôt pour l'édition de livres
Gestion Sodec

ISBN : 978-2-89638-229-3

1

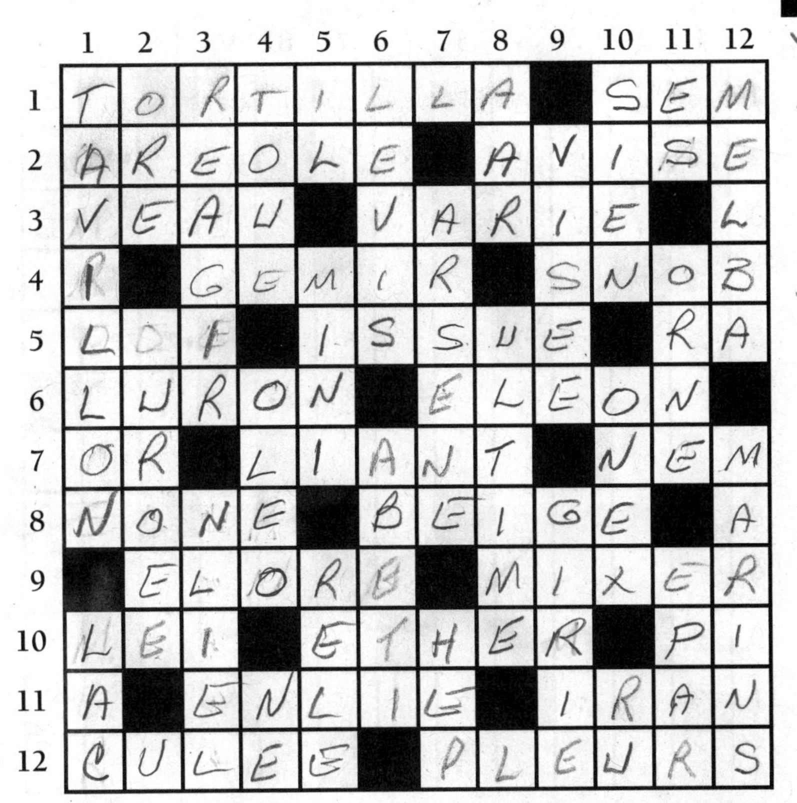

## HORIZONTALEMENT

1. Galette plate de maïs — Fils aîné de Noé
2. Cercle qui entoure le mamelon du sein — Réfléchi
3. Viande vendue en boucherie — Divers
4. Émettre des gémissements — Qui fait preuve de snobisme
5. Poème lyrique — Sortie — Radium
6. Gaillard — Troisième partie de l'intestin grêle
7. Richesse — Non cassant — Petit pâté impérial
8. Neuvième heure du jour — De la couleur d'un brun très clair
9. Fleuve de Bretagne — Procéder au mixage
10. Unité monétaire bulgare — Composé volatil — Lettre grecque
11. Disposé de façon à enlever les joints — État de l'Asie occidentale
12. Butée d'un pont — Gémissements

## VERTICALEMENT

1. Petit bardeau servant à recouvrir les toits — Grande nappe naturelle d'eau douce
2. Unité monétaire de la Suède — Origine
3. Résister — Orange
4. Remorquer — Commune de Belgique — Négation
5. Lui — Qui est très courte, en parlant d'une jupe — Tais
6. Banlieue de Québec — Crétinisé
7. Gaz incolore à odeur forte — Psitt
8. Rivière de Suisse — Final
9. Intention — Plainte affectée
10. Adjectif possessif — Commune de Suisse — Petit ruisseau
11. Einsteinium — Fleuve côtier de Normandie — Épart
12. Pêche nappée de crème chantilly — Navigateurs

## 2

### HORIZONTALEMENT

1. Chute temporaire des cheveux — Double coup de baguette.
2. Ville d'Italie — Nom anglais du pays de Galles.
3. Démentir — Général espagnol.
4. Résiliation d'un bail — Grossier.
5. Poisson d'eau douce — Agité — Infinitif.
6. Réunion de fils tordus ensemble — Engin de pêche.
7. Europium — Écorce de la noix muscade — Dans la rose des vents.
8. Équidé d'Afrique à la robe rayée — Général et homme politique portugais.
9. Colline artificielle — Primate nocturne d'Asie du Sud.
10. Poivrier grimpant originaire de Malaisie — Montagne biblique.
11. Rivière de l'Éthiopie — Surveillant vigilant, espion — Mesure itinéraire chinoise.
12. Petit mammifère édenté — Diminuer la surface d'une voile.

### VERTICALEMENT

1. Paiement annuel — Allure du cheval.
2. Poème narratif — Adjectif numéral — Adjectif possessif.
3. Réaliser — Flétan.
4. Interstice minuscule — Poisson d'eau douce voisin du saumon.
5. Article espagnol — Marchandise sans valeur — Lettre grecque.
6. Animal minuscule — Dissimuler.
7. Rivière de la Guyane française — Prénom féminin russe.
8. Peuple du Ghana — Amplificateur de micro-ondes — Cité antique de la basse Mésopotamie.
9. Gréement — De cette façon.
10. Imprécis — Raisonnable.
11. Article — Hausse d'un demi-ton en musique — Céréale.
12. Plante cultivée pour ses fleurs décoratives — Espérance.

| | 1 | 2 | 3 | 4 | 5 | 6 | 7 | 8 | 9 | 10 | 11 | 12 |
|---|---|---|---|---|---|---|---|---|---|---|---|---|
| 1 | F | L | A | M | B | E | N | R | ■ | B | A | S |
| 2 | R | U | E | ■ | E | P | R | I | S | E | ■ | O |
| 3 | E | T | R | É | C | I | ■ | X | E | R | U | S |
| 4 | D | R | A | P | ■ | C | I | E | L | ■ | R | I |
| 5 | A | I | ■ | I | T | E | M | ■ | O | R | E | E |
| 6 | I | N | U | L | E | ■ | P | I | N | O | T | ■ |
| 7 | N | ■ | R | E | M | O | U | S | ■ | C | É | S |
| 8 | É | T | A | ■ | P | U | R | E | E | ■ | R | A |
| 9 | ■ | A | N | D | E | S | ■ | U | N | T | E | L |
| 10 | A | M | E | R | ■ | T | A | T | E | R | ■ | D |
| 11 | B | I | ■ | U | R | É | P | ■ | M | I | A | M |
| 12 | C | A | S | É | E | ■ | O | L | A | O | G | E |

## HORIZONTALEMENT

1. Personne qui joue gros jeu — Mesquin.
2. Plante des prés vivace — Passionnée.
3. Resserré — Petit rongeur appelé rat palmiste.
4. Tissu de laine — Paradis — Badiné.
5. Mammifère arboricole — Unité — Bordure du bois.
6. Plante à fleurs jaunes — Cépage cultivé notamment en Bourgogne.
7. Mouvement, tourbillon — Adjectif démonstratif.
8. Lettre grecque — Gêne financière, misère — Radium.
9. Grande chaîne de montagnes — Individu.
10. Pénible — Explorer de la main.
11. Bisexuel — Bisons d'Europe — Exclamation exprimant le plaisir de manger.
12. Placée — Bigarade.

## VERTICALEMENT

1. Incartade — Premiers principes d'un art.
2. Meuble à pupitre — Petit écureuil.
3. Ventila — Oxyde d'uranium.
4. Arrache les cheveux — Serrée.
5. Bouche — Côté du front — Rhénium.
6. Pimenté — Oust.
7. Patrie d'Abraham — Vicié — Volcan du Japon.
8. Bataille — Héroïne compagne de Tristan.
9. D'après — Poire utilisée pour le lavage du conduit auditif.
10. Ridelle d'une charrette — Pierre — Divisé en trois.
11. Canal qui conduit l'urine du rein à la vessie — Argent.
12. Ressemblance — Princesse juive, fille d'Hérodiade.

| | 1 | 2 | 3 | 4 | 5 | 6 | 7 | 8 | 9 | 10 | 11 | 12 |
|---|---|---|---|---|---|---|---|---|---|---|---|---|
| 1 | F | L | I | N | G | U | E | U | R | ■ | O | N |
| 2 | R | A | D | I | E | R | ■ | B | I | A | X | E |
| 3 | A | B | E | E | ■ | U | S | U | E | L | ■ | S |
| 4 | I | R | ■ | L | I | S | E | ■ | U | P | A | S |
| 5 | S | E | U | L | S | ■ | A | R | R | E | T | ■ |
| 6 | I | ■ | L | E | S | I | N | E | ■ | S | O | C |
| 7 | L | I | T | ■ | U | N | T | E | L | ■ | N | A |
| 8 | ■ | O | R | V | E | T | ■ | L | I | N | E | R |
| 9 | Q | U | A | I | ■ | E | S | S | A | I | ■ | E |
| 10 | U | R | ■ | O | C | R | E | ■ | S | E | N | S |
| 11 | E | T | O | L | E | ■ | R | A | S | S | I | S |
| 12 | L | E | U | ■ | P | A | T | T | E | ■ | D | E |

## HORIZONTALEMENT

1. Qui use d'armes à feu — Adverbe de lieu.
2. Effacer — Qui comporte deux axes optiques.
3. Ouverture donnant passage à l'eau — Familier.
4. Iridium — Sable mouvant — Poison végétal.
5. Solitaires — Halte.
6. Mégote — Pièce de charrue.
7. Meuble — Quelqu'un — Exclamation enfantine.
8. Reptile saurien — Cargo.
9. Débarcadère — Épreuve.
10. Cité antique de la basse Mésopotamie — Colorant minéral naturel —Direction.
11. Vêtement liturgique — Pondéré, réfléchi.
12. Unité monétaire roumaine — Membre des animaux supportant le corps — Petit cube.

## VERTICALEMENT

1. Cendre de charbon — Adjectif interrogatif.
2. Poisson comestible — Yourte.
3. Poisson d'eau douce — Réactionnaire extrémiste — Sinon.
4. Incrustation d'émail noir — Action de transgresser une loi.
5. Germanium — Aboutissement — Pied de vigne.
6. Aurochs — Interurbain.
7. Convenable — Présente.
8. Personnage d'Alfred Jarry, écrivain français — Indubitables — Astate.
9. Enjoué — Paquet de billets de banque liés ensemble.
10. Massif montagneux d'Europe — Contestes.
11. Ancien — Sans tonicité — Repaire.
12. Lac d'Écosse — Attouchement tendre.

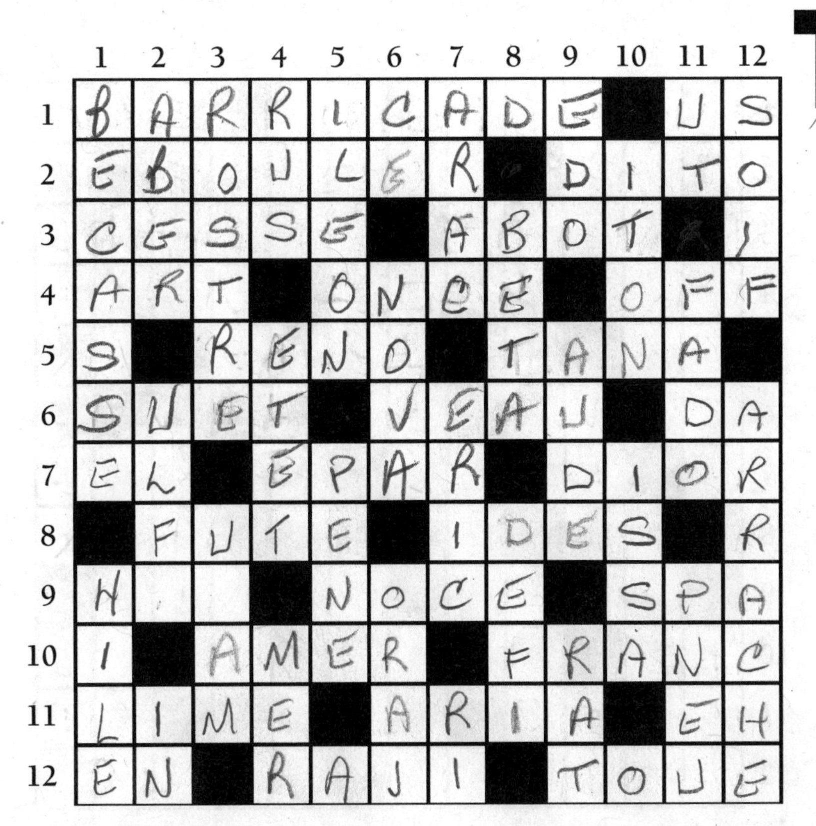

## HORIZONTALEMENT

1. Ferme solidement — Traditions.
2. Tomber par — Idem.
3. Suspend — Entrave que l'on attache aux paturons d'un cheval.
4. Adresse — Félin — Hors champ.
5. Ville du Nevada — Lac d'Éthiopie.
6. Sud-est — Futur bouvillon — Oui.
7. Article espagnol — Entretoise — Nom d'un couturier français.
8. Abjecte — Dans le calendrier romain.
9. Interjection servant à appeler — Partie de plaisir — Société Protectrice des Animaux.
10. Blessant — Honnête.
11. Fruit — Embarras — Interjection.
12. Adverbe de lieu — Femme d'un rajah — Hale.

## VERTICALEMENT

1. Oiseau échassier migrateur — Cicatrice.
2. Basse vallée d'un cours d'eau — Algue appelée laitue de mer — Branché.
3. Éperon des navires de l'antiquité — Titre.
4. Ruisselets — Commune du Morbihan — Vaste étendue d'eau salée.
5. Partie de l'intestin grêle — Pièce mobile d'une serrure.
6. Cérium — Étoile dont l'éclat peut s'accroître brusquement — Ville d'Algérie.
7. Eau-de-vie — Prénom masculin — Rigolé.
8. Benêt — Bravade.
9. Ancien nom de Tokyo — Fleuve de France — Rongeur.
10. Affluent de l'Eure — Peuple de Djibouti et de la Somalie.
11. Ancien do — Chant portugais — Pneumatique.
12. Sensation — Déracine.

## 6

### HORIZONTALEMENT

1. Fuite des idées — Fermeture éclair.
2. Principe de vie — Cordage qui sert à hisser une voile.
3. Note valant deux blanches — Oiseau palmipède à tête noire.
4. Terres labourées et non ensemencées — Couleur de l'ébène.
5. Article espagnol — Communs — Lawrencium.
6. Planète — Forme musicale.
7. Commune de la Haute-Vienne — Épuisé.
8. Prénom féminin — Pétrolière — Pronom personnel.
9. Difficile — Repas léger.
10. Iridium — Souci — Moyen de transport.
11. Unir — Projet — Blagué.
12. Poisson voisin de la perche — Fusil à répétition de petit calibre.

### VERTICALEMENT

1. Pierre — Pronom personnel (pl.).
2. Sorti depuis peu d'une école — Collection d'articles variés.
3. Sein — Ne pas reconnaître — Dans.
4. Épaisses — Ancienne arme de jet.
5. Vues — Pronom possessif.
6. Senior — Éprouvettes — Germandrée à fleurs jaunes.
7. Livre liturgique — Récipient.
8. Orient — Gaillard — Article espagnol.
9. Rationnelle — Compartiment d'un meuble.
10. Aucun — Empreinte.
11. Fleuve d'Afrique — Goujat.
12. Caillouteux — Ancien oui.

7

## HORIZONTALEMENT

1. Vétérinaire spécialiste des maladies du cheval — Actinium.
2. Aspirer — Barre.
3. Fleuve d'Afrique — Arcs brisés gothiques.
4. Nicher — Médiocre.
5. Prince musulman — Verses.
6. Gallium — Conformité — Dans la rose des vents.
7. Ville de la C.É.I. — Ch.-l. d'arr. du Calvados — Einsteinium.
8. Produire de la graine — Existences.
9. Petite tumeur — Col des Alpes.
10. Brin — Vérifier.
11. Pif — Souffrance.
12. Palmier d'Asie — Pronom indéfini (pl.) — Argon.

## VERTICALEMENT

1. Noble espagnol — Ville de Galilée.
2. Inscription sur la Croix — Vocabulaire populaire.
3. Haute tour — Faux.
4. Pascal — Concurrent — Souteneur.
5. Ville du Nigeria — Contestes.
6. Firme de fabrication électrique allemande — Rivages — Conjonction.
7. État hallucinatoire dû à la prise d'une drogue — Petit trait.
8. Pointer — Gavé.
9. Écimé — Élargis.
10. Rivière des Alpes du Nord — Ancienne unité monétaire du Pérou.
11. Argent — Lichen filamenteux — École Nationale d'Administration.
12. Pronom démonstratif (pl.) — Faire sécher.

8

## HORIZONTALEMENT

1. Tumulte — Palmier d'Asie.
2. Presser — respire à un rythme précipité.
3. Résine malodorante — Restaurant spécialisé dans les grillades — Expert.
4. Dépouillé de sa peau — Quelqu'un.
5. Incultes — Instrument de chirurgie.
6. Faute — Titre d'honneur chez les Anglais.
7. Revêtir d'or — Contrôle.
8. Erbium — Dès maintenant — Port du Ghana.
9. Ville du Nevada — Un des États-Unis d'Amérique — Article espagnol.
10. Minet — Société Protectrice des Animaux.
11. Liquide organique — D'une couleur entre le bleu et le vert — Négation.
12. Rivière des Alpes du Nord — Courage.

## VERTICALEMENT

1. Chiper — Tellement.
2. Amplificateur quantique de radiations lumineuses — Oraison.
3. Local où travaillent des artisans — Ville de la Côte d'Azur.
4. Pronom personnel — Couvre-pied de duvet.
5. Unité de mesure de travail — Vitesse acquise d'un navire — Trou dans un mur.
6. Astucieux — Partie de la face.
7. Fleuve d'Europe occidentale — Un des États-Unis d'Amérique — Roulement de tambour.
8. Faussé, dénaturé — Venu.
9. Se rendre — Arrêt.
10. Note — Énumération — Recueil de bons mots.
11. Lettre grecque — Énième — Ancien oui.
12. Suspendre — Poinçon.

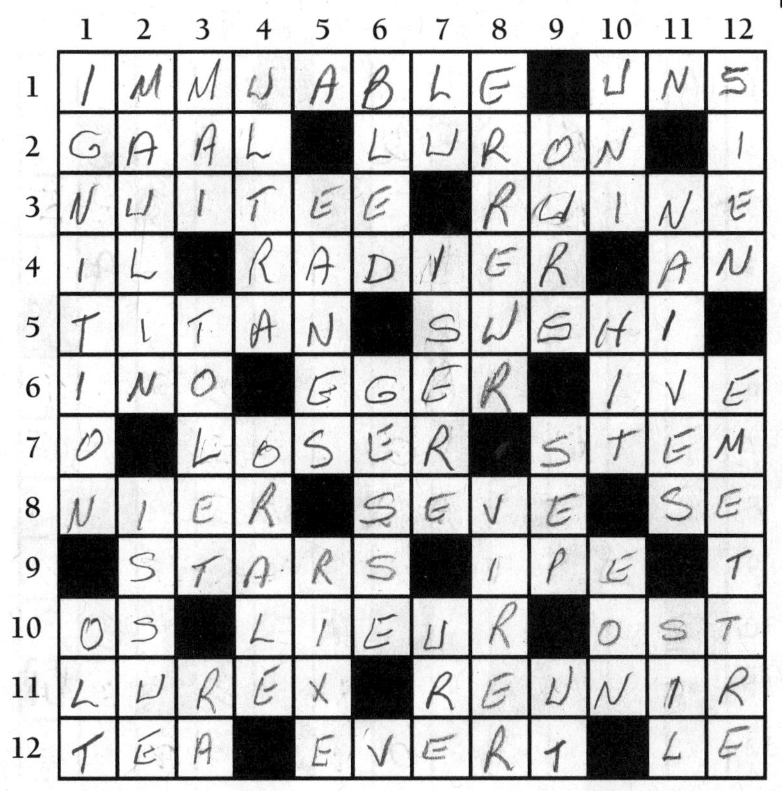

## HORIZONTALEMENT

1. Durable — Pronom indéfini (pl.).
2. Gardien de but — Gaillard.
3. La durée de la nuit — Délabré.
4. Pronom personnel — Rayer — Année.
5. Personne d'une puissance extraordinaire — Terme de cuisine japonaise.
6. Épouse d'Athamas — Ville de Hongrie — Germandrée à fleurs jaunes.
7. Perdant — Stemm.
8. Ne pas reconnaître — Liquide nourricier — Sélénium.
9. Vedettes — Initiales d'une province maritime.
10. Hic — Botteleur — Armée féodale.
11. Fil textile gainé de polyester — Combiner.
12. Petit socle — Joueuse de tennis américaine née en 1954 — Largeur d'une étoffe.

## VERTICALEMENT

1. État d'un corps en combustion — Rivière de Roumanie.
2. Administrateur et résistant français né en 1899 — Sortie.
3. Mois — Tige fixée dans le plat-bord d'une barque — Dieu solaire.
4. Personne qui professe des opinions extrêmes — Buccale.
5. Général et homme politique portugais — Bataille.
6. Lieu isolé — Plante grimpante.
7. Lutécium — Dép. de la Région Rhônes-Alpes — Bison d'Europe.
8. Égarement — Licencier.
9. Homme insociable — Partie de la charrue — Do.
10. Homogène — Grand succès — Officier de Louis XV.
11. Ingénues — Argile ocreuse.
12. Pronom possessif — Énoncer.

## 10

### HORIZONTALEMENT

1. Insecte carnivore des eaux stagnantes — Lot.
2. Ville de France — Incroyable.
3. Fête musulmane qui suit le ramadan, chez les Turcs — Presser.
4. Cité antique de la basse Mésopotamie — Face d'une monnaie — Rayon.
5. Énumération — Métal blanc grisâtre.
6. Puissances éternelles émanées de l'être suprême — Imbécile — Escarpement rocheux.
7. Joindre — Attirance — Sélénium.
8. Altier — Nouveau.
9. Article espagnol — Joueuse de tennis américaine née en 1954 — Berceau.
10. Objet volant non identifié — Appareil de propulsion à pales.
11. Éclat de voix — Arrache les cheveux — Ruisselet.
12. Plante volubile — Construction en hauteur.

### VERTICALEMENT

1. Amas d'étoiles — Chlore.
2. Petit aigle — Petit perroquet d'Océanie.
3. Sans inégalités — Sniff — Boulon.
4. Mélange de cire et d'huile — Vétille.
5. En compagnie de — Sorte de table creusée en bassin.
6. Retour du même son — Géant des contes de fées — Fleuve d'Italie.
7. Adverbe de lieu — Ville du Nevada — Fleuve d'Europe occidentale.
8. Interjection pour presser quelqu'un — Quelqu'un.
9. Sans mélange — Division d'une pièce de théâtre — Terme de ping-pong.
10. Corrompre — Ceinture portée sur le kimono.
11. Général et homme politique portugais — N'ayant subi aucune teinture.
12. Qui ne peut plus couler — Frayeur.

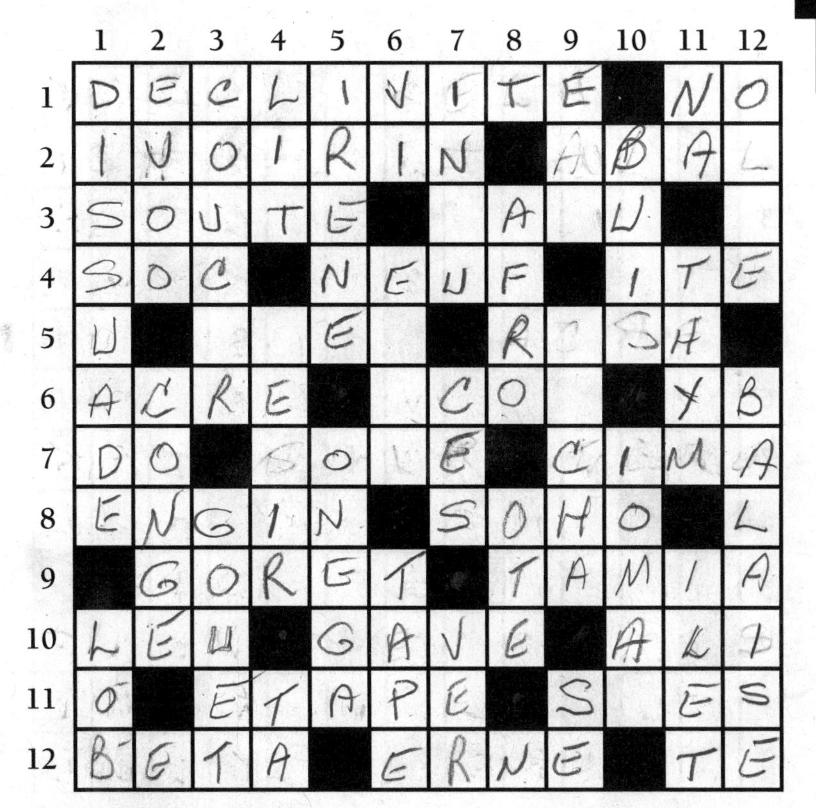

**HORIZONTALEMENT**

1. Inclinaison — Drame japonais.
2. Éburnéen — Versant d'une montagne exposé au nord.
3. Cale d'un navire — Animal fantastique.
4. Pièce de la charrue — Nouveau — Allez, en latin.
5. Commune du Morbihan — Éruption cutanée transitoire.
6. Irritant au goût — Chaland à fond plat — Yetterbium.
7. Note — Quatrième partie du jour — Extrémité pointue d'un arbre.
8. Machine destinée à un usage — Quartier du centre de Londres.
9. Jeune cochon — Ver parasite de l'intestin des mammifères.
10. Unité monétaire roumaine — Cours d'eau — Pronom personnel (pl.).
11. Halte — Ch.-l. de c. de l'Orne.
12. Benêt — Fleuve d'Irlande — Règle de dessinateur.

**VERTICALEMENT**

1. Dégoûté — Coup, au tennis.
2. Interjection marquant la joie — Permission de partir.
3. Fendre — Plante sauvage.
4. Meuble — Délibérer — Tantale.
5. Prénom féminin — Lac du nord-ouest de la Russie.
6. Six — Impulsion — Gifle.
7. Pas convenable — Adjectif démonstratif (pl.) — Lombric.
8. Se dit d'une coupe de cheveux — Retranche.
9. Interjection — Languette mobile — Sélénium.
10. Arbuste à feuilles persistantes — Ancien nom d'une partie de l'Asie Mineure.
11. Exclamation enfantine — Plante ligneuse aromatique — Hameau.
12. Colorant minéral naturel — Niaise.

12

**HORIZONTALEMENT**

1. Sexuel — Basse vallée d'un cours d'eau.
2. Embarcation à fond plat — Taches congénitales sur la peau.
3. Religieuses — Toilettes.
4. Aluminium — Couper la cime d'un arbre — Nobélium.
5. Doubler un pion, au jeu de dames — Vertébré ovipare.
6. Je — As une ovulation.
7. Homme qui vit de revenus non professionnels — Vedette.
8. Mettre pour titre — Route.
9. Fin d'une prière — Local où opère un photographe.
10. Plante herbacée — Pronom possessif (pl.).
11. Adverbe interrogatif — Hisser — Or.
12. Unité de temps — Cloporte d'eau douce.

**VERTICALEMENT**

1. Domaine où l'on élève les taureaux de combat — Interjection.
2. Frais de scolarité — Grimace.
3. Réponse négative — Grimper.
4. Congénitale — Résonner.
5. Restreint — Étendue de terre immergée.
6. Poignée — Transvasée.
7. Los Angeles — Petit tour de graveur — Voltampère.
8. Alarme — Astuces.
9. Giboulées — Exprimer.
10. Stylo à bille — Région à l'est de Montréal.
11. École Nationale d'Administration — Qui ne s'organise pas selon le système tonal.
12. Dénouer — Dégoutte.

**HORIZONTALEMENT**

1. Désordre — Python.
2. Expatrié — Chapeau.
3. Coutume — Bille.
4. Plante cultivée pour ses fleurs décoratives — De même.
5. Rivière alpestre de l'Europe centrale — Recueil d'illustrations — Pronom personnel.
6. Besoin — Éléments.
7. Lui — Endroit — Molécule.
8. Fils d'Isaac — Dîner.
9. Frottée d'huile — Prénom féminin.
10. Jamais — Sorte de table creusée en bassin — Article espagnol.
11. Presser — Commune du Morbihan.
12. Ville de Belgique — Attaché à une voiture.

**VERTICALEMENT**

1. Trahison — Ancien oui.
2. Mec — Fleuve du Canada.
3. Tziganes d'Espagne — Esche.
4. Vieux — Ville d'Espagne — Argent.
5. Infinitif — Idiot — Caboche.
6. Fusil à répétition de petit calibre — Percé.
7. Cavité osseuse — Avancera.
8. Touché — Illusion.
9. Râpé — Halte.
10. Village éloigné — Investissement — Pronom personnel.
11. Lac des Pyrénées — Pétrolière — Physicien français.
12. Vif — Incrustation d'émail noir.

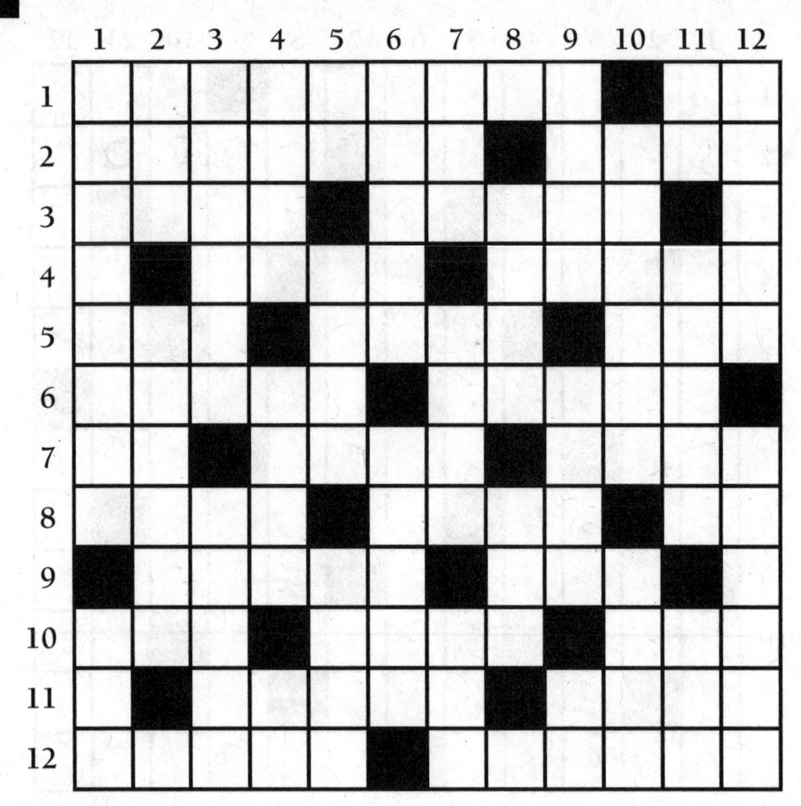

## HORIZONTALEMENT

1. Caractère de ce qui est artificiel — Oui.
2. Solution huileuse d'essences végétales — Astuce.
3. Pressent — Souffrance.
4. État de l'Afrique occidentale —Amplificateur quantique de radiations lumineuses.
5. Capitale de la dynastie shogunale des Tokugawa — Flot — Ornement en forme d'œuf.
6. Port de Tanzanie — Nécessaire.
7. Thorium — Commune de Belgique — Graisse animale.
8. Impulsion — Fleuve qui se jette dans le golfe de Finlande — Note de musique.
9. Prénom féminin — Se rendra.
10. Bruit sec — État de l'extrémité orientale de l'Arabie — Boxeur célèbre.
11. Trophée du monde du cinéma — Poil long et rude.
12. Esprit — Astre.

## VERTICALEMENT

1. Petit creux — Graffiti.
2. Bière — Plante ornementale.
3. Pièce littéraire, faite de morceaux empruntés — Sarment de vigne.
4. Pou — Gamin — Tellement.
5. Pronom personnel — But — Partie de plaisir.
6. Poltron — Poire à deux valves.
7. Allez, en latin — Butte — Courbe.
8. Hameau — Boisson alcoolisée.
9. Volcan de la Sicile — Rivière du S.-O. de l'Allemagne — Curium.
10. Décidé — Rivière de Suisse.
11. Non payé — Réveil — Meuble.
12. Plante aquatique — Disette.

## HORIZONTALEMENT

1. Briller — Promontoire.
2. Petite pomme — Équipier extérieur d'une patrouille de chasse.
3. Rapace — Garde du sabre japonais.
4. Ch.-l. d'arr. du Gard — Pronom indéfini — Actinium.
5. Nickel — Superficie — Commune de Belgique.
6. Religion fondée sur le Coran — Préposition.
7. Débarrasser de son écale — Rivière de Suisse.
8. Forme particulière de désert rocheux — Grosse gorgée.
9. Vin — Envol.
10. Cérat — Pétrolièr — Adjectif démonstratif.
11. Pronom personnel — Absolue — Forme de jeu.
12. Aube — Fourneaux.

## VERTICALEMENT

1. Grand arbre ornemental d'Amérique — Tragi-comédie de Corneille.
2. Tumeur de la gencive — Expatrié.
3. Tape sur une caisse enregistreuse — Frivole.
4. Père de Jacob — Gavé.
5. Jeune garçon d'écurie — Illustration — Do.
6. Botteleur — Personne qui échoue en général.
7. Article espagnol — Fils du beau-frère — Partie de la charrue.
8. Cérémonie — Bordures étroites.
9. Analyse — Fabuliste grec.
10. Brutal — Divises — Aluminium.
11. Tissu damassé — Couleur d'un brun orangé.
12. Rang dans une hiérarchie — Ver marin.

16

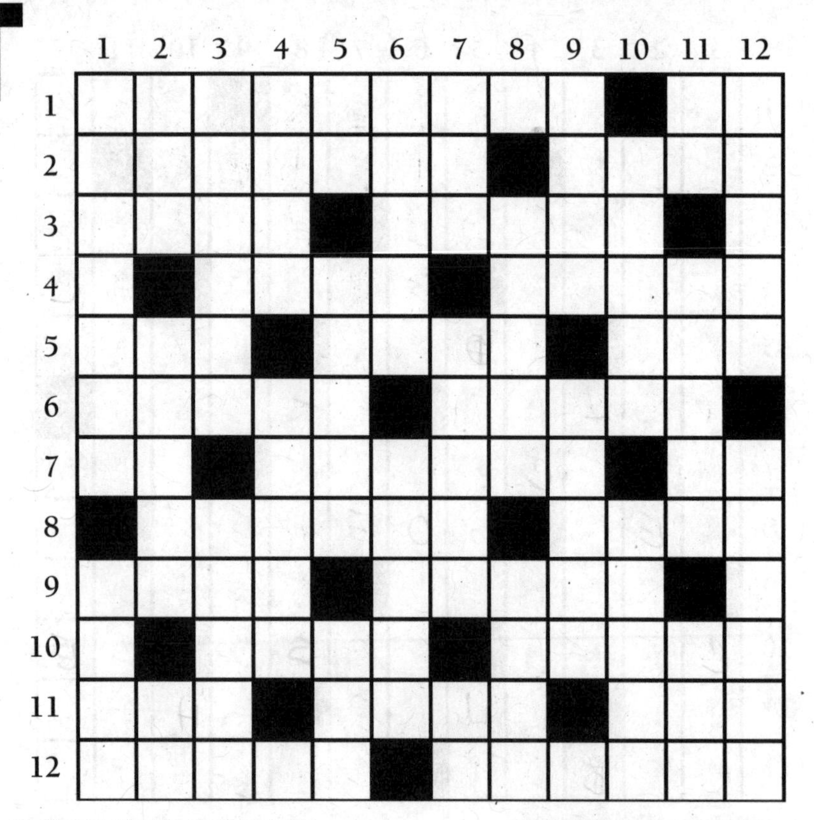

## HORIZONTALEMENT

1. Radotage — Exclamation enfantine.
2. Arbre de la famille des ébénacées — Attaquer brusquement (Se).
3. Charpente — Apprenti dans un atelier de peinture.
4. Femme d'Osiris — Rivière de la Guyane française.
5. Amoncellement — Pièce de la serrure — Écorce.
6. Ville de Syrie — Contrats.
7. Petit ruisseau — Recevoir un coup — Sélénium.
8. Terrain marécageux — Ville de la C.É.I.
9. Humanoïde légendaire de l'Himalaya — Copie conforme.
10. Arbre — Drap fin et uni.
11. Fibre textile — Crochet — Courbe.
12. Palmier d'Afrique — Encerclée.

## VERTICALEMENT

1. Dégoûter — Embarcation légère.
2. Roi de Hongrie — Délasse — Pronom personnel.
3. Insanité — Sans tonicité.
4. Plante dicotylédone — Punir.
5. Ici — Plante vomitive — Adjectif possessif (pl.).
6. Chandelier garni de pointes — Félins.
7. Perroquet au plumage brillant — Aconit des montagnes — Scandium.
8. Comédie — Provocante.
9. Irlande — Siège de cérémonie.
10. Conformité — Découpure en forme de dent.
11. Issu — Engin de pêche — Mesure agraire de superficie.
12. Bois sur pied endommagé par le feu — Maigre, efflanqué.

## HORIZONTALEMENT

1. Bâtiment à voiles — Nez.
2. Ville du Nigeria — Lien.
3. Enlevé le savon — Temps libre.
4. Personne qui mène une vie austère — Paysan de l'Amérique du Sud.
5. Démentir — Piquet — Pronom personnel.
6. Petit cube — Crème à base de lait, d'œufs et de farine — Guide.
7. Fleuve du sud de la France — Ville de Grèce — Pioche.
8. Unité monétaire bulgare — Lettres inscrites au-dessus de la Croix.
9. Décortiquer — Frère de Moïse.
10. Commandant d'une force navale — Unité de finesse d'une fibre textile.
11. Hameau — Convenance — En matière de.
12. Issu — Sortie — Petit perroquet d'Océanie.

## VERTICALEMENT

1. Faisceau de jets d'eau — Préfixe privatif.
2. Variété de sorbier — Soute.
3. Instrument en forme de lance — Reproche.
4. Grand mammifère — Gratin.
5. Commune de l'Aude — Nettoyer.
6. Adjectif possessif — Entretoise — Jeu de cartes.
7. Argile rouge ou jaune — Ancienne unité monétaire du Pérou — Part.
8. Fabuliste grec — Recueil de bons mots.
9. Monsieur — Mammifère carnivore.
10. Monnaie du Mexique — Région aux confins de la Grèce et de l'Albanie.
11. Rivière de la Guyane française — Obstacle équestre.
12. Fleuret — Avertissement — Tellement.

18

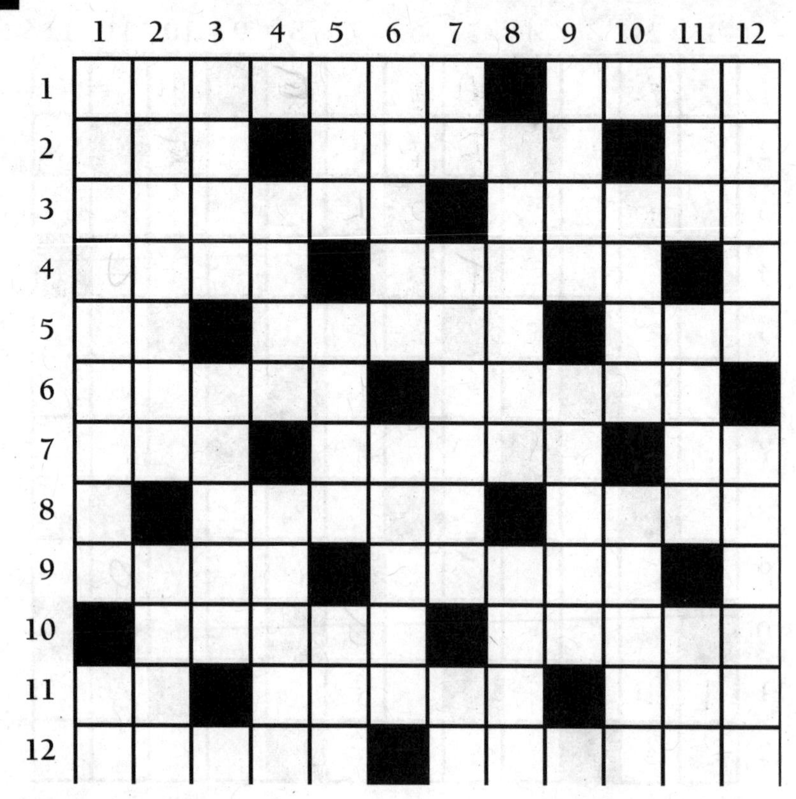

## HORIZONTALEMENT

1. Filet à larges mailles — Hameau.
2. Port du Japon — Chatons de certaines fleurs — Souri.
3. Boisson à base de jus de fruits — Droit de passage.
4. Jupe de gaze — Imbécile.
5. Pronom personnel — Fou — Tondu.
6. Ragoût de lièvre — Frustrer.
7. Volcan du Japon — Procédé — Préposition.
8. Ville de Belgique — Alcool de canne à sucre.
9. Qui est à l'état naturel — Escale.
10. Petit mammifère rongeur — Rétroviseur.
11. Lac des Pyrénées — Acide sulfurique fumant — Personne avare.
12. Matière sébacée que sécrète la peau des moutons — Solution.

## VERTICALEMENT

1. Mortier peu épais — Hic.
2. Affaissement — Tige métallique.
3. Verse — Pronom possessif.
4. Conduit, tuyau — Malotru.
5. Racaille — Aussi — Rivière de Roumanie.
6. Petit démon — Ferveur.
7. Article espagnol — Gémissant — Patrie d'Abraham.
8. Relever — Renforcé de métal.
9. Lac d'Italie — Outil tranchant à manche court.
10. Cheminée — Arbre des forêts tempérées.
11. Région du Sahara — Rude — Ancienne unité de dose absorbée de rayonnements.
12. Troisième personne — Gauche et maladroit.

## HORIZONTALEMENT

1. Soubresaut — Femelle du lièvre.
2. Choisi par Dieu — Permission de partir — Arsenic.
3. Boulot — Éperon.
4. Déesse égyptienne — Ardente.
5. Article — Amplificateur quantique de radiations lumineuses — Jamais.
6. Disloquer — Fruit comestible.
7. Partie d'un hectare — Esprit — Victoire de Napoléon.
8. Repousser — Interjection.
9. Astuce — Limite fixée.
10. Refuge — Chevroter.
11. Avant-midi — Gros poisson carnassier — Ancienne capitale d'Arménie.
12. Potence — Entourer.

## VERTICALEMENT

1. Vif et enjoué — Argent.
2. Ouvrier spécialiste de l'alésage — Jeu de cartes.
3. Cutiréaction — Petit rongeur d'Afrique et d'Asie.
4. Rivière de l'ouest de la France — Décapité.
5. Terme de tennis — Eau-de-vie — Terme de tennis.
6. Embarcation à fond plat — Déplacer.
7. Préposition — Le premier livre de l'Ancien Testament — Ancien oui.
8. Sorte — Terre légère.
9. Jeune cerf — Entreprise industrielle.
10. Cachot — Impulsion.
11. Dans le nom d'une ville du Brésil — Nichon — Dans la rose des vents.
12. Grande épée — Hébéter.

20

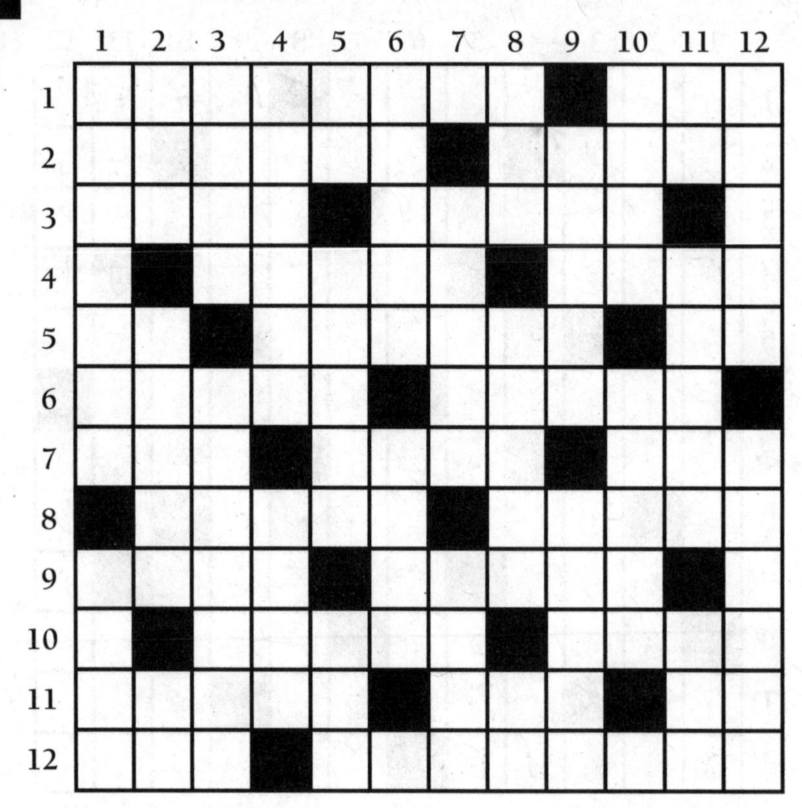

**HORIZONTALEMENT**

1. Fertilisation d'une terre par apport de limon — Part.
2. Avertir — Fleuve de Suisse et de France.
3. Cantine — Cuisse de mouton.
4. Suivant — Robe de magistrat.
5. Elle fut changée en génisse — Chancelé — En matière de.
6. Chose — Chatons de certaines fleurs.
7. Nouveau — Personnes pingres — Plus mal.
8. Enchaîner — Passer sous silence.
9. Guide — Mer.
10. Plaque destinée au pavement du sol — Songe.
11. Grand poisson — Carnaval célèbre — Erbium.
12. Époque — Un temps fort long.

**VERTICALEMENT**

1. Lanterne vénitienne — Ville éternelle.
2. Labiée à fleurs jaunes — Endetté — Métal précieux.
3. Demoiselle anglaise — Annexer.
4. Langue iranienne — Futur bouvillon.
5. Issu — Unité de mesure de capacité — Chef des armées américaines.
6. Vocabulaire populaire — Pin cembro.
7. Esquimau — Rivière d'Auvergne.
8. Unité de mesure de travail — Tronc — Infinitif.
9. Auberge — Frère de Moïse.
10. Jeu de hasard — Piquant de certains végétaux.
11. Pronom indéfini — Être couché — Fringue.
12. Suces avec délectation — Austère.

**HORIZONTALEMENT**

1. Jeune employée chargée de faire les courses — Pronom personnel.
2. Interjection exprimant un mouvement rapide — Maxime — Nickel.
3. Se dégage — Sédum.
4. Épouse d'un rajah — Délasse.
5. Iridium — Avancer — Jamais.
6. Femme stupide — Ville d'Italie.
7. Épouse d'Athamas — Petite roue de bois — Dieu solaire.
8. Lanière terminée par un nœud — Calife.
9. Couleur de l'ébène — Vivant.
10. Ville d'Allemagne — Garde du sabre japonais.
11. Pouah — Un des États-Unis d'Amérique — Écorce.
12. Poinçon servant à percer le cuir — Pourri

**VERTICALEMENT**

1. Petite araignée aux couleurs vives — Note.
2. Plante aromatique — Chas.
3. Billet d'avion non daté — Fret
4. Capitale de l'Arabie saoudite — Bois sur pied endommagé par le feu.
5. Graffiti — Héritage — Ville du sud-ouest du Nigeria.
6. Modèle — Posture de yoga.
7. Sodium — Petite meule de foin — Interjection exprimant le rire.
8. Personne niaise, maladroite — Affluent de l'Eure.
9. Environ — Éléments.
10. Paysan de l'Amérique du Sud — Bande de chiens.
11. Homogène — Fondateur de l'Oratoire d'Italie — Jardinière.
12. Fou — Égaré.

22

## HORIZONTALEMENT

1. Petit mammifère à la face aplatie — Espace.
2. Organisation des Nations Unies — Catastrophes.
3. Pronom indéfini — Transforme en vedette.
4. Goujat — Condition.
5. Pronom personnel — Confort — Marchera.
6. Maladie infectieuse — Donner un troisième labour.
7. Unité monétaire roumaine — Conte — Antimoine.
8. Longue corde — Ville de Roumanie.
9. Insecte des eaux stagnantes — Rivière de la Guyane française.
10. Danger immédiat — Agile.
11. Oui — Qui atteint une grande hauteur — Déchiffrée.
12. Catégorie — Incroyants.

## VERTICALEMENT

1. Gros pivot — Note.
2. Invalidée — Barre servant à fermer une porte.
3. Voies urbaines — Partie tendre et charnue des fruits.
4. Grande vedette — Rendre moins touffu.
5. Idem — Bagatelles — Terre entourée d'eau.
6. Gaéliques — Refuge.
7. Rongeur — Crotte — Commandement.
8. Frotter avec les mains — Hameau.
9. Nullité — Miss.
10. Époux d'Isis — Rapace diurne.
11. Pression — Obtenue
12. Saison — Juges.

## HORIZONTALEMENT

1. Xylophone africain — Gâteux.
2. Avancera — Capitale de l'Algérie — Lawrencium.
3. Petit oiseau migrateur — Saie.
4. Cicatrice — Ville d'Italie.
5. Infinitif — Rivière des Alpes du Nord — Première femme.
6. Nuance de la couleur du visage — Plante des régions tropicales.
7. Compositeur italien — Direction.
8. Dans la rose des vents — Naturels — Chiffres romains.
9. Reptile saurien — Localisation d'un gène.
10. Affluent de la Seine — Région aux confins de la Grèce et de l'Albanie.
11. Oui — Fleuve de Chine — Comptoir.
12. Acide sulfurique fumant — Carbonate de plomb.

## VERTICALEMENT

1 .Client d'une prostituée — Capitale de la dynastie shogunale des Tokugawa.
2. Charrue simple sans avant-train — Oponce.
3. Bande de fer — Compositeur français né en 1890.
4. Rivière d'Allemagne — Couvert.
5. Maladie — Rayé — Avant-midi.
6. Blafard — Interurbain.
7. Argent — Gaz incolore et inodore — Pioche.
8. Ville d'Allemagne — Râpé.
9. Dodu — Développement.
10. Port d'Italie — Île des Philippines.
11. Matière visqueuse — Traître — Expert.
12. Troupe — Instrument de musique à percussion.

# 24

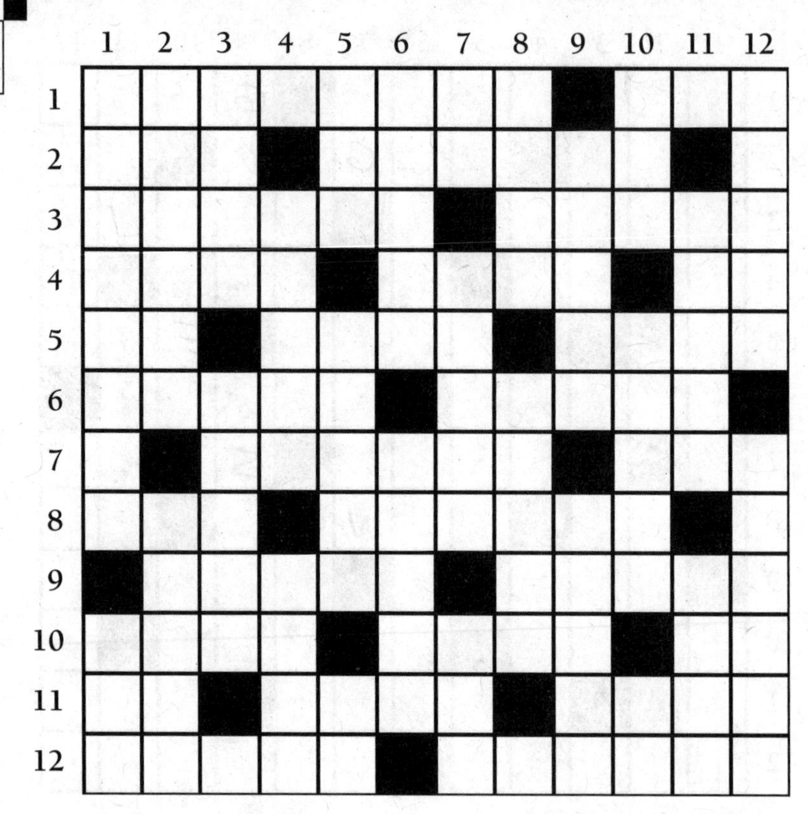

**HORIZONTALEMENT**

1. Festin — Arbre résineux.
2. Homogène — Plante grasse de l'Amérique tropicale.
3. Ensemble d'animaux — Sédum.
4. État de l'Asie occidentale — Commune de Belgique — Radium.
5. Sert à lier — Essai — Baignade.
6. Un des États-Unis d'Amérique — Lettre grecque.
7. De nouveau — Fille d'Harmonia.
8. Officier de Louis XV — Mammifère carnivore.
9. Lote — Poisson d'eau douce.
10. Soigné — Garantie — Richesse.
11. Petit ruisseau — Ancienne pièce de cinq francs — Eau.
12. Vicié — Déclarer qu'on ne croit plus en quelqu'un.

**VERTICALEMENT**

1. Oiseau au plumage rouge — Présélection.
2. Immobile — Acide sulfurique fumant.
3. Pain non levé — Gaz inerte de l'air.
4. Du temps passé (D') — Jupe de gaze.
5. Adverbe de temps — Étoffe croisée de laine — Patrie d'Abraham.
6. Arbuste aux fleurs très parfumées — Vaste étendue d'eau salée.
7. Largeur d'une étoffe — Rideau qui s'enroule ou se replie — Asticot.
8. Symbole du désir — Pêche nappée de crème chantilly.
9. Oiseau palmipède qui pêche dans les étangs — Fibre synthétique.
10. Punch — Houleux — Nickel.
11. Nom donné à la Nouvelle-Guinée par l'Indonésie — Façon.
12. Toute chose exquise — Accabler de dettes.

**HORIZONTALEMENT**

1. Risque d'entraîner la mort — Qui concerne les Chinois.
2. Archipel portugais de l'Atlantique — Structure d'un réseau.
3. Fourberie — Stupéfié.
4. Poisson des récifs coralliens — Filin de retenue d'une mine.
5. Ville du sud-ouest du Nigeria — Acteur français né en 1935 — Pronom démonstratif.
6. Ville du Québec, sur le Saint-Laurent — Conduit ménagé dans un moule de fonderie.
7. Appris — De la métropole — Interjection exprimant le soulagement.
8. De la nature de l'éther — Qui a les couleurs de l'arc-en-ciel.
9. Onde — Point du ciel opposé au zénith.
10. Canton de Suisse centrale — Fixes — Centimètre.
11. Bramer — Rivière née dans le Perche.
12. Lagune d'eau douce — Espèce de singe.

**VERTICALEMENT**

1. Disposition à être généreux — Ville d'Allemagne.
2. Bouclier — Se méfier.
3. Taper contre quelque chose — Petite chemise en étoffe.
4. Aréquier — Émou — Argon.
5. Largeur d'une étoffe — Homme politique autrichien — Oiseau.
6. Dép. de la Région Rhônes-Alpes — Voix au-dessus du baryton.
7. Chevroter — Tribu israélite établie en haute Galilée.
8. Septième lettre de l'alphabet grec — Ovale.
9. Fleuve de Suisse et de France — Renforcement momentané du vent.
10. Exécrer — Couleur de l'ébène — Usages.
11. Américium — Manifestation morbide brutale — Brutal.
12. Non — Solides.

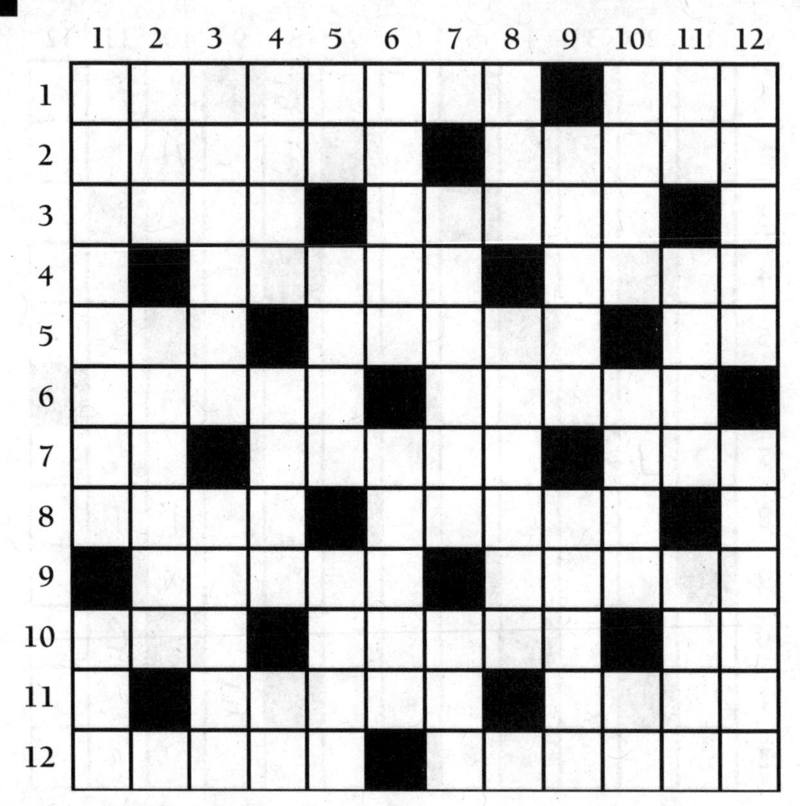

## HORIZONTALEMENT

1. Abominer — Choquant.
2. Plante à nombreuses variétés — Posséder.
3. Matériau céramique — Cancan.
4. Espiègle — Insecte des eaux stagnantes.
5. Vallée fluviale noyée par la mer — Personne qu'on utilise pour marchander — Iridium.
6. Teinte plate appliquée de façon uniforme — Oiseau aquatique palmipède.
7. Note — Galopé — Poisson d'eau douce.
8. Prince musulman — Réglementaire.
9. Commune de Belgique — Petite balle
10. Lombric — Blessante — Exclamation enfantine.
11. Pièce de bois — Femme politique israélienne.
12. Parfaite ressemblance — Grosseur au cou.

## VERTICALEMENT

1. Accrochage — Boulon.
2. Comptoir — Belle plante volubile ou rampante.
3. Hibernal — Éméchés.
4. Ville du Japon — Irritant au goût — Tellement.
5. Ruisselet — Pou — Fichu.
6. Sursis — Docteur de la loi.
7. Œnothère — Unité de mesure de travail.
8. Personne pingre — Rogner.
9. Branche à fruits — Coup frappé dans les arts martiaux.
10. Mollusque gastéropode — Liquide sécrété par le foie — Conjonction.
11. Blagué — Partie de la jambe — Joindre.
12. Presser — Hagard.

**HORIZONTALEMENT**

1. Source de richesse — Partie de la jambe.
2. Critique italien — Bordure — Cité antique de la basse Mésopotamie.
3. Masse de métal ou d'alliage — Un des États-Unis d'Amérique.
4. Partie de certains ustensiles — Région autonome de l'ouest de la Chine.
5. Muon — Monument — Poème lyrique.
6. Prophète juif — Ville du Japon.
7. Récession — Mère d'Artémis et d'Apollon.
8. Ancien nom de Tokyo — Riche — Erbium.
9. Muse de la Poésie lyrique — Outrepasse.
10. Profond estuaire de rivière en Bretagne — Fret d'un bateau.
11. Note — Acte par lequel on pense — Pronom indéfini (pl.).
12. Matière fécale — Crie, en parlant de l'hirondelle.

**VERTICALEMENT**

1. Poisson voisin du thon — Conscience.
2. Petite cavité glandulaire — Écoulement des marchandises.
3. Bêtes — Plante aquatique.
4. Être étendu sans mouvement — Fleuve d'Italie.
5. Rivière de l'Éthiopie — Nuance de la couleur du visage — Pronom indéfini.
6. Planche — Rivière de l'est de la France.
7. Erbium — Insulaire — Armée.
8. Instrument de supplice — Meurtrir.
9. Homosexuel — Circonstance.
10. Particule d'un élément chimique — Droit d'utiliser la chose dont on est propriétaire.
11. Interjection — Appelées — Notre-Seigneur.
12. Petit avion de reconnaissance — Ville d'Espagne.

# 28

| | 1 | 2 | 3 | 4 | 5 | 6 | 7 | 8 | 9 | 10 | 11 | 12 |
|---|---|---|---|---|---|---|---|---|---|---|---|---|
| 1 | | | | | | | | ■ | | | | |
| 2 | | | | ■ | | | | | | ■ | | |
| 3 | | | | | | | ■ | | | | | |
| 4 | | | | | ■ | | | | | | | ■ |
| 5 | | | ■ | | | | | | ■ | | | |
| 6 | | | | | | ■ | | | | | ■ | |
| 7 | | | | ■ | | | | | | ■ | | |
| 8 | | ■ | | | | | | ■ | | | | |
| 9 | | | | | ■ | | | | | | | ■ |
| 10 | ■ | | | | | | ■ | | | | | |
| 11 | | | ■ | | | | | | ■ | | | |
| 12 | | | | | | ■ | | | | | | |

## HORIZONTALEMENT

1. Génératrice — Pâturage des Alpes.
2. Pronom indéfini — Désœuvré — Petit ruisseau.
3. Homme politique russe né en 1870 — Instrument de supplice.
4. Fin d'une prière — Tordu.
5. Silicium — Tranchée — Interruption d'une activité.
6. Plaie faite par une arme blanche — Sollicite.
7. Rage — Imaginer — Iridium.
8. Assassin — Fleuve côtier de Normandie.
9. Chemin de fer — Ternes.
10. Individu — Ville de Belgique.
11. Platine — Bramer — Périodehistorique.
12. Conduit — Plat servi avant la viande.

## VERTICALEMENT

1. Qui est composé de mulets — Plomb.
2. Épuiser — Moyen de transport.
3. Embarras — Tétine.
4. Nouvelle — Personne qui professe des opinions extrêmes.
5. Puissances éternelles émanées de l'être suprême — Grand félin sauvage — Liquide incolore et inodore.
6. Troisième personne — Prairie de la Suisse.
7. Squelette — Désire — Rhénium.
8. Jaunisse — Bagatelle.
9. Coupe de cheveux — Cétone de la racine d'iris.
10. Céréale — Glisser par frottement.
11. Conquête — Introduit.
12. Pronom personnel — Bouquiner — Brame.

# 29

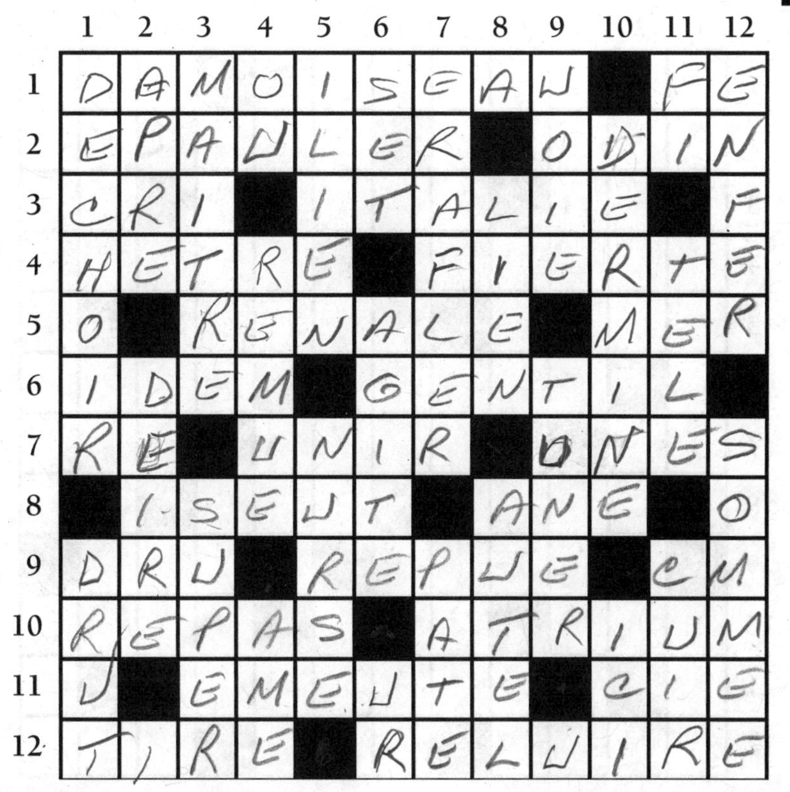

## HORIZONTALEMENT

1. Jeune gentilhomme n'étant pas encore chevalier — Fer.
2. Assister — Fleuve d'Europe occidentale.
3. Éclat de voix — État d'Europe.
4. Arbre forestier — Vanité.
5. Relative au rein — Vaste étendue.
6. De même — Aimable.
7. Ruthénium — Joindre — Pronom indéfini.
8. Héroïne compagne de Tristan — Baudet.
9. Unité de mesure calorifique — Assouvie — Centimètre.
10. Gueuleton — Cour intérieure de la maison romaine.
11. Agitation — Compagnie.
12. Creuse une cavité — Briller.

## VERTICALEMENT

1. Perdre son rang, sa réputation — Momentané.
2. Rude — Longueur d'un fil de la trame.
3. Professeur — Extra.
4. Conjonction — Changement de pâturage — Conscience.
5. Insulaire — Bonne d'enfant.
6. Manche, au tennis — Tourmenté — Cité antique de la basse Mésopotamie.
7. Écorcher — Préparation à base de farine délayée.
8. Sert à attacher — Table où l'on célèbre la messe.
9. Mari de Bethsabée — Récepteur de modulation de fréquence.
10. Mammifère carnivore — Adverbe de lieu.
11. Pouah — Poste de télévision — Peau de l'homme.
12. Lieu destiné au supplice des damnés — Assignée.

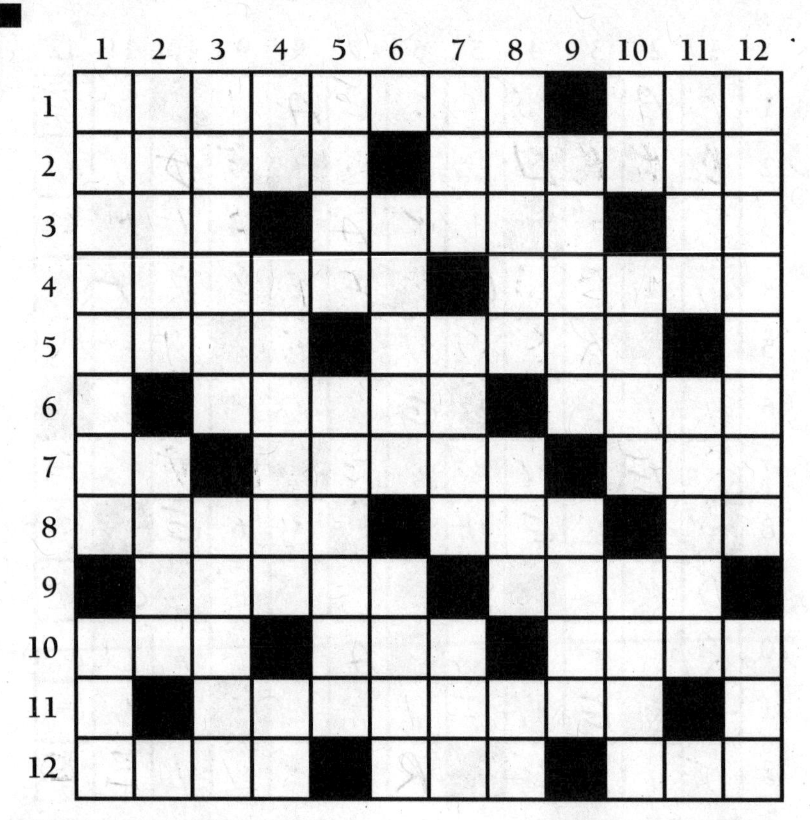

## HORIZONTALEMENT

1. Abandon — Rivière de Suisse.
2. Plante aquatique — La loi du silence selon la Mafia.
3. Récipient — Domestique — Rigolé.
4. Fruits de l'alisier — Situées.
5. Pronom démonstratif — Relatif à l'Ibérie.
6. Comblé — Nom poétique de l'Irlande.
7. Tantale — Antonyme de noblesse — Cheville de golf.
8. Proscrit — Ville du Pérou — Platine.
9. Tristan et ... — Flot.
10. Audacieux — Rongeur — Endroit où arrêtent les trains.
11. Faire revivre.
12. Rapport — Triage — Article indéfini (pl.).

## VERTICALEMENT

1. Avidité — Particule affirmative.
2. Établissement d'enseignement — Deuxième vertèbre du cou.
3. Bande étroite — Rivière des Alpes du Nord.
4. Cité antique de la basse Mésopotamie — Innocent — Adverbe de lieu.
5. Haussé — Pleurnicha.
6. Refuge — Tellement.
7. Manœuvre frauduleuse — Petit chapeau de femme — Coup de fusil.
8. Ville de Syrie — Critique italien — Note.
9. Tréfilé — Personne parfaite.
10. Argon — Donne — Organe pointu et venimeux de la guêpe.
11. Foyer — Ville de Belgique.
12. Groseille rouge — Lentille.

## HORIZONTALEMENT

1. Ésotérique — Grande fête.
2. Poisson marin vorace — Canard marin — Infinitif
3. Esquiver — Lourd javelot utilisé comme arme de jet.
4. Position — Usé.
5. Arbre — Exploser — Interjection exprimant la joie
6. Parsemer — Fusil à répétition de petit calibre.
7. Sec — Rivière des Alpes.
8. Agence de presse américaine — Quantité d'or — Dans.
9. Rivière née dans le Perche — Ancien président des États-Unis.
10. Nourriture — Plante à fleurs jaunes.
11. Soldat de l'armée américaine — Alarme — Puissances éternelles émanées de l'être suprême.
12. Pluie soudaine — Abandons.

## VERTICALEMENT

1. Dans l'art égyptien, colonne en forme d'aiguille — Jeu de stratégie d'origine chinoise.
2. Souverain musulman — Partie liquide du fumier.
3. Brutal — Premier magistrat municipal.
4. Tromper — Rapière.
5. Chef des armées américaines — Nom de quatorze rois de Suède — Prière à la Sainte Vierge.
6. Trait — Farandole.
7. Diminutif d'Edward — Plante potagère — Iridium.
8. Dessin à grande échelle — Qui forme un axe.
9. Ustensile de cuisine — Baguette.
10. Frivole — Nue.
11. Unité monétaire roumaine — Algue verte marine — Portion.
12. Milice — Louange, flatterie excessive.

32

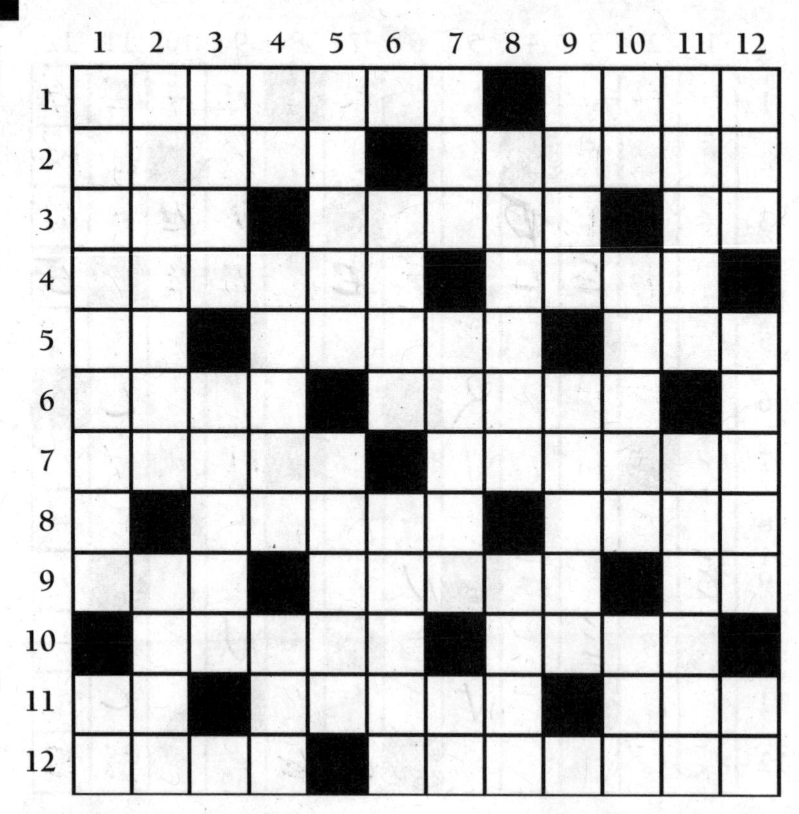

**HORIZONTALEMENT**

1. Ébranchage — Contrat de location.
2. Pointer — Dimension.
3. Armée — Loque — Conjonction.
4. Enfermée — D'une locution signifiant sans que cette personne s'en doute.
5. Argon — Poètes épiques et récitants primitive — Centrale des Syndicats Nationaux.
6. Pronom — Nommé des lettres.
7. Instit — Grand papillon de Madagascar.
8. Ville de Belgique — Bouches.
9. Tranché — Antonyme de noblesse — Ferrure.
10. Poisson osseux — Olé.
11. Pronom démonstratif — Aiguille d'un cadran — Plante herbacée annuelle.
12. Port d'Égypte — Excéder.

**VERTICALEMENT**

1. Rappel — Cæsium.
2. Plante volubile — Oiseau d'Australie.
3. Ville d'Italie — Usuel.
4. Germanium — Tissu de joncs entrelacés — Céréale surtout cultivée en Asie.
5. Os de poisson — Point décisif, dans les arts martiaux.
6. Homosexuel — Évité avec adresse.
7. Lettre grecque — Rendu plus pur — Adverbe de lieu.
8. Avertir — Sport de combat.
9. Avantage — Étiquett.e
10. Aluminium — Esclandre — Unité monétaire bulgare.
11. Occlusion intestinale — Jaunisse.
12. Terme de tennis — Acte par lequel on pense — Senior.

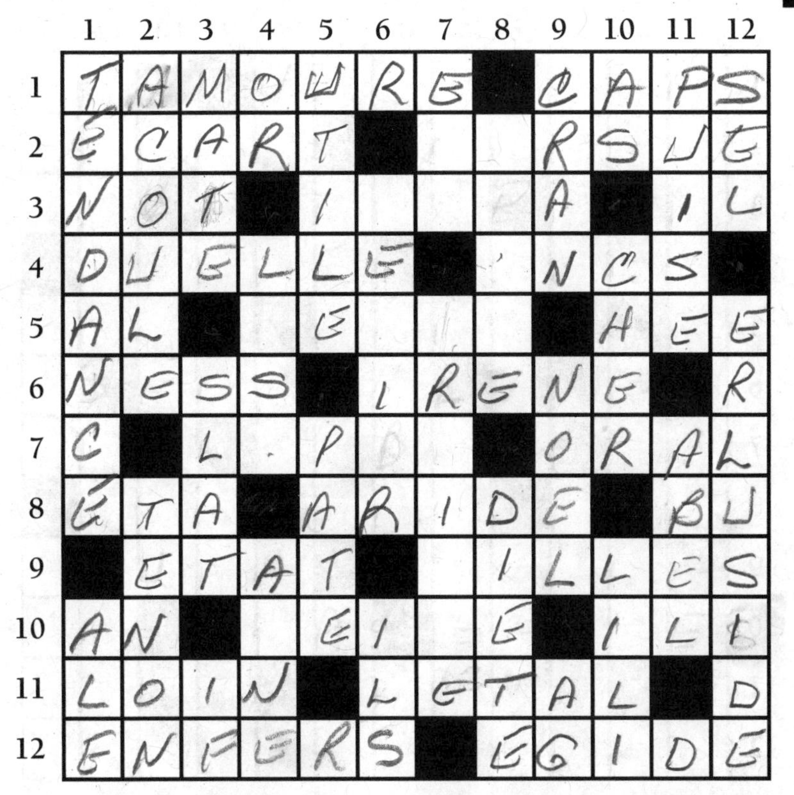

## HORIZONTALEMENT

1. Danse polynésienne à deux temps — Directions d'un navire.
2. Distance — Affection de la peau.
3. Pianiste français né en 1890 — Plante vomitive — Pronom personnel.
4. Relative à la dualité — Félin.
5. Aluminium — Ville de Belgique — Interjection servant à appeler.
6. Lac d'Écosse — Prénom féminin.
7. Touffe de jeunes tiges de bois — Qui se transmet par la parole.
8. Lettre grecque — Stérile — Absorbé.
9. Pays — Manchons mobiles.
10. Douze mois — Divinité mythique — Rivière de l'Asie.
11. Éloigné — Qui provoque la mort.
12. Lieux de souffrances — Bouclier.

## VERTICALEMENT

1. Inclination — Bière.
2. Sans tige apparente — Crampon métallique.
3. Calme — Style d'improvisation vocale — Conifère.
4. Métal précieux — Sable mouvant — Largement fixé sur le pied (Bot.).
5. Nécessaire — Préparation à base de farine délayée.
6. Pousser de petits cris brefs et aigus — Pronom personnel (pl.).
7. Ville des Pays-Bas — Rompu.
8. Plante aquatique — Régime.
9. Courage — La Nativité — Argent.
10. Astate — Dispendieux — Diminutif de Liliane.
11. Sollicitée — Fils d'Adam et Eve.
12. Assaisonnement — Feutre à poil long.

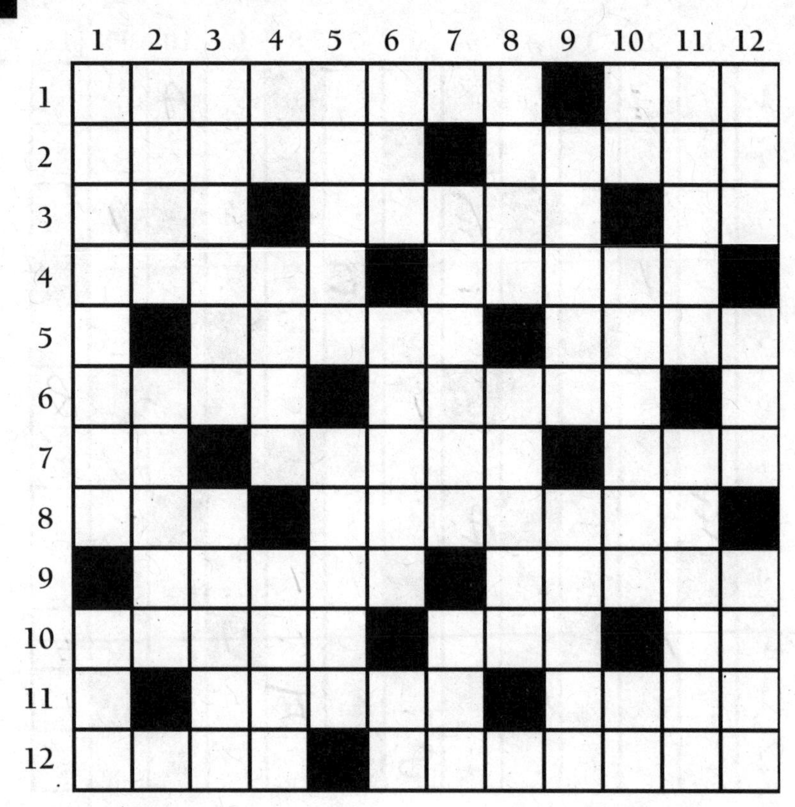

## HORIZONTALEMENT

1. Effronterie — Ville du Nigeria.
2. Parvenu — Partie de la pièce qui entre dans la mortaise.
3. Unité monétaire roumaine (pl.) — D'une manière décontractée — Ferrure.
4. Lambine — Drupe globuleuse et oblongue.
5. Envol — Corps pesant.
6. Encaustiqua — Mettre un enjeu.
7. Année — Varlope — Titre d'honneur anglais.
8. Aucun – Aortes.
9. Fleuve de France — Gaillard
10. Endroit — Adjectif possessif — Largeur d'une étoffe
11. Déshonneur — Lieu de délices.
12. Poteau — Fêlure.

## VERTICALEMENT

1. Qui concerne l'Église catholique de France — Musique au rythme martelé. sur laquelle sont scandées des paroles.
2. Bordure du bois — Plante à fleurs jaunes.
3. Évacuer l'urine — Limace grise.
4. Mammifère arboricole — Souverain — Aussi.
5. Soûl — Frère de Moïse.
6. Chef des armées américaines — Silhouette — Terbium.
7. Oiseau plus petit que le merle — Vaste étendue d'eau salée
8. Boucherie — Monument vertical, souvent funéraire
9. Expatrié — Trucs.
10. Indium — Épandre — Impayé.
11. Poissons gluants — Détacher.
12. Bourrique — Manière de lancer — Sein.

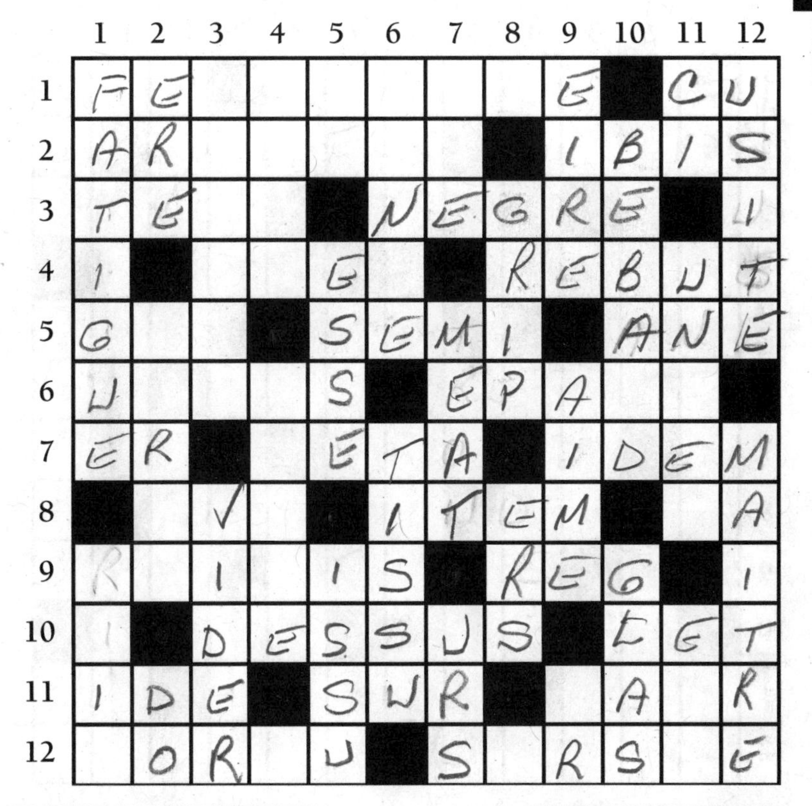

## HORIZONTALEMENT

1. Arrêt d'une hémorragie — Cuivre.
2. Pièce de charpente — Oiseau à bec long.
3. Guide — Relatif aux Noirs.
4. Interjection — Déchet.
5. Désobligeant — Demi — Baudet.
6. Temple d'Égypte creusé dans le roc — Barre servant à fermer une porte.
7. Erbium — Benêt — De même.
8. Labiée à fleurs jaunes — De plus — Article.
9. Époux d'Isis — Étendue désertique.
10. Face supérieure — Terme de tennis.
11. Poisson d'eau douce — D'un goût acide et aigre — Impulsion.
12. Tordu — Très aplati.

## VERTICALEMENT

1. Fourbu — Service religieux.
2. Période historique — Amoureux — Ut.
3. Intimidation — Transvider.
4. Soulager — Accablé de dettes.
5. Tellement — Crochet — Venu.
6. Costume — Étoffe.
7. Unité de mesure agraire — Orifice externe de l'urètre — Bison d'Europe.
8. Position des mains sur une raquette de tennis — Lentille.
9. Irlande — Affectionne — Infinitif .
10. Propos mensonger — Cérémonie.
11. Ici — Quelqu'un — Accident.
12. Courant — Bienfaiteur.

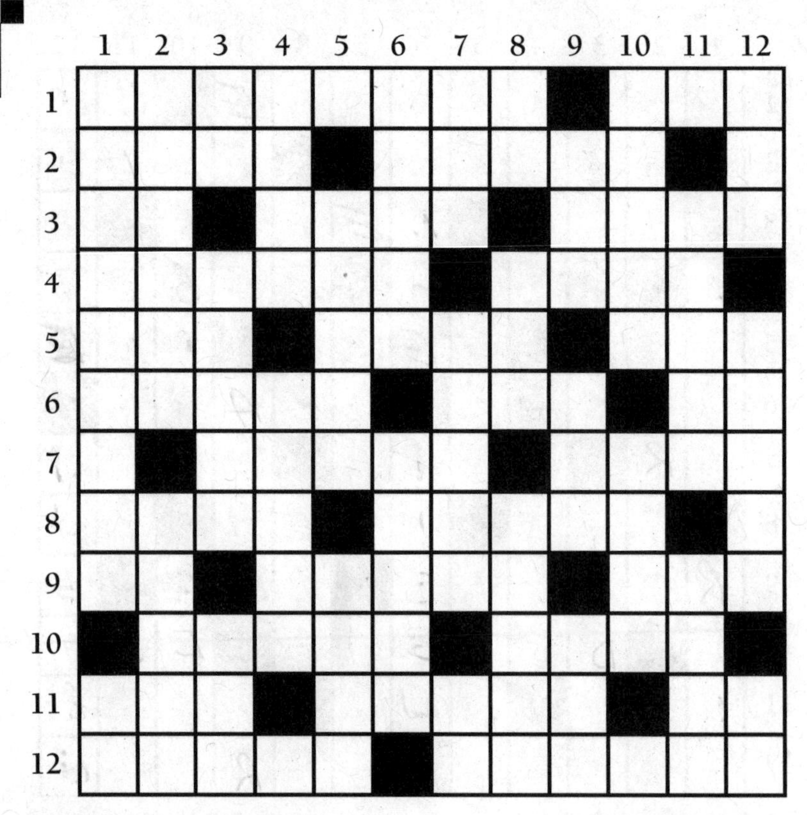

## HORIZONTALEMENT

1. Jeune arbre non ébranché — Souverain.
2. Commune de Suisse — Unité de mesure de capacité.
3. Drame japonais — Chaton de certaines — Pays de Ghandi.
4. Antilope africaine — Division sur un damier.
5. Unité monétaire du Danemark — Détériorer — Moi.
6. État d'Asie — Croupe — Ruisselet.
7. Pressenti — Ville de Hongrie.
8. Boîte destinée à contenir un objet — Personne asservie
9. Adjectif possessif — Mesurer — Voie urbaine.
10. Cercueil — Pièce de tissu.
11. Partie du corps — Végétal ligneux — Expert.
12. Petit cordage de deux fils — Rabais

## VERTICALEMENT

1. Récipients pansus — Chlore.
2. Qui n'a pas de queue — Interdit.
3. Article — Port du Japon — Pronom personnel (pl.).
4. Plante monocotylédone — Stérile.
5. Crie, en parlant d'un rapace nocturne — Ville d'Algérie.
6. Pronom personnel (pl.) — Pointer.
7. Interjection — Défraîchi — Brome.
8. Ancien do — Choquant — Catégorie.
9. Vallée fluviale noyée par la mer — Terme de tennis — Unité d'équivalent de dose.
10. Abondant — Ville d'Allemagne.
11. Échelon — Poison végétal.
12. Sert à ouvrir une serrure — Femelle de l'ours — Sélénium.

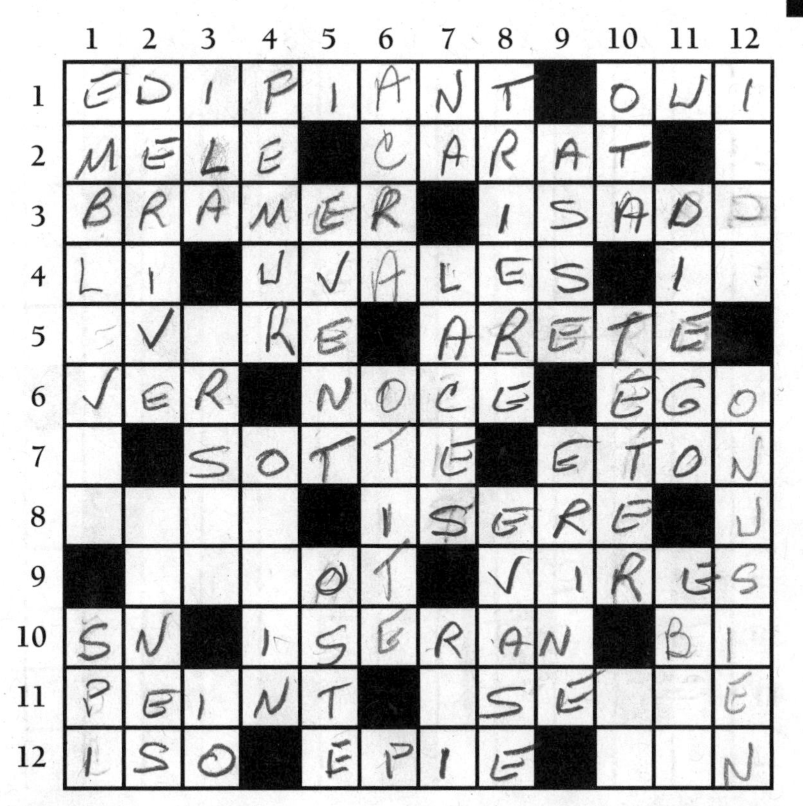

**HORIZONTALEMENT**

1. Exemplaire — Particule affirmative.
2. Combine — Quantité d'or.
3. Crier, en parlant du daim — Chamois des Pyrénées.
4. Lithium — Relatives au raisin — Prêtresse d'Héra.
5. Sûr — Ligne d'intersection de deux plans.
6. Parasite intestinal — Partie de plaisir — Je.
7. Bornée — Ville de Grande-Bretagne.
8. Crier, en parlant du chevreuil — Dép. de la Région Rhônes-Alpes.
9. Ch.-l. de c. de la Haute-Garonne — Licenciés.
10. Étain — Col des Alpes — Bisexuel.
11. Trop fardé — Cloporte d'eau douce.
12. Terme de photographie — Observe — Ver blanc.

**VERTICALEMENT**

1. Ensemencer une terre en blé — Voile d'avant sur les voiliers modernes.
2. Détourné — Général et homme politique portugais.
3. Ville du Nigeria — Gaéliques — Prêtresse d'Héra.
4. Os de la cuisse — Sédum.
5. Conduit ménagé dans un moule de fonderie — Ville d'Italie.
6. Boulette de morue — Inflammation de l'oreille.
7. Sodium — Attaches — Musique originaire d'Algérie.
8. Trirème — Élargi.
9. Commune de Belgique — Crochet pointu.
10. Retranchera — Sucer avec délectation — Lumen.
11. Général espagnol — Cité ancienne de Syrie.
12. Cordon littoral — De l'ONU.

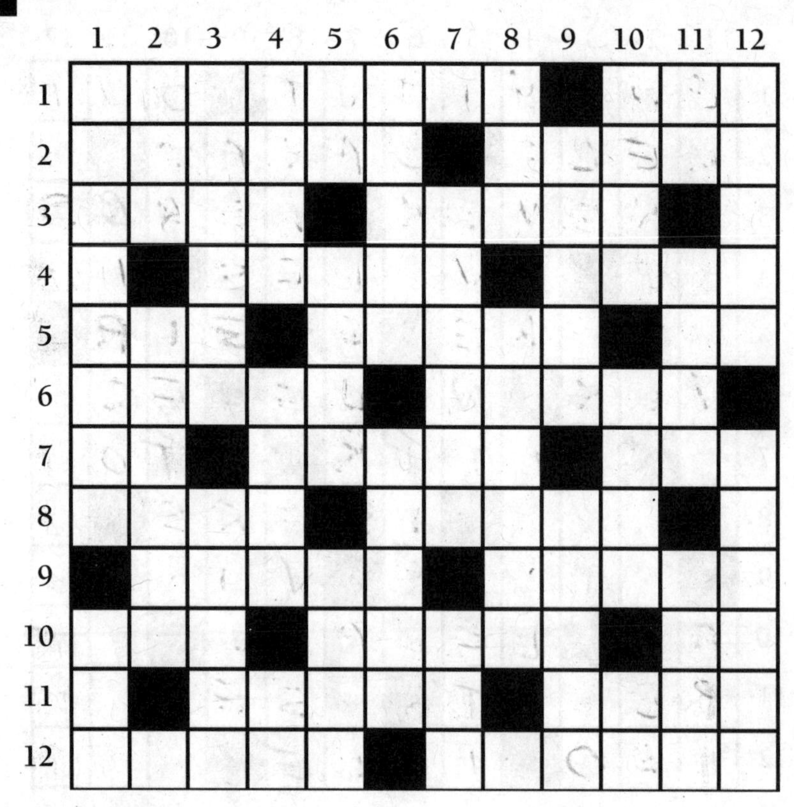

## HORIZONTALEMENT

1. Ouvrier qui grave dans la pierre — Pronom personnel.
2. Plante ornementale — Frère de Moïse.
3. État de l'Afrique occidentale — Ville de l'Inde.
4. Détérioration — Quote-part de chacun dans un repas.
5. Durillon — Balance à levier — 3,1416.
6. Lettre grecque — Mordant.
7. Article — Détérioré — Article indéfini (pl.).
8. Vitesse acquise d'un navire — Pareille.
9. Complet — Lieu qui procure le calme.
10. Préjudice, châtiment — Riche — Adjectif possessif.
11. Fruit de l'alisier — Faon.
12. Cigarillo — Mouche du genre glossine.

## VERTICALEMENT

1. Qui vit dans la vase — Fleuve de Russie.
2. Roi de Hongrie — Loi du silence.
3. Peau d'un fruit — Œuvre en prose.
4. Membrane colorée de l'œil — Surveillance — Note de musique.
5. Ici — Poison végétal — Plante dicotylédone.
6. Rivière des Alpes du Nord — Recueil de cartes géographiques.
7. Premier ministre du Québec de 1960 à 1966 — Tranché.
8. Suc de certains fruits — Mammifère carnivore.
9. Étendue sableuse — Répugnante.
10. Astuce — Artères — Astate.
11. Petit lac des Pyrénées — Compétition réunissant amateurs et professionnels — Femme d'Osiris.
12. Instituteur — Plante oléagineuse.

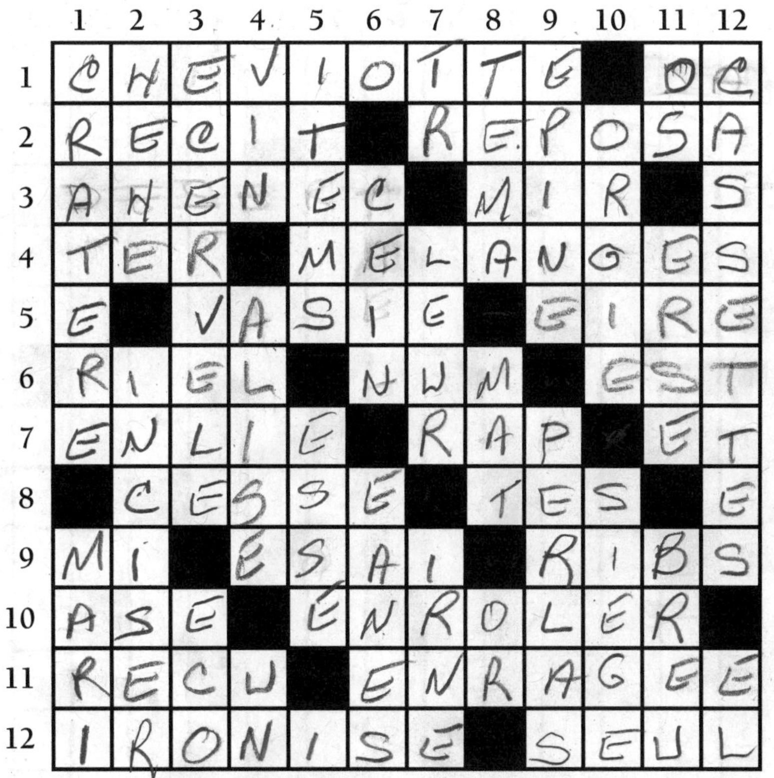

**HORIZONTALEMENT**

1. Laine des moutons d'Écosse — Ancien oui.
2. Histoire — Délassa.
3. Étendues sableuses — Assemblée russe.
4. Trois fois — Fusions.
5. Immense — Nom gaélique de l'Irlande.
6. Révolutionnaire canadien — Interjection exprimant le doute — Orient.
7. Engage les uns dans les autres — Style de musique disco — Conjonction.
8. Arrête — Adjectif possessif (pl.).
9. Note — Fils d'Isaac — Abers.
10. Résine malodorante — Recruter.
11. Récépissé — Furieuse.
12. Raille — Abandonné.

**VERTICALEMENT**

1. Bouche de volcan — Conjoint.
2. Jeune cerf — Entailler.
3. Hurluberlu — Critique italien.
4. Boisson obtenue de la fermentation de raisins — Fruit de l'alisier — Adjectif numéral.
5. Éléments — Crochet.
6. Fils d'Adam et Eve — Général et homme politique portugais.
7. Tour — Pronom personnel — Vase à flancs arrondis.
8. Port du Ghana — Terne — Métal précieux.
9. Piquant de certains végétaux — Suintas.
10. Partie de débauche — Banc.
11. Squelette — Anneau de cordage — Interjection imitant les sons du bébé.
12. Coffrets — Article espagnol.

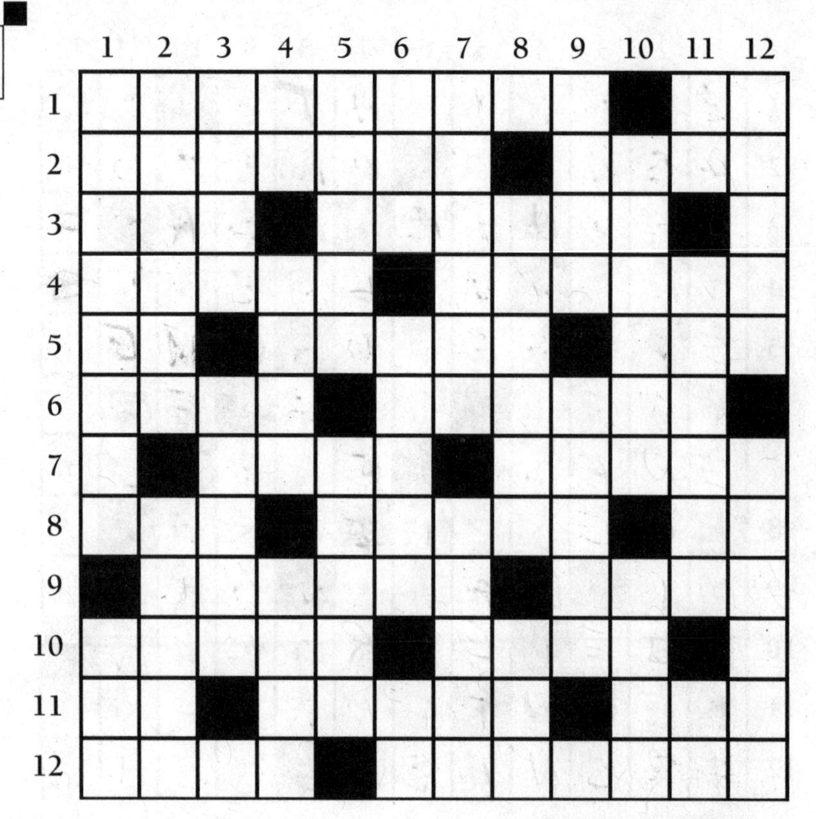

## HORIZONTALEMENT

1. Incident — Problème.
2. Brimborion — Objet volant non identifié.
3. Petite pomme — Consterné.
4. Cogne de manière répétée — Ergot du coq.
5. Thallium — Siège de souverains — Fleuve d'Afrique.
6. Surface — Enfant en bas âge.
7. Émotion — Ch.-l. de c. de la Mayenne.
8. Vaste étendue couverte de dunes dans les déserts de sable — Réfléchi — Sert à lier.
9. Ensembles — Limon.
10. Bedonnant — Rapport.
11. Bisexuel — Père de Jacob — Alcool.
12. Femme d'Osiris — Exceptionnel.

## VERTICALEMENT

1. Action d'abattre — Ceinture portée sur le kimono.
2. Ville d'Italie — Variété de corindon.
3. Oiseau à bec long — Pouvoir absolu.
4. Pronom démonstratif — Stemm — Femme d'Osiris.
5. Errer au hasard — Femme de lettres américaine.
6. Interjection espagnole — Drupe globuleuse et oblongue — Afrique Équatoriale.
7. Ville d'Italie — Religion fondée sur le Coran.
8. Effectués — Adverbe de temps.
9. Dieu des Vents — Mail.
10. Rivière de France — Personne parfaite.
11. Quelqu'un — Garnies — Indium.
12. Parapha — Décoloré.

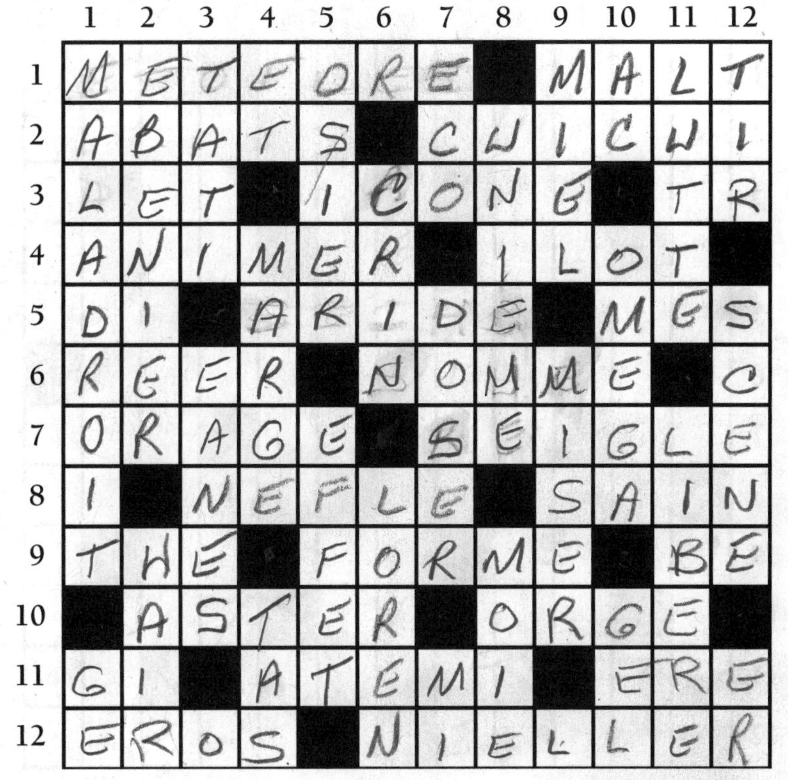

## HORIZONTALEMENT

1. Corps céleste lumineux — Céréale germée.
2. Viscères — Cri des petits oiseaux.
3. Terme de ping-pong — Symbole graphique — Tour.
4. Égayer — Très petite île.
5. Chiffres romains — Stérile — Adjectif possessif (pl.).
6. Bramer — Appelé.
7. Ouragan — Céréale.
8. Fruit du néflier — Tonique.
9. Boisson — Aspect — Béryllium.
10. Plante cultivée pour ses fleurs décoratives — Plante herbacée.
11. Soldat américain — Coup frappé dans les arts martiaux — Époque.
12. Dieu de l'Amour — Gâter par la nielle.

## VERTICALEMENT

1. Malhabile — Germanium.
2. Arbre de la famille des ébénacées — Détester.
3. Cinéaste français né en 1907 — Général et homme politique portugais.
4. Conjonction — Bordure — Amoncellement.
5. Saule de petite taille — Résultat.
6. Poil long et rude — Nom d'une actrice italienne prénommée Sophia.
7. Critique italien — Mesurer — Note.
8. Qui vient en premier — Couche tendre au milieu d'une roche.
9. Produit de l'abeille — Gager.
10. Actinium — Lettre grecque — Givre.
11. Bataille — Émancipé.
12. Coup de fusil — Esclandre — Erbium.

42

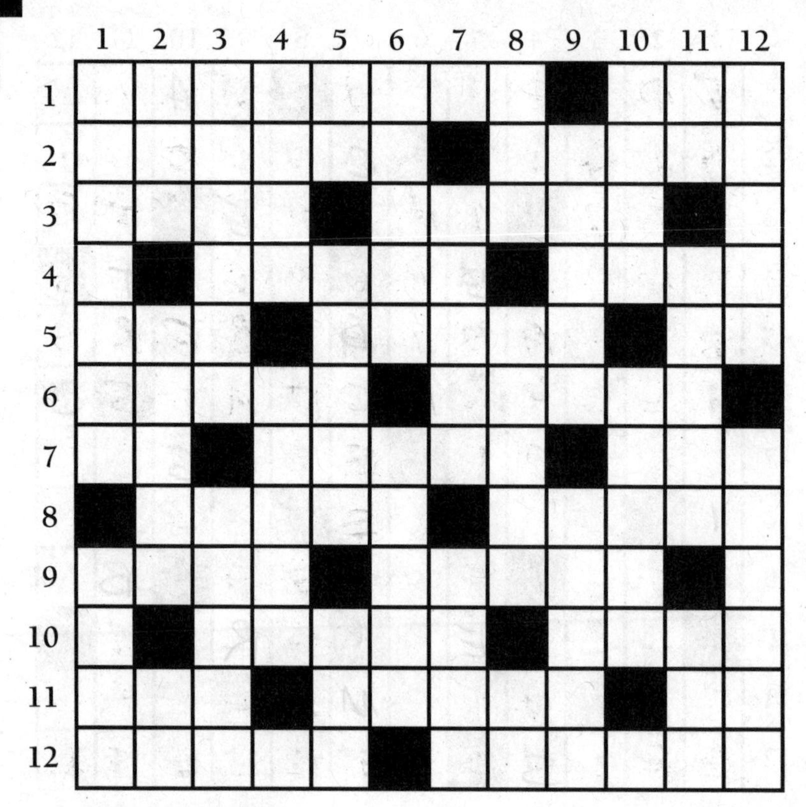

## HORIZONTALEMENT

1. Décontenancé, à la suite d'un échec — Rivière de l'Éthiopie.
2. Celui-ci — Versant exposé au soleil.
3. Chacun des deux points de la sphère céleste — Pinne marine.
4. Repas léger — Petit groupe de maisons.
5. Nom d'un ex-défenseur de hockey prénommé Bobby — Ville de Suisse — Dieu solaire.
6. Divers — Diplomate britannique.
7. Conjonction — Catégorie — Ami.
8. Meurtrir — Et même.
9. Troisième fils de Jacob — Mer.
10. Posture de yoga — Port du Ghana.
11. Fleuve d'Afrique — Fente verticale qui se forme au sabot du cheval — Ancien oui.
12. Grésil — Microsillon.

## VERTICALEMENT

1. Acte — Grand
2. Critique italien — Pomme de terre allongée — Infinitif.
3. Plante alimentaire — Boit.
4. Commune de Belgique — Fret d'un bateau.
5. Déshabillé — Petit navire — Résine malodorante.
6. Extrême — Petit avion de reconnaissance.
7. Plante aux fleurs décoratives — Manitou.
8. Bruit sec — Étudiant — Note.
9. Onomatopée — Femme de lettres américaine.
10. Ville de la C.É.I. — Composé d'aldéhydes et de cétones.
11. Pronom personnel — Garnir — Nonchalant.
12. Inflammation de l'oreille — Mammifère marin.

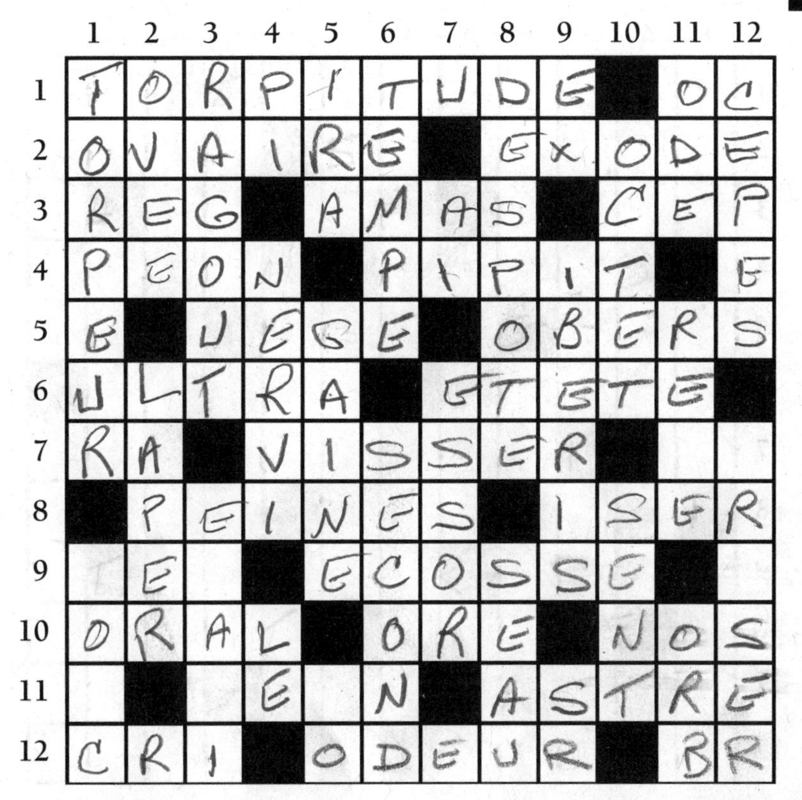

## HORIZONTALEMENT

1. Infamie — Ancien oui.
2. Glande génitale femelle — Fuite.
3. Forme particulière de désert rocheux — Amoncellement — Pied de vigne.
4. Paysan de l'Amérique du Sud — Oiseau passereau.
5. Branche de l'Oubangui — Endetté.
6. Personne qui professe des opinions extrêmes — Décapité.
7. Radium — Serrer en tournant — Exclamation.
8. Affligés — Affluent de la Dordogne.
9. Débutante, familièrement — Partie nord de la Grande-Bretagne.
10. Verbal — Unité monétaire de la Suède — Adjectif possessif.
11. Interjection exprimant la surprise — Comète.
12. Son perçant — Effluve — Brome.

## VERTICALEMENT

1. Engourdissement — Par conséquent.
2. Tunique moyenne de l'œil — Boire à coups de langue.
3. Plat de viande, de légumes — Étonné.
4. Lettre grecque — Homme de main — Largeur d'une étoffe.
5. Avancera — Duvet de certaines plantes — Prêtresse d'Héra.
6. Côté du front — Adjoint.
7. Mammifère arboricole — Envol.
8. Tyran — Récipient.
9. Ancien — Ibéride — Senior.
10. Groupe comprenant huit éléments binaires — Flaire.
11. Poème destiné à être chanté — Royal — Fleuve du Languedoc.
12. Touffe de rejets de bois — Écroûter.

| | 1 | 2 | 3 | 4 | 5 | 6 | 7 | 8 | 9 | 10 | 11 | 12 |
|---|---|---|---|---|---|---|---|---|---|---|---|---|
| 1 | | | | | | | | | | ■ | | |
| 2 | | | | | | | | ■ | | | | |
| 3 | | | | | ■ | | | | | | ■ | |
| 4 | | ■ | | | | | ■ | | | | | |
| 5 | | | | ■ | | | | | ■ | | | |
| 6 | | | | | | ■ | | | | | | ■ |
| 7 | | | ■ | | | | | | | ■ | | |
| 8 | ■ | | | | | | | ■ | | | | |
| 9 | | | | | ■ | | | | | | ■ | |
| 10 | | ■ | | | | | ■ | | | | | |
| 11 | | | | ■ | | | | | ■ | | | |
| 12 | | | | | | ■ | | | | | | |

## HORIZONTALEMENT

1. Millième partie du micron — Gallium.
2. Petit instrument à vent — Moment cinétique intrinsèque d'une particule.
3. Guide — Privé de ses rameaux.
4. Équipe — Usage.
5. Réponse positive — Épanoui — Chef éthiopien.
6. Aboutissement — Poètes épiques et récitants.
7. Adjectif possessif — Compartiment cloisonné réservé à un cheval — Article espagnol.
8. Plantes sauvages — Absolue.
9. Champignon — Avertissement.
10. Hasard — Canal.
11. Partie du corps — Souverain serbe — Patrie d'Abraham.
12. Amphithéâtre sportif — Entourée.

## VERTICALEMENT

1. Ancienne langue germanique — Boisson gazéifiée.
2. Terme de tennis — Détérioré — Métal précieux.
3. Riches — Pierre semi-précieuse.
4. Lisière du bois — Familier.
5. Note — Os de poisson — Lettre grecque.
6. Poire à deux valves — Recueil de cartes géographiques.
7. Bruit sec — Danse à trois temps — Actinium.
8. Fenêtre faisant saillie — Rivière d'Auvergne.
9. Estonien — Versement.
10. Milieu des voleurs — Association.
11. Soldat américain — Amplificateur quantique de radiations lumineuses — Obtenue.
12. Grande chaîne de montagnes — Appât.

## HORIZONTALEMENT

1. Tache blanchâtre sur la cornée — Devenu terne.
2. Piquants au goût — Gros véhicule automobile.
3. Canton de Suisse centrale — Académie — Xénon.
4. Menace — Fleuve d'Irlande.
5. Anarchiste — Tablette.
6. Planche — Erbium.
7. Pronom personnel — Signe formé de deux points que l'on met sur les voyelles — Soulage.
8. Vigoureuse — Fond d'un terrier.
9. Grains de beauté — Troisième jour de la décade.
10. Influé — Ville d'Allemagne — Pronom indéfini.
11. Engin de pêche — Affluent de la Seine.
12. Ch.-l. de la Région Basse-Normandie — Capitalise.

## VERTICALEMENT

1. Qui contient un éloge — Petit livre pour apprendre l'alphabet.
2. Pare-étincelles — Qui dure longtemps.
3. Vase permettant de faire uriner les hommes alités — Entaillé d'une rainure.
4. Cérium — Sarcloir — Douze mois.
5. Dernier roi d'Israël — Pauses.
6. Excroissance charnue — Peuple de Djibouti et de la Somalie.
7. Critique italien — Port du Ghana — Fils aîné de Noé.
8. Hasard — Division d'une pièce de théâtre.
9. Se dégage — Vases.
10. Note — Fleur d'oranger destinée à la distillation — Traditions.
11. Chien de garde — Ambré.
12. Première page — Alcaloïde toxique.

46

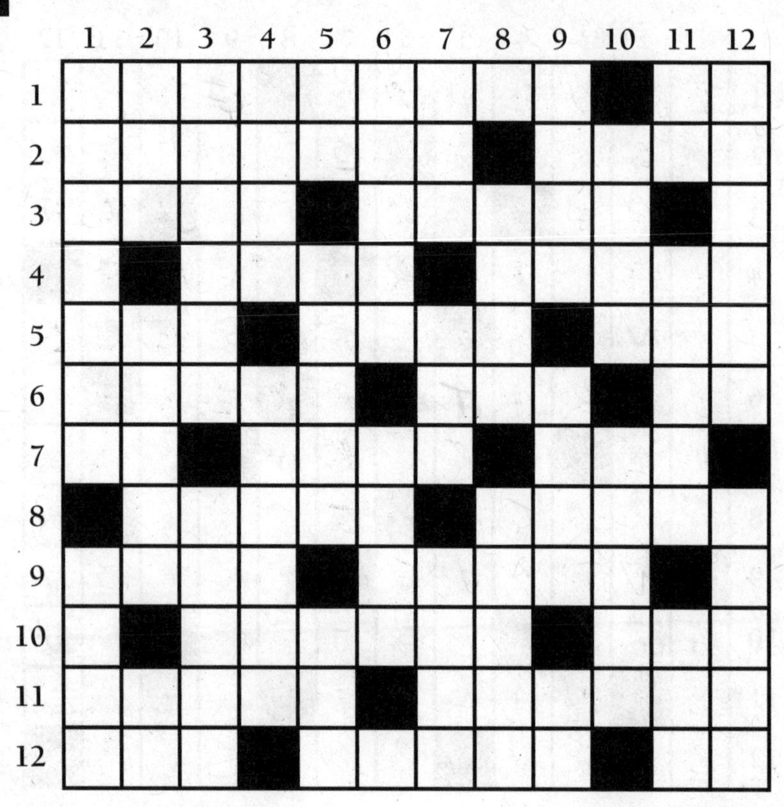

## HORIZONTALEMENT

1. Inclinaison — Numéro.
2. Qui a l'apparence de l'ivoire — Historien d'art français mort en 1954.
3. Environ — Nuisible.
4. Disséminé — Panne.
5. Réunion où l'on sert du thé, des gâteaux — Eau-de-vie — Ovale.
6. Mollusque marin — Pillage — Infinitif.
7. Dans — Attitude du corps — Petite pomme.
8. Existant — Plante à fleurs jaunes.
9. Épart — Oiseau rapace diurne.
10. Parler propre à une région — Adverbe de temps.
11. Cavité irrégulière de certains os — Bloquer.
12. Dans la rose des vents — Gamète femelle animal — Pronom personnel.

## VERTICALEMENT

1. Chanteuse de café-concert — Gaélique.
2. Prénom féminin — Vase à boire en métal — Dans le vent.
3. Donner du corps — Dépourvue de valeur.
4. Sable de bord de mer — Égaré.
5. Iridium — Gardien de prison — Terme de photographie.
6. Additionner d'alcool — Lutte japonaise.
7. Épouse d'Athamas — Résine extraite de la férule — Rempli.
8. Excrément, dans le langage enfantinÀ — Relatif à l'iléon.
9. Calife — Ville de Galilée — Dieu solaire.
10. Coupe de cheveux — Condamner.
11. Aluminium — Alarme — Adjectif démonstratif.
12. Chien d'arrêt anglais — Tréfilé.

## HORIZONTALEMENT

1. Variété de bananier — Choquant.
2. Gros pigeon sauvage — Rendre moins touffu.
3. Panicule — Sursis — Cérium.
4. Plaie faite par une arme blanche — Plante à fleurs jaunes.
5. Rivière des Alpes du Nord — Bicyclette.
6. Surveillance — Foyers.
7. Adverbe de lieu — Indigné — De bonne heure.
8. Thymus du veau — Certains — Rhénium.
9. Assortiment de petites entrées variées — Relatif aux Alpes.
10. Écoulement des marchandises — Proscrit.
11. Acide sulfurique fumant — Poils.
12. Ville importante — Brusquerie.

## VERTICALEMENT

1. Annoncer par des signes — Souverain.
2. Boit à coups de langue — Conformité.
3. Affection entre deux personnes — Ongle très développé.
4. Négation — Hôpital — Tas.
5. Fade — Sel de l'acide urique.
6. Unité de mesure agraire — Échoues — Cité antique de la basse Mésopotamie.
7. Minable — Touché.
8. Petit — Décontraction.
9. Autoclave — Effet latéral donné à une balle, au golf.
10. Chrome — Poids — Levées, aux cartes.
11. Délit — Fenêtres faisant saillie.
12. Aurochs — Ville de Suisse — Sélénium.

48

## HORIZONTALEMENT

1. Mâchoire — Cæsium.
2. Distingué — Prétentieux.
3. Générateur d'ondes électromagnétiques — Port d'Italie.
4. Baie où se trouve Nagoya — Deuxième abbé de Cluny — Effet comique rapide.
5. Butte — Éventail.
6. Ville d'Algérie — Fête musulmane qui suit le ramadan, chez les Turcs.
7. Règle de dessinateur — Mite — Actinium.
8. Saillie charnue — Quatrième partie du jour.
9. Dialecte parlé en Bretagne — Divinité.
10. Essieu — Romance chantée — Sous-préf. du Vaucluse.
11. Pronom possessif — Proscrit.
12. Partie d'un cours d'eau — Déesse grecque de la Vengeance.

## VERTICALEMENT

1. Plante herbacée rudérale — Cérémonie.
2. Tas — Décontraction.
3. Plante à fleurs blanchâtres — Docteur de la loi.
4. Convenance — Quelqu'un — Pronom personnel.
5. Comm. des Deux-Sèvres — Vêtement liturgique.
6. Ancien do — Écoulement des marchandises — Rivière alpestre de l'Europe centrale.
7. Jeu de construction — Pasteur luthérien norvégien.
8. Machine destinée à un usage particulier — Itou.
9. Fleuve d'Afrique — Étendue sableuse — Xénon.
10. Bouillie épaisse — Interjection exprimant la surprise.
11. Colombium — Capitale de la Jordanie — Ride.
12. Eau qui suinte du bois chauffé — Certainement.

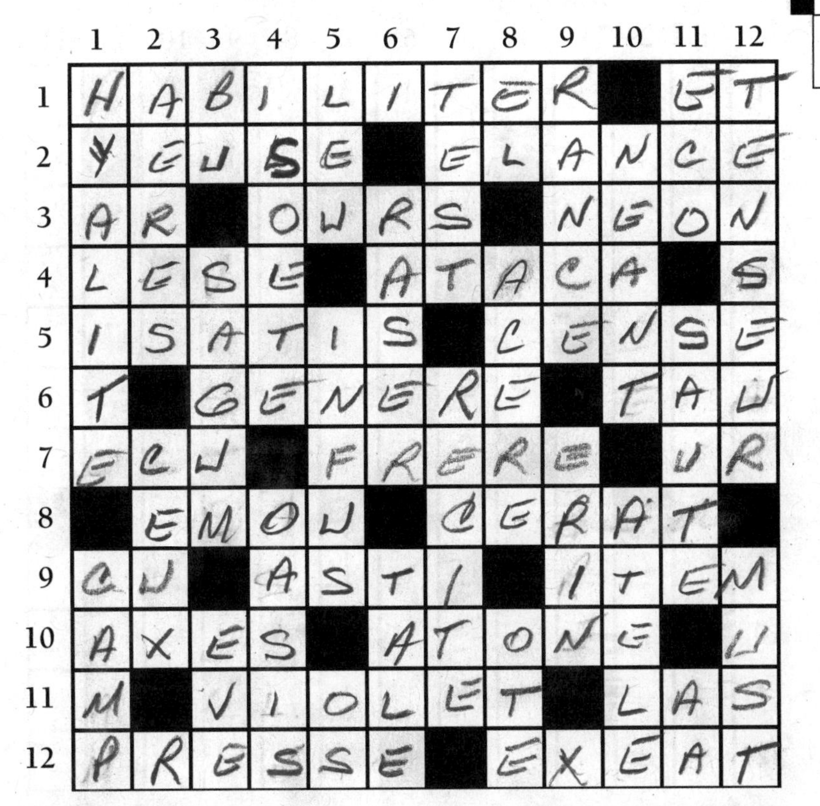

## HORIZONTALEMENT

1. Autoriser — Sert à lier.
2. Chêne vert — Maigre, efflanqué.
3. Argon — Homme insociable — Gaz rare de l'atmosphère.
4. Endommagé — Canneberge.
5. Renard polaire — Supposé.
6. Engendré — Lettre grecque.
7. Bouclier — Frangin — Patrie d'Abraham.
8. Émeu — Onguent à base de cire et d'huile.
9. Cuivre — Ville d'Italie — Unité.
10. Charnières — Paresseux.
11. Violacé — Faible.
12. Urgent — Billet de sortie.

## VERTICALEMENT

1. Inflammation du corps vitré de l'œil — Faction.
2. Rendus moins touffus — Pronom démonstratif.
3. Absorbé — Court manteau de laine — Prénom féminin.
4. Herbe aquatique vivace — Refuge.
5. Unité monétaire roumaine — Inné — Carcasse.
6. Démanteler — Taché, en parlant d'un fruit.
7. Essai — Déclame.
8. Article espagnol — Tranchant — Soulage.
9. Fleuve de Bretagne — Irlande.
10. Rien — Singe d'Amérique.
11. Critique italien — Éclate — Alcooliques Anonymes.
12. Tendeur — Impératif.

## 50

**HORIZONTALEMENT**

1. Simulacre — Fleuve d'Afrique.
2. Principe de vie — Épinceter une étoffe.
3. Organe charnu — Bille.
4. Fond d'un parc à huîtres — Ancienne monnaie chinoise — Infinitif.
5. Nickel — Embarcation à fond plat — Ancienne unité monétaire du Pérou.
6. Plante grimpante — Aperçu.
7. Grand perroquet — Compartiment d'un meuble — Lac de la Turquie orientale.
8. Effraction — Automobile à quatre roues motrices.
9. Général français né en 1758 — Empereur de Russie — Fleuve de Russie.
10. Champignon microscopique — Carié.
11. Jeu de stratégie d'origine chinoise — Poire utilisée pour le lavage du conduit auditif — Étendue d'herbe à la campagne.
12. Plante des marais — Total.

**VERTICALEMENT**

1. Oiseau d'Océanie — Gallium.
2. Rendre maigre — Coalition.
3. Petit — Ensemble de petits grains minéraux.
4. Sonnerie de cloches — Convoiter.
5. Unité monétaire roumaine — Pronom démonstratif — Pronom indéfini.
6. Point culminant des Pyrénées — Comète.
7. Nobélium — Badiane — Disséminer.
8. Appareil cylindrique — Dès l'heure présente — Année.
9. Ancienne contrée de l'Asie Mineure — Région du Sahara.
10. Épais — Plaque de neige isolée — Petite pomme.
11. Terme de tennis de table — Prédicateur.
12. Petit aigle — Rêver, rêvasser.

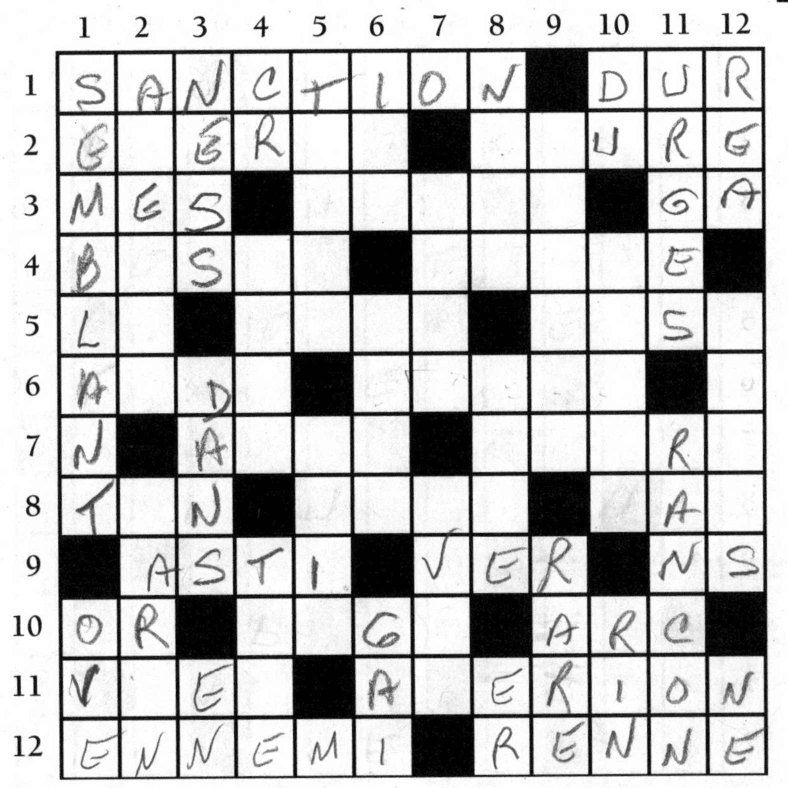

## HORIZONTALEMENT

1. Ratification — Brutal.
2. Molette — Cordage servant à retenir une voile.
3. Adjectif possessif (pl.) — Unité de viscosité dynamique — Gallium.
4. Tronc — Fruit comestible.
5. Lawrencium — Palmier d'Asie — Ville de Roumanie.
6. Poète épique et récitant — Appareil de levage.
7. Ville du Québec — Qui est d'une acidité désagréable.
8. Écorce — Eau-de-vie — Suc de certains fruits.
9. Vin blanc — Lombric — Notre-Seigneur.
10. Métal précieux — Prénom féminin russe — Courbe.
11. Production filiforme de l'épiderme — Petit aigle.
12. Adversaire — Mammifère ruminant.

## VERTICALEMENT

1. Apparence — Trou dans un mur.
2. Craintif — Frère de Moïse.
3. Lac d'Écosse — À l'intérieur de — Préfixe privatif.
4. Chrome — Ancienne monnaie chinoise — Feuille de fer.
5. Accepter un défi — Promenade publique.
6. Fille de Cadmos — Entretoise — Joyeux.
7. Relatif aux Incas — Partie d'un cours d'eau.
8. Nez — Attache — Erbium.
9. Doutai (Se) — Exceptionnel.
10. Non payé — Large carré de laine — Sigle d'une ancienne formation politique québécoise.
11. Presses — Somme d'argent exigée pour la délivrance de quelqu'un.
12. Roue à gorge — Obstruction de l'intestin — Issu.

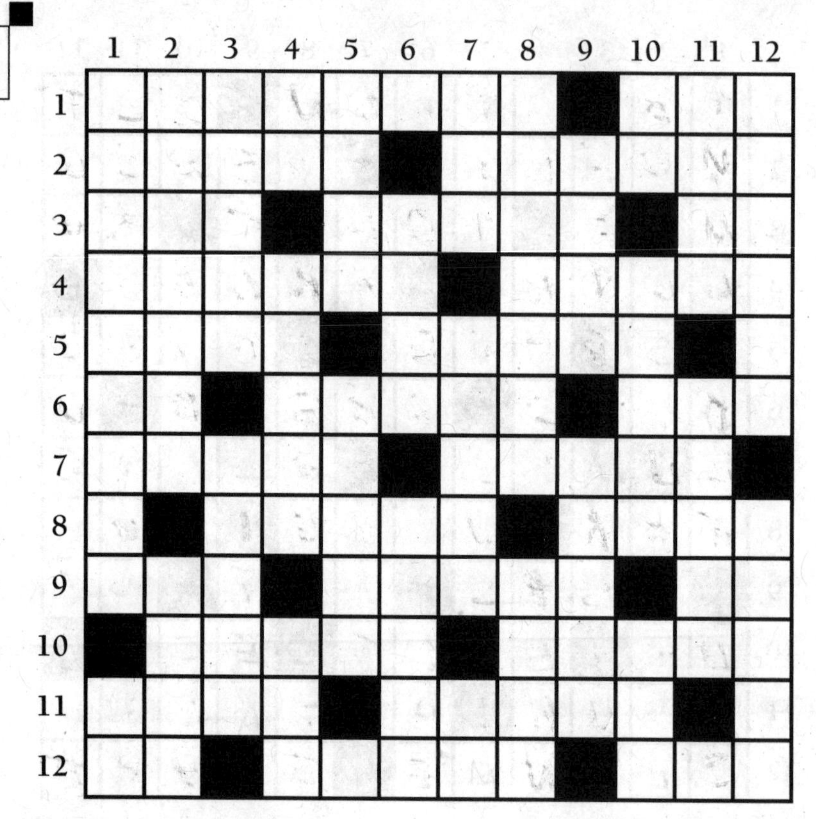

## HORIZONTALEMENT

1. Mammifère d'Australie à museau allongé — Petit livre pour apprendre l'alphabet.
2. Relatif à l'Ibérie — Âne sauvage.
3. Tranché — Appropriés — Argon.
4. Immobilise — Plante à grandes feuilles palmées.
5. Petit groupe de maisons — Fleuve de Turquie et d'Irak.
6. Lutécium — Également — Normale, au golf.
7. Ville du Québec — Mettre en terre.
8. Ville du Nigeria oriental — Poète épique et récitant.
9. Éructation — Général espagnol — Ultraviolets.
10. Tissu végétal — Met de niveau.
11. Jeune cerf — Instrument.
12. Étain — Mammifère ruminant — Rivière d'Alsace.

## VERTICALEMENT

1. Ergoter sur des vétilles — Hassium.
2. Stupéfait — Commune de Belgique.
3. Effet rétrograde — Habiller.
4. Argon — Métal blanc grisâtre — Berceau.
5. Orifice externe de l'urètre — Détérioration.
6. Flatuosités — Pan de vêtement taillé en pointe.
7. Part — Aboutissement — Adjectif numéral.
8. Force — Pourri.
9. Ancien émirat de l'Arabie — Relatif aux populations polynésiennes de la Nouvelle-Zélande.
10. Argent — Touffe de jeunes tiges de bois — Boxeur célèbre.
11. Résidu pâteux de la houille — Raides.
12. Entourer — Réveil.

**HORIZONTALEMENT**

1. État d'un corps en combustion — Rivière de Roumanie.
2. Appareil servant à broyer — Aboutissement.
3. Mois — Tige fixée dans le plat-bord d'une barque — Île de l'Atlantique.
4. Réactionnaire extrémiste — Buccale..
5. Général et homme politique portugais — Bagarre.
6. Village éloigné — Plante herbacée.
7. Lutécium — Rivière des Alpes du Nord — Aurochs.
8. Faute — Tourner.
9. Mammifère carnivore — Pièce de la charrue — Ancien do.
10. Sans inégalités — Grand succès — Agent secret de Louis XV.
11. Ingénues — Argile rouge ou jaune.
12. Possessif — Mettre en circulation.

**VERTICALEMENT**

1. Qui ne change guère — Article indéfini (pl.).
2. But — Compère.
3. Nuit passée à l'hôtel — Vestige.
4. Pronom personnel — Effacer — Douze mois.
5. Géant — Mets japonais fait de poisson.
6. Fille de Cadmos — Ville de Hongrie — Labiée à fleurs jaunes.
7. Perdant — Virage, en ski.
8. Démentir — Liquide nutritif tiré du sol — Sélénium.
9. Vedettes — Initiales d'une province maritime.
10. Restes — Personne qui lie des bottes de foin — Armée.
11. Fil textile gainé de polyester — Rassembler.
12. Cheville de golf — Nom d'une ex-championne de tennis prénommée Chris — Article.

54

**HORIZONTALEMENT**

1. Panneau d'une fenêtre qui s'ouvre de deux côtés — Ville à l'est du lac Saint-Jean.
2. Acide sulfurique fumant — Capitale de la Norvège.
3. Pied de vigne — Devenu terne — Roue à gorge.
4. Rude — Pas convenable.
5. Enfilade — Pâté de soja — Note.
6. Conjonction — Éruption cutanée transitoire — Hameau.
7. Sursis — N'ayant subi aucune teinture.
8. Hasard — Effet rétrograde.
9. Rocher — Baiser, caresse — Pièce de bois qui supporte la quille d'un navire.
10. Chaînon — Extrémité effilée de certains instruments à air.
11. Convenable — Partie septentrionale de l'Asie.
12. Sélénium — Plante de la famille des rosacées — Notre-Dame.

**VERTICALEMENT**

1. Parler en hurlant — Versus.
2. Bière anglaise — Allez, en latin — Colorant minéral naturel.
3. État d'Asie — Titre honorifique dans l'Empire ottoman.
4. Pronom personnel — Danger immédiat — Longue pièce de bois.
5. Blessant — Coup frappé dans les arts martiaux.
6. Plat — De cette façon.
7. Coup, au tennis — Interjection pour appeler — Femme politique israélienne.
8. Graisse animale — Éclat de voix — Béryllium.
9. Aluminium — Gêner — Béante.
10. Titre de noblesse — Combattre.
11. Affluent de la Seine — Herbe dont on tire une huile laxative.
12. Grand perroquet — Matière fécale — Diminutif d'Edward.

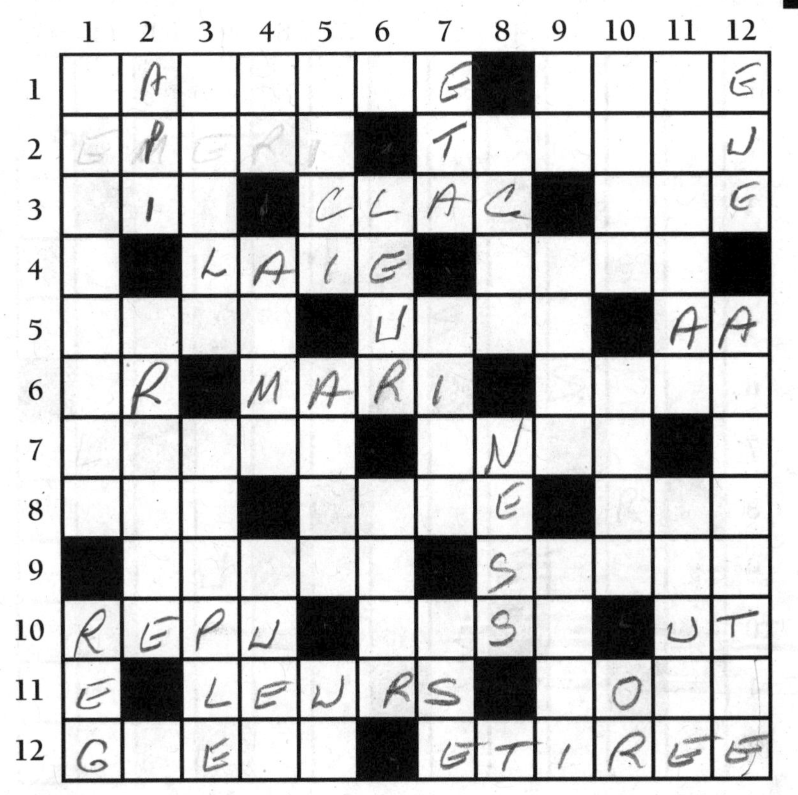

## HORIZONTALEMENT

1. Ratiboisé — Ville de France.
2. Pierre fine — Extrémité d'une maîtresse branche.
3. Céréale — Onomatopée imitant un bruit sec — Résine malodorante.
4. Femelle du sanglier — Pronom personnel (pl.).
5. Physicien français — Un des États-Unis d'Amérique — Association pour alcooliques.
6. Infinitif — Conjoint — Ville d'Espagne.
7. Course motocycliste d'obstacles — Mammifère ongulé.
8. Agent secret de Louis XV — Partie de la Méditerranée — Ville de Yougoslavie.
9. Friandise — Esclandre.
10. Rassasié — Rivière du nord de la France — Ancien do.
11. Pronom possessif (pl.) — Revolver.
12. Plante aromatique — Allongée.

## VERTICALEMENT

1. Culture des anciens Romains — Vallée fluviale noyée par la mer.
2. Pomme — Faux.
3. Tige au collet d'une plante — Inhabile.
4. Pronom personnel — Ville du Québec — Obscurité.
5. Puni — Hasard — Interjection.
6. Pronom personnel — Coup.
7. Lettre grecque — Barre — Baie des côtes de Honshû.
8. Ville d'Italie — Lac d'Écosse.
9. Conjonction — Un des États-Unis d'Amérique — Pronom démonstratif.
10. Ville de Belgique — Caractère de l'ancien alphabet — Métal précieux.
11. Capitale des Bahamas — Aulnée.
12. Obtenue — Liqueur.

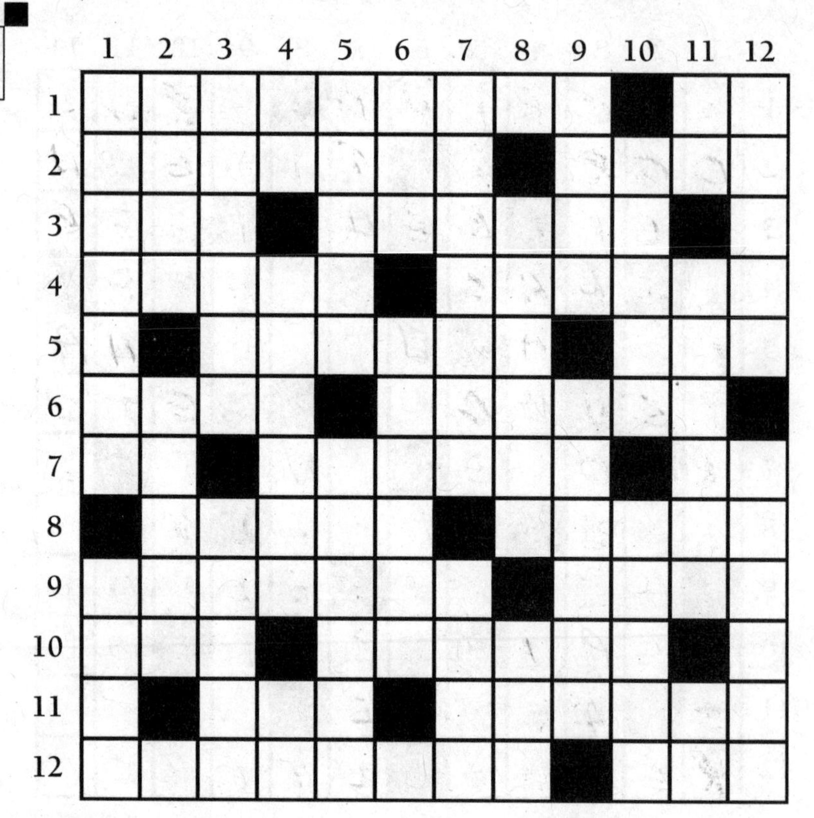

## HORIZONTALEMENT

1. Élevage de taureaux de combat — Interjection.
2. Frais de scolarité — Grimace.
3. Négation — Organiser.
4. Congénitale — Sonner.
5. Serré — Terre entourée d'eau.
6. Partie de certains ustensiles — Transvasée.
7. Note de musique — Petit tour de graveur — Commandement.
8. Réveil — Astuces.
9. Giboulées — Déclaration.
10. Stylo à bille — Cantons-de-l'Est.
11. École Nationale d'Administration — Qui ne s'organise pas selon le système tonal.
12. Deviner — Dégoutte.

## VERTICALEMENT

1. Qui concerne la reproduction — Profond estuaire de rivière en Bretagne.
2. Chaland à fond plat — Grains de beauté.
3. Religieuses — Toilettes.
4. Aluminium — Décapiter — Drame japonais.
5. Tasser le sol — Vertébré couvert de plumes et muni d'ailes.
6. Moi — As une ovulation.
7. Homme qui vit de revenus non professionnels — Grande vedette.
8. Intituler — Route.
9. Ainsi soit-il — Atelier de photographe d'art.
10. Plante au liquide irritant — Adjectif possessif.
11. Conjonction — Édifier — Article contracté.
12. Espace de temps — Petit cloporte.

| | 1 | 2 | 3 | 4 | 5 | 6 | 7 | 8 | 9 | 10 | 11 | 12 |
|---|---|---|---|---|---|---|---|---|---|---|---|---|
| 1 | L | A | C | R | I | M | A | L | ■ | R | A | I |
| 2 | O | G | R | E | ■ | U | R | I | N | E | ■ | N |
| 3 | G | O | I | T | R | E | ■ | N | I | G | E | R |
| 4 | U | N | ■ | R | O | T | | | E | ■ | P | I |
| 5 | T | I | S | O | N | ■ | | | E | R | A | ■ |
| 6 | Y | E | N | ■ | C | | | | ■ | E | T | C |
| 7 | N | ■ | O | | E | | | ■ | U | | E | |
| 8 | I | M | B | U | ■ | U | T | I | L | E | ■ | |
| 9 | ■ | A | E | R | E | R | ■ | R | U | R | A | L |
| 10 | C | I | ■ | I | N | E | G | A | L | ■ | | |
| 11 | O | R | A | | | ■ | E | S | E | | | |
| 12 | R | E | A | ■ | E | O | L | E | ■ | | | |

## HORIZONTALEMENT

1. Qui a rapport aux larmes — Rayon.
2. Géant des contes de fées — Ancien nom de l'oxyde d'uranium.
3. Déformation de la partie antérieure du cou — Fleuve de l'Afrique occidentale.
4. Quelqu'un — Qui a la forme d'une roue — 3,1416.
5. Reste de bûches — Rallera.
6. Monnaie japonaise — Rivière de Bourgogne — Et cætera.
7. Énorme — Tunique moyenne de l'œil.
8. Devenu terne — Nécessaire.
9. Rendre moins touffu — Muretin.
10. Curie — Disproportionné — Praséodyme.
11. Personnage représenté en prière — Muse.
12. Roue à gorge — Dieu des Vents — Article contracté (pl.).

## VERTICALEMENT

1. Groupe de lettres liées ensemble — Durillon.
2. Déclin précédant la fin — Officier municipal.
3. Éclat de voix — Traite de haut — Alcooliques Anonymes.
4. Effet rétrograde — Ciseau d'acier.
5. Épine — Prune.
6. Silencieux — Détérioration.
7. Argon — Halte — Givre.
8. Vitesse acquise — Coloré.
9. Contestée — Pousse son cri, en parlant du hibou.
10. Étendue désertique — Divaguer — Rad.
11. Aplati — Surveille.
12. Lettres inscrites au-dessus de la Croix — Cœurs.

## 58

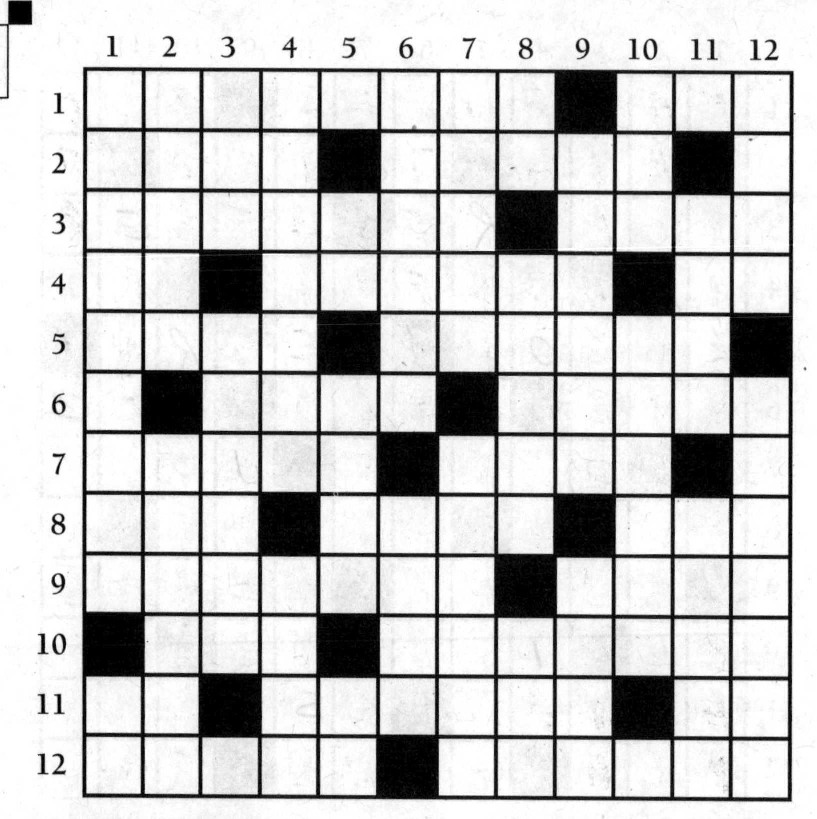

**HORIZONTALEMENT**

1. Femme très jalouse — Épaule d'animal.
2. Prince troyen — Pare-étincelles.
3. Zéro — Loser.
4. Paresseux — Sarcasme — Argon.
5. Également — Fleur d'oranger.
6. Partie du corps — Prêtre français né en 1608.
7. Perdant — Pronom indéfini (pl.).
8. Première femme — Rivière de Bourgogne — Unité de mesure de travail.
9. Brusquerie — Nom poétique de l'Irlande.
10. Terme de tennis — Tablette.
11. Article — Mordant — Erbium.
12. Éloigné — Comprima.

**VERTICALEMENT**

1. Torturer — Lithium.
2. Esquimau — Gamètes femelles végétaux.
3. Givre — Maniaque.
4. Couverture cartonnée — Table de travail de boucher.
5. Infinitif — Courbes — Cérium.
6. Plaies faites par une arme blanche — Éculée.
7. Esclandre — Canal excréteur.
8. Erbium — Cétone de la racine d'iris — Petit livre pour apprendre l'alphabet.
9. Cercle qui entoure le mamelon du sein — Ville de Hongrie.
10. Recueil de bons mots — Bande formant bordure.
11. Enveloppe de tissu — Sourires.
12. Dégoutter — Prédominera.

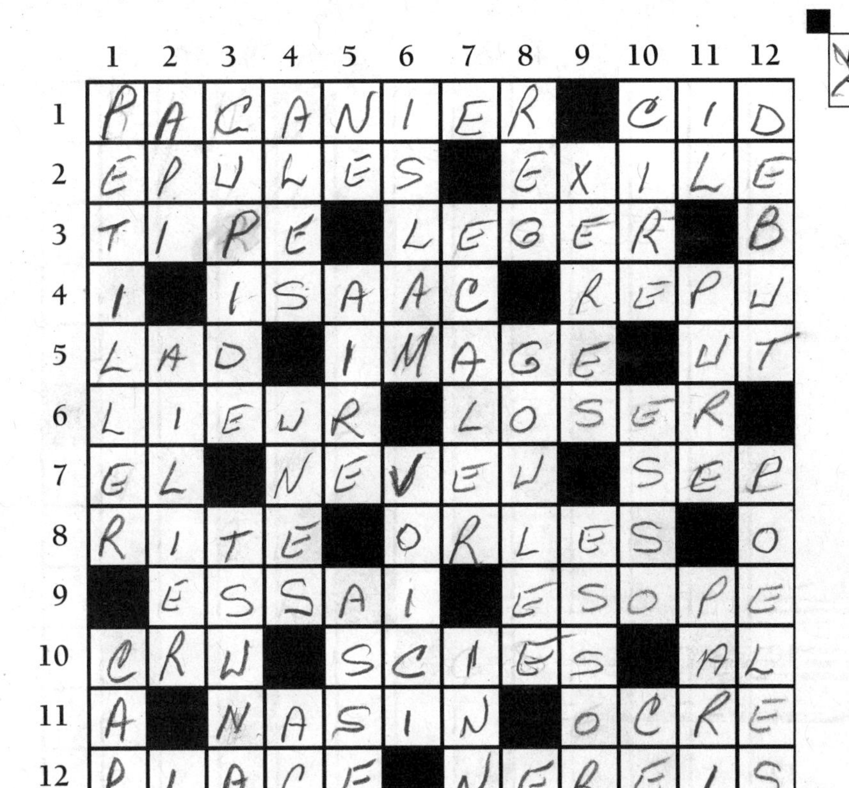

## HORIZONTALEMENT

1. Grand arbre ornemental d'Amérique — Tragi-comédie de Corneille.
2. Tumeur de la gencive — Proscrit.
3. Tape sur une caisse enregistreuse — Agile.
4. Fils d'Abraham — Rassasié.
5. Garçon d'écurie — Coloré — Ancien do.
6. Personne qui lie des bottes de foin — Perdant.
7. Article espagnol — Fils du frère ou de la sœur — Pièce de la charrue.
8. Coutume — Bordures étroites.
9. Test — Fabuliste grec.
10. Désobligeant — Divises — Aluminium.
11. Tissu damassé — Colorant minéral naturel.
12. Endroit — Ver marin.

## VERTICALEMENT

1. Crépiter — Pointe de terre.
2. Pomme — Équipier extérieur d'une patrouille de chasse.
3. Avide — Garde du sabre japonais.
4. Ch.-l. d'arr. du Gard — Pronom indéfini — Actinium.
5. Négation — Espace plat où nichent les oiseaux de proie — Commune de Belgique.
6. Religion prêchée par Mahomet — Préposition.
7. Décortiquer — Rivière alpestre de l'Europe centrale.
8. Étendue désertique — Grosse bouchée.
9. Vin blanc sec — Développement.
10. Substance grasse de couleur jaune — Pétrolière — Cérium.
11. Pronom personnel — Absolue — Gageure.
12. Commencement — Fourneaux.

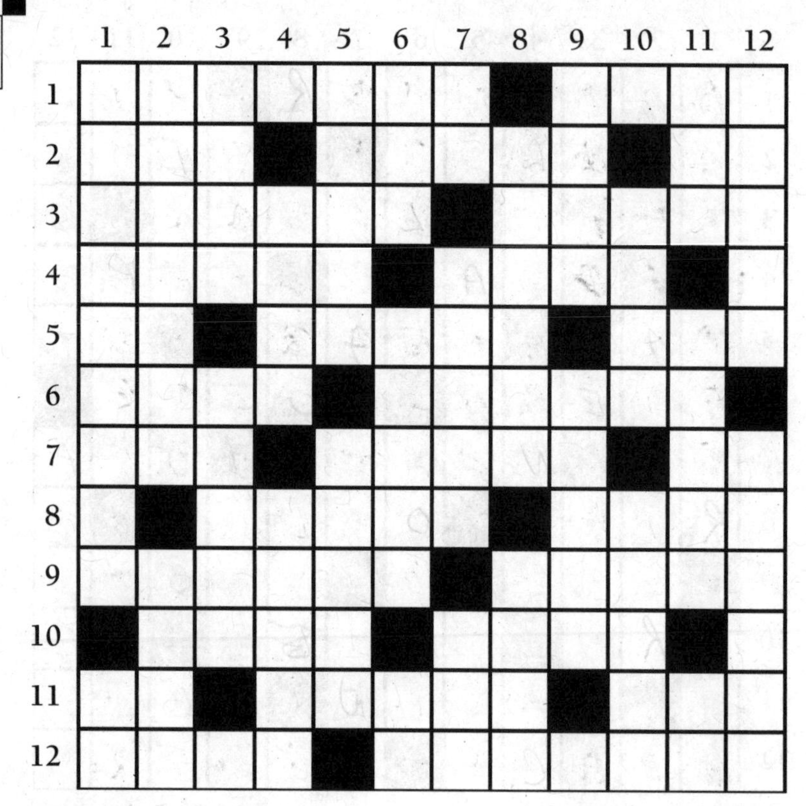

## HORIZONTALEMENT

1. Fruit de l'abricotier — Fourrage.
2. Dans le nom d'une ville du Brésil — Vestige — Badiné.
3. Localiser — Insulaire.
4. Partie antérieure d'un projectile, de forme conique — Germandrées à fleurs jaunes.
5. Adjectif numéral — Met de niveau — Tamis.
6. Ancienne monnaie espagnole — Rouspéteur.
7. Article contracté (pl.) — Saule de petite taille — Technétium.
8. Miséricorde — Fleuve qui sépare la Pologne de l'Allemagne.
9. Fruit — Vedette admirée du public.
10. Quote-part de chacun dans un repas — Engagement religieux.
11. Idem — Réglementaire — Muet.
12. Lolo — Partie.

## VERTICALEMENT

1. Rendre moins bruyant — Préfixe privatif.
2. Trempée — Poète épique et récitant.
3. Morceau de viande de boucherie — Vipère des montagnes, vivant en Europe.
4. Relatif au raisin — Éloigné.
5. Concevoir — Inflammation de l'oreille.
6. Patrie d'Abraham — Endommagé par le feu — Germanium.
7. Titane — Prophète juif — Vallée.
8. Régalé — Héroïne légendaire grecque, épouse d'Héraclès.
9. Qui présente une fêlure — Ville du sud de l'Inde.
10. Venu — Agréable à toucher.
11. Colère — Coopérative, dans l'ancienne Russie — Pronom indéfini.
12. Petit cigare — Influence.

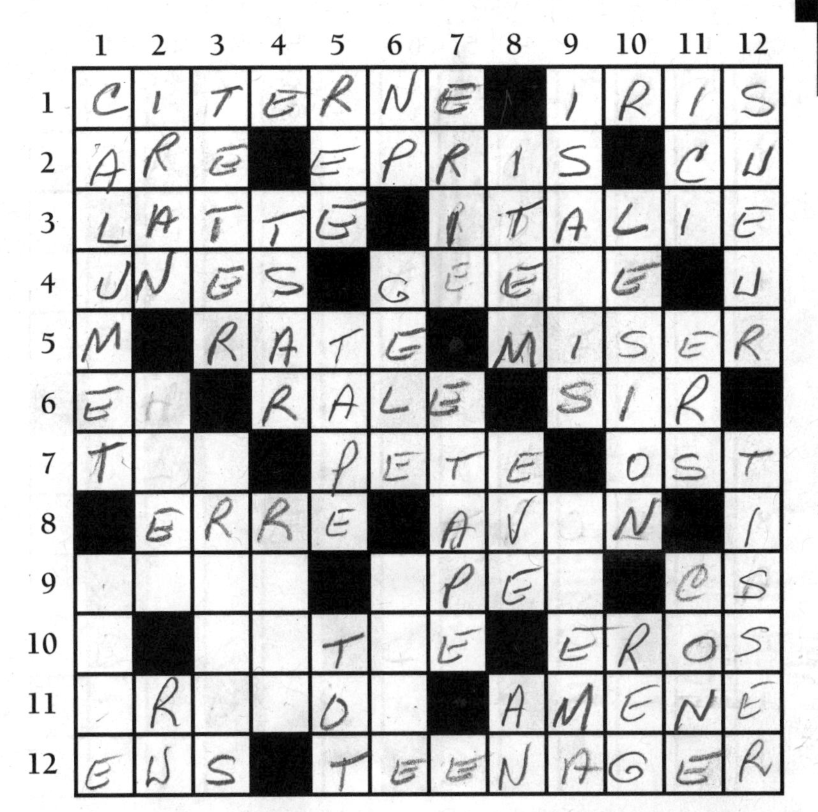

**HORIZONTALEMENT**

1. Réservoir — Membrane colorée de l'œil.
2. Unité de mesure agraire — Féru — Cuivre.
3. Planche — État d'Europe.
4. Pronom indéfini (pl.) — Plante des régions tropicales.
5. Loser — Gager.
6. Interjection — Maugrée — Titre d'honneur chez les Anglais.
7. Liquide — Lâche des vents — Armée.
8. Vitesse acquise d'un navire — Gouffre.
9. Embarras — Compétition réunissant amateurs et professionnels — Cæsium.
10. Nitrate de potassium — Dieu de l'Amour.
11. Grain d'eau congelée — Aimable.
12. Possédés — Ado.

**VERTICALEMENT**

1. Pipe — Personne parfaite.
2. Pays voisin de l'Irak — Conspuer — Ruisselet.
3. Suçoter — Crochets pointus.
4. Souverain serbe — Bande de fer.
5. Ralle — Gifle — Précocement.
6. Neptunium — Transi — Fleuve côtier de Normandie.
7. Nom poétique de l'Irlande — Halte.
8. De plus — Première femme — Douze mois.
9. Renard bleu — Poire à deux valves.
10. Blessure — Étendue désertique.
11. Adverbe de lieu — Lentille — Solide à base circulaire.
12. Transpiration — Fabriquer par tissage.

62

| | 1 | 2 | 3 | 4 | 5 | 6 | 7 | 8 | 9 | 10 | 11 | 12 |
|---|---|---|---|---|---|---|---|---|---|---|---|---|
| 1 | | | | | | | | | | ■ | | |
| 2 | | | | | | | | ■ | | | | |
| 3 | | | | | ■ | | | | | | ■ | |
| 4 | | ■ | | | | | ■ | | | | | |
| 5 | | | | ■ | | | | | ■ | | | |
| 6 | | | | | | ■ | | | | | | ■ |
| 7 | | | ■ | | | | | | | ■ | | |
| 8 | ■ | | | | | | | ■ | | | | |
| 9 | | | | | ■ | | | | | | ■ | |
| 10 | | ■ | | | | | ■ | | | | | |
| 11 | | | | ■ | | | | | ■ | | | |
| 12 | | | | | | ■ | | | | | | |

## HORIZONTALEMENT

1. Mortier peu épais — Restes.
2. Éboulement — Petite tige de métal.
3. Verse — Adjectif possessif.
4. Oiseau rapace — Membre d'une peuplade de l'Amérique du Nord.
5. Dépôt du vin — Également — Rivière de Roumanie.
6. Gnome — Dévotion.
7. Article espagnol — Plaintif — Cité antique de la basse Mésopotamie.
8. Pimenter — Muni d'armes.
9. Lac d'Italie — Ébranchoir.
10. Foyer — Arbre forestier.
11. Unité de mesure de travail — Pénible — Radian.
12. Une des trois parties égales — Maladroit.

## VERTICALEMENT

1. Filet à larges mailles — Hameau.
2. Port du Japon — Chatons de certaines fleurs — Souri.
3. Glace légère à base d'eau — Droit que l'on paye pour emprunter une voie de communication.
4. Monseigneur de l'Afrique du Sud — Sot.
5. Pronom personnel — Fou — Chef éthiopien.
6. Ragoût cuit avec du vin — Désavantager.
7. Volcan actif du Japon — Procédé — Petit cube.
8. Ville de Belgique — Eau-de-vie de canne à sucre.
9. N'ayant subi aucune teinture — Halte.
10. Petit loir gris — Effet rétrograde.
11. Petit lac des Pyrénées — Acide sulfurique fumant — Rongeur.
12. Graisse qui imprègne la toison des moutons — Traitement.

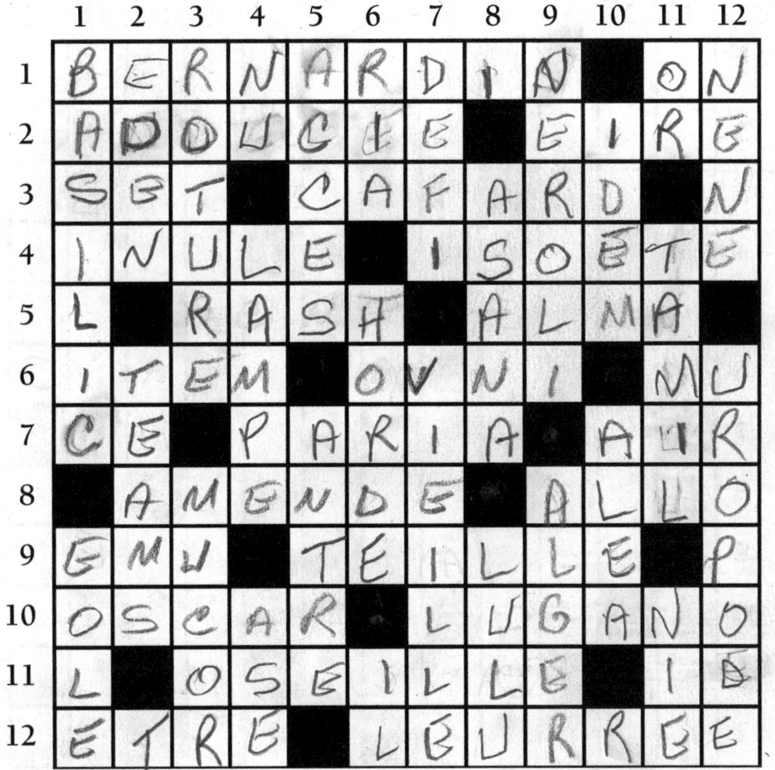

## HORIZONTALEMENT

1. Religieux de l'ordre de Saint-Benoit — Pronom indéfini.
2. Atténuée — Irlande.
3. Manche, au tennis — Mélancolie.
4. Plante à fleurs jaunes — Petite plante lacustre.
5. Éruption cutanée transitoire — Ville du Québec.
6. De plus — Objet volant non identifié — Muon.
7. Pronom démonstratif — Personne mise au ban d'une société — Massif montagneux du Sahara méridional.
8. Contravention — Interjection servant d'appel.
9. Touché — Écorce de la tige de chanvre.
10. Trophée du monde du cinéma — Ville de Suisse.
11. Argent — Idem.
12. Individu — Trompée.

## VERTICALEMENT

1. Plante à feuilles aromatiques — Dieu des Vents.
2. Paradis — Équipes.
3. État d'un héritage qui n'est pas noble — Champignon siphomycète.
4. Déshabillé — Sert à éclairer — Résine malodorante.
5. Approche — Caverne.
6. Vallée fluviale noyée par la mer — Bande — Pronom personnel.
7. Bravade — Ancienne.
8. Posture de yoga — Alouette des bois.
9. Fleur d'oranger destinée à la distillation — Capitale de l'Algérie.
10. Itou — Hasard.
11. Métal précieux — Peuple de l'Inde méridionale — Conteste.
12. Nichon — Appendice abdominal natatoire des crustacés.

64

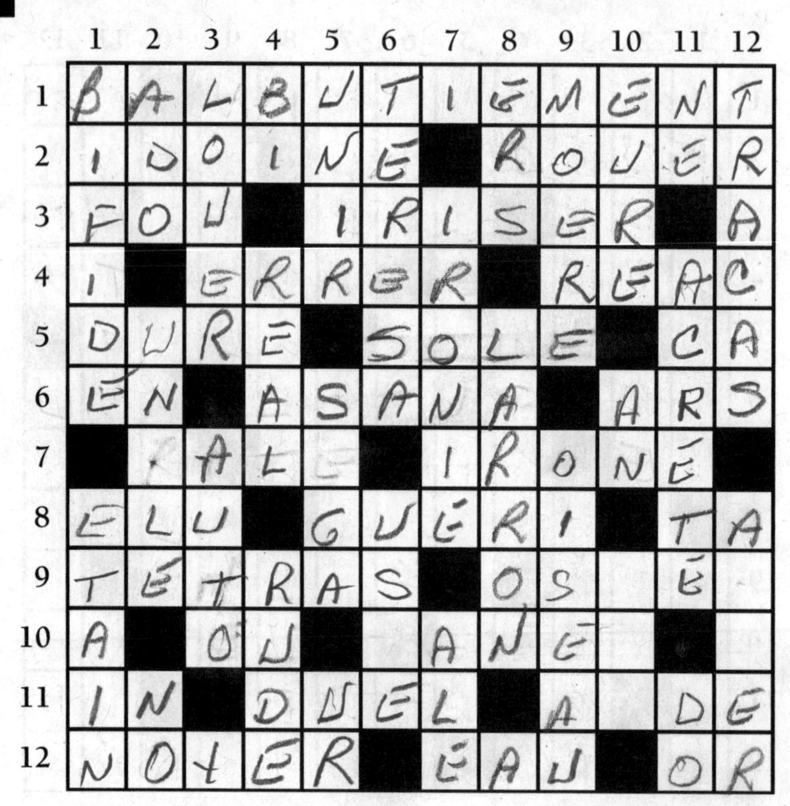

**HORIZONTALEMENT**

1. Ânonnement.
2. Approprié — Tabasser.
3. Insensé — Colorer avec les couleurs de l'arc-en-ciel.
4. Vadrouiller — Réactionnaire.
5. Rivière d'Auvergne — Poisson plat — Pronom démonstratif.
6. Adverbe de lieu — Posture de yoga — Partie de l'épaule du cheval.
7. Cérémonie — Cétone de la racine d'iris.
8. Choisi par Dieu — Délivré — Tantale.
9. Coq de bruyère — Saule de petite taille.
10. Conjonction — Général et homme politique portugais.
11. Branché — Combat — Poète épique et récitant.
12. Inonder — Suc de certains fruits — Richesse.

**VERTICALEMENT**

1. Fendu en deux — Ch.-l. de c. de la Meuse.
2. Teenager — Ongulé — Drame japonais.
3. Donner à loyer — Voiture.
4. Bismuth — Royal — Grossier.
5. Joindre — Longue histoire mouvementée — Cité antique de la basse Mésopotamie.
6. Religieuse indienne gagnante d'un prix Nobel — Commune.
7. Sarcasme — Bière.
8. Lentille — Brigand.
9. Lagune d'eau douce — Vertébré couvert de plumes et muni d'ailes.
10. Affluent de la Seine — Douze mois — Baie des côtes de Honshû.
11. Issu — Amertume — Note.
12. Difficulté — Fortifier.

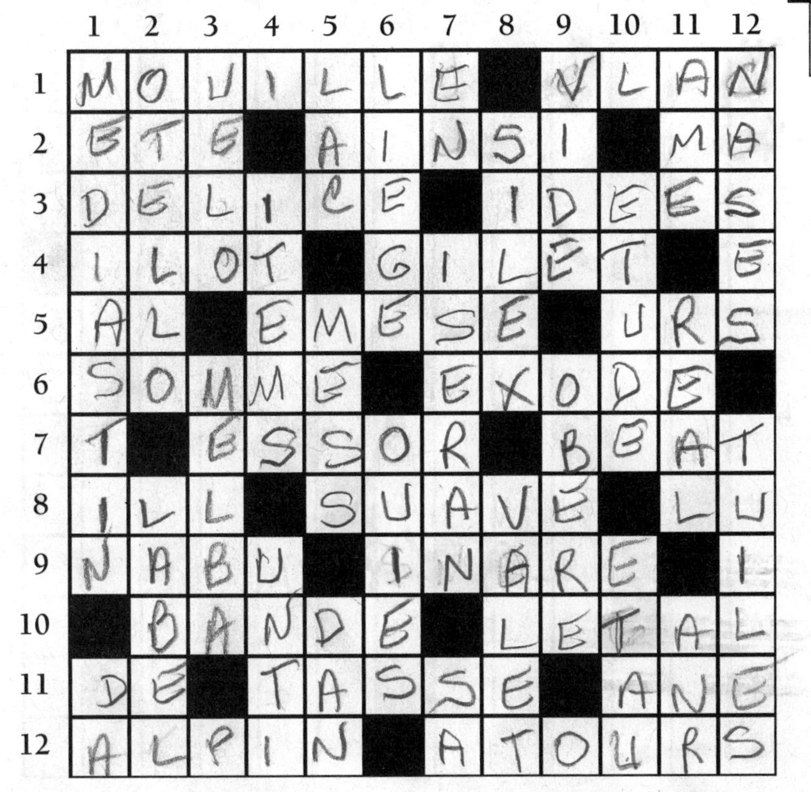

## HORIZONTALEMENT

1. Humide — Onomatopée imitant un bruit sec.
2. Période des chaleurs — De cette façon — Muon.
3. Plaisir — Conceptuel.
4. Hameau — Vêtement court sans manches.
5. Aluminium — Ville de Syrie — Aurochs.
6. Sieste — Émigration en masse.
7. Développement — Qui est heureux en Dieu.
8. Rivière d'Alsace — Agréable — Lutécium.
9. Prophète hébreu — Lac de la Laponie finlandaise.
10. Troupe — Qui provoque la mort.
11. Petit cube — Petit récipient — Personne sotte.
12. Relatif aux Alpes — Ornements.

## VERTICALEMENT

1. Région du thorax — Oui.
2. Opéra en trois actes de Rossini — Étiquette.
3. Branche de l'Oubangui — Pêche nappée de crème chantilly.
4. Unités — Ancienne unité monétaire du Pérou.
5. Étendue d'eau — Cantine — Grade.
6. Ville de Belgique — Branchies des poissons.
7. Adverbe de lieu — Col des Alpes — Adjectif possessif.
8. Roche constituée de silice — Domestique.
9. Vacant — Endetté.
10. Scolarité — Également.
11. Conscience — Ancienne monnaie espagnole — Massif montagneux du Sahara méridional.
12. Idiote — Plaques de terre cuite.

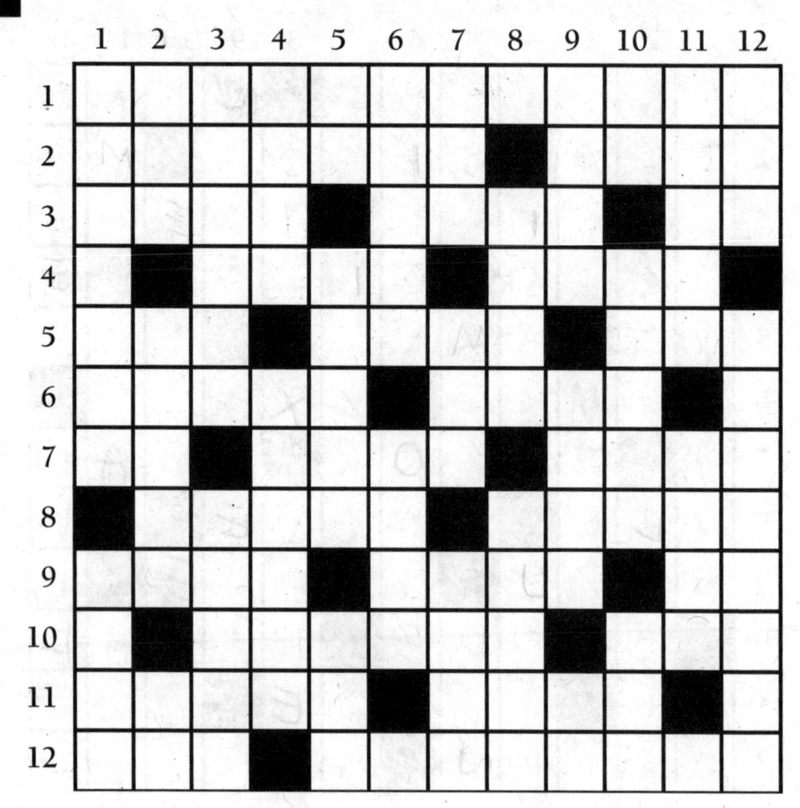

## HORIZONTALEMENT

1. Injonction.
2. Manque d'intelligence — Pensée.
3. Fondateur de l'Oratoire d'Italie — Marchandise non emballée — Issu.
4. Montagne de Grèce — Aliment fait de farine.
5. Pronom personnel — Hameau — Situé.
6. Pompettes — Filet pour la pêche.
7. Ruisselet — Frein — Entendre.
8. Fibre provenant de la toison de certains ruminants — Rétabli d'un mal physique.
9. Poitrine — Nommes à une fonction — Pronom personnel.
10. Décortiquer — Lettre grecque.
11. Sadique — Pièce de bois servant d'appui.
12. Assaisonnement — Menuisier.

## VERTICALEMENT

1. Tir sur un objectif mobile — Sachets.
2. Poème lyrique — Gamète femelle végétal — Rhénium.
3. Glace — Ancêtre.
4. Moye — Fine tranche de viande.
5. Astate — Reste de bûches — Bière blonde.
6. Relatif à la neige — Certain.
7. Dernier — Lentille — Frustré.
8. Qui a les qualités nécessaires — Largeur de la marche d'un escalier.
9. Minerai — Adjectif indéfini (pl.) — Mesure itinéraire chinoise.
10. Diminutif d'Edward — Aboutissement — Adjectif possessif (pl.).
11. Négation — Prénom féminin.
12. Cheville de golf — Importante.

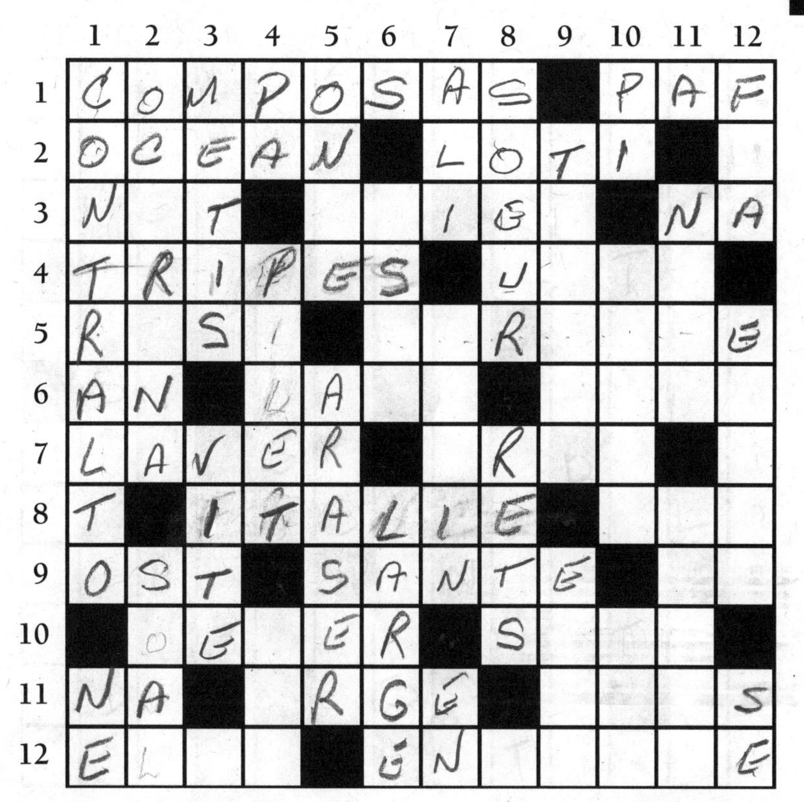

**HORIZONTALEMENT**

1. Constituas — Ivre.
2. Mer — Favorisé par le sort.
3. Pianiste français né en 1890 — Bourgeon secondaire de certaines plantes — Sodium.
4. Boyaux d'un animal — Algue appelée laitue de mer.
5. Cinéaste italien né en 1916 — Suranné.
6. Année — Moine bouddhiste — Levées, aux cartes.
7. Nettoyer — Disposé.
8. État d'Europe — Ancien nom de Tokyo.
9. Armée — Tchin-tchin — Patrie d'Abraham.
10. Consentir — Dégoutter.
11. Exclamation enfantine — Plante herbacée — Chefs.
12. Ville de Grande-Bretagne — Complicité.

**VERTICALEMENT**

1. La plus grave des voix de femme — Issu.
2. Petit instrument à vent — Style vocal propre au jazz.
3. Mulâtre — Rapide.
4. Pascal — Canard sauvage — Fleuve de Russie.
5. Félin — Mettre de niveau.
6. Frères artistes allemands — Ample.
7. Boxeur célèbre — Apprenti dans un atelier de peinture — Dans.
8. Religieuse — Filet pour la pêche.
9. Plante herbacée à racine bulbeuse — Affluent de la Seine.
10. 3,1416 — Ancienne mesure de capacité — Agent secret de Louis XV.
11. Fondateur de l'Oratoire d'Italie — Conduite en caoutchouc.
12. Double coup de baguette — Développement — Sélénium.

68

## HORIZONTALEMENT

1. Qui vit dans les rochers — Choquant.
2. Absence d'urine dans la vessie — Écrases.
3. Micro — Gêner.
4. Battement de la mesure dans le vers — Rivière du S.-O. de l'Allemagne.
5. Terme de tennis — Posture de yoga — Xénon.
6. Mets fait de pommes de terre émincées — Cordon.
7. Non payé — Flots — Terre entourée d'eau.
8. Entretoise — Gaéliques.
9. Borné — Apéritif.
10. Recueil de bons mots — Enjoué — Argent.
11. Recherché — Chaton de certaines fleurs.
12. Confusion — Arbores.

## VERTICALEMENT

1. Garde-corps — Courbe.
2. Sans inégalités — Reste d'une pièce d'étoffe.
3. Châtiées — Matière textile.
4. Prénom masculin — Préjudice — Petit lac des Pyrénées.
5. Tellement — Amalgame métallique — Aurochs.
6. Gardés — Envie.
7. Personne qui utilise un service public — Interjection.
8. Panicule — Capitale des Bahamas.
9. Nom donné à la Nouvelle-Guinée par l'Indonésie — Féru.
10. Explications — Située — Traditions.
11. Rhénium — Figure de patinage artistique — Bruit rauque de la respiration.
12. Détérioration — Félicitations.

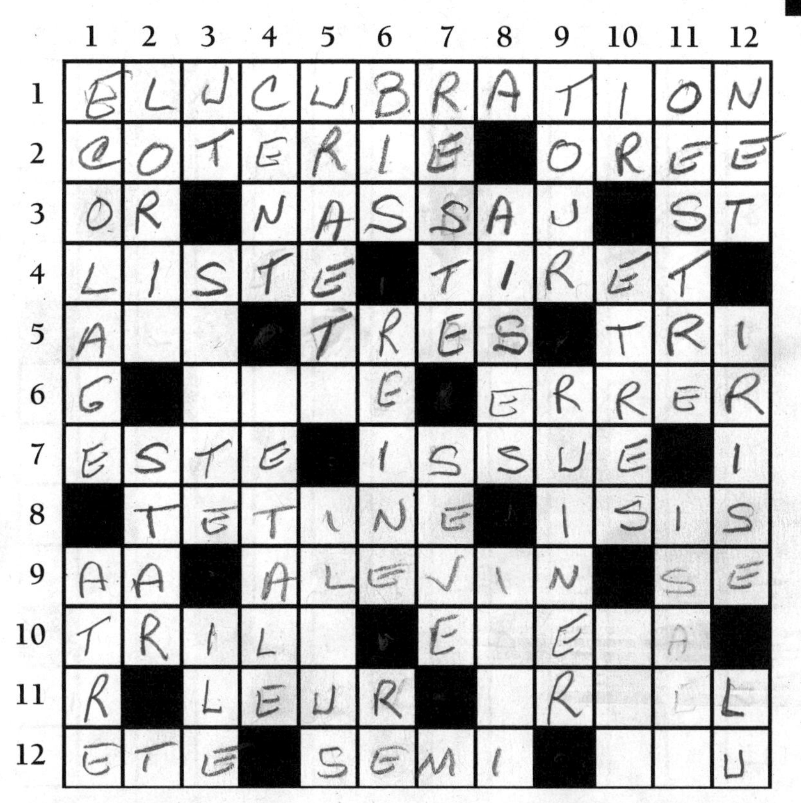

## HORIZONTALEMENT

1. Œuvre laborieusement édifiée et peu sensée.
2. Clan — Lisière du bois.
3. Métal précieux — Capitale des Bahamas — Saint.
4. Énumération — Petit trait.
5. Volcan du Japon — Bigrement — Triage.
6. Engrais azoté — Vadrouiller.
7. Estonien — Aboutissement.
8. Mamelle d'un mammifère — Déesse égyptienne.
9. Association pour alcooliques — Jeune poisson destiné au peuplement des rivières — Sélénium.
10. Intérieur d'un cigare — Poire à deux valves.
11. Pronom possessif — Motocross.
12. Période des chaleurs — Demi — Ancienne monnaie.

## VERTICALEMENT

1. Frais de scolarité — Foyer.
2. Primate nocturne d'Asie du Sud — Grande vedette.
3. Ancien do — Magasin situé dans la cale d'un navire — Terre entourée d'eau.
4. Centième partie de plusieurs unités monétaires — Arrange grossièrement.
5. Aigle d'Australie — Obstruction de l'intestin.
6. Rappel — Souveraine — Note.
7. Solde — Liquide nutritif tiré du sol.
8. Confort — Ancienne unité monétaire du Pérou.
9. Construction en hauteur — Démolir.
10. Iridium — Disposition des lieux dans un bâtiment — Amie.
11. Grosse mouche — Fils d'Abraham.
12. Tranché — Qui prend les couleurs du prisme — Lutécium.

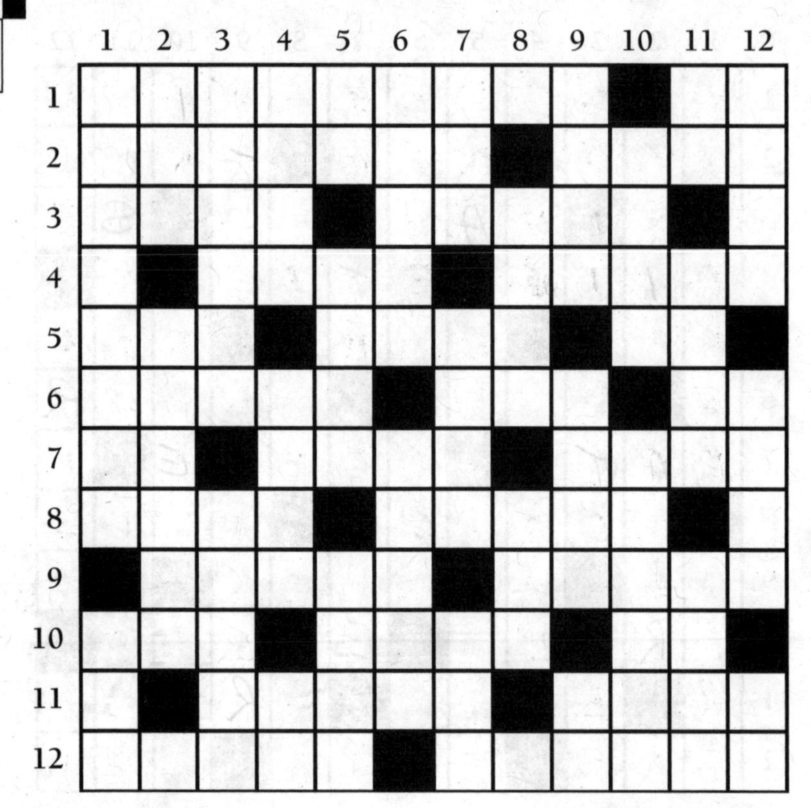

## HORIZONTALEMENT

1. Position du corps reposant sur un plan horizontal — Note.
2. Petit instrument à vent — Tranquillité.
3. Grand — Partie liquide du fumier.
4. Île des Philippines — Décapite.
5. Assemblée russe — Un des États-Unis d'Amérique — Sélénium.
6. Tristan et ... — Adjectif possessif (pl.) — Négation.
7. Règle de dessinateur — Filet pour la pêche — Pronom démonstratif (pl.).
8. Nom poétique de l'Irlande — Ville d'Afghanistan.
9. Qui se développe dans un milieu stérile — Baie rouge.
10. Fille de Cadmos — Tas — Molybdène.
11. Mesurer — Affluent de la Seine.
12. Variété de haricot africain — Mélancolie.

## VERTICALEMENT

1. Carbonate naturel de calcium — Rivière alpestre de l'Europe centrale.
2. Critique italien — Col des Alpes.
3. Élève paresseux et nul — Tique.
4. Presse — Vase à flancs arrondis — Fleuve de Russie.
5. Bismuth — Entêté — Nez.
6. Entrée de données dans un système informatique — Sujet.
7. Lettre grecque — Commune de Belgique — Partie de l'épaule du cheval.
8. Ancienne province de la Chine — Chef éthiopien.
9. Lavande dont on extrait une essence odorante — Style d'improvisation vocale — Article espagnol.
10. Badiane — Poinçon.
11. Pouah — Petit — Pente.
12. Orientée — Plante monocotylédone — Adverbe de lieu.

**HORIZONTALEMENT**

1. Fête chrétienne — Neptunium.
2. Éburnéen — Mère de Zeus.
3. Caché — Vulgairement.
4. Ancienne unité monétaire du Pérou — Estoniens.
5. Chef éthiopien — Commune de l'Aude — Ville du Japon.
6. Petite balle — Attaches.
7. Roulement de tambour — Incrustation d'émail noir — Numéro.
8. Mammifère marin — État hallucinatoire dû à la prise d'une drogue.
9. Impôt — Usuel.
10. Mollusque marin — Dividende.
11. Plante potagère à odeur forte — Rassasié — Région de la Champagne.
12. Onomatopée imitant un petit cri — Insulte.

**VERTICALEMENT**

1. Chercher sa nourriture — Peur.
2. Première femme — Baie rouge — Elle fut changée en génisse.
3. Chartérisé — Refusé.
4. À toi — Quelqu'un.
5. Erbium — Eau-de-vie de canne à sucre — Courbe.
6. Relatif à l'ensemble des citoyens — Mousse blanchâtre.
7. Organisation des Nations Unies — Pronom personnel (pl.) — 3,1416.
8. Qui provoque la mort — Ville d'Espagne.
9. Régions du Sahara — Adjectif démonstratif.
10. Appareil électroménager — Arrivé à destination.
11. Issu — Test — Trois fois.
12. Ventru — Boule.

## 72

| | 1 | 2 | 3 | 4 | 5 | 6 | 7 | 8 | 9 | 10 | 11 | 12 |
|---|---|---|---|---|---|---|---|---|---|---|---|---|
| 1 | | | | | | | | ■ | | | | |
| 2 | | | | ■ | | | | | | ■ | | |
| 3 | | | | | | | ■ | | | | | |
| 4 | | | | | ■ | | | | | | ■ | |
| 5 | | | ■ | | | | | | ■ | | | |
| 6 | | | | | | ■ | | | | | | ■ |
| 7 | | | | ■ | | | | | | ■ | | |
| 8 | | ■ | | | | | | ■ | | | | |
| 9 | | | | | ■ | | | | | | ■ | |
| 10 | ■ | | | | | | ■ | | | | | |
| 11 | | | ■ | | | | | | ■ | | | |
| 12 | | | | | | ■ | | | | | | |

### HORIZONTALEMENT

1. Restaurant à bon marché — Esclave égyptienne d'Abraham.
2. Canton de Suisse centrale — Instrument de musique — Paresseux.
3. Exaspéré — Cercueil.
4. Ch.-l. de c. du Loiret, sur la Loire — Agricole.
5. Issu — Étoffe — Abréviation d'adolescent (fam.).
6. Ville d'Irak — Sans tonicité.
7. Trois fois — Machine destinée à un usage particulier — Cæsium.
8. Plante vivace des bois — Échassier
9. Trousse — Fragile.
10. Essor — Conseil souverain de la Rome antique.
11. Douze mois — Palmier d'Afrique — Unité monétaire du Danemark.
12. Série — Solides.

### VERTICALEMENT

1. Petite serpe — Numéro.
2. Suranné — Très mince.
3. Blaguer — Ingénieur allemand né en 1912.
4. Ancienne unité monétaire du Pérou — Ragoût de lièvre.
5. Armée — Hameau — Interjection espagnole.
6. Une des trois parties égales — Fruit comestible.
7. Sert à lier — Utilisateur — Conifère.
8. Demeuré — Crochet.
9. Embarras — Ongulé.
10. Impulsion — Célébrité.
11. Rivière de Suisse — Désappointé — Unité de mesure agraire.
12. Général espagnol — Sentiers.

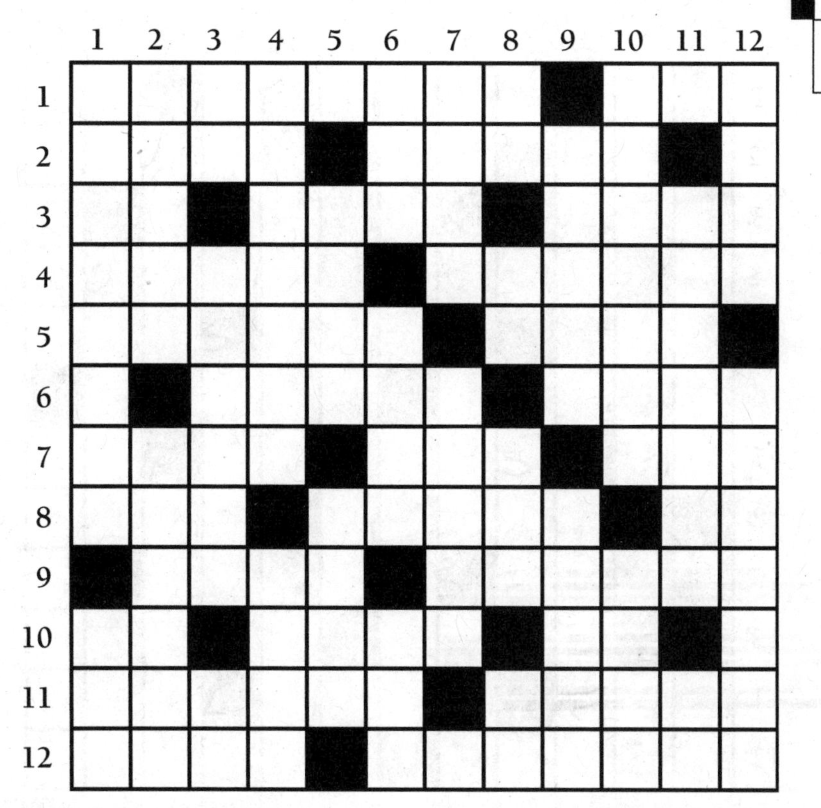

## HORIZONTALEMENT

1. Pièce de charpente — Fleuve d'Afrique.
2. Rivière du S.-O. de l'Allemagne — Os de poisson.
3. Note — Ville de Roumanie — Chaland à fond plat.
4. Édifice consacré à la musique — Plante à odeur forte.
5. Immaculées — Déambula.
6. Peintre suisse né en 1888 — Arbre d'Afrique utilisé en médecine.
7. Recouvert d'une mince couche — Par — Rigole.
8. Ville des Pays-Bas — Oblique — Erbium.
9. Grand Lac — Coupé.
10. Douze mois — Préposition — Argon.
11. Petite plante lacustre — Nom donné à la Nouvelle-Guinée par l'Indonésie.
12. Fromage blanc — Mortel.

## VERTICALEMENT

1. Boisson — Longue pièce de bois.
2. Glucide décomposable par hydrolyse — Port du Danemark.
3. Exclamation enfantine — Élonger — Métal précieux.
4. Cerise à queue courte — Pensée.
5. Ch.-l. de c. d'Eure-et-Loir — Qui est heureux en Dieu.
6. Chef éthiopien — Puni — Partie d'une église.
7. Cordage reliant une ancre à la bouée — Sot.
8. Issu — Erbium — Rivière de France — Branché.
9. Morceau de linge roulé en boule — Poisson osseux des mers tropicales.
10. Mourir — Membrane colorée de l'œil.
11. Mammifères du Pacifique — Astate.
12. Lésion de la peau — Gratification de fin d'année.

## 74

| | 1 | 2 | 3 | 4 | 5 | 6 | 7 | 8 | 9 | 10 | 11 | 12 |
|---|---|---|---|---|---|---|---|---|---|---|---|---|
| 1 | | | | | | | | | | ■ | | |
| 2 | | | | | | | | ■ | | | | |
| 3 | | | | | ■ | | | | | | ■ | |
| 4 | | ■ | | | | | ■ | | | | | |
| 5 | | | | ■ | | | | | ■ | | | |
| 6 | | | | | | ■ | | | | | | ■ |
| 7 | | | ■ | | | | | | | ■ | | |
| 8 | ■ | | | | | | | ■ | | | | |
| 9 | | | | | ■ | | | | | | ■ | |
| 10 | | ■ | | | | | ■ | | | | | |
| 11 | | | | ■ | | | | | ■ | | | |
| 12 | | | | | | ■ | | | | | | |

### HORIZONTALEMENT

1. Crépi fait au balai — Petit cube.
2. Rusée — Expulsion d'air contenu dans les poumons.
3. Libéralité faite par testament — Interjection de plainte.
4. Lagune d'Australie — Stérile.
5. Bannissement — Pays voisin de l'Irak — Lentille.
6. Dynamique — Fils de Dédale.
7. Rhénium — Grappiller — Gallium.
8. Résumé écrit — Fleuve qui sépare la Pologne de l'Allemagne.
9. Ville du Nevada — Éloigné.
10. Cas où un fait se produit — Balance doucement.
11. Prairie — Bravade — Prêt à manger.
12. Asséchée — Attaché à une voiture.

### VERTICALEMENT

1. Homme très fort — Enlèvement.
2. Poème lyrique — Mordant — Roulement de tambour.
3. Pressant — Lieu destiné au supplice des damnés.
4. Douillet — Abri de glace.
5. Interjection — Carabine d'origine anglaise — Poisson d'eau douce.
6. Fluide très subtil — Averti.
7. Cheville de golf — Ancêtres — Note.
8. Instrument en forme de lance — Service religieux.
9. Grande vedette — Pin cembro.
10. Saule de petite taille — Couche profonde de la peau.
11. Non payé — Grand filet — Croupe.
12. Profusion — Rue.

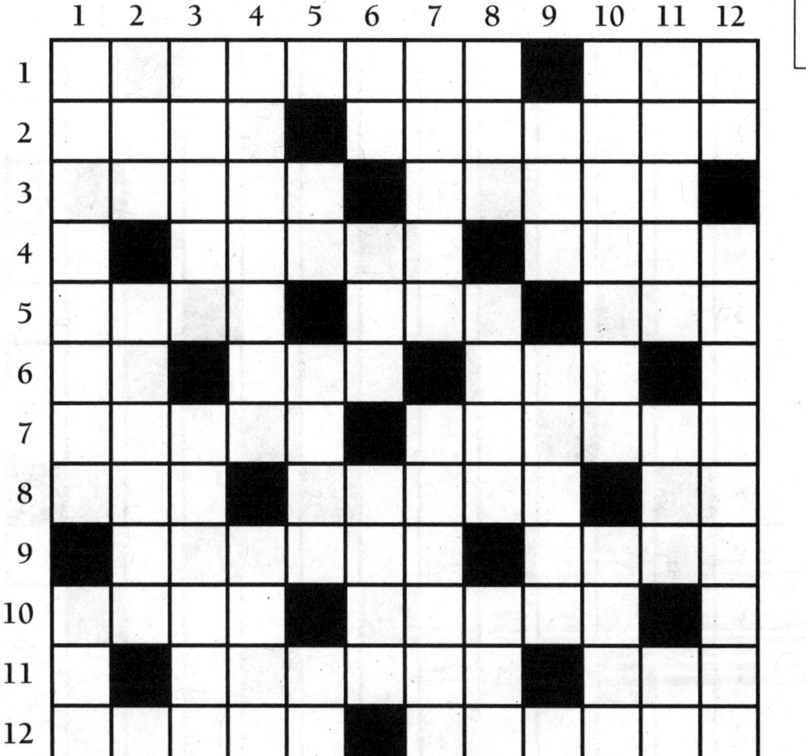

**HORIZONTALEMENT**

1. Consentement — Exprimes.
2. Petit groupe de maisons — Accomplit.
3. Saccharose — Délabré.
4. Arbre des forêts tempérées — Verse.
5. Lieu de délices — Firme de fabrication électrique allemande — Pour la troisième fois.
6. Lithium — Clair — Obtint.
7. Frustrer — Desquamées.
8. Orient — Monument vertical, souvent funéraire — Astate.
9. Égarement — Grimace faite par mécontentement.
10. Prophète — Pare-feu.
11. Plat servi avant la viande — Impayés.
12. Déambuler — Manque.

**VERTICALEMENT**

1. Cavité située sous l'épaule — Saison.
2. Matière collante — Moteur à combustion interne.
3. Pierre — Rayer.
4. Présent à l'occasion du premier jour de l'année — Courroie.
5. Sert à lier — Gaélique — Tour.
6. Infinitif — Personne avare — Assassiner.
7. Dieu grec de la Mer — Poinçonner.
8. Lettre grecque — Commune de Belgique — Poulie dont le pourtour présente une gorge.
9. Plante herbacée vivace — Théologien musulman.
10. Repas léger — Eau.
11. Dép. de la Région Rhônes-Alpes — Liquide incolore et inodore — Do.
12. Pronom personnel — Affliction.

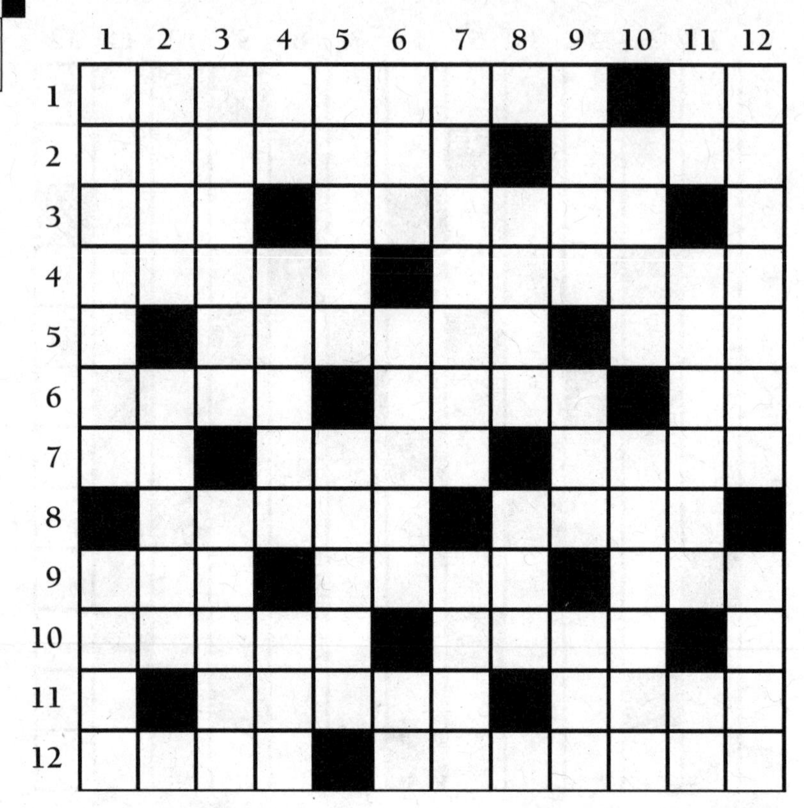

**HORIZONTALEMENT**

1. Mauvais cheval maigre — Idem.
2. Substance vitreuse dont on fait des vases — Rivière de Bourgogne.
3. Pièce de la charrue — Mesurage.
4. Qui forme un axe — Plantes à fleurs jaunes.
5. Brouillé — Époque.
6. Démentir — Fromage blanc — Rigolé.
7. Carte à jouer — Projectile lancé par canon — Poisson.
8. Indigné — Tonique.
9. Pronom personnel (pl.) — Hameau — de mesure thermique.
10. Boucles — Ancienne monnaie espagnole.
11. Grains de beauté — Nouveau.
12. Dégouttes — Inséré.

**VERTICALEMENT**

1. Acclamation religieuse — Molécules.
2. Nom donné à divers sommets — Éloigné.
3. Vite — Fabrique.
4. Lui — Petit loir gris — Fatigué.
5. Impôts — Vent.
6. Dans la rose des vents — Familier — Cale en forme de V.
7. Épargnes avec avarice — Irlande.
8. Joindre — Sainte.
9. N'ayant subi aucune teinture — Lettre grecque — Recueil de bons mots.
10. Branche de l'Oubangui — Homme politique allemand.
11. Infinitif — Faux — Ancien do.
12. Intention — Graine du caféier.

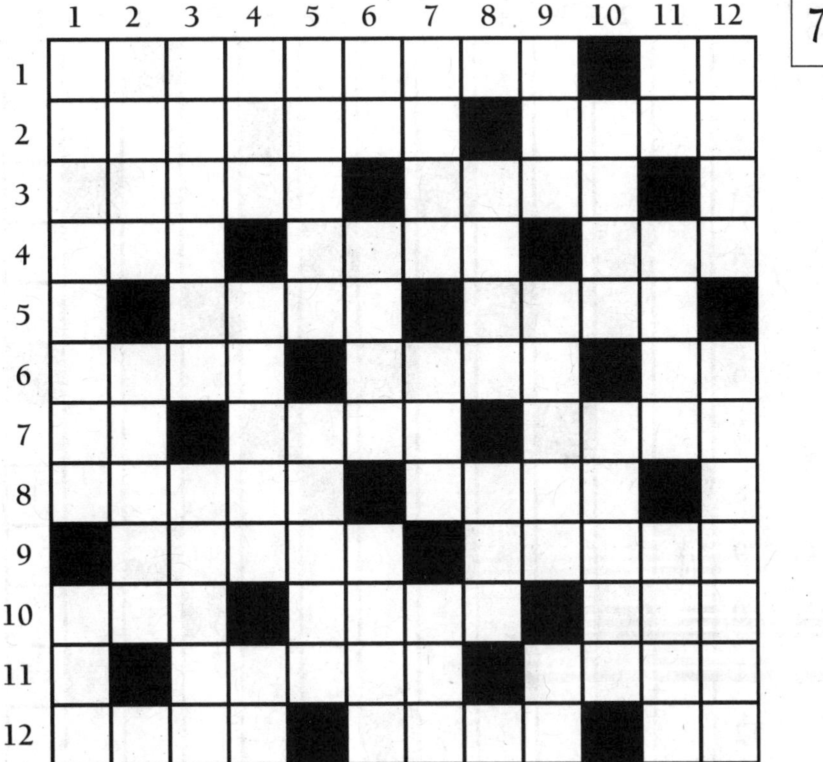

## HORIZONTALEMENT

1. Polyèdre à cinq faces — Neptunium.
2. De façon tendre, amoureusement — Production filiforme de l'épiderme.
3. Répartir par lots — Répugnant.
4. Obtenue — Ancienne monnaie chinoise — Rocher.
5. Ville de Hongrie — Un des États-Unis d'Amérique.
6. Astucieux — À l'intérieur de — Rubidium.
7. Pronom indéfini — D'une couleur orangée plus ou moins vive — Détériorer.
8. Ville du Japon — Fleuve du Kazakhstan.
9. Ville de Syrie — Général et homme politique portugais.
10. Matière visqueuse — Soulager — Ville du Nigeria.
11. Résiliation d'un bail — Interjection familière d'interrogation.
12. Paradis — Dernier repas — Conjonction.

## VERTICALEMENT

1. Cheval de marche — Convenance .
2. Oiseau ratite d'Australie — Quelqu'un.
3. Marquées — Cordage servant à retenir une voile.
4. Triage — Bourgeon — Adverbe de lieu.
5. Artère — Petit de l'oie.
6. En matière de — Pénible — Tête de rocher.
7. Ch.-l. d'arr. du Jura — Essieu — Dans la rose des vents.
8. Sulfate double de potassium et d'aluminium — Ch.-l. de c. de Loir-et-Cher.
9. Panicule — Garde du sabre japonais — Hélium.
10. Fleuve qui sépare la Pologne de l'Allemagne — Matière purulente.
11. Négation — Rivière de l'Europe centrale — Prophète.
12. Plouf — Rocher sur lequel la mer se brise et déferle.

## HORIZONTALEMENT

1. Couche la plus interne de l'écorce — Petit cube.
2. Vouer au malheur — Personne qui enseigne des connaissances.
3. Interstice minuscule — Abri de glace.
4. Nom poétique de l'Irlande — Frottée d'huile.
5. Rongeur — Centième partie de plusieurs unités monétaires — Tronc d'arbre.
6. Permission de sortir — Yodle.
7. Ricané — Déesse — Papa.
8. Pierre plate utilisée comme dalle — Matelot.
9. Libéralité faite par testament — Conjonction — Conjonction.
10. Moderne — Résine malodorante.
11. Interjection pour appeler — Tempéré.
12. Pifs — Nerveux.

## VERTICALEMENT

1. Aggraver — Grand mammifère carnivore.
2. Cap d'Espagne — Qui forme un axe — Interjection.
3. Rigidité — Gréement.
4. Fleuve qui sépare la Pologne de l'Allemagne — Distrait.
5. Chiffres romains — Battement de la mesure dans le vers — Événement.
6. Instrument de chirurgie — Distancés.
7. Étendue désertique — Conteste — Partie de certains ustensiles.
8. Jeu de hasard — Milieu, centre.
9. Cor qui termine la tête d'un cerf — Poison végétal — Germanium.
10. Faire un bruit particulier du nez, en dormant — Massif montagneux du Sahara méridional.
11. Note — Hécatombes.
12. Résultat — Obstiné.

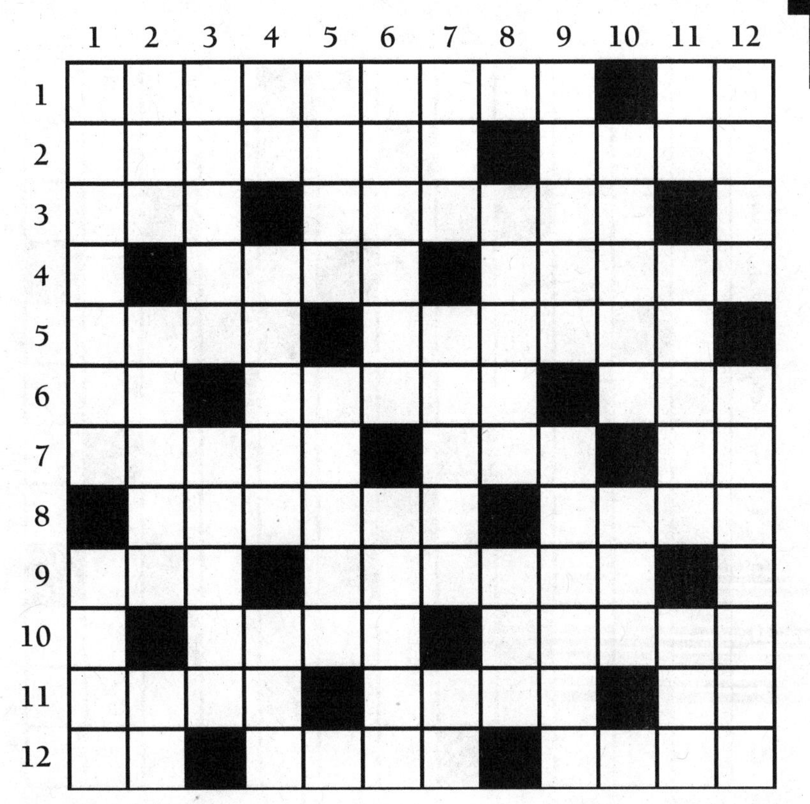

## HORIZONTALEMENT

1. Action de recueillir — Année.
2. Prédicateur — Talent brillant.
3. Première page — Évêque de Lyon.
4. Ville du Nevada — Grands félins sauvages.
5. Maugréa — Coloration jaune des muqueuses.
6. Préfixe privatif — Dompter — Détérioré.
7. Fluide très subtil — Unité monétaire bulgare — Initiales d'une province atlantique.
8. Qui ressemble à une rose — Oiseau échassier.
9. Interjection qui marque l'embarras — Instrument de musique de l'Inde.
10. Sert à attacher — Poète italien mort en 1535.
11. Dans le calendrier romain — Audition — Conjonction.
12. Ruisselet — Frotté d'huile — Lieu.

## VERTICALEMENT

1. Action pleine de ruse — Détester
2. Acide ribonucléique — Caverne — Non payé
3. Sable calcaire des rivages — Mouvement ondulatoire
4. Astate — Architecte et designer américain né en 1907 — Terme de photographie
5. Poitrine — Met de niveau.
6. Vent du sud-ouest — Pièce d'artillerie.
7. Unité de mesure agraire Unité de mesure agraire Dissimuler — Do.
8. Possessif — Ceinture japonaise.
9. Bois noir — Vidangées.
10. Extrêmement fatigué — Berceau.
11. Mammifère aux mouvements lents — L'ancienne Estonie — Tranché.
12. Pronom personnel (pl) — Subséquemment.

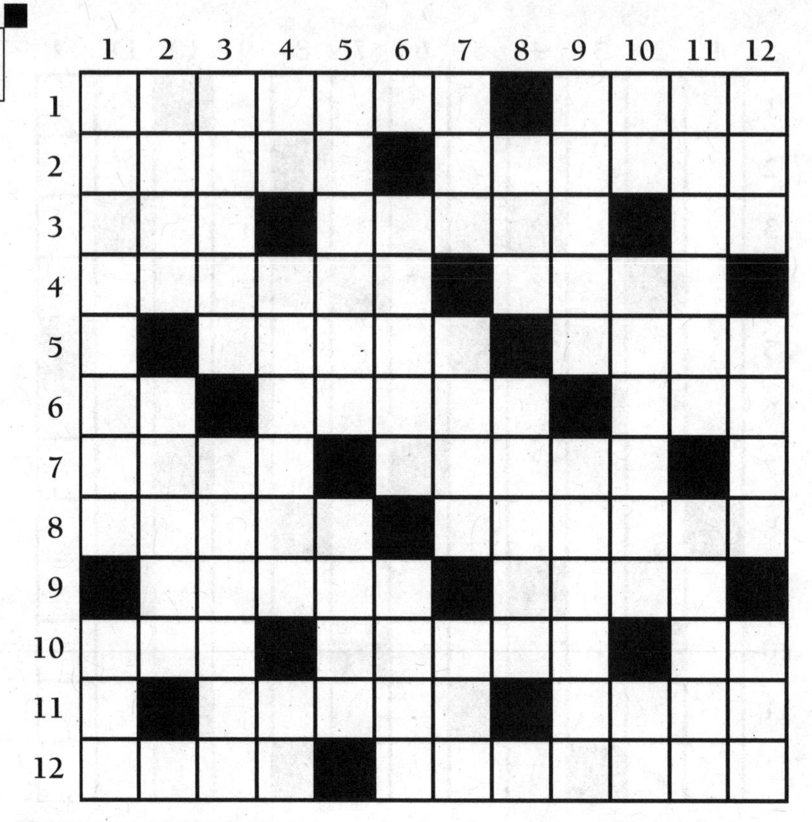


**HORIZONTALEMENT**

1. Partie postérieure d'un autel — Entretoise.
2. Poisson marin — Affection de la peau.
3. Pas beaucoup — Grains de beauté — Petit cube.
4. Façonner — Partie de la Méditerranée.
5. Général et homme politique portugais — Boucliers.
6. Roulement de tambour — Lichen filamenteux — Unité de mesure agraire.
7. Peur — Mathématicien suisse né en 1707.
8. Appât — Résistes.
9. Prénom féminin — Course à courre simulée.
10. Première page — Touée — Pronom personnel.
11. Coiffure du pape — Règlement.
12. Paradis — Temples.

**VERTICALEMENT**

1. Restitué — Aurochs.
2. Patrie de Zénon — Endommagé par le feu.
3. Pronom indéfini — Amertume.
4. Expert — Fait le rauchage — Branché.
5. Inoffensifs — Abouta.
6. Étendue sableuse — Nom gaéli que de l'Irlande.
7. Ville des Pays-Bas — Abandonné — Étendue désertique.
8. Salutation angélique — Esquivé.
9. Fonde — Resserré.
10. Platine — Éloigna — Problème.
11. Empressement — Bouclier.
12. Ralle — Direction — Article (pl.).

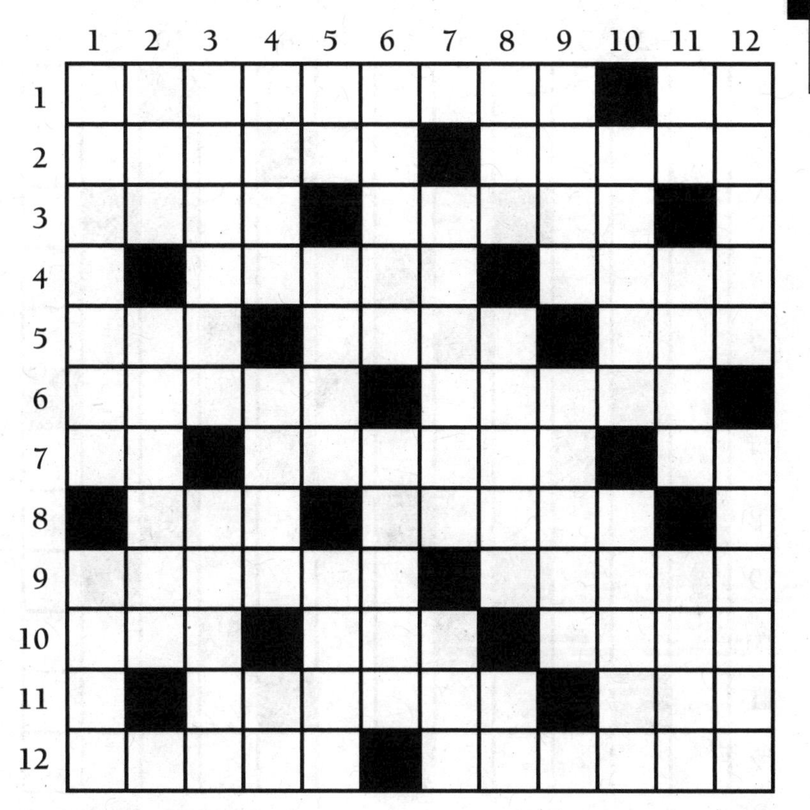


**HORIZONTALEMENT**

1. Homme distingué — Expert.
2. Genre de champignons — Enroulé.
3. Homme politique italien mort en 1978 — Faciles.
4. Vedettes — Moine bouddhiste.
5. Dépôt du vin — De plus — Eau-de-vie.
6. Perdant — Délit.
7. Europium — Massif du sud de l'Espagne — Conjonction.
8. Terme de tennis — Arbre équatorial.
9. Échec — Qui dénote la richesse.
10. Perroquet — Lettre grecque — Construction en hauteur.
11. Moutarde sauvage — Conifère.
12. Hausse d'un demi-ton en musique — Obstiné.

**VERTICALEMENT**

1. Écuelle — Incursion.
2. Moi — Yodler.
3. Général byzantin — Qui va en s'élargissant.
4. Allure du cheval — Prune — En matière de.
5. Mesure itinéraire chinoise — Espace plat où nichent les oiseaux de proie — Guide.
6. Distance — Immense.
7. Col des Alpes — Salutation angélique.
8. Partie de l'épaule du cheval — Région viticole du Bordelais — Adverbe de lieu.
9. La Nativité — Embarcation légère.
10. Détérioré — Fabuliste grec.
11. Aluminium — Mesure anglo-saxonne de longueur — Talonne.
12. Ch.-l. d'arr. des Ardennes — Aigri.

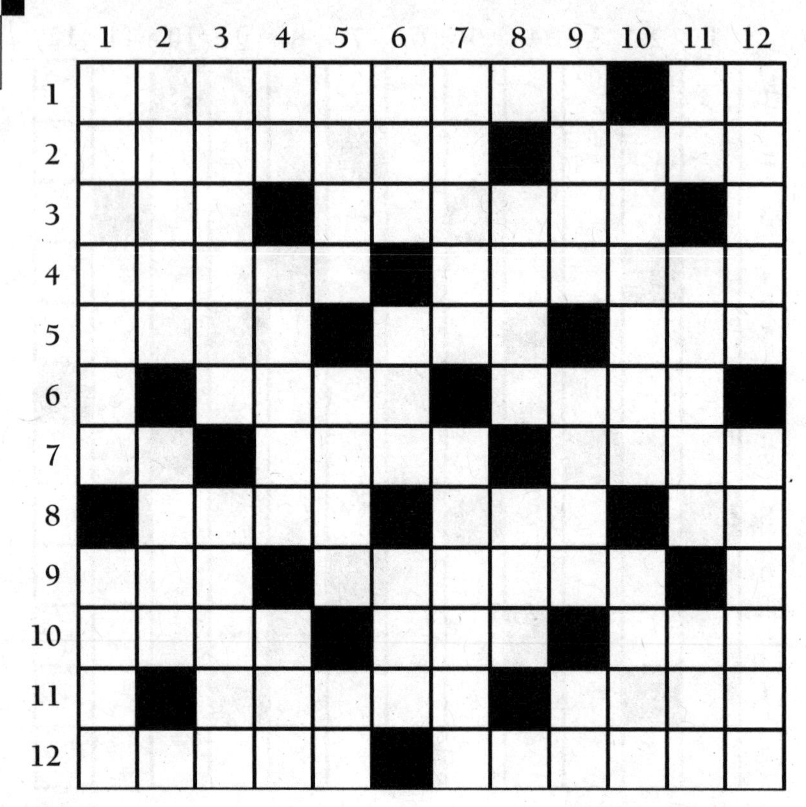

## HORIZONTALEMENT

1. Doctrine d'après laquelle rien n'existe — Arsenic.
2. Distingué — Logement.
3. Fleuve d'Afrique — Oiseaux passereaux.
4. Écimé — Cochonnets.
5. Très fin — Récipient en terre réfractaire — Brame.
6. Plante dicotylédone — Pays voisin de l'Irak.
7. Interjection — Boîte destinée à contenir un objet — Pilastre cornier.
8. Fleuve d'Espagne — Repaire — Diminutif d'Edward.
9. Serré — Hulules.
10. Viscère pair qui sécrète l'urine — Pour encourager dans les corridas — Plus mal.
11. Pomme de terre allongée — Seul, unique.
12. Insecte hyménoptère — Figurine provençale.

## VERTICALEMENT

1. Nana — Course à courre simulée.
2. Copie — Homme misérable.
3. Capitale du Montana — Vase en forme de cruche.
4. Infinitif — Récepteur de modulation de fréquence — Élégant, distingué.
5. Fruit — Également — Tellure.
6. Allez, en latin — Ville du Japon — Part.
7. Tissu léger de laine — Aulnées.
8. Favorisé par le sort — Terre entourée d'eau.
9. Ville de Hongrie — Grand bassin où les navires peuvent mouiller — Manganèse.
10. Col des Alpes — Tache lumineuse.
11. Astate — Tipi — Fille de Cadmos.
12. Raisonnable — Inventeur américain né en 1847.

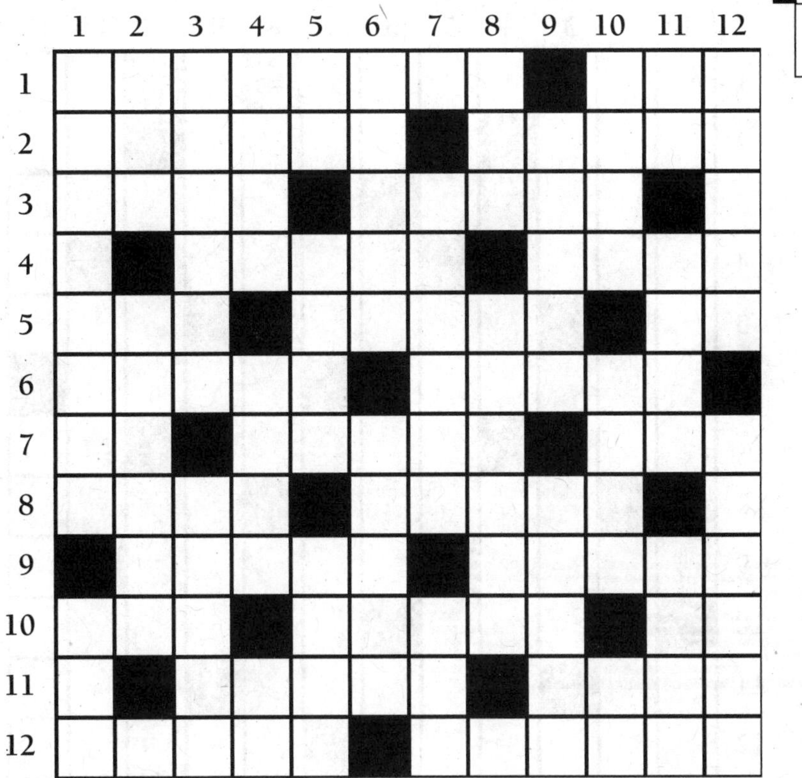

## HORIZONTALEMENT

1. Compréhensif — Enjambée.
2. Crétiniser — Palier.
3. Caille — Fibre textile.
4. Éloigné — Pronom personnel.
5. Moi — Délit — Issu.
6. Substance organique d'origine végétale — Nommé des lettres.
7. Aluminium — Fade — Échelle, en photographie.
8. Parsemé — Disposition des lieux dans un bâtiment.
9. Œuvre en prose — Grand filet.
10. Manche, au tennis — Ornement — Argon.
11. Raidis — Estonien.
12. Unité de mesure pour les bois de charpente — Bornes.

## VERTICALEMENT

1. Tissu de soie — Signal de détresse.
2. Ceinture japonaise — Bâtiment de guerre.
3. Corps d'armée — Morceau de terre.
4. Saisons — De plus — Infinitif.
5. Blagué — Frêne à fleurs blanches — Rivière de Suisse.
6. Pin cembro — Dividende.
7. Moderne — Armée.
8. Pareil — Affolé.
9. Protestation collective — Vadrouiller.
10. Couvert de chapelure — Sable mouvant — Samarium.
11. Argent — Pronom indéfini (pl.) — Pourri.
12. Ajusté — Accablés de dettes.

| | 1 | 2 | 3 | 4 | 5 | 6 | 7 | 8 | 9 | 10 | 11 | 12 |
|---|---|---|---|---|---|---|---|---|---|---|---|---|
| 1 | | | | | | | | ■ | | | | |
| 2 | | | | ■ | | | | | | ■ | | |
| 3 | | | | | | ■ | | | | | | |
| 4 | | | | | ■ | | | | | | ■ | |
| 5 | | | ■ | | | | | | ■ | | | |
| 6 | | | | | | | ■ | | | | | ■ |
| 7 | | | | ■ | | | | | | ■ | | |
| 8 | | ■ | | | | | | ■ | | | | |
| 9 | | | | | ■ | | | | | | ■ | |
| 10 | ■ | | | | | ■ | | | | | | |
| 11 | | | ■ | | | | | | ■ | | | |
| 12 | | | | | | | ■ | | | | | |

## HORIZONTALEMENT

1. Braillarde — Plumards.
2. Interjection qui marque le doute — Itou — Ancien oui.
3. Première vertèbre cervicale — Durable.
4. Homme politique anglais né en 1788 — Voix au-dessus du baryton.
5. À la mode — Érosion — Épais.
6. Longue période difficile — Destiné.
7. Roue dont le pourtour présente une gorge — Assister — Sert à lier.
8. Potage — Confiserie au sirop d'érable.
9. Devenu rose — Instrument.
10. Essai — Chanteur français né en 1913.
11. Sodium — Qui a les couleurs de l'arc-en-ciel — Période historique.
12. Fusionné — Trône.

## VERTICALEMENT

1. Morigéner — Lettre grecque.
2. Précompte — Organisation du Traité de l'Atlantique Nord.
3. Mille-pattes — Mollusque gastéropode carnassier.
4. Sulfate double — Désoeuvré.
5. Tondu — Récipient — Présélection.
6. Impayé — Liliacée bulbeuse à grande et belle fleur — Id est.
7. Polyester — Incisives.
8. Sanve — Roche sédimentaire.
9. Linoléum — Plante herbacée.
10. Rude — Infuse.
11. Onomatopée — Crier, en parlant du chevreuil — Région du Sahara.
12. Empreinte — Vérifiée.

| | 1 | 2 | 3 | 4 | 5 | 6 | 7 | 8 | 9 | 10 | 11 | 12 |
|---|---|---|---|---|---|---|---|---|---|---|---|---|
| 1 | | | | | | | | | ■ | | | |
| 2 | | | | | | | ■ | | | | | |
| 3 | | | | ■ | | | | | | ■ | | |
| 4 | | | | | | ■ | | | | | | ■ |
| 5 | | ■ | | | | | | ■ | | | | |
| 6 | | | ■ | | | | | | ■ | | | |
| 7 | | | | | ■ | | | | | | ■ | |
| 8 | | | | | | | ■ | | | | | |
| 9 | ■ | | | | | ■ | | | | | | ■ |
| 10 | | | | ■ | | | | | | ■ | | |
| 11 | | ■ | | | | | | ■ | | | | |
| 12 | | | | | ■ | | | | | | | |

## HORIZONTALEMENT

1. Ceinture de laine — Sert à ouvrir une serrure.
2. Choix — Acide sulfurique fumant.
3. Aurochs — Commune de Belgique — Cuivre.
4. Lieu de pâturage temporaire — Combiné.
5. Rayé — Grossier.
6. Ancien do — Général et homme politique portugais — Adjectif possessif (pl.).
7. Bramer — Nouvelle.
8. Essence d'un individu — Poil.
9. Frêne à fleurs blanches — Voleur.
10. Convenance — Tourmenté — Tantale.
11. Plante originaire du Moyen-Orient — Joindre.
12. Éloigné — Cellule du système nerveux.

## VERTICALEMENT

1. Allure — Givre.
2. Rude — Voix d'homme.
3. Éléments — Resserré.
4. Mesure itinéraire chinoise — Relatif à l'utérus — Article indéfini.
5. Glorifiera — Équipe.
6. Jamais — De naissance — Eau-de-vie.
7. Engendrée — Subtile.
8. Dieu des Vents — Soudain.
9. Pronom personnel — Mérite.
10. Cérium — Matricule — Drame japonais.
11. Clair — Ce qu'on prend aux ennemis.
12. Touché — Crochet — Unité de mesure agraire.

86

**HORIZONTALEMENT**

1. Poignée d'une manivelle — Fleuve qui sépare la Pologne de l'Allemagne.
2. Prénom féminin — Prénom masculin russe.
3. Dépôt du vin — Fleuve d'Irlande — Ville du sud-est du Nigeria.
4. Phénomène de diffusion — Fichu.
5. Démentir — Lac d'Écosse — Traditions.
6. Germanium — Toujours divisible par deux — Personnage biblique, épouse d'Abraham.
7. Ville de la Jordanie — Nom donné à divers sommets.
8. Absurde — Fleuve d'Allemagne.
9. Capitale de la dynastie shogunale des Tokugawa — Gnôle — Association pour alcooliques.
10. Privé de ses rameaux — Langue indienne parlée au Brésil.
11. Évêque de Noyon — Second calife des musulmans — Notez bien.
12. Exclamation enfantine — Grande abondance — Estonien.

**VERTICALEMENT**

1. Aubergine — Adverbe de lieu.
2. Variété de sorbier — Préposition de lieu.
3. Énième — Île de la Guinée équatoriale.
4. En matière de — Plante charnue — Particule affirmative.
5. Petits socles — Entaille oblique destinée à l'assemblage.
6. Peintre italien — Dévot.
7. Femme de lettres américaine — Muse de la Poésie lyrique — Pronom personnel.
8. Rivière du Bassin aquitain — Petit bouclier en forme de croissant.
9. Petit lac des Pyrénées — Commune de Belgique — Affluent de la Seine.
10. Pièce de tissu — Essieu.
11. Jeune d'origine maghrébine né en France — Divers.
12. Officier de la cour du Sultan — Musique de danse afro-cubaine — Béryllium.

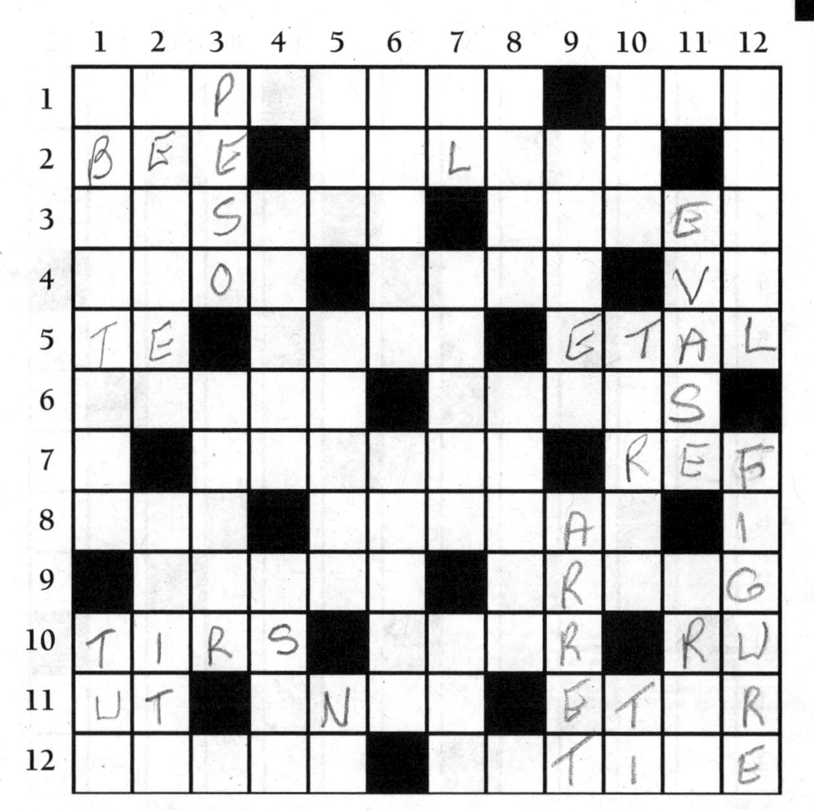

## HORIZONTALEMENT

1. Arrêter — Adjectif démonstratif (pl.).
2. Ouverte d'étonnement — Aussitôt.
3. Bronzé — Vin.
4. Talus destiné à protéger les plantes — Chose agréable — Voltampère.
5. Ferrure — Eau-de-vie — Boucherie.
6. Cétone de la racine d'iris — Géants des contes de fées
7. Vase sacré — Forme particulière de désert rocheux.
8. Enduit durcissant par dessiccation — Col des Alpes.
9. Nouveaux — Sommet frangé.
10. Manières de lancer — Qui produit un goût désagréable — Petit ruisseau.
11. Do — Égale — Commune du Morbihan.
12. Partie charnue — Contribue.

## VERTICALEMENT

1. Monastique — Roche poreuse légère.
2. Meneur — Élément.
3. Monnaie du Mexique — Adopter.
4. Posture de yoga — Droit d'utiliser la chose dont on est propriétaire.
5. Alcool — Rebelle — Négation.
6. Théologien musulman — Analyse.
7. Article espagnol — Peinture religieuse — Jules.
8. Bataille — Fente dans le bois.
9. Dissimuler — Halte.
10. Instrument à vent — Éteint — Titane.
11. Élargi — Fort.
12. Agave du Mexique — Visage.

88

| | 1 | 2 | 3 | 4 | 5 | 6 | 7 | 8 | 9 | 10 | 11 | 12 |
|---|---|---|---|---|---|---|---|---|---|---|---|---|
| 1 | | | | | | | | ■ | | | | |
| 2 | | | | ■ | | | | | | ■ | | |
| 3 | | | | | | | ■ | | | | | |
| 4 | | ■ | | | | ■ | | | | | | ■ |
| 5 | | | ■ | | | | | ■ | | | | |
| 6 | | | | | ■ | | | | | | ■ | |
| 7 | | | | | | | ■ | | | | | |
| 8 | | ■ | | | | | | | ■ | | | |
| 9 | | | | ■ | | | | | | ■ | | |
| 10 | ■ | | | | | ■ | | | | | | ■ |
| 11 | | | ■ | | | | | ■ | | | | |
| 12 | | | | | ■ | | | | | | | |

## HORIZONTALEMENT

1. Pâte amincie sous le rouleau — Pièce de tissu.
2. Peintre néerlandais né en 1613 — Artère — Note.
3. Cinglé — Localité de Grande-Bretagne.
4. Unité de mesure de travail — Berner.
5. Saint — Oiseau passereau — Commune de Belgique.
6. Constituera — Pomme de terre allongée.
7. Sarcasme — Rendre moins touffu.
8. Agréable — Échelle, en photographie.
9. Refus — Gardés — Initiales d'une province atlantique.
10. Jeune daim — Saule de petite taille.
11. Paresseux — Interjection — Grand Lac.
12. Petit perroquet d'Océanie — Descendances.

## VERTICALEMENT

1. Affiliation — Aluminium.
2. Anaconda — Trois fois — Un des États-Unis d'Amérique.
3. Aurore — Colère.
4. Publication périodique — Rayon.
5. Plante des prairies — Interurbain.
6. Note — Os de poisson — Article espagnol.
7. Infinitif — Cri des charretiers — Incroyable.
8. Lettre grecque — Pente.
9. Qui exerce une domination excessive — Possessif.
10. Plante alimentaire — Époque.
11. Aime — Cantons-de-l'Est.
12. Chope — Empereur romain — En matière de.

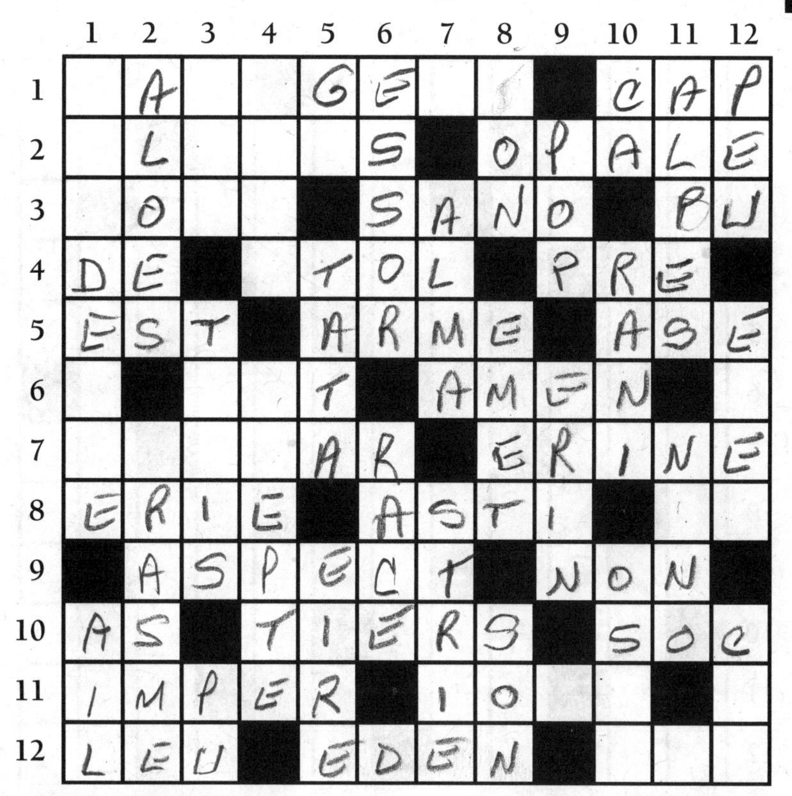

## HORIZONTALEMENT

1. Couleur en détrempe à base de lait de chaux — Pointe de terre.
2. Drupes globuleuses et oblongues — Prénom féminin.
3. Addition — Préventorium — Non payé.
4. Petit cube — Avion à décollage et à atterrissage courts — Prairie.
5. Dans la rose des vents — Muni d'armes — Volcan actif du Japon.
6. Préposition — Ainsi soit-il.
7. Chef — Instrument de chirurgie.
8. Grand Lac — Vin blanc — Pronom indéfini.
9. Allure — Négation.
10. Expert — Une des trois parties égales — Pièce de la charrue.
11. Imperméable — Héroïne légendaire grecque, épouse d'Héraclès.
12. Unité monétaire roumaine — Paradis — Ancienne monnaie.

## VERTICALEMENT

1. Poisson du genre corégone — Plante potagère à odeur forte.
2. Plante des régions désertiques — Humaniste hollandais né en 1469.
3. Surnommé — Pâteux — Plutonium.
4. Labiées à fleurs jaunes — Fidèle.
5. Germanium — Imbécile — Nom gaélique de l'Irlande.
6. Développement — Espèce.
7. Ville du Québec — Rayé.
8. Femme de lettres américaine — Énonce — Bruit.
9. Style de musique disco — Nom poétique de l'Irlande.
10. Pronom démonstratif — Femme d'un rajah — Dernier roi d'Israël.
11. Grande chaîne de montagnes — Quatrième partie du jour.
12. Pas beaucoup — Commune de Belgique — Insecte parasite.

## 90

| | 1 | 2 | 3 | 4 | 5 | 6 | 7 | 8 | 9 | 10 | 11 | 12 |
|---|---|---|---|---|---|---|---|---|---|---|---|---|
| 1 | | | | | | | | ■ | | | | |
| 2 | | | | ■ | | | | | | ■ | | |
| 3 | | | | | ■ | | | | | | ■ | |
| 4 | | | ■ | | | | | | ■ | | | |
| 5 | | | | | | | ■ | | | | | |
| 6 | | | | | | ■ | | | | | | ■ |
| 7 | | | | ■ | | | | | | ■ | | |
| 8 | | ■ | | | | | | ■ | | | | |
| 9 | | | | | ■ | | | | | | ■ | |
| 10 | ■ | | | | | | ■ | | | | | |
| 11 | | | ■ | | | | | | ■ | | | |
| 12 | | | | | | ■ | | | | | | |

### HORIZONTALEMENT

1. Actif — Qui dure longtemps.
2. Ancienne capitale d'Arménie — Répulsion — Richesse.
3. Unité — Pause.
4. Préposition — Adopter — Interjection.
5. État d'Europe — Pierre fine.
6. Désavantagés — Pousse son cri, en parlant du hibou.
7. Terme de tennis de table — Mammifère ongulé — Police militaire de l'Allemagne nazie.
8. Théologien musulman — Surveillance exercée de nuit par la police.
9. Partie de plaisir — Plante aux fleurs décoratives.
10. Inoffensif — Langage du milieu.
11. Perçu — Somme — Désigné par élection.
12. Ville d'Allemagne — Nostalgie.

### VERTICALEMENT

1. Côte — Cale en forme de V.
2. Obstinée — Ogive.
3. Amie — Malice.
4. Ouvrage en maçonnerie — Lambine.
5. Exclamation — Voie — Atome.
6. Cadenette — Soupirant.
7. Confiserie au sirop d'érable — Arbre de Malaisie utilisé comme poison — Argon.
8. Fleur d'oranger — Taché, en parlant d'un fruit.
9. Unité monétaire bulgare — Vidanger.
10. Boucherie — Être pressé.
11. Nobélium — Alaise — Interjection espagnole.
12. Charme — Situation de fait.

## HORIZONTALEMENT

1. Arbustre de la famille des magnoliacées — Insecte sans ailes.
2. Poème lyrique — Piédestal — Préfixe privatif.
3. Vase à flancs arrondis — Languir.
4. Fête musulmane qui suit le ramadan, chez les Turcs — Toque ronde et plate.
5. Restes — Se dit d'une peau dont le côté chair est à l'extérieur — Perroquet.
6. Familier — Ville d'Espagne.
7. Unité monétaire bulgare — Seins — Lettre grecque.
8. Docteur de la loi — Oiseau à bec long.
9. Bruit rauque de la respiration — Canal excréteur.
10. Nouvelle gelée — Angoisses.
11. Quelqu'un — Roche abrasive.
12. Recherché — Dûs.

## VERTICALEMENT

1. Pousser son cri, en parlant du hibou — Ancien oui.
2. Habileté — Fleuve d'Italie.
3. Dénégation — Luette.
4. Anneau de cordage — Agile.
5. Expert — Arbre d'Europe — Touché.
6. Désigne — Concurrent.
7. Critique italien — Ancienne monnaie d'or arabe — Rad.
8. Émancipé — Surveille.
9. Évalué — Usuel.
10. Pays voisin de l'Irak — Pétarade.
11. Encaustiquer — Galet.
12. Adverbe de lieu — Carpette — Tamis.

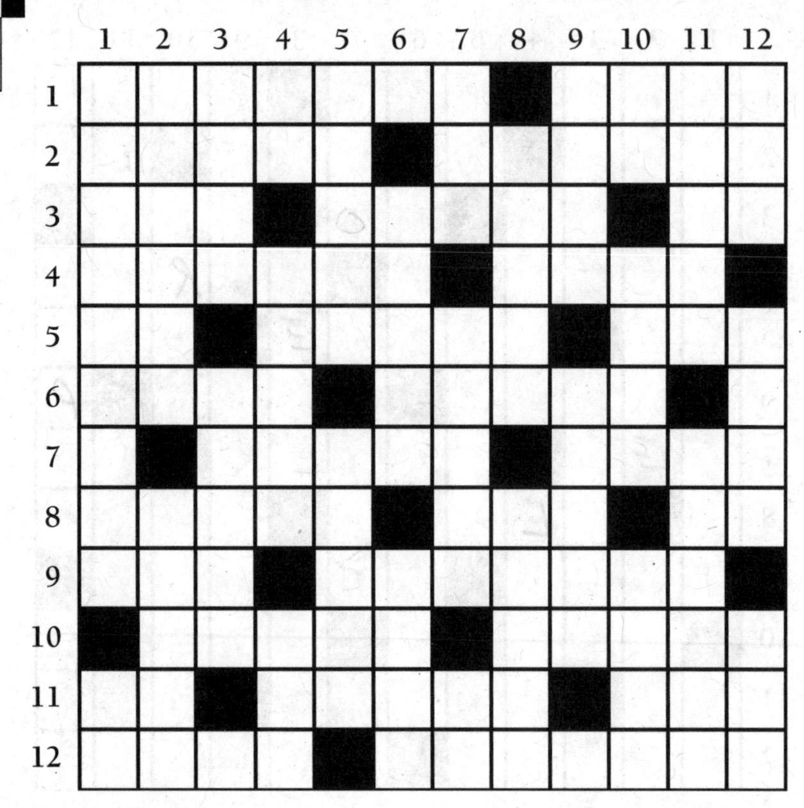

## HORIZONTALEMENT

1. Arbustre de la famille des magnoliacées — Moineau.
2. Fugitif — Port du Danemark.
3. Législation — Guides — Article contracté.
4. Fixer — Portion d'un espace.
5. Adverbe de lieu — Siège de cérémonie — Lac de la Turquie orientale.
6. Bravade — Mesurer.
7. Cri — Incommodité.
8. Déambuler — Ville du Pérou — Métal précieux.
9. Première femme — Faire sécher.
10. Usuel — Décoration.
11. Pronom personnel — Lieu de pâturage temporaire — Vallée fluviale noyée par la mer.
12. Anniversaire — Charges.

## VERTICALEMENT

1. Observatoire — Conifère
2. Plante graminée — Gamète femelle végétal.
3. Ouvrage suspendu au-dessus d'un trône — Ternes.
4. Idem — Pied des champignons — Colère.
5. Rendre moins touffu — Disposée.
6. Ville du sud de l'Inde — Parsema.
7. Agent secret de Louis XV — Fret d'un bateau — Traditions.
8. Mort — Règlements.
9. Monnaie du Mexique — Hagard.
10. Branché — En état d'ébriété — N'ayant subi aucune.
11. Posture de yoga — Vent du nord-ouest.
12. Brasier — Démentir — Chef éthiopien.

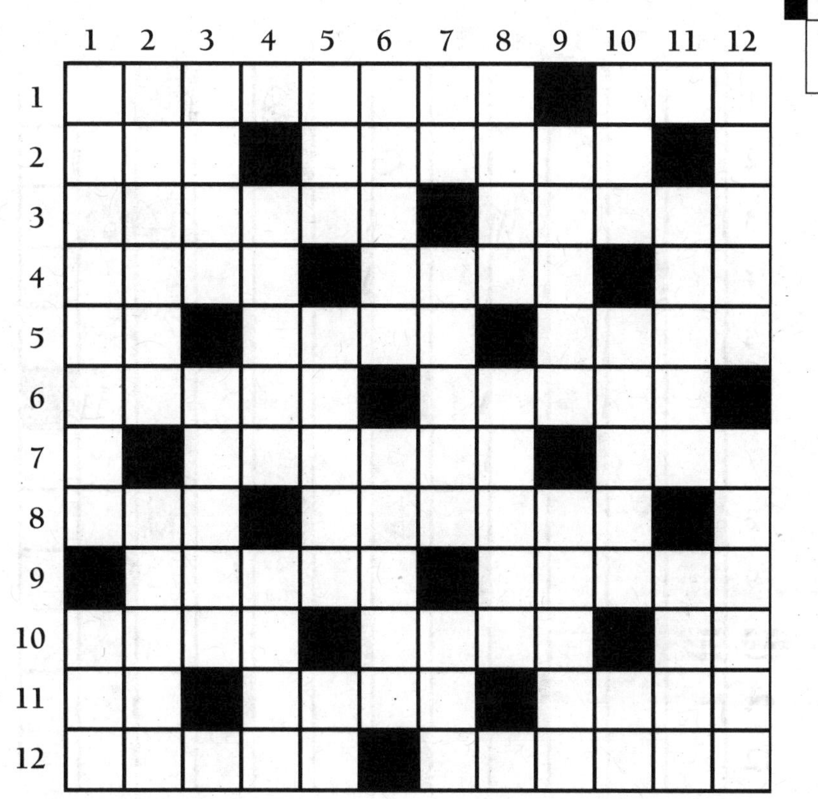

## HORIZONTALEMENT

1. Danse lente à trois temps — Partie de la charrue.
2. Céréale des régions chaudes — Grand casque des hommes d'armes.
3. Esquiver — Racloir.
4. Défaut héréditaire — Souhait — Ancien oui.
5. Infinitif — Candide — Consacré.
6. Banlieue de Québec — Personne qui évoque la beauté, la séduction.
7. Exilé — Poisson d'eau douce.
8. Mèche de cheveux — Mammifère voisin du lapin.
9. Individu — Finasser.
10. Interjection — Ville de Hongrie — Ut.
11. Note — Lettre grecque — Gouffre.
12. Niche funéraire à fond plat — Sulfure naturel de plomb.

## VERTICALEMENT

1. Plante fourragère herbacée — Principe de vie.
2. Rigolard — Partie liquide du fumier.
3. Ciel — Vaisseau.
4. Tissu de coton — Appareil cylindrique.
5. Interjection pour appeler — Havre — Europium.
6. Homme de main — Tricot à manches longues.
7. Sodium — Ouverture — Effet comique rapide.
8. Rivière née dans le Perche — Partie de la bouche.
9. Couleur violet pâle — Campagnard.
10. Aride — Ouvertures latérales d'un violon — Cale en forme de V.
11. Pesant — Lieu de délices.
12. Morceau — Inexact.

94

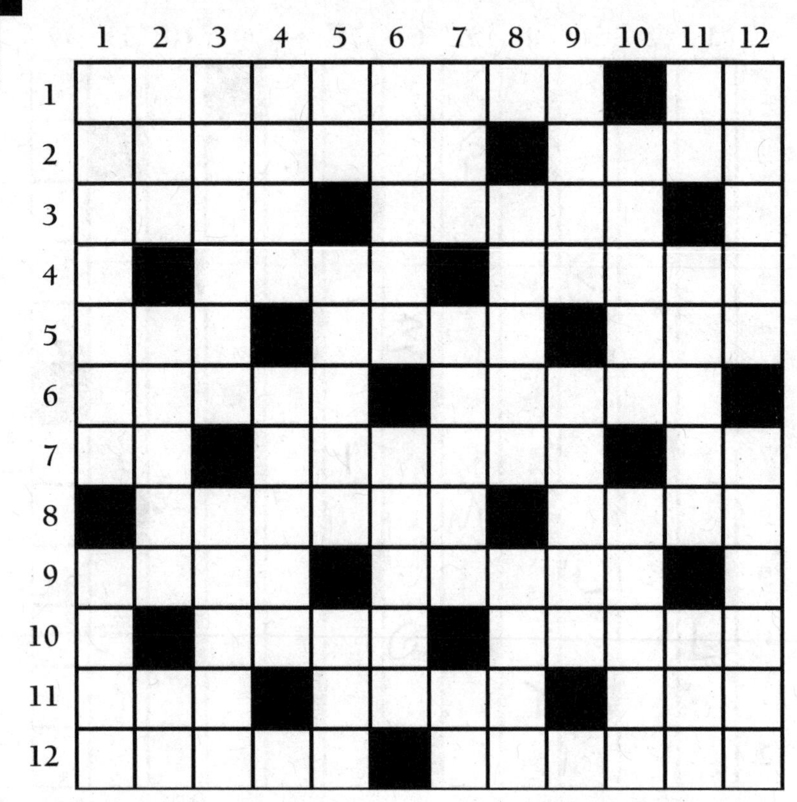

## HORIZONTALEMENT

1. Ouvrier spécialiste du travail de certains bois — Interjection.
2. Assister — Se dit d'une coupe de cheveux.
3. Ville importante — Grains de beauté.
4. Fils d'Isaac — Canard sauvage.
5. Ville du Pérou — Pronom démonstratif — Ornement en forme d'œuf.
6. Piaule — Arbre équatorial.
7. Erbium — Mettre de niveau — Neptunium.
8. Dévoile — Camarade.
9. Légumineuse annuelle — Museau du porc.
10. Muni d'armes — Personne qui dénonce un coupable.
11. Épaule d'animal — Ville d'Espagne — Choisi par Dieu.
12. Entre le chaud et le froid — Pression.

## VERTICALEMENT

1. Fragment de roche vitreuse — Studio, petit appartement.
2. Petite pomme — Quadrilatère — Badine.
3. Paquebot — Qui va en s'élargissant.
4. Déchiffrées — Nettoyer.
5. Article espagnol — Mordant — Partie du pain.
6. Costume — Capitale de l'Algérie.
7. Marchera — Ranger — Traditions.
8. Piquant de certains végétaux — Frotté d'huile.
9. Épanoui — Plante charnue.
10. Veine — Averse.
11. Argon — Narine des cétacés — Pronom personnel (pl.).
12. Indignité — Sentis.

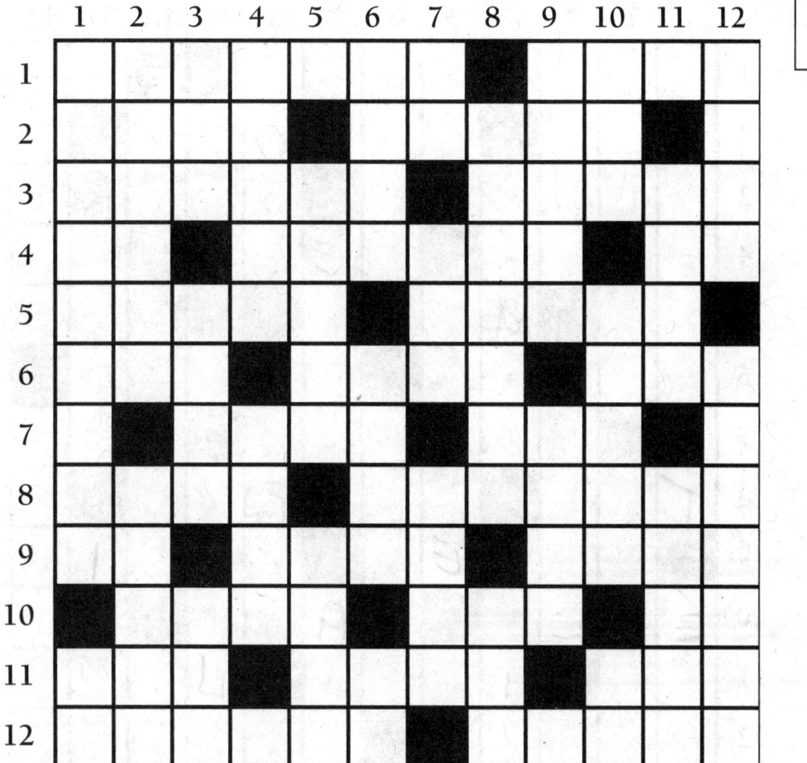

## HORIZONTALEMENT

1. Bordure — Plante dicotylédone.
2. Capitale des Samoa occidentales — Avachi.
3. Surprise — Sépulture.
4. Adjectif possessif — Druides gaulois — Ancien do.
5. Symbole graphique — Bords.
6. Lombric — Peintre italien — Homme politique français.
7. Itou — Adjectif possessif (pl.).
8. Thune — Pourvu d'un brevet.
9. Interjection — Se dit de couleurs fluorescentes — Lettres inscrites au-dessus de la Croix.
10. Femelle du sanglier — Écorce — Douze mois.
11. Autocar — Prise des mains sur un club de golf — Grand succès.
12. Qui date de longtemps — Composé d'aldéhydes et de cétones.

## VERTICALEMENT

1. Réclusion — Calcium.
2. Qui contient de l'opium — Lancier, dans l'ancienne armée allemande.
3. Femme de lettres américaine — Cordage reliant une ancre à la bouée — Courbe.
4. Jeune saumon — Bravade.
5. Commune de Belgique — Vide ou incomplètement chargé.
6. La principale des îles Wallis — Devenu terne — Radon.
7. Note — Couleur — Morceau de viande de boucherie.
8. Demi-sœur — Pomme.
9. Poisson marin — Relatif à la brebis.
10. Petit pâté impérial — Ville d'Allemagne — Interjection.
11. Oiseau rapace — Équipage.
12. Sud-est — Rompu.

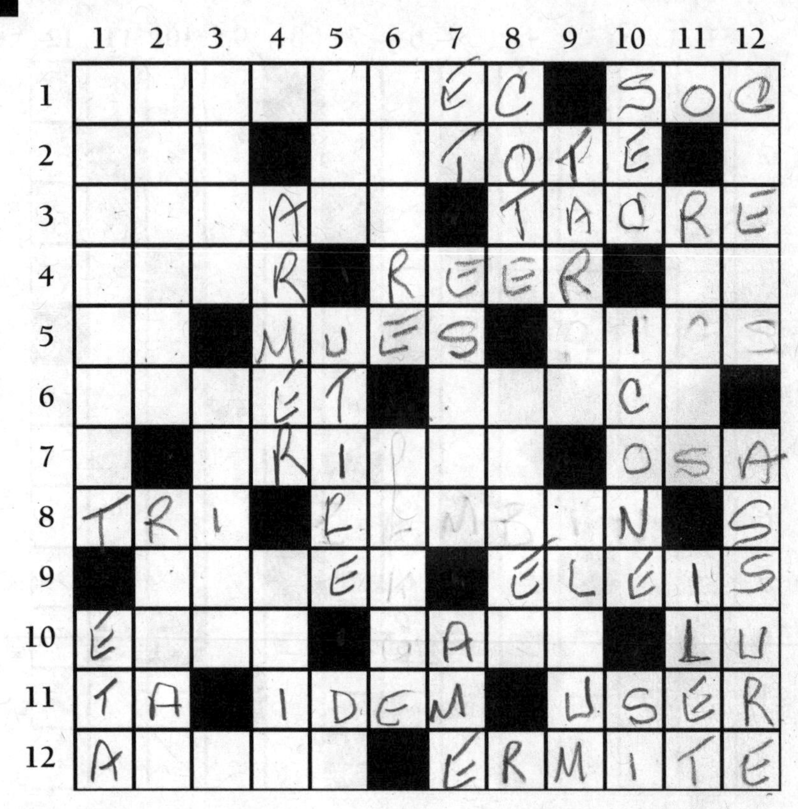

## HORIZONTALEMENT

1. Châtier — Partie de la charrue.
2. Terme de tennis — Résumé par écrit.
3. Qui appartient à la peau — Femelle du taureau.
4. Qui produit un goût désagréable — Crier, en parlant du chevreuil — Pronom personnel.
5. Interjection — Changes de peau — Tas.
6. Lézard apode insectivore — Morceau.
7. Plante aromatique — Risqua.
8. Présélection — Enfant en bas âge.
9. Groupe comprenant huit éléments binaires — Élæis.
10. Calife — Prix fixé d'une manière autoritaire — Lutécium.
11. Adjectif possessif — De même — Affaiblir.
12. Fruit charnu — Solitaire.

## VERTICALEMENT

1. Aliment fait de farines et fécules diverses — Lettre grecque.
2. Piller — Feuilleton.
3. Éclaté — Préposition.
4. Munir d'une arme — Divisé en trois.
5. Rivière de Suisse — Qui rend service — Préposition.
6. Lagune d'eau douce — Emplacement à l'avant du navire.
7. Sert à lier — Longue pièce de bois — Principe de vie.
8. Berge — Aiguille d'un cadran.
9. Partie du squelette de la main — Acide sulfurique fumant.
10. Aride — Peinture religieuse — Silicium.
11. Cicatrices — Hameau.
12. Ustensile de cuisine — Indubitable.

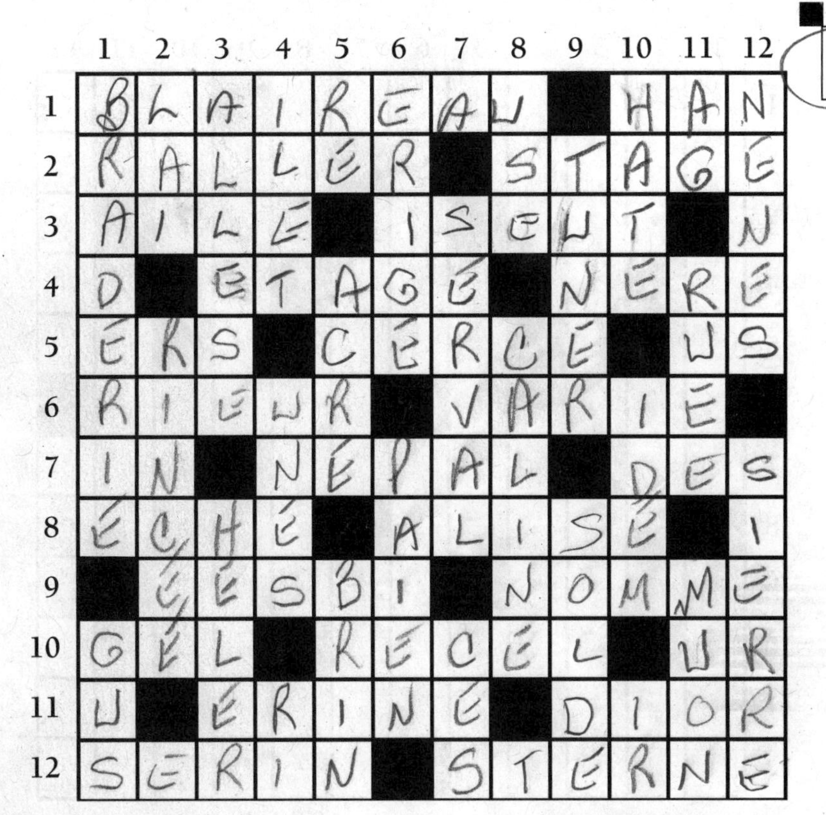

## HORIZONTALEMENT

1. Pinceau pour savonner la barbe — Dynastie impériale chinoise.
2. Crier, en parlant du cerf — Activité temporaire dans une entreprise.
3. Pourvu d'ailes — Héroïne compagne de Tristan.
4. Palier — Arbre d'Afrique utilisé en médecine.
5. Unité de mesure de travail — Teigne qui ronge les étoffes — Traditions.
6. Enjoué — Multiple.
7. Préfixe privatif — État d'Asie — Article contracté.
8. Appât — Fruit de l'alisier.
9. L'ancienne Estonie — Désigne.
10. Givre — Délit — Cité antique de la basse Mésopotamie.
11. Instrument de chirurgie — Nom d'un couturier français.
12. Petit passereau — Petit oiseau marin.

## VERTICALEMENT

1. Liquidation de soldes — Gugusse.
2. Poème narratif — Nettoyée à l'eau.
3. Embarcation — Appeler de loin.
4. Hameau — Pronom indéfini — Ricané.
5. Île de l'Atlantique — Ancienne mesure agraire — Divisé en trois.
6. Institue — Impie.
7. Grand chat sauvage d'Afrique — Adjectif démonstratif (pl.).
8. Détérioré — Affectueuse.
9. Récepteur de modulation de fréquence — Rabais.
10. Impatience — De même — Iridium.
11. Argent — Mouvement rapide — Particule élémentaire à interactions faibles.
12. Nichons — Commune de Suisse.

98

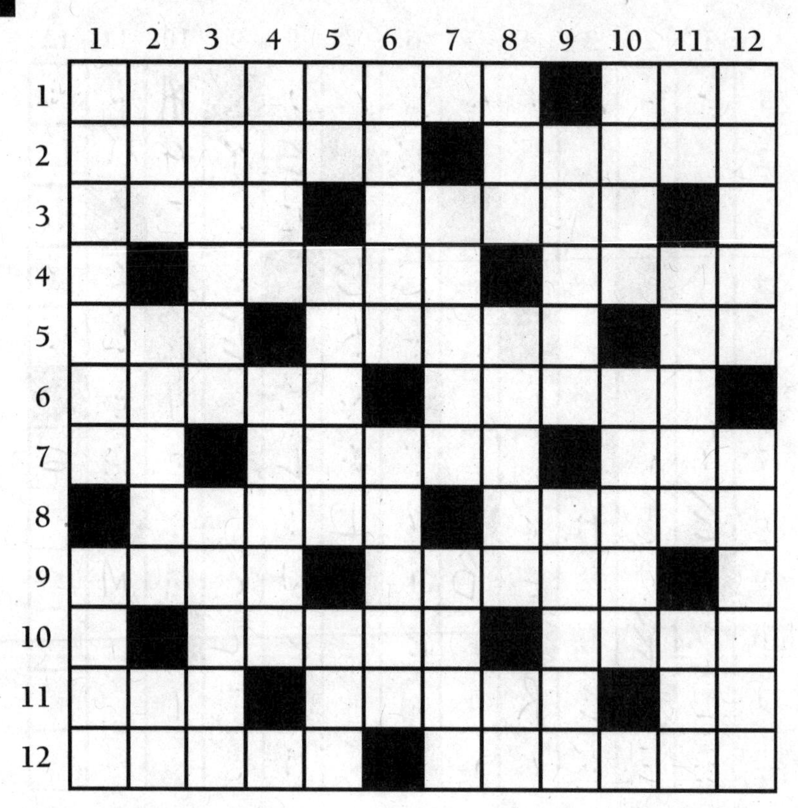

**HORIZONTALEMENT**

1. Laideur — Officier de la cour du Sultan.
2. Ébahi — Fleuve du Maroc.
3. Fibre de noix de coco — Fruit comestible.
4. Ville du nord-est de la Bulgarie — Pénible.
5. Spinmaker — Sarment de vigne — Branché.
6. Rivière de Roumanie — Ville d'Allemagne.
7. Adverbe de lieu — Femme de lettres française — Ivre.
8. Copie d'un ordinateur — Ville de l'Inde.
9. Qui est heureux en Dieu — Ranger.
10. Style de jazz — Prénom masculin.
11. Rivière de Suisse — Autrefois (D') — Aluminium.
12. Jeune branche droite — Muse.

**VERTICALEMENT**

1. Disposé en croix — Partie du corps.
2. Peuple noir du Nigeria oriental — Tenaille — Actinium.
3. Attraper — Chien de berger de la Provence.
4. Maître spirituel — Privé de ses rameaux.
5. Rubidium — Gardien de prison — Bannissement.
6. Secourir — Avertissement.
7. Languette mobile — Capable.
8. Levant — Femme de lettres américaine — Argent.
9. Bassin — Marais du Péloponnèse.
10. Profond estuaire de rivière en Bretagne — Rendu plus pur.
11. Jeu d'origine chinoise — Ancienne monnaie d'or arabe — Mois.
12. Nul — Insignifiant.

## HORIZONTALEMENT

1. Continent disparu — Phénomène.
2. Bâtisseur — Jeu de cartes.
3. Rusé — Montant du prix d'un service.
4. Fils d'Isaac et de Rébecca — Pare-feu.
5. Première épouse de Jacob — Habitation des pays russes — Poème destiné à être chanté.
6. Trousses — Cassius Clay — Astate.
7. Dieu solaire — Héritage — L'oncle d'à côté.
8. Couvert de moisissure — Frère de Moïse.
9. Commune de Belgique — Globe.
10. Avilissant — Partie du corps.
11. Jeune garçon d'écurie — Rivière de la Guyane française — Interjection.
12. Vaste étendue d'eau salée — Classer.

## VERTICALEMENT

1. Tomber — Interjection.
2. Lettre grecque — Éléments — Actinium.
3. Baguette de bois supportant une tablette — Glucide décomposable par hydrolyse.
4. Dieux guerriers de la mythologie scandinave — Insulaire.
5. Négation — Bien-être — Limite.
6. Jupes de gaze — Tzigane d'Espagne.
7. Avancera — Mesquin — Calife.
8. Royal — Patinoire couverte.
9. Nom de quatorze rois de Suède — Rivière du S.-O. de l'Allemagne — À la mode.
10. Coupe de cheveux — Aréquier.
11. Américium — Chanteur italo-belge — Interjection pour appeler.
12. Petit carton qui sert à marquer une page — Attacher.

# 100

| | 1 | 2 | 3 | 4 | 5 | 6 | 7 | 8 | 9 | 10 | 11 | 12 |
|---|---|---|---|---|---|---|---|---|---|---|---|---|
| 1 | | | | | | | | | ■ | | | |
| 2 | | | | | ■ | | | | | | ■ | |
| 3 | | | | | | ■ | | | | | | |
| 4 | | | ■ | | | | | ■ | | | | |
| 5 | | | | ■ | | | | | | ■ | | |
| 6 | | ■ | | | | | ■ | | | | | ■ |
| 7 | | | | | ■ | | | | ■ | | | |
| 8 | | | | | | ■ | | | | | ■ | |
| 9 | ■ | | | | | | | ■ | | | | |
| 10 | | | ■ | | | | | | | | | |
| 11 | | | | | | | ■ | | | | | |
| 12 | | | | ■ | | | | | | ■ | | |

## HORIZONTALEMENT

1. Fanfaron — Légumineuse.
2. Ville de Belgique — Frère de Moïse.
3. Foyers — Souples.
4. Iridium — Brosse à l'usage des orfèvres — Ville d'Allemagne.
5. Extrait du suc de fruit — Précipitation de grains de glace — Article espagnol.
6. Déclaration — Plante herbacée.
7. Surface — Signature — Pillage.
8. Ville d'Italie — Challenge.
9. Œuvre poétique dont le thème est la plainte — Ville du Japon.
10. Adjectif possessif — Tranquillisées.
11. Détérioré, dénaturé — Action de peser.
12. Chef des armées américaines — Embarcation à fond plat — Strontium.

## VERTICALEMENT

1. Mammifère carnivore — Préjudice.
2. Rétroviseur — Parfaite.
3. Rivière de Suisse — Petite barrique — Tellure.
4. Regards — Estimé.
5. Modéré — Considération.
6. Pronom démonstratif — Ville d'Espagne — Lac d'Italie.
7. Bronzée — Poèmes lyriques.
8. Période historique — Instrument propre à couper — Agence de presse américaine.
9. Saule de petite taille — Perfores.
10. Greffon — Courants.
11. Poire utilisée pour le lavage du conduit auditif — Ch.-l. de c. de l'Orne.
12. Agave du Mexique — Entraîner.

## HORIZONTALEMENT

1. Graminée fourragère — Recueil de bons mots.
2. Chlorure naturel de sodium — Enfoncer dans l'eau.
3. Profond estuaire de rivière en Bretagne — Logement malpropre, obscur.
4. Régir — Incursion.
5. Rayon — Fruit de l'olivier — Petit cube.
6. Conceptuel — Port du Canada, à l'extrémité de la Gaspésie.
7. Erbium — Corps simple — Conscience.
8. Fleur — Rivière de la Guyane française.
9. Plante à fleurs jaunes — Distribution.
10. Service du Travail Obligatoire — Reptile saurien — Infinitif.
11. Petit baiser affectueux — Tête de rocher.
12. Rempli — Additionné de résine.

## VERTICALEMENT

1. Transporter — Pièce de la charrue.
2. Rabiot — Habile.
3. Poème lyrique — Traite de haut.
4. Fatigué et amaigri — Oiseau d'Australie — Paresseux.
5. Conjonction — Mission — Éloigné.
6. Fusil à répétition de petit calibre — Une des trois parties égales
7. Plante aromatique voisine de la menthe — Lombric.
8. Ancienne monnaie — Réglementaire.
9. Gréement — Marques.
10. Hasard — Aliment fait de farine — Titane.
11. Issu — Itou — Tube fluorescent.
12. Stérile — Expérimenté.

102

## HORIZONTALEMENT

1. Vagabond dangereux — Fer.
2. Caché — Oiseau échassier.
3. Mesurer — Dé à jouer.
4. En plus — Ville d'Espagne — Ancien nom de Tokyo.
5. Pièce de charpente — Irritant au goût.
6. En état d'ébriété — Hareng fumé — Exclamation enfantine.
7. Fleuve d'Italie — Répugnant — Membrane colorée de l'œil.
8. Rivière de l'ouest de la France — Volcan de la Sicile.
9. Essieu — Butte — Poisson d'eau douce.
10. Orifice naturel creusé par les eaux d'infiltration — Ville d'Italie.
11. Qui possède naturellement — Rivière du S.-O. de l'Allemagne — Pronom personnel.
12. Article indéfini — Exceptionnel — Espar horizontal.

## VERTICALEMENT

1. Aspirant dans la marine anglaise — Pénible.
2. Dieu suprême du panthéon sumérien — Gazouillement — Pronom indéfini.
3. Dégoûter — Récipient cylindrique.
4. Salutation angélique — Colline artificielle — Lombric.
5. Machine hydraulique à godets — Poète épique et récitant.
6. Non payé — Cinéaste italien né en 1916 — Joindre.
7. Récépissé — Port du Yémen — Sélénium.
8. Paresseux — Port du Ghana.
9. Rien — Poil long et rude — Fleuve du sud de la France.
10. Avoir la bouche ouverte — Bande de fer.
11. Interjection exprimant le mépris — Dénégation — Mammifère ruminant ongulé.
12. Ville de Finlande — Commune de Belgique — Article.

## HORIZONTALEMENT

1. Partie du fruit — Américium.
2. Inflammation des ganglions — De même.
3. Petit rongeur d'Europe — Refuge.
4. Qui t'appartient — Garant.
5. Dernier — Chas — Béquille.
6. Idéal — Fringuer.
7. Nickel — Femme politique israélienne — Râpas.
8. Voile d'avant sur les voiliers modernes — Gaz rare de l'atmosphère — Note.
9. Éreinté — Pigeon sauvage de couleur bise.
10. Homogène — Pièce de tissu placée sous le drap.
11. Régalé — Vaste étendue d'eau salée.
12. Bois utilisé en tabletterie — Courroucé.

## VERTICALEMENT

1. Chevalier errant — Rusé.
2. Ancien nom de Tokyo — Inventeur américain né en 1847.
3. Cavalier allemand — Cadet.
4. Inscription sur la Croix — Calife — À la mode.
5. Curie — Dieu des Vents — Salive.
6. Paresseux — Plante à fleurs jaunes.
7. Roue dont le pourtour présente une gorge — Éméché — Cassius Clay.
8. Poisson — Arbrisseau à fleurs décoratives.
9. Règlement fait par un magistrat — Capitale de la Tunisie.
10. Renard polaire — À demi.
11. Astate — Grand mammifère ruminant — Sert à lier.
12. Méthode — Moquerie.

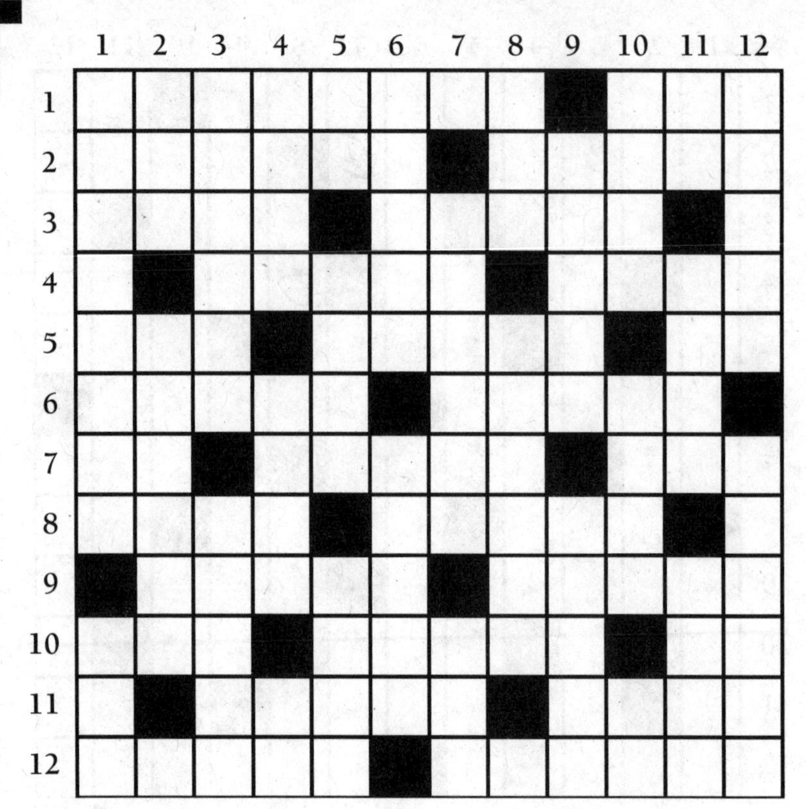

## HORIZONTALEMENT

1. Récipient en fer étamé — Sachet.
2. Haut-le-cœur — Trophée du monde du cinéma.
3. Logement — Riche.
4. Instrument de chirurgie — Rend moins massif.
5. Organisation des Nations Unies — Géant — Infinitif.
6. Balance doucement — Doigt.
7. Infinitif — Singe — Adjectif possessif.
8. Mission — Mettre en terre.
9. Arbuste ornemental — Partie de l'intestin grêle.
10. Boulon — Préparation culinaire — Ricané.
11. Action de téter — Femme d'Osiris.
12. Poinçon — Frappe.

## VERTICALEMENT

1. Réunir en un tout — Par.
2. Capucin — Fleur d'oranger destinée à la distillation.
3. Tige fixée dans le sol pour soutenir des plantes — Énumération.
4. Tribu israélite établie en haute Galilée — Firmament — Adverbe de lieu.
5. Germanium — De plus — Capable.
6. Négation — Aboutissement.
7. Pierre d'aigle — Roue à gorge.
8. Refus — Affaiblissement.
9. Emplacement réservé à un exposant — Palmier d'Afrique.
10. Égoïne — Individu — Sélénium.
11. Association pour alcooliques — Bagarre — Cordage reliant une ancre à la bouée.
12. Hurler — Répand la civilisation chinoise.

## HORIZONTALEMENT

1. Qui mène une vie joyeuse — Lettre grecque.
2. Faute — Canard.
3. Chef d'État dans certains États arabes — L'équipement d'un soldat.
4. Punir — Devenu terne.
5. Trou dans un mur — Personne asservie — En matière de.
6. Primate nocturne d'Asie du Sud — Commune de Belgique.
7. Or — Consentir — Dynamisme.
8. Haute tour — Petite cheville de bois.
9. Jeune d'origine maghrébine né en France — Aurore.
10. Résiliation d'un bail — Ville d'Allemagne.
11. Dancing — Machine destinée à un usage particulier — Meilleur en son genre.
12. Acide sulfurique fumant — Poème lyrique.

## VERTICALEMENT

1. Tonnelle — Douleur, en langage enfantin.
2. Perroquet — Arrière d'un navire — Aluminium.
3. Colorer avec les couleurs de l'arc-en-ciel — Crie.
4. Frustre — Fils de Dédale.
5. Lutécium — Pointer — Petit pâté impérial.
6. Ville d'Irak — Diable.
7. Mesure espagnole de poids — Personne parfaite.
8. Région de la Champagne — Mollusque au corps vermiforme — Pronom personnel.
9. Conceptuel — Pomme de pin.
10. Ville des Pays-Bas — Piquant de certains végétaux.
11. Règle de dessinateur — Nigaud — Rayon.
12. Raides — Poisson aux nageoires en forme d'ailes.

106

| | 1 | 2 | 3 | 4 | 5 | 6 | 7 | 8 | 9 | 10 | 11 | 12 |
|---|---|---|---|---|---|---|---|---|---|---|---|---|
| 1 | | | | | | | | ■ | | | | |
| 2 | | | | ■ | | | | | | ■ | | |
| 3 | | | | | ■ | | | | | | | ■ |
| 4 | | | | | | | ■ | | | | | |
| 5 | | | ■ | | | | | | ■ | | | |
| 6 | | | | | | ■ | | | | | ■ | |
| 7 | | ■ | | | | | | ■ | | | | |
| 8 | | | | ■ | | | | | | ■ | | |
| 9 | | | | | ■ | | | | | | | ■ |
| 10 | ■ | | | | | | ■ | | | | | |
| 11 | | | ■ | | | | | | ■ | | | |
| 12 | | | | | | ■ | | | | | | |

**HORIZONTALEMENT**

1. Cafétéria — Femelle du lapin de garenne.
2. Grand perroquet — Lèvre épaisse et proéminente — Thermie.
3. Oiseau à bec long — Oxyde de silicium.
4. Matières purulentes — Plante à fleurs jaunes.
5. Silicium — Rogne — Parasite intestinal.
6. Rivière de la Guyane française — Céréale.
7. Dommage — Souci.
8. Rait — Canal — Nickel.
9. Énonce — Encarté.
10. Jeune plante — Défraîchi.
11. Oui — Lumière — Terme, aux échecs.
12. Individu — De vieillard.

**VERTICALEMENT**

1. Enfoncement d'une terre labourée — Impayé.
2. Qui fait preuve d'urbanité — Ancienne mesure de longueur.
3. Dépourvu de valeur — Idéal.
4. Geste — Taché, en parlant d'un fruit.
5. Thallium — Bâti — Aucun.
6. Suite d'éléments — Houleux.
7. Mèche de cheveux — Femme débauchée — Usages.
8. Incliner — Érosion.
9. Interjection exprimant la surprise — Altérés.
10. Digérer — Jeu de cartes.
11. Monument vertical, souvent funéraire — Changeant.
12. Interjection — Déambulai — Saison.

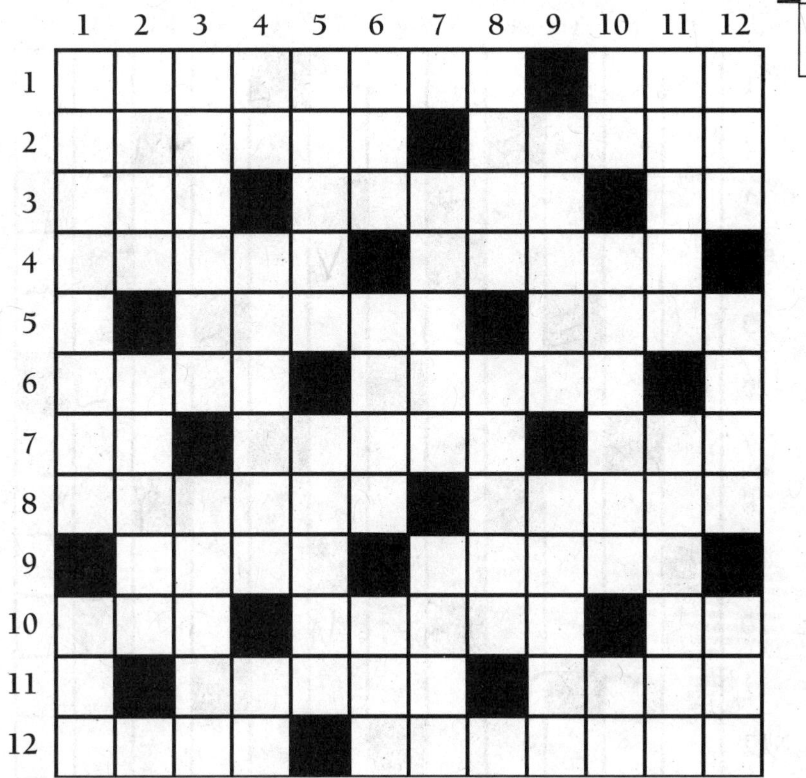

**HORIZONTALEMENT**

1. Inopportun — Terme de tennis.
2. Raconter — Lieu qui procure le calme.
3. Dans la rose des vents — Nommer — Cale en forme de V.
4. Yodle — Fruit de l'olivier.
5. Domestique — Gratifié.
6. Itou — Fonder.
7. Oui — Charmante — Pomme.
8. Personne qui vit retirée — Attacher.
9. Quatrième partie du jour — Jeune cochon.
10. Monnaie du Japon — Fade — Lui.
11. Régime — Addition.
12. Dispendieux — Grands mammifères aquatiques.

**VERTICALEMENT**

1. Sans valeur — Liquide organique.
2. Masochiste — Tranche de gros poisson.
3. Justification — Univers.
4. Métal précieux — Traînard — Infinitif.
5. Délit — Décapite.
6. Triage — Général français né en 1758 — Et cætera.
7. Complet — Garni.
8. La Nativité — Suivant.
9. Stérile — Amphithéâtre sportif.
10. Expert — Qui dévore — Ancien oui.
11. Ragoût cuit avec du vin — Naine.
12. Dans la rose des vents — Prince musulman — Bandes d'étoffe.

108

| | 1 | 2 | 3 | 4 | 5 | 6 | 7 | 8 | 9 | 10 | 11 | 12 |
|---|---|---|---|---|---|---|---|---|---|---|---|---|
| 1 | | | | | | | | ■ | | | | |
| 2 | | | | ■ | | | | | | ■ | | |
| 3 | | | | | | | ■ | | | | | |
| 4 | | | | | ■ | | | | | | ■ | |
| 5 | | | ■ | | | | | | ■ | | | |
| 6 | | | | | | ■ | | | | | | ■ |
| 7 | | ■ | | | | | | ■ | | | | |
| 8 | | | | ■ | | | | | | ■ | | |
| 9 | ■ | | | | | | ■ | | | | | |
| 10 | | | | | ■ | | | | | | ■ | |
| 11 | | | ■ | | | | | | ■ | | | |
| 12 | | | | | | ■ | | | | | | |

**HORIZONTALEMENT**

1. Période de jeûne des musulmans — Pays de Ghandi.
2. Moi — Grand fleuve d'Asie — Carte à jouer.
3. Montagne qui émet des matières en fusion — Colosse.
4. Paresseux — Principe actif des graines de persil.
5. Mesure itinéraire — Estuaire lagunaire de fleuves — Stylo à bille.
6. Groupe organisé — Sécrétion grasse produite par les glandes sébacées.
7. Pause — Tas.
8. Roue à gorge — Palmier d'Afrique — Gallium.
9. Lac de la Laponie finlandaise — Paquebot de grande ligne.
10. Fleuve qui sépare la Pologne de l'Allemagne — Dépourvue de valeur.
11. Petit cube — Certain — Bannissement.
12. Ville d'Italie — Adverbe de temps.

**VERTICALEMENT**

1. Bouleverser — Poème lyrique.
2. Déclin précédant la fin — Canard.
3. Ville d'Italie — Tête.
4. Hommage — Eau-de-vie.
5. Cri des charretiers — Ville de Belgique — Cale en forme de V.
6. Région centrale du Viêt Nam — Fruit de l'olivier.
7. Notre-Dame — Traverse — Unité de mesure agraire.
8. Ch.-l. de c. de la Savoie — Insulaire.
9. Lac d'Italie — Tissu damassé.
10. Recueil d'illustrations — Montagne biblique.
11. Grade — Coloré — Argon.
12. Grande épée — Rivière de Suisse

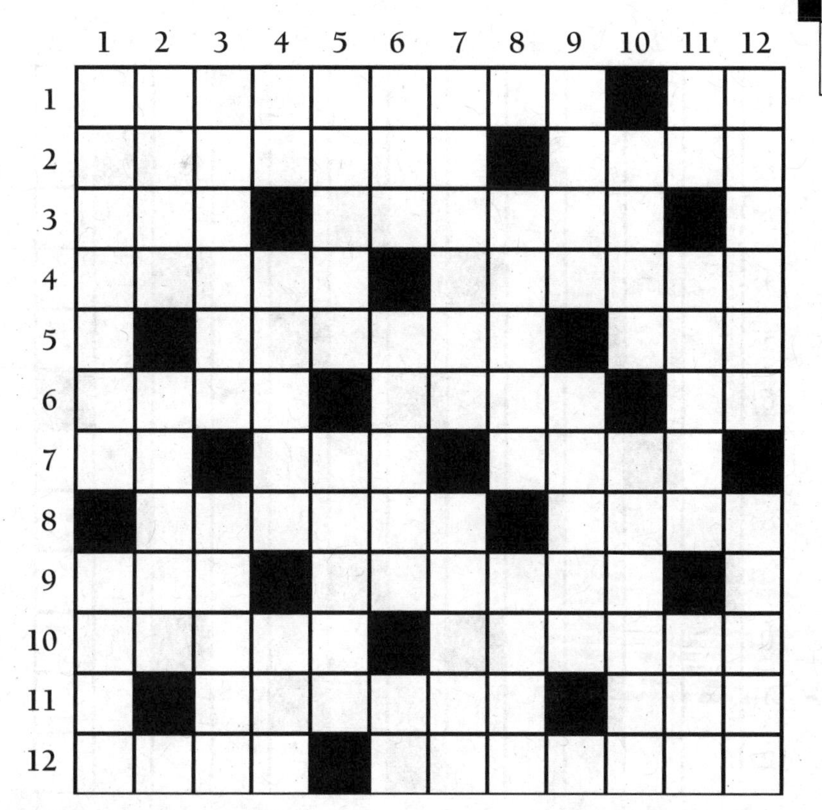

## HORIZONTALEMENT

1. Peintre spécialiste des effets de lumière — Gallium.
2. Verre épais d'un blanc laiteux — Faon.
3. Cap de Grande-Bretagne — Occasionner.
4. Fabuliste grec — Nettoyer à l'eau.
5. Canal excréteur — Voile d'avant sur les voiliers modernes.
6. Opiniâtre — Rend moins touffu — Aluminium.
7. Sert à lier — Rigide — Style vocal propre au jazz.
8. Demain — Raire.
9. Ville du Nigeria — Nouveau.
10. Infraction — Refuser de reconnaître qqch.
11. Ville de la C.É.I. — Liquide.
12. Dompte — Arrivées.

## VERTICALEMENT

1. Jeune femme élégante et facile — De même.
2. Arbre de Malaisie utilisé comme poison — Immobile.
3. Résidu de la distillation du pétrole — Carte.
4. Pronom personnel — Puritain — Rage.
5. Ville de Turquie — Élément.
6. Épouse d'Athamas — Nez — Cale en forme de V.
7. Ch.-l. de c. de la Côte-d'Or — Ouvrage de fortification.
8. Troisième personne — Chicot.
9. Lieu de délices — Baguier.
10. Courbes — Oxyde ferrique.
11. Soldat de l'armée américaine — Écrasé — Obtenue.
12. Relatif à la fièvre jaune — Clairsemés.

110

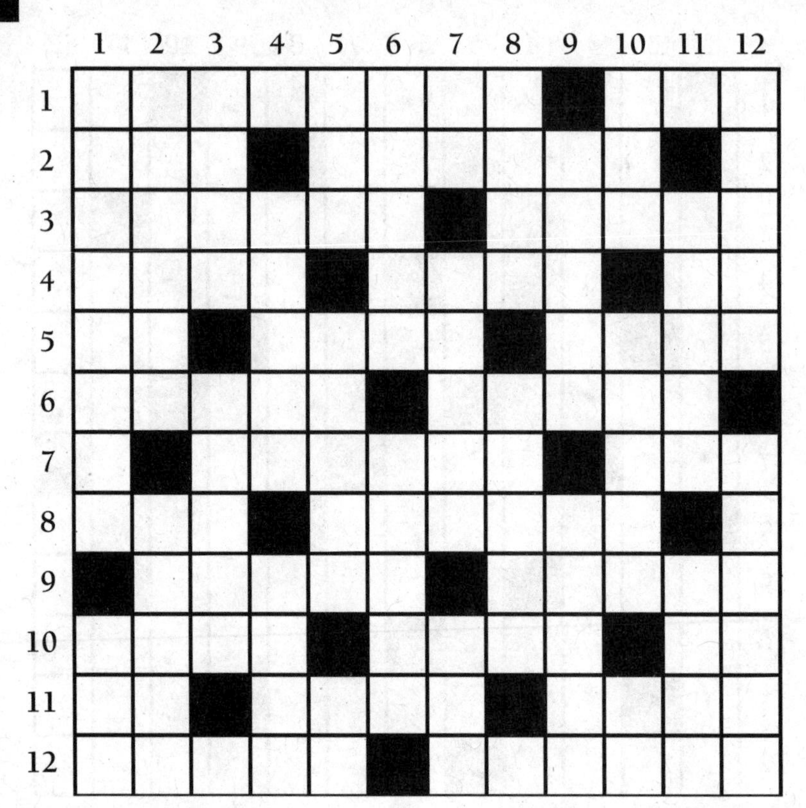

## HORIZONTALEMENT

1. Brochette creuse servant à larder la viande — Bière.
2. Ville du Nigeria — Hululer.
3. Sincérité — Aboutissement.
4. Labiées à fleurs jaunes — Pronom indéfini — Connu.
5. Chiffres romains — Qui a de gros os — Produit comestible de la ponte de certains animaux.
6. Aulnée — Très petite quantité.
7. Complet — Choisi par Dieu.
8. Suc de certains fruits — Alléger.
9. Individu chargé de basses besognes — Vestige.
10. Ombellifère aquatique — Chanteur belge prénommé Jacques — Erbium.
11. Aluminium — Azur — N'ayant subi aucune teinture.
12. Pronom démonstratif — Ourdis.

## VERTICALEMENT

1. Coloration violacée de la peau — Sachet.
2. Jeune poisson destiné au peuplement des rivières — Refuge.
3. Exceptionnel — Petit vautour au plumage noir.
4. Éloigné — Prétentieux.
5. Terme de tennis — Mettre en terre — Mesure itinéraire chinoise.
6. Occlusion intestinale — Antonyme de noblesse.
7. Ruisselet — Période d'activité sexuelle des mammifères.
8. Prophète — Qui est d'une acidité désagréable.
9. Développement — Chatons de certaines fleurs.
10. Partie de l'épaule du cheval — Roche abrasive — Cæsium.
11. Familier — Arbre d'Afrique utilisé en médecine.
12. Petite balle — Organe féminin.

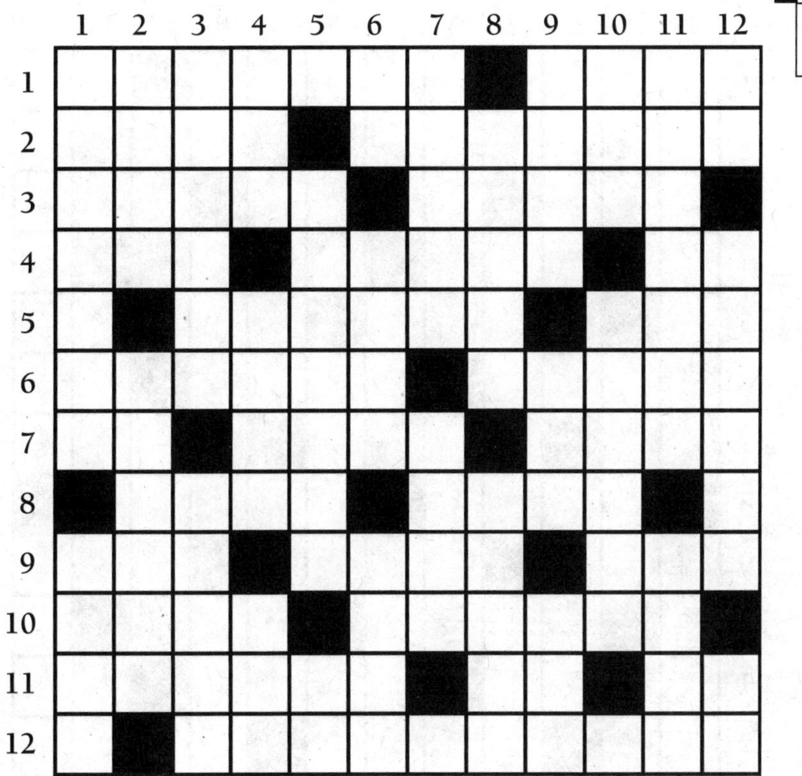

## HORIZONTALEMENT

1. Danse polynésienne à deux temps — Oiseau à bec long.
2. Chef d'État dans certains États arabes — Assuré.
3. Os de poisson — Narine des cétacés.
4. Tranché — Couple — Article espagnol.
5. Format — Influé.
6. Fidèle — Vénérable.
7. Titane — Peur — Attacher.
8. Engrais azoté — Grand Lac.
9. Tollé — Eau gazéifiée — Ancien Premier ministre de l'Ontario.
10. Prince troyen — Raisonner.
11. Appât — Jeu d'origine chinoise — Alcooliques Anonymes.
12. Joignent.

## VERTICALEMENT

1. Chaise longue pliante en toile — Pronom démonstratif.
2. Rivière de Suisse — Qui a lieu le jour.
3. Morceau — Enjoué.
4. Armée — Capable — Époque.
5. Leçons des Apôtres — Ruisselet.
6. Note — Hasard — Billet d'avion non daté.
7. Réveil — Passé.
8. Avinés — Classes.
9. Vue — Gendre de Mahomet — Demande pressante.
10. Bien — Garni d'acier par soudure.
11. Honnête — Vallée des Pyrénées espagnoles.
12. Saint — Grande liane — Astate.

112

| | 1 | 2 | 3 | 4 | 5 | 6 | 7 | 8 | 9 | 10 | 11 | 12 |
|---|---|---|---|---|---|---|---|---|---|---|---|---|
| 1 | | | | | | | | | | ■ | | |
| 2 | | | | | | | | ■ | | | | |
| 3 | | | | ■ | | | | | ■ | | | |
| 4 | | | | | | ■ | | | | | ■ | |
| 5 | | ■ | | | | | ■ | | | | | |
| 6 | | | | | ■ | | | | | ■ | | |
| 7 | | | ■ | | | | | ■ | | | | |
| 8 | ■ | | | | | ■ | | | | | | ■ |
| 9 | | | | ■ | | | | | ■ | | | |
| 10 | | ■ | | | | | ■ | | | | ■ | |
| 11 | | | | | ■ | | | | | ■ | | |
| 12 | | | ■ | | | | | ■ | | | | |

**HORIZONTALEMENT**

1. Accessoire servant à orner — Argon.
2. Amener — Homme misérable.
3. Silencieux — Hameau — Ramassis
4. Jupes de gaze — Ville du Japon.
5. Ville d'Italie — Perdre son éclat.
6. Compartiment d'un meuble — Port d'Égypte — Note.
7. Article espagnol — Taciturne — Règlement fait par un magistrat.
8. Plat, uni — Versant exposé au soleil.
9. Incendie — Bruit — Grand navire à voiles du Moyen Âge.
10. Sable de bord de mer — Terme, aux échecs.
11. Pronom indéfini — Aimé — Phénomène.
12. Argon — Port des Etats-Unis — Treuil.

**VERTICALEMENT**

1. Feint — Fromage grec.
2. Aussi — Pâturage des Alpes — Richesse.
3. Inflammations de l'oreille — Mauviette.
4. Badiné — Théologien musulman — Baie où se trouve Nagoya.
5. Qui a les couleurs de l'arc-en-ciel — Pronom indéfini.
6. Comme — Dans la rose des vents — Pronom démonstratif.
7. Bisons d'Europe — Un des États-Unis d'Amérique — Interjection.
8. Claque — Coupole.
9. Interjection — Aller à toute vitesse — Arme.
10. Boucherie — Chicot.
11. Grand perroquet — Singe — Bradype.
12. Ordonnance de l'empereur — Trésor public.

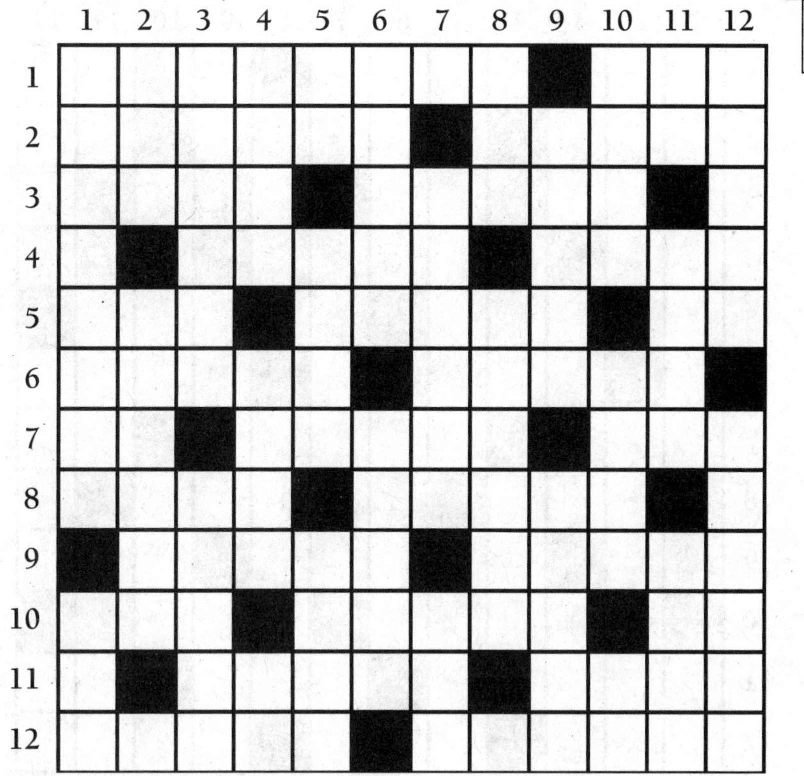

## HORIZONTALEMENT

1. Treuil à arbre vertical — Céréale.
2. Très amaigri — Religieux.
3. Pronom personnel — Requin de grande taille.
4. Berner — Butte.
5. Aurochs — Proscrit — Erbium.
6. Mettre par lits — Instrument de musique.
7. Argent — Vin blanc sec — Terme de tennis.
8. Morceau de viande de boucherie — Fenêtre faisant saillie.
9. Gnome — Compliment.
10. Agent secret de Louis XV — Poisson osseux des mers tropicales — Adverbe de lieu.
11. Sorte de table creusée en bassin — Additionné d'alcool.
12. Petit rongeur d'Afrique et d'Asie — Landier.

## VERTICALEMENT

1. Tissu à mailles lâches — Pronom personnel.
2. Conscience — Marrant.
3. Âne — Récepteur de modulation de fréquence.
4. N'ayant subi aucune teinture — Sortie — Considéré.
5. Tellement — Papa — Déesse égyptienne.
6. Transmission d'un message sur écran — Épine.
7. Diminuer la surface d'une voile — Courbe.
8. Appellation — Mélange d'excréments d'animaux.
9. Appareil sanitaire bas — Qui atteint une grande hauteur.
10. Entre le vert et l'indigo — Interjection servant d'appel — Préfixe privatif.
11. Note de musique — Arbre d'Afrique utilisé en médecine — Incommodité.
12. Fluide très subtil — Chanteur français né en 1913.

114

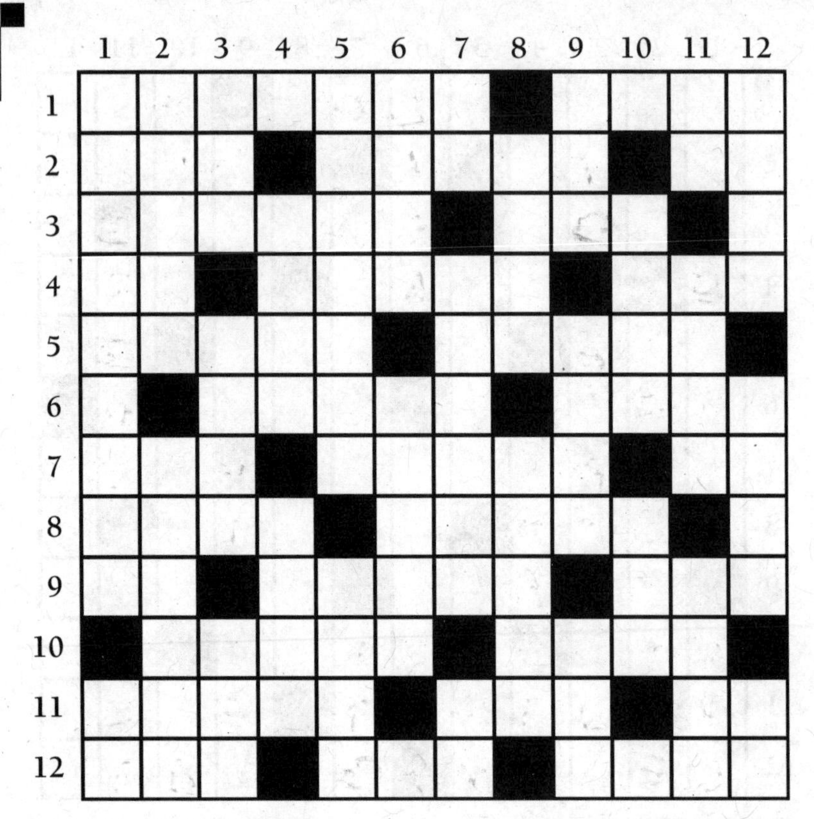

## HORIZONTALEMENT

1. Excursions — Levé.
2. Ville du Nigeria — Gratin — Sélénium.
3. Déformation de la partie antérieure du cou — Voie urbaine.
4. Squelette — Point culminant des Pyrénées — Boisson.
5. Ourlet — Vestige.
6. Mordant — Mammifère ruminant ongulé.
7. Panicule — Main courante — Drame japonais.
8. Ancêtre — Canard sauvage.
9. Adjectif numéral — Vente publique aux enchères — Première femme.
10. Livre sacré des Musulmans — Rivière de l'ouest de la France.
11. Plasma — Recueil de bons mots — Largeur d'une étoffe.
12. Unité de mesure agraire — Pronom personnel (pl.) — Pronom démonstratif (pl.).

## VERTICALEMENT

1. Escargot de mer — Adjectif possessif.
2. Poisson marin — Surprendre.
3. Poème narratif — Aliment fait de farine — Unité monétaire du Danemark.
4. Poudre — N'ayant subi aucune teinture.
5. Final — Jeu de cartes.
6. Patrie de Zénon — Apprenti dans un atelier de peinture.
7. Tellement — Mangeoire pour la volaille — Expert.
8. Prison — Rempli.
9. Interjection qui marque — Pensée — Sachet.
10. Volcan de la Sicile — Pareil.
11. Traditions — Interjection familière — Poilu.
12. Caboche — Grimace — Ancien.

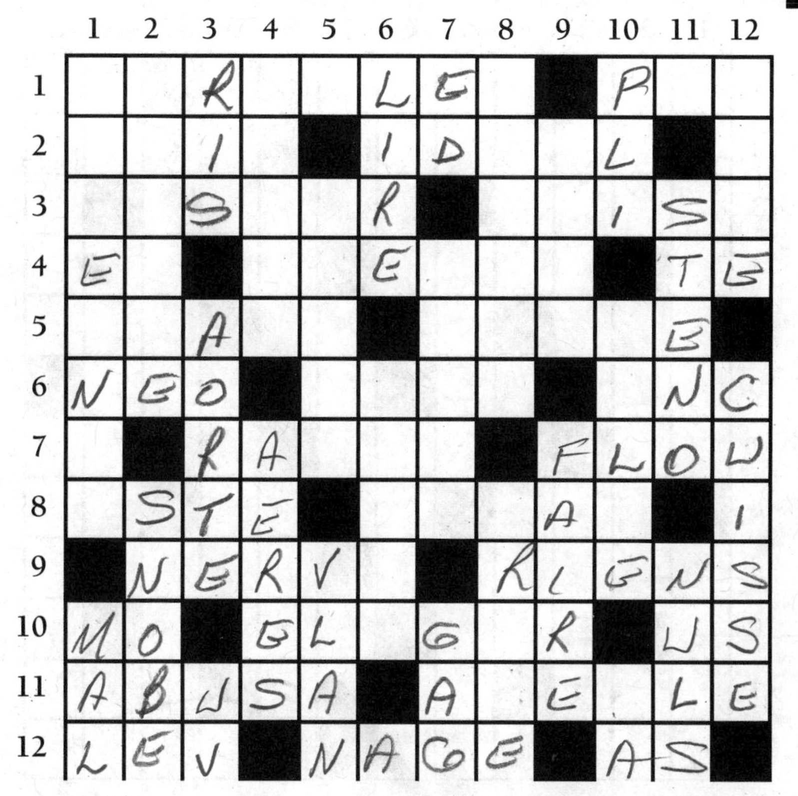

## HORIZONTALEMENT

1. Déranger — Préposition.
2. Oubliés — Modèle.
3. Charger un navire — Récession.
4. Europium — Opéra en trois actes de Rossini — Tellure.
5. Baie rouge — Arbre d'Europe.
6. Nouveau — Explicites — Incorporé.
7. Bavardage — Imprécis.
8. Estonien — Réglementaire.
9. Tueur — Vétilles.
10. Molybdène — Alléger — Traditions.
11. Outrepassa — Petit cloporte.
12. Unité monétaire bulgare — Natation — Expert.

## VERTICALEMENT

1. Revendication — Maladie.
2. Agitation — Traite de haut.
3. Thymus du veau — Artère — Ultraviolets.
4. Épée — Rendus moins denses.
5. Bassin — Onomatopée imitant un bruit sec.
6. Déchiffrer — Ancienne contrée de l'Asie Mineure.
7. Diminutif d'Edward — Planche — Situation engendrant un effet comique.
8. Renfermé et isolé — Soûle
9. Pin cembro — Exécuter.
10. Ride — Manchon mobile — Note de musique.
11. Sténographie — Crétins.
12. Mouvement rapide — Partie du membre inférieur.

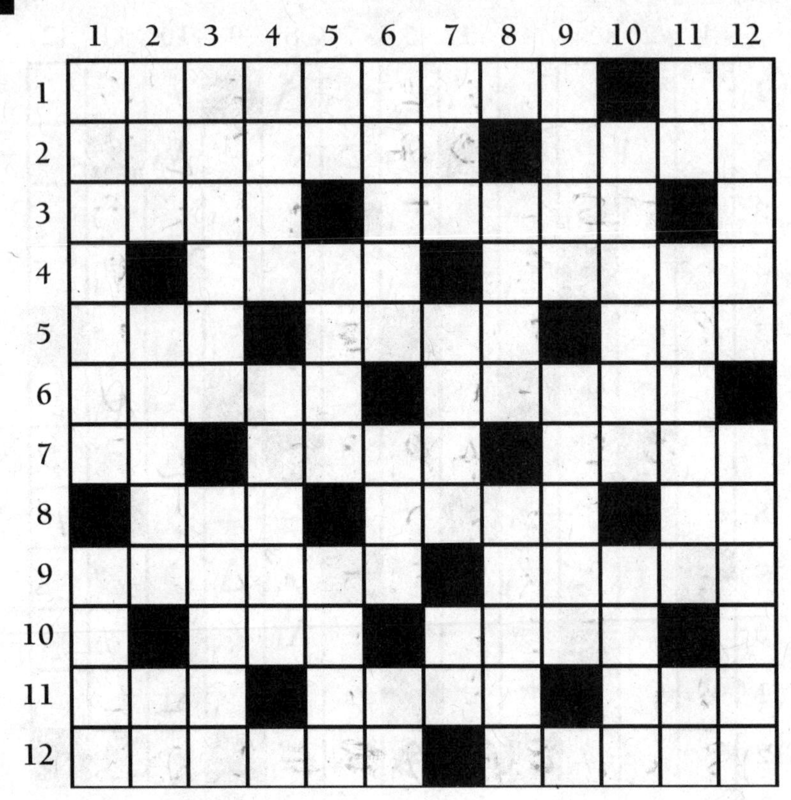

## HORIZONTALEMENT

1. Transformé en valeur actuelle — Règle de dessinateur.
2. Fripon — Baldaquin.
3. Renforcé de métal — Récipient.
4. Cheville à tête plate — Lettre grecque.
5. Interjection qui marque le doute — Petit espace isolé — Asticot.
6. Éméchés — Tuile, ennui.
7. Grand dieu solaire — Amalgamé — Pronom indéfini (pl.).
8. Société Protectrice des Animaux — Ancienne unité monétaire du Pérou — Plutonium.
9. Reçu — Plat dressé sous de la gelée moulée.
10. Pour encourager dans les corridas — Couleur.
11. Singe du genre sajou — Instrument — Brame.
12. Révolte — Vétilles.

## VERTICALEMENT

1. Ramollir — Femelle du lapin de garenne.
2. Autocar — Qui va en s'élargissant — Avant-midi.
3. Fibrome — Prise.
4. Bisons d'Europe — Vernis.
5. Bradype — Située — Vérification.
6. Fusil à répétition de petit calibre — Dépôt du vin — Adjectif démonstratif.
7. Fille de Cadmos — Compétition réunissant amateurs et professionnels — Bisexuel.
8. Flanc — Meurtrir.
9. Fromage de Hollande — Tire.
10. Jeune poisson destiné au peuplement des rivières — Innocente.
11. Titane — Plante sauvage des hautes montagnes — Préposition.
12. Longue pièce de bois — Résultat heureux.

## HORIZONTALEMENT

1. Signe astrologique — Arcades.
2. Rivière de l'Asie — Lieu qui procure le calme — Hassium.
3. Lourd — Cocaïne.
4. Palmier d'Asie — Ville du Nigeria — Fleuve du sud de la France.
5. Badiné — Thune — Sollicite.
6. Tige fixée dans le plat-bord d'une barque — Tunique moyenne de l'œil.
7. Fille de Cadmos — Ultérieurement — Note.
8. Quartier du centre de Londres — Troisième fils de Jacob.
9. Oiseau d'Australie — Colère — Poème lyrique.
10. Faux — Village éloigné.
11. Note — Réunion, à l'aide de fils — Mesure itinéraire chinoise.
12. Plainte — Caché.

## VERTICALEMENT

1. Divisé en deux parties — Magnésium.
2. Petit aigle — Femme politique israélienne.
3. Sable mouvant — Perdant.
4. Division d'une pièce de théâtre — Femelle de l'ours.
5. Négation — Un des États-Unis d'Amérique — Interjection exprimant le soulagement.
6. Femme de mauvaises mœurs — Pas.
7. Préposition — Pronom personnel — Ville d'Espagne.
8. Ville du Pérou — Met bas — Note.
9. Volcan du Japon — Estimé — Extrémité effilée de certains instruments à air.
10. Statue de jeune fille, typique de l'art grec archaïque — Larcin.
11. Chouchou — Fiable.
12. Sa Sainteté — Benêt — Acte législatif émanant du roi.

118

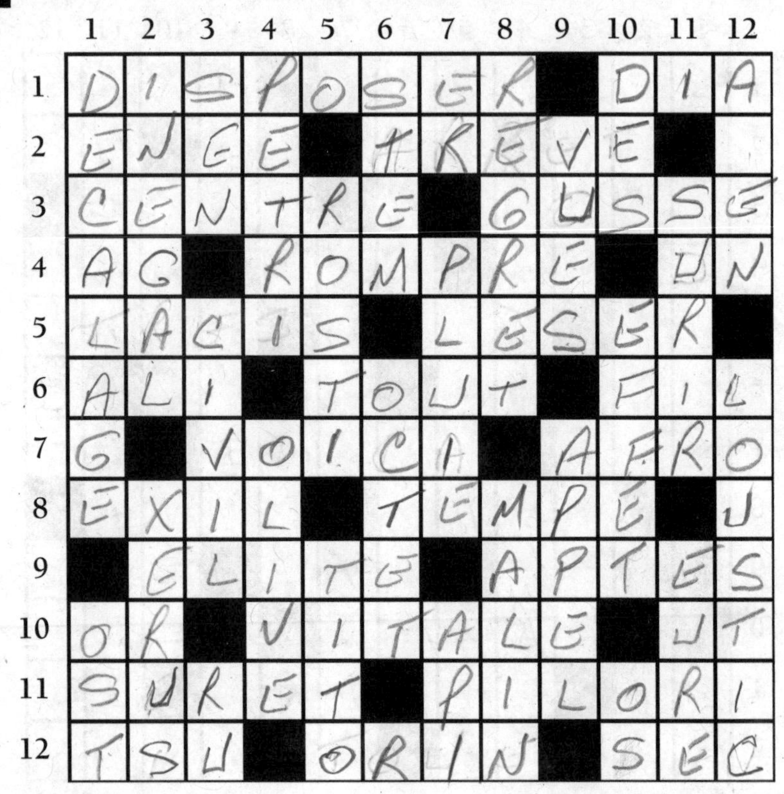

## HORIZONTALEMENT

1. Arranger — Cri des charretiers.
2. Prince légendaire troyen — Pause.
3. Noyau — Gus.
4. Argent — Arracher — Article indéfini.
5. Réseau de fils entrelacés — Désavantager.
6. Boxeur célèbre — Totalité — Brin long et fin.
7. Préposition — Se dit d'une coupe de cheveux.
8. Déportation — Partie latérale de la tête.
9. Ensemble de personnes remarquables — Appropriés.
10. Métal précieux — Fondamentale — Ancien do.
11. Un peu acide — Poteau où était exposé le condamné.
12. Ville du Japon — Cordage reliant une ancre à la bouée — Désobligeant.

## VERTICALEMENT

1. Écart dans le temps — Armée.
2. Disproportionné — Petit rongeur appelé rat palmiste.
3. Monnaie du Japon — Relatif à l'ensemble des citoyens — Ruisselet.
4. Façonné — Fruit de l'olivier.
5. Mets fait de pommes de terre émincées — Maréchal yougoslave.
6. Virage, en ski — Groupe comprenant huit éléments binaires.
7. Erbium — Averse — Pomme.
8. Repentir — Astucieux.
9. Dessein — Cri.
10. Article contracté — Résultat — Restes.
11. Devenir un peu aigre — Affluent de la Seine.
12. Ainsi soit-il — Plaisantin.

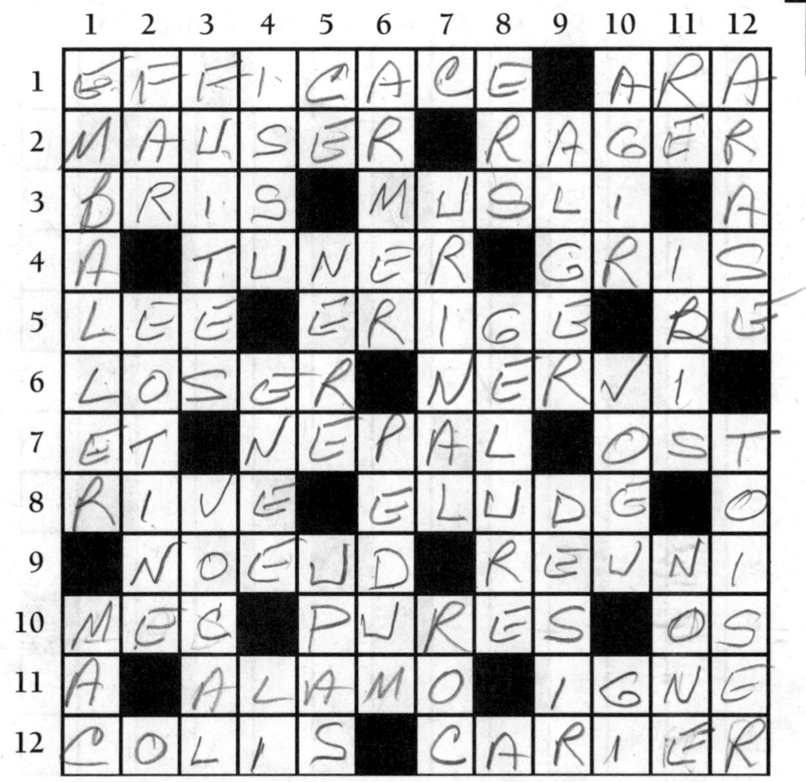

## HORIZONTALEMENT

1. Sûr — Perroquet au plumage brillant.
2. Type de pistolet automatique — Bisquer.
3. Effraction — Mélange de flocons d'avoine.
4. Amplificateur de haute fréquence — Sans éclat, morne.
5. Chef des armées américaines — Fondé — Béryllium.
6. Perdant — Tueur.
7. Préposition — État d'Asie — Armée féodale.
8. Berge — Évité avec adresse.
9. Entrecroisement — Rassemblé.
10. Garçon — Parfaites — Problème.
11. Ancien fort situé sur la rivière San Antonio — Ardent.
12. Ballot — Gâter.

## VERTICALEMENT

1. Empaqueter — Souteneur.
2. Flan breton aux raisins secs — Matière colorante.
3. Évasions — Relatif à la voix.
4. Venu — Prince légendaire troyen — Lithium.
5. Cérium — Arbre d'Afrique utilisé en médecine — Renforcer.
6. Bâton en forme de crosse.
7. Vase permettant de faire uriner les hommes alités — Pierre.
8. Lentille — Engelure.
9. Ville d'Algérie — Vœu.
10. Opérer — Souhait — Soldat de l'armée américaine.
11. Rhénium — Oiseau échassier — Quatrième partie du jour.
12. Met de niveau — Regarder avec défi.

## 120

| | 1 | 2 | 3 | 4 | 5 | 6 | 7 | 8 | 9 | 10 | 11 | 12 |
|---|---|---|---|---|---|---|---|---|---|---|---|---|
| 1 | | | | | | | | | ■ | | | |
| 2 | | | | | ■ | | | | | | ■ | |
| 3 | | | | | | ■ | | | | | | |
| 4 | | | | ■ | | | | | | ■ | | |
| 5 | | | | | | | ■ | | | | | |
| 6 | | ■ | | | | | | | | | ■ | |
| 7 | | | | | ■ | | | | | | | |
| 8 | ■ | | | | | | | ■ | | | ■ | |
| 9 | | | ■ | | | | ■ | | ■ | | | |
| 10 | | | | | | ■ | | | | | | ■ |
| 11 | | | | ■ | | | | | | ■ | | |
| 12 | | | | | | | ■ | | | | | |

### HORIZONTALEMENT

1. Catastrophe — Homme politique français.
2. Service religieux — Navré.
3. Mitaines — Sarcasme.
4. Ville du Pérou — Édifice consacré à la musique — Strontium.
5. Dimension — Association.
6. Filets à petites mailles.
7. Mère de Zeus — Maladies fébriles contagieuses.
8. Attaque — Interjection.
9. Pronom personnel — Adjectif possessif (pl.) — Ch.-l. de c. de Loir-et-Cher.
10. Mettre en terre — Suivre.
11. Lettre grecque — Râpé — Blagué.
12. Insecte diptère — Fluide très subtil.

### VERTICALEMENT

1. Réfléchir — Lac d'Italie.
2. Matière textile — Respire à un rythme précipité.
3. Plantes herbacées — Maison de campagne.
4. Société américaine de réseau téléphonique — Amas de papiers.
5. Planchers — Rendre moins touffu.
6. Conifère — Face supérieure — Article.
7. Enveloppe de tissu — Terme de tennis — Interjection exprimant le mépris.
8. Affaisse (S') — Fruit.
9. Intègre — Terme de tennis.
10. Monnaie du Japon — Langue de terre entre deux mers.
11. Échelle, en photographie — Vitesse acquise d'un navire.
12. Perpétuer — Infinitif.

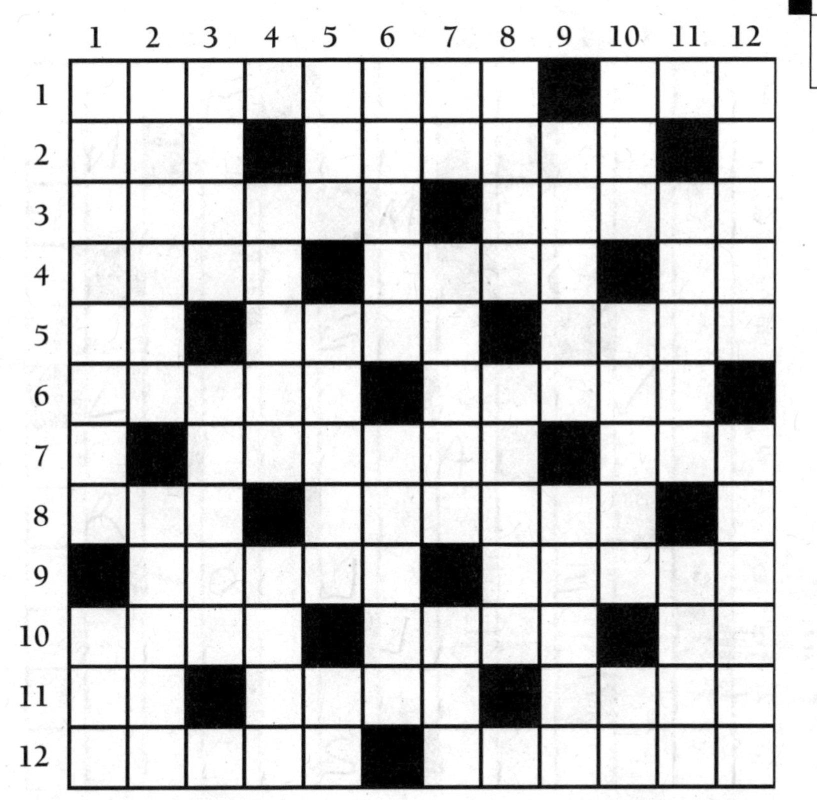

## HORIZONTALEMENT

1. Ouvert — Épaule d'animal.
2. Initiales d'une province maritime — Prendre.
3. Prince de certains pays musulmans — Plante aux fleurs décoratives.
4. Garni — Projectile — Onze.
5. Rhénium — Démentir — Réunir.
6. Inculte — Idéal.
7. Avide — Givre.
8. Critique italien — Nommer des lettres.
9. Croc de métal ou de bois — Fruit sucré et parfumé.
10. Fioul — Chef d'une bande de mauvais garçons — Expert.
11. En matière de — Qui se transmet par la parole — Oubliés.
12. Inventaire — Matière colorante.

## VERTICALEMENT

1. Laideur — Fleuret.
2. Purifier — Motif.
3. Chevroté — Symbole graphique.
4. Crispé — Petite tige de métal.
5. Râpa — Ville de Belgique — Île de l'Atlantique.
6. Embarcation légère — Plante vomitive.
7. Interjection — Pièce du harnais — Bière.
8. Fils d'Isaac — Répit.
9. Aboutissement — Mention portée au dos d'un titre à ordre.
10. Adresse — Relatif aux Noirs — Note.
11. Proscrit — Petit.
12. Devenir un peu aigre — Allégresse.

# 122

| | 1 | 2 | 3 | 4 | 5 | 6 | 7 | 8 | 9 | 10 | 11 | 12 |
|---|---|---|---|---|---|---|---|---|---|---|---|---|
| 1 | | | | | | | | ■ | | | | |
| 2 | | | | ■ | | | | | | ■ | | |
| 3 | | | | | | | ■ | | | | | |
| 4 | | | | | ■ | | | | | | ■ | |
| 5 | | | ■ | | | | | | ■ | | | |
| 6 | | | | | | ■ | | | | | | ■ |
| 7 | | | | ■ | | | | | | ■ | | |
| 8 | | ■ | | | | | | ■ | | | | |
| 9 | | | | | ■ | | | | | | ■ | |
| 10 | ■ | | | | | | ■ | | | | | |
| 11 | | | ■ | | | | | | ■ | | | |
| 12 | | | | | | ■ | | | | | | |

## HORIZONTALEMENT

1. Embarcation pour le transport des marchandises — Momentané.
2. Ovale — Indignité — Fleuve d'Italie.
3. Population — Refuge.
4. Cargaison d'un navire — Lettre grecque.
5. Peuple de l'île de Hainan — Ville de Syrie — Poisson d'eau douce.
6. Mousse — Siège de souverains.
7. Adjectif possessif (pl.) — Mollusque marin — Note.
8. Instit — Badiane.
9. Estonien — Créateur des aventures de Tintin.
10. Fin — Ville de Belgique.
11. Oui — Instrument de musique — Terme de tennis.
12. Plante herbacée — Compris.

## VERTICALEMENT

1. Musculature culturiste — Note.
2. Cupidité — Vedette.
3. Animal — Courant.
4. En outre — Homme de main.
5. Lettre grecque — Plat — Partie du pain.
6. Note valant deux blanches — Non-croyant.
7. Préposition — Région à l'est de Montréal — Mesure itinéraire chinoise.
8. Enduré — Gratuitement.
9. Bienheureux et paisible — Répondant.
10. Salubre — État d'Asie.
11. Inflorescence — Provocation — Bouclier.
12. Tranchée — Corps célestes.

| | 1 | 2 | 3 | 4 | 5 | 6 | 7 | 8 | 9 | 10 | 11 | 12 |
|---|---|---|---|---|---|---|---|---|---|---|---|---|
| 1 | | | | | | | | | | ■ | | |
| 2 | | | | | | | | ■ | | | | |
| 3 | | | | | | ■ | | | | | ■ | |
| 4 | | | | ■ | | | | | ■ | | | |
| 5 | | ■ | | | | | ■ | | | | | ■ |
| 6 | | | | | ■ | | | | | ■ | | |
| 7 | | | ■ | | | | | ■ | | | | |
| 8 | ■ | | | | | ■ | | | | | ■ | |
| 9 | | | | ■ | | | | | ■ | | | |
| 10 | | ■ | | | | | ■ | | | | | |
| 11 | | | | | ■ | | | | | ■ | | |
| 12 | | | ■ | | | | | ■ | | | | |

**HORIZONTALEMENT**

1. Étoffe de coton — Pouah.
2. Successeur, imitateur — Ville d'Algérie.
3. Presser — Quatrième partie du jour.
4. Titre d'un magazine — Récipient de terre cuite — Ville du sud-est du Nigeria.
5. Tube fluorescent — Individu.
6. Pétrolière — Commune de Suisse — Issu.
7. Roulement de tambour — Grande abondance — Tête de rocher.
8. Bile des animaux de — Prêt à agir.
9. Deux fois — Engagement religieux — Société Protectrice des Animaux.
10. Sert à attacher — Partie de la tige des branches du rotang.
11. Portion d'un cours d'eau entre deux chutes — Pièce de tissu — Argent.
12. Douze mois — Arme — Génie de l'air.

**VERTICALEMENT**

1. Beugler — Ébahi.
2. Rude — Port du Maroc — Branché.
3. Javelots en fer — Affluent de la Dordogne.
4. Vieux — Dieu des Vents — Ville du sud-ouest du Nigeria.
5. Port du Portugal — Algue appelée laitue de mer.
6. Pronom indéfini — Acier inoxydable — Flot.
7. Fleuve de Sibérie — Insecte des eaux stagnantes — Dieu solaire.
8. Félin — Sorte de halo.
9. Adjectif possessif — Obstacle équestre — Trou dans un mur.
10. Réactionnaire — Épreuve.
11. Note — Commune du Morbihan — Chanteuse française morte en 1963.
12. Relatif aux Incas — Troc.

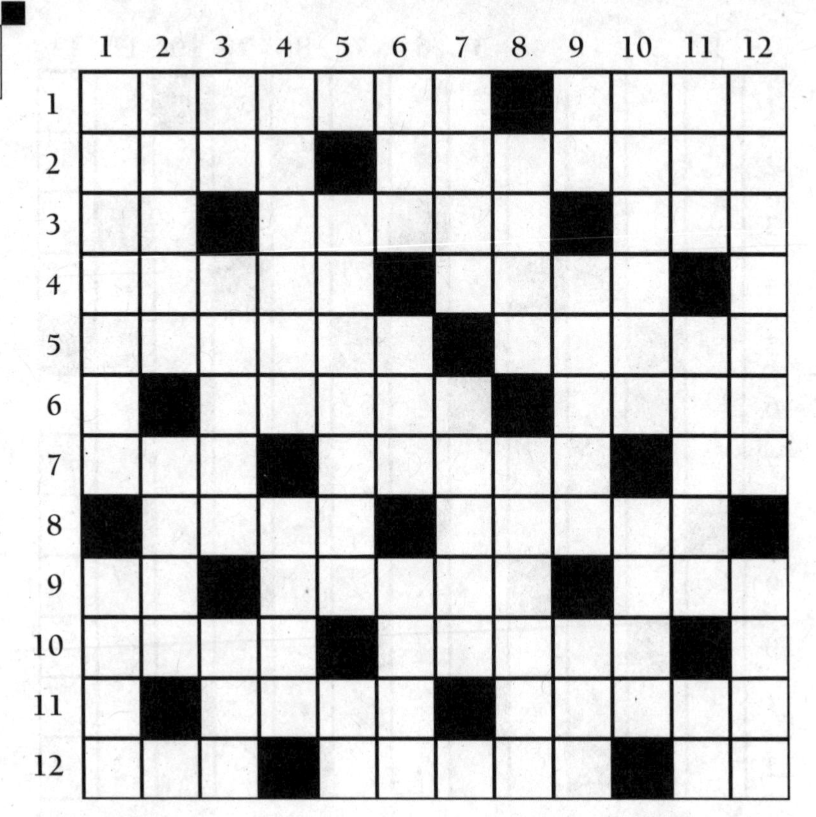

## HORIZONTALEMENT

1. Funèbre — Hareng fumé.
2. Époques — En alternance.
3. Quelqu'un — Qui rend service — Ancien oui.
4. Exploser — Boucherie.
5. Abris — Joueuse de tennis américaine née en 1954.
6. Crochets — Partie du monde.
7. Titre de courtoisie espagnol — Limite — Senior.
8. Affluent de la Dordogne — Dép. de la Région Rhônes-Alpes.
9. Carcasse — Ligne d'intersection de deux plans — Firme de fabrication électrique allemande.
10. Affolement — Grands mammifères.
11. Quittance — Poinçon servant à percer le cuir.
12. Patriarche biblique — Posture de yoga — Préposition.

## VERTICALEMENT

1. Panthère d'Afrique — Billet d'avion non daté.
2. Vases — Rivière du nord de la France.
3. Germanium — Pronom possessif — Urus.
4. Communs — Protecteur du foyer.
5. Cordonner — Pronom démonstratif.
6. Musique originaire d'Algérie — Homme politique français — Boucliers.
7. Pronom personnel — Cortège.
8. Bouille — Col des Alpes.
9. Pronom personnel — Ingéré — Double coup de baguette.
10. Pins montagnards — Démantelé.
11. Homogène — Renforcement momentané du vent — Négation.
12. Conter — Roche sédimentaire.

**HORIZONTALEMENT**

1. Couvercle qui obture les cellules des abeilles — Ivre.
2. Pointe extrême d'une digue — Poisson d'eau douce.
3. Partie la plus grossière du son — Versant d'une montagne exposé au nord — Ultraviolets.
4. Blaguée — Portion — Arbre.
5. Délateur — Cérémonie.
6. Inscription sur la Croix — Exercer la répression avec rigueur.
7. Ville du sud-ouest du Nigeria — Ville d'Italie — Ancien.
8. Marque le doute — Ambré — Arbre.
9. Dialecte chinois — Ville d'Espagne — Lieu où sont emmagasinés les vins en fût.
10. Expatrié — Qui est à l'état naturel.
11. Pronom personnel — Mettre en vers.
12. Voile d'avant sur les voiliers modernes — Couteau — Hassium.

**VERTICALEMENT**

1. Poisson marin à chair comestible — Ville d'Autriche.
2. Partie liquide du fumier — Paire.
3. Dans la rose des vents — Seigneur — Rivière de l'Asie.
4. Bois rond — Point d'insertion des vaisseaux sur un organe.
5. Pronom démonstratif — Couleur d'un brun orangé — Ville d'Espagne.
6. Aurochs — Injuste— Ruisselet.
7. Charpente qui supporte un navire en construction — Neuvième heure du jour.
8. Lettre de l'alphabet grec — Rivière du S.-O. de l'Allemagne — Son perçant.
9. Taillé comme un écot — Baguier.
10. Platine — Idéal — Interjection exprimant le doute.
11. Plante herbacée — Plante monocotylédone — Interjection.
12. Bienfait — Hautain.

126

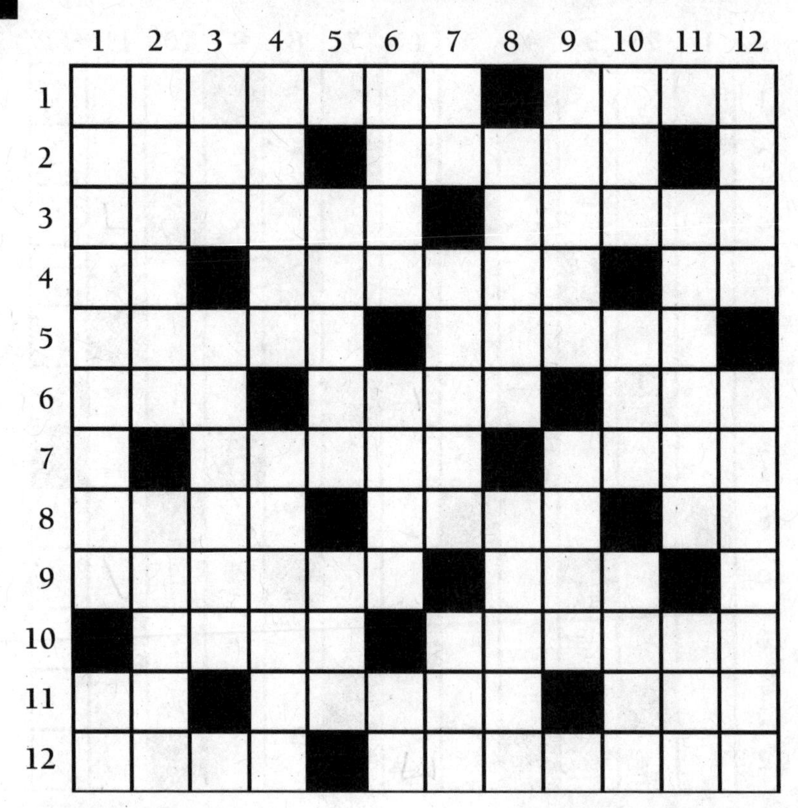

**HORIZONTALEMENT**

1. Groupe de buissons touffus — Agent de police.
2. Bord — Blasphéma.
3. Pondéré, réfléchi — Monte.
4. Badine — Nommer des lettres — Lui.
5. Qui prend les couleurs du prisme — Patinoire couverte.
6. Métal gris — Trou, caverne — Terre entourée d'eau.
7. Royale — Règlement fait par un magistrat.
8. Irlande — Tarif — Adjectif possessif.
9. Tissu de laine épais — Filament fin.
10. Jeu de construction — Embrasé.
11. Petit morceau cubique — Poisson de mer — Océan.
12. Bordure étroite — Chaviré.

**VERTICALEMENT**

1. Remplir d'effroi — Note.
2. Charrue simple sans avant-train — Raller.
3. Article — Enragé.
4. Blessés — Mystère.
5. Arbrisseau d'Amérique du Sud — Patriarche biblique.
6. Crochet en forme de S — Pâturage des Alpes — Rad.
7. Grand dieu solaire — Décrasser — Bière blonde.
8. Précieuse — Manifestation morbide brutale.
9. Faire cuire dans la friture — Sortie d'un personnage.
10. Blasé — Fourmilière — Capitale du Pérou.
11. Insecte brun des prairies — Esprit, finesse.
12. Espace — Tablette.

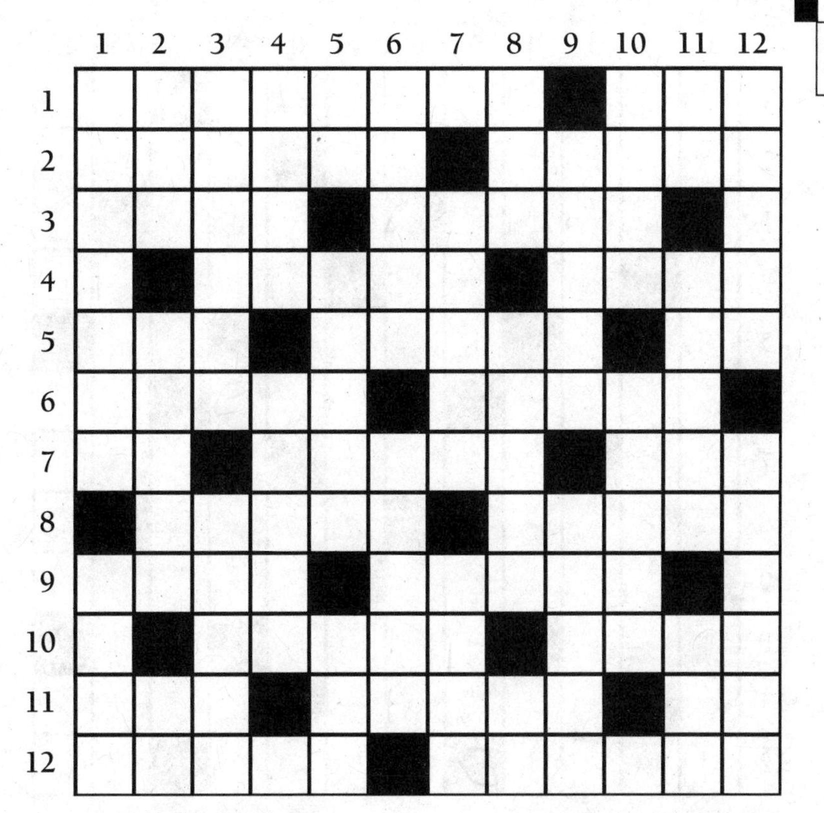

## HORIZONTALEMENT

1. Hésitant — Assemblée russe.
2. Relatif à la fièvre jaune — Réer.
3. Affluent de la Dordogne — Crier, en parlant du nouveau-né.
4. Ville d'Allemagne — Mission.
5. Unité monétaire roumaine — Ongulé — Conjonction.
6. Pare-étincelles — Pleur.
7. Pronom personnel —Ville d'Allemagne — Courbe.
8. Cordage servant à lier — Interrompu.
9. Bonne fortune — Aimable.
10. Plante grimpante — Habit masculin de cérémonie.
11. Poisson d'eau douce — Congestion — Lui.
12. Canasson — Petit filet en forme de poche.

## VERTICALEMENT

1. Lame — Héritier.
2. Fleuve d'Allemagne — Élimé — Ut.
3. Rouspéteur — Chatons de certaines fleurs.
4. Voisin — Abasourdi.
5. Lithium — Équipement de détection sous-marine — Résine malodorante.
6. Ch.-l. de c. du Morbihan — Colosse.
7. Arête — Cavité intercellulaire des végétaux.
8. Unité de mesure de travail — Arme offensive — Senior.
9. Nicher — Niche funéraire à fond plat.
10. Myope — Amplificateur de micro-ondes.
11. Iridium — Commune du Nord — Plante bulbeuse.
12. Refus — Anneau.

128

| | 1 | 2 | 3 | 4 | 5 | 6 | 7 | 8 | 9 | 10 | 11 | 12 |
|---|---|---|---|---|---|---|---|---|---|---|---|---|
| 1 | | | | | | | | | | ■ | | |
| 2 | | | | | | | | ■ | | | | |
| 3 | | | | | | ■ | | | | | ■ | |
| 4 | | ■ | | | | | ■ | | | | | |
| 5 | | | | ■ | | | | | ■ | | | ■ |
| 6 | | | | | ■ | | | | | ■ | | |
| 7 | | | ■ | | | | | ■ | | | | |
| 8 | | | | | | ■ | | | | | ■ | |
| 9 | ■ | | | | | | ■ | | | | | |
| 10 | | | | ■ | | | | | ■ | | | ■ |
| 11 | | ■ | | | | | | ■ | | | | |
| 12 | | | | | ■ | | | | | ■ | | |

## HORIZONTALEMENT

1. Refuser — Traditions.
2. Petits châteaux — Nationé.
3. Héroïne compagne de Tristan — Commune de Suisse.
4. Petits socles — Ouvrage vitré en surplombé.
5. Dénué d'esprit — Outil du génie civil — Lawrencium.
6. Service religieux — Jupe courte et plissée — Nickel.
7. Largeur d'une étoffe — Enlever — Nom donné à divers sommets.
8. Muse de la Poésie lyrique — Calife.
9. Taillé comme un écot — Lac du nord-ouest de la Russie.
10. Arme — Ville du Japon — Voltampère.
11. Cafard — Émanation d'un corps.
12. Ville d'Italie — Plante à haute tige — Dans.

## VERTICALEMENT

1. Petit squale — Épaule d'animal.
2. Circonstance — Accabler de dettes.
3. Écrivain uruguayen mort en 1994 — Abord.
4. Contracté — Pou — Négation.
5. Surnommées — Petite toupie.
6. Patrie d'Abraham — Boisson japonaise — Gaine.
7. Terme de photographie — Pis — Titre d'honneur anglais.
8. Fête — Tendre.
9. Ville de Hongrie — Amalgame d'étain — Arsenic.
10. Expulsion — Anticipé.
11. Pronom indéfini — Fleuve d'Irlande — Station de métro.
12. Avion à décollage et à atterrissage courts — Plante voisine de l'iris — Année.

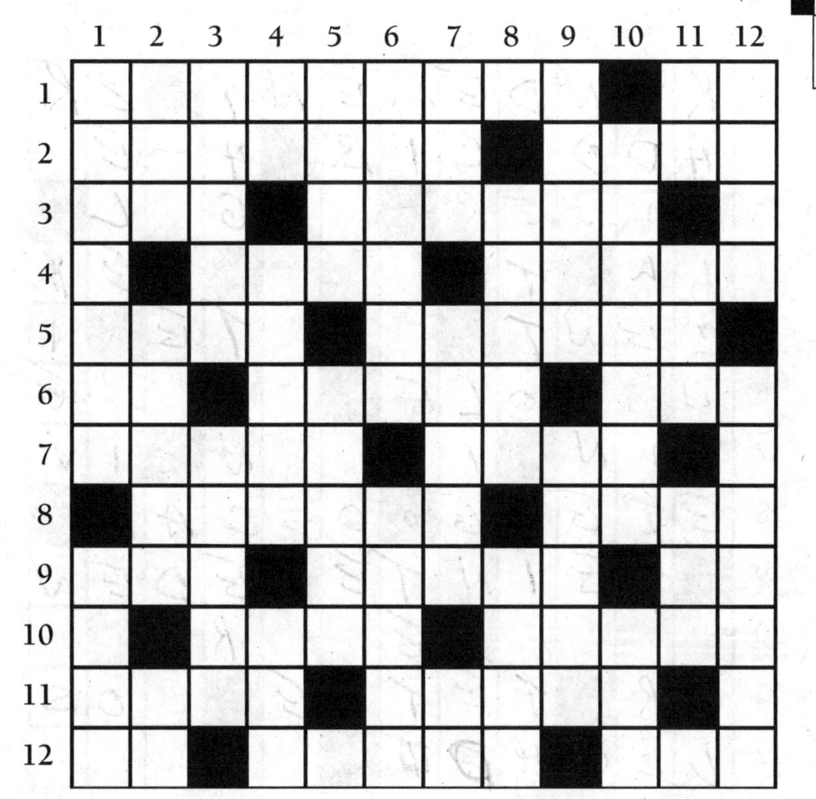

## HORIZONTALEMENT

1. Déshonneur — Arbre à fruits rouges.
2. Cellule du système nerveux — Lolo.
3. Solution — Occasion.
4. Paradis — Peinera.
5. Blessé — Ambitionné.
6. Post-scriptum — Lettre grecque — Venus au monde.
7. Ébahi — Affectionné.
8. Sage — Hameau.
9. Tollé — Rivière de Belgique — Sinon.
10. Pronom possessif — Arbre équatorial.
11. Ancienne monnaie chinoise — Suite d'éléments.
12. Préposition — Cuir d'aspect velouté — Ramassis.

## VERTICALEMENT

1. Prévenu — Assigné.
2. Givre — Longue pièce de bois — Année.
3. Nuages — Réfléchi.
4. Conjonction — Solde — Pronom personnel (pl.).
5. Jeune fille — Chandelier garni de pointes.
6. Noyé — Tipi.
7. Petit pâté impérial — Métal blanc grisâtre — Idem.
8. Expérience — Fichu.
9. Nostalgie — Pronom possessif (pl.).
10. Perpétuel — Hors des limites du court.
11. Branché — Crie, en parlant du chevreuil — Puissances éternelles émanées de l'être suprême.
12. Fromage grec — Placées.

130

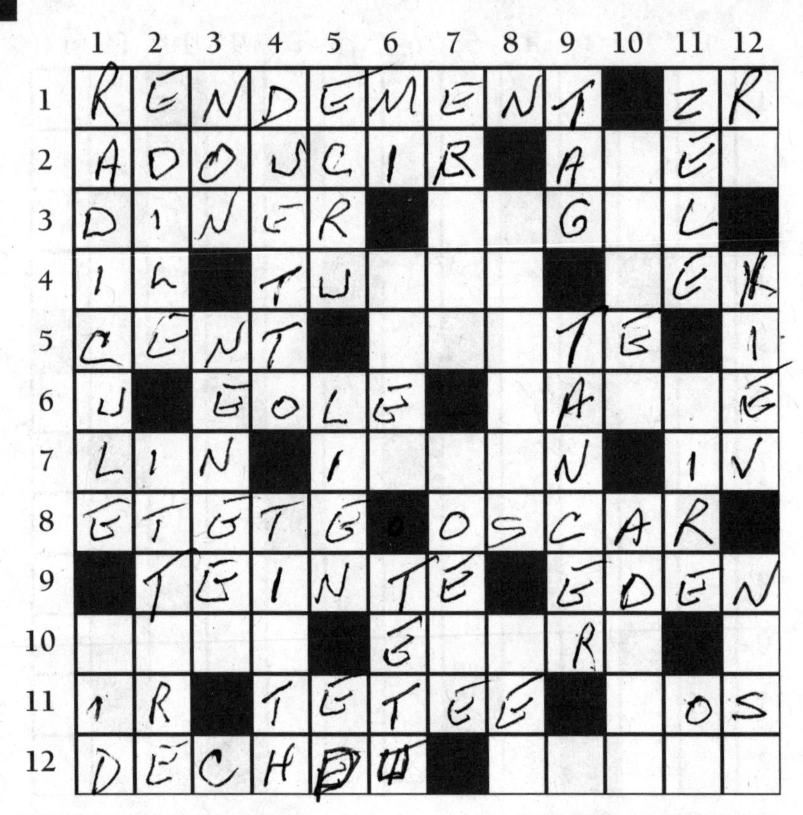

## HORIZONTALEMENT

1. Efficacité — Zirconium.
2. Modérer — Ouverture donnant passage à l'eau.
3. Repas — Langage de programmation.
4. Lui — Morceau exécuté par l'orchestre tout entire — Unité monétaire principale de l'Albanie.
5. Centaine — Mûri.
6. Dieu des Vents — Pomme de terre allongée.
7. Fibre textile — Lac de Russie — Quatre.
8. Décapité — Trophée du monde du cinema.
9. Ton — Paradis.
10. Cantine — Affluent de la Loire.
11. Iridium — Action de téter — Adjectif possessif (pl.).
12. Ordure — Placé.

## VERTICALEMENT

1. Première racine d'un vegetal — Assemblée russe.
2. Conseiller municipal — Jaunisse.
3. Refus — Chant funèbre.
4. Petite pièce pour deux voix — Volcan du Pérou.
5. Qui est à l'état naturel — Rapport — Diminutif d'Edward.
6. Note — Ancienne monnaie chinoise — Obstiné.
7. Muse de la Poésie lyrique — Lagune d'eau douce.
8. Câbles servant à maintenir — Immédiatement.
9. Graffiti — Réprimander.
10. Champignon — Assemblage à l'aide d'entailles.
11. Ferveur — Fatigué et amaigri — Sinon.
12. Rhénium — Capitale de l'Ukraine — Fichu.

## HORIZONTALEMENT

1. Petit filet à écrevisses — Petite massue.
2. Réussi — Mélange formant une masse pâteuse.
3. Nombre toujours divisible par deux — Fond d'un parc à huîtres — Bisexuel.
4. Interjection — Fleuve de Sibérie — Usage excessif.
5. Demeurer — Capitale du Pérou.
6. Filin de retenue d'une mine — Carbonate de sodium.
7. Rivière de l'Asie — Ville de Galilée — Dieu solaire.
8. Septième lettre de l'alphabet grec — Vent du nord-est — Do.
9. Note — Masse d'une matière moulée — Lutte sportive à coups de poing.
10. Commune de Belgique — Épart.
11. Figure de patinage artistique — Tranchant.
12. Plante herbacée vivace — Poisson d'eau douce — Aluminium.

## VERTICALEMENT

1. Perroquet d'Amérique — Fidèle.
2. Étonné — Ville de Belgique.
3. Silencieux — Domicile — Point.
4. Vociférer — Nom donné à divers sommets.
5. Sert à lier — Nom de quatorze rois de Suède — Ch.-l. de c. d'Eure-et-Loir.
6. Grand plat en terre — Prophète inspiré par Dieu — Largeur d'une étoffe.
7. Durillon — Neuvième heure du jour.
8. Affecté — Rivière du S.-O. de l'Allemagne — Via.
9. Ancien fort situé sur la rivière San Antonio — Matière textile appelée aussi tagal.
10. Magnésium — Acteur français né en 1880 — Unité monétaire de la Suède.
11. Rempli — Paire — Radium.
12. Lien avec lequel on attache un animal — Île néerlandaise de la mer du Nord.

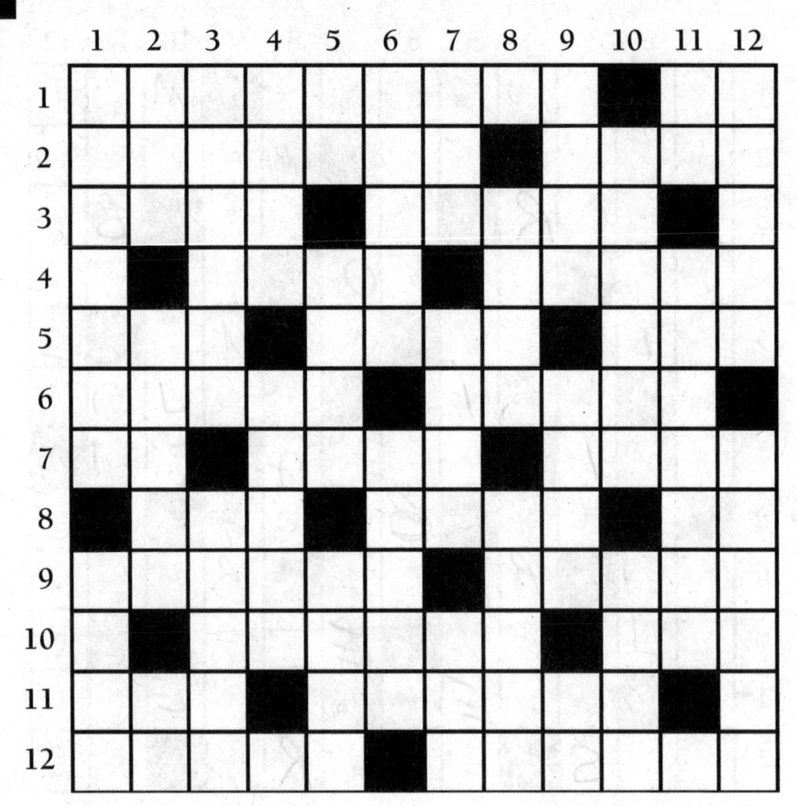

## HORIZONTALEMENT

1. Linge dont se sert le célébrant — Meilleur en son genre.
2. Petit instrument à vent — Silence.
3. Partie inférieure ou centrale d'une voûte — Hautaine.
4. Plaque de neige isolée — Ville d'Italie.
5. Chef des armées américaines — Prénom féminin — Fille d'Harmonia.
6. Générateur d'ondes électromagnétiques — Gratin.
7. Dans — Verre de bière — Succession.
8. Mèche de cheveux — Renforcé de métal — Bradype.
9. Éloigner — Sans mouvement.
10. Chien d'arrêt anglais — École bouddhiste.
11. Hors des limites du court — Énergique.
12. Pause — Hécatombe.

## VERTICALEMENT

1. Champignon comestible — Très petite île.
2. Terme de tennis — Général et homme politique portugais — Patrie d'Abraham.
3. Petites — Position.
4. Vase — Magistrat municipal.
5. Titane — Ch.-l. d'arr. du Calvados — Individu.
6. Lieu de souffrances — Martre.
7. Musique originaire d'Algérie — Femme politique israélienne — Orient.
8. Boucherie — Poisson osseux.
9. Qui est à l'état naturel — Hameau — Article.
10. Recueilli — Couleur d'un beau bleu clair.
11. Or — Qui n'est pas égalé.
12. Procédé d'écriture — Ville d'Italie.

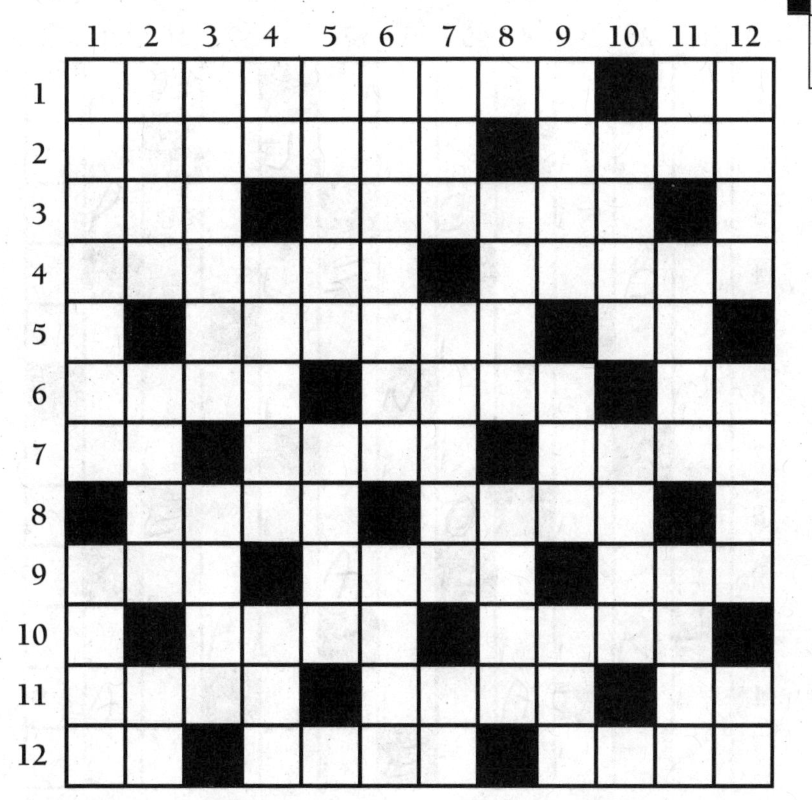

**HORIZONTALEMENT**

1. Qui porte des baies — Issu.
2. Aider — Orifice externe de l'urètre.
3. Ville de Yougoslavie — Lames cornées.
4. Jovialité — Table où l'on célèbre la messe.
5. Décapiter — Sert à lier.
6. Perroquet d'Australie — Grand bassin où les navires peuvent mouiller — Négation.
7. Infinitif — Paradis — Unité monétaire de l'Iran.
8. Peuple de l'Inde — Pétrolière.
9. Givre — Position — Part.
10. Produit de l'abeille — Désir.
11. Rivière du S.-O. de l'Allemagne — Ville de Hongrie — Indium.
12. 3,1416 — Ancêtre — Azur.

**VERTICALEMENT**

1. Langue parlée au Bengale — Prise des mains sur un club de golf.
2. Capitale des Samoa occidentals — Céréale — Conjonction.
3. Dossier — Ville du Québec.
4. Cuivre — Canal — Avancera.
5. Personne asservie — Drogue.
6. Châssis vitré — Commune de Belgique.
7. Unité de mesure de travail — Général et homme politique portugais — Germanium.
8. Graisse — Liquide nourricier.
9. Émou — Lentille — Fleuve du Languedoc.
10. Estonien — Héroïne légendaire grecque, épouse d'Héraclès.
11. Sodium — Volcan de la Sicile — Audition.
12. Boucherie — Très petite île — Déshabillé.

134

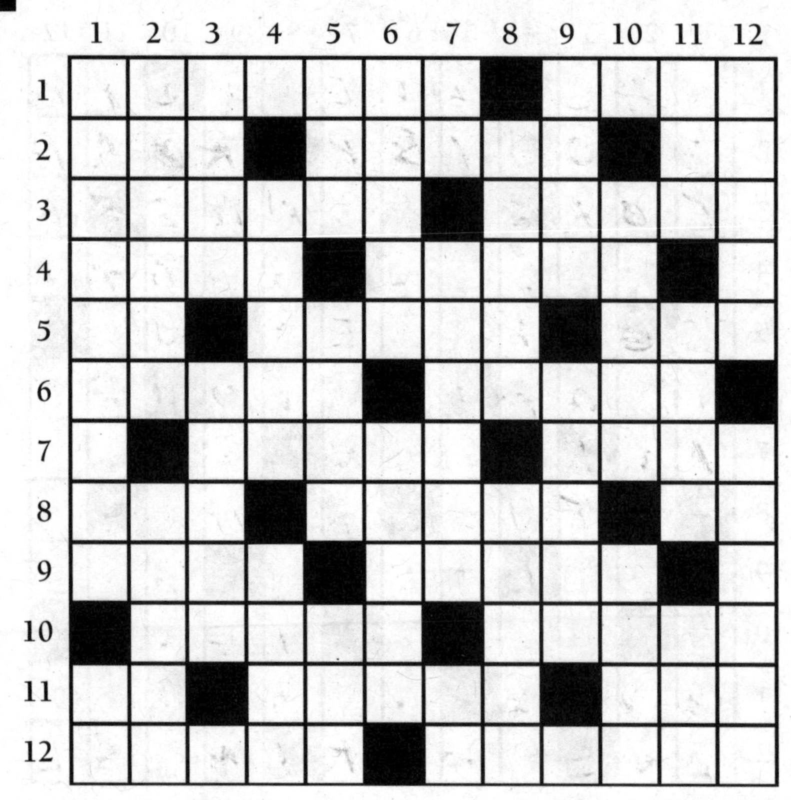

## HORIZONTALEMENT

1. Rengaine — Divan.
2. Bouclier — Reculé — Infinitif.
3. Places — Cupide.
4. Lieu de délices — Ch.-l. d'arr. de la Corrèze.
5. Rigolé — Exécutées — Ville du Pérou.
6. Enceinte demi-circulaire de filets — Riche.
7. Ancien fort situé sur la rivière San Antonio — Mammifère ruminant.
8. Adverbe de temps — Déshonneur — Europium.
9. Ordre — Idéel.
10. Cric — Causer un tort.
11. Tellure — Assemblage à l'aide d'entailles — Plancher.
12. Récession — Un peu niais.

## VERTICALEMENT

1. Récipient — Technétium.
2. Forme de fructification de la rouille du blé — Miser une somme d'argent.
3. Rusé — Petite.
4. Individu — Replet.
5. Ouille — Un des États-Unis d'Amérique — Poisson d'eau douce.
6. Sortie — Père.
7. Nobélium — Adjoint — Nota bene.
8. Lanière terminée par un nœud — Tipi.
9. Liquide nourricier — Empreinte.
10. Fruit rouge — Sable de bord de mer.
11. Métal — Traitement — Bruit de gaz stomacaux.
12. Patinoire couverte — En forme de fuseau.

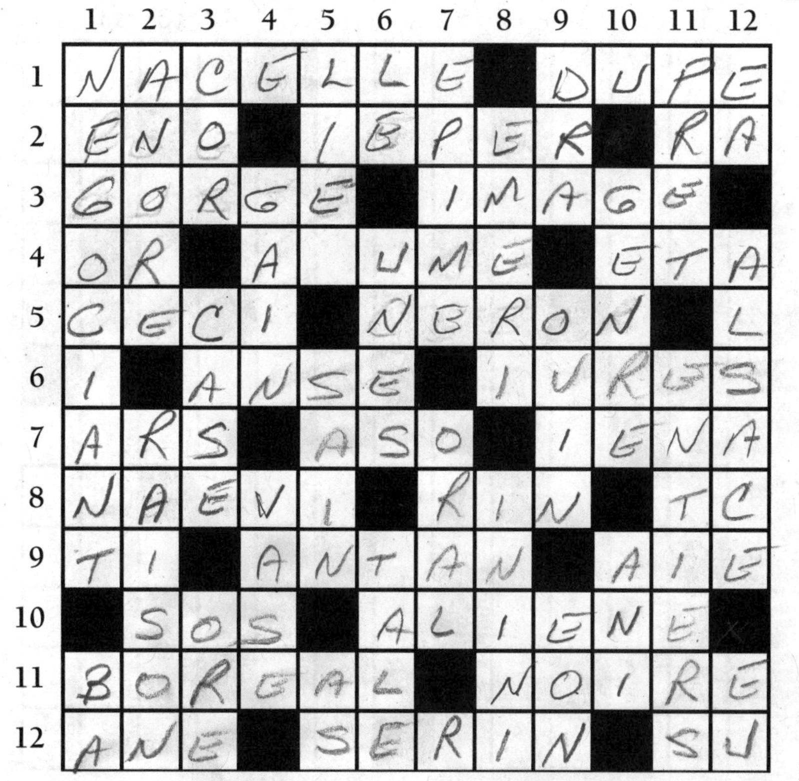

**HORIZONTALEMENT**

1. Petite barque — Naïf.
2. Critique italien — Ville de Belgique — Radon.
3. Poitrine de femme — Illustration.
4. Richesse — Comblé de flatteries — Lettre grecque.
5. Pronom démonstratif — Empereur romain.
6. Poignée — Pompettes.
7. Partie de l'épaule du cheval — Volcan actif du Japon — Victoire de Napoléon.
8. Grains de beauté — Sigle d'une ancienne formation politique québécoise — Technétium.
9. Titane — Autrefois (D') — Ouille.
10. Signal de détresse — Fou.
11. Qui est au nord — Ténébreuse.
12. Bourrique — Niais, nigaud — Connu.

**VERTICALEMENT**

1. Marchand — Baryum.
2. Plante des marais — Intelligence.
3. Instrument à vent — Cabane — Unité monétaire de la Suède.
4. Rétribution — Boue.
5. Chanson populaire — Salubre — Carte à jouer.
6. Largeur d'une étoffe — Pronom indéfini (pl.) — Taché, en parlant d'un fruit.
7. Arraché les cheveux — Buccal.
8. Abrasif — Rivière de la Guyane française.
9. Fleuve d'Afrique — Relatif au mouton — Officier de Louis XV.
10. Espèce — Ancienne capitale d'Arménie.
11. Avance — Absolus.
12. Préposition — Région de l'est de la France — Europium.

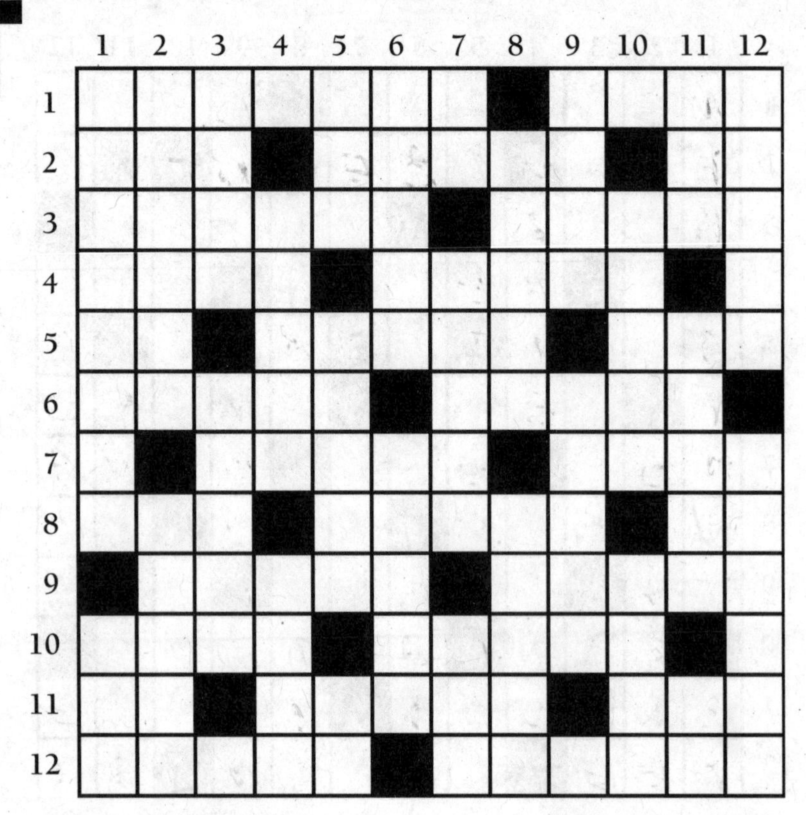

## HORIZONTALEMENT

1. Qui s'abstient de boire de l'alcool — Convenance.
2. Ch.-l. des Pyrénées-Atlantiques — Rœsti — Opus.
3. Port du Danemark — Ville d'Italie.
4. Sable mouvant — Apprenti dans un atelier de peinture.
5. Pronom indéfini — Fragile — Ville des Pays-Bas .
6. Prison — Ville du Portugal.
7. Arrivé à destination — Médecin britannique, prix Nobel 1936.
8. Panicule — Province du sud de la Belgique — Ancien oui.
9. État du sud de l'Arabie — Lettre grecque.
10. Ourlet — Tourmenté.
11. Petit cube — Partie de l'intestin grêle — Habille.
12. Épatant — Pierre d'aigle.

## VERTICALEMENT

1. Défense — Poème lyrique.
2. Baguette mince — Verre très résistant.
3. Dégouttes — Fenêtre faisant saillie.
4. Fruit comestible — Femme politique israélienne.
5. Lentille — Mammifère ruminant — Note de musique.
6. Lagune d'eau douce — Fille du roi d'Argos.
7. En matière de — Recueil d'illustrations — État de l'Inde occidentale.
8. Taper sur une caisse enregistreuse — Ville d'Italie.
9. Baiser, caresse — Versant exposé au soleil.
10. Lac du nord-ouest de la Russie — Troisième fils de Jacob.
11. Manœuvre frauduleuse — Trou dans la paroi d'un navire — Conjonction.
12. Loque — Éloigné.

## HORIZONTALEMENT

1. Mammifère appelé grand fourmilier — Critique italien.
2. Vieux registre du Parlement de Paris — Largement ouvert.
3. Fret — Perd son temps à des riens.
4. Négation — Port du Ghana — Minutie.
5. Épanchement de sérosité dans le péritoine — Qui a perdu ses poils.
6. Remonte — Légumineuse.
7. Pronom personnel — Immobile — Dieu solaire.
8. Souverain — Devise.
9. Ancienne monnaie chinoise — Singe d'Amérique.
10. Richesse — Linoléum — Ancienne unité monétaire du Pérou.
11. Amusant — Suspend.
12. Petit socle — Ion chargé négativement — Usages.

## VERTICALEMENT

1. Retentissant — Faute.
2. Plante à feuilles dentées — Mammifère voisin du phoque.
3. Petite massue — Attaque — Germanium.
4. Camaraderie — Interjection.
5. Chien d'arrêt anglais — Ville du Nigeria.
6. Fleuve de Russie — Cavité intercellulaire des végétaux — Petit âne.
7. Ville d'Allemagne — Ville de Colombie méridionale.
8. Musique originaire d'Algérie — Outil — Cobalt.
9. Pif — Qui provient de l'action du vent.
10. Chétif — Habitants.
11. Chaîne de montagnes — Ville du Japon.
12. Billet d'avion non daté — Humées.

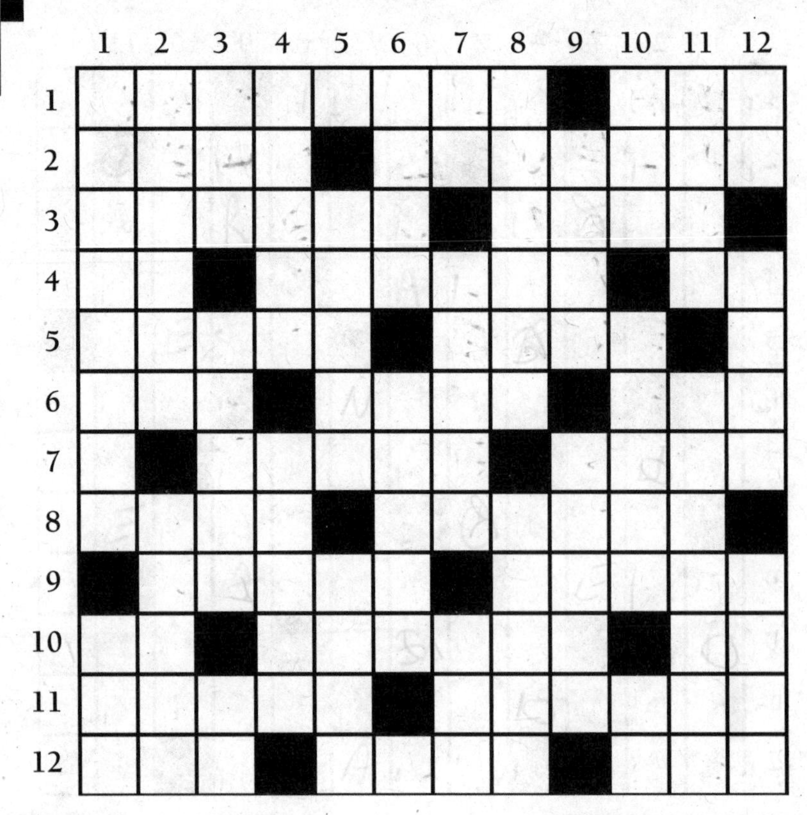

## HORIZONTALEMENT

1. Petit parasol portatif — Sable d'origine fluviale.
2. Femelle du sanglier — Adjure.
3. Absurde — Partie de l'oreille.
4. Bismuth — Masse de métal — Calcium.
5. Corrida — Cordage reliant une ancre à la bouée.
6. Dans — Rivière de France, affluent du Doubs — Rivière de Suisse.
7. Émissaire — Pilier d'encoignure.
8. Sonorisation — Très grande.
9. Fusil à répétition de petit calibre — Rideau.
10. Lithium — Capitale de l'Arménie — Infinitif.
11. Face d'une médaille — Calibrer.
12. Monnaie du Japon — Dieu des Vents — Unité de mesure agraire.

## VERTICALEMENT

1. Original — Blasé.
2. Arbrisseau des régions tropicales — Fruit de l'olivier.
3. Rappel — Sonnerie de clairon — Adverbe de lieu.
4. Royale — Attraper.
5. Eau-de-vie — Anneau de cordage.
6. Relation — Lame cornée.
7. Lumen — Déguste — Vallée très large.
8. Larmoyant — Absorbé.
9. Favorisé par le sort — Fruit sucré et parfumé.
10. Boulot — Qui est bien pourvu — Adjectif possessif.
11. Aréquier — Boutique.
12. Île de l'Atlantique — Piquant au goût — Vitesse acquise d'un navire.

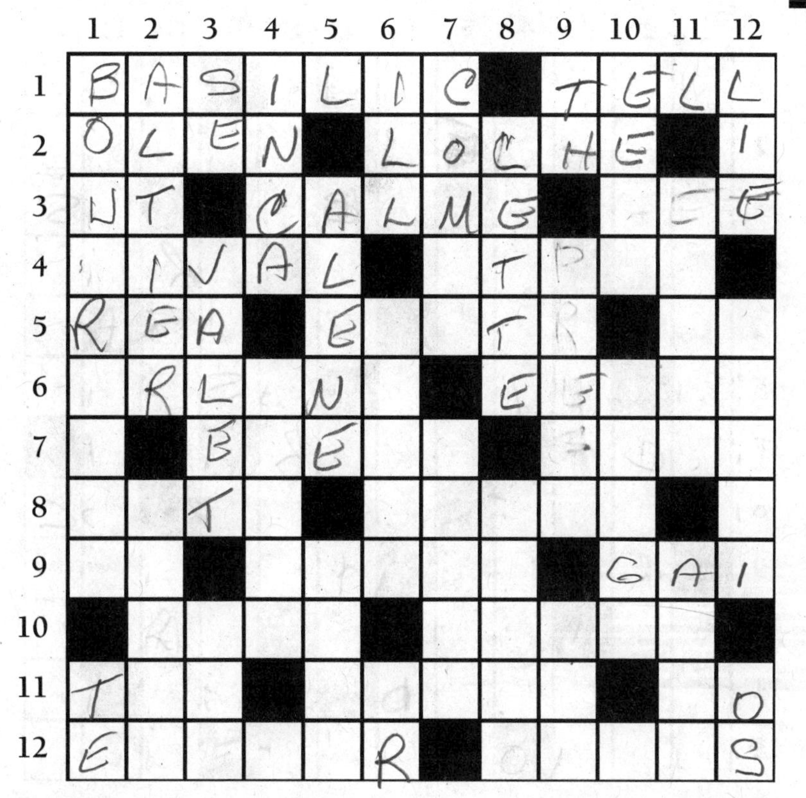

## HORIZONTALEMENT

1. Plante à feuilles aromatiques — Commune du Morbihan.
2. Commune de Belgique — Petit poisson.
3. Ancien do — Apaisement — Terme de tennis.
4. Indispensable — Blafard.
5. Roue à gorge — Gouttière — Article.
6. Faux — Chatons de certaines fleurs.
7. Endetté — Col des Alpes.
8. Ancienne unité monétaire du Pérou — Canal.
9. Note de musique — Pare-étincelles — Joyeux.
10. Ch.-l. d'arr. du Calvados — Fleuve de l'Afrique occidentale.
11. Unité de mesure thermique — Pomme de pin — Note.
12. Amincir par l'usage — Occlusion intestinale.

## VERTICALEMENT

1. Oiseau à gorge rose et à tête — Règle de dessinateur.
2. Hautain — Orange.
3. Sélénium — Carte à jouer — Adverbe de lieu.
4. Relatif aux Incas — Arbrisseau du genre.
5. Poinçon — Champignon.
6. Rivière d'Alsace — Régir — Infinitif.
7. Petite formation de jazz — Bassin.
8. Pronom démonstratif — Rivière de la Guyane française.
9. Interjection — Autoclave — Givre.
10. Équipe — Ample.
11. Dissimuler — Pénible.
12. Dépôt du vin — Test — Squelette.

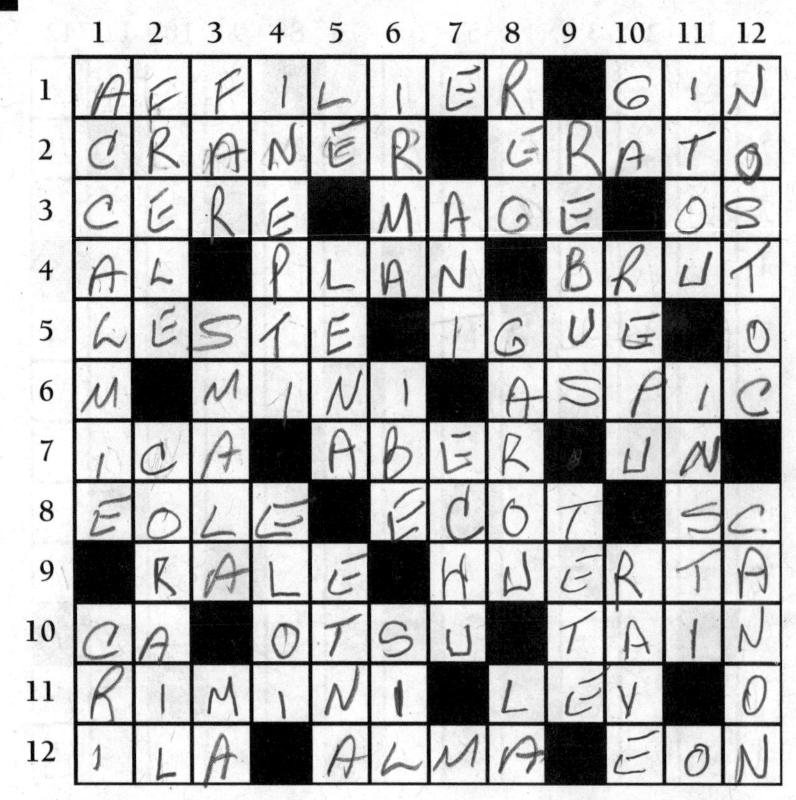

## HORIZONTALEMENT

1. Rattacher à une société mère — Alcool.
2. Fanfaronner — Muse de la Poésie lyrique.
3. Rivière d'Auvergne — Astrologue — Carcasse.
4. Aluminium — Modèle à suivre en construction — Rudimentaire.
5. Grivois — Gouffre.
6. Petit — Plat dressé sous de la gelée moulée.
7. Ville du Pérou — Basse vallée d'un cours d'eau — Pronom indéfini.
8. Dieu des Vents — Rameau imparfaitement élagué — Scandium.
9. Oiseau migrateur — Plaine irriguée couverte de riches cultures, en Espagne.
10. Calcium — Ville du Japon — Amalgame d'étain.
11. Ville d'Italie — Unité monétaire bulgare.
12. Ville du Nigeria — Ville à l'est du lac Saint-Jean — Officier de Louis XV.

## VERTICALEMENT

1. Arrêt du vent — Son perçant.
2. Délicat — Animal des mers chaudes.
3. Flan breton aux raisins secs — Famille nombreuse et encombrante — Adjectif possessif.
4. Sot — Évêque de Noyon.
5. Largeur d'une étoffe — Fleuve de Sibérie — Volcan actif de la Sicile.
6. Prénom féminin — Port du Japon — Argile ocreuse.
7. Ancienne capitale d'Arménie — Advenu.
8. Forme particulière de désert rocheux — Arbrisseau à fleurs blanches — Article.
9. Jeu d'esprit — Bouille.
10. Gallium — Gavé — Plante voisine du navet.
11. Aussi — Instit.
12. Algue bleue microscopique — Loi ecclésiastique.

## HORIZONTALEMENT

1. Notifier — Femme politique israélienne.
2. Causer un tort — Commune de Suisse.
3. Graffiti — Paysage — Épouse d'Athamas.
4. Gaie — Amoncellement.
5. Usages — Paresseuses — Perçu.
6. Condition — Aortes.
7. Lac de la Laponie finlandaise — Ventilé.
8. État de l'Afrique du Nord-Ouest — Quote-part de chacun dans un repas.
9. Élégant, distingué — Billet d'avion non daté — Urus.
10. Emprisonnement — Rivière de Bretagne, affluent de la Vilaine.
11. Astate — Paisible — Arbre.
12. Ville du Nevada — Freiner.

## VERTICALEMENT

1. Incursion — Argon.
2. Période pendant laquelle persiste un même vent — Qui a les qualités nécessaires.
3. Tringle — Ouvrage en pente.
4. Iridium — Réactionnaire extrémiste — Terme de photographie.
5. Office religieux — Cétone de la racine d'iris.
6. Ville d'Allemagne — Ouvrage dramatique mis en musique.
7. Rôti — Empreinte sur le sol — Erbium.
8. Genre de labiées à odeur forte — Couleur de l'ébène.
9. Moi — Rivière des Alpes du Nord — Article indéfini.
10. Transportation — Quittances.
11. Plaque de neige isolée — Plante au liquide irritant.
12. Carnaval célèbre — Usuel — Francium.

142

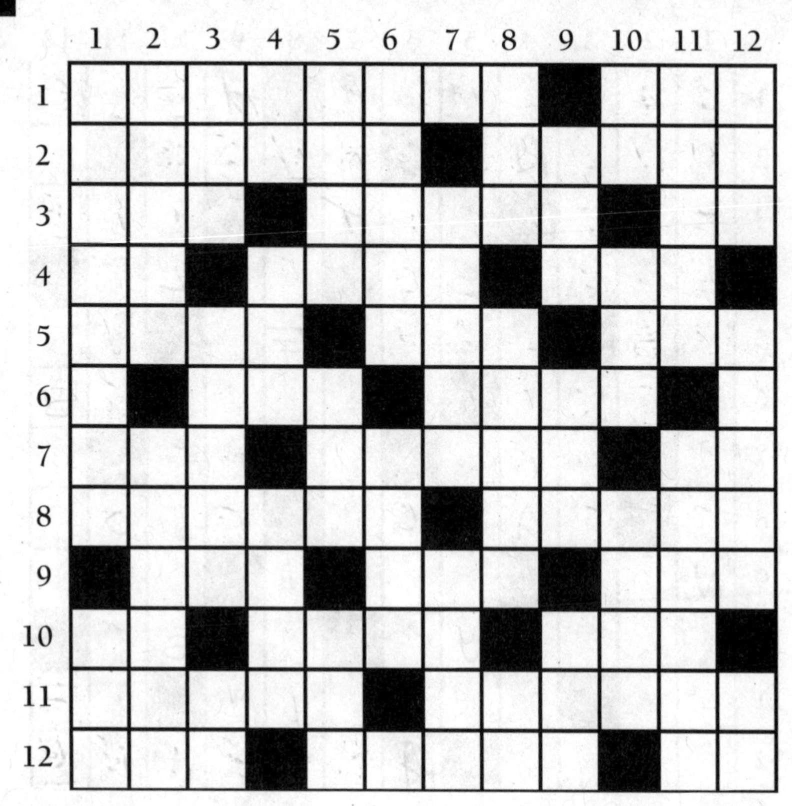

## HORIZONTALEMENT

1. Petite cheville métallique — Rivière de l'Éthiopie.
2. Chant des oiseaux dans les arbres — Monnaie à l'effigie d'un duc.
3. Panicule — Principe actif des graines de persil — Issu.
4. Règle de dessinateur — Ancien émirat de l'Arabie — Maison de campagne.
5. Fleuve d'Irlande — Partie du corps — Article (pl.)
6. Officier de la cour du Sultan — Insecte des eaux stagnantes.
7. Coup, au tennis — Rivière des Alpes du Nord — Adjectif possessif.
8. Éberlué — Vêtement.
9. Lettre grecque — Durée de notre passage sur terre — Plante potagère à odeur forte.
10. Aluminium — Quantité infime — Nom d'un ex-défenseur de hockey prénommé Bobby.
11. Ami — Noyés.
12. Chef — Concurrent — Europium.

## VERTICALEMENT

1. Graminée fourragère — Rivière de Suisse.
2. Boire à coups de langue — Opéra en trois actes de Rossini.
3. Copain — Nain — Mesure itinéraire chinoise.
4. Commandement — Firme de fabrication électrique allemande — Prophète hébreu.
5. Architecte espagnol prénommé Enrique — Rivière de France — Brame.
6. Ville du Mexique occidental — Puni.
7. Cétone de la racine d'iris — Pas convenable.
8. Capitale de la dynastie shogunale des Tokugawa — Marais du Péloponnèse — Pronom personnel.
9. Ville d'Allemagne — Architecte américain d'origine chinoise — Pour encourager dans les corridas.
10. Ancien oui — Bière — Publié.
11. Petit domaine féodal — Plante herbacée.
12. Retire — Femme de lettres française — Connu.

## HORIZONTALEMENT

1. Homme qui se croit ou se sait beau — Commune de Belgique.
2. Principe de vie — Ricaneuse.
3. Rivé — Ouvrage en pente.
4. Nom de quatorze rois de Suède — Combat — Année.
5. Note — Commune de Belgique — Service religieux.
6. Inflammation de l'oreille — Pianoter.
7. Arrêter — Unité de mesure thermique.
8. Jour de l'an vietnamien — Autorise.
9. Thème — Ville du Chili.
10. Descendu — Ancienne monnaie chinoise — Carcasse.
11. Lanthane — Rêver, rêvasser — Règlement fait par un magistrat.
12. Roche silicieuse — Rivière de Suisse.

## VERTICALEMENT

1. Sport de glisse s'apparentant au ski — Pronom personnel.
2. Dignité d'émir — Analyse.
3. Troisième fils de Jacob — Manifestation morbide brutale.
4. Taillé comme un écot — Ambon.
5. La peinture en est un — Grivois — Ancien.
6. Ni chaud ni froid — Dénuée d'esprit.
7. Dieu solaire — Individu — Épaule d'animal.
8. Rivière née dans le Perche — Ligne d'intersection de deux plans.
9. Ordure — Maugréer.
10. Fils aîné de Noé — Variété de poivrier grimpant — Chiffres romains.
11. Couple — Angle d'une pièce.
12. Émissaire — Pudique.

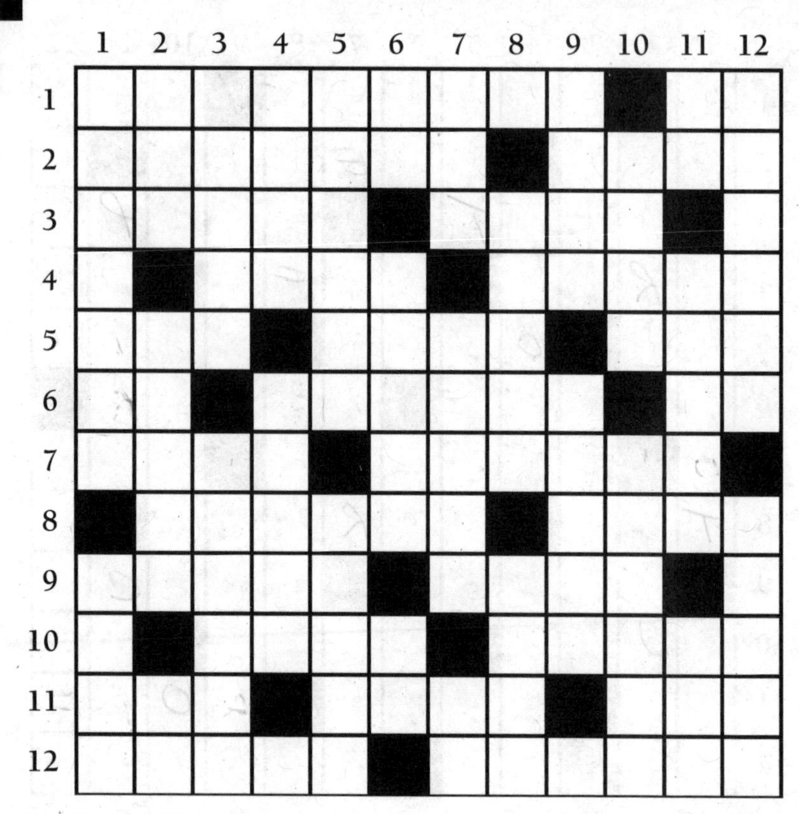

## HORIZONTALEMENT

1. Cordage servant à assujettir les mâts supérieurs — Scandium.
2. Égocentriste — Fleuve d'Italie.
3. Fruit du néflier — Carreau.
4. Semblables — Cours.
5. Pronom personnel (pl.) — Endommagé — Bison d'Europe.
6. Adjectif possessif — Assistant — Cale en forme de V.
7. Rameau imparfaitement élagué — Carnage.
8. Commencer à lire, apprendre — Ancienne unité monétaire du Pérou.
9. Languissant — Cantatrice de renom.
10. Addition — Versement.
11. Manie — Affluent de la Seine — Ville du Japon.
12. Idéal — Convoitées.

## VERTICALEMENT

1. Pâte à biscuit légère — Ville d'Italie.
2. Grande période Vieux — Nœud coulant — Idem.
3. Locaux — Plante grasse à rameaux épineux.
4. Cicatrice — Sténographie.
5. Cloporte d'eau douce — Qui cause la mort.
6. Ancien do — Groupe organisé — Europium.
7. Extrémité effilée d'un récipient — Étouffé — Brome.
8. Poinçon — Vue.
9. Fichu — Coup, au golf.
10. Décharge — Inhabile.
11. Étain — Lézard apode insectivore — Audacieux.
12. Partie de l'œil — Manifestation morbide brutale.

**HORIZONTALEMENT**

1. Décourager — Interjection pour appeler.
2. Sans tige apparente — Lieu qui procure le calme.
3. Mission — Oiseau de mer.
4. Balance à levier — Ensemble des hommes ou des femmes.
5. Poisson d'eau douce — Rivière de la Guyane française — Branché.
6. Rivière de Roumanie — Pêche nappée de crème chantilly.
7. Adverbe de lieu — Boire à coups de langue — Rivière alpestre de l'Europe centrale.
8. Fleuve d'Espagne et du Portugal — Fleuve de Russie.
9. Femme politique israélienne — Bandage croisé.
10. Bataille — Ville d'Italie.
11. Note — Coureur automobile brésilien — Idem.
12. Cachet — Fleuve de l'Europe centrale.

**VERTICALEMENT**

1. Déversoir d'un étang — Cantine.
2. Critique italien — Femelle du dindon — Ancien oui.
3. Examiner en touchant — Potée de viandes et de légumes.
4. Mouvement rapide — Ville de l'Inde.
5. Pronom personnel — Instrument de musique — Ville du Japon.
6. Chapeau — Place.
7. Agité — Accroche.
8. Terme de bridge — Tueur — Exclamation enfantine.
9. Compositeur belge — Mer.
10. Dernier roi d'Israël — Inventaire périodique.
11. Interjection — Dialecte chinois parlé au Hunan — Rien.
12. Ville d'Allemagne — Divinité des rivières.

146

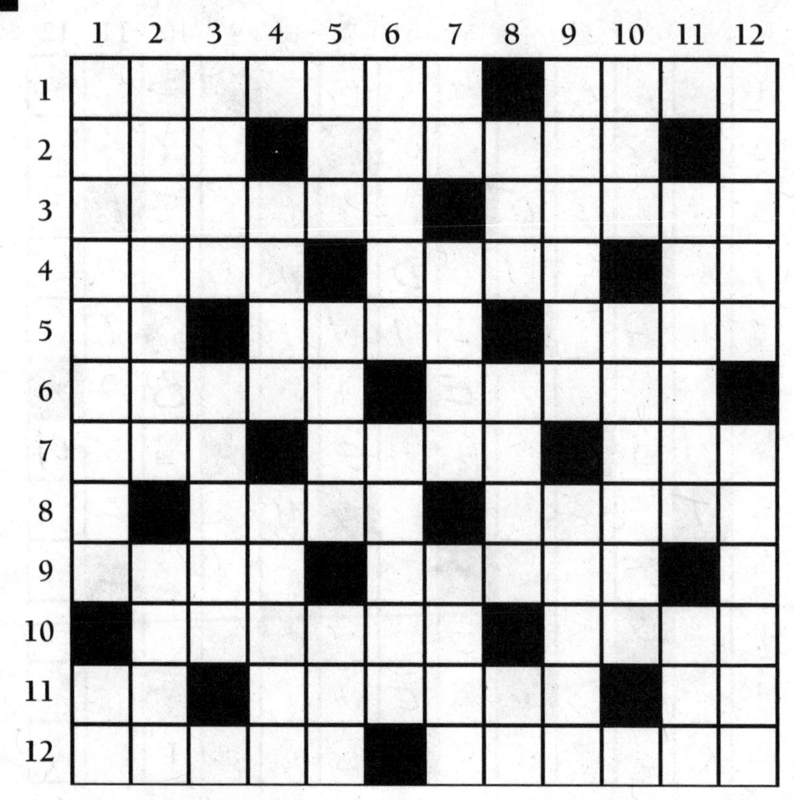


## HORIZONTALEMENT

1. Seigneurs qui suivaient Charlemagne à la guerre — Finaud.
2. Capitale de la dynastie shogunale des Tokugawa — Inventeur américain né en 1847.
3. Guerrier brutal — Cadet.
4. Lettres inscrites au-dessus de la Croix — Prince musulman — Préfixe privatif.
5. Ici — Dieu des Vents — Écume.
6. Sans tonicité — Aulnée.
7. Roue à gorge — En état d'ébriété — Boxeur célèbre.
8. Poisson plat — Arbrisseau du genre viorne.
9. Acte législatif émanant du roi — Ville de Tunisie.
10. Renard bleu — Demi.
11. Astate — Mammifère d'Afrique — Conjonction.
12. Intermédiaire — Critique moqueuse.

## VERTICALEMENT

1. Partie du fruit — Avant-midi.
2. Inflammation des ganglions — Idem.
3. Petit mammifère au pelage gris — Lieu qui procure le calme.
4. À toi — Personne qu'on utilise pour marchander.
5. Région de la Champagne — Organe de la vue — Pièce de bois qui supporte la quille d'un navire.
6. Conceptuel — Habiller.
7. Négation — Femme politique israélienne — Râpas.
8. Spinmaker — Tube fluorescent — Note.
9. Crevé — Pigeon sauvage de couleur bise.
10. Sans inégalités — Protège le matelas.
11. Régalé — Ch.-l. de c. de Loir-et-Cher.
12. Bois noir — Exaspéré.

| | 1 | 2 | 3 | 4 | 5 | 6 | 7 | 8 | 9 | 10 | 11 | 12 |
|---|---|---|---|---|---|---|---|---|---|---|---|---|
| 1 | | | | | | | | | | ■ | | |
| 2 | | | | | | | | ■ | | | | |
| 3 | | | | ■ | | | | | | | ■ | |
| 4 | | | | | | ■ | | | | | | |
| 5 | | ■ | | | | | | | ■ | | | |
| 6 | | | | | ■ | | | | | ■ | | |
| 7 | | | ■ | | | | ■ | | | | | ■ |
| 8 | ■ | | | | | | | ■ | | | | |
| 9 | | | | ■ | | | | | | | ■ | |
| 10 | | ■ | | | | | | | ■ | | | |
| 11 | | | | | | ■ | | | | | | |
| 12 | | | ■ | | | | | | | ■ | | |

## HORIZONTALEMENT

1. Augmenter — Coutumes.
2. Apathie — Ville de Galilée.
3. Interjection qui marque le doute — Espace intersidéral.
4. Lac du nord-ouest de la Russie — Bornées.
5. Enfant en bas âge — Adverbe de lieu.
6. Provenu — Greffe — Interjection.
7. Préposition — Grande nappe naturelle d'eau douce — Arme.
8. Endetter — Grand félin.
9. Port du Japon — Nourrain.
10. Frappe — Éculé.
11. Plante malodorante — Entaillé.
12. Connu — Marchand ambulant — Quelqu'un.

## VERTICALEMENT

1. Perte de la voix — Poison végétal.
2. Fils d'Adam et d'Ève — Qui fait preuve de snobisme — Cuivre.
3. Inhumains — Qui est heureux en Dieu.
4. Dieu solaire — Canne à pêche — Stérile.
5. Haute récompense cinématographique — Mettre de niveau.
6. Terme de photographie — Dévoilé.
7. Débris d'un objet en céramique — Désavoue.
8. Augmente — Apparu.
9. Tronc d'arbre — Cor qui termine la tête d'un cerf — Chrome.
10. Vin blanc — Cafard.
11. Adjectif numéral — Défaite — Dans la rose des vents.
12. Mainmise — De la mer Égée.

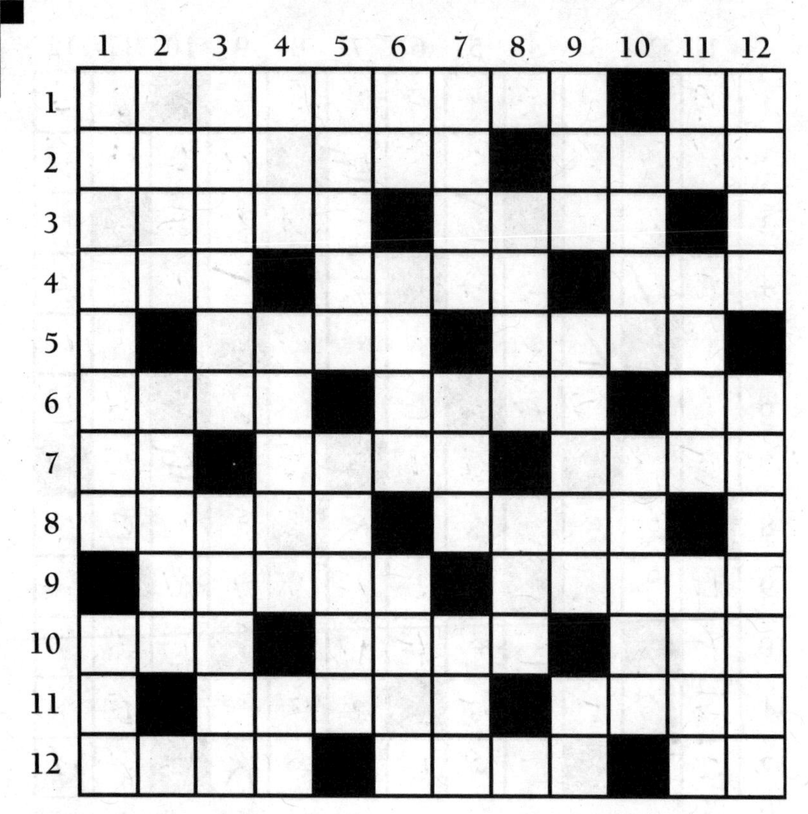

## HORIZONTALEMENT

1. Tunique interne du cœur — Négation.
2. Ensemble de solutions — Paysan de l'Amérique du Sud.
3. Soudées — Fruit du noyer.
4. Adjectif possessif (pl.) — Amalgame métallique — Rivière de l'Asie.
5. Virage, en ski — Pente.
6. Lac d'Italie — Oiseau d'Australie — Six.
7. Roulement de tambour — Compositeur italien né en 1924 — Ablution.
8. Gratin — Poudre.
9. Rempli — Éclaboussé.
10. Nouveau — Moine bouddhiste — Agent secret de Louis XV.
11. Étoffe — Déesse égyptienne.
12. Combat entre deux personnes — Nom poétique de l'Irlande — Dieu solaire.

## VERTICALEMENT

1. Ustensile de cuisine — Repaire.
2. Quatrième partie du jour — Petit animal marin.
3. Cordage — Personne asservie.
4. Unité monétaire du Danemark — Tondaison — Pronom personnel.
5. Arbrisseau des régions méditerranéennes — Boucles.
6. Argent — Ainsi soit-il — Nez.
7. Peintre italien — Courte lettre — Prêt à manger.
8. Félin — Officier de la cour du Sultan.
9. Panicule — Manquement — Branché.
10. Sortie — Approche.
11. Drame japonais — Troisième fils de Jacob — Petit mammifère au pelage gris.
12. Ancienne unité monétaire du Pérou — Qui dépasse la mesure ordinaire.

**HORIZONTALEMENT**

1. Enfoncement d'une terre labourée — Non payé.
2. De la ville — Ancienne mesure de longueur.
3. Inefficace — Conceptuel.
4. Indice — Meurtri.
5. Thallium — Bâti — Qui reste sans résultat.
6. Étoffe — Tourmenté.
7. Panicule — Femme débauchée — Traditions.
8. Rabattre — Détérioration.
9. Interjection familière d'interrogation — Altérés.
10. Fermenter — Jeu de cartes.
11. Monument — Disproportionné.
12. Interjection — Déambulai — Période des chaleurs.

**VERTICALEMENT**

1. Café — Femelle du lièvre.
2. Perroquet — Lèvre inférieure — Thorium.
3. Oiseau échassier — Oxyde de mercure.
4. Matières purulentes — Aulnée.
5. Tellement — Rogne — Lombric.
6. Rivière de la Guyane française — Plante herbacée.
7. Ravage — Embarras.
8. Rait — Gouttière — Négation.
9. Énonce — Encarté.
10. Plantation — Détérioré.
11. Oui — Clarté — Terne.
12. Quelqu'un — Propre à la vieillesse.

150

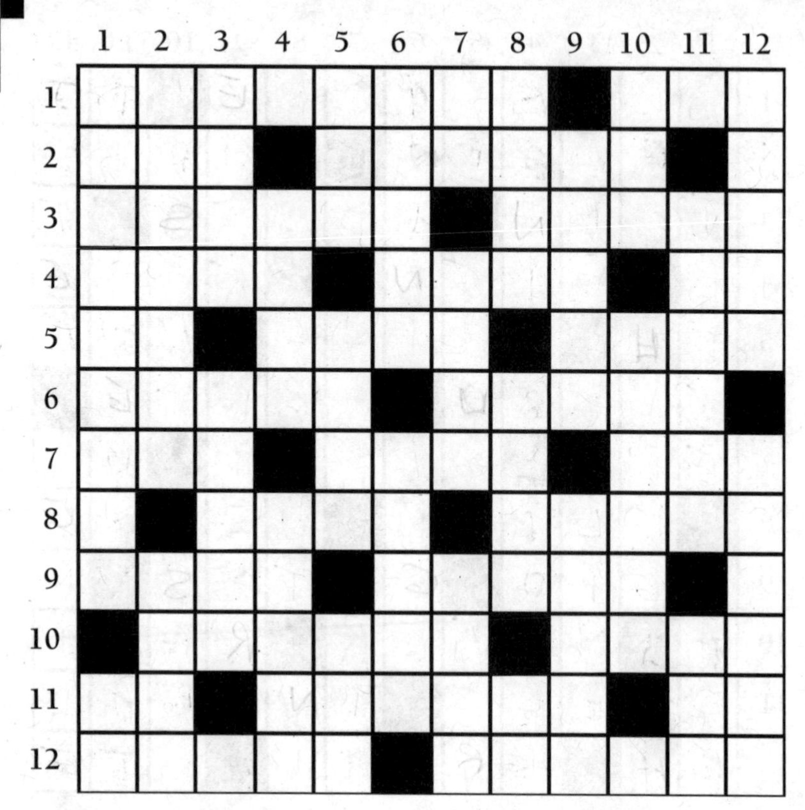

## HORIZONTALEMENT

1. Duper, tromper — Aber.
2. Roi de Hongrie — Courroucé.
3. Qui appartient à la peau — Monergol.
4. Ancien émirat de l'Arabie — Jeune enfant — Béryllium.
5. Silicium — Pronom indéfini — Souhait.
6. Maladie du sabot des équidés — Nonne.
7. Vaste étendue couverte de dunes dans les déserts de sable — Viande vendue en boucherie — Comme.
8. Ne pas reconnaître — Traversier.
9. Unité monétaire du Cambodge — Pierre fine.
10. Solution — Réel.
11. Impayé — Ville de Mésopotamie — Scandium.
12. Fruit charnu — Frottées d'huile.

## VERTICALEMENT

1. Qui aime à jacasser — Oui.
2. Mortier — Ville d'Espagne.
3. Armature — Produite par l'action du feu.
4. Plante herbacée — Lac de Russie.
5. Sigle d'une ancienne formation politique québécoise — Plaque de neige isolée — Ville du sud-ouest du Nigeria.
6. Grand filet — Ville du sud de l'Inde.
7. Infinitif — Montagne de Thessalie — Monnaie du Mexique.
8. Bagatelle — Ville de Russie — Silicium.
9. Pause — Ch.-l. de c. du Morbihan.
10. Forme particulière de désert rocheux — Amplifier.
11. Accabler de dettes — Résine extraite de la férule.
12. Domaine libre de toute redevance — Couplets de music-hall.

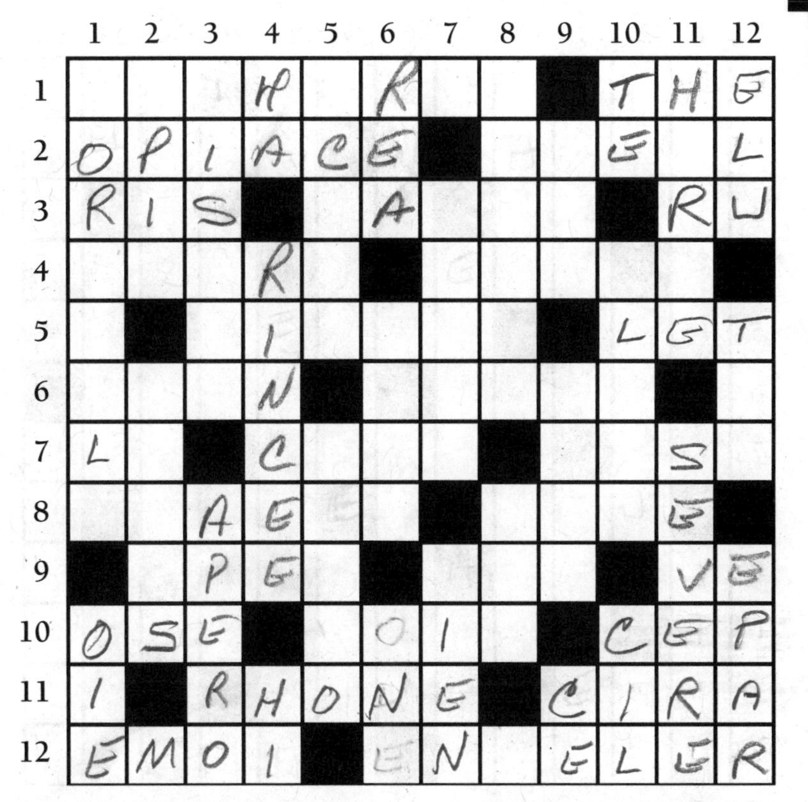

## HORIZONTALEMENT

1. Ouvrier qui travaille à la tâche — Boisson.
2. Qui contient de l'opium — Conceptuel.
3. Thymus du veau — Pierre en saillie — Ruisselet.
4. Berger — Passionné.
5. Rit — Terme de tennis.
6. Relation — Principe.
7. Lutécium — Poil long et rude — Ouste.
8. Palmier d'Afrique — Conduit, tuyau.
9. Estoc — Courte lettre — Cale en forme de V.
10. Provocant — Victoire — Pied de vigne.
11. Fleuve de Suisse et de France — Encaustiqua.
12. Excitation — Haleter.

## VERTICALEMENT

1. Poisson voisin de la raie — Bernache.
2. Capitale des Samoa occidentales — Myriapodes noirs et luisants.
3. Instrument de musique à cordes — Apéritif.
4. Interjection — Nettoyée à l'eau — Interjection exprimant le rire.
5. Fiasco — Général espagnol.
6. Roue à gorge — Badiane — Recueil de pensées.
7. Résiliation d'un bail — Pronom possessif.
8. Vêtir — Satisfaisant.
9. Dernier — Jus extrait de pommes — Cérium.
10. Ferrure — Obstruction de l'intestin — Filament fin.
11. Chandelier garni de pointes — Strict.
12. Désigné par élection — Récipient en terre réfractaire — Barre servant à fermer une porte.

## 152

### HORIZONTALEMENT

1. Réflexion, raisonnement — Ville des Pays-Bas.
2. Approprié — Pause.
3. Mission — Pomme de pin.
4. Machine destinée à un usage particulier — Fromage grec.
5. Fibre textile — Sans tonicité — Infinitif.
6. Clarté — Machine hydraulique à godets.
7. Article espagnol — Retraite — Jamais.
8. Sommet des Alpes bernoises — Rivière alpestre de l'Europe.
9. Rivière de l'ouest de la France — Montagne de Thessalie — Ruisselet.
10. Plante charnue — Beaucoup.
11. Dessein — Deuxième vertèbre du cou — Échelle, en photographie.
12. Face d'une monnaie — Oiseau gallinacé.

### VERTICALEMENT

1. Petit poisson — Habitation en bois de sapin.
2. Teenager — Myriapodes noirs et luisants — Ultraviolets.
3. Plante herbacée à fleurs en épis — Personne asservie.
4. Avantage — Presser.
5. Adverbe de lieu — Abritée — Enjambée.
6. Sursis — Gibet.
7. Homme politique turc — Évoque le bruit du reniflement.
8. Unité de mesure de travail — Fret d'un bateau — Adjectif possessif.
9. Lieu destiné au supplice des — Pianiste français né en 1890.
10. Arme — Molécule — Thymus du veau.
11. Note — Récipient de terre cuite — Peintre italien né en 1615.
12. Pièce de bois — Reste d'une pièce d'étoffe.

**HORIZONTALEMENT**

1. Jeune femme élégante et facile — Itou.
2. Poison végétal — Sans mouvement.
3. Fioul — Domestique.
4. Pronom personnel — Pudibond — Colère.
5. Ancienne ville d'Asie Mineure — Conformité.
6. Fille de Cadmos — Petit chardonneret jaune, vert et noir — Cale en forme de V.
7. Ch.-l. de c. de la Côte-d'Or — Découpure en forme de dent.
8. Une des trois parties égales — Organe de la bouche.
9. Paradis — Coffret.
10. Courbes — Pierre d'aigle.
11. Soldat américain — Aplati — Obtenue.
12. Qui appartient à la fièvre jaune — Clairsemés.

**VERTICALEMENT**

1. Peintre spécialiste des effets de lumière — Gallium.
2. Substance vitreuse dont on fait des vases — Mammifère ruminant ongulé.
3. Courant marin — Avoir pour prix.
4. Fabuliste grec — Enlever le savon.
5. Canal excréteur — Spinmaker.
6. Obstiné — Rend moins touffu — Aluminium.
7. Conjonction — Brutal — Style d'improvisation vocale.
8. Futur — Bramer.
9. Ville du Nigeria — Original.
10. Faute — Ancienne monnaie.
11. Capitale de l'Arménie — Liquide.
12. Dompte — Arrivées.

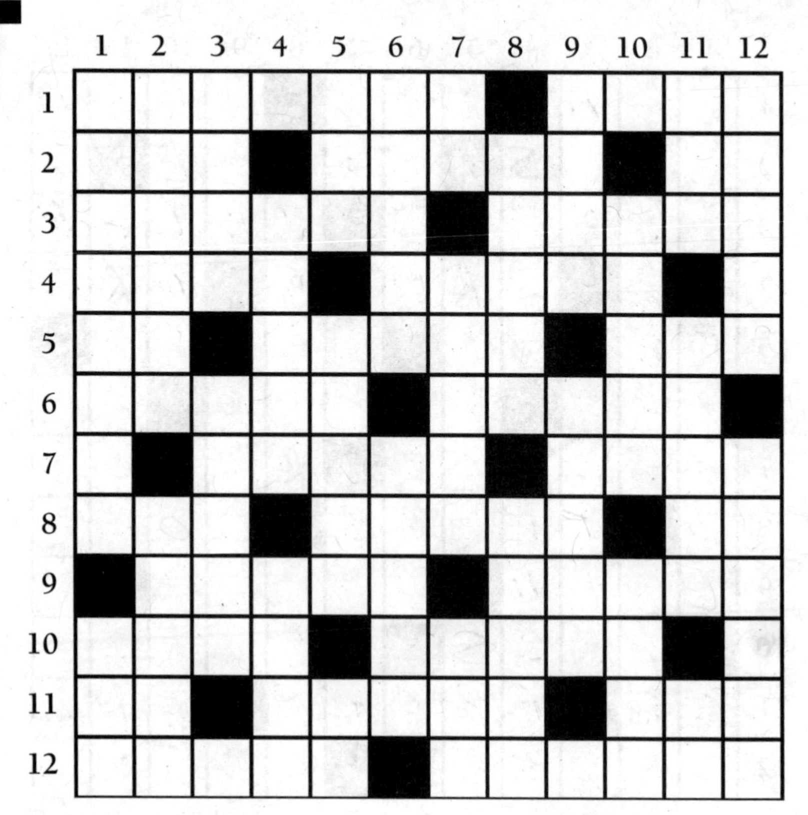

**HORIZONTALEMENT**

1. État de ce qui est vide — Gâteau garni de raisins secs.
2. Allez, en latin — Ballet — Pronom personnel.
3. Épines — Plante aquatique.
4. Assassiner — Conifère.
5. Patrie d'Abraham — Bois noir — Convenance.
6. Glucide décomposable par hydrolyse — Buccale.
7. Ardu — Bouches.
8. Critique italien — Signe formé de deux points que l'on met sur les voyelles — Tantale.
9. Personne anonyme — Mer.
10. Hasard — Moniteur.
11. Astate — Petit cordage de deux fils — Ainsi.
12. Refus — Licencieuse.

**VERTICALEMENT**

1. Artiste extrêmement doué — Rivière de Suisse.
2. Ornements — Liturgie.
3. Dernier repas — Peinture religieuse.
4. Chant religieux — Meurtri.
5. Poisson d'eau douce — Blette — Do.
6. Récipient à anse — Ourlets.
7. Adverbe de lieu — Fruit charnu — Poil.
8. Dégrader par la base — Abattu.
9. Pronom démonstratif — Matière textile.
10. Ongulé — Greffe.
11. Apéritif — Ponctuellement — Infinitif.
12. Qui atteint une grande hauteur — Bande plate destinée à maintenir.

**HORIZONTALEMENT**

1. Fourbu — Tonique.
2. Interjection pour appeler — Groupe comprenant huit éléments binaires — Cobalt.
3. Bateau qui n'avance pas vite — Roman policier.
4. Ville d'Italie — Souple.
5. Dieu solaire — Plante sauvage — Ville du Nigeria.
6. Pointe recourbée du tarse — Négation.
7. Détérioré — Victoire de Napoléon.
8. Sans inégalités — Mammifère carnivore — Hic.
9. Fleuve du sud-ouest de la France — Vole.
10. Profond estuaire de rivière en Bretagne — Observer.
11. Aluminium — Amplificateur quantique de radiations lumineuses — Plante potagère à odeur forte.
12. Divaguer — Écorce de la tige de chanvre.

**VERTICALEMENT**

1. Faucon de petite taille — Rivière de Suisse.
2. Faire de grands efforts — Trou de vidange d'une embarcation.
3. Viscère pair qui sécrète l'urine — Mentor.
4. Ancienne capitale du Nigeria — Ourlet.
5. Note — Port du Japon — Argon.
6. Cachet — Ranges.
7. Conjonction — Cheval de petite taille — Flatuosité.
8. Petite cheville de bois — Région aux confins de la Grèce et de l'Albanie.
9. Avion à décollage et à atterrissage courts — Manchon mobile.
10. Rivière d'Allemagne — Grand lac salé d'Asie.
11. Ville du Pérou — Toile de lin fine — Pronom personnel.
12. Machine hydraulique à godets — Petit cloporte.

| | 1 | 2 | 3 | 4 | 5 | 6 | 7 | 8 | 9 | 10 | 11 | 12 |
|---|---|---|---|---|---|---|---|---|---|---|---|---|
| 1 | | | | | | | | ■ | | | | |
| 2 | | | | | ■ | | | | | ■ | | |
| 3 | | | | | | | ■ | | | | | ■ |
| 4 | | | ■ | | | | | | ■ | | | |
| 5 | | | | | | ■ | | | | | ■ | |
| 6 | | | | ■ | | | | ■ | | | | |
| 7 | | | | | ■ | | | | | ■ | | |
| 8 | | ■ | | | | | ■ | | | | | ■ |
| 9 | | | ■ | | | | | | ■ | | | |
| 10 | ■ | | | | | ■ | | | | | ■ | |
| 11 | | | | ■ | | | | | | ■ | | |
| 12 | | | | | | | | ■ | | | | |

## HORIZONTALEMENT

1. Faux — Fromage grec.
2. Également — Alpage — Métal précieux.
3. Inflammations de l'oreille — Alouette des bois.
4. Badiné — Docteur de la loi — Baie des côtes de Honshû.
5. Qui prend les couleurs du prisme — Pronom indéfini.
6. Pareil — Dans la rose des vents — Pronom démonstratif.
7. Bisons d'Europe — Un des États-Unis d'Amérique — Hélium.
8. Gifle — Voûte.
9. Interjection — Passer à la flamme — Courbe.
10. Table de travail de boucher — Organe de la bouche.
11. Perroquet — Singe — Paresseux.
12. Décret du roi — Administration chargée de percevoir les impôts.

## VERTICALEMENT

1. Ornement — Argon.
2. Entraîner — Jeune cerf.
3. Muet — Hameau — Amoncellement.
4. Jupes de gaze — Longue histoire mouvementée.
5. Patrie de Zénon — Blêmir.
6. Division sur un damier — Port d'Égypte — Note.
7. Article espagnol — Silencieux — Acte législatif émanant du roi.
8. Ébauche — Versant exposé au soleil.
9. Brasier — Répétition d'un son — Partie d'une église.
10. Sable mouvant — Terne.
11. Adjectif indéfini — Dispendieux — Expert.
12. Argon — Grand Lac — Appareil de levage.

## HORIZONTALEMENT

1. Raplapla — Plat, uni.
2. Partie aval d'une vallée — Menu morceau — Série de coups de baguettes.
3. Affreux — Artère.
4. Ancienne monnaie chinoise — Meublé.
5. Préposition — Tissu végétal épais — Voile d'avant sur les voiliers modernes.
6. Enchaînes — Ville de Syrie.
7. Nouveau — Nigaud — Exclamation enfantine.
8. Fils d'Abraham — Billet d'avion non daté.
9. Mauviette — Fruit du néflier.
10. Drap de lit — Licencieux
11. Oui — Roua de coups — Ancien Premier ministre de l'Ontario.
12. Groupe comprenant huit éléments binaires — Comédien.

## VERTICALEMENT

1. Amical — Note.
2. Longue énumération — Versant d'une montagne exposé au nord.
3. Rivière de Suisse — Préposition.
4. Olé — Sirupeux.
5. Petit livre pour apprendre l'alphabet — Habitation des pays russes — Se dit du jazz joué avec force.
6. Grand filet — Général et homme politique portugais.
7. Paresseux — Établissement commercial — Adjectif possessif.
8. Table des tarifs — Onomatopée imitant le bruit de l'eau qui tombe.
9. Paysan de l'Amérique du Sud — Vêtement liturgique.
10. Troisième glaciation de l'ère quaternaire — Monde des escrocs.
11. Adresse — Pièce mobile d'une serrure — Suc de certains fruits.
12. Taches congénitales sur la peau — Implanter.

158

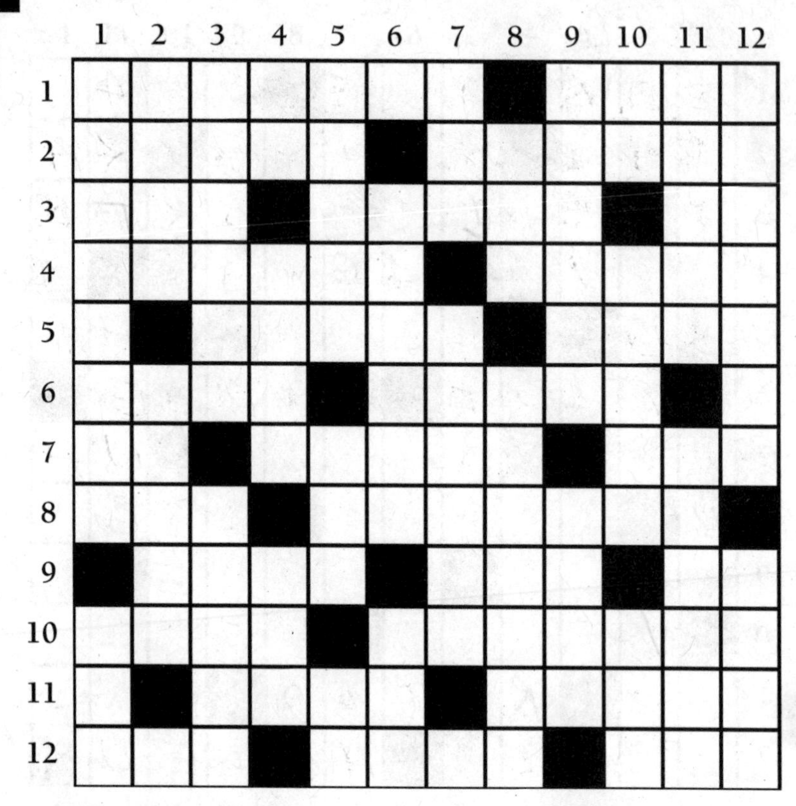

**HORIZONTALEMENT**

1. Préposé à l'ascenseur — Ventre.
2. Conceptuel — Jeune poisson destiné au peuplement des rivières.
3. Berceau — Société française d'études et de conseil — Expert.
4. Concurrents — Exilé.
5. Poète autrichien — Firmament.
6. Qui t'appartient — Lichen filamenteux.
7. Préfixe privatif — Suisse — Comptoir.
8. Aucun — Oxydes ferriques.
9. Petit mammifère au pelage gris — Première femme — Sélénium.
10. Abandonné — Petits cloportes.
11. Tranquillité — Nuance de la couleur du visage.
12. Sert à ouvrir une serrure — Anniversaire — Homme politique français.

**VERTICALEMENT**

1. Dévergondé — Lame métallique triangulaire.
2. Itou — Aulnée.
3. Plante herbacée — Petite tumeur sous la peau.
4. Règle de dessinateur — Lambin — Ville du Nigeria.
5. Insulaire — Rivière de Suisse — Conifère.
6. Chant liturgique — Essieu.
7. Chef éthiopien — Usuels.
8. Coup, au tennis — Candeur.
9. Long sac — Télévision.
10. Quatre — Variété de haricot africain — Fleur.
11. Batterie de tambour — Applique.
12. Mettre en silo — Estonien.

| | 1 | 2 | 3 | 4 | 5 | 6 | 7 | 8 | 9 | 10 | 11 | 12 |
|---|---|---|---|---|---|---|---|---|---|---|---|---|
| 1 | P | A | G | A | N | I | S | E | R | ■ | A | L |
| 2 | E | C | O | L | A | G | E | ■ | A | I | S | E |
| 3 | P | E | S | E | ■ | N | E | O | N | S | ■ | B |
| 4 | E | ■ | P | A | V | E | ■ | P | I | E | C | E |
| 5 | R | E | E | ■ | I | S | L | A | M | ■ | A | L |
| 6 | I | G | L | O | O | ■ | I | L | E | O | N | ■ |
| 7 | N | I | ■ | B | L | A | S | E | ■ | T | O | I |
| 8 | ■ | D | O | L | E | N | T | ■ | D | A | N | S |
| 9 | R | E | V | A | ■ | C | E | S | A | R | ■ | A |
| 10 | A | ■ | U | T | A | H | ■ | T | R | U | S | T |
| 11 | N | I | L | ■ | X | E | R | U | S | ■ | T | I |
| 12 | G | R | E | L | E | ■ | A | C | E | R | E | S |

## HORIZONTALEMENT

1. Rendre païen — Aluminium.
2. Frais de scolarité — Naturel.
3. Apprécié — Tubes fluorescents.
4. Pavage — Comédie.
5. Ralle — Religion prêchée par Mahomet — Aluminium.
6. Abri de glace — Partie de l'intestin grêle.
7. Négation — Nez — Pronom personnel.
8. Plaintif — À l'intérieur de.
9. Délira — Empereur romain.
10. Un des États-Unis d'Amérique — Entreprise puissante.
11. Fleuve d'Afrique — Petit rongeur d'Afrique et d'Asie — Titane.
12. Grésil — Acerbes.

## VERTICALEMENT

1. Tuf volcanique employé comme pierre à bâtir — Cordon.
2. Terme de tennis — Bouclier — Infinitif.
3. Chant religieux des Noirs d'Amérique du Nord — Gamète femelle végétal.
4. Hasard — Religieux.
5. Exclamation enfantine — Instrument à six cordes frottées — Essieu.
6. Ardents — Languette mobile.
7. Homme politique français — Énumération — Roulement de tambour.
8. Pierre semi-précieuse — Composition de plâtre.
9. Ressuscité — Bassin.
10. Baie des côtes de Honshû — Port du Japon.
11. Phénomène — Pièce d'artillerie — Sainte.
12. Fusil à répétition de petit calibre — Renard bleu.

# 160

| | 1 | 2 | 3 | 4 | 5 | 6 | 7 | 8 | 9 | 10 | 11 | 12 |
|---|---|---|---|---|---|---|---|---|---|---|---|---|
| 1 | | | | | | | | | ■ | | | |
| 2 | | | | | | | ■ | | | | | |
| 3 | | | | ■ | | | | | | ■ | | |
| 4 | | | | | | ■ | | | | | | ■ |
| 5 | | ■ | | | | | | ■ | | | | |
| 6 | | | | | ■ | | | | | | ■ | |
| 7 | | | ■ | | | | | | ■ | | | |
| 8 | | | | | | | ■ | | | | | |
| 9 | ■ | | | | | ■ | | | | ■ | | |
| 10 | | | | ■ | | | | ■ | | | | ■ |
| 11 | | ■ | | | | | | | ■ | | | |
| 12 | | | | | ■ | | | | | | | |

**HORIZONTALEMENT**

1. Pleurnicher — Ébranlé.
2. Qui vient en premier — Endroit dans un désert.
3. Ferme de campagne — Inné — Xénon.
4. Obstruction de l'intestin — Relâche.
5. Décapité — Dans le calendrier romain.
6. Nez — Arbuste souvent épineux.
7. Métal précieux — Effondrement — Panicule.
8. Sélectionné pour un prix — Canard sauvage.
9. Lambin — Bouche — Largeur d'une étoffe.
10. Avion rapide — Critique italien — Échelle, en photographie.
11. Comportement — Retrancha.
12. Malpropre — Lâcher.

**VERTICALEMENT**

1. Lampe qui éclaire faiblement — Liquide extrait de la pulpe.
2. De l'anus — Pin montagnard.
3. Rafales — Monnaie.
4. Moi — Relatif à l'utérus — Laize.
5. Oubliée — Quelqu'un.
6. Monnaie japonaise — Calibre — Postérieur.
7. Fluide frigorifique — Vent du nord-est.
8. Disque plein tournant sur un axe — Insecte des eaux stagnantes —Erbium.
9. Lavande — Adverbe de lieu.
10. Einsteinium — Conceptuel — Monnaie.
11. Composé — Boule formée de fils.
12. Détérioré — Escorte — Argon.

## HORIZONTALEMENT

1. Maladie inflammatoire du rein — Ville du sud-ouest du Nigeria.
2. Qui est plus long que large — Appareil de levage.
3. Chef d'État dans certains États arabes — Obscur — Ancien oui.
4. Rhésus — Ancienne monnaie chinoise — Qui possède naturellement.
5. Inactif — Construction en hauteur.
6. Fruits comestibles — Deux fois.
7. Dans la rose des vents — Ancien nom d'une partie de l'Asie Mineure — Petit cube.
8. Bois noir — Observer.
9. Piquet — Rivière de Suisse.
10. Aluminium — Cinéaste italien né en 1916 — Poudre.
11. Lac de Russie — Attacher.
12. Roue à gorge — Démentir — Adverbe de lieu.

## VERTICALEMENT

1. Ancienne langue germanique — Toujours divisible par deux.
2. Abasourdi — Grand récipient en bois.
3. Ride — Traite quelqu'un avec mépris — Adjectif possessif.
4. Pain d'autel — Affluent de la Seine.
5. Radon — Voisin, pareil — Rivière alpestre de l'Europe centrale.
6. Produit par l'action du feu — Limon d'origine éolienne.
7. Ville de Suisse — Pourvu d'ailes.
8. Panicule — Saule de petite — Infinitif.
9. Pénible — Petite cheville de bois.
10. Pronom personnel — Fleuve du sud de la France — Lac de la Laponie finlandaise.
11. Ch.-l. de c. du Finistère — Conceptuel.
12. Flatter — Éclat de voix.

## 162

| | 1 | 2 | 3 | 4 | 5 | 6 | 7 | 8 | 9 | 10 | 11 | 12 |
|---|---|---|---|---|---|---|---|---|---|---|---|---|
| 1 | | | | | | | | | | ■ | | |
| 2 | | | | | | | | ■ | | | | |
| 3 | | | | | ■ | | | | | | ■ | |
| 4 | | ■ | | | | | ■ | | | | | |
| 5 | | | ■ | | | | | | ■ | | | |
| 6 | | | | | | ■ | | | | | | ■ |
| 7 | | | | ■ | | | | | | ■ | | |
| 8 | ■ | | | | | | | ■ | | | | |
| 9 | | | | | ■ | | | | | | ■ | |
| 10 | | ■ | | | | | ■ | | | | | |
| 11 | | | | | | ■ | | | | | | |
| 12 | | | | ■ | | | | | | ■ | | |

### HORIZONTALEMENT

1. Achever — Aluminium.
2. Primitif — Un des États-Unis d'Amérique.
3. Engrais azoté — Éloigné.
4. Bigrement — Cercles concentriques sur la coupe d'un arbre.
5. Conifère — Qui atteint une grande hauteur — Tamis.
6. Vitre — Architecte et designer américain né en 1907.
7. Lettre grecque — Composé d'aldéhydes et de cétones — Adjectif possessif.
8. Inventeur américain né en 1847 — Surveillance.
9. Ustensile servant à faire cuire sur le charbon — Diable.
10. Pente — Allonge.
11. Variété de calcédoine — Ignorance grossière.
12. Note — Paquebot de grande ligne — Expert.

### VERTICALEMENT

1. Excessive — Dodu.
2. Autocar — Célébrer — Jeu d'origine chinoise.
3. Escarpement rocheux — Foncier.
4. Endetter — Très petite île.
5. Adjectif possessif — Palmier d'Afrique — Pareil.
6. Capture — Convenance.
7. Article — Qui présente des veines bleues — Douze mois.
8. Mer — Guide.
9. Mission — Lésiner.
10. Instrument à dents — Joindre.
11. Paresseux — Engin de pêche — Vallée fluviale noyée par la mer.
12. Poisson gluants — Incroyants.

## HORIZONTALEMENT

1. Petit pilon de pharmacien — Femme fatale.
2. Terme de tennis — Grimpe — Prêtresse d'Héra.
3. Actions — Personne anonyme.
4. North Atlantic Treaty Organization — Bornée.
5. Dans — Vautour de petite taille — Trois fois.
6. Désignation honorifique — Terre légère.
7. Roue à gorge — Abriter — Étain.
8. Pied des champignons — Ancienne unité monétaire du Pérou.
9. Homme politique égyptien mort en 1970 — Prophète juif.
10. Légèrement — Gaéliques.
11. Astate — Racines — Note.
12. Interjection exprimant le regret — Guêpe solitaire.

## VERTICALEMENT

1. Tube électronique du type diode — Exclamation.
2. Continent — Capable.
3. Poids — Bourre.
4. Pièce du jeu d'échecs — Garde du sabre japonais.
5. Boisson — Gestion d'un service public — Expert.
6. Suite d'éléments — Derrière.
7. En matière — Accablé de dettes — Ralle.
8. Couture — Venu.
9. Gaz intestinal — Rompu.
10. Entêté — Mollusque gastéropode carnassier.
11. Amie — L'ancienne Estonie — Quelqu'un.
12. Film policier — Maladie de l'épi des céréales.

## 164

| | 1 | 2 | 3 | 4 | 5 | 6 | 7 | 8 | 9 | 10 | 11 | 12 |
|---|---|---|---|---|---|---|---|---|---|---|---|---|
| 1 | | | | | | | | ■ | | | | |
| 2 | | | | ■ | | | | | | ■ | | |
| 3 | | | | | | | ■ | | | | | ■ |
| 4 | | | | | ■ | | | | ■ | | | |
| 5 | | | | | | ■ | | | | | ■ | |
| 6 | | | ■ | | | | | ■ | | | | |
| 7 | | | | ■ | | | | | | ■ | | |
| 8 | | ■ | | | | | ■ | | | | | ■ |
| 9 | | | | | ■ | | | | ■ | | | |
| 10 | ■ | | | | | ■ | | | | | ■ | |
| 11 | | | ■ | | | | | ■ | | | | |
| 12 | | | | | ■ | | | | | ■ | | |

### HORIZONTALEMENT

1. Breuvage magique — Plante ombellifère, herbacée.
2. Rocher — Comm. des Deux-Sèvres — Traditions.
3. Exposé — Capitale de la Lettonie.
4. Sonorisation — Petit pâté impérial — Particule affirmative.
5. Matière grasse — Port du Ghana.
6. Dieu solaire — Ville de France — Très petite île.
7. Colère — Déloyal — Mesure itinéraire chinoise.
8. Entre le vert et l'indigo — Insecte des eaux stagnantes.
9. Petit puma de l'Amérique du Sud — Verrue des bovins — Jamais.
10. Condition — Demi.
11. Petit cube — Gâteux — Voix de femme.
12. Plante herbacée — Palmier d'Asie — Absorbé.

### VERTICALEMENT

1. Conseiller — Note.
2. Vénérer — Fleuve côtier né en France.
3. Symbole graphique — Fleuve d'Espagne.
4. Division administrative de l'ancienne Égypte — Ample.
5. Imitation d'un métal — Génie de l'air — Tantale.
6. Vétille — Nouveau — Gallium.
7. Erbium — Commune du Morbihan — Rivière du S.-O. de l'Allemagne.
8. Arbre — Félin.
9. Ancienne capitale d'Arménie — Apparence du corps — Souteneur.
10. But — Production filiforme de l'épiderme.
11. Fleuve de la Chine centrale — Commune de Belgique — Terbium.
12. En matière de — Favorisé par le sort — Plante potagère.

## HORIZONTALEMENT

1. Qui appartient au faîte — Risqua.
2. Époque — Onomatopée évoquant le bruit d'une sonnette.
3. Exalter — Liquide utilisé pour écrire.
4. Fils d'Isaac — Oiseau d'Australie — Douze mois.
5. Île de l'Atlantique — Exceptionnel — Prétentieux.
6. Partie de débauche — Rapport de deux grandeurs.
7. Symptôme — Sainte.
8. Unité de mesure de travail — Principauté du golfe Persique.
9. Également — Bouclier.
10. Ouverture donnant passage à l'eau — Imbécile — Conjonction.
11. Adjectif possessif — En compagnie de — Noyau de la Terre.
12. Incroyable — Couteau à greffer.

## VERTICALEMENT

1. Variété de fève à petit grain — Copain.
2. Mettre de niveau — Sangle servant à amarrer.
3. Victoire de Napoléon — Danse.
4. Ville d'Italie — Récipient cylindrique.
5. Poisson d'eau douce — Poètes épiques et récitants — Six.
6. Vadrouiller — Parodie.
7. Dieu solaire — Grâce — Terme de tennis.
8. Patrie de Zénon — Rendre moins touffu.
9. Esquimau — Représentant.
10. Jamais — Volcan du Pérou — Elle fut changée en génisse.
11. Outil — Bravade.
12. Existant — Décapiter.

166

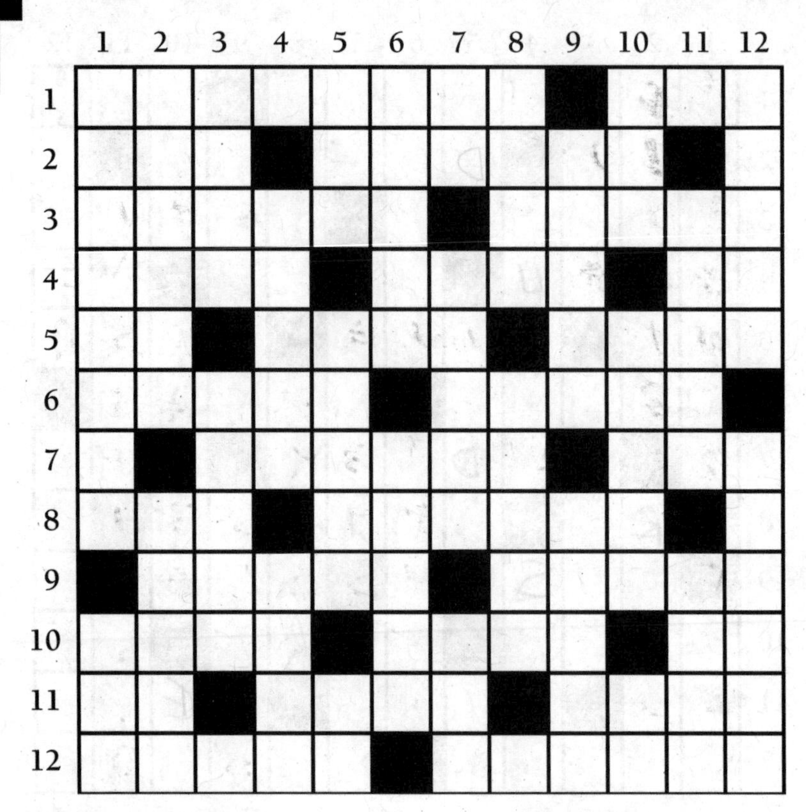

## HORIZONTALEMENT

1. Instrument de chamoiseur — Mec.
2. Rivière de l'Éthiopie — Partie du monde.
3. Tissu de laine épais — Tenir secret.
4. Divisé en trois — Pronom indéfini (pl.) — Tellement.
5. Peuple de l'île de Hainan — Asséché — Taché par endroits.
6. Ville d'Algérie — Lettre grecque.
7. Cercle qui entoure le mamelon du sein — Colère.
8. Touffu — Appareil de levage
9. Versant exposé au soleil — Répit.
10. Vue — Lac d'Italie — Mammifère.
11. Calcium — Oiseau ratite de grande taille.
12. Végétal ligneux — Ville d'Italie.

## VERTICALEMENT

1. Ciment artificiel très résistant — Ville du Pérou.
2. Qui appartient à la fièvre — Détecteur.
3. Favorisé par le sort — Variété de réséda.
4. Avant placé entre un ailier et l'avant-centre — Bramer.
5. Unité monétaire japonaise — Os de poisson — Moi.
6. Transpiration — Plante herbacée.
7. Métal jaune — Alcool — En plus.
8. Partie de plaisir — Troupe de chiens.
9. Choléra — Cétone de la racine d'iris.
10. Givre — Souple — Quelqu'un.
11. Pièce de bois — Inutile.
12. Succession — Araignée à l'abdomen coloré.

## HORIZONTALEMENT

1. Insoumis.
2. Quote-part de chacun dans un repas — Autrement dit.
3. Sornettes — Bagatelles.
4. Pour encourager dans les corridas — Considérés — Expert.
5. Négation — Naturel — Montagne de Thessalie.
6. Énergique — Petit cigare.
7. Lisière du bois — Vaste étendue — Sachet.
8. Engrais azoté — Aboutissement.
9. Couleur — État d'Europe et d'Asie.
10. Sécheresse — Peur.
11. Notre-Dame — Nerveux — Chlore.
12. Buste d'une statue entière — Vérifiée.

## VERTICALEMENT

1. Consolent.
2. Élève — Calendrier liturgique.
3. Solide à base circulaire — Relié.
4. Société américaine de réseau téléphonique — Blessant — Article indéfini (pl.).
5. Surveille — Instrument de chirurgie.
6. Ranges — Troupe de chiens.
7. Pronom personnel — Laxatif extrait du cassier — Présente.
8. Fatigué et amaigri — Membrane colorée de l'œil — Cale en forme de V.
9. Compréhension — Paysages.
10. Résine malodorante — Tamiser.
11. Capitale des Bahamas — Terme de tennis.
12. Trama — Anneau.

168

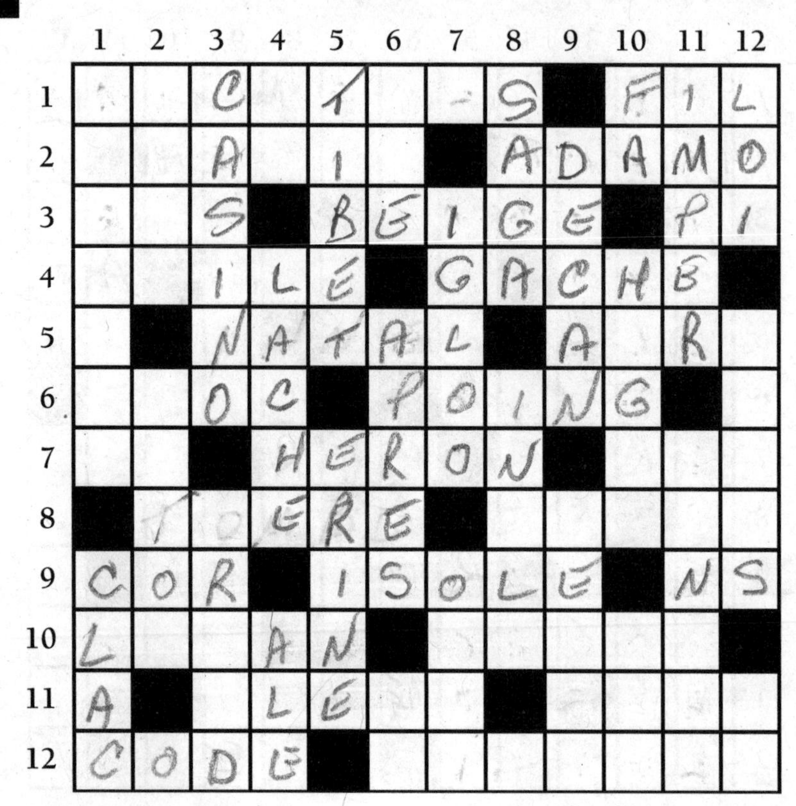

## HORIZONTALEMENT

1. Petite voile carrée au-dessus du perroquet — Brin long et fin.
2. Stupéfier — Chanteur italo-belge.
3. Chef éthiopien — Brun clair proche du jaune — 3,1416.
4. Nécessaire — Outil de maçon.
5. Relatif à la naissance — Rivière de Suisse.
6. Tête de rocher — Main fermée.
7. Exclamation enfantine — Grand oiseau échassier — Dans la rose des vents.
8. Cercueil — Lichen filamenteux.
9. Durillon — Éloigné — Notre-Seigneur.
10. Étroite bande de tissu — Combiné.
11. Partie de l'intestin grêle — Fils d'Énée.
12. Recueil des lois — Fleur.

## VERTICALEMENT

1. Matière onctueuse et jaune — Imitant un bruit sec.
2. Averse violente — Interdit.
3. Établissement de jeux — Ville de la Jordanie.
4. Interjection — Poltron — Bière.
5. Région autonome de l'ouest de la Chine — Instrument de chirurgie.
6. Unité monétaire du Danemark — Ultérieurement — Petit lac des Pyrénées.
7. Abri de glace — Frêne à fleurs blanches.
8. Longue histoire mouvementée — Aulnée.
9. Degré du zodiaque — Entrée d'une maison.
10. Note — Ville d'Allemagne — Qui reste sans résultat.
11. Imperméable — Propre à la vieillesse.
12. Législation — Armes — Conjonction.

## HORIZONTALEMENT

1. Diminution de la soif — Capitale du Pérou.
2. Femme de lettres américaine — Concurrent — Iridium.
3. Natte servant à la pratique du judo — Appareils utilisés en gymnastique.
4. Oiseau échassier — Petit récipient.
5. Chlore — Troisième personne — Boisson obtenue de la fermentation de raisins.
6. Blesser — Chien de garde.
7. Stérile — Restitue.
8. Musique originaire d'Algérie — Préparation onctueuse — Paresseux.
9. De naissance — Incendié.
10. Curie — Terme de tennis — Primate nocturne d'Asie du Sud.
11. Affection — Contribue.
12. Unité monétaire roumaine — Petit espace isolé — Partie du corps.

## VERTICALEMENT

1. Opposé à l'influence du clergé dans la vie publique
2. Démon — Vivant.
3. Ancienne unité monétaire du Pérou — Tonique — Sinon.
4. Plante aux fleurs décoratives — Onde.
5. Fils aîné de Noé — Plante à haute tige — Son perçant.
6. Parodie — Père.
7. Europium — Entrain — Cobalt.
8. Lanière terminée par un nœud — Toupet.
9. Héritage — Sonnette.
10. Parade — Nom de quatorze rois de Suède.
11. Partie du pain — Ville d'Allemagne — Terme de photographie.
12. Endommagé par le feu — Moteur à combustion interne.

170

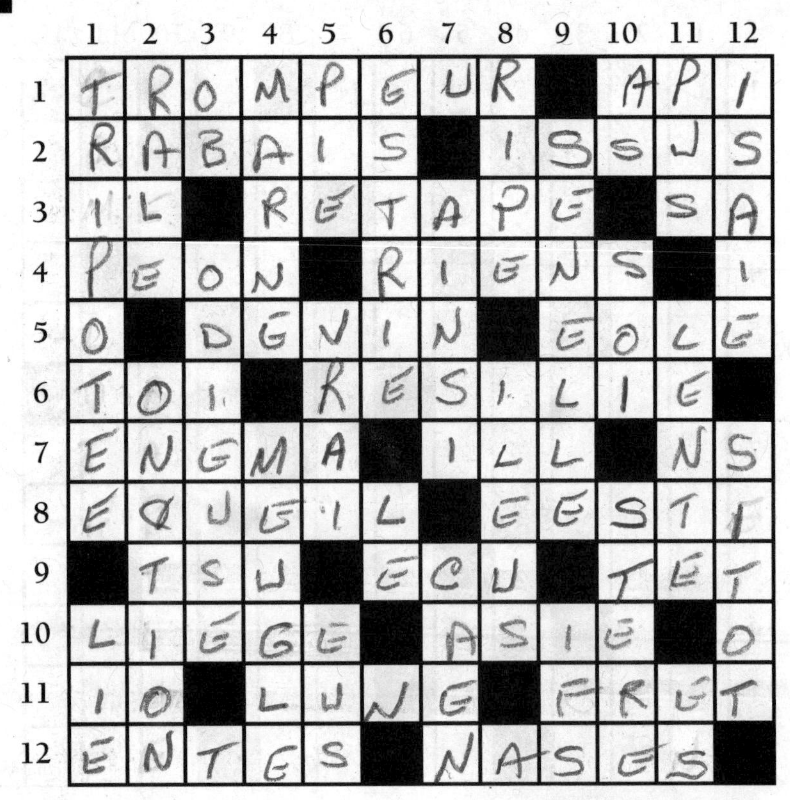

## HORIZONTALEMENT

1. Menteur — Pomme.
2. Réduction — Battement de la mesure dans le vers.
3. Pronom personnel — Remonté — Adjectif possessif.
4. Paysan de l'Amérique du Sud — Vétilles.
5. Prophète — Dieu des Vents.
6. Pronom personnel — Met fin à un contrat.
7. Poire à deux valves — Rivière d'Alsace — Notre-Seigneur.
8. Rocher — L'ancienne Estonie.
9. Ville du Japon — Ancienne monnaie — Récipient en terre réfractaire.
10. Ville de Belgique — Continent.
11. Elle fut changée en génisse — Astre — Louage d'un navire.
12. Aboutes — Fichus.

## VERTICALEMENT

1. Manigancée — Dépôt du vin.
2. Bruit rauque de la respiration — Rite qui consiste à oindre une personne.
3. Fleuve de Russie — Déplaisante.
4. Mélange d'argile et de calcaire — Crie, en parlant des bovins.
5. Personne bavarde — Convenable — Obtenus.
6. Région à l'est de Montréal — Article.
7. De cette façon — Ch.-l. de la Région Basse-Normandie.
8. Outil de sculpteur — Occlusion intestinale.
9. Baie rouge de l'aubépine — Commune du Calvados.
10. Astate — Pronom personnel — Unité de mesure pour les bois de charpente.
11. Production pathologique liquide — Œuf de pou — En matière de.
12. Prophète juif — Aussitôt.

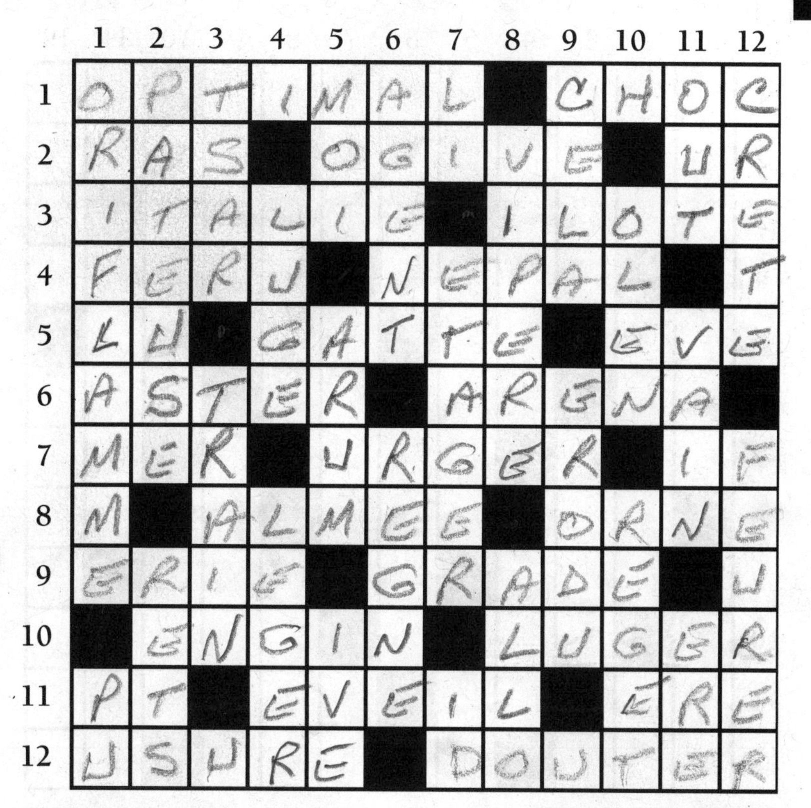

**HORIZONTALEMENT**

1. Idéal — Carambolage.
2. Chef éthiopien — Partie antérieure d'un projectile, de forme conique — Cité antique de la basse Mésopotamie.
3. État d'Europe — Personne asservie.
4. Épris — État d'Asie.
5. Lutécium — Emplacement à l'avant du navire — Première femme.
6. Plante cultivée pour ses fleurs décoratives — Amphithéâtre sportif.
7. Ch.-l. de c. de Loir-et-Cher — Presser — Conifère.
8. Danseuse orientale — Frêne à fleurs blanches.
9. Grand Lac — Échelon.
10. Machine destinée à un usage particulier — Fusil à répétition de petit calibre.
11. Platine — Réveil — Aurochs.
12. Détérioration — Être dans l'incertitude.

**VERTICALEMENT**

1. Ancienne bannière des rois de France — Plutonium.
2. Empâtée — Filet pour la pêche.
3. Souverain serbe — Équipage.
4. Petit traîneau — Agile.
5. Pronom personnel — Plante à fleurs disposées sur un spadice — Labiée à fleurs jaunes.
6. Représentant — Domination.
7. Mesure itinéraire chinoise — Échelonner — Idem.
8. Serpent venimeux — Interjection servant d'appel.
9. Pronom démonstratif — Ville du sud de l'Inde.
10. Commune de Belgique — Déchet.
11. Terme de tennis — Inefficace — Époque.
12. Excroissance charnue — Crier, en parlant du tigre.

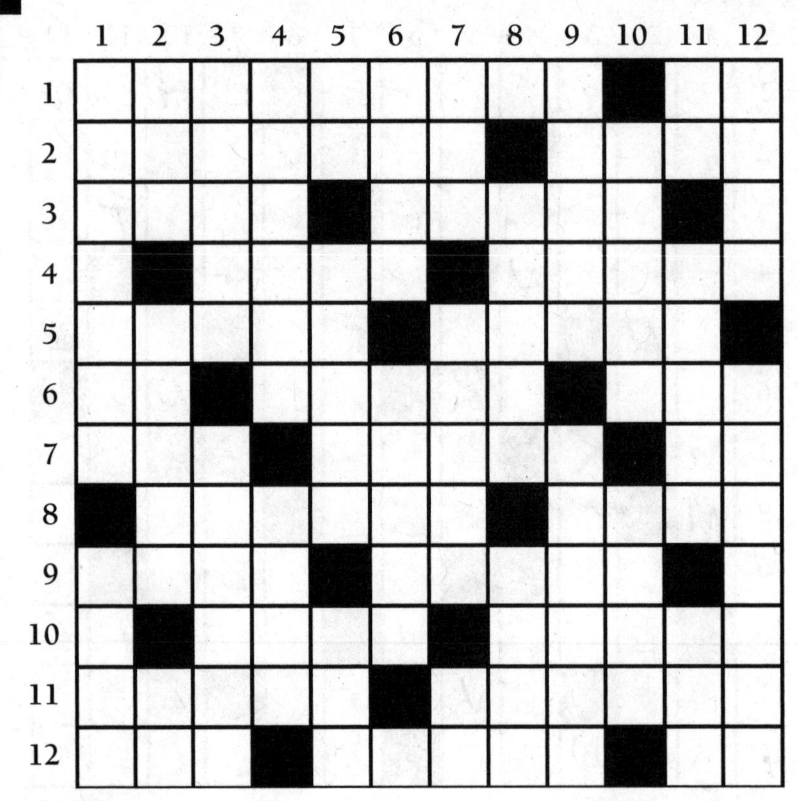


## HORIZONTALEMENT

1. Qui se rapporte à une caverne pulmonaire — Oui.
2. Irritant — Parmi.
3. Poids — Desséché.
4. Binette — Appeler de loin.
5. Blessante — Mélange de cire et d'huile.
6. Exclamation renforçant une affirmation — Composé volatil — Point cardinal.
7. Large cuvette — Peintre sans grand talent — Cale en forme de V.
8. Avide — Compétition réunissant amateurs et professionnels.
9. Désappointé — Période de temps.
10. Point d'insertion des vaisseaux sur un organe — Sphère.
11. Poisson voisin de la sardine — Titre et dignité de pair.
12. Éclat — Minutieux — Sa Sainteté.

## VERTICALEMENT

1. Remède qui calme — Tissu de laine
2. Vieux — Berbère — Article.
3. Spacieux — Petite barque à fond plat.
4. Jaunisse — Ensuite.
5. Tantale — Poisson d'eau douce — Chef des armées américaines.
6. Poignée — Instrument à lame.
7. Allez, en latin — Touffe de rejets de bois — Pascal.
8. Chouchou — Dans la montagne, versant à l'ombre.
9. Amorcer — Vent du nord-ouest
10. Interjection de — Trouille.
11. Petit morceau cubique — Bain de vapeur — Fleur.
12. Firmament — Aliments.

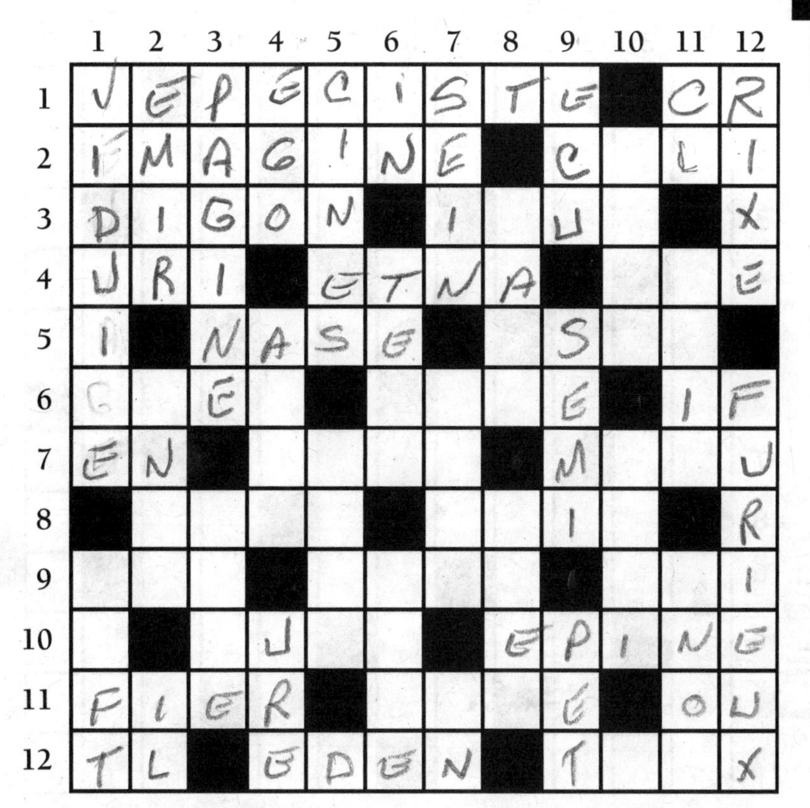

**HORIZONTALEMENT**

1. Spécialiste qui fait de la vente par correspondance — Chrome.
2. Fantasme — Ville de Colombie.
3. Javelot en fer — Ville d'Espagne.
4. Canton de Suisse centrale — Volcan de la Sicile — Boisson.
5. Nez — Lac d'Italie.
6. Ancienne monnaie chinoise — Convenance — Conifère.
7. Adverbe de lieu — Décision volontaire après délibération — Myope.
8. Dodu — Tonique.
9. Unité monétaire roumaine — Masque — Imitation d'un métal précieux.
10. Nuancer — Piquant de certains végétaux.
11. Altier — Grande abondance — Adverbe de lieu.
12. Thallium — Paradis — Impôt.

**VERTICALEMENT**

1. État de veuve — Local.
2. Prince musulman — Être spirituel — Pronom personnel.
3. Folioté — Caractère de l'ancien alphabet.
4. Moi — Plante herbacée — Aurochs.
5. Cinoches — Rivière de l'ouest de la France.
6. Préfixe privatif — Port du Ghana — Ourlet.
7. Poitrine — Ville du Japon — Article indéfini.
8. Incursion — Nom donné à divers sommets.
9. Ancienne monnaie — Demi — Flatuosité.
10. Pilastre cornier — Ancienne unité monétaire du Pérou.
11. Chlore — Héritier — Commune de Suisse.
12. Bagarre — Fou de colère.

# 174

| | 1 | 2 | 3 | 4 | 5 | 6 | 7 | 8 | 9 | 10 | 11 | 12 |
|---|---|---|---|---|---|---|---|---|---|---|---|---|
| 1 | | | | | | | | | | ■ | | |
| 2 | | | | | | | | ■ | | | | |
| 3 | | | | | ■ | | | | | | ■ | |
| 4 | | ■ | | | | | ■ | | | | | |
| 5 | | | | ■ | | | | | ■ | | | |
| 6 | | | | | | ■ | | | | | | ■ |
| 7 | | | ■ | | | | | | | ■ | | |
| 8 | ■ | | | | | | | ■ | | | | |
| 9 | | | | | ■ | | | | | | ■ | |
| 10 | | ■ | | | | | ■ | | | | | |
| 11 | | | | ■ | | | | | ■ | | | |
| 12 | | | | | | ■ | | | | | | |

## HORIZONTALEMENT

1. Qui est en forme de pinceau — Meilleur en son genre.
2. Légèrement acide — Hurle.
3. Nuage — Indigné.
4. Poids — Myriapodes noirs et luisants.
5. Particule affirmative — Caboche — Ville du Pérou.
6. Prénom féminin — Presser.
7. Tellement — Ville d'Espagne — C'est-à-dire.
8. Plante herbacée à variétés ornementales — Circulaire.
9. Pronom démonstratif — Fond sur lequel se détachent les événements marquants.
10. Risquer — Couvert de peinture.
11. Possessif — Lambin — Dépôt du vin.
12. Pressenti — Raisonner.

## VERTICALEMENT

1. Stupéfait — Faction.
2. Ancienne monnaie — Qui prend les couleurs du prisme — Métal précieux.
3. Incrustation d'émail noir — Symbole graphique.
4. Pensée — Fret d'un bateau.
5. Cuivre — Unité de mesure pour les bois de charpente — Choisi par Dieu.
6. Personne asservie — Parmi.
7. Unité monétaire roumaine — Récepteur de modulation de fréquence — Neptunium.
8. Une des trois parties égales — Capable.
9. N'ayant subi aucune teinture — Bourgeon.
10. Assemblé — Chas (pl.).
11. Paresseux — Coffret — Conteste.
12. Sensationnel — Publier.

## HORIZONTALEMENT

1. Chaussure montante en toile robuste — Vaste étendue couverte de dunes dans les déserts de sable.
2. Éburnéen — Ville de Belgique.
3. Clairsemé — Domestique.
4. Échoppe — Port du Ghana.
5. Fleuve d'Afrique — Fruit de l'olivier — Article contracté.
6. Frottés d'huile — Personne très crédule.
7. Tellure — Paresseux — Vallée fluviale noyée par la mer.
8. Émettre des gémissements — Décrasser.
9. Beau — Tranchant.
10. Pousse son cri, en parlant du hibou — Ville de Grande-Bretagne.
11. Jeune garçon d'écurie — D'après — Idem.
12. Ville de Syrie — Négondo.

## VERTICALEMENT

1. Silicate naturel de fer — Grande jatte.
2. Roi de Hongrie — Général espagnol — Américium.
3. Coiffure orientale portée par les hommes — Trompé.
4. Interjection — Peuple de l'Inde méridionale.
5. Adjectif numéral — Rœsti — Râpé.
6. Fleuve d'Espagne — Verbale.
7. Mariage — Dissimulé.
8. Titre d'honneur anglais — Instrument de musique — Richesse.
9. Estoniens — Patinoire couverte.
10. Rapière — Lézard apode insectivore.
11. Dieu solaire — Habitude — Ancien oui.
12. Grain d'avoine, privé de son — Hirondelle.

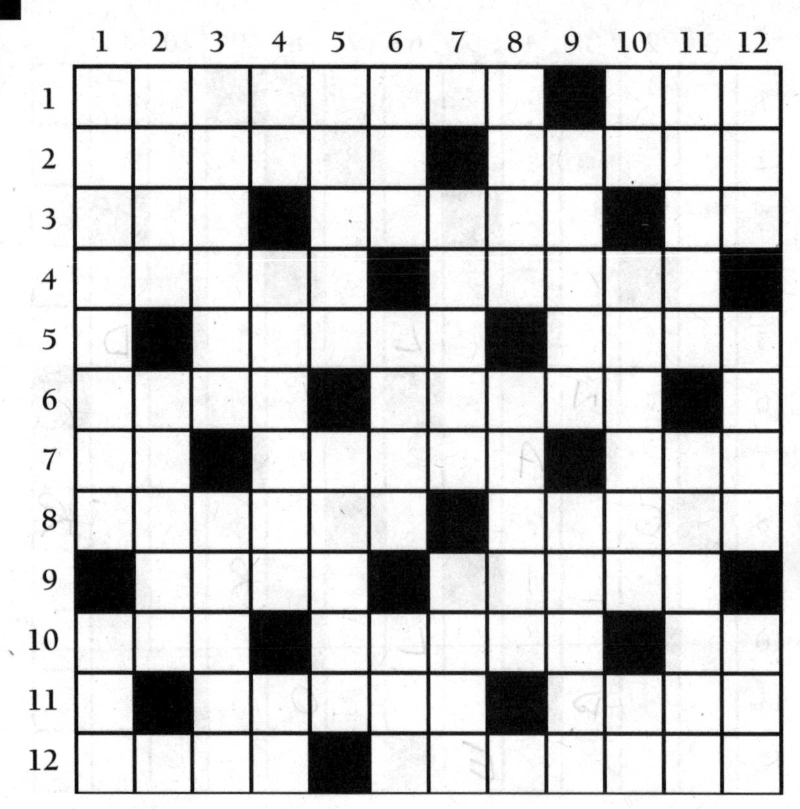

**HORIZONTALEMENT**

1. Consécration d'un monument à un personnage — Allez, en latin.
2. Arraches les poils — Système de détection.
3. Pioche — Habitation — Fer.
4. Qui cause la mort — Rebelle.
5. Lettre grecque — Prince légendaire troyen.
6. Lésion de la peau — Cupide.
7. Exclamation renforçant une affirmation — Orange — Réseau des Sports.
8. Trirème — Plante au liquide irritant.
9. Piquant au goût — Saule de petite taille.
10. Lettre grecque — Inscrire — Peuple de l'Inde.
11. Royale — Anarchiste.
12. Surveillance exercée de nuit par la police — Évidence.

**VERTICALEMENT**

1. Prospectus — Région du Sahara.
2. Surveille — Quantité d'or.
3. Adage — Fils de Dédale.
4. Pronom personnel — Acheminer — Sert à lier.
5. Pronom démonstratif — Patinoire couverte.
6. Volcan actif du Japon — Torrent des Pyrénées françaises — Rivière de Roumanie.
7. Sérieux — Retrancher.
8. Port des États-Unis — Poisson voisin de la sardine.
9. Plante cultivée pour ses fleurs décoratives — Blaguerai.
10. Idem — Sans réaction — Notre-Seigneur.
11. Bouffée de cigarette — Unité monétaire du Maroc.
12. Période historique — Cheville à tête plate — Unité monétaire de la Suède.

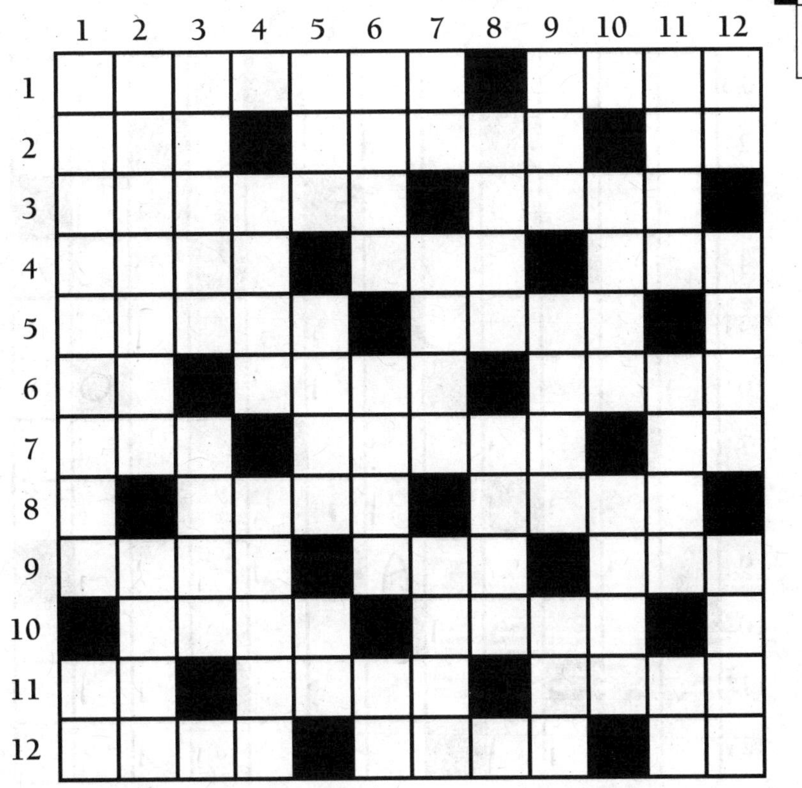

## HORIZONTALEMENT

1. Ventre — Petit du cerf.
2. Dépôt du vin — Oiseau d'Amérique du Sud — Île de l'Atlantique.
3. Inexprimé — Plante ombellifère, herbacée.
4. Révolutionnaire — Étendue — Rivière de Roumanie
5. Ch.-l. d'arr. de la Corrèze — Ville de Birmanie.
6. C'est-à-dire — Port du Ghana — Obstacle équestre.
7. Dans la rose des vents — Variété de daphné — Titane.
8. Ancienne monnaie chinoise — Affluent de l'Eure.
9. Ville de Grande-Bretagne — Amoncellement — Fleuve côtier de la Vendée.
10. Chaland à fond plat — Bravade.
11. Chrome — Noyau de la Terre — Oiseau ratite d'Australie.
12. Partie de l'oreille — Anarchiste — Opus.

## VERTICALEMENT

1. Disposition à s'intéresser à autrui — Chlore.
2. Obliques — Plante tropicale.
3. Mort — Tête de rocher.
4. Hameau — Arbre équatorial.
5. Terne — Ch.-l. de c. de la Loire-Atlantique — Négation.
6. Ville de Hongrie — Céréale germée — Note.
7. Exclamation — Entretoise — Port du Yémen.
8. Devin — Rivière du nord de la France.
9. Verrue des bovins — Attirance — Fleuret.
10. Arbre à feuilles aiguës — Vieux registre du Parlement de Paris.
11. Ville de la C.É.I. — Volcan de la Sicile — Petit lac des Pyrénées.
12. Issu — Qui ne peut plus couler — S'emploie pour exprimer l'allégresse.

178

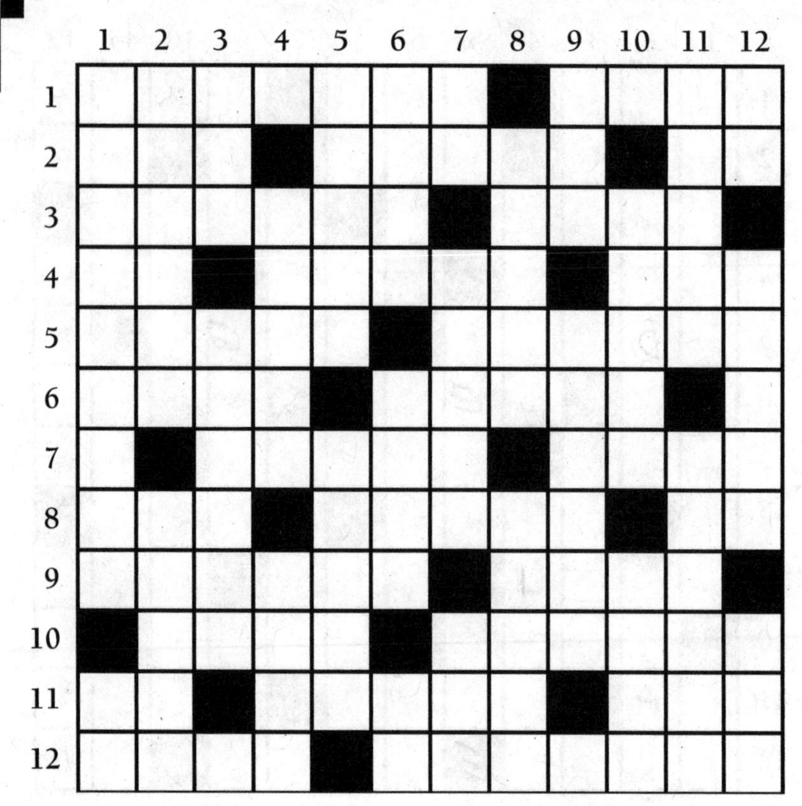

**HORIZONTALEMENT**

1. Chamarré — Divan.
2. Teenager — Étranger — Pronom indéfini.
3. Fidèle — Unité.
4. Lac des Pyrénées — Acide sulfurique fumant — Parasite intestinal.
5. Qui rend service — Genre de labiées à odeur forte.
6. Affluent de la Dordogne — Crotte.
7. Garant — Aussi.
8. Partie d'un tout — Cantaloup — Béryllium.
9. Commencer à lire, apprendre — Cheminée.
10. Tribu israélite établie en haute Galilée — Indubitable.
11. Pronom personnel — Qui a de la chance — Article indéfini.
12. Fou — Moment de la fin du repas.

**VERTICALEMENT**

1. Parle d'une facon embarrassée — Arbre rouges.
2. Crétins — Pierre fine.
3. État de l'Inde occidentale — Personnes asservies.
4. Champignon — Soulevé.
5. Brame — Blessante.
6. Action de se ruer — Ville de Hongrie — Rad.
7. Sert à lier — Individu — Onagre.
8. Mettre en vers — Refuge.
9. Manche, au volley-ball — Endroits, lieux.
10. Conduit ménagé dans un moule de fonderie — Fruste.
11. Sauce à base de jus de viande — Accabler de dettes.
12. Année — Défilé — Orient.

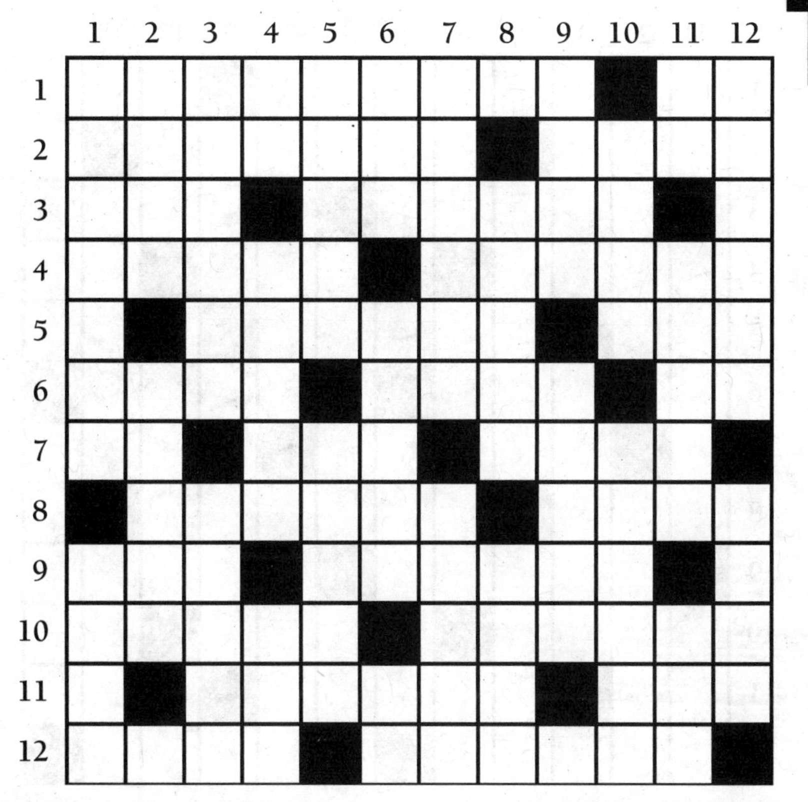

## HORIZONTALEMENT

1. Caractère d'un fait contingent — Béryllium.
2. Tornade — Tranquillité.
3. Chef des armées américaines — Crier, en parlant d'un rapace nocturne.
4. Cétone de la racine d'iris — Uvule.
5. Blases — Mine.
6. Explications — Femme d'Osiris — Astate.
7. Bénéficié — Borné — Obscur.
8. Décès — Fête.
9. Lettre grecque — Capitale de l'Arménie.
10. Commander — Désuet.
11. Ergot du coq — Dégoutte.
12. Évidente — Divinité grecque.

## VERTICALEMENT

1. Qui a l'aspect d'une feuille — Dieu de l'Amour.
2. Chimiste autrichien — Bataille.
3. Personne née dans les Antilles — Enrager.
4. Tantale — Engin de pêche — Initiales d'une province maritime.
5. Gouffres — Procédé.
6. Épaississement de l'épiderme — Instrument de musique — Roulement de tambour.
7. Aulnées — Grands arbres de la forêt africaine.
8. Ligne d'amarrage faite de deux fils — Déplacement d'air.
9. Glaive — Dispositif de détection sous-marine.
10. Ville de Grèce — Transformé en ions.
11. Bisexuel — Coiffure du pape — Métamorphose.
12. Chevronné — Attachée.

180

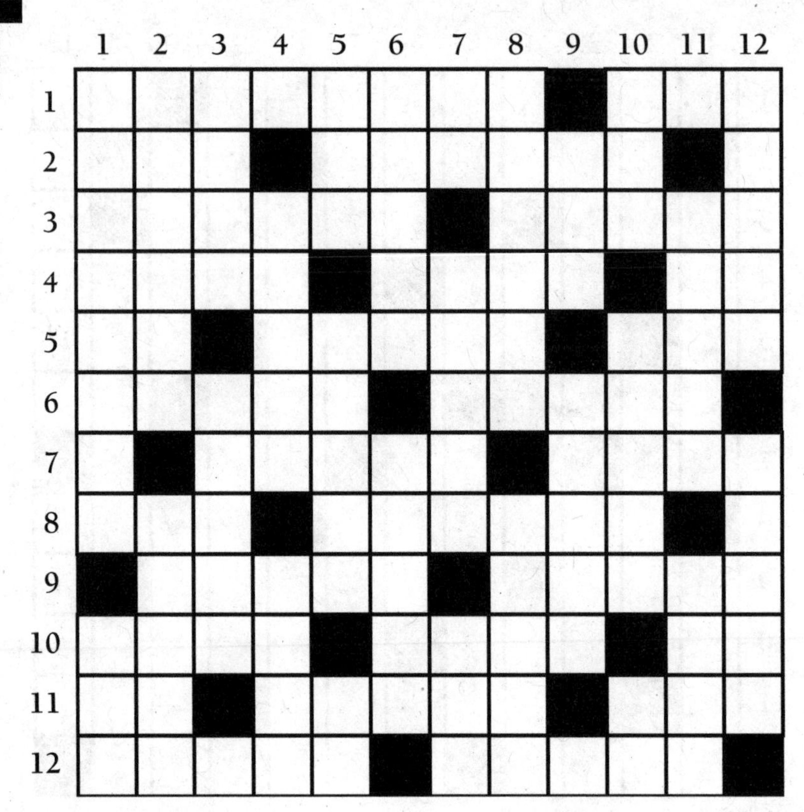


## HORIZONTALEMENT

1. Ordonner — Style de musique disco.
2. Rivière de l'Éthiopie — Poisson marin comestible.
3. Alliage de cuivre et de zinc — Nuée.
4. N'ayant subi aucune teinture — Presse — Ultraviolets.
5. Paresseux — Aboutissement — Pas beaucoup.
6. Fruit comestible — Punir.
7. Fignolé — Commune de Suisse.
8. Lettre — Qui tient du.
9. Ultérieurement — Mer.
10. Plante monocotylédone — Longue étoffe drapée — Fleuve d'Italie.
11. Article — Chant religieux — Rivière de France.
12. Ville des Pays-Bas — Lac du nord-ouest de la Russie.

## VERTICALEMENT

1. Revendication — Ville du Nigeria.
2. Très amaigri — Impôts.
3. Fibre de noix de coco — Épuisé.
4. Plaque de terre — Espèce.
5. Capitale de la dynastie shogunale des Tokugawa — Désobligeante — Radon.
6. Énergie, dynamisme — Monte.
7. Erbium — Rouer — Abréviation d'adolescent (fam.).
8. Ligne — Ensemble d'habitations.
9. Impayée — Préposition.
10. Roue à gorge — Grand mollusque — Argent.
11. Pas beaucoup — Capitale des Samoa occidentales.
12. Pressenti — Gaz inerte de l'air.

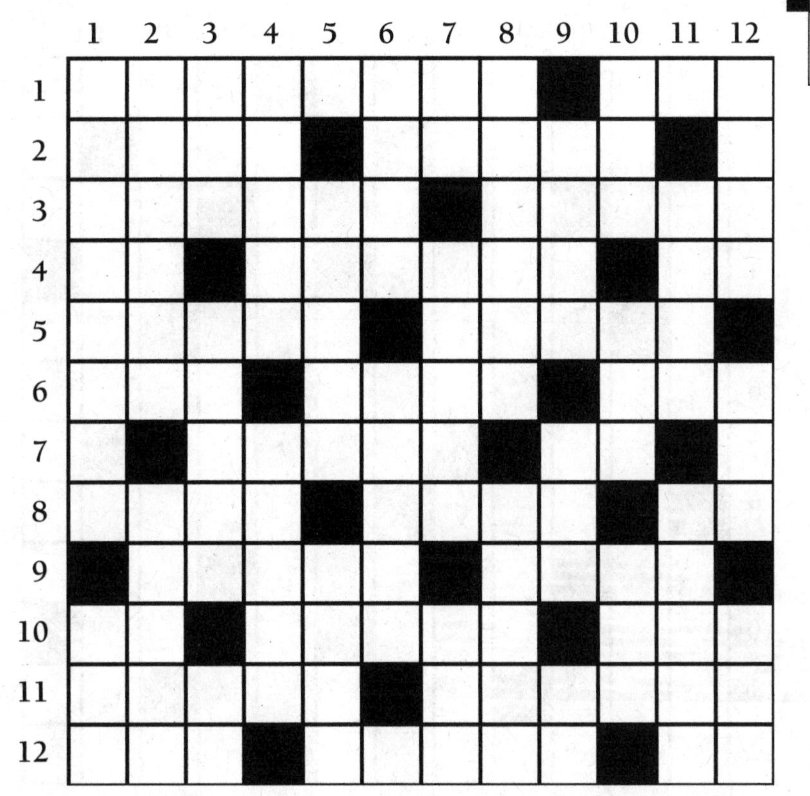

**HORIZONTALEMENT**

1. Butte — Ancien oui.
2. Ville de Suisse — Général et homme politique portugais.
3. Équipier extérieur d'une patrouille de chasse — Souverains.
4. Do — Enivrés — Sert à lier.
5. Gueuler — Écimé.
6. Interjection servant à exprimer le doute — Type — Cassius Clay.
7. Panne — Petit ruisseau.
8. Maladie virulente — Ville de la Côte d'Azur — Zinc.
9. De la métropole — Détruit.
10. Prêtresse d'Héra — Nettoyé à l'eau — Armée féodale.
11. Fond — Labiée à fleurs jaunes.
12. Avancera — Pronom personnel (pl.) — Article espagnol.

**VERTICALEMENT**

1. Dégrossir, épaneler — Adverbe de temps.
2. Professeur — Sentiment de tendresse.
3. Rivière d'Alsace — Représentation imprimée d'un sujet quelconque — Los Angeles.
4. Point culminant du Jura — Rétroviseur.
5. Déambuler — Cérémonie.
6. Fondateur de l'Oratoire d'Italie — Partie de la pièce qui entre dans la mortaise.
7. Calcium — Enchâssé — Filament fin.
8. Opiniâtre — Percé.
9. Crochet en forme de S — Poulie dont le pourtour présente une gorge — En matière de.
10. Tenta — Lettre grecque — Dénué d'esprit.
11. Véritable — Très petite quantité.
12. Corps pesant — Atome — Comme.

182

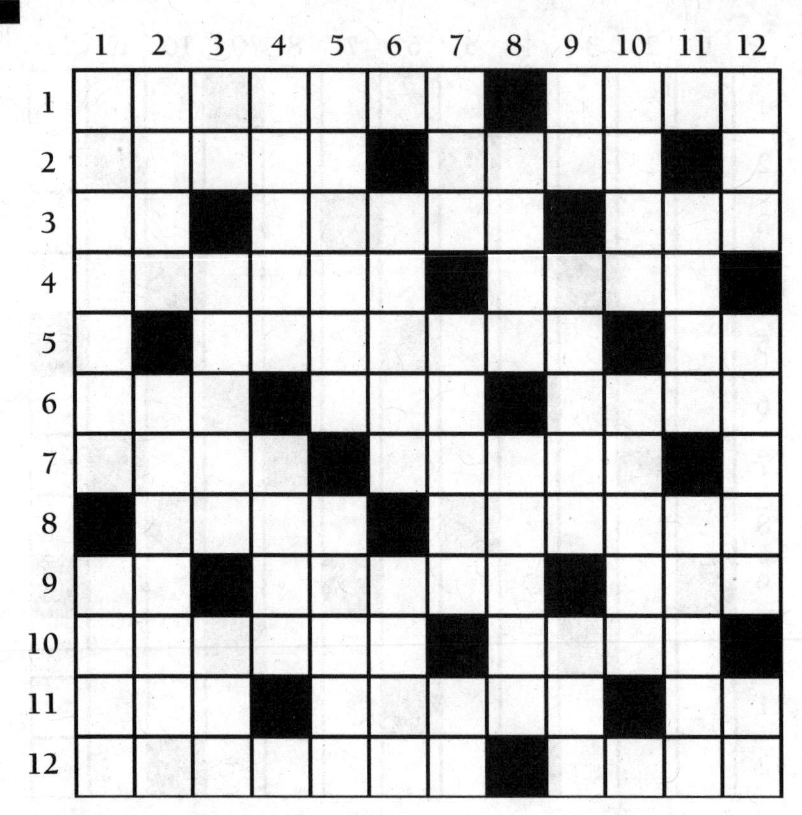


**HORIZONTALEMENT**

1. Panthère d'Afrique — Billet d'avion non daté.
2. Vases — Rivière du nord de la France.
3. Germanium — À toi — Urus.
4. Communs — Protecteur du foyer.
5. Natter — Cela.
6. Rayon — Homme politique français — Boucliers.
7. Pronom personnel — Série.
8. Caboche — Col des Alpes.
9. Pronom personnel — Absorbé — Double coup de baguette.
10. Pins montagnards — Démantelé.
11. Homogène — Moquerie collective — Négation.
12. Narrer — Roche sédimentaire.

**VERTICALEMENT**

1. Funeste — Hareng fumé.
2. Époques — En alternance.
3. Quelqu'un — Nécessaire — Ancien oui.
4. Éclater — Boucherie.
5. Abris — Joueuse de tennis américaine née en 1954.
6. Crochets — Continent.
7. Cadeau — Limite — Senior.
8. Commune de la Haute-Vienne — Rivière des Alpes du Nord.
9. Carcasse — Os de poisson — Firme de fabrication électrique allemande.
10. Crainte — Grands mammifères.
11. Décharge — Poinçon.
12. Patriarche biblique — Posture de yoga — En matière de.

| | 1 | 2 | 3 | 4 | 5 | 6 | 7 | 8 | 9 | 10 | 11 | 12 |
|---|---|---|---|---|---|---|---|---|---|---|---|---|
| 1 | L | I | G | N | A | G | E | ■ | B | L | E | T |
| 2 | A | N | I | ■ | I | O | U | L | E | ■ | R | I |
| 3 | M | U | T | E | R | ■ | R | A | M | A | G | E |
| 4 | B | L | E | D | ■ | L | E | C | O | N | ■ | D |
| 5 | O | I | S | I | V | E | ■ | U | L | U | L | E |
| 6 | U | N | ■ | S | A | T | I | N | ■ | R | A | S |
| 7 | R | E | N | O | N | ■ | D | E | S | I | R | ■ |
| 8 | D | ■ | A | N | I | M | E | ■ | C | E | R | F |
| 9 | E | V | E | ■ | T | E | M | P | O | ■ | O | R |
| 10 | ■ | E | V | I | E | R | ■ | A | R | E | N | A |
| 11 | P | A | I | R | ■ | L | E | G | E | R | ■ | I |
| 12 | O | U | ■ | E | T | E | R | E | ■ | S | O | S |

## HORIZONTALEMENT

1. Parents de souche commune — Trop mûr et altéré.
2. Ancienne capitale d'Arménie — Chante à la manière des Tyroliens — Blagué.
3. Déplacer — Chant des oiseaux dans les arbres.
4. Village éloigné — Avertissement.
5. Inactive — Hulule.
6. Article indéfini — Étoffe de soie — Chef éthiopien.
7. Résiliation d'un bail — Besoin.
8. Agité — Grand mammifère.
9. Première femme — Allure, rythme — Métal précieux.
10. Sorte de table creusée en bassin — Amphithéâtre sportif.
11. Toujours divisible par deux — Agile.
12. Conjonction — Rendu plus pur — Signal de détresse.

## VERTICALEMENT

1. Poutre fixée le long d'un mur — Fleuve d'Italie.
2. Glucide voisin de l'amidon — Futur bouvillon.
3. Logements — Grains de beauté.
4. Inventeur américain né en 1847 — Colère.
5. Massif montagneux du Sahara méridional — Complaisance.
6. Jeu d'origine chinoise — Terme de tennis — Poisson osseux comme la morue.
7. Affluent de la Seine — Itou — Erbium.
8. Omission — Feuille.
9. Signe d'altération qui baisse d'un demi-ton — Marque.
10. Absence d'urine dans la vessie — Lentille.
11. Unité de mesure de travail — Brigand.
12. Nonchalants — Débours.

# 184

| | 1 | 2 | 3 | 4 | 5 | 6 | 7 | 8 | 9 | 10 | 11 | 12 |
|---|---|---|---|---|---|---|---|---|---|---|---|---|
| 1 | | | | | | | | | ■ | | | |
| 2 | | | | ■ | | | | | | | ■ | |
| 3 | | | | | | | ■ | | | | | |
| 4 | | | | | ■ | | | | | ■ | | |
| 5 | | | ■ | | | | | ■ | | | | |
| 6 | | | | | | ■ | | | | | | ■ |
| 7 | | ■ | | | | | | | ■ | | | |
| 8 | | | | ■ | | | | | | | ■ | |
| 9 | ■ | | | | | | ■ | | | | | |
| 10 | | | | | ■ | | | | | ■ | | |
| 11 | | | ■ | | | | | ■ | | | | |
| 12 | | | | | | ■ | | | | | | |

**HORIZONTALEMENT**

1. Atmosphère — Poulie dont le pourtour présente une gorge.
2. Conjonction — Dénigré.
3. Ébaubir — Cétone de la racine d'iris.
4. Poil rude du porc — Minéral brillant — Richesse.
5. Cuivre — Ancienne monnaie chinoise — Imbéciles.
6. Ville de l'Inde — Lettre grecque.
7. Déclame — Aber.
8. Pronom personnel — Canal excréteur.
9. Fruit charnu — Reliquat.
10. Tenter — Gaz rare de l'atmosphère — Pronom personnel.
11. Lithium — Roche sédimentaire — Combat.
12. Ville d'Allemagne — Altéré.

**VERTICALEMENT**

1. Qui devient acide — Interjection espagnole.
2. Fou — Refuge.
3. Résidu pâteux de la houille — Pipi.
4. Arbre des forêts tempérées — Céréale.
5. Ancienne capitale d'Arménie — Personne — Radon.
6. Modèle — Impératrice d'Orient.
7. Curie — Personne réduite au dernier degré de la misère — Orient.
8. Nom de quatorze rois de Suède — De la métropole.
9. Contraction de la voyelle — Fourbu.
10. Carnaval célèbre — Personnes voraces — Patrie d'Abraham.
11. Constatai — Qui t'appartient.
12. Face d'une médaille — Cloporte d'eau douce.

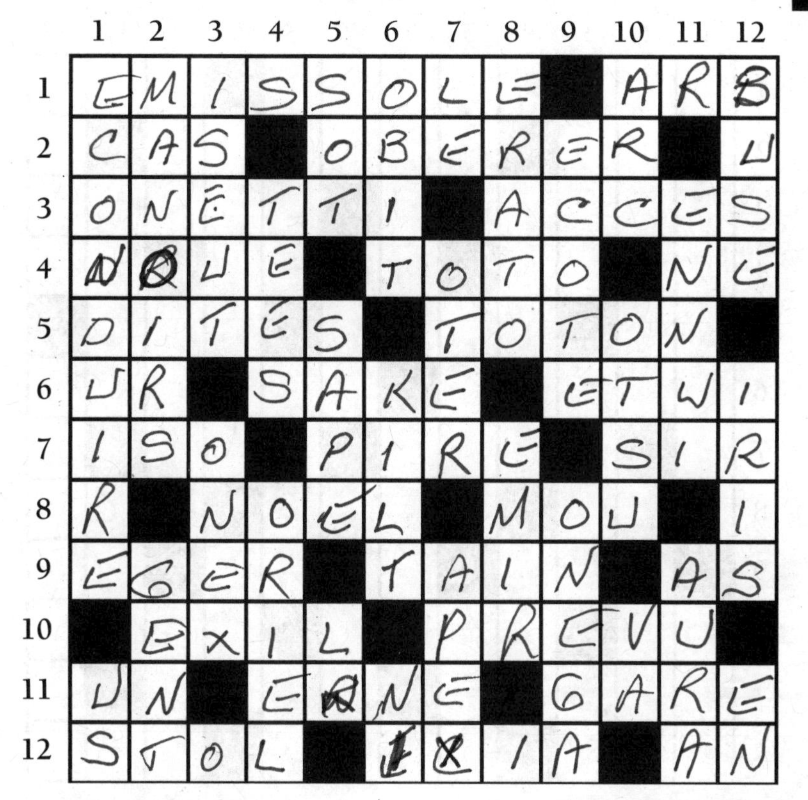

## HORIZONTALEMENT

1. Petit squale — Épaule d'animal.
2. Événement — Endetter.
3. Écrivain uruguayen mort en 1994 — Abord.
4. Serré — Pou — De naissance.
5. Surnommées — Petite toupie.
6. Patrie d'Abraham — Boisson japonaise — Gaine.
7. Terme de photographie — Pis — Titre d'honneur anglais.
8. Fête — Nonchalant.
9. Ville de Hongrie — Amalgame d'étain — Arsenic.
10. Expulsion — Anticipé.
11. Adjectif numéral — Fleuve d'Irlande — Station de métro.
12. Avion à décollage et à atterrissage courts — Plante monocotylédone — Année.

## VERTICALEMENT

1. Refuser — Usages.
2. Petits châteaux — Peuple.
3. Tristan et... — Commune de Suisse.
4. Petits socles — Fenêtre faisant saillie.
5. Idiot — Vêtement — Lawrencium.
6. Service religieux — Jupe courte — Négation.
7. Laize — Enlever — Nom donné à divers sommets.
8. Muse de la Poésie lyrique — Calife.
9. Taillé comme un écot — Lac du nord-ouest de la Russie.
10. Courbe — Ville du Japon — Commandement.
11. Tracas — Sorte de halo.
12. Ville d'Italie — Plante à haute tige — Dans.

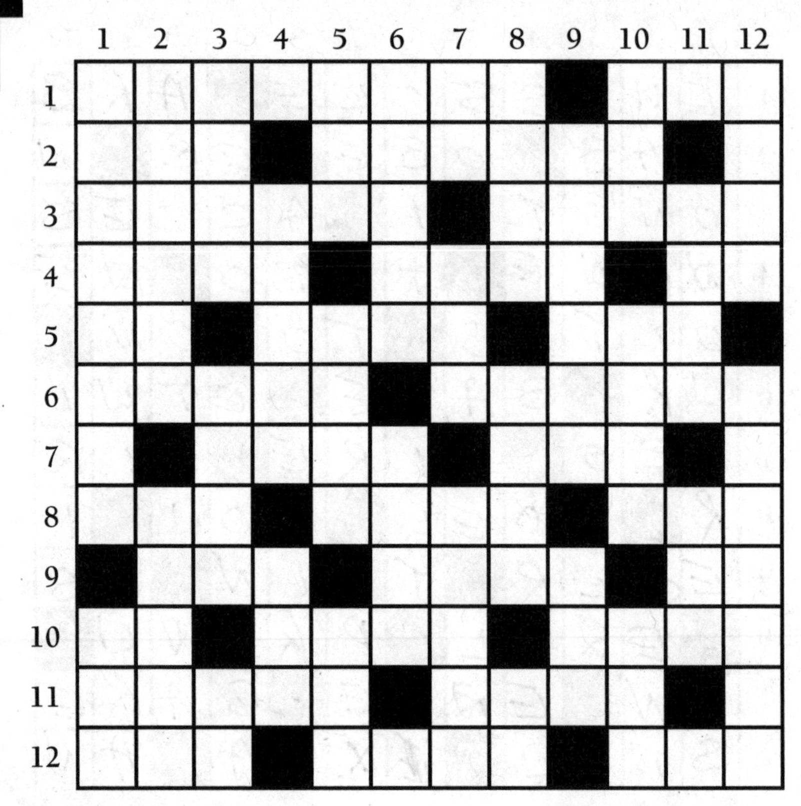

## HORIZONTALEMENT

1. Saillie osseuse de la cheville — Sachet.
2. Initiales d'une province maritime — Talonner.
3. Battre violemment — Frottée d'huile.
4. Retranchée — Possessif — Conifère.
5. Infinitif — Chanteur belge prénommé Jacques — Autocar.
6. Costume — Donner comme certain (S').
7. Prince musulman — Perroquet.
8. Style de musique disco — Fondateur de l'Oratoire d'Italie — Pied de vigne.
9. Givre — Ancêtre — Cobalt.
10. Calcium — Interjection servant d'appel — État à l'ouest du Vietnam.
11. Tout composé organique dérivant de l'ammoniac — Astuce.
12. Conifère — Engagement religieux — Époque.

## VERTICALEMENT

1. Briller — Pointe de terre.
2. Personne qui propage — Oiseau d'Amérique du Sud.
3. Désavantagé — Insecte des eaux stagnantes — Préfixe privatif.
4. Sécrétion grasse produite par les glandes sébacées — Garçon d'écurie.
5. Dans la rose des vents — Viscère pair qui sécrète l'urine — Unité monétaire bulgare.
6. Femelle de l'ours — Royal.
7. Mesure itinéraire chinoise — Ville du Nigeria — Rit un peu.
8. Interjection marquant la joie — Inefficace — Ruisselet.
9. Enlever le savon — Choisi par Dieu.
10. Monnaie du Japon — Eau-de-vie — Terme de tennis.
11. Fatigué et amaigri — Critique italien.
12. Dirigeant — Réplique.

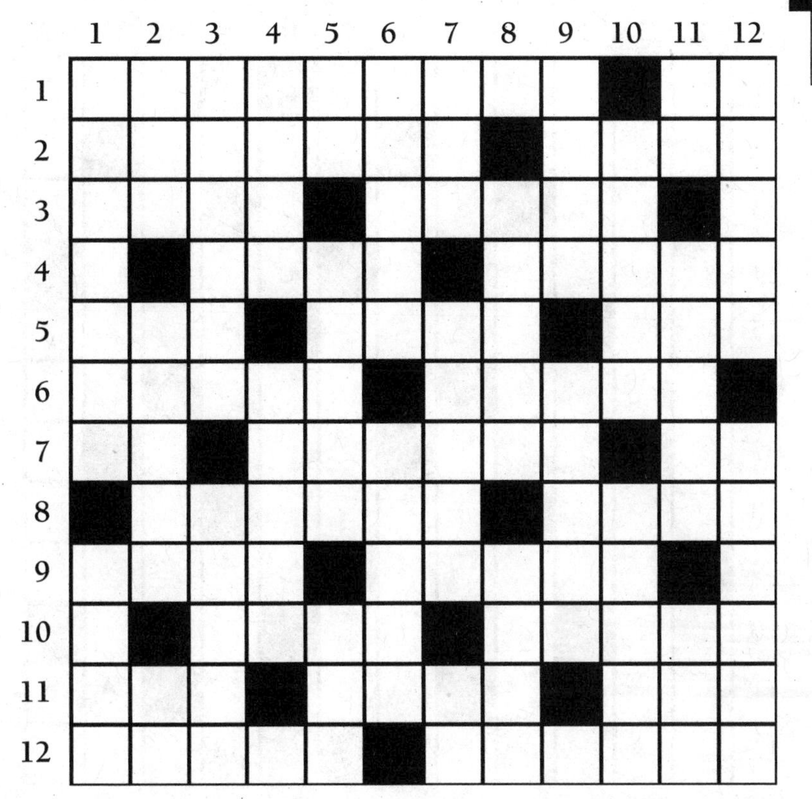

## HORIZONTALEMENT

1. Outil utilité par le facteur de piano — Fer.
2. Avis — Femme de lettres française.
3. Emplacement précis — Pointage.
4. Guide — Outil de jardinage.
5. Terme de tennis — Plante herbacée — Chef éthiopien.
6. Agricole — Sonar.
7. Chiffres romains — Détective — Interjection.
8. Lainage — Profond estuaire de rivière en Bretagne.
9. Rime — Besoin.
10. Dirigé — Agité.
11. Dégoutte — Blessant — Monnaie.
12. Suffisamment — Goût.

## VERTICALEMENT

1. Homme malveillant — Sceau accompagné d'une signature.
2. Panicule — Accès d'ivresse — Traditions.
3. Intituler — Céréales.
4. Prince légendaire troyen — Fruit rouge.
5. Négation — Fret d'un bateau — Courant marin.
6. Mesurer — Appareil utilisé pour la transmission de l'information.
7. Jamais — Fourreau — En matière de.
8. Énorme — Personnage biblique, épouse d'Abraham.
9. Exceptionnel — Conduit souterrain.
10. Perte de réputation — Vent.
11. Note — Instrument à lame — Nonchalant.
12. Ébranlées — Empressement.

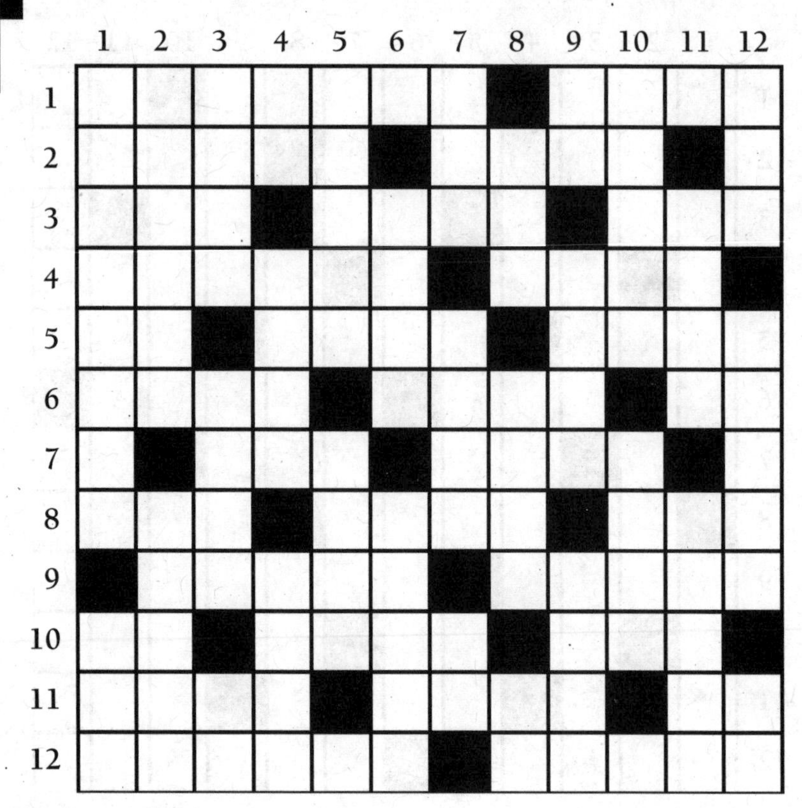

**HORIZONTALEMENT**

1. Perroquet d'Amérique — Fidèle.
2. Stupéfié — Ville de Belgique.
3. Muet — Habitation — Démarche.
4. Gueuler — Nom donné à divers sommets.
5. Sert à lier — Prénom masculin — Ch.-l. de c. d'Eure-et-Loir.
6. Grand plat en terre — Prophète hébreu — Article.
7. Durillon — Quatrième partie du jour.
8. Touché — Rivière du S.-O. de l'Allemagne — Via.
9. Ancien fort situé sur la rivière San Antonio — Matière textile.
10. Magnésium — Acteur français né en 1880 — Unité monétaire du Danemark.
11. Plein — Duo — Radium.
12. Lien — Ile néerlandaise de la mer du Nord.

**VERTICALEMENT**

1. Petit filet à écrevisses — Céréale.
2. Réussi — Bouillie épaisse.
3. Pareil — Fond d'un terrier — Bismuth.
4. Interjection — Fleuve de Sibérie — Excès.
5. Loger — Ville du Pérou.
6. Filin de retenue d'une mine — Carbonate de sodium.
7. Rivière de l'Asie — Ville de Galilée — Note.
8. Lettre grecque — Vent du nord-est — Ancien do.
9. Note — Aliment fait de farine — Sport de combat.
10. Commune de Belgique — Entretoise.
11. Figure de patinage artistique — Mordant.
12. Fleur — Poisson d'eau douce — Aluminium.

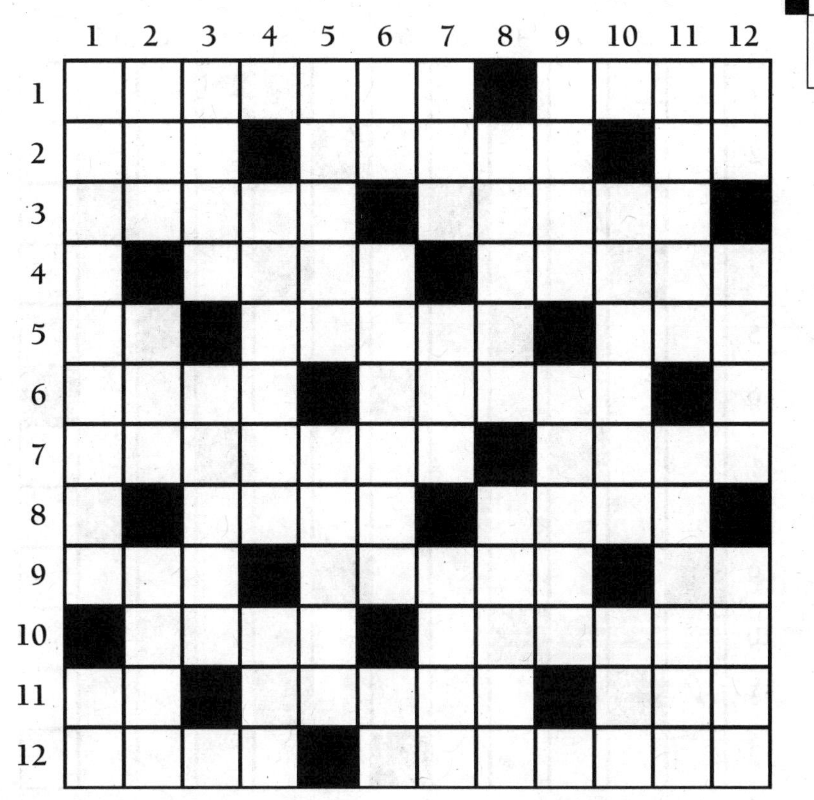

## HORIZONTALEMENT

1. Débris d'ouvrages de plâtre — Tas.
2. Étendue désertique — Fenêtre faisant saillie — Cale en forme de V.
3. Réveil — Mentionnée.
4. Saisons — Distribution.
5. Quatre — Refuge — Terme de tennis.
6. Premier roi des Hébreux — Largeur de la marche d'un escalier.
7. Éminent — Fond d'un terrier.
8. Rend moins touffu — Pays.
9. Négation — Fabuliste grec — Conjonction.
10. Ville de Grande-Bretagne — Petite habitation misérable.
11. Mesure itinéraire chinoise — Soudain — Fleuve d'Afrique.
12. Pronom personnel — Alcaloïde toxique.

## VERTICALEMENT

1. Exactitude rigoureuse — Article.
2. Unité monétaire bulgare — Lac de la Turquie orientale — Organe de la vue.
3. Vieille — Épuisant.
4. État d'Europe — Audacieux.
5. Missions — Riche en grains.
6. Argon — Indices — Béryllium.
7. Se met entre parenthèses à la suite d'une expression — Dépôt du vin — Oublié.
8. Canard — Aplati.
9. Instrument de la famille des violons — Femme de lettres américaine.
10. Exposa — Sans inégalités.
11. Existant — Relatif à l'utérus.
12. Sélénium — Table de travail de boucher — Télévision.

190

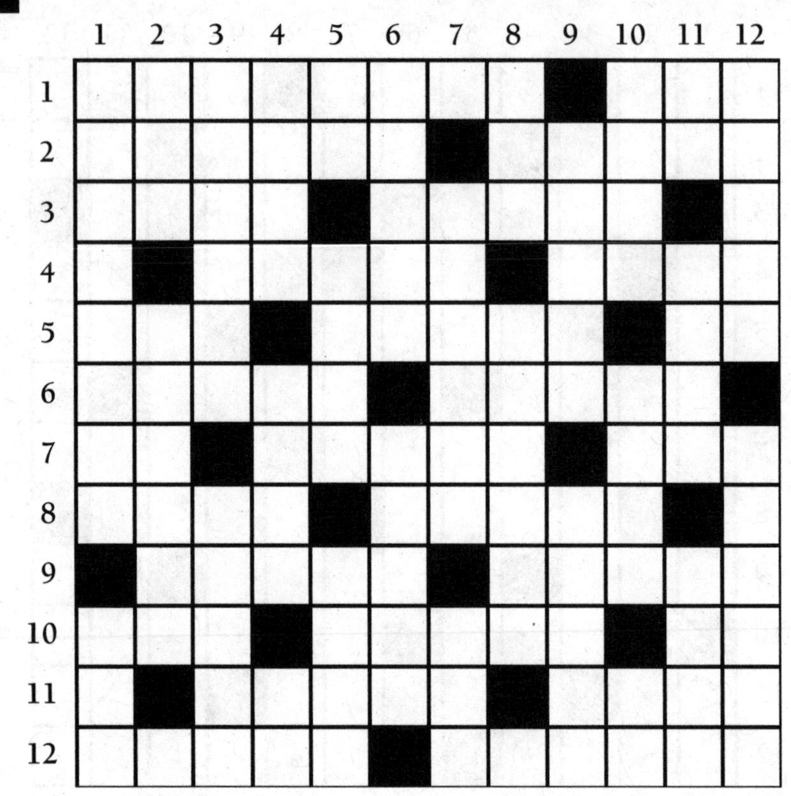


**HORIZONTALEMENT**

1. Endroit où se prépare quelque chose — Musique populaire d'origine anglo-saxonne.
2. Attrister — Siège de cérémonie.
3. Disposé — Oblique.
4. Herbe dont on tire une huile laxative — Anniversaire.
5. Terme de tennis — Parfait — Erbium.
6. Blafard — Vétilles.
7. Ruisselet — Gratin — Enleva.
8. Impulsion — Relié.
9. Ville de Syrie — Primate nocturne d'Asie du Sud.
10. Choquant — Lieu destiné au supplice des damnés — Article.
11. Divisée — Pronom possessif.
12. Partie de l'intestin grêle — Écervelé.

**VERTICALEMENT**

1. Honte — Éclat de voix.
2. Fleuret — Hululer.
3. Vanité — Délasse.
4. Ancienne unité monétaire du Pérou — Piloté — Cobalt.
5. Cérium — Paradis — Poitrine.
6. Ville de la Jordanie — Prénom féminin.
7. Inanimé — Femme imaginaire.
8. Lettre grecque — Grand-mère.
9. Carabine d'origine anglaise — Règle.
10. Position — Obscur — Préfixe privatif.
11. Pronom indéfini — Épreuve — Hameau.
12. Lâcher des vents — Frappe.

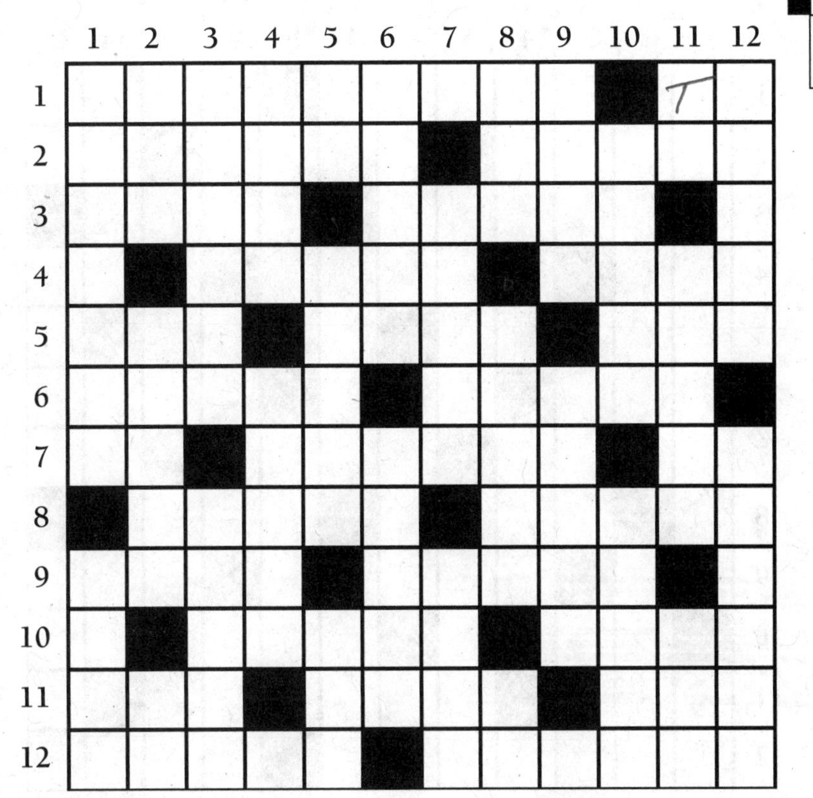

## HORIZONTALEMENT

1. Cuve — Technétium.
2. Forme de fructification de la rouille du blé — Creuser, miner.
3. Rusé — Petite.
4. Personne anonyme — Huileux.
5. Ouille — Un des États-Unis d'Amérique — Poisson d'eau douce.
6. Dégagement — Père.
7. Nobélium — Assistant — Nota bene.
8. Longue corde — Tipi.
9. Liquide des végétaux — Empreinte.
10. Fruit rouge — Sable mouvant.
11. Fleuret — Traitement — Éructation.
12. Patinoire couverte — En forme de fuseau.

## VERTICALEMENT

1. Rengaine — Divan.
2. Bouclier — Éloigné — Infinitif.
3. Places — Économe.
4. Paradis — Ch.-l. d'arr. de la Corrèze.
5. Ricané — Exécutées — Ville du Pérou.
6. Enceinte demi-circulaire de filets — Riche.
7. Ancien fort situé sur la rivière San Antonio — Grand mammifère.
8. Adverbe de temps — Indignité — Europium.
9. Classe — Idéel.
10. Cric — Gêner.
11. Pronom personnel — Assemblage à l'aide d'entailles — Note.
12. Dépression — Un peu niais.

192

## HORIZONTALEMENT

1. Buisson — Chant portugais.
2. Colorant minéral naturel — Pigeon — Préfixe privatif.
3. Ingénieur français — Grossier.
4. Conjonction — Main courante — Terme de tennis.
5. Canasson — Droit d'utiliser la chose dont on est propriétaire.
6. Recueil de bons mots — Fibre textile — Bramer.
7. Nichon — Lieu — Cale en forme de V.
8. Boulette de morue — Crochet.
9. Interjection — Grand oiseau échassier — Particule affirmative.
10. Quote-part de chacun dans un repas — Venelle.
11. Ville du Nigeria — Résumé écrit.
12. Qui exerce une domination excessive — Prune.

## VERTICALEMENT

1. Indulgence — Idem.
2. Liquide utilisé comme solvant — Appelé de loin.
3. Marchera — Préventorium — Événement.
4. Adjectif possessif (pl.) — Répétition d'un son.
5. Ancienne monnaie chinoise — Effet rétrograde.
6. Itou — Rivière du S.-O. de l'Allemagne — Conjonction.
7. Connu — Châtié — Ourlet.
8. Voisin — Costume.
9. Brasier — Bisons d'Europe — Première femme.
10. Mesure — Mollusque.
11. Divinité — Réveil.
12. Pronom indéfini — Imbécile — Frustré.

| | 1 | 2 | 3 | 4 | 5 | 6 | 7 | 8 | 9 | 10 | 11 | 12 |
|---|---|---|---|---|---|---|---|---|---|---|---|---|
| 1 | | | | | | | | | ■ | | | |
| 2 | | | | | | | ■ | | | | | |
| 3 | | | | | ■ | | | | | | ■ | |
| 4 | | ■ | | | | | | ■ | | | | |
| 5 | | | | ■ | | | | | | ■ | | |
| 6 | | | | | | ■ | | | | | | ■ |
| 7 | | | ■ | | | | | | ■ | | | |
| 8 | | | | | ■ | | | | | | ■ | |
| 9 | ■ | | | | | | ■ | | | | | |
| 10 | | | | ■ | | | | | | ■ | | |
| 11 | | ■ | | | | | | ■ | | | | |
| 12 | | | | | | ■ | | | | | | |

## HORIZONTALEMENT

1. Nouveauté — Encore.
2. Ingérer — Personne qui cherche à égaler quelqu'un.
3. Courroie — Pousse des taillis au printemps.
4. Prophète juif — Plante légumineuse annuelle.
5. Orient — Modèle — Carcasse.
6. Obstruction de l'intestin — Matériau léger.
7. Nobélium — Fruit du néflier — Période d'activité sexuelle des mammifères.
8. Partie de la Méditerranée — Combiné.
9. Très — Personne qui échoue en général.
10. Jamais — Manteau de pluie — Stibium.
11. Avaler un liquide en l'aspirant — Joua.
12. Boisson — Ergot du coq.

## VERTICALEMENT

1. Alcaloïde de l'opium — Fleuve du Languedoc.
2. Ovale — Devise.
3. Fatuité — Boëtte.
4. Ch.-l. d'arr. du Gard — Pronom indéfini — Patrie d'Abraham.
5. Ferrure — Souple — Chéri.
6. Ville de la Jordanie — Bluff.
7. Vraie — Étendue d'herbe à la campagne.
8. Nouveau — Grand-mère.
9. Goujat — Modèle.
10. Obstiné — Argenté — Iridium.
11. Pronom personnel — Souhait — Pétrolière.
12. Disséminés — Coiffure orientale portée par les hommes.

194

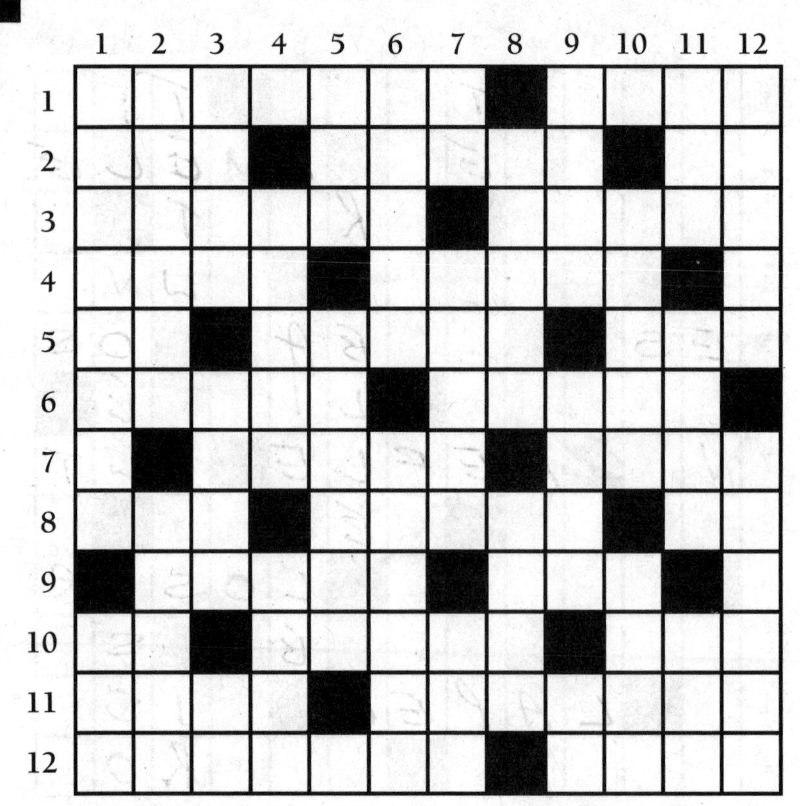


**HORIZONTALEMENT**

1. Ragoût de mouton — Averse violente.
2. Ovale — Alliage de fer et de carbone — Pronom démonstratif.
3. Affrété — Contrevent.
4. Ne pas reconnaître — Île des Samoa occidentales.
5. Dans — Chien à poil ras — Ville du Japon.
6. Ville du Mexique occidental — Pomme de terre allongée.
7. Prénom féminin — Ville d'Allemagne.
8. Mèche de cheveux — Favoriser par le sort — Samarium.
9. Recul — Parasite intestinal.
10. Pronom personnel — Frustrer — Molécule.
11. Contralto — Sans pareil.
12. Déchiffrage — Ville d'Italie.

**VERTICALEMENT**

1. Petit pain d'épice rond — Préjudice.
2. Céréale — Plante des lieux humides.
3. Met bas — Rémunération — Technétium.
4. Ville de la Jordanie — Pièce métallique faisant contact.
5. Tondu — Tache ronde sur l'aile d'un insecte.
6. Ceux-ci — Liberté.
7. Nickel — Poète français mort en 1959 — Dans la rose des vents.
8. Ville du Portugal — Éméché.
9. Pin cembro — Confiserie au sirop d'érable — Germanium.
10. Conflit — Unité monétaire de l'Iran.
11. Terme de tennis — Signification — Interjection espagnole.
12. Mammifère cuirassé de plaques cornées — Apportée.

## HORIZONTALEMENT

1. Relative à l'ongle — Double coup de baguette.
2. Roue à gorge — Massacre.
3. Abrupt — Conceptuel.
4. Rend moins dense — Ch.-l. du dép. des Alpes-Maritimes — Note de musique.
5. Négation — Pronom possessif — Opinion.
6. Religion prêchée par Mahomet — Trou dans la paroi d'un navire.
7. Espérance — Unité monétaire roumaine.
8. Capitale de la dynastie shogunale des Tokugawa — Exhorte.
9. Averse — Fruit comestible.
10. Interjection imitant les sons du bébé — Matériau céramique — Ancien do.
11. Négation — Pièce de charpente — Dégoutter.
12. Refuge — Commune de Suisse.

## VERTICALEMENT

1. Politesse — Recueil de bons mots.
2. Ver marin — Mollusque gastéropode.
3. Buffle sauvage de la Malaisie — Cinéaste italien mort en 1989.
4. Suçotas — Combat entre deux personnes.
5. Lettre grecque — Irréligieux — Règle de dessinateur.
6. Arbre d'Europe — Lac du nord-ouest de la Russie.
7. Article — Personne qui dénonce un coupable — Thymus du veau.
8. Prénom masculin — Stérile.
9. Parfait — Petit récipient.
10. Être imaginaire — Persienne — Cité antique de la basse Mésopotamie.
11. Gratin — Détruire.
12. Recueil de cartes géographiques — Canal excréteur.

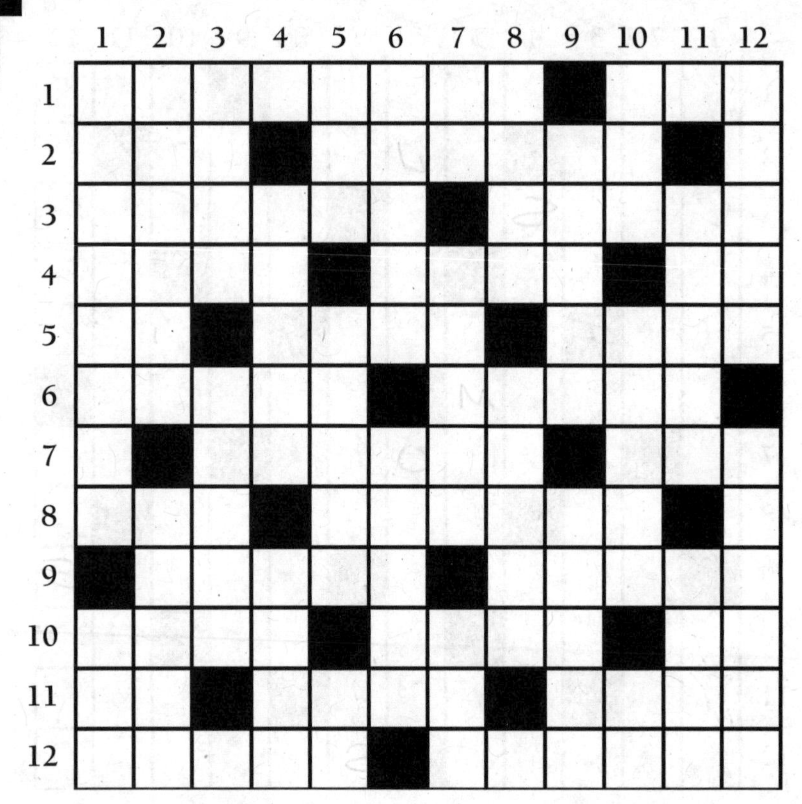


## HORIZONTALEMENT

1. Cylindre d'un métier à tisser — Effet comique rapide.
2. Je — Bée.
3. Déposer — Protestation collective.
4. Ville du Pérou — De plus — Argon.
5. Expert — Poilu — Baiser.
6. Transmission d'un message sur écran — Énième.
7. Instituer — Prairie.
8. Lentille — Fromage.
9. Ornement — Règle.
10. En compagnie de — Produit de l'abeille — Paresseux.
11. Note — Certain — Petit mammifère au pelage gris.
12. Lieu destiné au supplice des damnés — Centenaire.

## VERTICALEMENT

1. Cataplasme — Conscience.
2. Affrété — Petite vallée à versants raides.
3. Ancien nom de la Thaïlande — Agile.
4. Creuser, miner — Colorant minéral naturel.
5. Port du Japon — Étroit — Erbium.
6. Danger immédiat — Bourgeon.
7. Note de musique — Récepteur de modulation de fréquence — Pronom personnel (pl.).
8. Prune — Cétone de la racine d'iris.
9. Sépulture — Moelleuse.
10. Givre — Imperméable — Ancien oui.
11. Amplificateur quantique de radiations lumineuses — Promenade publique.
12. Pas beaucoup — Araignée très commune.

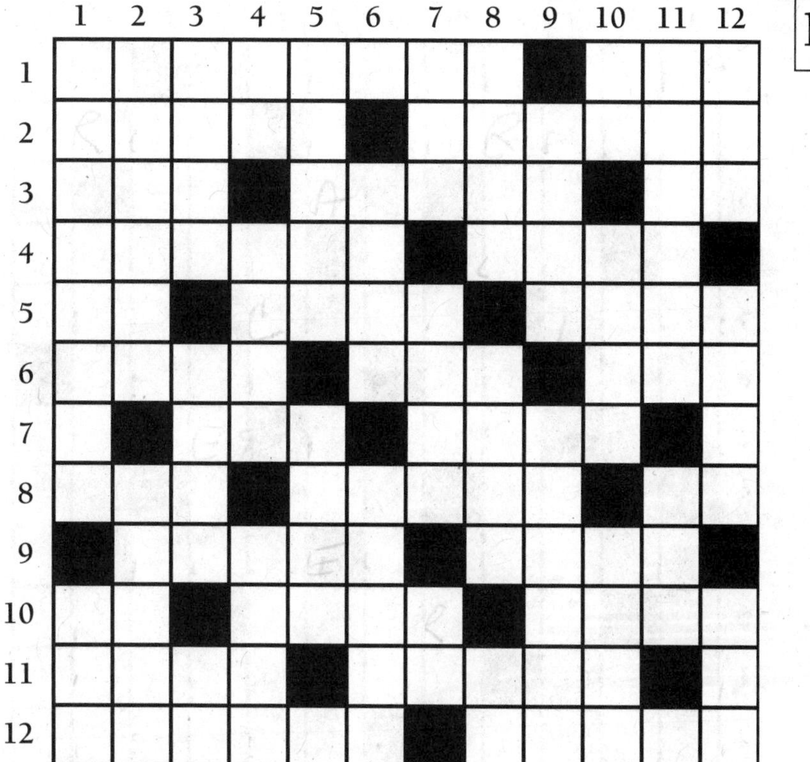

**HORIZONTALEMENT**

1. Arrêt de la pluie — Tollé.
2. Fluet — Animal des mers chaudes.
3. Sorte de flan compact — Famille nombreuse et encombrante — Adjectif possessif.
4. Incapable — Évêque de Noyon.
5. Laize — Fleuve de Sibérie — Volcan de la Sicile.
6. Prénom féminin — Port du Japon — Argile ocreuse.
7. Ancienne capitale d'Arménie — Advenu.
8. Étendue désertique — Variété de daphné — Lanthane.
9. Devinette graphique — Bouille.
10. Gallium — Assouvi — Plante voisine du navet.
11. Pareillement — Instit.
12. Algue bleue microscopique — Pièce d'artillerie.

**VERTICALEMENT**

1. Rattacher à une société mère — Alcool.
2. Frimer — Muse de la Poésie lyrique.
3. Rivière d'Auvergne — Devin — Carcasse.
4. Aluminium — Dessein — Grossier.
5. Souple — Aven.
6. Petit — Lavande.
7. Ville du Pérou — Basse vallée d'un cours d'eau — Pronom indéfini.
8. Dieu des Vents — Tronc d'arbre — Scandium.
9. Oiseau échassier — Plaine irriguée couverte de riches cultures, en Espagne.
10. Calcium — Ville du Japon — Amalgame d'étain.
11. Ville d'Italie — Unité monétaire bulgare.
12. Ville du Nigeria — Ville du Québec — Officier de Louis XV.

198

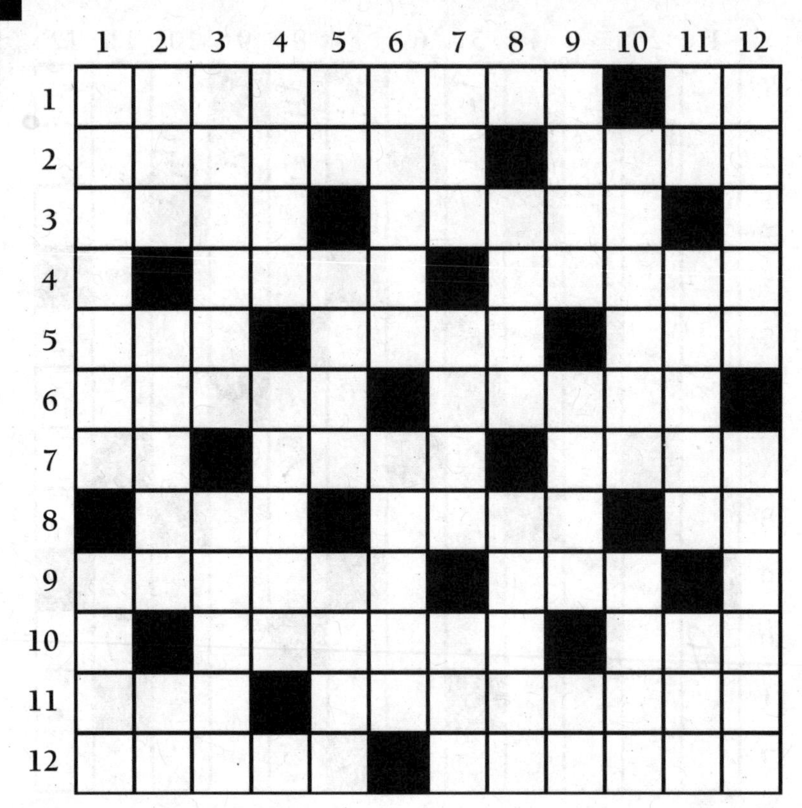

## HORIZONTALEMENT

1. Émission de sons plus ou moins articulés par l'enfant — Interjection.
2. Éboulement — Se décide.
3. Petit — Épine.
4. Liquide nutritif tiré du sol — Chas (pl.).
5. Adverbe de lieu — Également — Conteste.
6. Stationner — Délit.
7. Carcasse — Benêt — Ville de Belgique.
8. Lettre grecque — Voix de femme — Strontium.
9. Dénoncer — Période d'activité sexuelle des mammifères.
10. Recherche du plaisir — Adresse.
11. Lettre grecque — Faire de l'ironie.
12. Lieu qui procure le calme — Judicieuse.

## VERTICALEMENT

1. Petite tache cutanée — Acteur italien mort en 1967.
2. Ville du sud-est du Nigeria — Ranger — Association pour alcooliques.
3. Temps libre — Pente.
4. Astre — Abasourdi.
5. Aluminium — Ch.-l. d'arr. du Calvados — Oiseau échassier.
6. Petit trait — Cesser de couler.
7. Échelle, en photographie — Verbal — Verso d'une lettre.
8. Serré — Siège de cérémonie.
9. Partie de plaisir — Petite tige de métal — Préfixe privatif.
10. Affligée — Agence de presse soviétique.
11. Conjonction — Arbuste ornemental — Brame.
12. Instrument à dents — Canal excréteur.

## HORIZONTALEMENT

1. Qui n'a pas de mâchoire — Stratagème.
2. Nouveau — Groupe — Radium.
3. Ce qui n'est pas dit — Ville de Suisse.
4. Hasard — Aulnée.
5. Article — Gouverner plus près du vent — Fleuve d'Afrique.
6. Éloigné — Rigide.
7. Ancien signe de notation — Nymphe des insectes diptères.
8. Graffiti — Instrument de musique — Article espagnol.
9. Qui provient de l'action du vent — Tranchant.
10. Étendue désertique — Vareuse.
11. Sert à lier — Acte de pensée — Dérangé.
12. Vin blanc sec — Sel ou ester.

## VERTICALEMENT

1. Mémorialiste — Ancien.
2. Cachots — Artère.
3. Quatrième partie du jour — Lame cornée.
4. Plancher en béton armé — Qui est de feu.
5. Présélection — Rogué — Carcasse.
6. Pressé — Filiforme.
7. Dans — Père des Néréides — Volcan actif du Japon.
8. Gros pigeon à huppe érectile — Étiquette.
9. Colline artificielle — Plante vomitive.
10. Crispé — Ville d'Italie.
11. Aurochs — Ville de Belgique — Ancien do.
12. Cours d'eau artificiel — Poème lyrique.

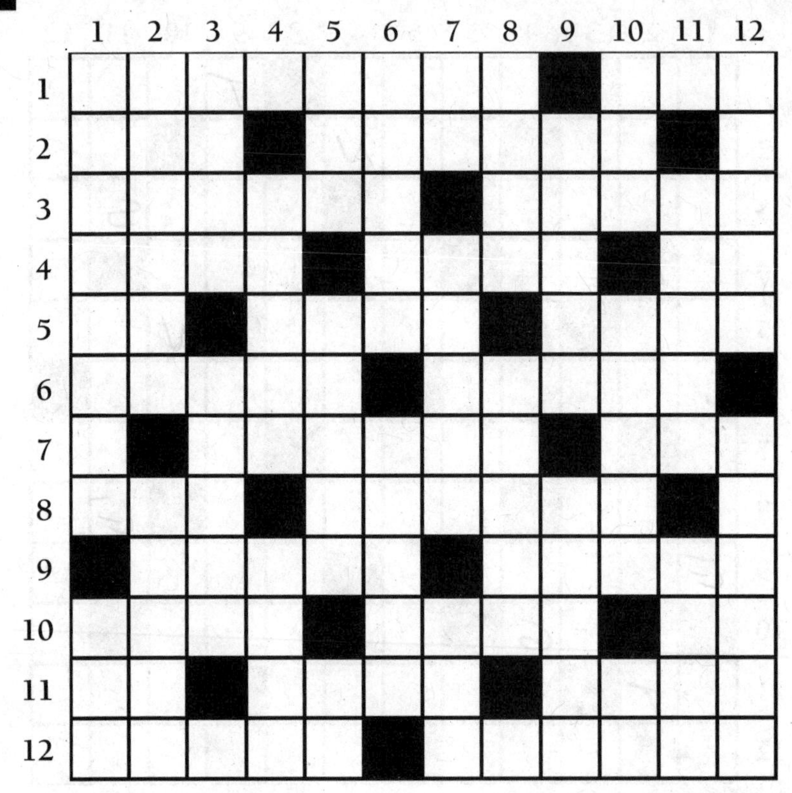


## HORIZONTALEMENT

1. Solive d'un plancher — Ville du Québec.
2. Période historique — Imbiber de vin.
3. Agar-agar — Couvert d'une buée.
4. Ville de Hongrie — Églantine — Étain.
5. Nobélium — Aréquier — Sanatorium.
6. Ville du Nigeria oriental — Ni chaud ni froid.
7. Dessinateur humoriste français — Forme particulière de désert rocheux.
8. Septième lettre de l'alphabet grec — Résumé par écrit.
9. Niche funéraire à fond plat — Lucifer.
10. Obstacle équestre — Escarpement rocheux — Largeur d'une étoffe.
11. Fer — Prophète — Dans le calendrier romain.
12. Verre à pied, haut et étroit — Redevance équivalant à une année de revenu.

## VERTICALEMENT

1. Taré — Hors champ.
2. Un des États-Unis d'Amérique — Île néerlandaise de la mer du Nord.
3. Branche de l'Oubangui — Oxyde d'uranium.
4. Perturbation atmosphérique — Cargaison d'un navire.
5. Faible — Délabré — Largeur d'une étoffe.
6. Commune de Belgique — Inquiétude.
7. Mammifère arboricole — Groupe comprenant huit éléments binaires — Poulie dont le pourtour présente une gorge.
8. Pronom indéfini (pl.) — Qui a les couleurs de l'arc-en-ciel.
9. Ville de Syrie — Prostituée.
10. Fleuve du Languedoc — Versant exposé au soleil — Oui.
11. Lichen de couleur grisâtre — Commune de l'Aude.
12. Patinoire couverte — Processus de développement de quelqu'un.

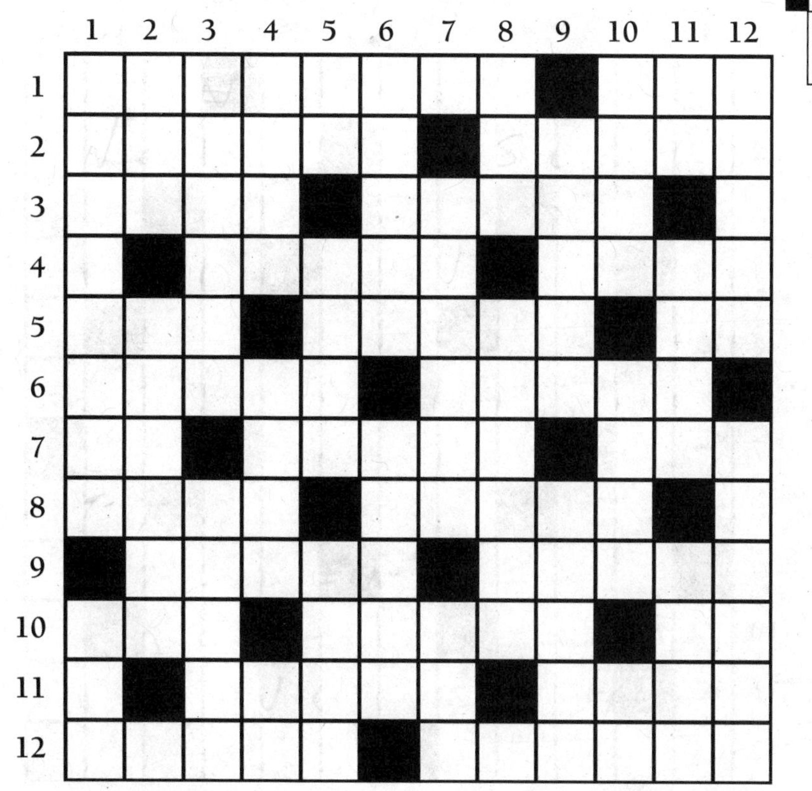

## HORIZONTALEMENT

1. Sport de glisse s'apparentant au ski — Pronom personnel.
2. Principauté du golfe Persique — Test.
3. Troisième fils de Jacob — Manifestation morbide brutale.
4. Taillé comme un écot — Ambon.
5. Adresse — Souple — Ancien.
6. Nonchalant — Dénuée d'esprit.
7. Dieu solaire — Personne anonyme — Épaule d'animal.
8. Affluent de la Seine — Os de poisson.
9. Ordure — Grogner.
10. Fils aîné de Noé — Variété de poivrier grimpant — Chiffres romains.
11. Couple — Endroit retiré.
12. Mandataire — Pur.

## VERTICALEMENT

1. Bel homme fat et niais — Commune de Belgique.
2. Esprit — Gaie.
3. Rivé — Ouvrage en pente.
4. Prénom masculin — Affaire d'honneur — Année.
5. Note — Commune de Belgique — Service religieux.
6. Inflammation de l'oreille — Tapoter.
7. Stopper — Unité de mesure thermique.
8. Pot de terre — Autorise.
9. Thème — Ville du Chili.
10. Provenu — Ancienne monnaie chinoise — Squelette.
11. Article — Rêver, rêvasser — Acte législatif émanant du roi.
12. Roche silicieuse — Rivière de Suisse.

202

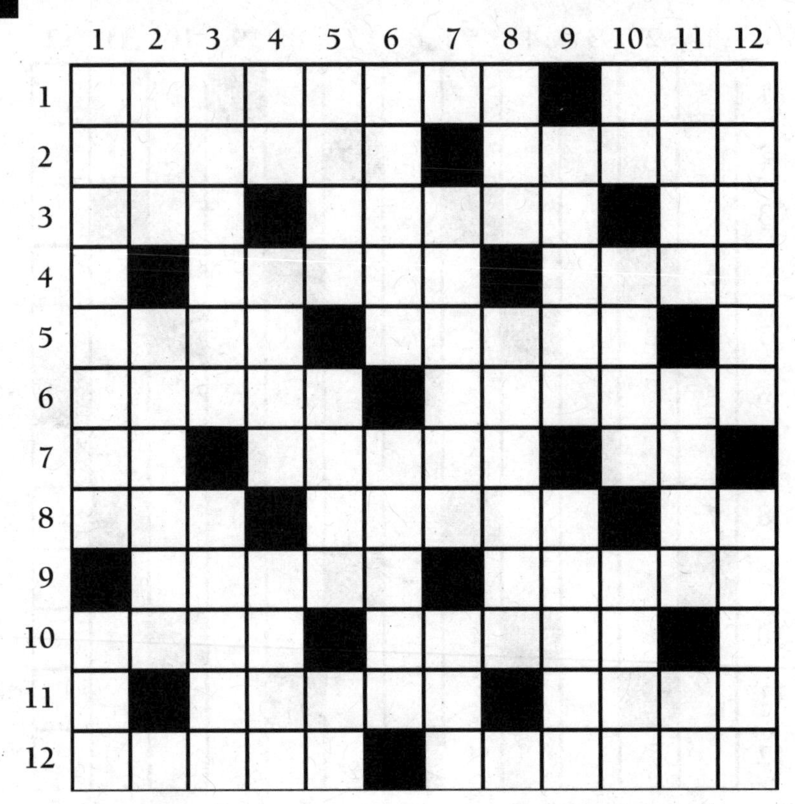

## HORIZONTALEMENT

1. Ornement appliqué sur l'aube d'un prêtre — Ami.
2. Aigle d'Australie — Senteur.
3. Étendue désertique — Publie — Dieu solaire.
4. Pare-étincelles — Escarpement rocheux.
5. Prison — Farce jouée à quelqu'un.
6. Différent — Oiseau grimpeur et frugivore.
7. Infinitif — Finalement — Article indéfini.
8. Élégant, distingué — Répit — Sa Sainteté.
9. Ensemble d'animaux dans un même gîte — Groupe comprenant huit éléments binaires.
10. Plateau formé par les restes d'une coulée volcanique — Fleuve de France.
11. Mollusque — Ancienne unité monétaire du Pérou.
12. Le gland est son fruit — Petit tuyau souple ou rigide.

## VERTICALEMENT

1. Prude — Souteneur.
2. Époque — Paysanne.
3. Cagette — Laisse échapper un liquide.
4. Règle de dessinateur — Rivière de Bourgogne — Insecte piqueur.
5. Soulager — Prune — Article.
6. Découpure en forme de dent — Fragile.
7. Adepte — Jamais.
8. Part — Cortège.
9. Détrôné — Coffret.
10. Pronom personnel — Récépissé — Très fin.
11. Affluent de la Seine — Partie de certains ustensiles — Thallium.
12. Imbécile — Rayé.

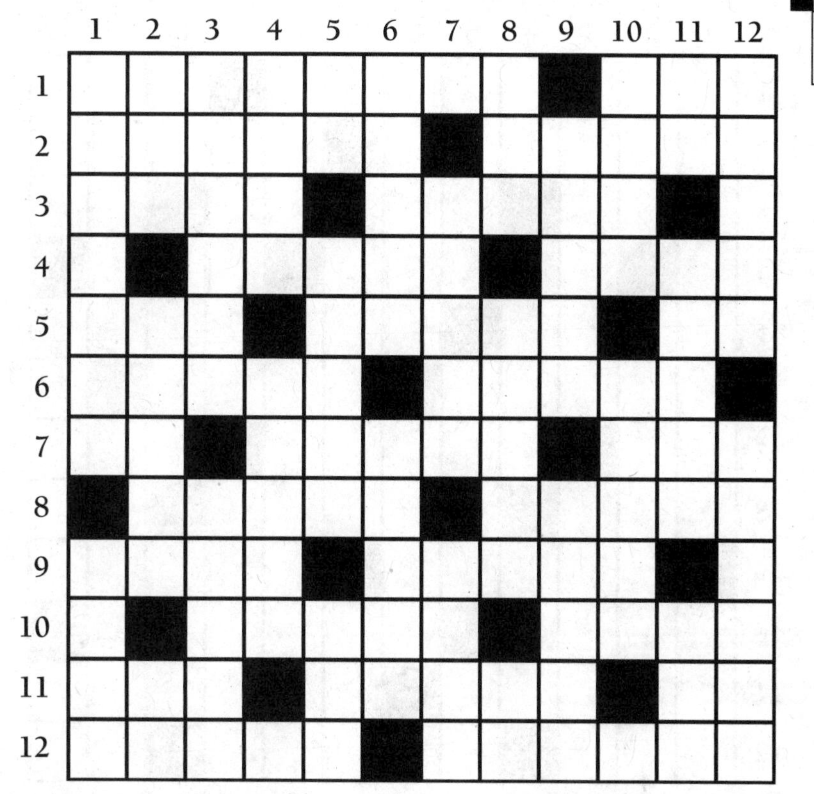

## HORIZONTALEMENT

1. Morue, merlu — Dans la rose des vents.
2. Charrue simple sans avant-train — Commune de Suisse.
3. Transmet — Ville de Finlande.
4. Aiguille d'un cadran — Coupe de cheveux.
5. Terme de tennis — Ville du sud de l'Inde — Astate.
6. Fleuve de Russie — Fret.
7. Nickel — Amplificateur de micro-ondes — Pied de vigne.
8. Ville du Mexique occidental — Lac de la Laponie finlandaise.
9. Colline artificielle — Envol.
10. Ville de Suisse — L'abominable homme des neiges.
11. Volcan du Japon — Ville d'Allemagne — Interjection.
12. Coefficient — Exercer le métier de torero.

## VERTICALEMENT

1. Papillon diurne — Souverain.
2. Époque — Cuisson — Adjectif possessif.
3. Rayer — Flétan.
4. Rapport — Vaste.
5. Patrie d'Abraham — Sursis — Lettre grecque.
6. Tenir secret — Dispute.
7. Long prolongement du neurone — Verse.
8. Marque le doute — Embarcation à fond plat — Nobélium.
9. Femme de lettres française — Inonder.
10. Ville d'Algérie orientale — Fils de Dédale.
11. Sélénium — Démanteler — Réunion où l'on sert du thé, des gâteaux.
12. Éperon — Colonne.

## 204

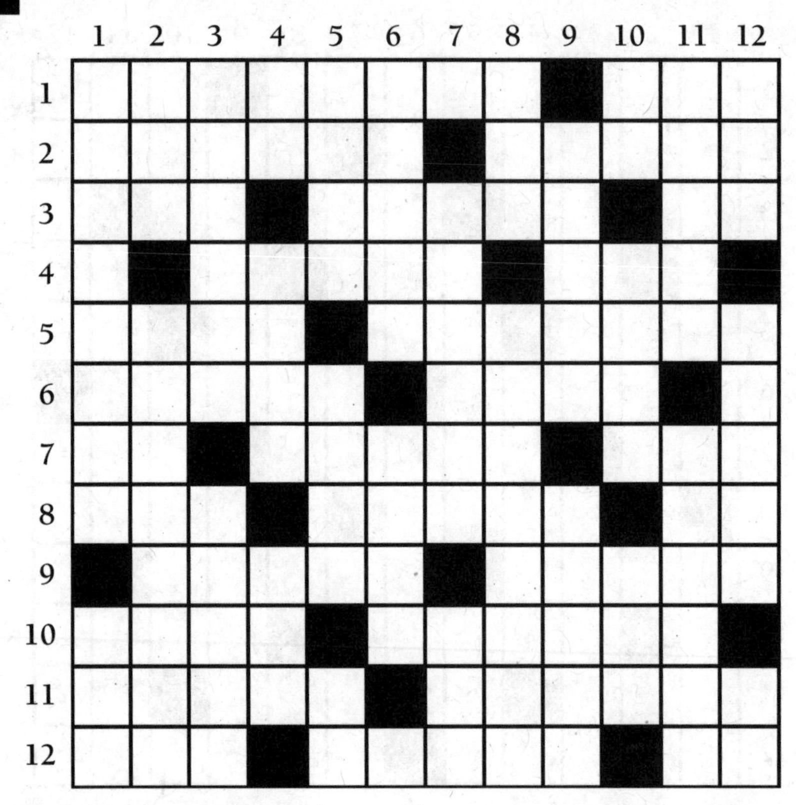

### HORIZONTALEMENT

1. Gerçure — Cap d'Espagne.
2. Malin — Oiseau passereau.
3. Plante bulbeuse — Vernis — Germanium.
4. Femme de lettres américaine — Bouclier.
5. Enduit imitant le marbre — Badines.
6. Égards — Fleuve de Sibérie.
7. Quelqu'un — Architecte et designer américain né en 1907 — Pianiste français né en 1890.
8. Ville de Yougoslavie — Épidémie — Platine.
9. Glaces — Commune de Belgique.
10. Ancêtre — Stéréophonie.
11. Cachot — Plantain d'eau aux tissus remplis d'air.
12. Courbe — Groupe d'entreprises — Brome.

### VERTICALEMENT

1. Chaussure d'intérieur souple — Chef au-dessus du caïd.
2. Rayon — Raffermir.
3. Émerveillé — Fou.
4. Six — Couperose — Givre.
5. Commune de l'Aude — Vêtement — Sert à lier.
6. Distancer — Cantine.
7. Refuges — Lettre grecque.
8. Panicule — Qui concerne les gestes.
9. Partie de l'intestin grêle — Publication.
10. Neptunium — Parti — Adjectif démonstratif.
11. Coupante — Stabilité.
12. Soulage — Bornée — Erbium.

| | 1 | 2 | 3 | 4 | 5 | 6 | 7 | 8 | 9 | 10 | 11 | 12 |
|---|---|---|---|---|---|---|---|---|---|---|---|---|
| 1 | | | | | | | | | ■ | | | |
| 2 | | | | | | | ■ | | | | | |
| 3 | | | | ■ | | | | | | ■ | | |
| 4 | | | | | | ■ | | | | | | ■ |
| 5 | | ■ | | | | | | ■ | | | | |
| 6 | | | | | ■ | | | | | | ■ | |
| 7 | | | ■ | | | | | | ■ | | | |
| 8 | | | | | | | ■ | | | | | |
| 9 | ■ | | | | | ■ | | | | | | ■ |
| 10 | | | | ■ | | | | | | ■ | | |
| 11 | | ■ | | | | | | ■ | | | | |
| 12 | | | | | ■ | | | | | | | |

## HORIZONTALEMENT

1. Échelle à un seul montant central — Pomme.
2. Venin — Casque en métal.
3. Poisson d'eau douce — Tempérant — Germanium.
4. Vallée de l'Argolide — Ville de Belgique.
5. Ultérieurement — Billet d'avion non daté.
6. Soute — Musique composée pour des grand-messes.
7. Peuple de l'Inde — Qui a de la laitance — Réseau des Sports.
8. Faute — Erres au hasard.
9. Préjudice — Cavité irrégulière de certains os.
10. Divertissement — Souveraine — Article indéfini.
11. Ville de Belgique — Incommodité.
12. Chanteur belge prénommé Jacques — Province du Canada.

## VERTICALEMENT

1. Poisson portant des épines — Emploi rémunéré.
2. Recueil des lois — Artère.
3. Hibernal — Enroulé.
4. En matière de — Nommer des lettres — Pronom personnel.
5. Perdant — Différent.
6. Fille de Cadmos — Prince musulman — Moi.
7. Pigeon sauvage de couleur bise — Possessif.
8. Exceptionnel — Petit passereau.
9. Pause — Lac du nord-ouest de la Russie.
10. Avant-midi — Affolé — Erbium.
11. Milieu des voleurs — Brouillé.
12. Allez, en latin — Lac d'Écosse — Nouveau.

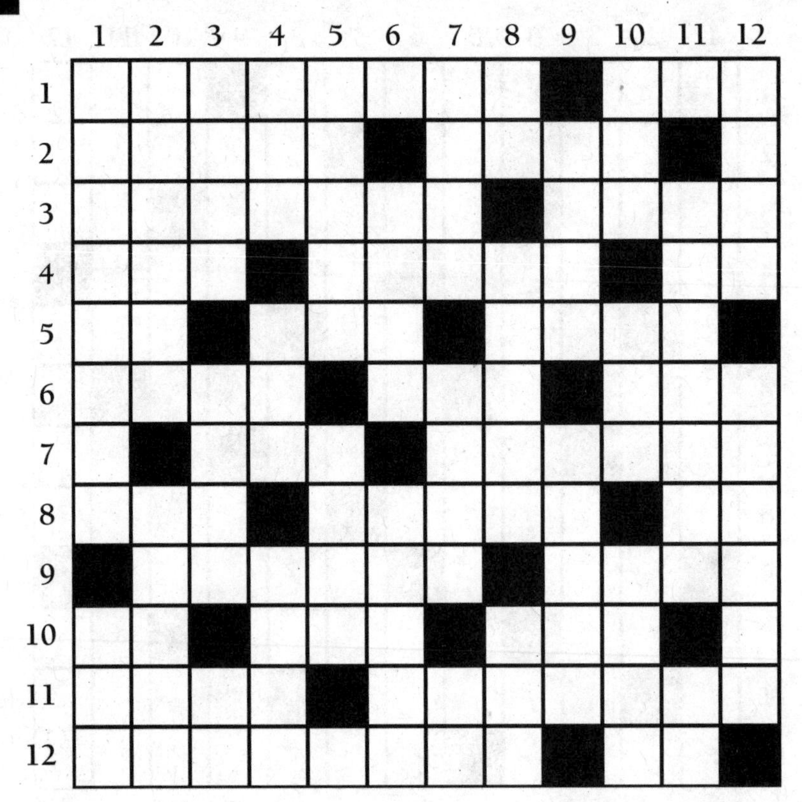

## HORIZONTALEMENT

1. Petit terrain d'atterrissage en haute montagne — Partie du corps.
2. Plante herbacée — Bronzage.
3. Tête — Rivière de l'ouest de la France.
4. Baie où se trouve Nagoya — Oxyde d'uranium — Or.
5. Meilleur en son genre — Ancienne capitale d'Arménie — Ch.-l. de c. d'Eure-et-Loir.
6. Lac d'Écosse — Clair — Punch.
7. Teinte — Acide aminé.
8. Ancien nom de Tokyo — Reculé — Titane.
9. Éléatique — Ancienne monnaie chinoise.
10. Curie — Terme de photographie — Ferme de campagne.
11. Enlever — Secours.
12. Abhorrer — Petit ruisseau.

## VERTICALEMENT

1. Atmosphère — Cap dans le Massachusetts.
2. Lien — Divinité mythique.
3. Thune — Avion à décollage et à atterrissage courts — Sert à lier.
4. Germandrée à fleurs jaunes — Volcan actif du Japon — Nom gaélique de l'Irlande.
5. D'origine brésilienne, tabac — Contestas.
6. Divisé en trois — Bière anglaise.
7. Épouse de Cronos — Interjection marquant la joie — Ferrure.
8. Tantale — Relatif à la naissance — Assemblée russe.
9. Rapport — Qui cause la mort.
10. Adjectif démonstratif — Mèche de cheveux — Ancien émirat de l'Arabie.
11. Secrète — Pronom personnel.
12. Position — Chiffon utilisé dans la fabrication du papier.

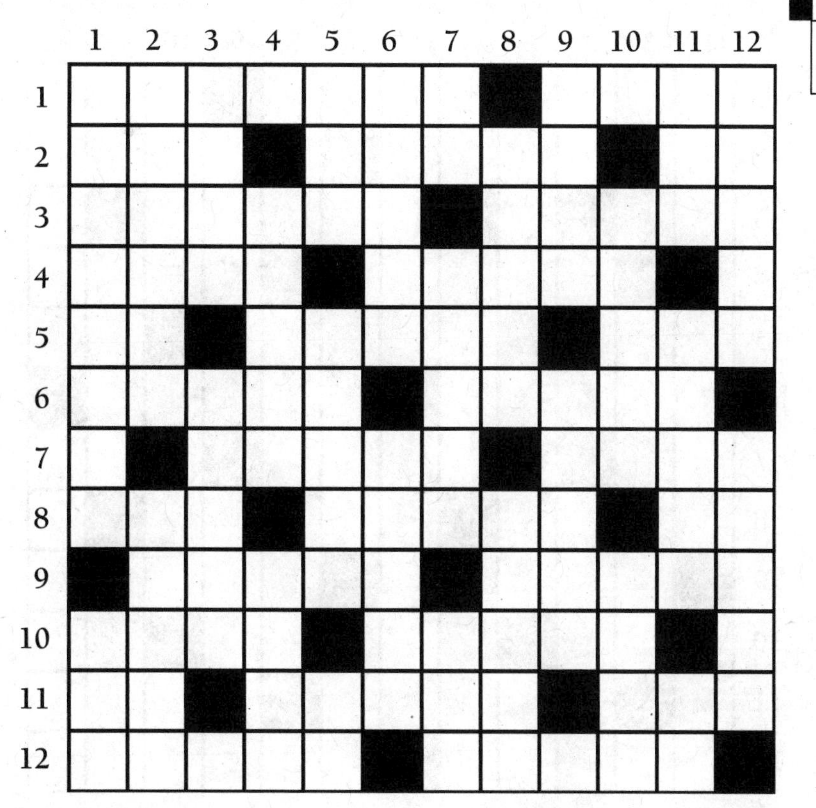

## HORIZONTALEMENT

1. Démesuré — Fric.
2. Titre d'un magazine — Couche profonde de la peau — Do.
3. Hululer — Ville d'Italie.
4. Affluent de la Seine — Dit.
5. Patrie d'Abraham — Gaz inerte de l'air — Cheveu.
6. Banlieue de Québec — Cours.
7. Épreuve — Paresseux.
8. Très court — Femelle de l'ours — Rhodium.
9. Raccourci — Réveil.
10. Alcool de canne à sucre — Détecteur.
11. Rivière de France — Existant — Rivière de Suisse.
12. Élongé — Aimable.

## VERTICALEMENT

1. Ébrécher — Ancien Premier ministre de l'Ontario.
2. Fissure — Emplette.
3. Fourneau — Jus de la canne à sucre écrasée.
4. Énoncé considéré indépendamment de sa vérité — Second calife des musulmans.
5. Ville des Pays-Bas — Impulsion — Cale en forme de V.
6. Empereur romain — Autrui.
7. Infinitif — Peaufiner — Recueil de pensées.
8. État américain — Orpin.
9. Paysan de l'Amérique du Sud — Cabaret installé au sous-sol.
10. Plaie faite par une arme blanche — Irlande.
11. Exclamation exprimant le dépit — Lac de la Laponie finlandaise — Issu.
12. Balle dure — Lancier, dans l'ancienne armée allemande.

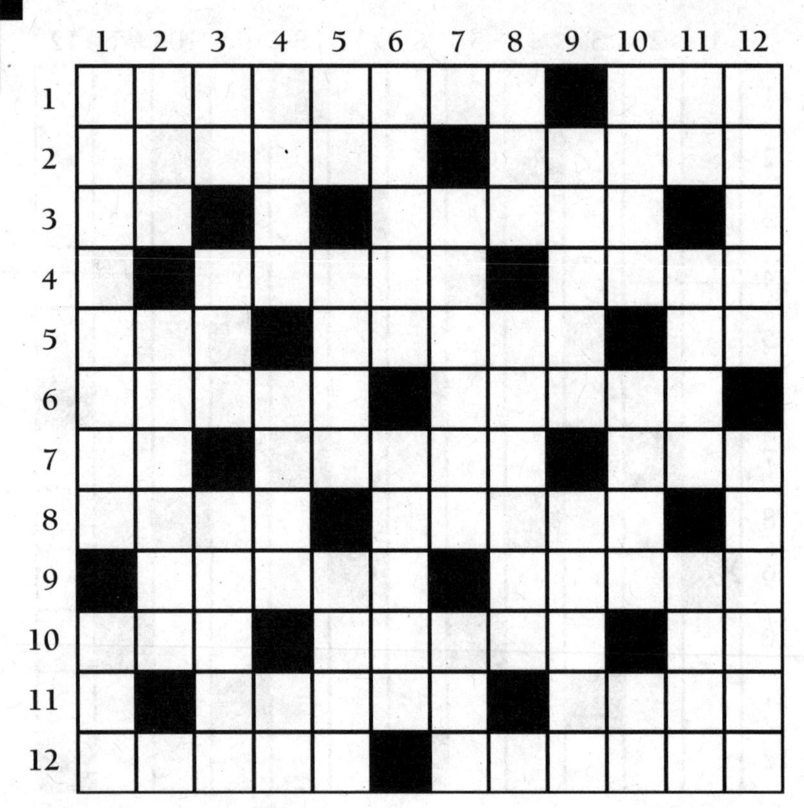

## HORIZONTALEMENT

1. Redouter — Recueil de bons mots.
2. Voiture à quatre roues — Vocations.
3. Idem — Milieu des voleurs.
4. Se plaindre sur un ton niais — Nez.
5. Nuée — Cétone de la racine d'iris — Argon.
6. Acide sulfurique fumant — Besoin.
7. Pronom personnel — Instrument de musique médiéval à trois cordes — Cri des charretiers.
8. Impulsion — Plante au liquide irritant.
9. Narine des cétacés — Fortifier.
10. Éclat de voix — Allonge — Dieu solaire.
11. Évidentes — Obscurité.
12. Esclandre — Effectuée.

## VERTICALEMENT

1. Se ferme et s'ouvre rapidement — Événement.
2. Radian — Hululer.
3. Douze mois — Béante — Averti.
4. Pensée — Vase à flancs arrondis — Article indéfini.
5. Exclamation enfantine — Fruit — Arbre d'Afrique utilisé en médecine.
6. Berner — Chaussure.
7. Ronger — Échelle, en photographie.
8. Unité de mesure de travail — Breuvage des dieux.
9. Garnis — Prénom féminin.
10. Hasard — Itou — Cité antique de la basse Mésopotamie.
11. Issu — Longue étoffe drapée — Grand Lac.
12. Plante cultivée pour ses fleurs décoratives — Freiné.

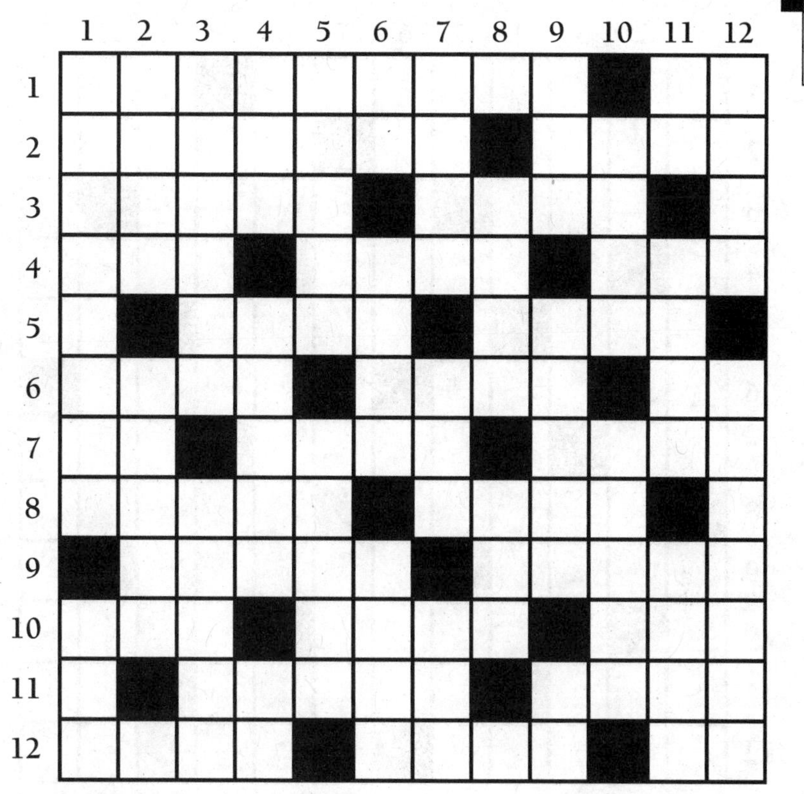

## HORIZONTALEMENT

1. Échevelé, Hirsute — Lettre grecque.
2. Épaisse — Oiseau originaire d'Asie.
3. Pigeon sauvage de couleur bise — Chef d'État dans certains États arabes.
4. Interjection espagnole — Ciel — Rivière de l'Asie.
5. Taché, en parlant d'un fruit — Ancienne mesure agraire.
6. Aimé — Femelle d'un chien de chasse — Gallium.
7. Hectare — Unité monétaire du Cambodge — Corps pesant.
8. Ancienne mesure de longueur — Nom donné à divers sommets.
9. Instrument pour la mesure des poids — Cétone de la racine d'iris.
10. Jules — Insecte des eaux stagnantes — Fraude.
11. Unité de temps — Lancé.
12. Fort — Rivière née dans le Perche — Infinitif.

## VERTICALEMENT

1. Engraissement du bétail dans les prés — Ensemble de lettres.
2. Contrat de location — Bâton.
3. Langue iranienne — Offense.
4. Râpé — Ch.-l. du dép. du Pas-de-Calais — Préposition.
5. Italien — Homme politique turc.
6. Quatre — Empressement — Arbre d'Afrique utilisé en médecine.
7. Épris — Ville du Nigeria — Guère.
8. Eau-de-vie — Oiseau.
9. Mèche de cheveux — Tenir secret — Pronom personnel.
10. Ancien émirat de l'Arabie — Fuite.
11. Fleuve d'Italie — Héritage — Son musical.
12. Ancienne unité monétaire du Pérou — Attacher à une charrue.

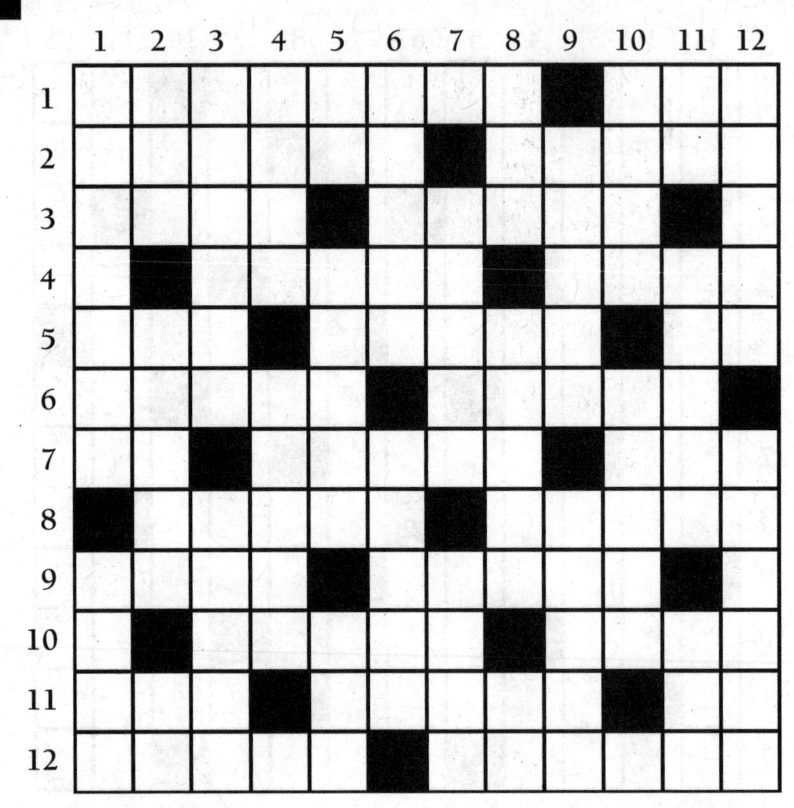

## HORIZONTALEMENT

1. Protéine simple extraite de l'orge — Rocher.
2. Céréale — Massif montagneux de l'Algérie septentrionale.
3. Paresseux — Chambre.
4. Fonte de la glace — Équipe.
5. Allez, en latin — Cétone de la racine d'iris — Lac des Pyrénées.
6. Impulsion — Cogne de manière répétée.
7. Ruthénium — Dévaliser — Marchera.
8. Bière brune — Chatons de certaines fleurs.
9. Premier roi des Hébreux — Fils de Dédale.
10. Souffrance — Figure de patinage artistique.
11. Jovial — Méchanceté, haine — Pronom personnel.
12. Plante des lieux humides — Mort.

## VERTICALEMENT

1. Groupe de buissons touffus — Ville du Japon.
2. Ovoïde — Garde du sabre japonais — Or.
3. Danses — Luxueux.
4. Appelée — Gamète femelle animal.
5. Préposition — Largeur de la marche d'un escalier — Ivette.
6. Ville de Belgique — Rivière d'Allemagne.
7. Personne asservie — Centaine.
8. Ville des Pays-Bas — Machine hydraulique à godets — Iridium.
9. Ouverture — Oxyde d'uranium.
10. Épouse de Cronos — Roche silicieuse.
11. Conjonction — Lagune d'eau douce — Lettre grecque.
12. Congé accordé aux étudiants — Havres.

## HORIZONTALEMENT

1. Lésion circonscrite de la surface interne d'une artère — Partie d'une église.
2. Modèle de pistolet automatique — Suspension.
3. Éculés — Fourreau.
4. Retraite — Désappointé.
5. Levant — Assemble — Cité antique de la basse Mésopotamie.
6. Coiffure du pape — Développement.
7. Règle de dessinateur — Palier — Article indéfini (pl.).
8. Prune — Agite doucement.
9. Fibre synthétique — Halte.
10. Dynamisme — Domination — Note.
11. Tréfilé — Le bon côté.
12. Petit cordage de deux fils — Lien.

## VERTICALEMENT

1. Bagatelle — Pieu aiguisé à une extrémité.
2. Amoncellement — Ville d'Italie.
3. Plaine irriguée couverte de riches cultures, en Espagne — Espèces.
4. Crochet — Certain — Titane.
5. Dieu solaire — Escarpement rocheux — Cordage reliant une ancre à la bouée.
6. Instrument de musique — Général sous Saül et David.
7. Embarcation — Givre.
8. Panicule — Col des Alpes.
9. Grande chaîne de montagnes — Enduit de plâtre.
10. Nuage — Fleuve qui sépare la Pologne de l'Allemagne — Carcasse.
11. En matière de — Rivière de Bourgogne — Ébranlés.
12. Os de la cuisse — Critique.

# 212

| | 1 | 2 | 3 | 4 | 5 | 6 | 7 | 8 | 9 | 10 | 11 | 12 |
|---|---|---|---|---|---|---|---|---|---|---|---|---|
| 1 | | | | | | | | ■ | | | | |
| 2 | | | | ■ | | | | | | ■ | | |
| 3 | | | | | | | ■ | | | | | |
| 4 | | | | | ■ | | | | | | ■ | |
| 5 | | | ■ | | | | | | ■ | | | |
| 6 | | | | | | ■ | | | | | | ■ |
| 7 | | ■ | | | | | | ■ | | | | |
| 8 | | | | ■ | | | | | | ■ | | |
| 9 | ■ | | | | | | ■ | | | | | |
| 10 | | | | | ■ | | | | | | ■ | |
| 11 | | | ■ | | | | | | ■ | | | |
| 12 | | | | | | ■ | | | | | | |

## HORIZONTALEMENT

1. Mansarde — Réjouissance.
2. Rivière de l'Éthiopie — Druide gaulois — Do.
3. Iourte — Plante des régions tempérées.
4. Interjection — État d'Asie.
5. Voltampère — Doigt — Roche poreuse légère.
6. Lac de Russie — Coopérative, dans l'ancienne Russie.
7. Ville d'Algérie — Greffon.
8. Forme particulière de désert rocheux — Émulsion riche en amidon — Radon.
9. Mollusque — Bœuf domestiqué d'Asie.
10. Partie cloisonnée d'un théâtre — Élargi.
11. Opus — Être couché — Adjectif possessif.
12. Signe d'altération qui baisse d'un demi-ton — Oxyde ferrique.

## VERTICALEMENT

1. Arbre qui produit les goyaves — Coup, au tennis.
2. Qui ignore les règles de la morale — Fabuliste grec.
3. Honore — Ville du Québec.
4. Rivière de Belgique — Jeu de construction.
5. Précocement — Lame cornée — Article espagnol.
6. Existant — Général et homme politique portugais.
7. Adjectif posses0sif — Intervalle — En passant par.
8. Accepter un défi — Perdu.
9. Poisson du lac Léman — Un des États-Unis d'Amérique.
10. Ville de Suisse — L'abominable homme des neiges.
11. Bassin — Personne qui professe des opinions extrêmes — Sert à lier.
12. Balle dure — Embourbé.

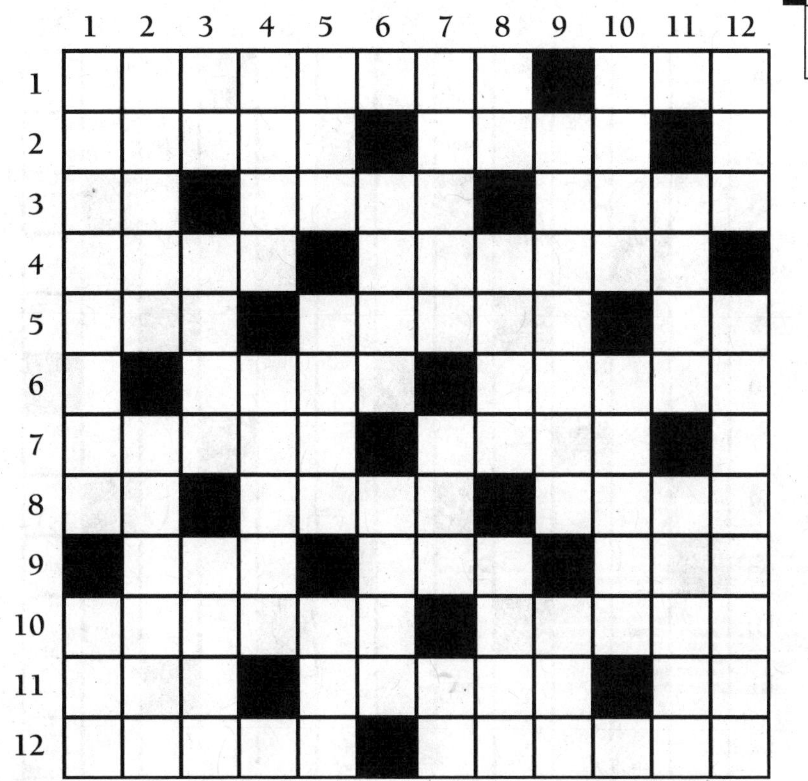

## HORIZONTALEMENT

1. Frivolité — Recueil de pensées.
2. Repas — Fleuve d'Europe occidentale.
3. Radium — Personne vorace — Ville de la Côte d'Azur.
4. Sûr — Accumule.
5. Firme de fabrication électrique allemande — Coloré — Oui.
6. Ville de Roumanie — Halte.
7. Rit un peu — Bord.
8. Préposition — Poisson d'eau douce — Interjection marquant la joie.
9. Ville du sud-ouest du Nigeria — Lettre grecque — Rivière de France.
10. Canaux — Trop fardé.
11. Plaisirs — Élongea — Pronom personnel.
12. Groupe organisé — Avachis.

## VERTICALEMENT

1. Propre aux larves — Lentille.
2. Perdu — Adepte.
3. Gallium — Rémunération perçue par une banque — Trésor public.
4. Cor qui termine la tête d'un cerf — Incroyant.
5. Étendue désertique — Lac d'Italie — Rait.
6. Jeu de cartes — Épreuve.
7. Signe formé de deux points que l'on met sur les voyelles — Terme de tennis — Quatre.
8. Interjection — Mère d'Ismaël — Rude.
9. Encartée — Onde.
10. Badiane — Souhaitai.
11. Transmet — Frottée d'huile.
12. Terme de tennis — Pauses.

214

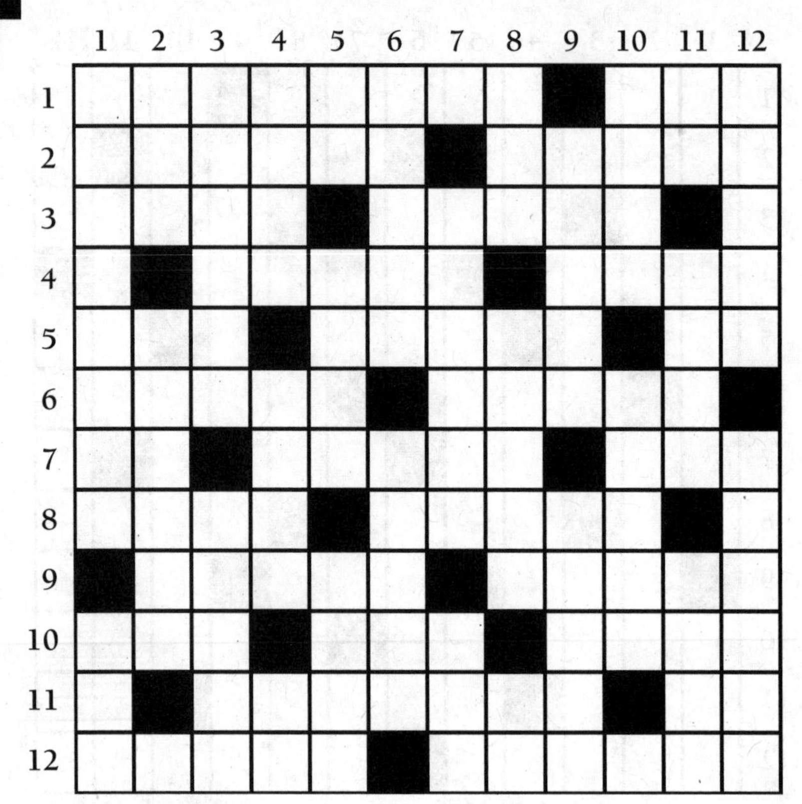

**HORIZONTALEMENT**

1. Marionnette de grande taille — Partie du pain.
2. Ester de l'acide oléique — Cadet.
3. Noyau de la Terre — Duvet de certaines plantes.
4. Incroyable — Hameau.
5. Interjection pour appeler — Vêtement court sans manches — 3,1416.
6. Viser avec une arme à feu — Plante vomitive.
7. Infinitif — Père des Néréides — Perroquet.
8. Tronc d'arbre — Ourlets.
9. Tristan et ... — Test.
10. Ancienne capitale d'Arménie — Pronom personnel — Télévision.
11. Stupéfait — Article indéfini.
12. Devenir un peu aigre — Faux.

**VERTICALEMENT**

1. Simplicité — Commune de Belgique.
2. Boxeur célèbre — Qui tient du bouc.
3. Douter (Se) — Saule de petite taille.
4. Avantage — Prune — Bismuth.
5. Pronom indéfini — Géant des contes de fées — Détériorer.
6. Pronom démonstratif — Partie tournante d'une machine.
7. Équipier extérieur d'une patrouille de chasse — Terre entourée d'eau.
8. Panicule — Nommé des lettres — Patrie d'Abraham.
9. Conformité — Exercer une action en justice.
10. Produit de l'abeille — Rompu.
11. Préfixe privatif — Entretoise — Sulfate double.
12. L'ancienne Estonie — Fou.

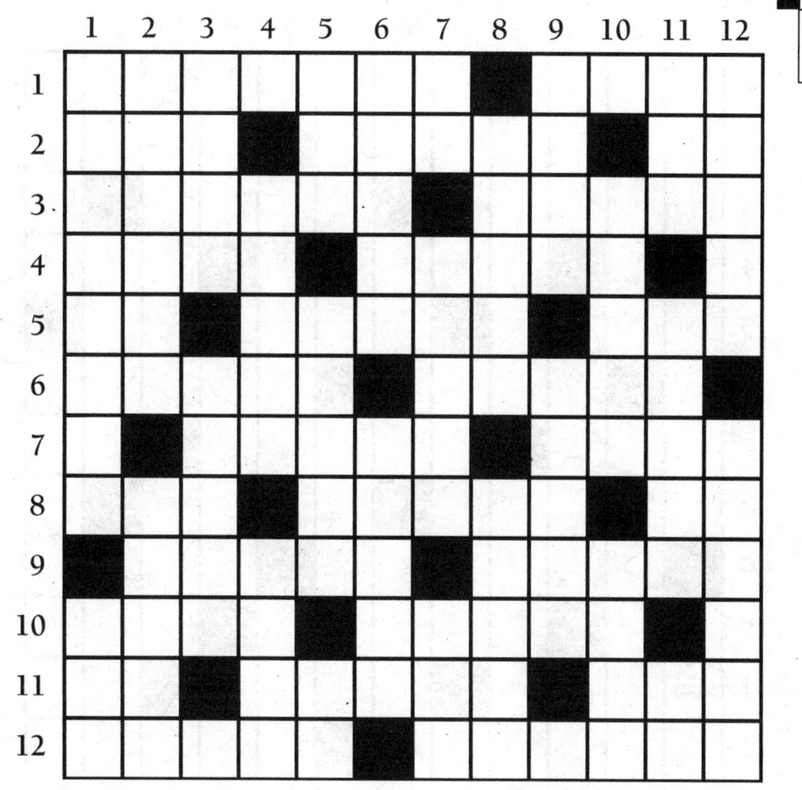

## HORIZONTALEMENT

1. Mafflu — De même.
2. Mesure agraire de superficie — Général et homme politique portugais — Ut.
3. Montures — Courte tige cylindrique.
4. Commune de la Polynésie française — Rationnel.
5. Idem — Fleuve de Suisse et de France — Enduit durcissant par dessiccation.
6. Groupe de notes émises d'un seul souffle — Petit cheval de race espagnole.
7. Rassemblé — Plante à haute tige.
8. Forme particulière de désert rocheux — Forme instrumentale ou vocale — Lithium.
9. Abandon — Prêtre français né en 1608.
10. Clairsemé — Ville d'Allemagne.
11. Sert à lier — Corrompue — Béquille.
12. Pièce centrale d'une roue — Imaginer.

## VERTICALEMENT

1. Bavarder, causer — Unité d'équivalent de dose.
2. Nymphe des montagnes et des bois — Muse de la Poésie lyrique.
3. Branche de l'Oubangui — Être pressé.
4. Goutte — Saut lancé par une seule jambe.
5. Femme imaginaire — Unité de temps — Or.
6. Lanière terminée par un nœud — Marquer.
7. Pronom indéfini — Instrument — Aride.
8. Ch.-l. de c. de la Mayenne — Proportionner.
9. Femme d'Osiris — Eau-de-vie.
10. Mettre bas — Ancienne unité monétaire du Pérou.
11. Ville du sud-ouest du Nigeria — Qui rend service — Iridium.
12. Chant d'église — Instrument acoustique.

216

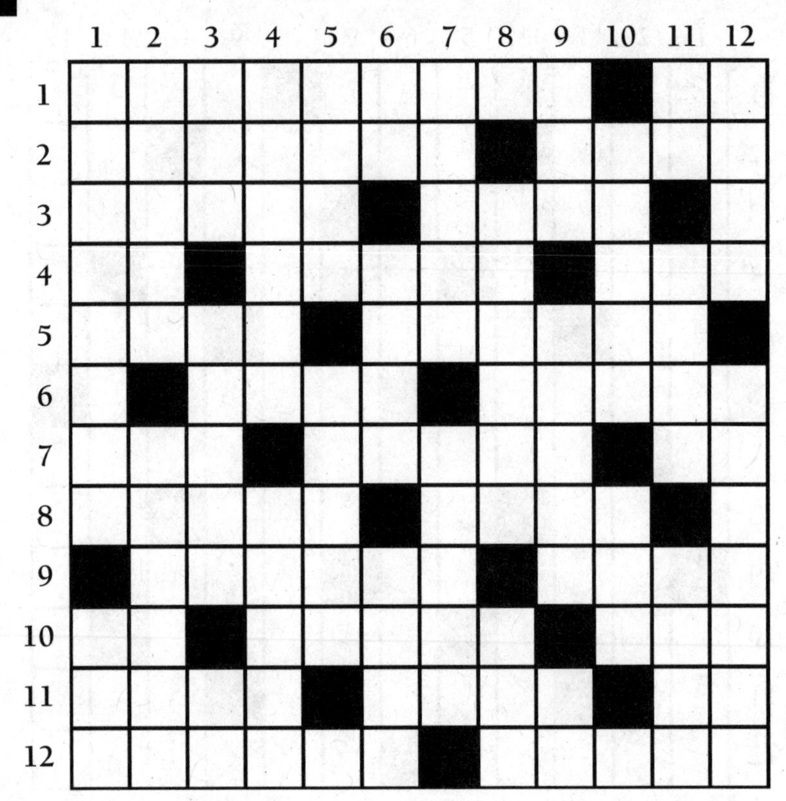

## HORIZONTALEMENT

1. Obséder — Scandium.
2. Référence — Fleuve du Kazakhstan.
3. Vient après l'aîné — Naïf.
4. Ultraviolets — Tresse servant à fixer — Garçon d'écurie.
5. Perroquet d'Australie — Stable.
6. Incasique — Sous-vêtement.
7. Ancien nom de Tokyo — Port du Japon — Préposition.
8. Résiliation d'un bail — Semblable.
9. Promis — Émeu.
10. Lettre grecque — Usant — Voile d'avant sur les voiliers modernes.
11. Infus — Pronom possessif — Infinitif.
12. Échec — Fruit du hêtre.

## VERTICALEMENT

1. Cacher — Exprime un bruit sec.
2. Applaudissement — Déterminé.
3. Fourmilière — Fleuve de Géorgie — Sodium.
4. Demi-frère — Femme de lettres américaine.
5. Sot — Notoire, proverbial.
6. Iridium — Heureux en Dieu — Argot espagnol.
7. Ambassadeur du Saint-Siège — Aimable.
8. Œnothère — Roche poreuse légère.
9. Étendue désertique — Onguent — Radium.
10. Faibli — Fleuve d'Allemagne.
11. Stibium — Partie du corps — Billet d'avion non daté.
12. Manitou — Couvrir.

**HORIZONTALEMENT**

1. Crier sans motif — Pronom personnel.
2. Recroquevillé — Plante herbacée.
3. Acte législatif émanant du roi — Éloigné.
4. Récipient de terre cuite — Erreur.
5. Capucin — Rassasié — Résine malodorante.
6. Lettre grecque — Station balnéaire de la Rome antique.
7. Issu — Quote-part de chacun dans un repas — Pronom indéfini (pl.).
8. Appellation — Nichon — Adjectif possessif.
9. Contrarié — Fleuve du sud de la France.
10. Écrivain français mort en 1982 — Unité de mesure de travail.
11. Qui reste sans résultat — Enjambée — Ville de Grande-Bretagne.
12. Monument — Obstiné.

**VERTICALEMENT**

1. Plante herbacée — Préposition.
2. Garçon d'écurie — Aimable — Ancien do.
3. Affection entre deux personnes — Pierre fine.
4. Charpente — Geindre.
5. Expert — Eau-de-vie — Gifle.
6. Fabrique — Lac du nord-ouest de la Russie.
7. Article contracté — Camarade — Armée.
8. Projectile lancé par canon — Négation.
9. Bruit rauque de la respiration — Détruire — Adverbe de lieu.
10. Produit qui fait lever le pain — Benêt.
11. Conifère — Communes — Rocher.
12. Détachée — Égorge.

218

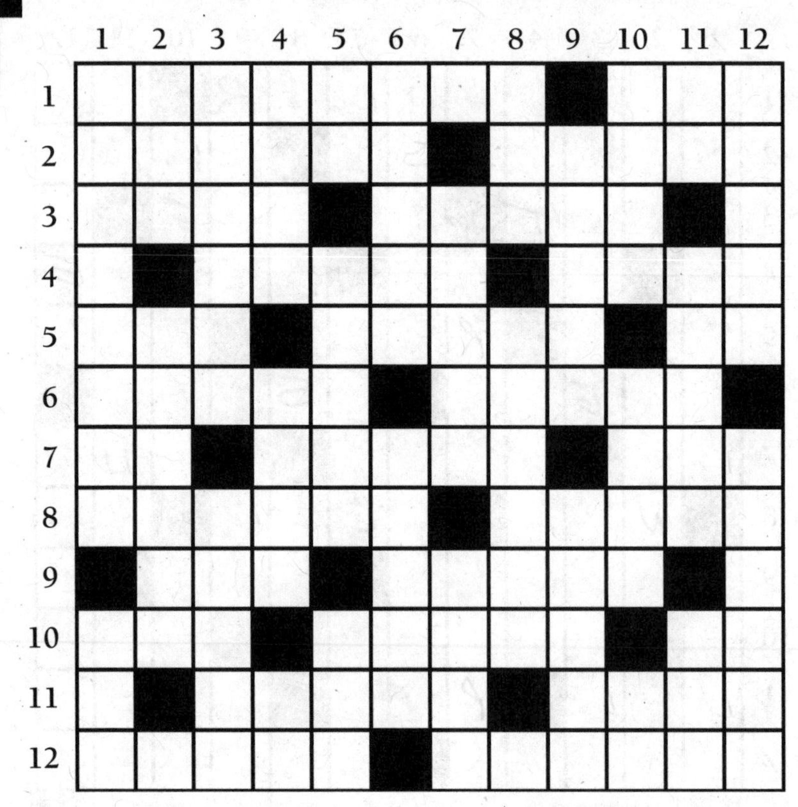

## HORIZONTALEMENT

1. Tissu qui produit une sécrétion sucrée — Lettre grecque.
2. Parasite de l'ordre des acariens — Cri d'un animal à qui on tord le cou.
3. Devenu rose — Gamète femelle animal.
4. Plante à fleurs jaunes — Port du Ghana.
5. Puissances éternelles émanées de l'être suprême — Outil tranchant à manche court — Lui.
6. Homme politique turc — Équipement de détection sous-marine.
7. Sodium — Armature de la selle — Jules.
8. Fourvoyer — Coiffure portée par certains dignitaires.
9. Ancienne unité de dose absorbée de rayonnements — Aussi.
10. Métal — Fruit charnu — Rad.
11. Prêtre français né en 1608 — Couleur de l'ébène.
12. Buse d'aérage — Sot.

## VERTICALEMENT

1. Alcaloïde de l'opium — Grosse verrue chez les bovins.
2. Critique italien — Catapulte servant à lancer des projectiles.
3. Établissement de jeux — Frère de Moïse.
4. Divisé en trois — Graminée aromatique — Los Angeles.
5. Or — Érosion — Façon.
6. Reculé — Boîte osseuse.
7. Dos — Perroquet d'Australie.
8. Bouclier — Pont flottant.
9. Ville de Suisse — Impératrice d'Orient.
10. Action de se ruer — Amoncellement — Opus.
11. Interjection exprimant le rire — Refléter — Blague.
12. Qui procède par huit — Couleur de cendre, gris ou bleuté.

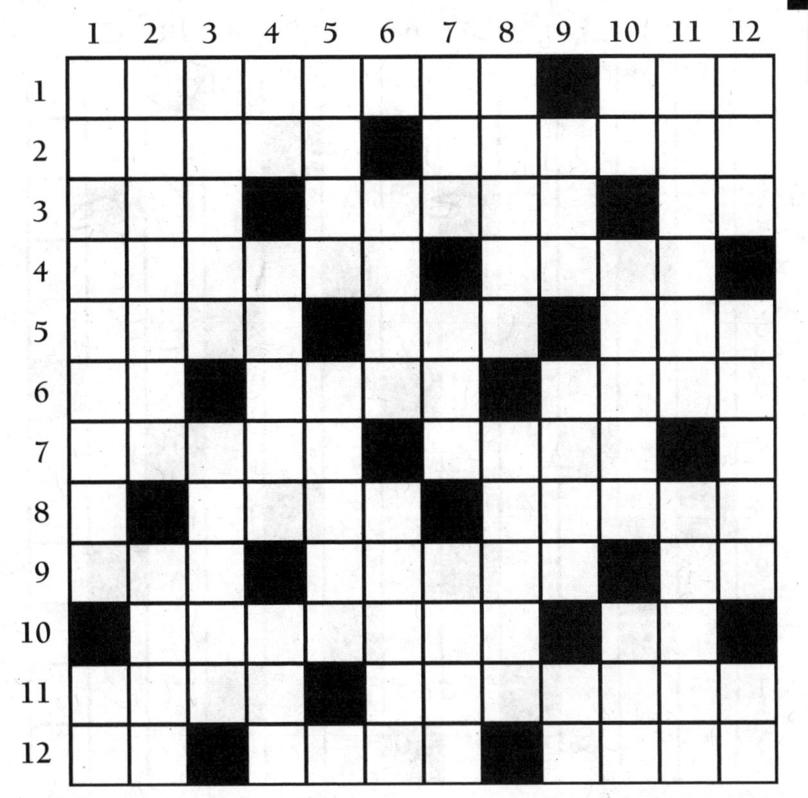

## HORIZONTALEMENT

1. Petite place d'une ville — Dancing.
2. Sur la Vesle, en Champagne — Sans tige apparente.
3. Fleuve d'Allemagne — Instrument de musique indienne — Conjonction.
4. Contester — Aéroport important d'Europe.
5. Hameau — Adjectif possessif — Onde.
6. Curie — Chaland à fond plat — Langue nigéro-congolaise.
7. Vif — Précieux.
8. Cordon littoral — Ch.-l. d'arr. de la Corrèze.
9. Pronom personnel — Éculé — Béryllium.
10. Quiproquo — Note.
11. Micro — Changement.
12. Numéro — Disconvenir — Poids.

## VERTICALEMENT

1. Moralisateur — Adjectif possessif.
2. Écrivain québécois — Négligé.
3. Dép. de la Région Picardie — Insulaire.
4. Centimètre — Aéroport du Japon — Arbre.
5. Ville d'Italie — Passer.
6. Fleuve d'Italie — Fruit à noyau.
7. Vaccin contre la typhoïde — Jamais — Rivière du S.-O. de l'Allemagne.
8. Fleuri — Inspirer.
9. Rivière de Suisse — Estimé — Lui.
10. Absorbé — Commune du Nord — Femme imaginaire.
11. Morceau de bœuf — Jeux.
12. Unité monétaire roumaine — Crie, en parlant d'un rapace nocturne — Sert à lier.

## 220

| | 1 | 2 | 3 | 4 | 5 | 6 | 7 | 8 | 9 | 10 | 11 | 12 |
|---|---|---|---|---|---|---|---|---|---|---|---|---|
| 1 | | | | | | | | | | ■ | | |
| 2 | | | | | | | | ■ | | | | |
| 3 | | | | | ■ | | | | | | ■ | |
| 4 | | ■ | | | | | ■ | | | | | |
| 5 | | | | ■ | | | | | ■ | | | |
| 6 | | | | | | ■ | | | | | | ■ |
| 7 | | | ■ | | | | | | | ■ | | |
| 8 | ■ | | | | | | | ■ | | | | |
| 9 | | | | | ■ | | | | | | ■ | |
| 10 | | ■ | | | | | ■ | | | | | |
| 11 | | | | ■ | | | | | ■ | | | |
| 12 | | | | | | ■ | | | | | | |

### HORIZONTALEMENT

1. Arbuste exotique cultivé en Europe — Ingurgité.
2. Prière — Oiseau échassier.
3. Crainte — Particulier à une région.
4. Demi — Crie, en parlant d'un rapace nocturne.
5. Boisson — Vin blanc — Possédée.
6. Une des trois parties égales — Qui prend les couleurs du prisme.
7. En matière de — Fils d'Abraham — Traditions.
8. Goût — Colorant minéral naturel.
9. Jeune cerf — Contrôlé.
10. Objet servant à se défendre — Domaine rural.
11. Article — Ourlet — Rivière de Suisse.
12. Permission de sortir — Camaraderie.

### VERTICALEMENT

1. Petite lope — Bronzage.
2. Unité de mesure agraire — Arboré — Ancien.
3. Haut-le-cœur — Met de niveau.
4. Fatigué et amaigri — Riveter.
5. Expert — Gros maillet — Courte lettre.
6. Fret d'un bateau — Déplacer.
7. Fille de Cadmos — Coiffure du pape — Note de musique.
8. Frire — Virage, en ski.
9. Unité monétaire de l'Iran — Personne asservie.
10. Musique de jazz lente — Mélange de cire et d'huile.
11. Bismuth — Clarté — Rayon.
12. Lichen filamenteux — Austère.

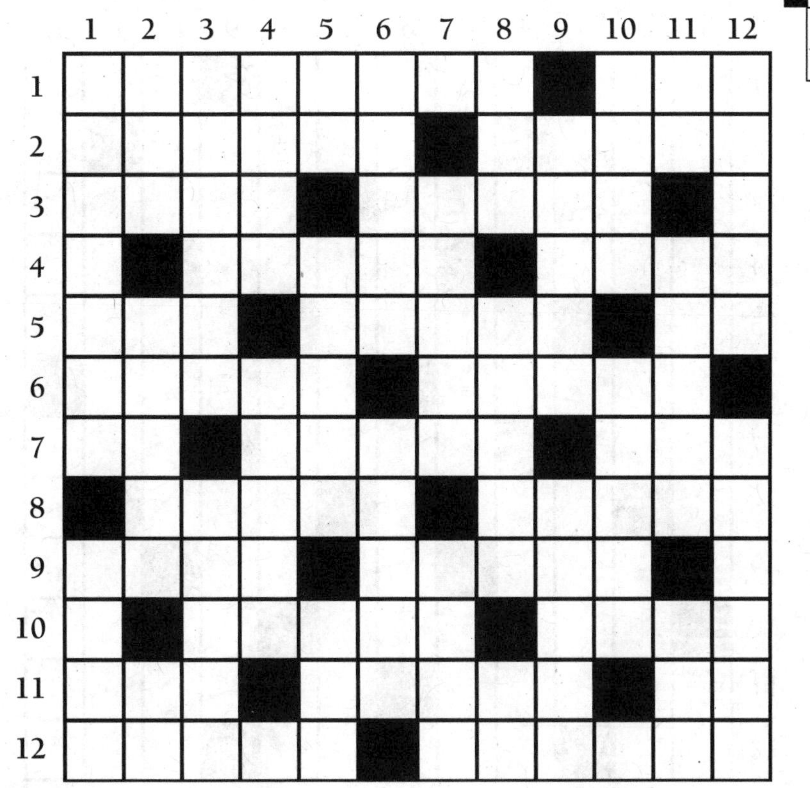

## HORIZONTALEMENT

1. Autorisé — Chef au-dessus du caïd.
2. Éclisse — Ville de Haute-Égypte.
3. Taché, en parlant d'un fruit — Jeu de cartes.
4. Accepter un défi — Percevoir.
5. Parasite intestinal — Muse de la Poésie lyrique — Adjectif démonstratif.
6. Obstruction de l'intestin —Ville de Slovaquie.
7. Nickel — Incertitude — Fleuve du Languedoc.
8. Indique une soustraction — Démanteler.
9. Pantalon — Ressemblance.
10. Service télégraphique — Prénom masculin.
11. Dans la rose des vents — Étudiant — Carcasse.
12. Riche — Manque.

## VERTICALEMENT

1. Petite flûte — Plante herbacée.
2. Double coup de baguette — Usé — Nobélium.
3. Passoire — Femme de lettres américaine.
4. Lac d'Italie — Ville d'Italie.
5. Cæsium — Instrument pour la mesure des poids — Unité monétaire roumaine.
6. Ville de Belgique — Ch.-l. d'arr. de la Corrèze.
7. Personnage représenté en prière — Obstacle équestre.
8. Unité monétaire principale de l'Albanie — Troisième personne — Voltampère.
9. Pratiquant — Faire son nid.
10. Coupe de cheveux — Vapeur d'eau.
11. Jeu de stratégie d'origine chinoise — Fils de Dédale — Ensemble de lettres.
12. Étranger — Résidu éteint.

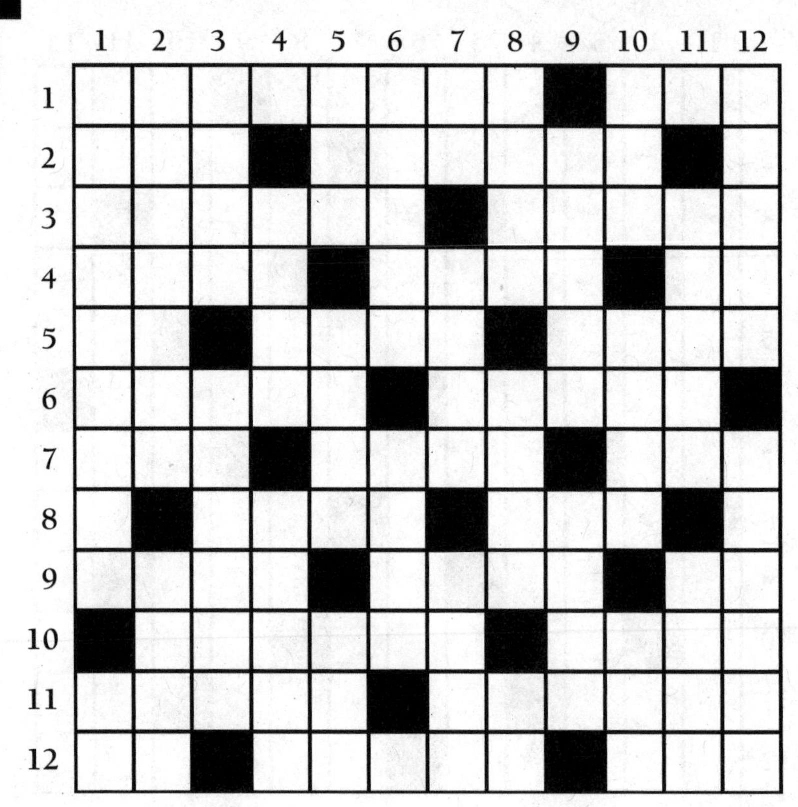

## HORIZONTALEMENT

1. Poisson à grosse tête hérissée d'épines — Épaule d'animal.
2. Désigné par élection — Espèce de crocodile.
3. Percher — Arc brisé gothique.
4. Lac d'Italie — Futé — Infinitif.
5. Pouah — De même — Neuvième heure du jour.
6. Ladrerie — Pomme de terre allongée.
7. Perroquet — Fringale — Et le reste.
8. Fibre de noix de coco — Rivière de Suisse.
9. Tissu de laine — Couperose — Opus.
10. Bout — Exprimer.
11. Passer à gué — Plante à fleurs pourpres.
12. Squelette — Divaguer — Bandes d'étoffe.

## VERTICALEMENT

1. Soupape de chaudière à vapeur — Jeu d'origine chinoise.
2. Variété de sorbier — Ville d'Espagne.
3. Absorbe — Noix ovale.
4. Héritier — Se décider.
5. Terme de tennis — Provocation — Partie d'un hectare.
6. Rivière de France — Un des fils de Sem.
7. Conjonction — Souverain du royaume d'Israël — Dernier repas.
8. Émeu — Octroi de la vie sauve à un ennemi — Iridium.
9. Mandataire — Poète épique et récitant.
10. Ancienne capitale d'Arménie — Soulager — Rivière d'Alsace.
11. Enceinte demi-circulaire de filets — Bordure étroite.
12. Quantité de bois — Touffes de jeunes tiges de bois.

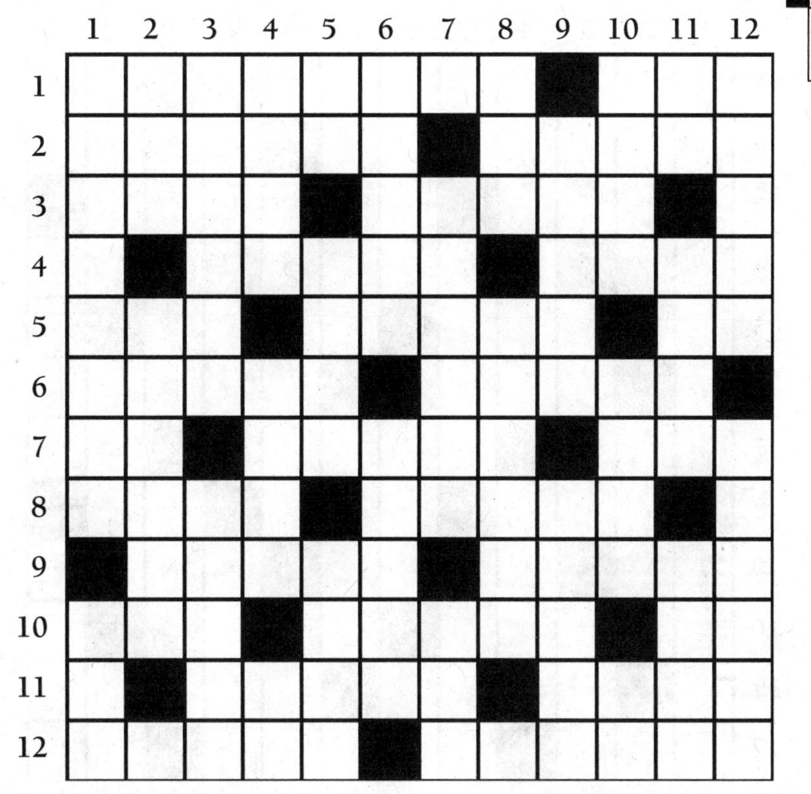

## HORIZONTALEMENT

1. Respirer avec peine — Professionnel.
2. Qui a la blancheur de l'ivoire — Arbrisseau du genre viorne.
3. Moine bouddhiste — Manger.
4. Garnir d'une èche — Haussé.
5. Assemblée russe — Ancien nom de l'oxyde d'uranium — Métal précieux.
6. Vedette admirée du public — Appendice fin.
7. Chiffres romains — Éloigné — Interjection exprimant le doute.
8. Dieu des Vents — Répit.
9. Costume — Œuf de pou.
10. Unité monétaire bulgare — Dépouiller de son écorce — Conjonction.
11. Colère — Pays.
12. Hausse d'un demi-ton en musique — Jeûne.

## VERTICALEMENT

1. Poisson voisin du thon — Garçon d'écurie.
2. Ville du sud-est du Nigeria — Crétine.
3. Matricule — Babine.
4. Peur — Sert à attacher — Restes.
5. Adverbe de lieu — Conspues — Presse.
6. Agile — Édifice consacré à la musique.
7. Prophétie — Extrémité effilée de certains instruments à air.
8. Terme de bridge — Incrustation d'émail noir.
9. Se plaindre sur un ton niais — Rendre moins touffu.
10. Plus mauvais — Fleuve d'Europe occidentale — Règle de dessinateur.
11. Note — Engagement religieux — Équipe.
12. Garnir — Petite parcelle.

224

## HORIZONTALEMENT

1. Grosse pipe à tuyau court — Nobélium.
2. Inepte — Versant d'une montagne exposé.
3. Raire — Ébaubir.
4. Bisexuel — Ardents — Effet comique rapide.
5. Déambuler — Paradis.
6. Femme d'Osiris — Sûr.
7. Port du Japon — Jambe — Meilleur en son genre.
8. Jamais — Bison d'Europe — Lettre grecque.
9. Année — Homme misérable — Entassement.
10. Angine de poitrine — Zone externe du globe terrestre.
11. Ancienne mesure de longueur — Trône.
12. Mèche de cheveux — Envol — Or.

## VERTICALEMENT

1. Plante vivace à fleur bleue — Rivière de Suisse.
2. Obtempérer — Ville d'Allemagne.
3. Râpé — Bagatelle —Enjoué.
4. Rages — Légume.
5. Francium — Prise des mains sur un club de golf — Fleuve d'Irlande.
6. Port du Yémen — Hareng fumé — Préposition.
7. Instrument de musique médiéval à trois cordes — Fort.
8. Personne originaire d'Asie — Terme de photographie.
9. Marque le doute — Prénom féminin — Pareil.
10. Qui louche — Entassement.
11. Ville du Japon — Chemin de fer — Gallium.
12. Ancien oui — Roche sédimentaire — Émou.

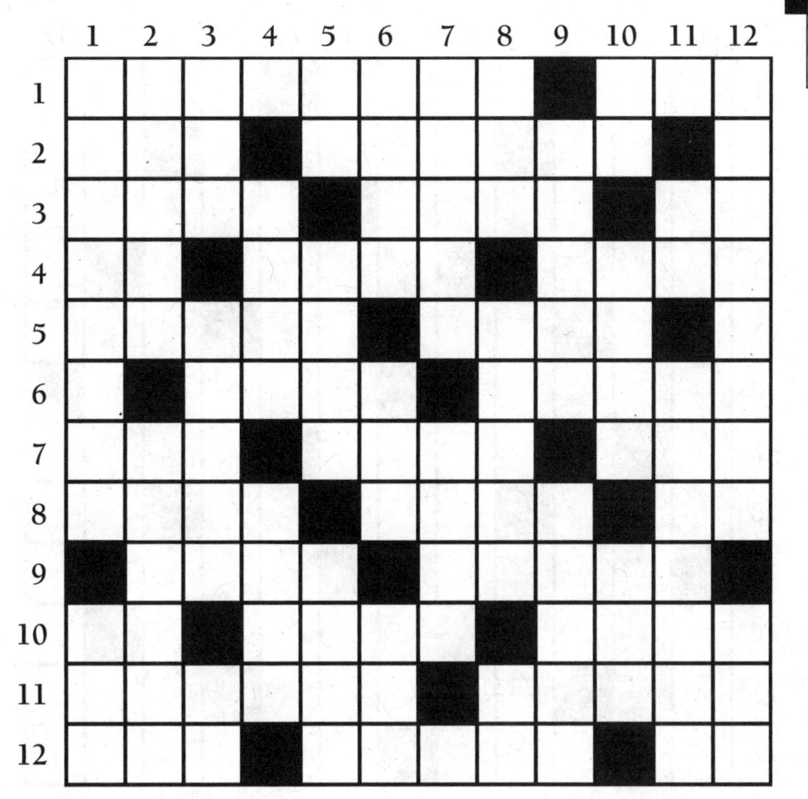

**HORIZONTALEMENT**

1. Baie à écorce épaisse — Fleuve d'Afrique.
2. Rivière de l'Éthiopie — Usuelle.
3. Au golf, coup joué sur le green — Ville de Belgique — Iridium.
4. Article espagnol — Ch.-l. d'arr. du Gard — Blafard.
5. Marais du Péloponnèse — Commune du Morbihan.
6. Manière d'être — Poire utilisée pour le lavage du conduit auditif.
7. Femme de lettres américaine — D'une très petite taille — Plante potagère à odeur forte.
8. Ville de Grande-Bretagne — Poil rude du porc — Adjectif démonstratif.
9. Ch.-l. de c. d'Eure-et-Loir — Boire à coups de langue.
10. Lui — Outil du génie civil —Embarcation à fond plat.
11. Défaillance d'ordre sexuel chez l'homme — Île néerlandaise.
12. Unité monétaire japonaise — Très minces — Conjonction.

**VERTICALEMENT**

1. Tissu — Commune du Calvados.
2. Personne qui cherche à égaler quelqu'un — État d'Europe.
3. Vase — Résiliation d'un bail — Année.
4. Tellement — Lac d'Écosse.
5. Lettre grecque — Cinéaste britannique né en 1908 — Délicatesse.
6. Affluent de la Dordogne — Ramassis — Écrivain américain.
7. Hausse d'un demi-ton en musique — Héroïne légendaire grecque, épouse d'Héraclès.
8. Septième lettre de l'alphabet grec — Ver plat et segmenté — Or.
9. Commune de Belgique — Dispersé.
10. Préposition — Événement imprévisible — Bouclier.
11. Lui — Bactérie.
12. Chien terrier à poil dur — Pianiste français né en 1890.

**226**

| | 1 | 2 | 3 | 4 | 5 | 6 | 7 | 8 | 9 | 10 | 11 | 12 |
|---|---|---|---|---|---|---|---|---|---|---|---|---|
| 1 | | | | | | | | ■ | | | | |
| 2 | | | | ■ | | | | | | ■ | | |
| 3 | | | | | | | ■ | | | | | |
| 4 | | | | | ■ | | | | | | ■ | |
| 5 | | | ■ | | | | | | ■ | | | |
| 6 | | | | | | ■ | | | | | | ■ |
| 7 | | ■ | | | | | | ■ | | | | |
| 8 | | | | ■ | | | | | | ■ | | |
| 9 | ■ | | | | | | ■ | | | | | |
| 10 | | | | | ■ | | | | | | ■ | |
| 11 | | | ■ | | | | | | ■ | | | |
| 12 | | | | | | ■ | | | | | | |

## HORIZONTALEMENT

1. Petit singe d'Amérique du Sud — Abhorres.
2. Moi — Acte de pensée — Cérium.
3. Appareil servant à broyer — Milieu, centre.
4. Ancienne unité monétaire du Pérou — Symbole graphique.
5. Lithium — Auteur dramatique danois — Éructation.
6. Cinéaste italien prénommé Sergio — Port du Japon.
7. Traître — Benêt.
8. Navire — Lac du nord-ouest de la Russie — Indium.
9. Spacieux — Conservatoire.
10. Capitale de l'Ukraine — Station balnéaire d'Israël.
11. Idem — Nommé des lettres — Capucin.
12. Os de la cuisse — Défense.

## VERTICALEMENT

1. Cépage blanc du Bordelais — Poudre de haschisch.
2. Disparition progressive — Bouclier.
3. Attrait — Ouverture.
4. Plante grimpante — Révélation.
5. Homogène — Huître à chair brune — Praséodyme.
6. Ancien nom d'une partie de l'Asie Mineure — Averse.
7. Issu — Copie conforme — Ville du Nigeria.
8. Jeune saumon — Paralyser.
9. Interjection familière d'interrogation — Matière textile.
10. Terrain — Ville du Japon.
11. Ville du Pérou — Engin — Argon.
12. Conseil souverain de la Rome antique — Faiblesse.

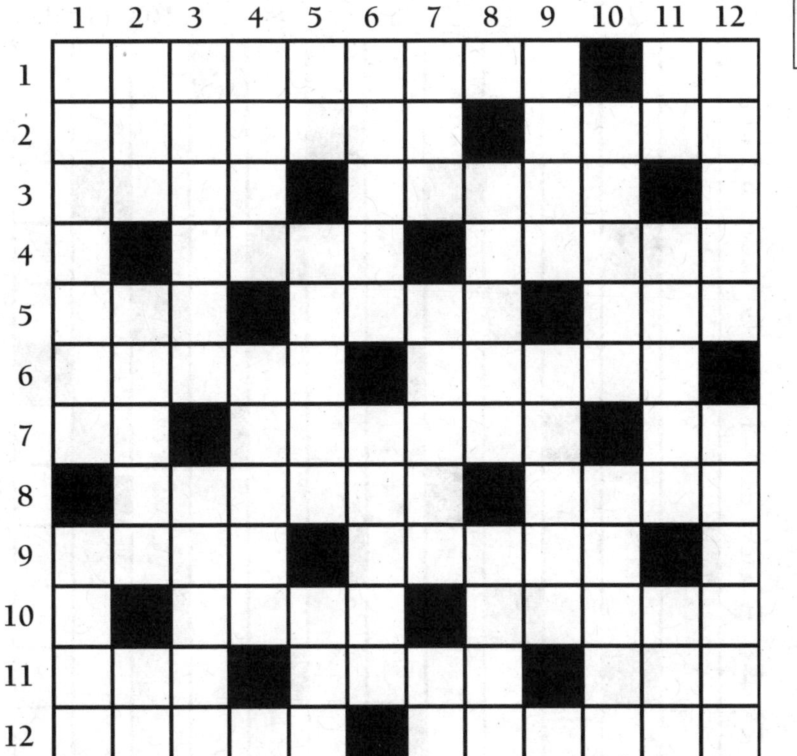

## HORIZONTALEMENT

1. Lutter — Aluminium.
2. Frais de scolarité — Fils d'Isaac.
3. Ch.-l. du dép. des Alpes-Maritimes — Ce qui n'existe pas.
4. Rivière de Suisse — Bougé.
5. Particule affirmative — Estonien — Époque.
6. Foncera (Se) — Nécessaire.
7. Thallium — Poinçons — Interjection.
8. Guindé — N'ayant subi aucune teinture.
9. Râpée — Catégorie.
10. Beaucoup — Mammifère ruminant.
11. Recueil de bons mots — Benêt — Monnaie.
12. Pronom démonstratif — Plaire.

## VERTICALEMENT

1. Assistance — Dans la montagne, versant à l'ombre.
2. Adverbe de lieu — Chatons de certaines fleurs — Issu.
3. Relative à la voix — Corps simple.
4. Hasard — Réduire en poudre grossière.
5. Note de musique — Royale — Ceinture japonaise.
6. Ardents — Fabuliste grec.
7. Homme politique français — Récepteur de modulation de fréquence — Tantale.
8. Os de poisson — Course à courre simulée.
9. Guide — Rivière des Alpes du Nord.
10. Femme de lettres française — Présumé.
11. Association pour alcooliques — Garnir — Patriarche biblique.
12. Caprice extravagant — Tout liquide organique.

228

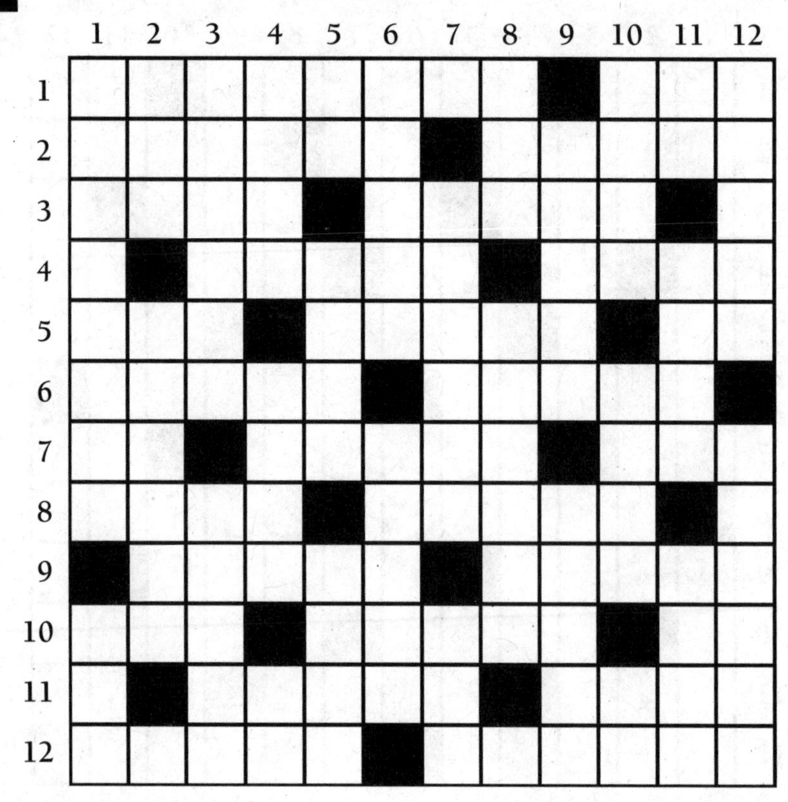

## HORIZONTALEMENT

1. Psaume — Plante herbacée.
2. Archipel portugais de l'Atlantique — Appareil de levage.
3. Terrains que la mer laisse à découvert — Senne.
4. Petit cheval de race espagnole — Ancienne pièce de cinq francs.
5. Puissances éternelles émanées de l'être suprême — Tique — Iridium.
6. Bedonnant — Impératrice d'Orient.
7. Largeur d'une étoffe — Pousse son cri, en parlant du hibou — Fleuve du Languedoc.
8. Nom de quatorze rois de Suède — Ambassadeur du Saint-Siège.
9. Billet de sortie — Ville de Syrie.
10. Son perçant — Pas en vers — Platine.
11. Fleuve de Russie — Espace de temps du coucher au lever.
12. Pitié — Ch.-l. de c. de Maine-et-Loire.

## VERTICALEMENT

1. Saillie osseuse de la cheville — Cheval assez trapu.
2. Ville du Pérou — Accabler de dettes.
3. Net, propre — Roi des Lapithes.
4. Gaélique — Absorbe — Do.
5. Dieu solaire — Maréchal de France — Rauque.
6. Comté d'Angleterre — Personne qui professe des opinions extrêmes.
7. Destin — Rivière de Roumanie.
8. Mèche de cheveux — Grands filets.
9. Géant, fils de Poséidon et de Gaia — Courtois.
10. Couleur — Son musical — Patrie d'Abraham.
11. Los Angeles — Ne pas reconnaître — Lavande dont on extrait une essence odorante.
12. Lieu de souffrances — Trop mûre et altérée.

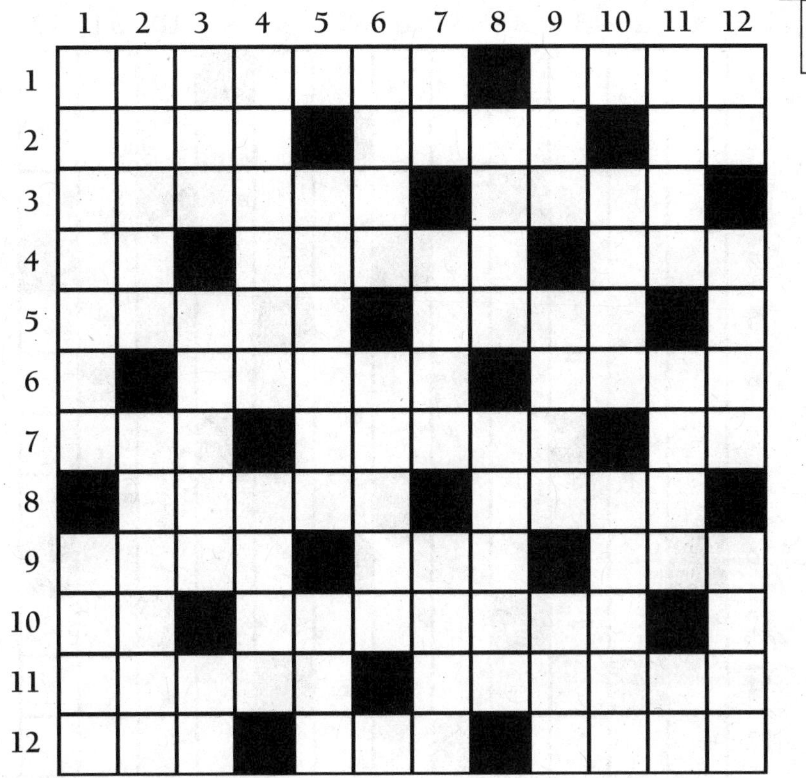

**HORIZONTALEMENT**

1. Petit poisson comestible à écailles argentées — Chant portugais.
2. Charge très pesante — Figure de patinage artistique — Ruisselet.
3. Union — Ville de Galilée.
4. Américium — Mettre par lits — Trou dans un mur.
5. Trépas — Lieu artificiel d'un cours d'eau.
6. Os de poisson — Provocation.
7. Supplément — Peine — Rhénium.
8. Épée courte — Fleuve du Kazakhstan.
9. Haut plateau des Andes — Pièce de la charrue — Fleur.
10. Lui — Sans pareil.
11. Profil — Amincir par l'usage.
12. Dans la rose des vents — Vaste étendue — Lolo.

**VERTICALEMENT**

1. Édulcorer — Tas.
2. Onguent — Ancien port d'Éthiopie.
3. Fleur — Vareuse — Germanium.
4. Expatrier — Dividende.
5. Vertébré ovipare — Petit pâté impérial.
6. Autant — Doctrine.
7. Ancien — Ville du Cameroun — Ville de Hongrie.
8. Qui est à l'état naturel — État d'Asie.
9. Double coup de baguette — De même — Plante herbacée.
10. Addition — Livide.
11. Tissu de laine — Usure des monnaies en circulation — Dans.
12. Sinon — Grand Lac — Confiante.

## 230

| | 1 | 2 | 3 | 4 | 5 | 6 | 7 | 8 | 9 | 10 | 11 | 12 |
|---|---|---|---|---|---|---|---|---|---|---|---|---|
| 1 | | | | | | | | | ■ | | | |
| 2 | | | | | | | ■ | | | | | |
| 3 | | | | ■ | | | | | | ■ | | |
| 4 | | | | | | ■ | | | | | | ■ |
| 5 | | ■ | | | | | | ■ | | | | |
| 6 | | | | | ■ | | | | | | ■ | |
| 7 | | | ■ | | | | | | ■ | | | |
| 8 | | | | | | ■ | | | | | | |
| 9 | ■ | | | | | | ■ | | | | | ■ |
| 10 | | | | ■ | | | | | | ■ | | |
| 11 | | ■ | | | | | | ■ | | | | |
| 12 | | | | | ■ | | | | | | | |

### HORIZONTALEMENT

1. Rythme de martèlement des talons — Berceau.
2. Réaliser — Bois noir.
3. Canton de Suisse centrale — Nouvelle — Note.
4. Résiliation d'un bail — Dividende.
5. Intérieur d'un cigare — Vitesse acquise d'un navire.
6. Sert à attacher — Inflammation de l'oreille.
7. Lutécium — Différent — Patriarche biblique.
8. Palmier d'Afrique — Impressionner.
9. Nostalgie — Oiseau d'Australie.
10. Armée — Hagard — Versus.
11. Arbre d'Europe — Exceptionnel.
12. Portion d'un espace — Écossés.

### VERTICALEMENT

1. Petite tour — Jamais.
2. Rude — Myriapodes noirs et luisants.
3. Entourée — Greffai.
4. Métal précieux — Rivière du Bassin parisien — Article indéfini.
5. Négation — Familier.
6. Époque — Récipient — Produit par l'action du feu.
7. Canal excréteur — Firme de fabrication électrique allemande.
8. Liquide nutritif tiré du sol — Ville de Belgique.
9. Nigaud — Blessante.
10. Béryllium — Nombre — Douze mois.
11. Lieu destiné au supplice des damnés — Activité.
12. Roue à gorge — Ville de Hongrie — Adjectif possessif (pl.).

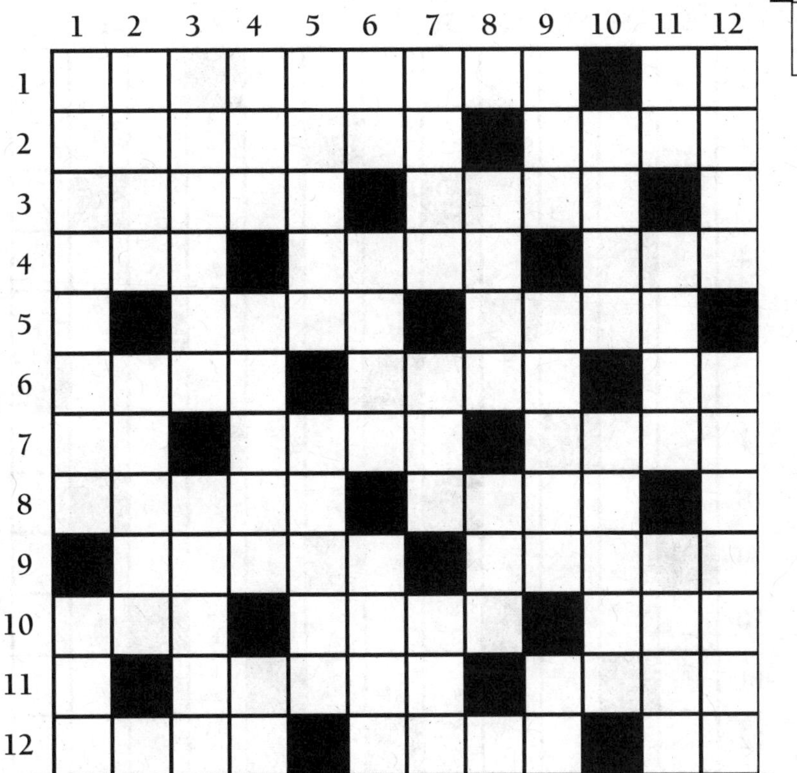

## HORIZONTALEMENT

1. Apparition brusque d'une nouvelle espèce vivante — Aluminium.
2. Immobiles — Se décide.
3. Crustacé voisin des cloportes — Prénom féminin.
4. Baie où se trouve Nagoya — Poésie — Lettre grecque.
5. Partie inférieure ou centrale d'une voûte — Souci.
6. Ne pas reconnaître — Affluent de la Dordogne — Pronom personnel.
7. Lettre grecque — Violent — Port du Portugal.
8. Ce qu'il y a de plus distingué — Affolement.
9. Fuite — Défraîchi.
10. Lettre grecque — Un des États-Unis d'Amérique — Harnais.
11. Arbres — Gaz intestinal.
12. Flétri — Lotte — Ferrure.

## VERTICALEMENT

1. Fibre continue de verre — Nez.
2. Badiane — Myriapodes noirs et luisants.
3. Licencieuse — Roi des Lapithes.
4. Présélection — Muse de la Poésie lyrique — Dieu solaire.
5. Coup porté avec une partie du corps — Bâton en forme de crosse.
6. Tellure — Fusionner — Commune du Morbihan.
7. Femme d'Osiris — Partie de la charrue — Volcan du Japon.
8. Royal — Marque le doute.
9. Signature — Résistance — Cale en forme de V.
10. Enjeu — Bédouin.
11. Astate — Exécrer — Mitaine.
12. Jeu de construction — Jeune femme élégante et facile.

## 232

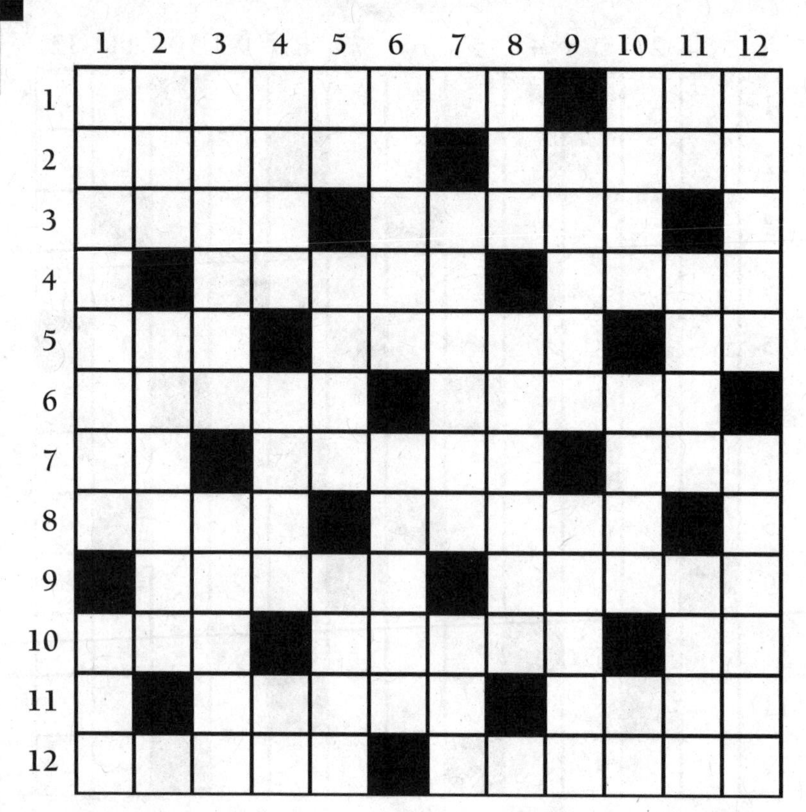

### HORIZONTALEMENT

1. Boutique — Onomatopée.
2. Herbe aquatique vivace — Cétone de la racine d'iris.
3. Fleuve de la Corse — Cépage français réputé.
4. Dénonciateur — Graisse animale.
5. Très court — Groupe comprenant huit éléments binaires — Sa Sainteté.
6. Enjoué — Magistrat municipal.
7. Infinitif — Monde des escrocs — Atome.
8. Mauvais ragoût — Excédent.
9. Dégagement — Dispositif de détection sous-marine.
10. Recueil de pensées — Fils du beau-frère — Ricané.
11. Raller — Envolée.
12. Fracassé — Abrégé.

### VERTICALEMENT

1. Marquer de couleurs contrastantes — Courbe.
2. Volcan du Japon — Alliage à base de cuivre.
3. Chartérisé — Souverains serbes.
4. Tube fluorescent — Poison végétal — Arsenic.
5. Sert à lier — Ambré — Assemblée.
6. Ville du Mexique occidental — Garnir.
7. Jaunisse — Asticot.
8. Femme de lettres américaine — Ville de Mésopotamie.
9. Rœsti — Remorques.
10. Poisson d'eau douce — Liaison — Lutécium.
11. Année — Lac d'Italie — Un des fils de Sem.
12. Nouveaux — Naseau.

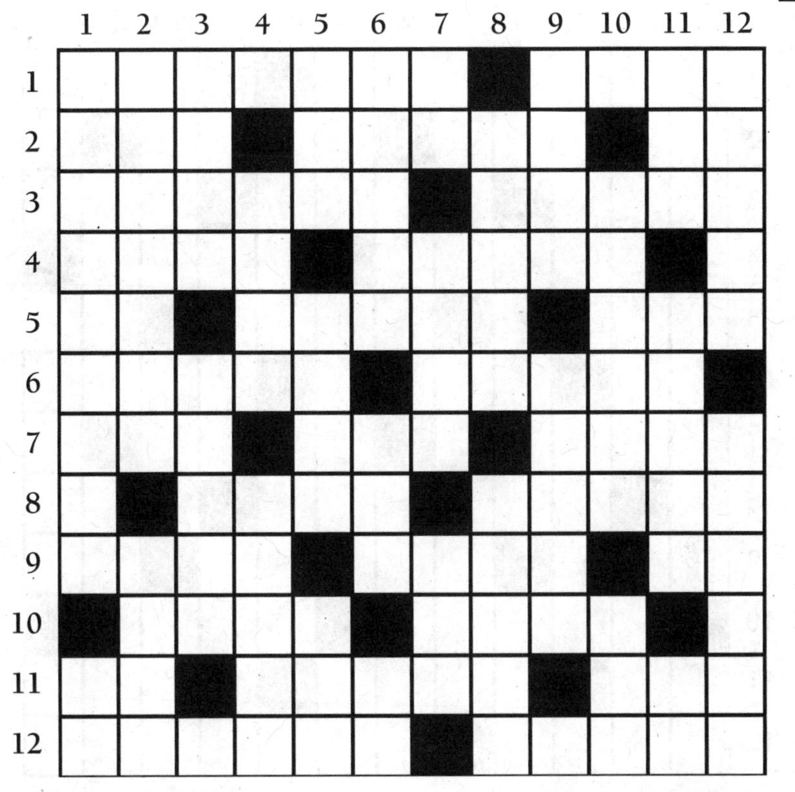

## HORIZONTALEMENT

1. Bordure — Mammifère ruminant ongulé.
2. Réponse positive — Applaudissement — Curie.
3. Relatif à l'utérus — Enchères.
4. Exceptionnel — Assaisonnement.
5. Brome — Endommagé par le feu — Production pathologique liquide.
6. Conseiller municipal — État des Etats-Unis.
7. Pareil — Personne bavarde — Identique.
8. Projectile lancé par canon — Amphithéâtre sportif.
9. Estonien — Ourlet — Titane.
10. Jeu de construction — Naturel.
11. 3,1416 — Algues vertes marines — Événement.
12. Rudesse désagréable — Concurrent.

## VERTICALEMENT

1. Politesse exagérée — Pascal.
2. Oiseau échassier — Caleçon.
3. Démentir — Personne asservie.
4. Ancienne monnaie espagnole — Atteint de bégaiement.
5. Ceinture japonaise — Rassasié — Rivière de Roumanie.
6. Vases — Échelle, en photographie — Cale en forme de V.
7. Roulement de tambour — Agave d'Amérique — Ancien Premier ministre de l'Ontario.
8. Qui présente des veines bleues — Fruit de l'alisier.
9. Conjonction — Vin blanc sec.
10. Variété de vignes — Ancienne monnaie.
11. Ville du Pérou — Épuisant — Aluminium.
12. Personne sans envergure — Lien.

234

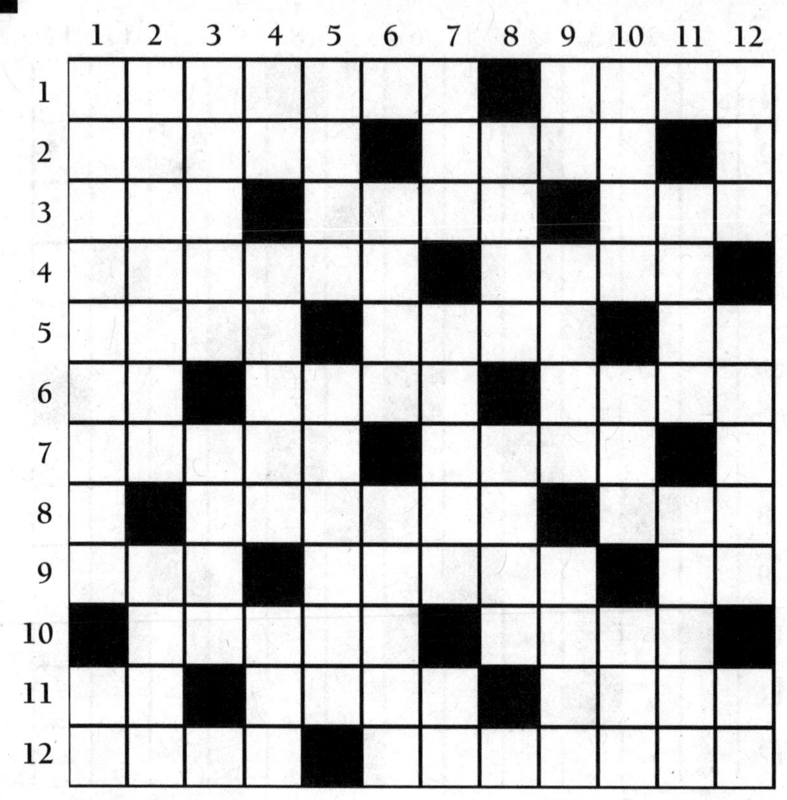

## HORIZONTALEMENT

1. Attifé — Commune de Belgique.
2. Baguette — Versant d'une montagne exposé au nord.
3. Impayée — Prix fixé d'une manière autoritaire — Peuple noir du Nigeria oriental.
4. Salutaires — Ouverture donnant passage à l'eau.
5. Dernier repas — Pièce du jeu d'échecs — Interjection.
6. Pronom personnel — Fourrure de petit-gris — Rivière de Suisse.
7. Ville de la Jordanie — Dépourvu de valeur.
8. Utilisateur — Ville du Pérou.
9. Ville de Yougoslavie — Gâcher — Hassium.
10. Aigreur — Bolet.
11. Adjectif démonstratif — Maître de maison — Personne du sexe féminin.
12. Troisième fils de Jacob — Entortiller.

## VERTICALEMENT

1. Mouvement qui écarte un membre — Chlore.
2. Provocateur — Aperçu.
3. Mors — Conduit, tuyau.
4. Patrie d'Abraham — Banlieue de Québec — Lettre grecque.
5. Sot — Lentement.
6. Ville d'Italie — Emplacement à l'avant du navire.
7. Pronom personnel — Lézard apode insectivore — Dans.
8. Ravissant — Aréquier.
9. Alcooliques Anonymes — Résidu pâteux de la houille — Ville du Nevada.
10. Sciotte — Ancienne capitale d'Arménie — Pièce honorable de l'écu.
11. Rêver, rêvasser — Grand arbre.
12. Ancien nom de Tokyo — Interjection exprimant le regret — Argon.

## HORIZONTALEMENT

1. Mesure d'un terrain avec la chaîne d'arpenteur — Agence de presse américaine.
2. Duvets de certaines plantes — Bagage.
3. Ouverture donnant passage à l'eau — Cantique.
4. Ricané — Inclinant — Lui.
5. Personne asservie — Répété continuellement.
6. Exigeants — Paradis.
7. Retirée — Levant.
8. Officier de Louis XV — Ch.-l. de c. de Maine-et-Loire.
9. Garçon — Souverain serbe — Thallium.
10. Cérium — Ville du sud-ouest du Nigeria — Agave du Mexique.
11. Souple — Révolte.
12. Dieu des bergers — Bride — Adjectif démonstratif.

## VERTICALEMENT

1. Religieuse de l'ordre de sainte-Claire — Pointe de terre.
2. Malin — Lettre grecque.
3. Ouille — Relative à la brebis — Indium.
4. Absurdes — Filament fin.
5. De naissance — Frugivore — Métal gris.
6. Aspirant — Gratin.
7. Tamisées — Préposition.
8. Provient — Humaniste hollandais né en 1469.
9. Autrui — Brame.
10. Ville d'Allemagne — Vue — Sève.
11. Bourrées — Manie.
12. C'est-à-dire — Plantes herbacées.

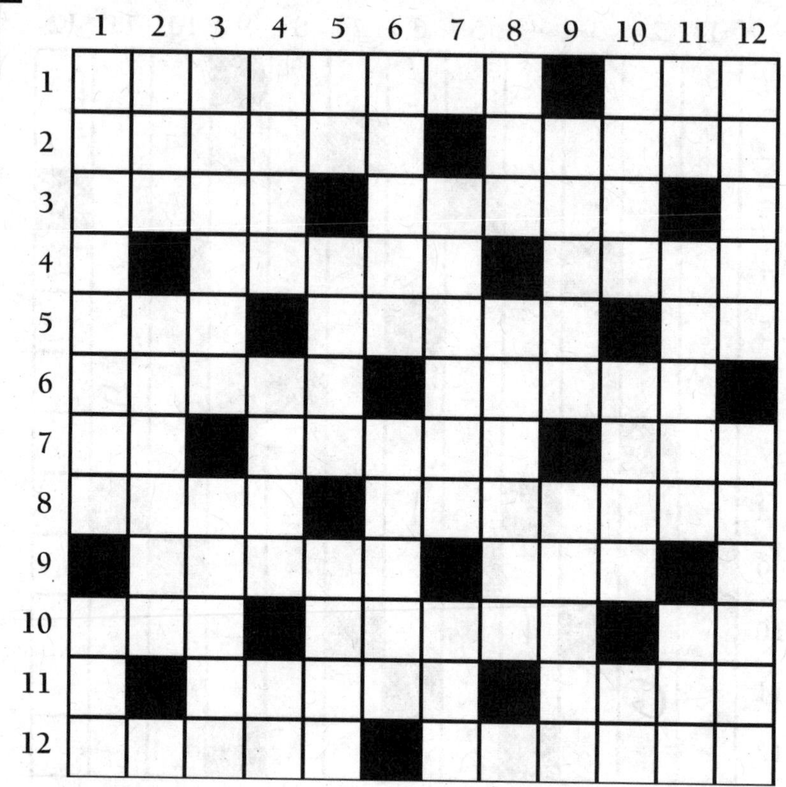

## HORIZONTALEMENT

1. Avoir en quantité — Éclat de voix.
2. Adepte — Fluide très subtil.
3. Manches, au tennis — Poisson de mer.
4. Ville d'Italie — Pays voisin de l'Irak.
5. Labiée à fleurs jaunes — Canneberge — Cérium.
6. Danger immédiat — Plaque destinée au pavement du sol.
7. Erbium — Punir — Unité monétaire du Danemark.
8. Unité monétaire de l'Iran — Immobiles.
9. Sujet — Métamorphose.
10. Roue à gorge — Capitale de l'Algérie — Règle de dessinateur.
11. Fleuve de l'Afrique occidentale — Palmier d'Asie.
12. Arbre commun dans nos forêts — Brisé.

## VERTICALEMENT

1. Chasser — Bagarre.
2. Dans la rose des vents — Sincérité.
3. Boisson apéritive amère — Fait de grands efforts.
4. Ville du Japon — Rivière de l'ouest de la France — Préfixe privatif.
5. Rigolé — Bruit rauque de la respiration — Devin.
6. Amertume — Instrument de musique.
7. Insignifiant, sans danger — Convenance.
8. Étendue désertique — Jeûne.
9. Course motocycliste d'obstacles — Agricole.
10. Dispendieux — Poisson d'eau douce — Roulement de tambour.
11. Dieu solaire — Mordant — Récipient en terre réfractaire.
12. Cétone de la racine d'iris — Race.

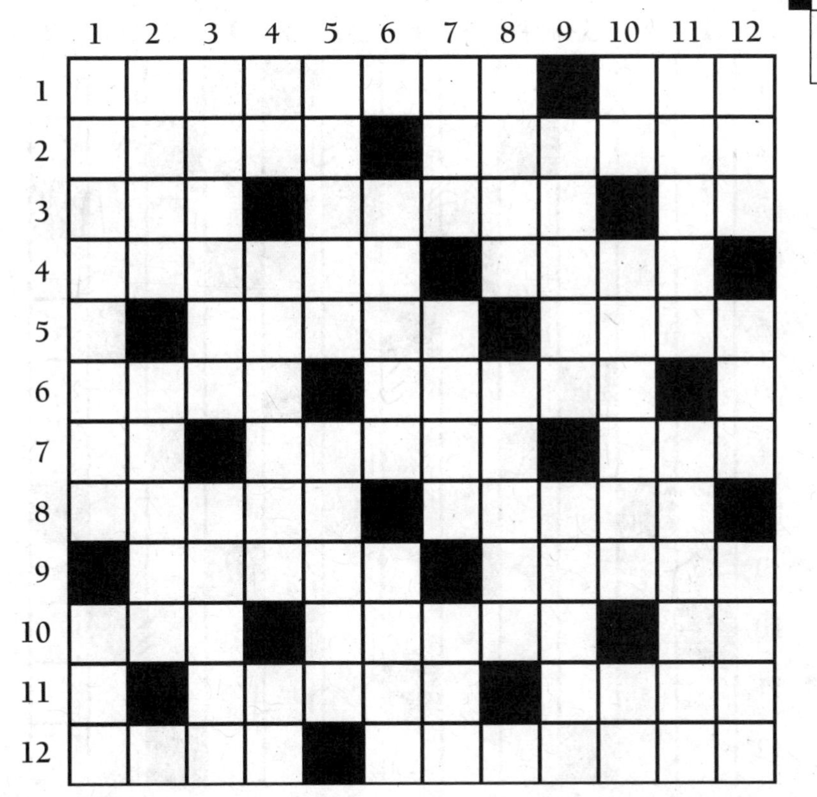

## HORIZONTALEMENT

1. Qui témoigne d'une pruderie excessive — Degré de qualification d'une ceinture noire.
2. Émissaire — Fait sécher.
3. Unité monétaire japonaise — Distrait — Molybdène.
4. Réceptacle en forme de pyramide renversée — Greffon.
5. Gros — Essai.
6. Lointain — Sédum.
7. Los Angeles — Fleuve de l'Inde — Société américaine de réseau téléphonique.
8. Poursuivre en justice — Lieux de délices.
9. Sortie — Individu.
10. Ville du Japon — Crie, en parlant du cerf — Adjectif possessif.
11. Tarin — Masochiste.
12. Ravissant — Essuyés.

## VERTICALEMENT

1. Ouvrage de fortification — Large cuvette.
2. Ville de Hongrie — Refuge.
3. Plante sauvage des hautes montagnes — Garde du sabre japonais.
4. Pronom indéfini — Consommes — Lutécium.
5. Métal blanc grisâtre — Île néerlandaise.
6. Alcaloïde extrait du peyotl — Gaélique.
7. Unité monétaire roumaine — Presse — Afrique Équatoriale Française.
8. Crochet — Bâton en forme de crosse.
9. Sincère — Poire utilisée pour le lavage du conduit auditif.
10. Ut — Disciple — Actinium.
11. Équipés — Mouche du genre glossine.
12. Nouveau — Précocement — État à l'ouest du Vietnam.

## 238

| | 1 | 2 | 3 | 4 | 5 | 6 | 7 | 8 | 9 | 10 | 11 | 12 |
|---|---|---|---|---|---|---|---|---|---|---|---|---|
| 1 | | | | | | | | ■ | | | | |
| 2 | | | | ■ | | | | | | ■ | | |
| 3 | | | | | | | ■ | | | | | ■ |
| 4 | | | | | ■ | | | | ■ | | | |
| 5 | | | | | | ■ | | | | | ■ | |
| 6 | | | ■ | | | | | ■ | | | | |
| 7 | | | | ■ | | | | | | ■ | | |
| 8 | | ■ | | | | | ■ | | | | | ■ |
| 9 | | | | | ■ | | | | ■ | | | |
| 10 | ■ | | | | | | | ■ | | | ■ | |
| 11 | | | | | | ■ | | | | | | |
| 12 | | | ■ | | | | | | | ■ | | |

### HORIZONTALEMENT

1. Genre de papillon diurne — Secrétariat de rédaction.
2. Le sujet — Repas — Iridium.
3. Frôler — Équipe.
4. Désavantagé — Marque le doute — Atome.
5. Représentant — Port du Ghana.
6. Ferrure — Ville du Japon — Ville de l'Abitibi.
7. Colère — Ville de Finlande — Laize.
8. But que l'on vise — Ville du Québec.
9. Arbre d'Afrique utilisé en médecine — Ville du Maroc — Ivette.
10. Défonceuse — Étain.
11. Bouffon — Approprié.
12. Ancien oui — Aiguilles — Sinon.

### VERTICALEMENT

1. Diminution durable des prix — Fleuve d'Italie.
2. Incorporer — Prénom masculin.
3. Dispute — Noté.
4. Sagesse — Ladrerie.
5. Poisson d'eau douce — Meurtri — Tonus.
6. Déclaration — Maladresse.
7. Préposition — Un des États-Unis d'Amérique — Irlande.
8. Aiche — Amoncellement — Petit cube.
9. Fleuve d'Afrique — Marteau — Signal de détresse.
10. Exclamation exprimant le plaisir de manger — Micro.
11. Bois d'un arbre africain — Nom de rois de Norvège — Nobélium.
12. Krypton — Fichu — Émou.

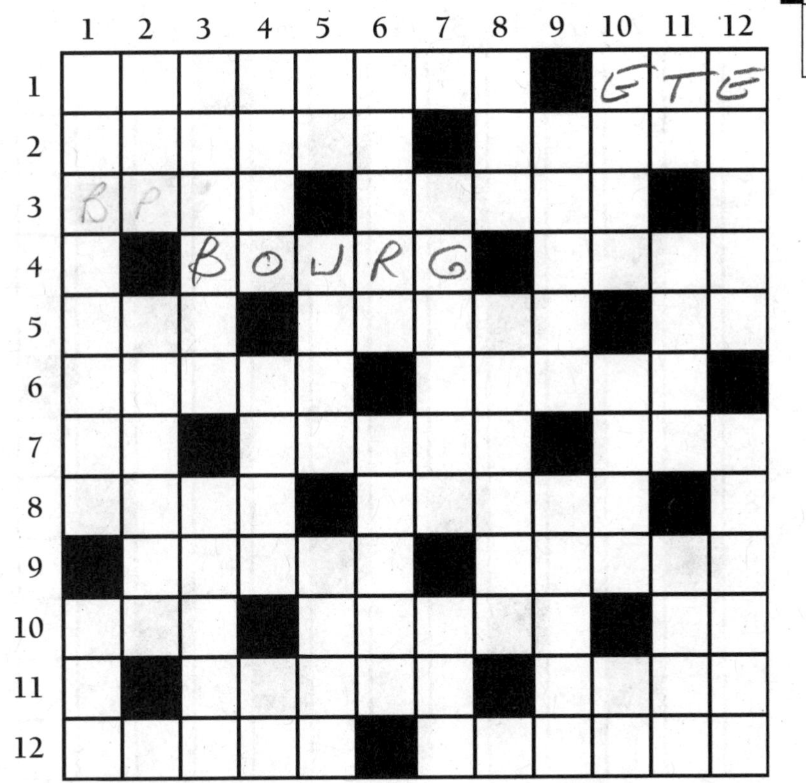

## HORIZONTALEMENT

1. Variété d'ail — Période des chaleurs.
2. Modèle de pistolet automatique — Plante aromatique.
3. Destruction, rupture — Petit avion de reconnaissance.
4. Domaine rural — Thune.
5. Massif montagneux du Sahara méridional — Plante du Moyen-Orient — Erbium.
6. Sténographie — Suivre.
7. Adjectif possessif — Lame cornée — Pied de vigne.
8. Impulsion — Ville de Belgique.
9. Conceptuel — Pudibond.
10. Architecte américain d'origine chinoise — Amalgamer — Ruisselet.
11. Petite cheville de bois — Tas.
12. Fluorine — Figure.

## VERTICALEMENT

1. Ganse servant à retenir un rideau — Interjection qui exprime un bruit de chute.
2. Autocar — État d'Europe.
3. Personne stupide — Au revoir.
4. Commune de Belgique — Quatrième partie du jour — Fleuve d'Italie.
5. Laize — Petit massif volcanique d'Allemagne — Prince musulman.
6. Catégorie — Vêtement court sans manches.
7. Bombé — Unité monétaire bulgare.
8. Critique italien — Commune du Nord.
9. Quelqu'un — Rôdas.
10. Oiseau d'Australie — N'ayant subi aucune teinture — Adjectif possessif.
11. Titane — Arbre d'Afrique utilisé en médecine — Course à courre simulée.
12. Lieu de souffrances — Dévote.

240

| | 1 | 2 | 3 | 4 | 5 | 6 | 7 | 8 | 9 | 10 | 11 | 12 |
|---|---|---|---|---|---|---|---|---|---|---|---|---|
| 1 | | | | | | | | | ■ | | | |
| 2 | | | | | | | ■ | | | | | |
| 3 | | | | | ■ | | | | | | ■ | |
| 4 | | ■ | | | | | | ■ | | | | |
| 5 | | | | ■ | | | | | | ■ | | |
| 6 | | | | | | ■ | | | | | | ■ |
| 7 | | | ■ | | | | | | ■ | | | |
| 8 | | | | | ■ | | | | | | ■ | |
| 9 | ■ | | | | | | ■ | | | | | |
| 10 | | | | ■ | | | | | | ■ | | |
| 11 | | ■ | | | | | | ■ | | | | |
| 12 | | | | | | ■ | | | | | | |

**HORIZONTALEMENT**

1. Cataplasme — Conscience.
2. Affrété — Petite vallée à versants raides.
3. Ancien nom de la Thaïlande — Agile.
4. Creuser, miner — Colorant minéral naturel.
5. Port du Japon — Étroit — Erbium.
6. Danger immédiat — Bourgeon.
7. Note de musique — Récepteur de modulation de fréquence — Pronom personnel.
8. Prune — Cétone de la racine d'iris.
9. Sépulture — Mœlleuse.
10. Givre — Imperméable — Ancien oui.
11. Amplificateur quantique de radiations lumineuses — Promenade publique.
12. Pas beaucoup — Araignée très commune.

**VERTICALEMENT**

1. Cylindre d'un métier à tisser — Situation engendrant un effet comique.
2. Pronom personnel — Bée.
3. Déposer — Protestation collective.
4. Ville du Pérou — De plus — Argon.
5. Expert — Poilu — Baiser.
6. Transmission d'un message sur écran — Énième.
7. Instituer — Prairie.
8. Lentille — Fromage.
9. Ornement — Règle.
10. En compagnie de — Produit de l'abeille — Paresseux.
11. Note — Certain — Petit mammifère au pelage gris.
12. Lieu destiné au supplice des damnés — Centenaire.

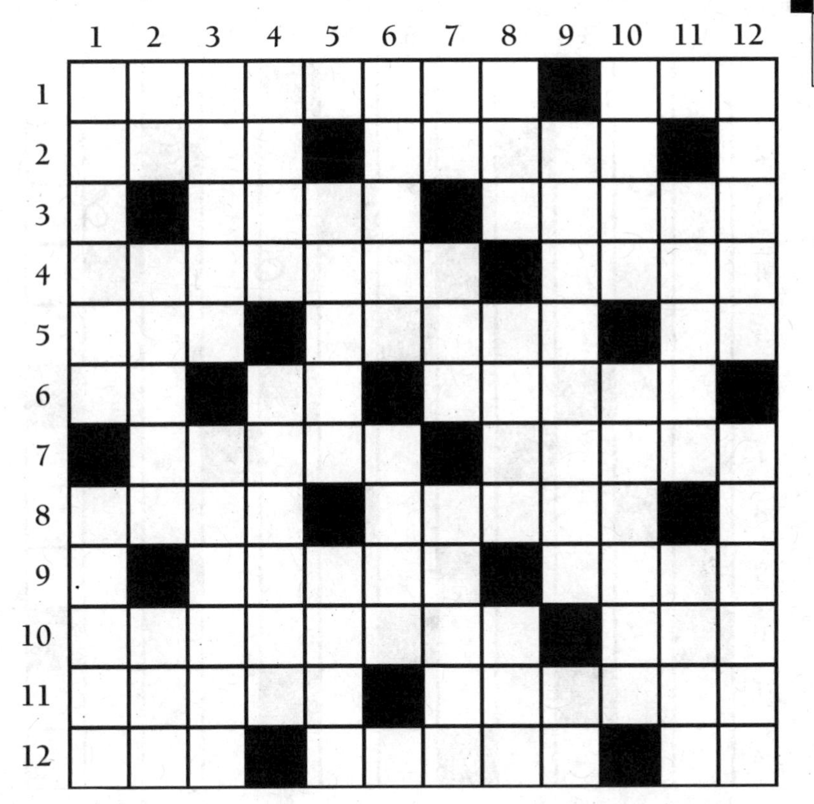

## HORIZONTALEMENT

1. Dépouilles — Interjection exprimant la réticence.
2. Abhorrer — Courant.
3. Auxiliaire — Quantité d'or.
4. Incultes — Racine.
5. Homme politique français — Posture de yoga — Iridium.
6. Article espagnol — Note — Agave du Mexique.
7. Aiguille — Crochets.
8. Symbole du désir — Flux.
9. Ville de Belgique — Génie de l'air.
10. Jeunes lièvres — Plante herbacée.
11. Halte — Période de l'ère tertiaire.
12. Petit socle — Dispose de façon à enlever les joints — Sa Sainteté.

## VERTICALEMENT

1. Siège à pieds — Clarté.
2. Rivière de France — Paralyser — Époque.
3. Sonnerie de clairon — Épice.
4. Tracas — Malheur.
5. Conduit souterrain — Terrine.
6. Mouvements rapides — Émou.
7. Einsteinium — Tamis — Coopérative, dans l'ancienne Russie.
8. Se met entre parenthèses à la suite d'une expression — Démentir — Lui, elle.
9. Rouée de coups — Cérium.
10. Déesse grecque, épouse de Zeus — Petit cloporte.
11. Refuge — Subtils.
12. Déplacer — Disputes.

242

| | 1 | 2 | 3 | 4 | 5 | 6 | 7 | 8 | 9 | 10 | 11 | 12 |
|---|---|---|---|---|---|---|---|---|---|---|---|---|
| 1 | | | | | | | | ■ | | | | |
| 2 | | | | ■ | | | | | | ■ | | |
| 3 | | | | | | | ■ | | | | | |
| 4 | | | | | ■ | | | | | | ■ | |
| 5 | | | | | | ■ | | | | | | |
| 6 | | | ■ | | | | | ■ | | | | ■ |
| 7 | | | | ■ | | | | | ■ | | | |
| 8 | | ■ | | | | | ■ | | | | | |
| 9 | | | | | ■ | | | | | ■ | | |
| 10 | ■ | | | | | ■ | | | | | | ■ |
| 11 | | | ■ | | | | | ■ | | | | |
| 12 | | | | | ■ | | | | | | | |

## HORIZONTALEMENT

1. Élocution facile — Eau-de-vie.
2. Trou dans un mur — Général et homme politique portugais — Elle fut changée en génisse.
3. Petit morceau de lard — Esclandre.
4. Revêtement de sol imperméable — Paysages
5. Rivière des Alpes du Nord — Chien.
6. Cérium — Table de travail de boucher — Unité de mesure de travail.
7. Aurochs — Énonce — Molécule.
8. Blême — Os de poisson.
9. Ville des Pays-Bas — Bagarre — Conifère.
10. Ville de la C.É.I. — Mort.
11. Article contracté — Nuage — Division d'un ouvrage.
12. Masse de neige durcie — Exploser avec bruit.

## VERTICALEMENT

1. Fruit sec — Douze mois.
2. Calmer — Qui possède naturellement.
3. Cercle annuel — Entretoise.
4. Recouvert d'une mince couche d'or — Aimable.
5. Nouveau — Commune du Morbihan — Lutécium.
6. Préposition — Blessant — Diminutif d'Edward.
7. Adverbe de lieu — Rivière de l'ouest de la France — Pensée.
8. Estonien — Impôt.
9. Personne qui mène une vie austère — Première page d'un feuillet.
10. Cantons-de-l'Est — Agent secret de Louis XV.
11. Rivière de France — Culte du moi.
12. Centre — Partie d'une église — Erbium.

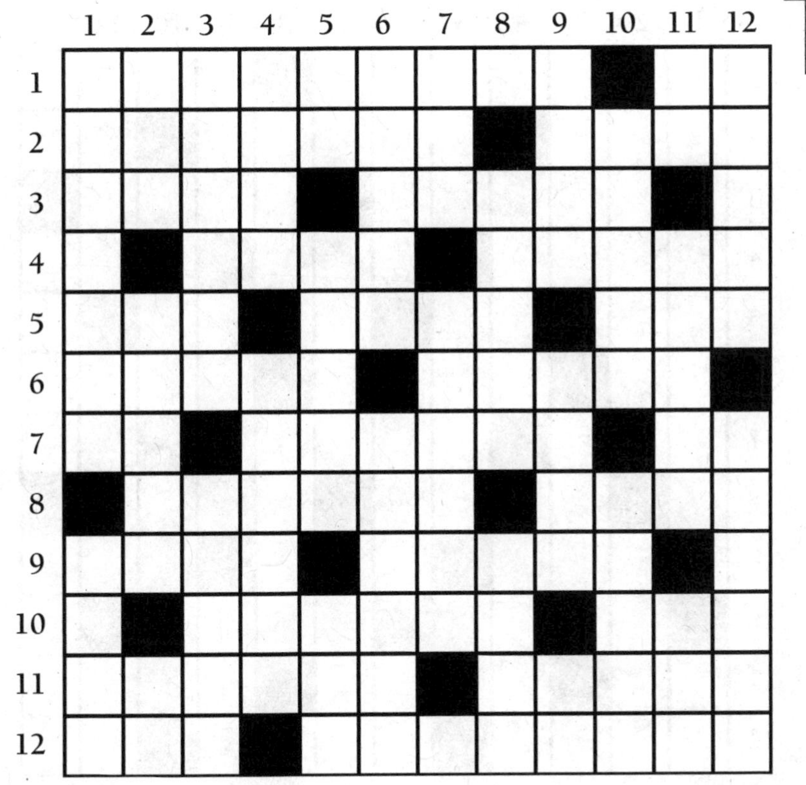

## HORIZONTALEMENT

1. Qui inquiète à tort — Note.
2. Déversoir d'un étang — Itou.
3. Rivière du S.-O. de l'Allemagne — Plante aquatique.
4. Demi — Télévisions.
5. Homme politique français — Victoire de Napoléon — Colère.
6. Soûls — Muse de la Poésie lyrique.
7. Erbium — Renfermé et isolé — Oui.
8. Époux d'Isis — Ancienne monnaie chinoise.
9. Coup — Primate nocturne d'Asie du Sud.
10. Homme politique russe né en 1870 — Salutation angélique.
11. Charrue à trois socs — Marchandise sans valeur.
12. Rivière de France — Amateur de musique.

## VERTICALEMENT

1. Diminution de la soif — Gâcha.
2. Fatigué — Ch.-l. de c. de la Mayenne — Blagué.
3. Mettre de niveau — Espace compris entre deux solives.
4. Exceptionnel — Crochets pointus.
5. Note — Gager — Appellation.
6. Prophète juif — Ceinture de crin portée par pénitence.
7. Désobligeant — Fleuve du Canada.
8. Port du Japon — Ville du Nevada.
9. Nom gaélique de l'Irlande — Vin blanc — Avant-midi.
10. Faute — Posture de yoga.
11. Petit cube — Ville du sud de l'Inde — Panier plat en osier muni de deux anses.
12. Oubliée — Faussé, dénaturé.

**HORIZONTALEMENT**

1. Amplitude maximale entre la haute et la basse mer — Pantalon.
2. Ceinture japonaise — Blette — Cobalt.
3. Ornement circulaire — Un des États-Unis d'Amérique.
4. Mazout — Coup, au tennis — Pied de vigne.
5. Acide sulfurique fumant — Animal fantastique.
6. Conjonction — Foutu — Hameau.
7. Immédiatement — Têtard — Tellure.
8. Filin de retenue d'une mine — Ville d'Espagne.
9. Prophète — Terme de photographie — Rabiot.
10. Incasique — Advenu.
11. Technétium — Cicatrice — Femme d'Osiris.
12. Jeune daim — Partie du monde — Issu.

**VERTICALEMENT**

1. Languir (Se) — Thermie.
2. Apathie — Palissade de bois.
3. Rafale — Souci.
4. Sulfate double — Rétif.
5. Premiers principes d'un art — Déficit — Bradype.
6. Commune de Belgique — Bouffon des comédies vénitiennes — Note.
7. Sert à lier — Fleuve qui sépare la Pologne de l'Allemagne — Ch.-l. de c. de l'Orne.
8. Instrument à vent — Vicieux.
9. Giclée — Veille — Demoiselle.
10. Fond d'un terrier — Ure.
11. Plante à feuilles découpées — Volcan de la Sicile — Indium.
12. Nobélium — Copain — Conduit, tuyau.

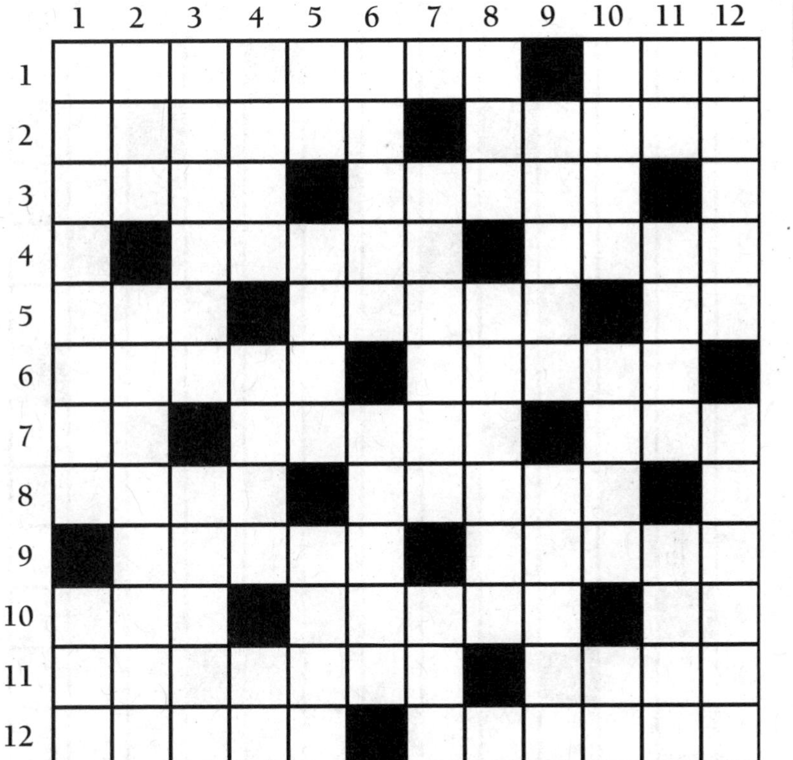

## HORIZONTALEMENT

1. Prendre son temps — Belle-fille.
2. Libre, osé — Rendre moins touffu.
3. Fondateur de l'Oratoire d'Italie — Vieux vêtement.
4. Éloigné — Très petite île.
5. Levant — Adjectif démonstratif — Article.
6. Enjoué — Chante à la manière des Tyroliens.
7. Métal précieux — Ce qui n'existe pas — Fille de Cadmos.
8. Constata — Prison.
9. Grand conifère d'origine exotique — Énième.
10. Roue à gorge — Oubliée — Patrie d'Abraham.
11. Fret — Endroit où arrêtent les trains.
12. Comédie — Réaliser.

## VERTICALEMENT

1. Pièce de charpente — Style de musique disco.
2. Bière — Dégusté.
3. Vertu — Homme d'armes.
4. Espace de terrain couvert d'arbres — Paresseux — Ancien oui.
5. Pronom personnel — Colorant minéral naturel — Embarcation légère.
6. Fruit comestible — Oiseau d'Amérique du Sud.
7. Tunique de l'œil — Échelle, en photographie.
8. Rayon — Petites toupies.
9. Gros et long bâton — Ville de Belgique.
10. Chanteur belge prénommé Jacques — Attachée — Argon.
11. Dieu solaire — Commune de Belgique — Fruit.
12. Sel de l'acide urique — Endetter.

# 246

## HORIZONTALEMENT

1. Petit crustacé vivant sous les pierres — Ancien nom de la Thaïlande.
2. Unité monétaire du Danemark — Manchon mobile — Tellement.
3. Papillon de grande taille — Doigt.
4. Coutume — Manger.
5. Pronom personnel — Plante voisine de la gesse — Salutation angélique.
6. Instrument de chirurgie — Institue.
7. Adjectif possessif — Absolues — Rhésus.
8. Encensé — Capable.
9. Surveille — Course motocycliste d'obstacles.
10. Dresser — Couper avec une lame tranchante.
11. Paresseux — Lac de la Laponie finlandaise — Adresse.
12. Raisonnable — Premier rang de pierres dans un mur.

## VERTICALEMENT

1. Bracelet en mailles de métal aplaties — Carte à jouer.
2. Suranné — Poisson plat.
3. Orifice externe de l'urètre — Prophète juif.
4. Tube fluorescent — Descript.
5. Ancienne capitale d'Arménie — Rassasié — Dans la rose des vents.
6. Général espagnol — Réactionnaire extrémiste.
7. Article espagnol — Endetter — Roulement de tambour.
8. Émancipé — Déesse égyptienne.
9. Laxatif extrait du cassier — Fils d'Abraham.
10. Course à courre simulée — Recourbai.
11. Résine malodorante — Vigoureux malgré son âge avancé — Lentille.
12. Mélangé — Haché, saccadé.

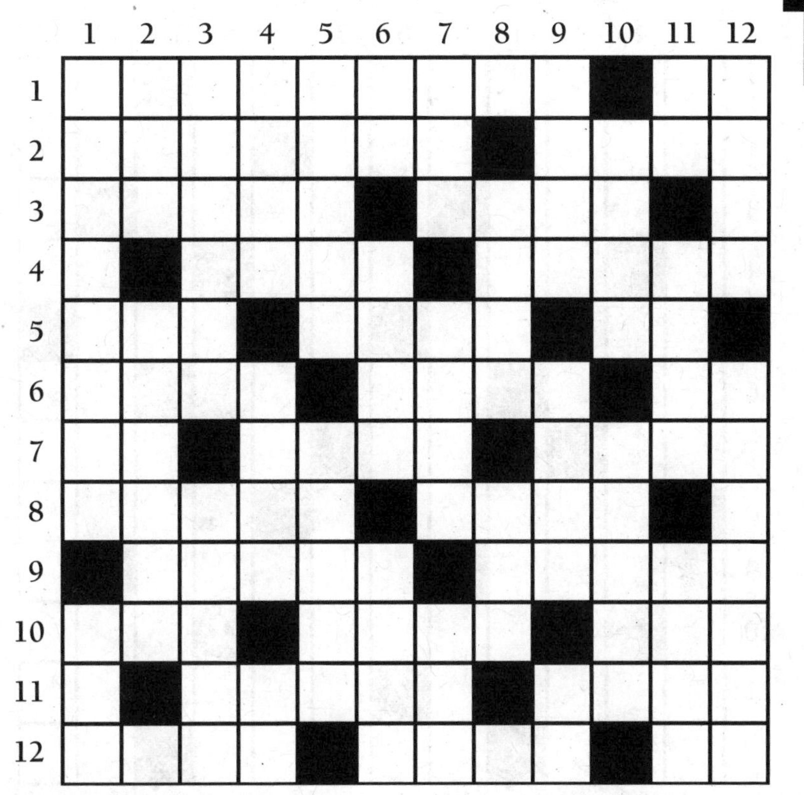

## HORIZONTALEMENT

1. Tumeur bénigne de la peau — Squelette.
2. Arbre de la famille des ébénacées — Ville de Galilée.
3. Tchin-tchin — Port d'Italie.
4. Axe d'une plante — Mugir.
5. Ouille — Tête de rocher — Adjectif numéral.
6. Peuple de Djibouti et de la Somalie — Facile — Rhénium.
7. Radium — Victoire — Amalgame d'étain.
8. Métal blanc grisâtre — Ancienne monnaie chinoise.
9. Ville d'Italie — Acteur français mort en 1989.
10. Lettre grecque — Angoisse — Dégoutta.
11. Décret du roi du Maroc — Fondateur de l'Oratoire d'Italie.
12. Proche — Enjeu — Préposition.

## VERTICALEMENT

1. Diaphragme — Musique populaire d'origine anglo-saxonne.
2. Roi de Hongrie — Renard polaire.
3. Déclivités — Goulu.
4. Ancienne unité monétaire du Pérou — Opérer — Arsenic.
5. Tissu végétal épais — Plante aromatique.
6. Laize — Pièce de charpente — Prénom masculin.
7. Fleuve du Languedoc — Graisse des animaux — Perroquet.
8. Courbes — Premiers principes d'un art.
9. Qui est à l'état naturel — Commune du Morbihan — Issu.
10. Pointu — Fruit.
11. Quelqu'un — Inscription sur la Croix — Affluent de la Seine.
12. Hareng fumé — Ardeur.

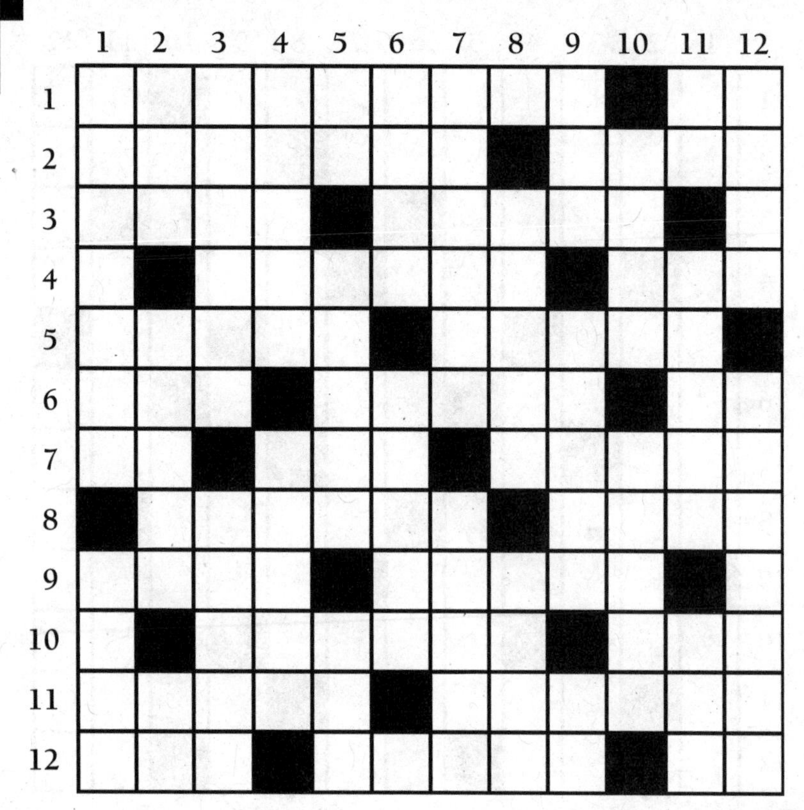

## HORIZONTALEMENT

1. Poire à la peau rougeâtre — Baryum.
2. Cubital — Ville d'Espagne.
3. Poitrine — Édulcora.
4. Impalpable — Poisson d'eau douce.
5. Appréciée — Rigide.
6. Aurochs — Adjectif possessif (pl.) — Pronom démonstratif.
7. Note — Nom d'un ex-défenseur de hockey prénommé Bobby — Dégrader par la base.
8. Ver marin — Fleur.
9. Fromage grec — Phase.
10. Plaire — Pronom personnel.
11. Grande quantité — Grivoise.
12. Époque — État du sud-est de l'Europe — Erbium.

## VERTICALEMENT

1. Fruste — Finaud.
2. Pour encourager dans les corridas — Cétone de la racine d'iris — Argon.
3. Qui vient en premier — Halte.
4. Bon état physiologique — Ouragan.
5. Tellement — Arbre forestier — Étendue désertique.
6. Anneau de cordage — Qui prend les couleurs du prisme.
7. Appât — Monument.
8. Ici dedans — Palmier d'Asie.
9. Coup de fusil — Chamois des Pyrénées — Germanium.
10. Incursion — Ménestrel.
11. Ingurgité — Mort — Unité monétaire du Danemark.
12. Personne parfaite — Pièce de charpente.

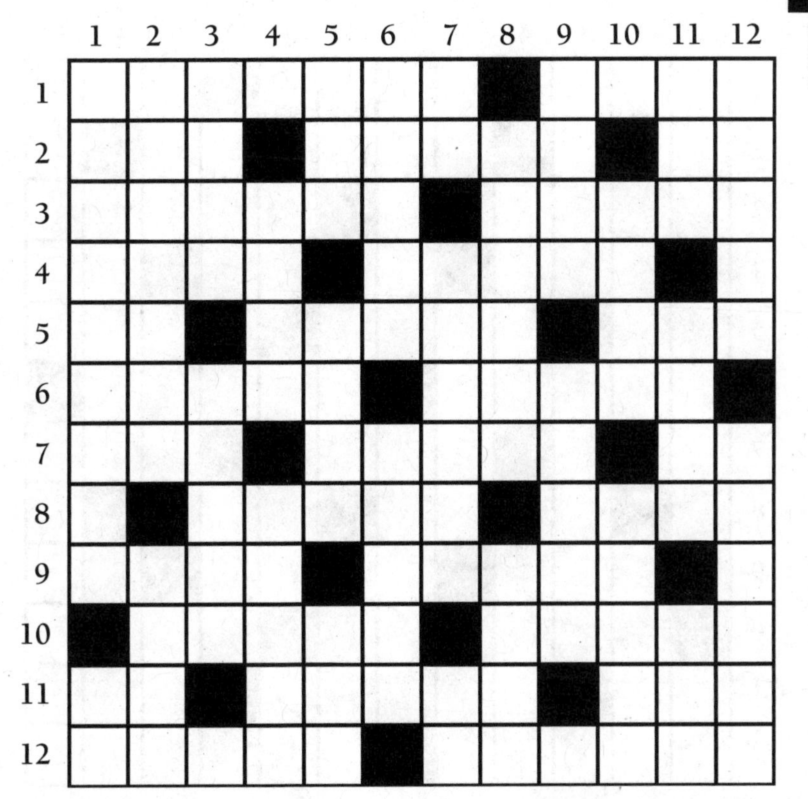

**HORIZONTALEMENT**

1. Canon court — Chef d'une bande de mauvais garçons.
2. Normale, au golf — Groupe de langues indo-européennes — Petit cube.
3. Évêque de Lyon — Défaite.
4. Contestée — Irréligieux.
5. Elle fut changée en génisse — Pointer — Chef éthiopien.
6. Plante des régions désertiques — Mettre en terre.
7. Récipient en terre réfractaire — Ennuyé — Interjection.
8. Mordant — Attache.
9. N'ayant subi aucune teinture — Plante cultivée pour ses fleurs décoratives.
10. Pierre précieuse — Instrument de chirurgie.
11. Pouah — Narine des cétacés — Biens qu'une femme apporte en se mariant.
12. Plante aquatique — Guêpe solitaire.

**VERTICALEMENT**

1. Persévérant — Note.
2. Bigarré — Appareil de levage.
3. Engrais azoté — Port du Japon.
4. Masse de neige durcie — Jauger.
5. Baie des côtes de Honshû — Rivière de l'ouest de la France — Labiée à fleurs jaunes.
6. Palmier d'Afrique — Met de niveau.
7. Roulement de tambour — Offices religieux — Issu.
8. Partie de l'office divin du soir — Obstiné.
9. Pronom démonstratif — Amalgamer.
10. Jeune cerf — Stérile.
11. Poisson d'eau douce — Palmier d'Asie — Négation.
12. Mort — Ahuri.

250

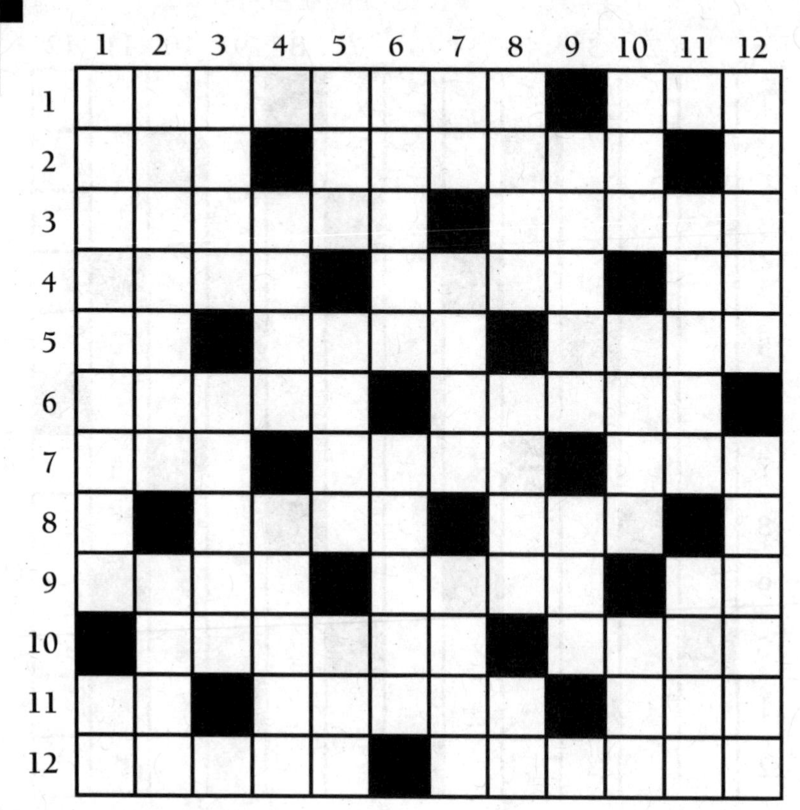


## HORIZONTALEMENT

1. Raisonnement de mauvaise foi — Personne qualifiée dans son métier.
2. Cassius Clay — Maladie de l'épi des céréales.
3. Pot-pourri — Ancien signe de notation.
4. Peintre italien né en 1615 — Commune de Suisse — Lac des Pyrénées.
5. Idem — Goût morbide pour des substances non comestibles — Ville d'Espagne.
6. Partie liquide du fumier — Agave du Mexique.
7. Terme de tennis — Ancienne monnaie chinoise — Jour de l'an vietnamien.
8. Allure élégante — Septième lettre de l'alphabet grec.
9. Halé — Hosto — Pronom démonstratif.
10. Attitude — Blafard.
11. Cheval-vapeur — Bois utilisé en tabletterie — Façon.
12. Gain, profit — Oiseau palmipède à tête noire.

## VERTICALEMENT

1. Vaurien — Chlore.
2. Pipeline — Île la plus peuplée de l'archipel des Hawaii.
3. Arbres — Décrochage.
4. Caché — Appeler à l'aide d'un porte-voix.
5. Épouse d'Athamas — Ancienne unité monétaire du Pérou — Port du Japon.
6. Fou — Plante des marais.
7. Moi — Pif — Signification.
8. Ville de France — Hameau — Conjonction.
9. Énoncé considéré indépendamment de sa vérité — Impulsion électrique de synchronisation.
10. Guère — Mauvaise nourriture mal préparée — Rivière de Suisse.
11. Forme — Disposition des bordages d'une embarcation.
12. Édifice consacré aux chants — Trirème.

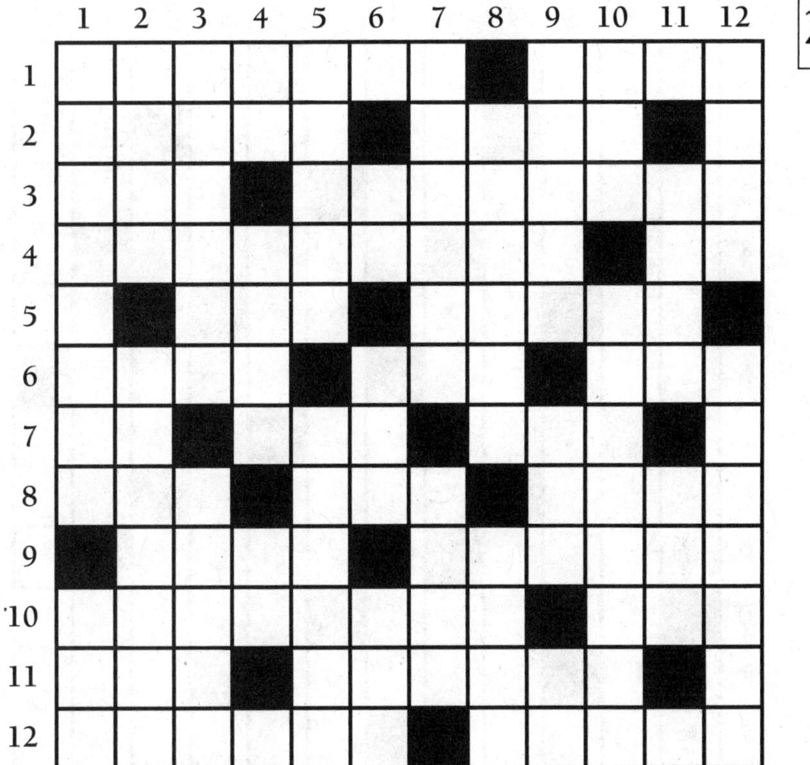

## HORIZONTALEMENT

1. Filet à petites mailles — Crainte.
2. Polyester — Bruit sec d'un déclic.
3. Via — Longues barques étroites.
4. Qui contient l'urine — Do.
5. Officier de Louis XV — Refléter.
6. Fondateur de l'Oratoire d'Italie — Nouveau — Charmant.
7. Article espagnol — Rayon — Triage.
8. Rabiot — Ancien nom de Tokyo — Crochet.
9. Heureux en Dieu — Caisse.
10. Porte d'un train — Plumard.
11. Partie d'un hectare — Hécatombe.
12. Tranchées — Gaéliques.

## VERTICALEMENT

1. Dégoûter — Dieu des bergers.
2. Rivière du S.-O. de l'Allemagne — Formé.
3. Orner de raies — Faluche.
4. Pronom personnel — Obscur — Astate.
5. Sédum — Oxyde ferrique.
6. Arbre — Fourmilière — Obtenus.
7. Maigre — Ocreux.
8. Oiseau au plumage jaune vif — Rendu moins touffu.
9. Comprendre — Étendue désertique — Iridium.
10. Bouclier — Taillés en biseau.
11. Rivière née dans le Perche — Lui, elle.
12. Économiste français — Saillies charnues.

252

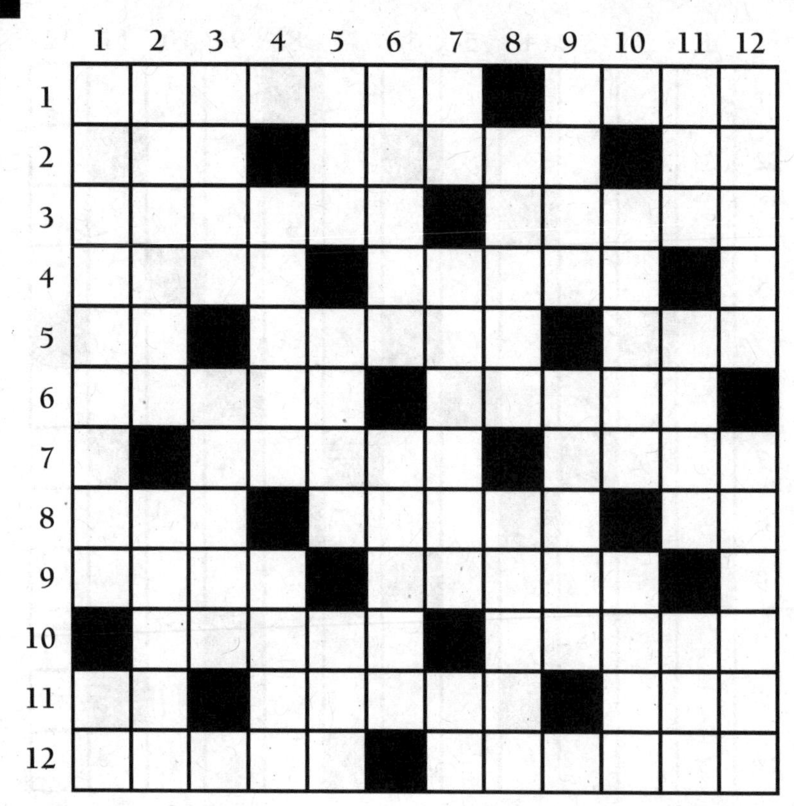

## HORIZONTALEMENT

1. Cheval qui trotte avec vivacité — Tranquillité.
2. Normale, au golf — Nécessaire — Sélénium.
3. Retrait dans un texte — Sarment de vigne.
4. Cinéma — Engin de pêche.
5. Elle fut changée en génisse — Colère — Grade.
6. Mention portée au dos d'un titre à ordre — Presser.
7. Assembler par une enture — Viscère pair qui sécrète l'urine.
8. Monnaie du Japon — Énonce son avis — Association pour alcooliques.
9. Crochet — Souveraine.
10. Empreint de sincérité — Maîtres spirituels.
11. Tantale — Petit récipient — Initiales d'une province maritime.
12. Encaustiques — Princesse athénienne.

## VERTICALEMENT

1. Vaste — Technétium.
2. Châtiment — Test.
3. Nom poétique de l'Irlande — Abondant.
4. Empereur romain — Prune.
5. Exhale une odeur infecte — Hôpital — Amoncellement.
6. Bassin — Féru.
7. Ricané — Absence d'urine dans la vessie — Adjectif possessif.
8. Générateur d'ondes électromagnétiques — Fleuve de l'Afrique occidentale.
9. D'une couleur entre le bleu et le vert — Riche en grains.
10. Concédée — Prénom masculin.
11. Échelle, en photographie — Embarras — Agence de presse américaine.
12. Gaz inerte de l'air — Haut-le-cœur.

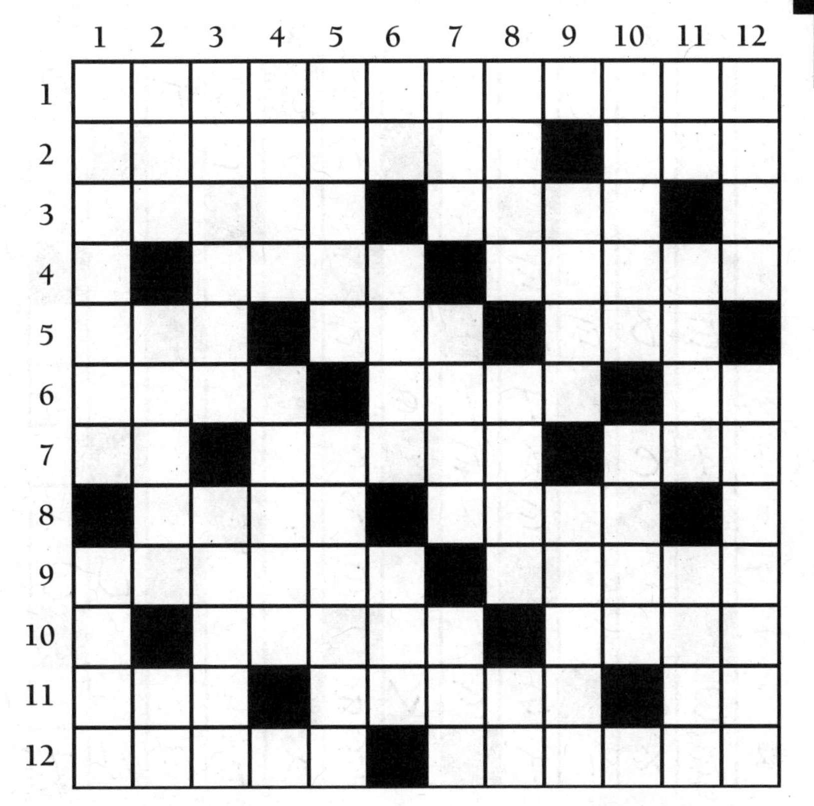

**HORIZONTALEMENT**

1. Qui entrainent l'annulation d'un contrat.
2. Adorateur — Se rendra.
3. Enroulé — Champignon.
4. Laxatif extrait du cassier — Bavardage.
5. Maison de campagne — Interjection — Chef.
6. Ville de Hongrie — Rassasié — Antimoine.
7. Mesure itinéraire chinoise — Certain — Lombric.
8. Palissade de bois — Dieu des Vents.
9. Aliéné — Petit cigare.
10. Qui prend les couleurs du prisme — Sorte de halo.
11. Rongeur — Poignard — Préfixe privatif.
12. Hausse d'un demi-ton en musique — Pierre fine.

**VERTICALEMENT**

1. Roux clair — Organe pointu et venimeux de la guêpe.
2. Rivière de l'Éthiopie — Souple — Paresseux.
3. Pâté léger et mousseux — Parodié.
4. Pantoufle de femme — Petite automobile de course.
5. Prénom féminin — Ville d'Italie.
6. Sélénium — Affluent de la Seine — Ville du Japon.
7. Liquide organique — Jeune cerf — Unité de mesure de travail.
8. Obstacle équestre — Paysan de l'Amérique du Sud — Infinitif.
9. Publié — Plante grimpante.
10. Général espagnol — Arrivé.
11. Erbium — Rivière du nord de la France — Embarras.
12. Bond — Rocher sur lequel la mer se brise et déferle.

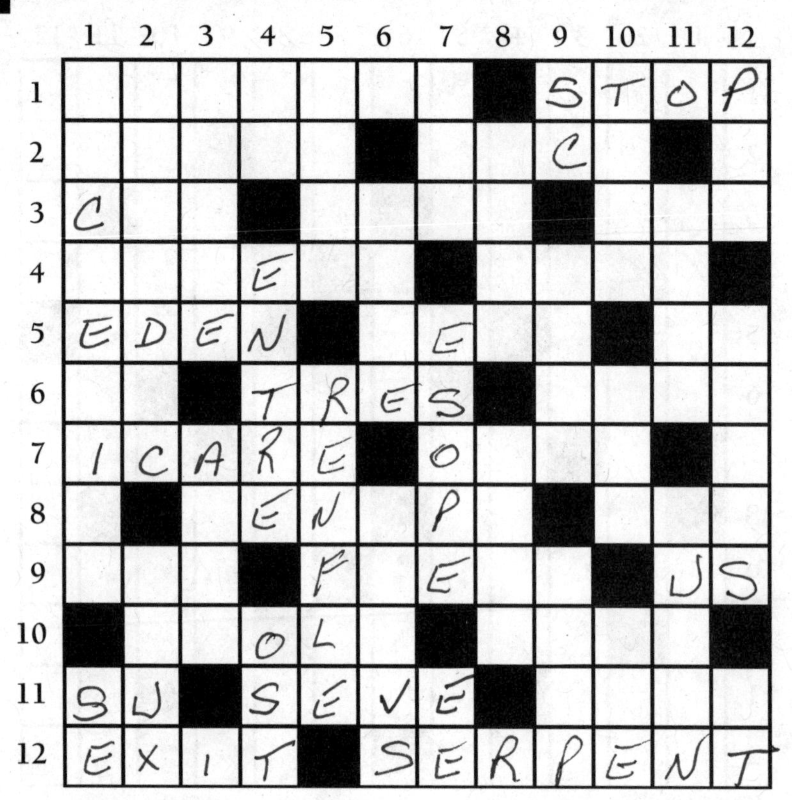

## HORIZONTALEMENT

1. Plafond à caissons — Halte.
2. Palmier d'Afrique — Dépité.
3. Adjectif démonstratif — Avion à décollage et à atterrissage courts — Lettre grecque.
4. Plante du bord des étangs — Plante herbacée.
5. Paradis — Sein — Lumen.
6. Pronom personnel — Extrêmement — Fleuve de la Corse.
7. Fils de Dédale — Ville de la C.É.I.
8. Armoise aromatique des Alpes — Écorce.
9. Lettre grecque — Cataclysme — Coutumes.
10. Pin montagnard — Course à courre simulée.
11. Appris — Liquide des végétaux — Roche sédimentaire.
12. Sortie — Anaconda.

## VERTICALEMENT

1. Hormone produite par la muqueuse du duodénum — Sélénium.
2. Pipeline — Pourcentage.
3. Partie du bassin — Mère d'Ismaël.
4. Pouah — Parmi — Armée féodale.
5. Peuple de Djibouti et de la Somalie — Galbé.
6. Thune — Érigé.
7. Ancien nom de Tokyo — Fabuliste grec — Europium.
8. Envolée — Capitale de l'Arabie saoudite.
9. Scandium — Vide ou incomplètement chargé — Presse.
10. Terrain où se disputent les courses de chevaux — Rivière de Roumanie — Arcade.
11. Vestibule — Auge.
12. Professionnel — Moindrement — Pronom personnel.

## HORIZONTALEMENT

1. Décrépitude — Labiée à fleurs jaunes.
2. Endetter — Vin blanc sec.
3. Interjection servant à appeler — Amertume — Xénon.
4. Ville du sud de l'Inde — Inflammation de l'oreille.
5. Ébranchoir — Vitesse acquise d'un navire.
6. Itou — Réactionnaire extrémiste.
7. Conjonction — Sorte de table creusée en bassin — Muet.
8. Manchons mobiles — Plante vomitive.
9. Ancienne monnaie chinoise — Tour complet d'une spirale.
10. Article — Quelqu'un — Note de musique.
11. Parfaite ressemblance — Dieu de l'Amour.
12. Avantage — Distingué.

## VERTICALEMENT

1. Adhérence — Coup, au tennis.
2. Profond estuaire de rivière en Bretagne — Longueur d'un fil de la trame.
3. Place — Dégoûte.
4. Cité antique de la basse Mésopotamie — Affaire compliquée — Pronom indéfini.
5. Consentir — Couverts de poils.
6. Colère — Ensuite — Conteste.
7. Fourneau — Virage, en ski.
8. Sortie — Intérieur d'un cigare.
9. Canal — Écraser.
10. Infinitif — Dessiner — Blagué.
11. Froisser — Grand chat sauvage.
12. Dans la rose des vents — Espionna — Résine malodorante.

256

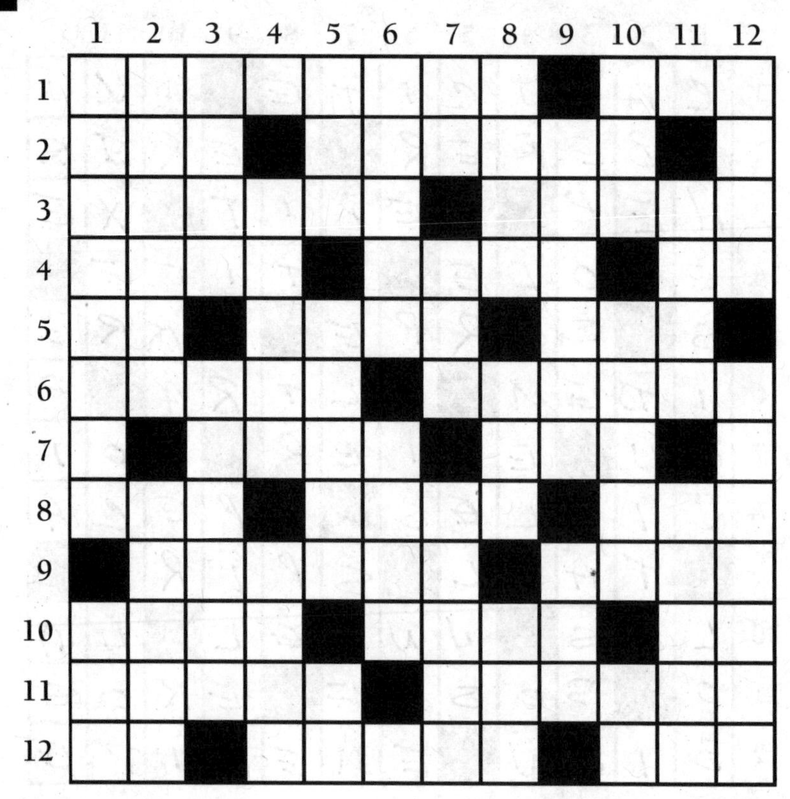

## HORIZONTALEMENT

1. Couleur en détrempe à base de lait de chaux — Rocher.
2. Interjection espagnole — Plaie.
3. Rossée — Interjection exprimant la surprise.
4. Contestai — Produit par l'action du feu — Issu.
5. Restes — Fondement — Étendue d'eau.
6. État du sud de l'Arabie — Qui a la pureté du lis.
7. Pénible — Monnaie du Japon.
8. Rabiot — Prune — Titre d'honneur chez les Anglais.
9. Languir — Secours.
10. Extrémité — Pourcentage — Conjonction.
11. Mathématicien suisse né en 1707 — Diplôme.
12. Chrome — Mouvement de la mer — Bière.

## VERTICALEMENT

1. Regarder d'un œil — Extrémité effilée de certains instruments à air.
2. Protège le matelas — Sentiment très intense.
3. De ce côté-ci — Cinglé.
4. Tissu végétal — De plus.
5. Endroit d'une rivière où l'on peut traverser à pied — Grande chaîne de montagnes — Roulement de tambour.
6. Palmier d'Afrique — Soude.
7. Ancien oui — Givre — Hampe d'une bannière.
8. Tube fluorescent — Baie des côtes de Honshû — Aurochs.
9. Venelle — Essieu.
10. Roue à gorge — De cette façon — Commandement.
11. Relatif aux Incas — Conceptuel.
12. Division sur un damier — Jeune femme élégante et facile.

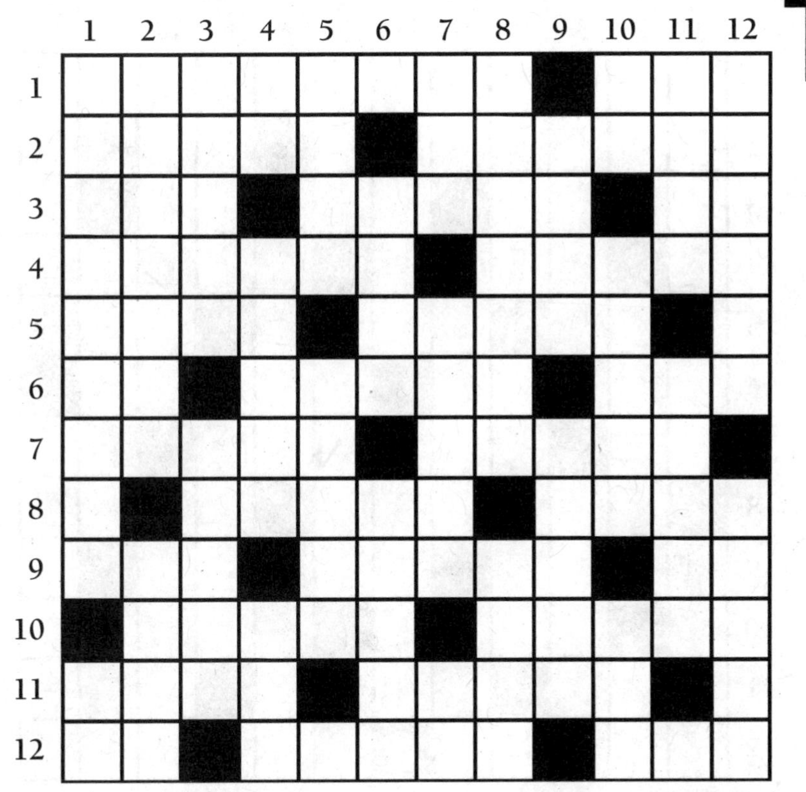

**HORIZONTALEMENT**

1. Appui pour les bras — Bof.
2. Doigt — Réduit en feuilles.
3. Ride — Tableau — Connu.
4. Toasts — Tissu végétal.
5. Commune de Suisse — Fleuve de France.
6. Curie — Seul — Demoiselle.
7. Grand oiseau échassier — Motocross.
8. Arbre équatorial — Marque d'un coup.
9. Pièce de la charrue — Anodin — Tantale.
10. Truquer — Toilettes.
11. Ville de Galilée — Promenade rapide.
12. Métal précieux — Fruit du hêtre — Oiseau.

**VERTICALEMENT**

1. Alentours — Cobalt.
2. Ruche — Entretoise.
3. Ivresse — Peintre sans grand talent.
4. Ancien oui — Roi des Lapithes — Ivre.
5. Crâne — Traite de haut.
6. Ville de Norvège — Homme de main.
7. Rivière de l'Asie — Ville de Suisse — Indium.
8. Réunir — Gris.
9. Femme politique israélienne — Produite par l'action du feu.
10. Bisexuel — Écrivain irlandais — Pied de vigne.
11. Poignée — Personne asservie.
12. Haché, saccadé — Engin de pêche.

258

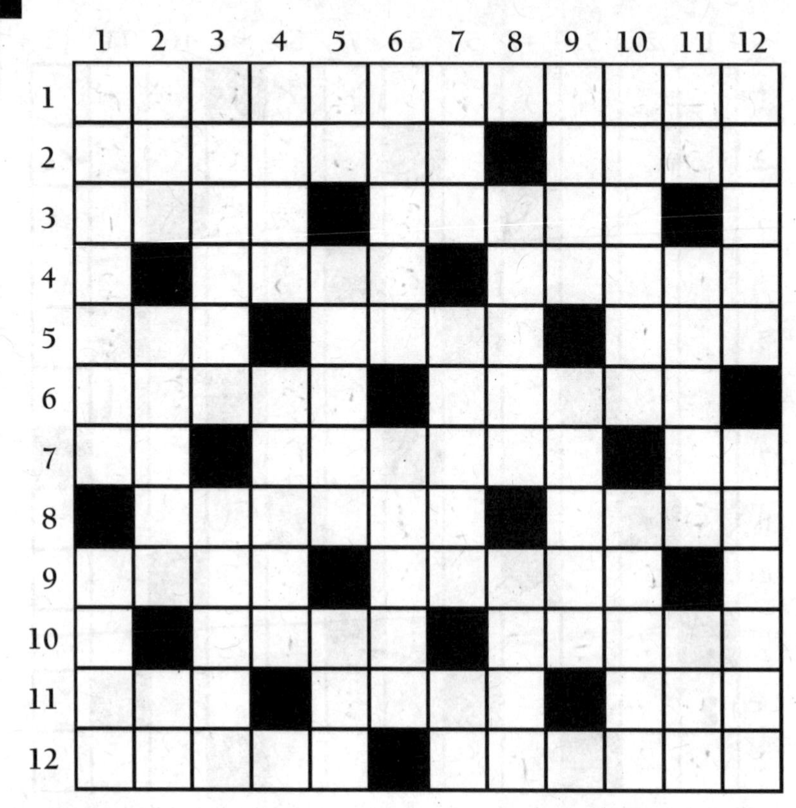

## HORIZONTALEMENT

1. Mettre en bouillie.
2. Vicier — Victoire de Napoléon.
3. Surface — Suivant.
4. Voiture — Incroyable.
5. Particule affirmative — Pays de Ghandi — Baie des côtes de Honshû.
6. Docteur de la loi — Hagard.
7. Elle fut changée en génisse — Instituer — Conjonction.
8. Plante ornementale — Peuple de Djibouti et de la Somalie.
9. Pronom démonstratif — Trompé.
10. Tramway — Brun clair proche du jaune.
11. Écrivain américain — Habitation en bois de sapin — Femme de lettres américaine.
12. Développement — Signe graphique placé sur les voyelles.

## VERTICALEMENT

1. Réjoui — Grand manteau.
2. Muet — Personne asservie — Carcasse.
3. Paysanne — Contrats.
4. Interjection imitant les sons du bébé — Tanner une peau à l'alun.
5. Brome — Coiffure du pape — Massif montagneux du Sahara méridional.
6. Petit de l'oie — Éléments.
7. Aurochs — Fonte de la glace — Baryum.
8. Ville de Belgique — Dans la montagne, versant à l'ombre.
9. Grand mammifère carnivore — Stérile.
10. Ingénieur français né en 1822 — Fleuve de France.
11. Adverbe de lieu — Éculées — Eau-de-vie.
12. Comblée — Aptitude.

**HORIZONTALEMENT**

1. Perte de la voix — Enlèvement.
2. Dégoûta — Canal excréteur.
3. Article — Contributions — Infinitif.
4. Ignorance grossière — Logement.
5. Tellement — Se dit d'une coupe de cheveux — Matériau céramique.
6. Équipe — Instrument de chirurgie.
7. Ville de la Jordanie — Pressentis.
8. Rassemblée — Lettre grecque.
9. Panicule — Remarque désobligeante — Pronom personnel.
10. Plante cultivée pour ses fleurs décoratives — Identique.
11. Interjection exprimant le mépris — Individu — Formule.
12. Sortie — Opération chirurgicale.

**VERTICALEMENT**

1. Anticorps empêchant la reproduction de cellules bactériennes infectieuses — Fer.
2. Complet — Tranquillité.
3. Femelle du lièvre — Fortifications.
4. Restes — Plante de l'Asie tropicale — Récipient en terre réfractaire.
5. Naturel — Barbe naissante
6. Rend moins touffu — Relate.
7. Pronom personnel — Plante charnue — Ancien.
8. Étendue désertique — Prénom féminin.
9. Endurant — Ville de Hongrie.
10. Astate — Répit — Conscience.
11. Implorée — Indispensables.
12. Trois fois — Agave du Mexique — Pronom personnel.

260

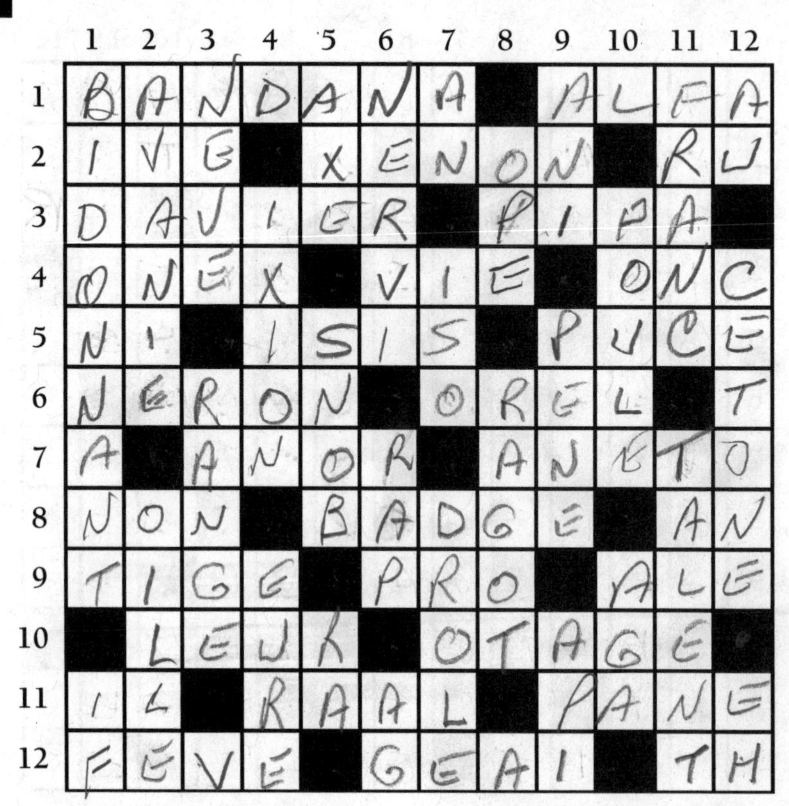

## HORIZONTALEMENT

1. Petit foulard carré — Plante herbacée.
2. Ivette — Gaz inerte de l'air — Ruisselet.
3. Pince à longs bras — Gros crapaud.
4. Commune de Suisse — Vigueur — Jamais.
5. Conjonction — Femme d'Osiris — Insecte sauteur.
6. Empereur romain — Ville de la C.É.I.
7. Commune du Nord, en Thiérache — Point culminant des Pyrénées.
8. Négation — Insigne — Douze mois.
9. Barre — Professionnel — Bière.
10. Pronom personnel — Garant.
11. Lui — Royal — Couvert de chapelure.
12. Légumineuse annuelle — Oiseau passereau — Thermie.

## VERTICALEMENT

1. Tordant — Conifère.
2. Vexation — Potée de viandes et de légumes.
3. Plaque de neige isolée — Aligne.
4. Roi des Lapithes — Affluent de la Seine.
5. Charnière — Qui fait preuve de snobisme — Dieu solaire.
6. Homme de main — Style de musique disco — Argent.
7. Année — Terme de photographie — Amusant.
8. Trou dans un mur — Commérage.
9. Ancienne capitale d'Arménie — Pièce de la serrure — Pomme.
10. Femme légère — Officier de la cour du Sultan.
11. Honnête — Capacité.
12. Or — Acétone — Interjection.

| | 1 | 2 | 3 | 4 | 5 | 6 | 7 | 8 | 9 | 10 | 11 | 12 |
|---|---|---|---|---|---|---|---|---|---|---|---|---|
| 1 | S | A | I | S | I | N | E | ■ | O | N | C | E |
| 2 | U | R | N | E | ■ | O | U | R | S | ■ | A | N |
| 3 | S | T | R | I | E | ■ | H | E | L | A | S | ■ |
| 4 | P | E | I | N | T | E | ■ | G | O | S | S | E |
| 5 | I | R | ■ | E | R | R | E | R | ■ | S | E | P |
| 6 | C | E | P | ■ | E | G | R | E | N | E | ■ | A |
| 7 | I | S | I | S | ■ | O | S | T | O | ■ | P | I |
| 8 | O | ■ | S | U | I | T | E | ■ | N | O | I | R |
| 9 | N | O | T | E | R | ■ | S | U | C | R | E | ■ |
| 10 | ■ | M | É | T | A | L | ■ | R | E | N | T | E |
| 11 | N | É | ■ | T | I | A | R | E | ■ | E | R | S |
| 12 | A | T | R | E | ■ | D | E | S | I | R | E | E |

**HORIZONTALEMENT**

1. Cordage servant à fixer — Félin.
2. Vase à flancs arrondis — Mammifère carnivore — Douze mois.
3. Rayé — Interjection de plainte.
4. Trop fardée — Jeune garçon.
5. Infinitif — Vadrouiller — Pièce de la charrue.
6. Pied de vigne — Égrappé.
7. Déesse égyptienne — Hôpital — 3,1416.
8. Série — Obscur.
9. Inscrire — Aliment de saveur douce.
10. Corps simple — Dividende.
11. Issu — Coiffure du pape — Lentille.
12. Foyer — Convoitée.

**VERTICALEMENT**

1. Méfiance — Exclamation enfantine.
2. Aortes — Néglige de mentionner.
3. Lettres inscrites au-dessus de la Croix — Trace.
4. Fleuve de France — Maladie fébrile contagieuse.
5. Individu — Marcherai.
6. Drame japonais — Pointe recourbée du tarse — Garçon d'écurie.
7. Interjection — Gaéliques — Dieu solaire.
8. Repentir — Bisons d'Europe.
9. Capitale de la Norvège — Prélat chargé de représenter le pape.
10. Commune de Belgique — Garnir.
11. Broyé — Minable.
12. Adverbe de lieu — Qualité du papier — Dans la rose des vents.

262

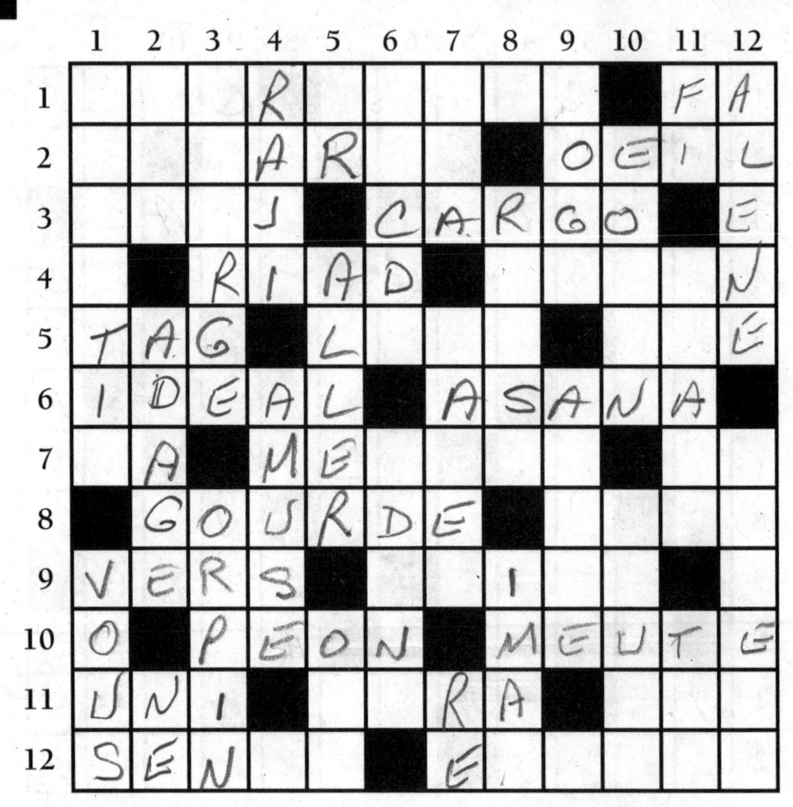

## HORIZONTALEMENT

1. Petite araignée aux couleurs vives — Note.
2. Arbuste aromatique des collines du Midi — Organe de la vue.
3. Compétition réunissant amateurs et professionnels — Fret d'un bateau.
4. Capitale de l'Arabie saoudite — Endommagé par le feu.
5. Graffiti — Libéralité faite par testament — Ville des Pays-Bas.
6. Parfait — Posture de yoga.
7. Exclamation enfantine — Petite meule de foin — Interjection.
8. Récipient — Affluent de l'Eure.
9. Rime — Éléments.
10. Paysan de l'Amérique du Sud — Troupe de chiens.
11. Sans inégalités — Fondateur de l'Oratoire d'Italie — Jardinière.
12. Fou — Vagabond.

## VERTICALEMENT

1. Jeune employée chargée de faire les courses — Pronom personnel.
2. Interjection servant à stimuler — Maxime populaire — Négation.
3. Se dégage — Plante charnue.
4. Femme d'un rajah — Délasse.
5. Infinitif — Se rendre — Jamais.
6. Femelle du dindon — Ville d'Italie.
7. Fille de Cadmos — Caillou usé — Île de l'Atlantique.
8. Longue corde — Prince musulman.
9. Obscur — Agité.
10. Ville d'Allemagne — Garde du sabre japonais.
11. Interjection exprimant le mépris — Un des États-Unis d'Amérique — Écorce.
12. Poinçon — Répugnant.

| | 1 | 2 | 3 | 4 | 5 | 6 | 7 | 8 | 9 | 10 | 11 | 12 |
|---|---|---|---|---|---|---|---|---|---|---|---|---|
| 1 | C | L | E | M | E | N | C | E | ■ | N | G | F |
| 2 | R | A | T | I | N | E | ■ | B | L | A | S | E |
| 3 | A | G | A | ■ | J | O | U | L | E | ■ | S | U |
| 4 | P | U | I | N | E | ■ | T | E | N | I | A | ■ |
| 5 | O | N | ■ | A | U | R | A | ■ | I | S | I | S |
| 6 | T | E | T | S | ■ | A | H | A | N | E | ■ | O |
| 7 | E | ■ | R | E | T | S | ■ | C | E | R | A | T |
| 8 | R | I | A | ■ | O | H | I | O | ■ | E | S | T |
| 9 | ■ | S | C | A | T | ■ | O | N | C | ■ | S | I |
| 10 | T | E | ■ | P | O | O | L | ■ | L | O | I | S |
| 11 | H | U | E | R | ■ | B | E | C | A | S | S | E |
| 12 | E | T | R | E | C | I | ■ | A | N | T | E | ■ |

## HORIZONTALEMENT

1. Magnanimité, Humanité — Navire.
2. Tissu de laine épais — Nez.
3. Chef au-dessus du caïd — Unité de mesure d'énergie — Appris.
4. Cadet — Ver plat et segmenté.
5. Quelqu'un — Sorte de halo — Femme d'Osiris.
6. Pots de terre — Fait de grands efforts.
7. Filet pour la pêche — Mélange de cire et d'huile.
8. Aber — Un des États-Unis d'Amérique — Levant.
9. Style vocal propre au jazz — Jamais — Conjonction.
10. Ferrure — Groupe — Ordonnances.
11. Conspuer — Nigaude.
12. Resserré — Pilier d'encoignure.

## VERTICALEMENT

1. Tirer sur une cigarette sans vraiment fumer — Boisson.
2. Étang — Tristan et...
3. Pièce de charpente — Peur — Infinitif.
4. Note — Fichu — Rude.
5. Mise — Pou.
6. Nouveau — Érythème — Ceinture japonaise.
7. Un des États-Unis d'Amérique — Héroïne légendaire grecque, épouse d'Héraclès.
8. Général français né en 1758 — Embarcation à fond plat — Calcium.
9. Homme politique russe né en 1870 — Association.
10. Exclamation enfantine — Rivière des Alpes du Nord — Armée féodale.
11. Épreuve — Base, fondement.
12. Défunt — Anerie.

264

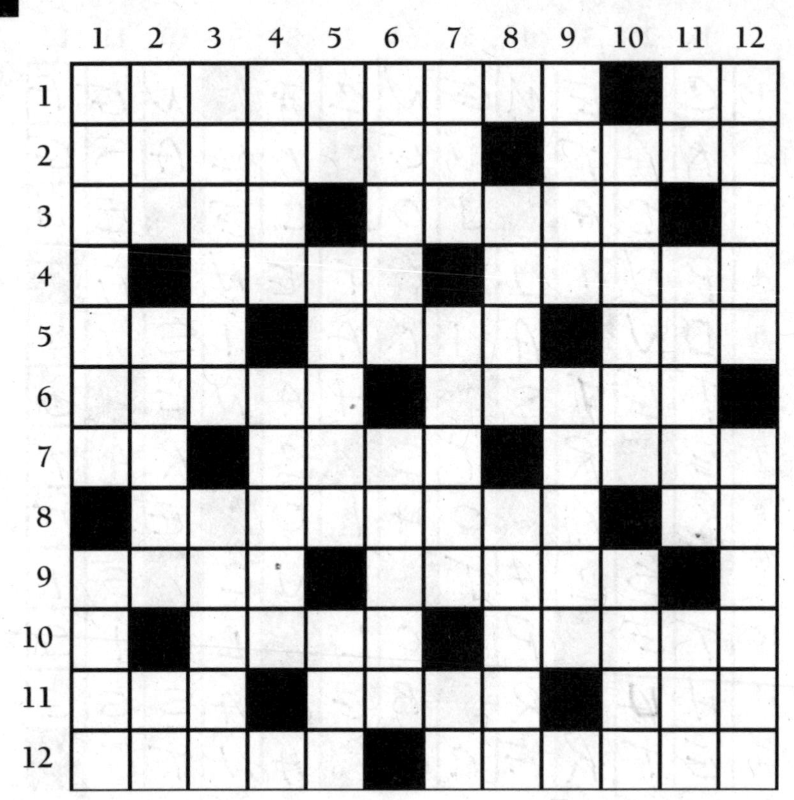

## HORIZONTALEMENT

1. Comparaison — Association pour alcooliques.
2. Amaigrir — Circulaire.
3. Économiste français — Geindre.
4. Ensemble des hommes ou des femmes — Quelqu'un.
5. Ride — Anneau de cordage — Première femme.
6. Perdant — Palier.
7. Adverbe de lieu — Peau — Graisse.
8. Mouche africaine — Tantale.
9. Ancienne monnaie espagnole — Fleuve de France.
10. Obstiné — Moment.
11. Tranché — Bramer — Colère.
12. Rétabli d'un mal physique — Comprimer.

## VERTICALEMENT

1. Navigation autour d'une mer, d'une région — Cordon.
2. Copain — Moitié de l'échine du veau — Europium.
3. Pondéré, réfléchi — Planche.
4. Division d'une pièce de théâtre — Établissement d'enseignement.
5. Mesure itinéraire chinoise — Petit rongeur d'Afrique et d'Asie — Triage.
6. Agile — Aboutissement.
7. Époque — Suite — En matière de.
8. Silencieux — Nitrate de potassium.
9. Nom poétique de l'Irlande — Poinçon.
10. Homme politique nicaraguayen — Prince musulman.
11. Douze mois — Joueuse de tennis américaine née en 1954 — Prairie.
12. Choyé — Se mouvoir d'une manière rythmée.

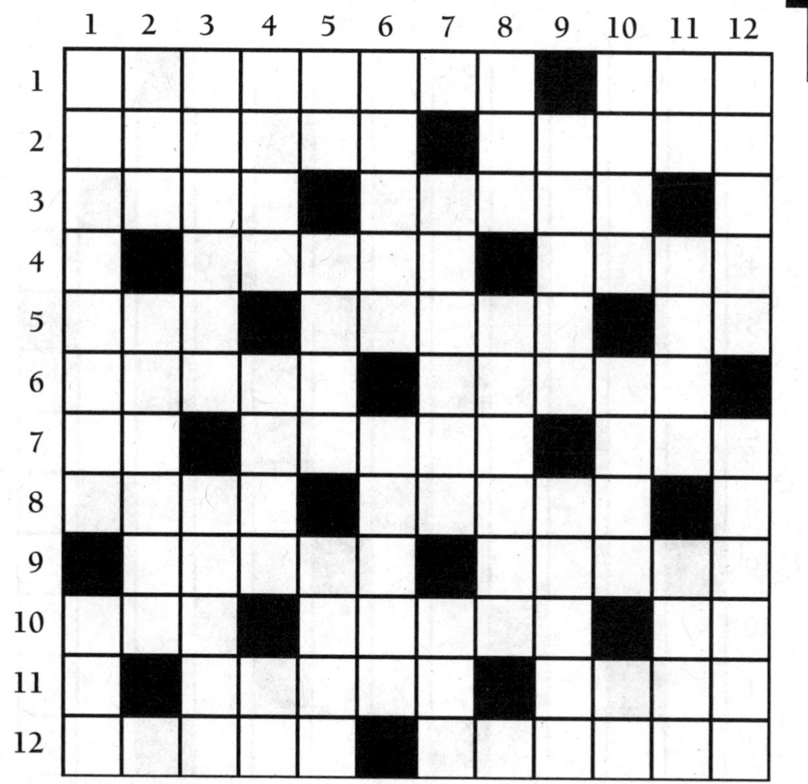

**HORIZONTALEMENT**

1. Oiseau au plumage rouge — Triage.
2. Inanimé — Acide sulfurique fumant.
3. Pain non levé — Gaz inerte de l'air.
4. Autrefois (D') — Monseigneur de l'Afrique du Sud.
5. Adverbe de lieu — Serge de laine — Cité antique de la basse Mésopotamie.
6. Arbuste ornemental — Mer.
7. Article — Rideau — Lombric.
8. Dieu de l'Amour — Pêche nappée de crème chantilly.
9. Oiseau aquatique palmipède — Fibre textile.
10. Dynamisme — Tourmenté — Négation.
11. Nom donné à la Nouvelle-Guinée par l'Indonésie — Convenance.
12. Friandise — Endetter.

**VERTICALEMENT**

1. Gueuleton — Conifère.
2. Sans inégalités — Chandelle.
3. Troupeau — Plante charnue.
4. Pays voisin de l'Irak — Commune de Belgique — Roulement de tambour.
5. Conjonction — Épreuve — Ablution.
6. État des États-Unis — Lettre grecque.
7. Adverbe de temps — Fille de Cadmos.
8. Agent secret de Louis XV — Grand chat sauvage.
9. Poisson gluant — Ville d'Allemagne.
10. Très fin — Partie d'un cours d'eau — Métal précieux.
11. Ruisselet — Thune — Flot.
12. Corrompu — Désavouer.

266

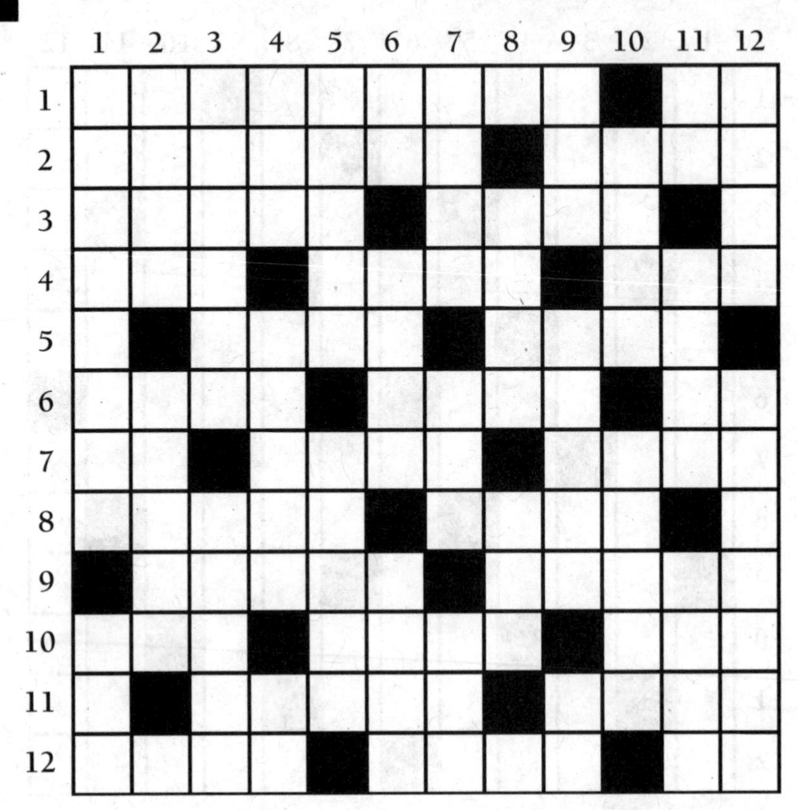

## HORIZONTALEMENT

1. Échevelé, Hirsute — Lettre grecque.
2. Épaisse — Oiseau gallinacé de la taille du faisan.
3. Pigeon sauvage de couleur bise — Chef d'État dans certains États arabes.
4. Interjection espagnole — Firmament — Rivière de l'Asie.
5. Meurtri — Piquant au goût.
6. Précieux — Palissade de bois — Gallium.
7. Hectare — Unité monétaire du Cambodge — Corps pesant.
8. Ancienne mesure de longueur — Nom donné à divers sommets.
9. Balance à levier — Cétone de la racine d'iris.
10. Garçon — Insecte des eaux stagnantes — Tromperie.
11. Espace de temps — Bande d'étoffe.
12. Extrêmement — Rivière née dans le Perche — Erbium.

## VERTICALEMENT

1. Engraissement du bétail dans les prés — Courte lettre.
2. Contrat de location — Bâton.
3. Langue iranienne — Faute.
4. Détérioré — Ch.-l. du dép. du Pas-de-Calais — Einsteinium.
5. Italien — Homme politique turc.
6. Quatre — Commune de Belgique — Arbre d'Afrique utilisé en médecine.
7. Passionné — Ville du Nigeria — Légèrement.
8. Eau-de-vie — Oiseau.
9. Panicule — Cacher — Ego.
10. Ancien émirat de l'Arabie — Évasion.
11. Fleuve d'Italie — Succession — Communiqué.
12. Ancienne unité monétaire du Pérou — Attacher à une charrue.

## HORIZONTALEMENT

1. Grosse pièce de charpente — Échec.
2. Ancienne monnaie — Plante à fleurs jaunes — Lettre grecque.
3. Développement littéraire — Frère de Moïse.
4. Dans le calendrier romain — Tissu fait de fils de lin, de coton, etc.
5. Cuivre — Grosses mouches — Lombric.
6. Palmier d'Afrique — Plante cultivée pour ses fleurs décoratives.
7. Petit pâté impérial — Saisir — Métal précieux.
8. Rabattre — Naturel.
9. Pièce de charpente — Ennui.
10. Caverne — Autrefois (D').
11. Argon — Agricole — Époque.
12. Versant exposé au soleil — Cesser d'allaiter.

## VERTICALEMENT

1. Hésitation — Association pour alcooliques.
2. Légèrement acide — Après le moment habituel.
3. Rivière de Bourgogne — Ancienne mesure de longueur.
4. Vin blanc — Unité de mesure de capacité.
5. Repaire — Abréviation familière d'aspirant — Période d'activité sexuelle des mammifères.
6. Point culminant des Pyrénées — Ville de Belgique.
7. Lutécium — Catapulte servant à lancer des projectiles — Expert.
8. Lien — Blême.
9. Loyal — Équipage.
10. Songe — Interurbain.
11. Rivière de l'Éthiopie — Dieu de l'Amour — Unité de mesure agraire.
12. Châtier — Exercer le pouvoir.

## HORIZONTALEMENT

1. Qui est composé de mulets — Plomb.
2. Affaiblir — Voiture.
3. Incommodité — Mamelon du sein.
4. Information — Réactionnaire extrémiste.
5. Agent secret de Louis XV — Félin — Suc de certains fruits.
6. Une des trois parties égales — Prairie de la Suisse.
7. Restes — Désire — Île de l'Atlantique.
8. Coloration jaune des muqueuses — Vétille.
9. Se dit d'une coupe de cheveux — Cétone de la racine d'iris.
10. Plante herbacée — Polir avec la ripe.
11. Capture — Introduit.
12. Pronom personnel — Unité monétaire italienne — Brame.

## VERTICALEMENT

1. Génératrice — Alpage.
2. Première page — Inactif — Ruisselet.
3. Homme politique russe né en 1870 — Gibet.
4. Ainsi soit-il — Rusé.
5. Tellement — Canal — Givre.
6. Plaie faite par une arme blanche — Sollicite.
7. Colère — Concevoir — Infinitif.
8. Meurtrier — Frêne à fleurs blanches.
9. Bande de fer — Ternes.
10. Quelqu'un — Ville de Belgique.
11. Platine — Réer — Époque.
12. Intestin d'un animal — Vestibule.

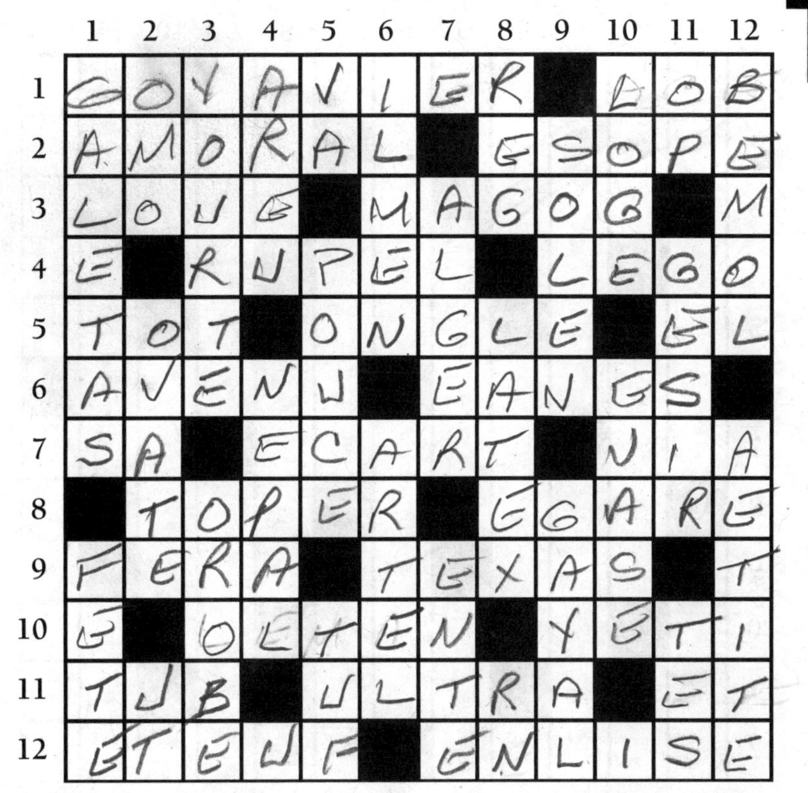

## HORIZONTALEMENT

1. Arbre qui produit les goyaves — Coup, au tennis.
2. Qui ignore les règles de la morale — Fabuliste grec.
3. Rivière de France, affluent du Doubs — Ville du Québec, dans l'Estrie.
4. Rivière de Belgique — Jeu de construction.
5. Précocement — Griffe des carnassiers — Article espagnol.
6. Existant — Général et homme politique portugais.
7. Adjectif possessif — Éloignement — Par.
8. Accepter un défi — Perdu.
9. Poisson du lac Léman — État des États-Unis.
10. Ville de Suisse — L'abominable homme des neiges.
11. Large cuvette — Réactionnaire extrémiste — Sert à lier.
12. Balle dure — Envasé.

## VERTICALEMENT

1. Logement misérable — Cérémonie.
2. Rivière de l'Éthiopie — Druide gaulois — Do.
3. Iourte — Plante des régions tempérées.
4. Interjection — État d'Asie.
5. Voltampère — Doigt — Roche poreuse légère.
6. Lac de Russie — Coopérative, dans l'ancienne Russie.
7. Ville d'Algérie — Greffe.
8. Étendue désertique — Émulsion riche en amidon — Radon.
9. Mollusque — Bœuf domestiqué d'Asie.
10. Association de francs-maçons — Élargi.
11. Opus — Être couché — Adjectif possessif.
12. Signe d'altération qui baisse d'un demi-ton — Oxyde ferrique.

270

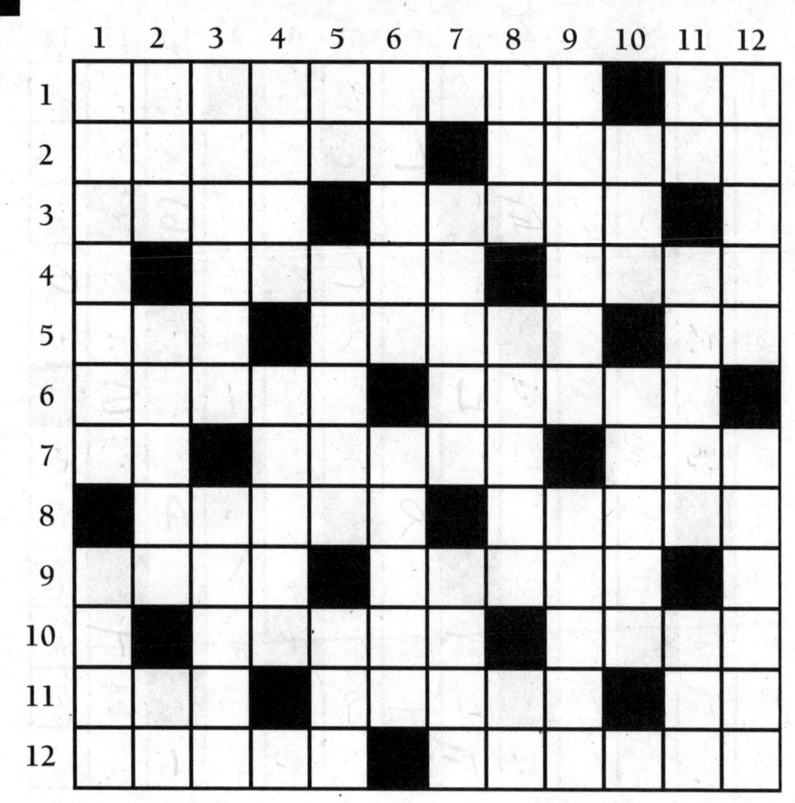

## HORIZONTALEMENT

1. Chiper — Douze mois.
2. Côte — Apaisement.
3. Entretoise — Perdu, égaré.
4. Pierre précieuse — Petite pièce du jeu d'échecs.
5. Pronom personnel — Nécessaire — 3,1416.
6. Joueuse de tennis américaine née en 1954 — Très petite quantité.
7. Ruisselet — Secourir — Unité monétaire du Danemark.
8. Duvet de certaines plantes — Ch.-l. de c. de l'Indre.
9. Égare — Élégie.
10. Région viticole du Bordelais — Pronom personnel.
11. Terre entourée d'eau — Matière fécale — Conjonction.
12. Petit rongeur d'Afrique et d'Asie — Nerveux.

## VERTICALEMENT

1. Fouiller — Tranquillité.
2. Interjection pour marquer l'enthousiasme — Gamète femelle végétal — Article.
3. Pourri — Fortifier.
4. Publié — Rigide.
5. Argent — Ce qu'on prend aux ennemis — Article indéfini (pl.).
6. Sursis — Versement.
7. Refuge — Colorant minéral naturel.
8. Ancienne monnaie — Têtard — Pronom indéfini (pl.).
9. S'abaisser — Aimable.
10. Unité monétaire roumaine — Hôtel.
11. Avant-midi — Ouvrage dramatique mis en musique — Unité monétaire bulgare.
12. Négation — Obstiné.

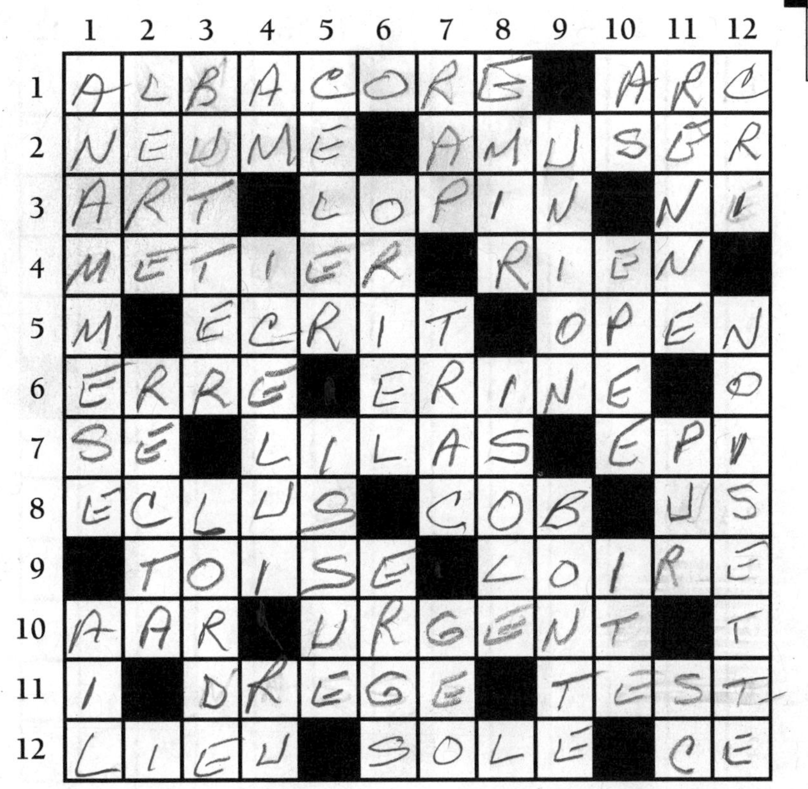

## HORIZONTALEMENT

1. Thon blanc — Courbe.
2. Ancien signe de notation musicale — Divertir.
3. Adresse — Petit champ — Négation.
4. Profession — Chose sans importance.
5. Noté — Compétition réunissant amateurs et professionnels.
6. Vitesse acquise d'un navire — Instrument de chirurgie.
7. Sélénium — Arbuste ornemental — Panicule.
8. Advenus — Cheval demi-sang utilisé pour la selle — Traditions.
9. Ancienne mesure de longueur — Fleuve de France.
10. Rivière de Suisse — Pressant.
11. Grand filet — Épreuve.
12. Endroit — Poisson plat — Cérium.

## VERTICALEMENT

1. Prière qui suit la consécration — Plante potagère à odeur forte.
2. Ch.-l. de c. du Cher — Ponctuellement.
3. Garnir de terre le pied d'une plante — Tribu errante.
4. Avant-midi — Celui-ci — Ruisselet.
5. Dissimuler — Aboutissement.
6. Fenêtre faisant saillie — Régions du Sahara.
7. Style de musique disco — Peur — Titre d'un magazine.
8. Prince musulman — Éloigné.
9. Association — Bienveillance.
10. Expert — Arme — Allez, en latin.
11. Mammifère ruminant — Sans mélange — Scandium.
12. Éclat de voix — Fruit du noisetier.

272

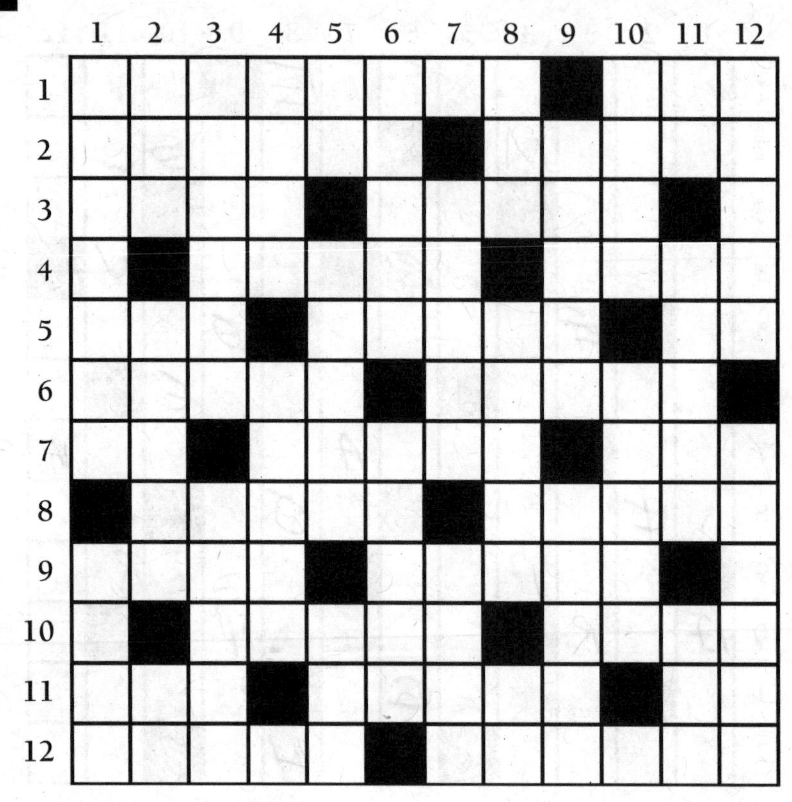

## HORIZONTALEMENT

1. Bavarder, causer — Unité d'équivalent de dose.
2. Nymphe des montagnes et des bois — Muse de la Poésie lyrique.
3. Branche de l'Oubangui — Presser.
4. Pleur — Bande d'étoffe.
5. Femme imaginaire — Période de temps — Or.
6. Longue corde — Constater.
7. Adjectif numéral — Appareil — Stérile.
8. Ch.-l. de c. de la Mayenne — Proportionner.
9. Femme d'Osiris — Alcool.
10. Mettre bas — Ancienne unité monétaire du Pérou.
11. Ville des Pays-Bas — Indispensable — Iridium.
12. Chant d'église — Instrument acoustique.

## VERTICALEMENT

1. Mafflu — De même.
2. Partie d'un hectare — Général et homme politique portugais — Ut.
3. Montures — Courte tige cylindrique.
4. Commune de la Polynésie française — Judicieux.
5. Idem — Fleuve de Suisse et de France — Enduit très résistant.
6. Ancien signe de notation musicale — Cheval de petite taille.
7. Rassemblé — Plante à haute tige.
8. Étendue désertique — Forme instrumentale ou vocale — Mesure itinéraire chinoise.
9. Refus — Prêtre français né en 1608.
10. Précieux — Ville d'Allemagne.
11. Sert à lier — Corrompue — Béquille.
12. Pièce centrale d'une roue — Admettre.

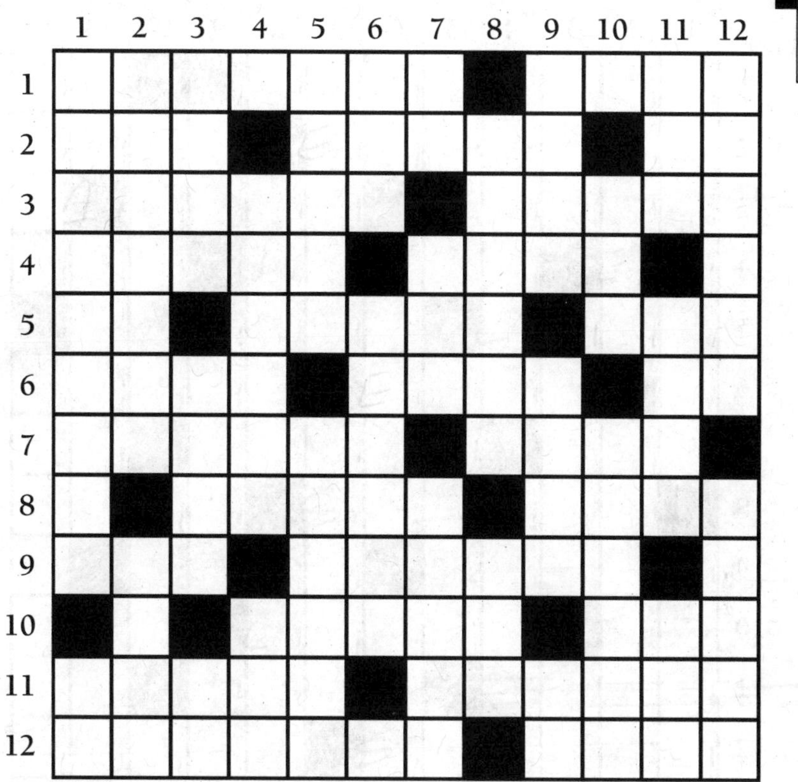

## HORIZONTALEMENT

1. Petit poème pastoral — Crochet.
2. Club Automobile Américain — Versant exposé au soleil — Ancien oui.
3. Remédier — Niais.
4. Contestent — Grand Lac.
5. Note — L'ancienne Estonie — Normale, au golf.
6. Joindre — N'ayant subi aucune teinture — Cérium.
7. Renard bleu — Impulsion.
8. Ch.-l. d'arr. des Ardennes — Existences.
9. Panicule — Singer.
10. Ménestrel — Conscience.
11. Un peu acide — Contrée.
12. Signe qui permet de distinguer une chose — De naissance.

## VERTICALEMENT

1. Repousser — Scandium.
2. Abris pour les chasseurs de gibier d'eau — Le bon côté.
3. Magma — Ville de Roumanie — Blagué.
4. Inanimé — Flatuosité.
5. Port d'Italie — Sotte.
6. Union des Démocrates pour la République — Plante oléagineuse.
7. Erbium — Et le reste — Nitrate de potassium.
8. Gribouiller — Cheville de golf.
9. Boîte destinée à contenir un objet — Algue appelée laitue de mer — Soldat américain.
10. Pied de vigne — Alliage à base de cuivre.
11. Monnaie — Lésion de la peau — Adjectif possessif.
12. Sortir de l'œuf — Esclandre.

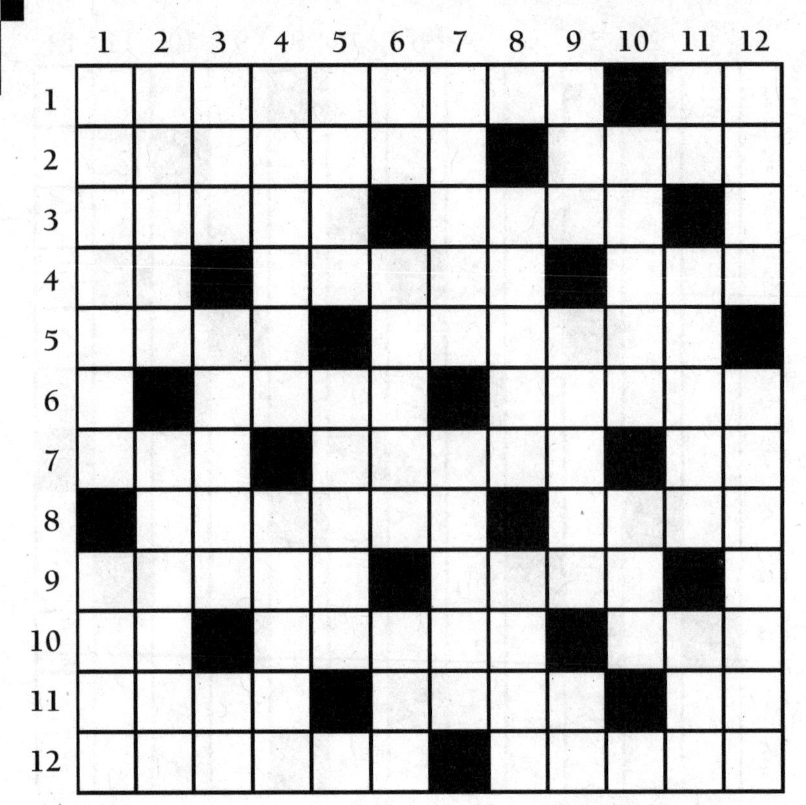

## HORIZONTALEMENT

1. Ignominie — Argon.
2. Charrues simples sans avant-train — Ville de Galilée.
3. Fruit comestible — Abri de toile goudronnée.
4. Pronom indéfini — Saule de petite taille — Canton de Suisse centrale.
5. Viscère pair qui sécrète — Foret, mèche.
6. Souverain serbe — Cabaret installé au sous-sol.
7. Lettre grecque — Système de télévision en couleurs — Préfixe privatif.
8. Divertir — Ville de France.
9. Fruit de l'alisier — Volcan de la Sicile.
10. Bismuth — Point culminant des Pyrénées — Échelle, en photographie.
11. Fleuve de l'Ukraine — Femme politique israélienne — Adverbe de lieu.
12. Boucle — Document.

## VERTICALEMENT

1. Oiseau aquatique migrateur — Groupe de chanteurs scandinaves.
2. Ancien nom de l'oxyde d'uranium — Châtiment.
3. Rongeur — Ville du Japon — Article indéfini.
4. Clous — Détérioré.
5. Rognes — Ville des Pays-Bas.
6. Pronom personnel — Ville d'Italie — Touché.
7. Commune de Suisse — Excroissance charnue.
8. Port du Chili septentrional — Couverture.
9. Ancienne monnaie — Unité de mesure de flux lumineux — Île de l'Atlantique.
10. Encensé — Poème narratif.
11. Douze mois — Ch.-l. de c. des Ardennes — Manche, au tennis.
12. Jeu de cartes — Plante herbacée à fleurs jaunes.

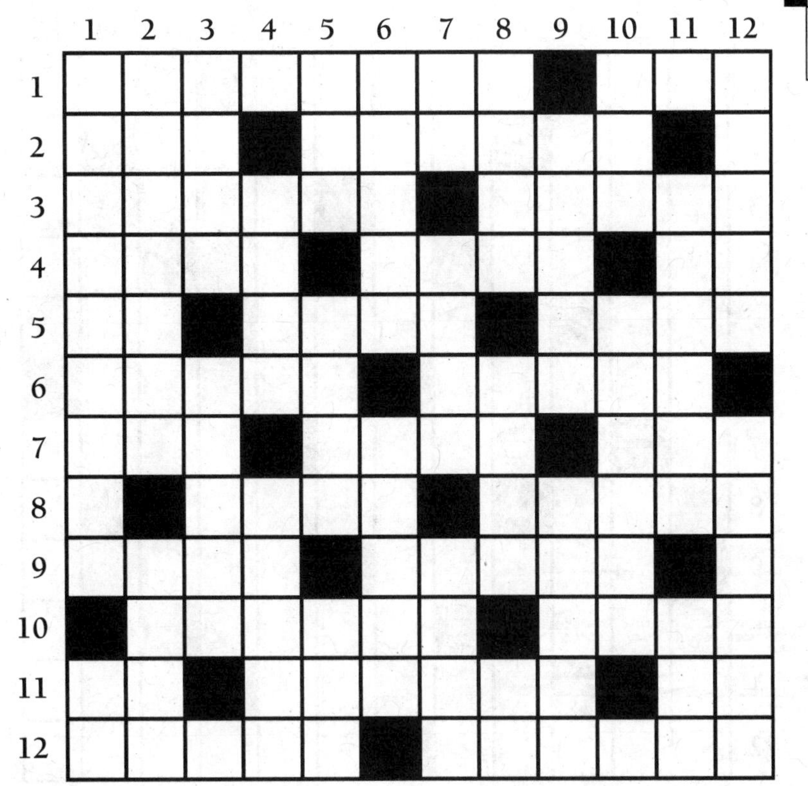

## HORIZONTALEMENT

1. Ensemble des pulsions de mort — Production pathologique liquide.
2. Forme particulière de désert rocheux — Aéroport de Tokyo.
3. Nourrain — Manteau de femme.
4. Ne pas reconnaître — But — Quelqu'un.
5. Scandium — Eau-de-vie — Ville de Norvège.
6. Énergie — Nettoyé à l'eau.
7. Homogène — Nom donné à divers sommets — Ville du sud-ouest du Nigeria.
8. Argot espagnol — Point décisif, dans les arts martiaux.
9. Calife — Coiffure portée par certains dignitaires.
10. Absence d'urine dans la vessie — Interjection.
11. Brome — Coiffe — Senior.
12. Père de Jacob — Hirondelle.

## VERTICALEMENT

1. Dissident — Bisexuel.
2. Tuba contrebasse — Mois.
3. Vieille — Plante à grandes feuilles palmées.
4. Marchandises sans emballage — Île néerlandaise.
5. Ancienne capitale d'Arménie — Royal — Pierre.
6. Port de Tanzanie — Commérage.
7. Richesse — Couleur d'un brun orangé — Ville d'Allemagne.
8. Zone du globe terrestre — Plante voisine de l'iris — Infinitif.
9. Partie d'un bas — Ville d'Italie.
10. Grand morceau d'étoffe — Île du Danube.
11. Ville de l'Ohio — Drogue hallucinogène.
12. Procédé d'écriture — De nouveau.

276

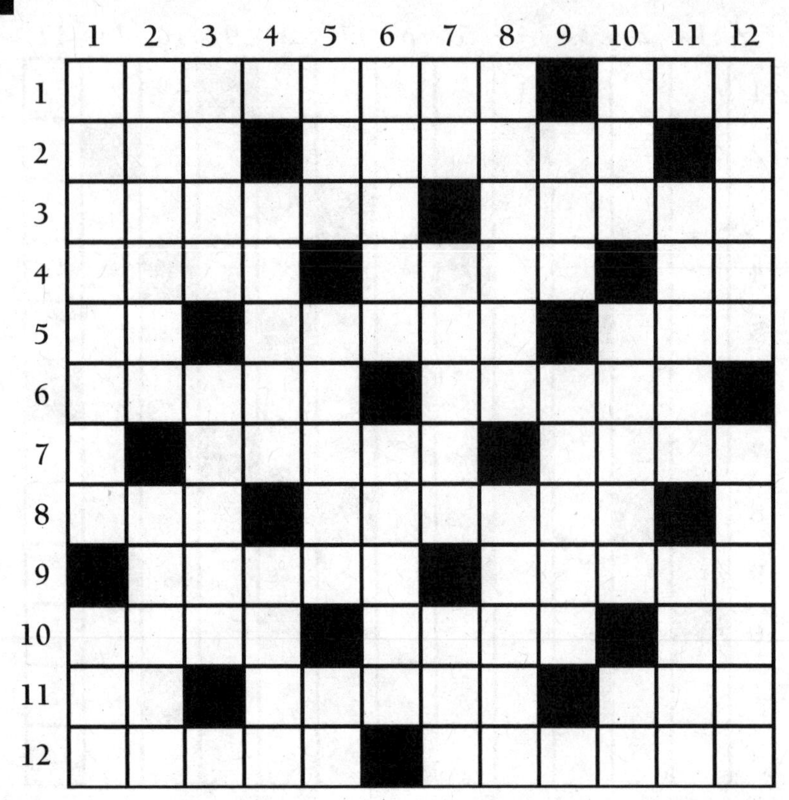

## HORIZONTALEMENT

1. Alcaloïde de l'opium — Verrue des bovins.
2. Critique italien — Œnothère.
3. Établissement de jeux — Frère de Moïse.
4. Divisé en trois — Graminée aromatique — Note.
5. Article contracté — Dégradation — Allure.
6. Seul — Boîte osseuse.
7. Dos — Perroquet d'Australie.
8. Bouclier — Chaland ponté.
9. Ville de Suisse — Impératrice d'Orient.
10. Mouvement rapide — Masse — Opus.
11. Interjection — Regarder avec attention — Blague.
12. Qui procède par huit — Recouvert de cendre.

## VERTICALEMENT

1. Tissu qui produit une sécrétion sucrée — Lettre grecque.
2. Parasite de l'ordre des acariens — Onomatopée imitant un petit cri.
3. Rosé — Gamète femelle animal.
4. Plante à fleurs jaunes — Port du Ghana.
5. Officier de Louis XV — Ébranchoir — Lui.
6. Homme politique turc — Dispositif de détection sous-marine.
7. Exclamation enfantine — Armature de la selle — Garçon.
8. Perdre momentanément — Coiffure de forme conique.
9. Radian — En conséquence.
10. Métal gris — Arbre équatorial — Rad.
11. Prêtre français né en 1608 — Ténébreux.
12. Buse d'aérage — Incapable.

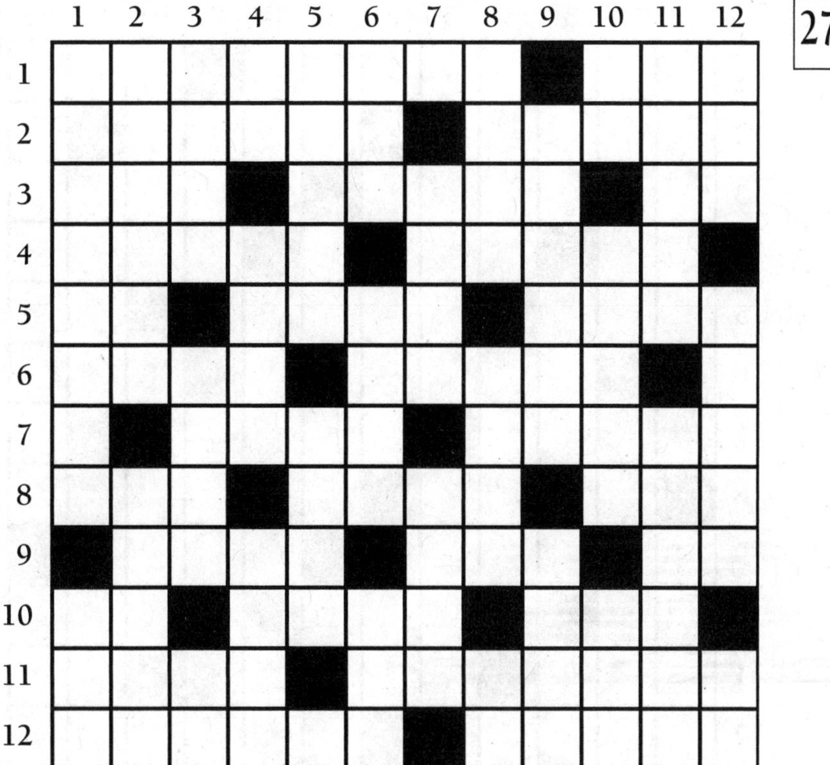

## HORIZONTALEMENT

1. Distribuer — Adjectif possessif (pl.).
2. Très amaigri — Vorace.
3. Copain — Ouragan — Pronom personnel.
4. Petit loir gris — Mélange de cire et d'huile.
5. Préfixe privatif — Récipient cylindrique — De plus.
6. Laxatif extrait du cassier — Personne asservie.
7. Lac de Syrie — Décontraction.
8. Panicule — Viscère pair qui sécrète l'urine — Levant.
9. Être spirituel — Tranché — Pronom personnel.
10. Platine — Chaland à fond plat — Vallée fluviale noyée par la mer.
11. Endroit — Moisson.
12. Absence d'urine dans la vessie — Rouer.

## VERTICALEMENT

1. Qui dépeint les aspects vulgaires du réel — Journaliste espagnol.
2. Transporte — Dispositif formé d'une lame.
3. Toujours divisible par deux — Petit — Europium.
4. Actinium — Hardis — Buffle sauvage de la Malaisie.
5. Rit un peu — Palmier d'Asie.
6. Trois fois — Secours — Unité monétaire du Danemark.
7. Fond d'un terrier — De naissance.
8. Fureur — Frêne à fleurs blanches — Chrome.
9. Sincérité — Prison.
10. Titane — Singe — Pronom personnel (pl.).
11. Publie — Élément instable et radioactif.
12. Assaisonnement — Mélangé — Erbium.

## 278

| | 1 | 2 | 3 | 4 | 5 | 6 | 7 | 8 | 9 | 10 | 11 | 12 |
|---|---|---|---|---|---|---|---|---|---|---|---|---|
| 1 | | | | | | | | | ■ | | | |
| 2 | | | | | | ■ | | | | | ■ | |
| 3 | | | | | | | ■ | | | | | |
| 4 | | | ■ | | | | | ■ | | | | |
| 5 | | | | ■ | | | | | | ■ | | |
| 6 | | ■ | | | | | | | ■ | | | |
| 7 | | | | | ■ | | | | | | ■ | |
| 8 | ■ | | | | | ■ | | | | | | |
| 9 | | | | | | | ■ | | | | | ■ |
| 10 | | | ■ | | | | | ■ | | | | |
| 11 | | | | ■ | | | | | | ■ | | |
| 12 | | | | | | ■ | | | | | | |

### HORIZONTALEMENT

1. Menue monnaie sans valeur — Limite.
2. Édifice consacré aux chants — Glacé.
3. Oiseau plus petit que le merle — Trou dans la paroi d'un navire.
4. Aluminium — Graisse des ruminants — Engourdi.
5. Unité de mesure thermique — Nommé des lettres — Ut.
6. Accoste — Souverain vassal du sultan.
7. Gaine — Ourlet.
8. Vin blanc — Érignes.
9. Relative à l'iléon — Ville de Hongrie.
10. Béryllium — Jeu de hasard — Vase.
11. Rivière de Suisse — Pousse caractéristique des graminées — Erbium.
12. Monument vertical, souvent funéraire — Comprimés.

### VERTICALEMENT

1. Badin — Oiseau échassier.
2. Vedette admirée du public — Aptitude.
3. Fleuret — Raison — Issu.
4. Chefs — Italien.
5. Débarrasser des noeuds — Personne asservie.
6. Taper sur une caisse enregistreuse — Lettre grecque.
7. Conifère — Commémorée — Rivière de Roumanie.
8. Habitation — Maladie infectieuse — Note de.
9. Maladie contagieuse — Unions.
10. Qui présente une fêlure — Sarcler.
11. Eau — Ch.-l. de c. de la Mayenne.
12. Dégraissés — Légumineuse.

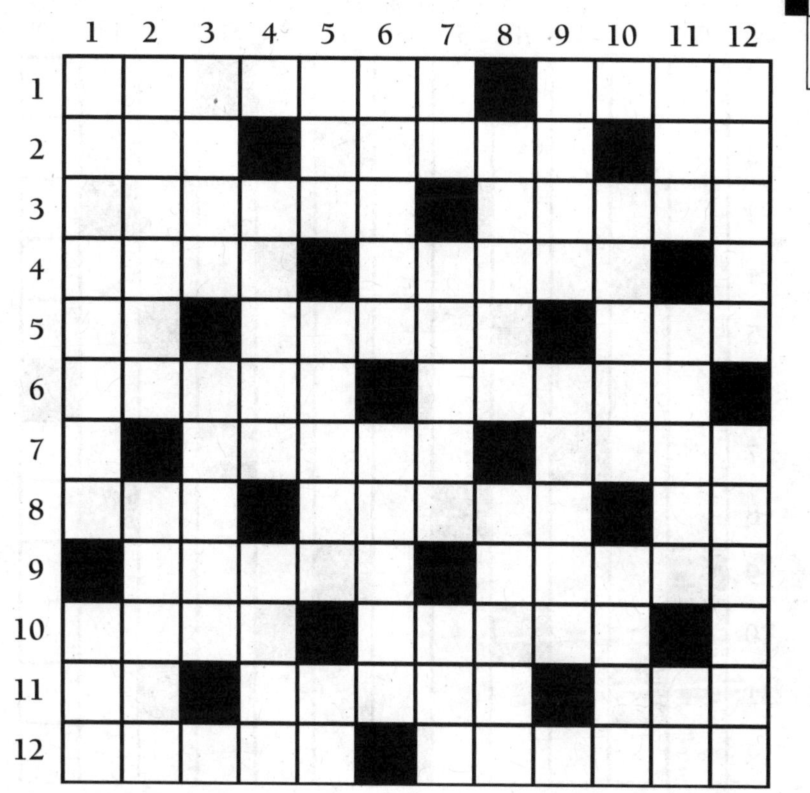

## HORIZONTALEMENT

1. Petite flûte — Plante herbacée.
2. Double coup de baguette — Éculé — Nobélium.
3. Passoire — Femme de lettres américaine.
4. Lac d'Italie — Ville d'Italie.
5. Cæsium — Balance à levier — Unité monétaire roumaine.
6. Ville de Belgique — Ch.-l. d'arr. de la Corrèze.
7. Personnage représenté en prière — Obstacle équestre.
8. Unité monétaire principale de l'Albanie — Troisième personne — Voltampère.
9. Pieux — Faire son nid.
10. Coupe de cheveux — Vapeur d'eau.
11. Jeu d'origine chinoise — Fils de Dédale — Billet.
12. Autrui — Résidu éteint.

## VERTICALEMENT

1. Sûr — Chef au-dessus du caïd.
2. Éclisse — Ville de Haute-Égypte.
3. Meurtri — Jeu de cartes.
4. Accepter un défi — Constater.
5. Asticot — Muse de la Poésie lyrique — Pronom démonstratif.
6. Obstruction de l'intestin — Ville de Slovaquie.
7. Conjonction — Hésitation — Fleuve du Languedoc.
8. Indique une soustraction — Couper au ras de la peau.
9. Pantalon de toile — Parfaite ressemblance.
10. Service télégraphique — Prénom masculin.
11. Dans la rose des vents — Érigé — Squelette.
12. Riche — Pénurie.

280

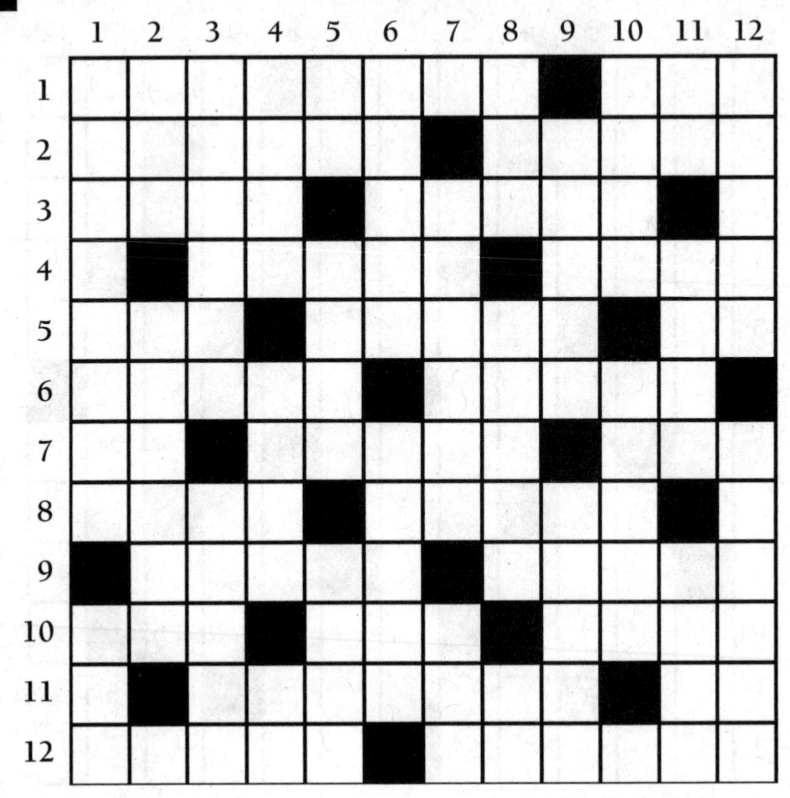

## HORIZONTALEMENT

1. Qui concerne les industries chimiques du sel — Résine malodorante.
2. Éviter avec adresse — Vallée sauvage.
3. Racontée — Barrière.
4. Effet rétrograde — Lutte japonaise.
5. Pronom personnel — Poètes grecs de l'époque primitive — Cité antique de la basse Mésopotamie.
6. Infuse — Rivière d'Allemagne.
7. Ancien oui — Poissons plats — Armée.
8. Contestée — Plante au liquide irritant.
9. Existant — Plante à fleurs jaunes.
10. Double coup de baguette — Bière — Le premier homme.
11. Décongeler — Cale en forme de V.
12. Le gland est son fruit — Profitables.

## VERTICALEMENT

1. Insurrection — Verrue des bovins.
2. Boxeur célèbre — Se dit d'une écriture composée de lettres capitales.
3. Pupitre — Fugitif.
4. Pensée — Arme — Adverbe de lieu.
5. Cérium — Ancienne monnaie chinoise — Natation.
6. Catégorie — Chante à la manière des Tyroliens.
7. Iouler — Choisi par Dieu.
8. Unité de mesure de travail — L'ancienne Estonie — Conjonction..
9. Également — Lac de la Laponie finlandaise.
10. Confession — Boucle.
11. Tellement — Change de plumage — Magma.
12. Canton de Suisse centrale — Sujets.

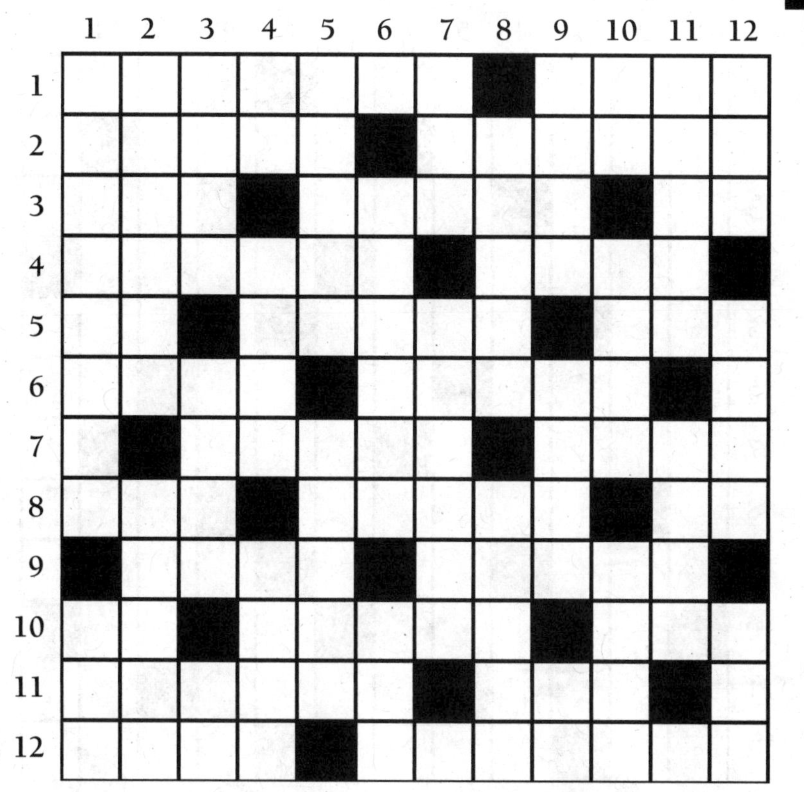

**HORIZONTALEMENT**

1. Grosse mouche qui vit sur les fleurs — Jupe de gaze.
2. Mariage — Singe du genre macaque.
3. Assemblée russe — Peuple des Philippines — Ferrure.
4. Provenir — Hameau.
5. Note — Plante charnue — Nez.
6. Très petite île — Nom d'une ex-championne de tennis prénommée.
7. Brun clair proche du jaune — Interjection familière d'interrogation.
8. Rayon — Chemin de fer — Tellement.
9. Arrêt — Énergie, dynamisme.
10. Cæsium — Question — Courant marin.
11. Guerrier brutal — Ceinture japonaise.
12. Information — Cours d'eau à forte pente.

**VERTICALEMENT**

1. Enfler — Éclat de voix.
2. Être vivant organisé — Ville des Pays-Bas.
3. Encaustiqua — Service religieux — Conifère.
4. Peuple de l'Inde — Addition — Hôpital.
5. Interurbain — Corrompu.
6. Accord musical — Avion rapide.
7. Unité de mesure de travail — Germandrée à fleurs jaunes.
8. Aversion — Partie tournante d'une machine.
9. Colline artificielle — Petit massif volcanique d'Allemagne — Brome.
10. Traditions — Affluent de la Seine — Mari de Bethsabée.
11. Morceau exécuté par l'orchestre tout entier — Peuple de Djibouti et de la Somalie.
12. Râpé — Achevé — Exclamation exprimant le dépit.

282

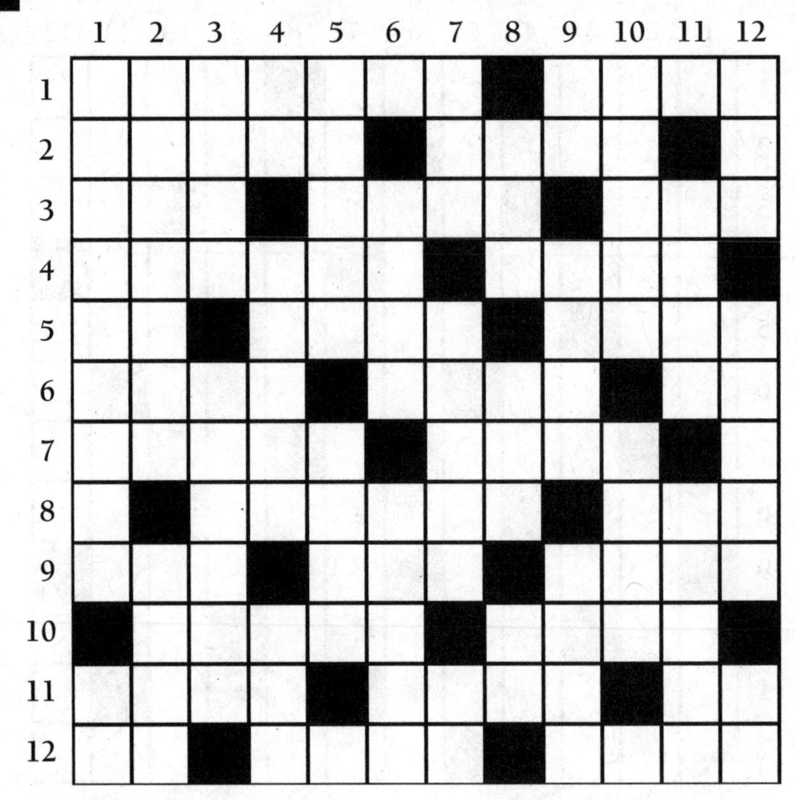

## HORIZONTALEMENT

1. Plante vivace à fleur bleue — Rivière de Suisse.
2. Suivre — Ville d'Allemagne.
3. Commun — Gratuitement — Jovial.
4. Rages — Gentil, mignon.
5. Francium — Prise des mains sur un club de golf — Fleuve d'Irlande.
6. Port du Yémen — Hareng fumé — Einsteinium.
7. Instrument de musique médiéval à trois cordes — Extrêmement.
8. Asiatique — Terme de photographie.
9. Marque le doute — Prénom féminin — Pareil.
10. Bigleux — Amoncellement.
11. Ville du Japon — Chemin de fer — Gallium.
12. Ancien oui — Roche sédimentaire — Oiseau d'Australie.

## VERTICALEMENT

1. Grosse pipe — Nobélium.
2. Stupide — Dans la montagne, versant à l'ombre.
3. Bramer — Étonner.
4. Bisexuel — Ardents — Effet comique rapide.
5. Rôder — Espace.
6. Femme d'Osiris — Reconnu vrai.
7. Port du Japon — Chiffon, torchon — Arsenic.
8. Jamais — Urus — Lettre grecque.
9. Année — Jeune daim — Amoncellement.
10. Angine de poitrine — Couche superficielle du globe terrestre.
11. Aulne — Chaise.
12. Inflorescence — Impulsion — Article contracté.

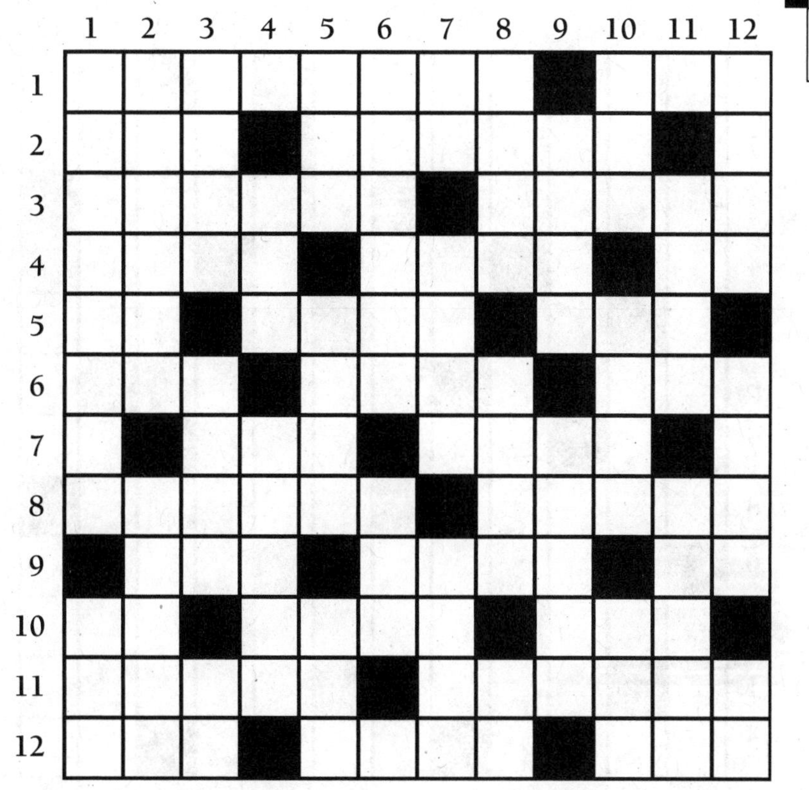

## HORIZONTALEMENT

1. Ceinture de laine entourée plusieurs fois à la taille — Courbe.
2. Fleuve du sud de la France — Col des Alpes.
3. Ingénues — Coloré.
4. Venu — Vase à flancs arrondis — Conjonction.
5. Fer — Arme — Négation.
6. Colère — Vin blanc — Extrémité effilée de certains instruments à air.
7. Lettre grecque — Aigre.
8. Additionné de résine — Planche.
9. Article — Ancienne monnaie chinoise — Conifère.
10. Fleuve de Russie — Style d'improvisation vocale — Levant.
11. Chien de garde — Pondéré, réfléchi.
12. Allez, en latin — Bisons d'Europe — Audacieux .

## VERTICALEMENT

1. Fortifier — Ceinture japonaise.
2. Mettre de niveau — Flétan.
3. Oiseau échassier — Anneau de cordage — Xénon.
4. Faculté de percevoir la lumière, les couleurs — Monte.
5. Dépôt du vin — Oiseau originaire d'Asie — Choquant.
6. Qui ont de gros os — Lettre grecque.
7. Article — Filet pour la pêche — Foyer.
8. Nom poétique de l'Irlande — Chaton de certaines fleurs — Expert.
9. Ainsi soit-il — Grognes.
10. Recueil de bons mots — Service religieux — Dans la rose des vents.
11. Incommodité — Gavroches.
12. Escarpement rocheux — Dirigeant — Sélénium.

284

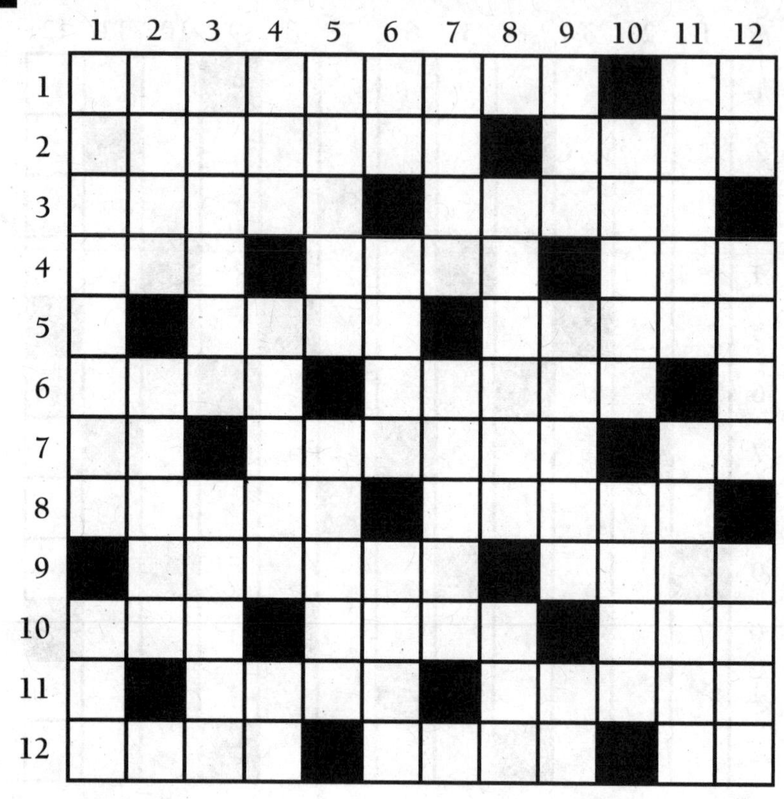

## HORIZONTALEMENT

1. Renseigner secrètement — Adverbe de lieu.
2. Stupéfait — Ville de Finlande.
3. Esprit — Ongulé.
4. Unité monétaire roumaine (pl.) — Préventorium — Fille de Cadmos.
5. Commune du Morbihan — Petite automobile de course.
6. Ville d'Italie — Bâton.
7. Étain — Confiantes — Béryllium.
8. Ch.-l. de c. de la Meuse — Instrument de chirurgie.
9. Provenir — Nez.
10. Double coup de baguette — Blessant — Négation.
11. Division administrative de l'ancienne Égypte — Prophète juif.
12. Jeu de hasard — Dans la montagne, versant à l'ombre — Issu.

## VERTICALEMENT

1. Plante dont la racine sert à fabriquer une confiserie — Ficelle.
2. Ouverture donnant passage à l'eau — Quelqu'un.
3. Chant funèbre — Amoureux.
4. Éclat de voix — Ver parasite de l'intestin des mammifères — Petit lac des Pyrénées.
5. Pièce de tissu placée sous le drap — Région centrale du Viêt Nam.
6. Ruisselet — Ch.-l. du dép. du Tarn — Oiseau d'Australie.
7. Écrivain français né en 1919 — Certain.
8. Raconter — Vallée fluviale noyée par la mer.
9. Étendue désertique — Endommagé par le feu — Scandium.
10. Effet latéral donné à une balle, au golf — Femme.
11. Bois noir — Exigence.
12. Drame japonais — Arbre — Prince troyen.

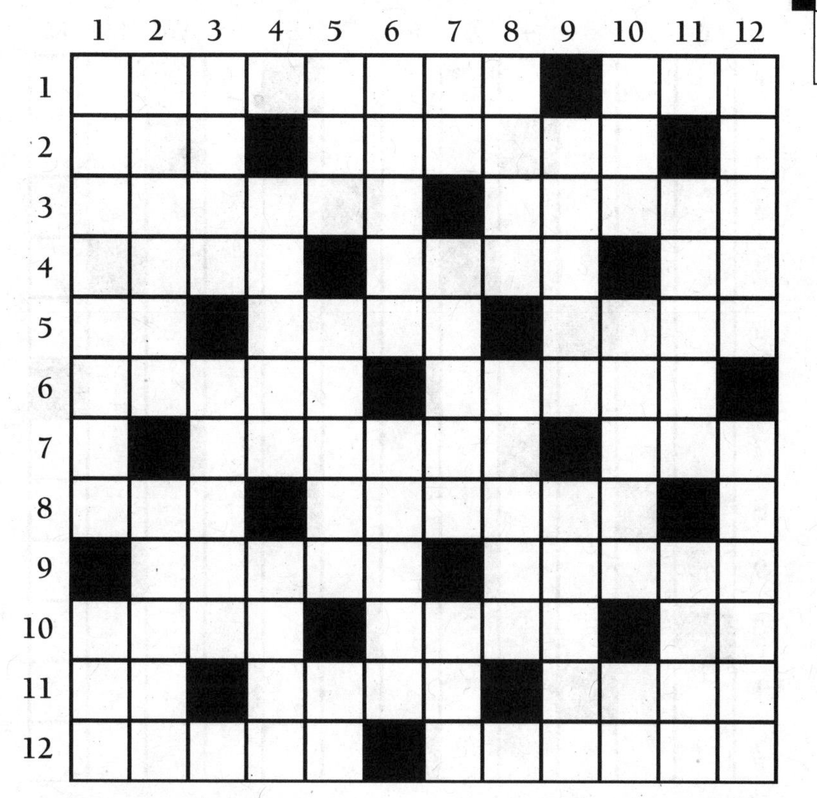

## HORIZONTALEMENT

1. Saillie osseuse de la cheville — Cheval demi-sang.
2. Ville du Pérou — Accabler de dettes.
3. Net, propre — Roi des Lapithes.
4. Anneau de cordage — Absorbe — Ancien do.
5. Rhénium — Maréchal de France — Violent.
6. Comté d'Angleterre — Réactionnaire extrémiste.
7. Orné, garni — Rivière de Roumanie.
8. Inflorescence — Grands filets.
9. Géant, fils de Poséidon et de Gaia — Aimable.
10. Meurtrissure — Communiqué — Patrie d'Abraham.
11. Note — Disconvenir — Lavande dont on extrait une essence odorante.
12. Lieu de souffrances — Trop mûre et altérée.

## VERTICALEMENT

1. Psaume — Fric.
2. Archipel portugais de l'Atlantique — Appareil de levage.
3. Terrains que la mer laisse à découvert — Senne.
4. Cheval de petite taille — Ancienne pièce de cinq francs.
5. Officier de Louis XV — Tique — Iridium.
6. Gros — Impératrice d'Orient.
7. Laize — Pousse son cri, en parlant du hibou — Fleuve du Languedoc.
8. Nom de quatorze rois de Suède — Ambassadeur du Saint-Siège.
9. Billet de sortie — Ville de Syrie.
10. Tollé — Pas en vers — Platine.
11. Fleuve de Russie — Noir.
12. Miséricorde — Ch.-l. de c. de Maine-et-Loire.

286

**HORIZONTALEMENT**

1. Disposé en croix — Arme.
2. Fille de Cadmos — Roche constituée de silice — Ancien do.
3. Marquer de raies — Cossu.
4. Poitrine — Énumération.
5. Conjonction — Ingénue — Personne bavarde.
6. Convoites — Général et homme politique portugais.
7. Triage — Sis — Préfixe privatif.
8. Narine des cétacés — Position.
9. Mission — Discussion.
10. Présumé — Gratin.
11. Erbium — Document — Récipient en terre réfractaire côtier des Pyrénées-Orientales.
12. Vin blanc sec — Rue.

**VERTICALEMENT**

1. Discourir — Ancien.
2. Étourdir — Colorant minéral naturel.
3. Biologiste américain mort en 1984 — Instrument de musique.
4. De naissance — Venteux.
5. Dans la rose des vents — Commune de Belgique — Adjectif possessif (pl.).
6. Alouette vivant sur les hauts plateaux d'Afrique — Doigt.
7. Article espagnol — Germandrée à fleurs jaunes — Tantale.
8. Petit anneau en cordage — Avoir la bouche ouverte.
9. Sortie — État d'Asie.
10. Champignon — Inflammation de l'oreille.
11. Interjection — Déesse égyptienne — Trois fois.
12. Écimé — Plante à odeur forte.

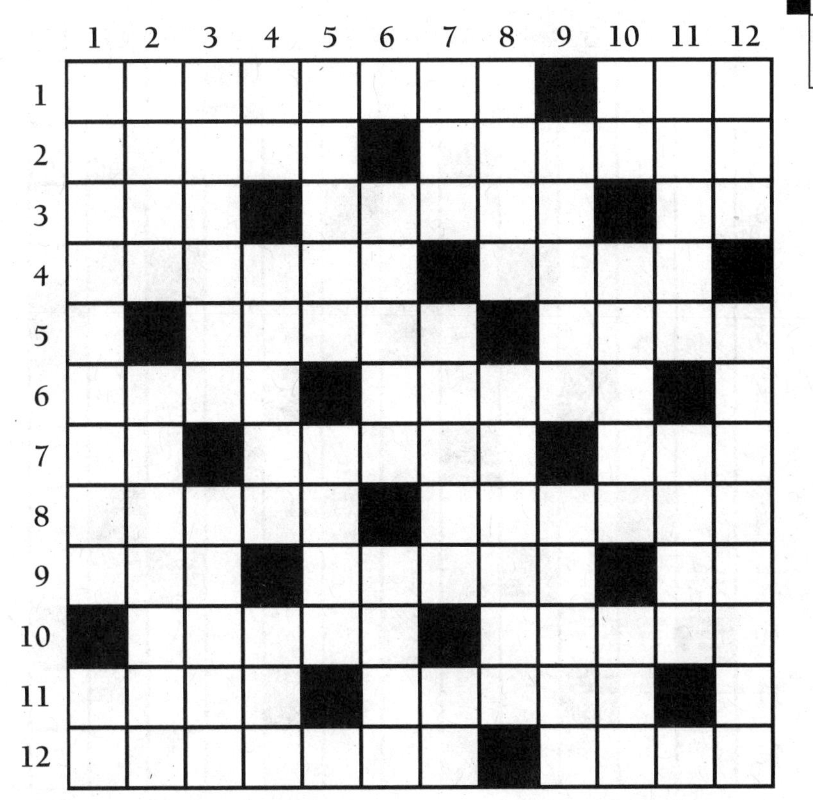

## HORIZONTALEMENT

1. Dépasser — Pomme.
2. Requin de grande taille — Affluent du Rhin.
3. Personne sotte — Petit cordage de deux fils — Île de l'Atlantique.
4. Contractés — Grand arbre de la forêt africaine.
5. Crochet pointu — Pièce du jeu d'échecs.
6. Éméché — Greffes.
7. Laize — Garnis — Lentille.
8. Ensemble d'animaux dans un même gîte — Dédain.
9. Choisi par Dieu — Aplati — Tantale.
10. Cordage servant à lier — Paysages.
11. Semblables — Vétilles.
12. Qui a la vertu de créer — Affluent de la Seine.

## VERTICALEMENT

1. Petite flotte — Technétium.
2. Poisson plat — Être de garde.
3. Conduire — Plaque de terre cuite.
4. Négation — Grand filet — Élima.
5. Pronom démonstratif — Bramer.
6. Lichen filamenteux — Tombé en ruine.
7. Pronom personnel (pl.) — Poire à deux valves — Conifère.
8. Chef d'État dans certains États arabes — Mouche africaine.
9. Conformité — Souffrance.
10. Astate — Installer — Ville du Japon.
11. Sa capitale est Lima — Coutume.
12. Colère — Assouvi.

## 288

### HORIZONTALEMENT

1. Fibre continue de verre — Exprime un bruit sec.
2. Badiane — Myriapodes noirs et luisants.
3. Licencieuse — Roi des Lapithes.
4. Opération de classement — Muse de la Poésie lyrique — Rhénium.
5. Coup frappé dans les arts martiaux — Bâton en forme de crosse.
6. Règle de dessinateur — Réunir — Commune du Morbihan.
7. Femme d'Osiris — Partie de la charrue — Volcan du Japon.
8. Royal — Marque le doute.
9. Surnom — Veto — Cale en forme de V.
10. Enjeu — Maghrébin.
11. Astate — Abhorrer — Mitaine.
12. Jeu de construction — Jeune femme élégante et facile.

### VERTICALEMENT

1. Apparition brusque d'une nouvelle espèce vivante — Aluminium.
2. Immobiles — Se décide.
3. Crustacé voisin des cloportes — Prénom féminin.
4. Baie où se trouve Nagoya — Inspiratrice — Lettre grecque.
5. Viscère pair qui sécrète l'urine — Tracas.
6. Disconvenir — Commune de la Haute-Vienne — Lui.
7. Dénudé — Violent — Port du Portugal.
8. Gratin — Angoisse.
9. Évasion — Emploi.
10. Lettre grecque — Un des États-Unis d'Amérique — Cacolet.
11. Arbres — Déplacement d'air.
12. Flétri — Lotte — Règle de dessinateur.

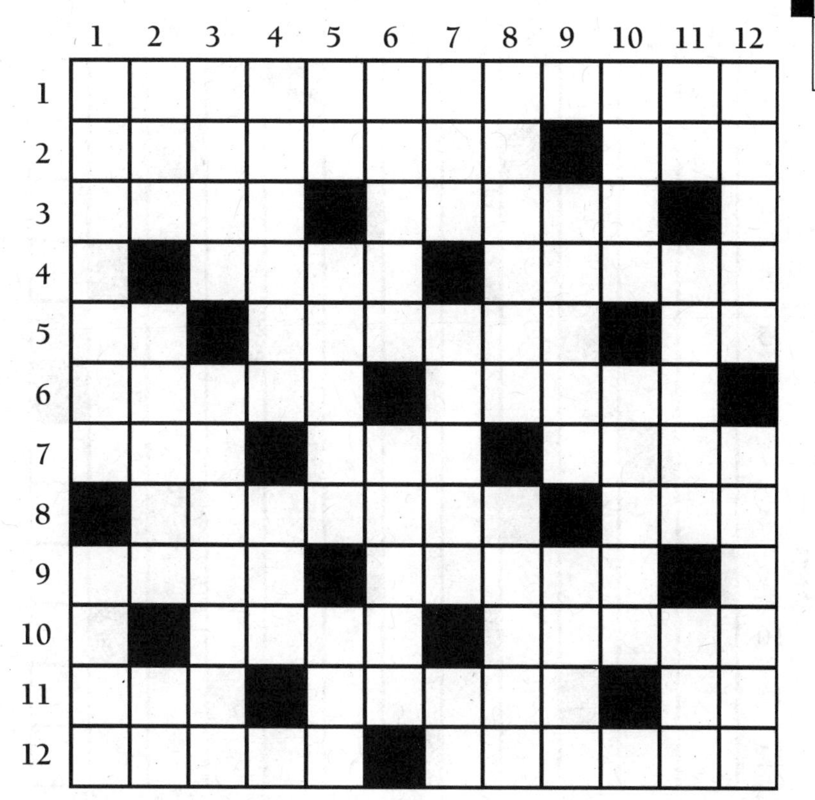

## HORIZONTALEMENT

1. Débordante.
2. Parler — Particule affirmative.
3. Ville d'Italie — Se dit d'un poisson femelle contenant des œufs.
4. Adjectif possessif — Arbuste ornemental.
5. Tantale — Disputes — Cale en forme de V.
6. Sorte de table creusée en bassin — Rivière des Alpes du Nord.
7. Rigole — Allez, en latin — Décampes.
8. Figurines provençales — Manche, au tennis.
9. Poilu — Éléments.
10. Hameau — Lagune d'eau douce.
11. Poisson d'eau douce — Plante cultivée pour ses fleurs décoratives — Traditions.
12. Arrivé à destination — Comètes.

## VERTICALEMENT

1. Enlever les dents — Distinguer.
2. Femme de lettres américaine — Averti — Petit cube.
3. Ch.-l. de c. de l'Ardèche — Rital.
4. Protège le matelas — Qui reste sans résultat.
5. Hélium — Noté — Suc de certains fruits.
6. Symbole graphique — Domiciles.
7. Sainte — Contestent — Tantale.
8. Abandonnées — Disséminés.
9. Pointes — Décédé.
10. La Nativité — Canasson.
11. Titane — Certain — Voie urbaine.
12. Prénom féminin — Pression.

290

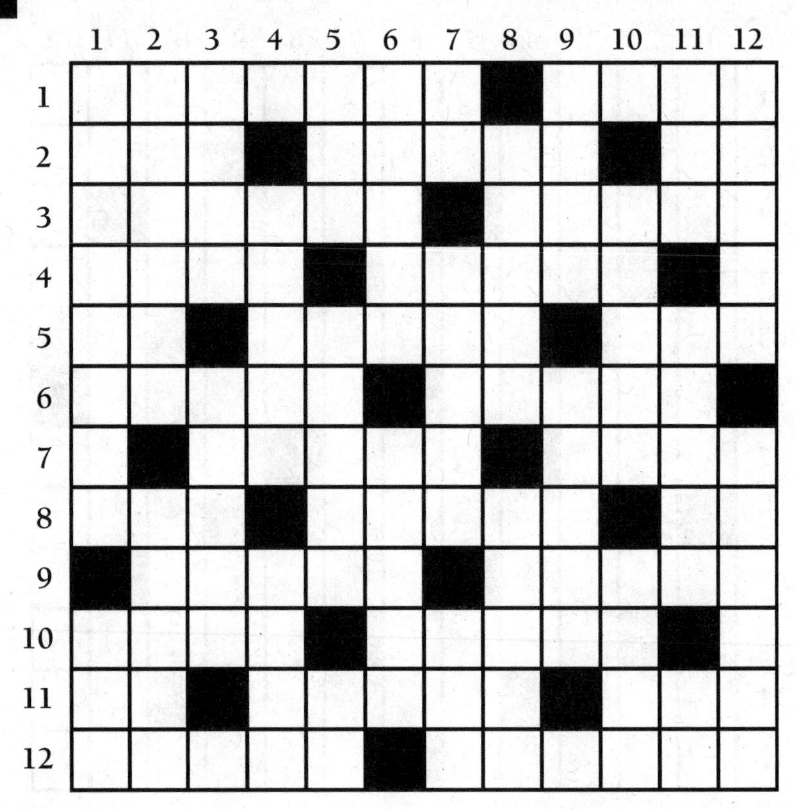

**HORIZONTALEMENT**

1. Mélange de feuilles de salades — Joueuse de tennis allemande née en 1969.
2. Esprit — Personne réduite au dernier degré de la misère — Mammifère arboricole.
3. Bordes — Petite chemise en étoffe.
4. Sueur — Compositeur et organiste français né en 1911.
5. Thallium — Jeune homme de naissance noble — Baie où se trouve Nagoya.
6. Riche — Grand ouvert.
7. Instrument de musique — Plus mauvais.
8. Préjudice — Ville d'Italie — À la mode.
9. Bain de vapeur — Supplier.
10. Contribution — Petit mammifère rongeur.
11. Pronom indéfini — Crétinisé — Ancien oui.
12. Titre honorifique dans l'Empire ottoman — Indubitable.

**VERTICALEMENT**

1. Courant tourbillonnaire marin — Musique populaire d'origine anglo-saxonne.
2. Sorti depuis peu d'une école — Posture de yoga.
3. Cassier — Film policier.
4. Émettre des gémissements — Un des États-Unis d'Amérique.
5. Racaille — Instrument — Baryum.
6. Port de la Corée du Sud — Relative au raisin.
7. Drame japonais — Tissu végétal — Lettre grecque.
8. Homme d'armes — Féru.
9. Oiseau au plumage bigarré — Boisson.
10. Rivière de la Guyane française — Aussi.
11. Rivière de Suisse — Marqué de raies — Infinitif.
12. Hautaine — Embrigade.

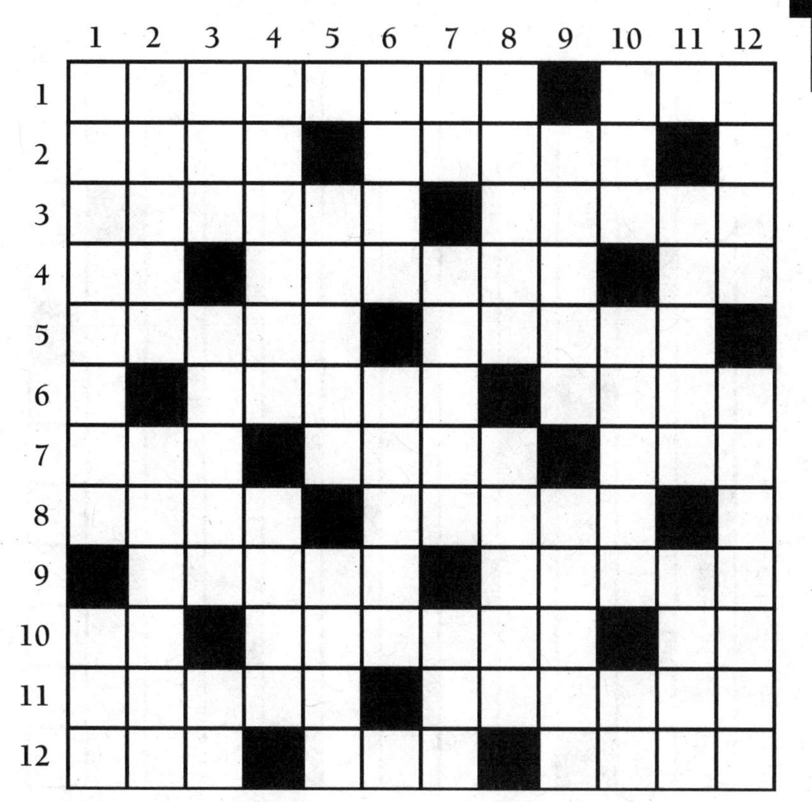

## HORIZONTALEMENT

1. Ouvrage de fortification — Large cuvette.
2. Ville de Hongrie — Endroit dans un désert.
3. Plante sauvage des hautes montagnes — Garde du sabre japonais.
4. Adjectif numéral — Consommes — Lutécium.
5. Métal blanc grisâtre — Île néerlandaise.
6. Alcaloïde extrait du peyotl — Anneau de cordage.
7. Unité monétaire roumaine — Presse — Afrique Équatoriale Française.
8. Crochet — Bâton en forme de crosse.
9. Sincère — Poire à deux valves.
10. Ut — Disciple — Actinium.
11. Fortifiés — Mouche africaine.
12. Nouveau — Précocement — État à l'ouest du Vietnam.

## VERTICALEMENT

1. Prude, rigoriste — Grade.
2. Mandataire — Fait sécher.
3. Unité monétaire japonaise — Distrait — Molybdène.
4. Mangeoire pour la volaille — Greffe.
5. Renflé — Mesure.
6. Lointain — Sédum.
7. Note — Fleuve de l'Inde — Société américaine de réseau téléphonique.
8. Polyester — Lieux de délices.
9. Dégagement — Personne anonyme.
10. Ville du Japon — Crie, en parlant du cerf — Adjectif possessif.
11. Tarin — Masochiste.
12. Éclatant — Essuyés.

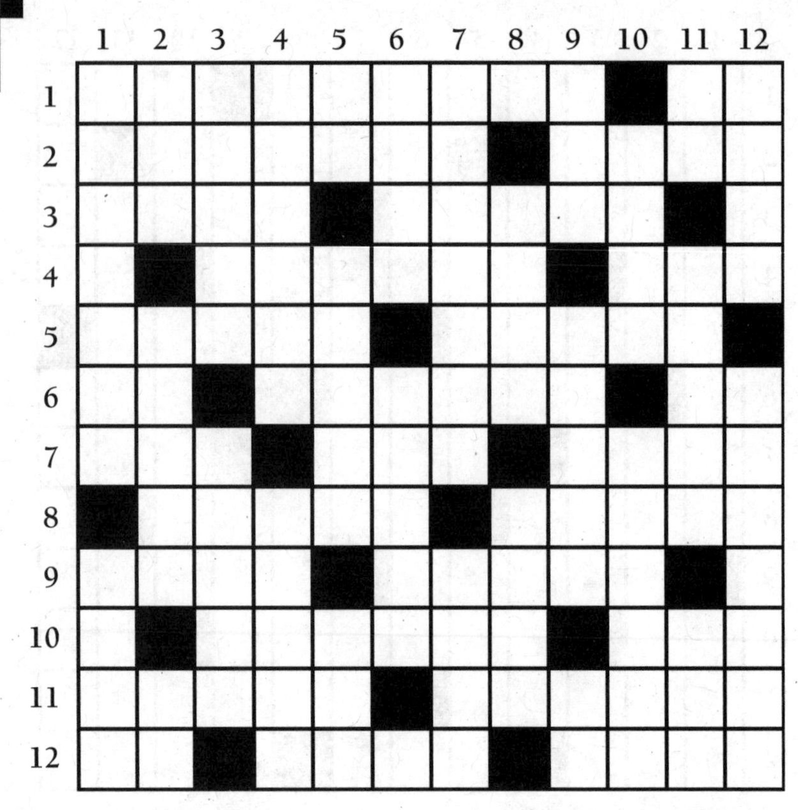

**HORIZONTALEMENT**

1. Qui peut se tromper — Conifère.
2. Sensé — Rivière de Bourgogne.
3. Tube fluorescent — Frère de Moïse.
4. Adjectif possessif — Ancienne monnaie.
5. Vieilles — Étoffe.
6. Issu — Déambulent — Pronom personnel.
7. Imitation d'un métal précieux — Production pathologique liquide — Opinion.
8. Générateur d'ondes électromagnétiques — Représentant.
9. Grand bovidé de l'Inde — Encaustiquer.
10. Corps gras d'origine animale ou végétale — Fils aîné de Noé.
11. Répit — Allégé.
12. Association pour alcooliques — Chaton de certaines fleurs — Droit d'utiliser la chose dont on est propriétaire.

**VERTICALEMENT**

1. Arrogant — Lettre grecque.
2. Terme de tennis — Prison — Roulement de tambour.
3. Personne asservie — Faisceau de fils.
4. Faucon femelle — Poursuivi.
5. Mesure itinéraire chinoise — Fabuliste grec — Pas beaucoup.
6. Pays voisin de l'Irak — Fortifié.
7. Largement ouvertes — Pensée.
8. Viscère pair qui sécrète l'urine — Palmier d'Asie.
9. Critique italien — Activité temporaire dans une entreprise — Ruisselet.
10. Pronom indéfini (pl.) — Transvases.
11. Infinitif — Plante originaire du Moyen-Orient — Touché.
12. Épris — Évalues.

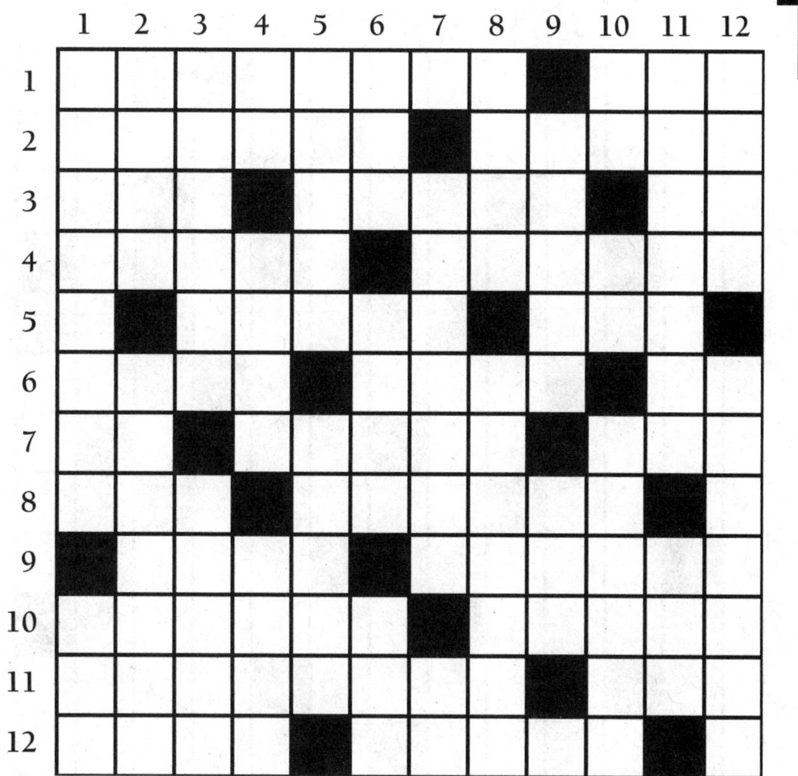

## HORIZONTALEMENT

1. Petit fait curieux — Unité de mesure calorifique.
2. Remises — Supplier.
3. Triage — Membre des animaux supportant le corps — Île de l'Atlantique.
4. Philosophe allemand — Retape.
5. Dessin à grande échelle — Racaille.
6. Fondateur de l'Oratoire d'Italie — Gaine — Actinium.
7. Pronom personnel — Général et homme politique portugais — Dégoutte.
8. Agent secret de Louis XV — Ingénieur français.
9. Affluent prenant sa source dans les Pyrénées — Papillon de grande taille.
10. Scie — Gouffre.
11. Petit siège — Terme de tennis.
12. Bigrement — Ventilée.

## VERTICALEMENT

1. État de dépression — Orient.
2. Arbre d'Afrique utilisé en médecine — Étendre.
3. Instituer — Gnôle.
4. Chrome — Piste — Ignobles.
5. Dégoûté, Répugné — Poinçon servant à percer le cuir.
6. Tenta — Guide — Lettre grecque.
7. Chevalet — Règle de dessinateur.
8. Affluent de la Seine — S'approprier indûment.
9. Ourlet — Lettre grecque.
10. Bismuth — Paresseux — De vieillard.
11. Humus — Allez, en latin.
12. Produit de dégradation des acides aminés de l'organisme — Relatif au firmament.

294

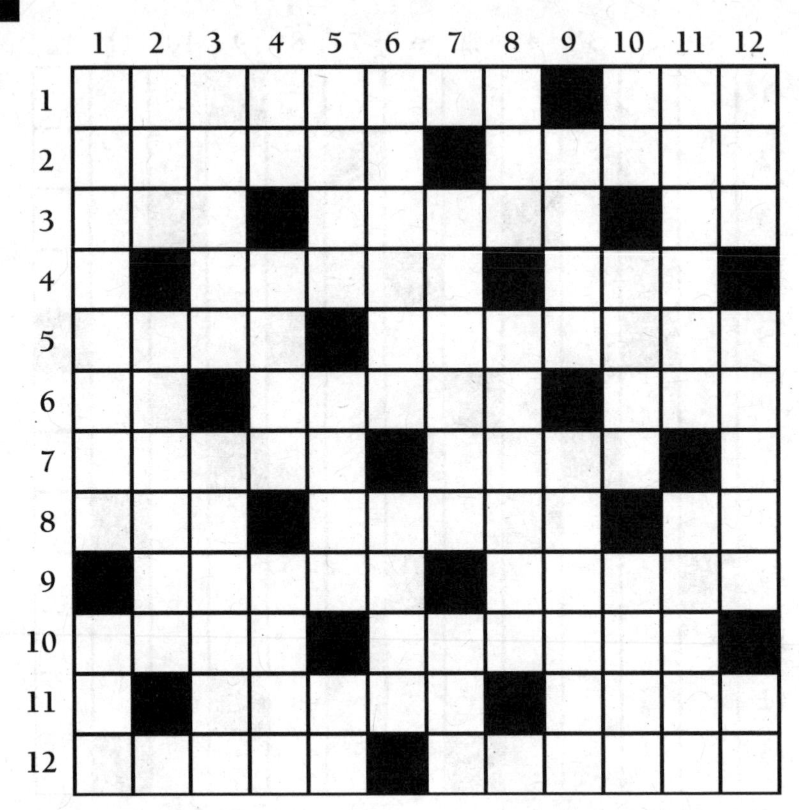

**HORIZONTALEMENT**

1. Conversation — Assaisonnement.
2. Remporté — Appendice fin.
3. Rayon — Oiseaux d'Australie — Ruthénium.
4. Attachées — Teenager.
5. Ville de la C.É.I. — Relative à l'utérus.
6. Ricané — Publication — Adjectif possessif.
7. Nerveux — Signal fixe.
8. Adjectif possessif — Acte de pensée — Pascal.
9. Poissons d'eau douce — Rivière de la Guyane française.
10. Bramer — Pronom possessif.
11. Voix d'homme — Trousse.
12. Gros — Base qui donne de la stabilité.

**VERTICALEMENT**

1. Oiseau palmipède côtier — Carnaval célèbre.
2. Roi de Hongrie — Déconne.
3. Nécessaire — Herbe aquatique vivace.
4. Pronom personnel — Hameau — Extrêmement.
5. Prince troyen — Dernier repas — De naissance.
6. Brouhaha — Hosto.
7. Égard — Avancera.
8. Bouclier — Hectisie.
9. Rivière du S.-O. de l'Allemagne — Caribous.
10. Senior — Impôt — Ancienne unité monétaire du Pérou.
11. Incorrect — Bandages que l'on fixe à la jante des roues.
12. Unité monétaire roumaine — Épreuve — C'est-à-dire.

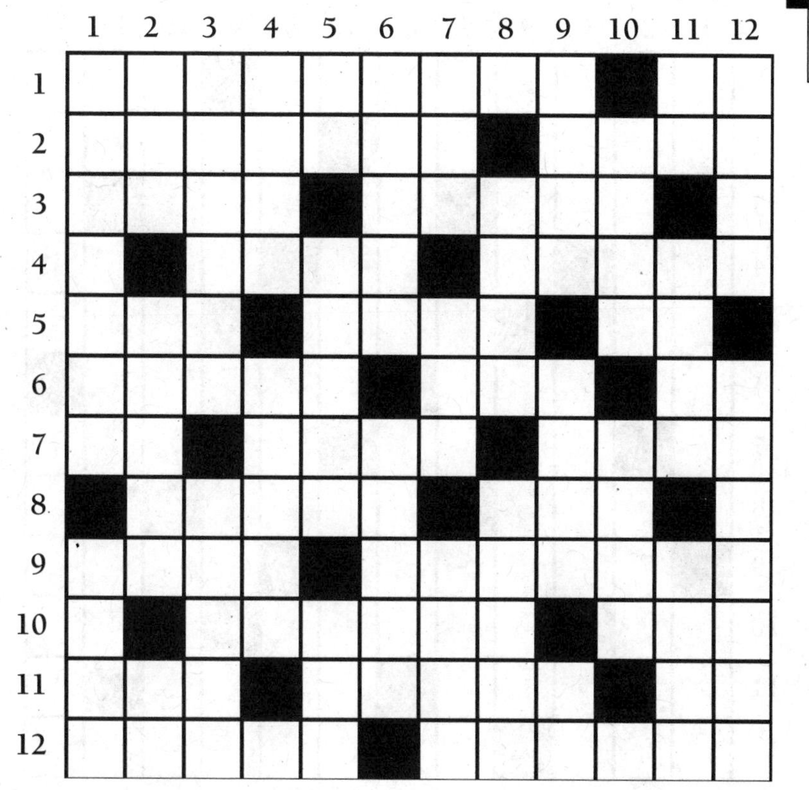

## HORIZONTALEMENT

1. Autorité doctrinale — Lac des Pyrénées.
2. Qui concerne l'illustration — Bande organisée.
3. Partie inférieure ou centrale d'une voûte — Service télégraphique.
4. Fondateur de l'Oratoire d'Italie — Prénom féminin.
5. Impayée — Plante dicotylédone — Note de musique.
6. Qui ont de gros os — Article indéfini (pl.) — Conifère.
7. Roulement de tambour — Liquide nutritif tiré du sol — Adopte.
8. Manière — Existence.
9. Interjection marquant le refus — Entaille.
10. Qui a une action sur les nerfs — Rongeur.
11. Dépôt du vin — Rendre moins touffu — Infinitif.
12. Palmier d'Afrique — Propre à la vieillesse.

## VERTICALEMENT

1. Poste de surveillance — Ferveur.
2. Conscience — Détérioré — Pronom personnel.
3. Étuis — Lichen de couleur grisâtre.
4. Qui est de feu — Courant.
5. Tellement — Démantelés — Chef éthiopien.
6. Mamelon du sein — Fougue.
7. Époque — Poisson d'eau douce — Façons.
8. Sable mouvant — Branche à fruits.
9. Ville de Hongrie — Préoccupation — Radon.
10. Figure de patinage artistique — Crainte.
11. Pronom indéfini — Commence à apparaître — Bande de fer.
12. Géant des contes de fées — Châssis vitré.

296

**HORIZONTALEMENT**

1. Rendre propre — Ville du Pérou.
2. Maugréera — Général et homme politique portugais.
3. Oiseau échassier — Fil terminé par un hameçon.
4. Curie — Ch.-l. de c. de l'Hérault — Port du Yémen.
5. Rivière de Roumanie — Entraîne — Ville du Nigeria.
6. Rivière d'Allemagne — Os de poisson.
7. Petite construction élevée sur le pont d'un navire — Poire à deux valves.
8. Révolutionnaire canadien — Poids — Conjonction.
9. Pieds des champignons — Fleuve d'Italie.
10. Note de musique — Aussitôt — Et cætera.
11. Coopérative, dans l'ancienne Russie — Petite pièce du jeu d'échecs.
12. Poisson d'eau douce — Perpétuels.

**VERTICALEMENT**

1. Réparer sommairement — Poème narratif.
2. Qui est sujet à tomber — Chamois des Pyrénées.
3. Boxeur célèbre — Petit trait — Règle de dessinateur.
4. Lac d'Écosse — Chartérisé.
5. Chrome — Oiseau d'Australie — Tas.
6. Arrêt — Poisson plat.
7. Victoire de Napoléon — Fabuliste grec.
8. Étendue désertique — Époques — Coup de fusil.
9. Recueil de bons mots — Abouta — Pronom indéfini.
10. Originale — Guide.
11. Cérium — Partie.
12. Posture de yoga — Canneberges.

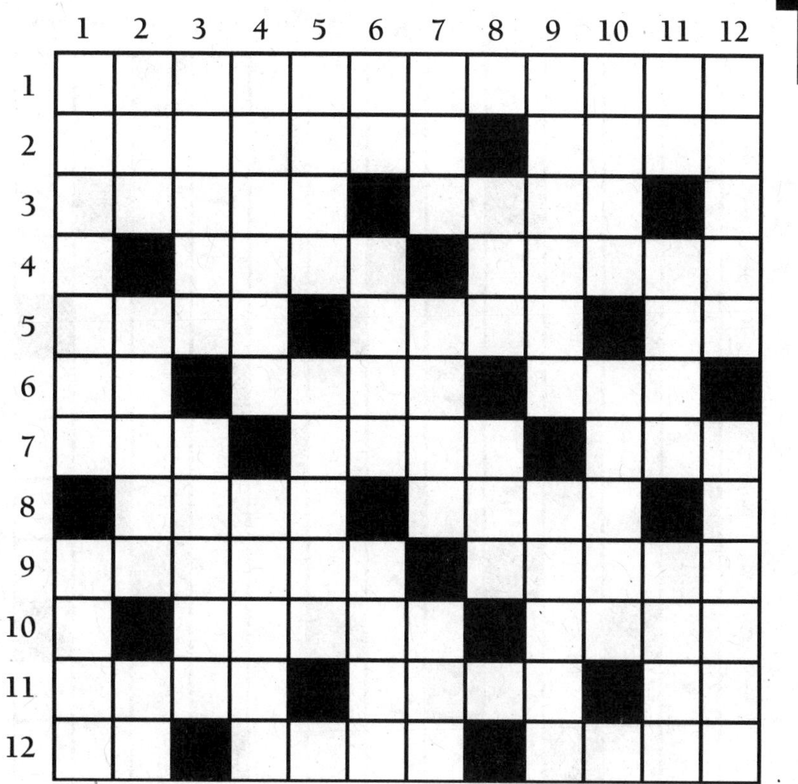

## HORIZONTALEMENT

1. Débat.
2. Dont l'extrémité se termine en pointe fine — Commune de Belgique.
3. Grillés — Gâteux.
4. En outre — Risque.
5. Fleuve côtier de Normandie — Service religieux — Pronom personnel.
6. Note de musique — Jeu de cartes — Lentille.
7. Ancien nom de Tokyo — Sagesse — Onomatopée.
8. Averse violente — Personne crédule.
9. Membre du clergé — Renvoi.
10. Palpables — Éclatant.
11. Ancienne monnaie chinoise — Creuse une cavité — Idem.
12. Préposition — Oiseau d'Australie — Troisième glaciation de l'ère quaternaire.

## VERTICALEMENT

1. Tartelette au fromage — Copain.
2. Critique italien — Détecteur — Année.
3. Enfant espiègle — Accablé de dettes.
4. Parodier — Singe-araignée.
5. Bisou — Étoile.
6. Préposition — Enfant — Génie de l'air.
7. Étendue désertique — Onomatopée évoquant un bruit sec — Argent.
8. Petite pomme — Pièce de charrue.
9. Plante ornementale — Attraper.
10. Rivière du S.-O. de l'Allemagne — Fleuve de Suisse et de France.
11. Carcasse — Peuple de Djibouti et de la Somalie — Enjoués.
12. Fruit comestible — Boucles.

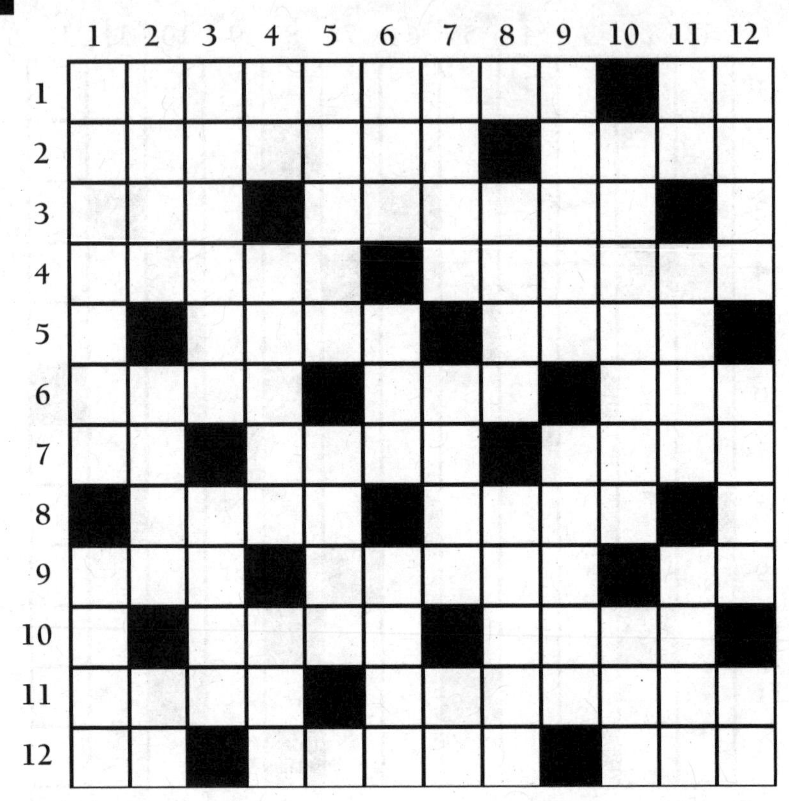

## HORIZONTALEMENT

1. Grosse guêpe fouisseuse — Association pour alcooliques.
2. Changer d'avis (Se) — Substance brune très odorante.
3. Audacieux — Estimer à la vue.
4. Célébrer — Auberge, en Espagne.
5. Bigrement — Ville du Nevada.
6. Démentir — Récipient — Avancera.
7. Adverbe de lieu — Prince musulman — Détruire.
8. Imbécile — Plante à fleurs disposées sur un spadice.
9. Apéritif — Partie du pied — Interjection.
10. Cantine — Récipient cylindrique.
11. Bramer — Hécatombes.
12. Thermie — Manière — Roue à gorge.

## VERTICALEMENT

1. Ignorant — Petit véhicule automobile de compétition.
2. Femelle du lièvre — Ancienne unité monétaire du Pérou — Interjection.
3. Germandrée à fleurs jaunes — Muni d'armes.
4. Mesure itinéraire chinoise — Vadrouiller — Unité de mesure de travail.
5. Corps céleste — Plat.
6. Nouveau — Voile d'avant sur les voiliers modernes — Vin blanc.
7. Aventure intérieure — Qui se transmet par la parole — Traditions.
8. Condition — Vapeur qui se condense.
9. Ville de Syrie — Récepteur de modulation de fréquence.
10. Élément radioactif naturel — Façon.
11. Expert — Recouvert d'une mince couche d'or — Cri de dérision.
12. Boulette de morue — Embarras — Adjectif possessif.

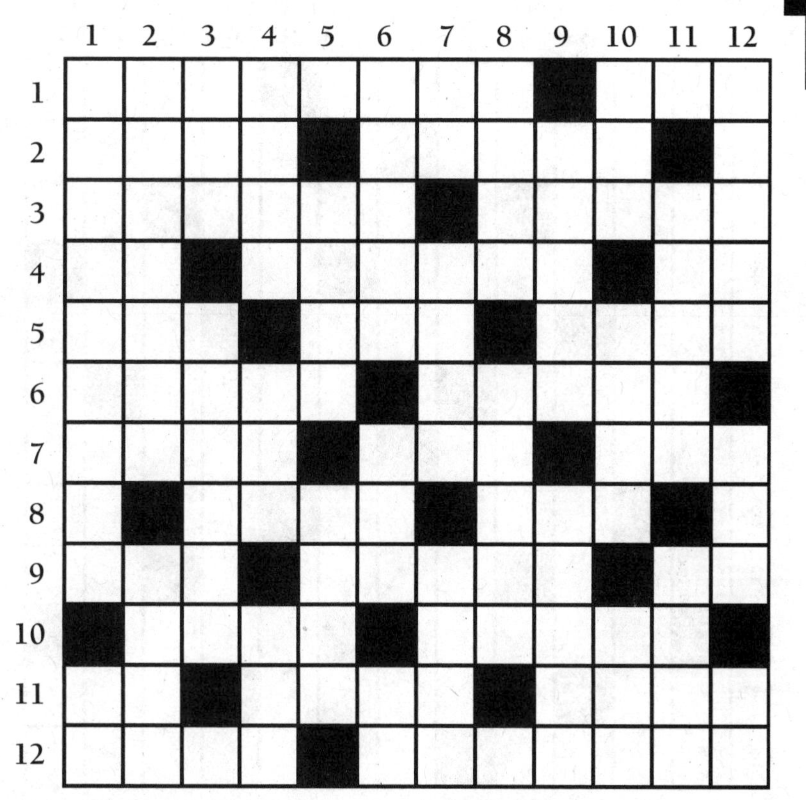

## HORIZONTALEMENT

1. Coquin — Pioche.
2. Poison végétal — Interurbain.
3. Mammifère marin — Qui se développe dans un milieu stérile.
4. Ancien do — Répugnance — Argon.
5. Bruit sec — Pas beaucoup — Épanoui.
6. Râpé — Coloré.
7. Prénom masculin — Perroquet — Boxeur célèbre.
8. Impulsion — Durillon.
9. Agent secret de Louis XV — Relatif à l'ensemble des citoyens — Note.
10. Un des États-Unis d'Amérique — Refuge.
11. Chrome — Bravade — Existences.
12. Pétrolière — Qui dépasse la mesure ordinaire.

## VERTICALEMENT

1. Niaiserie ridicule — Cérium.
2. Qui n'a pas de corolle — Mammifère carnivore.
3. Pianiste français né en 1890 — Béton.
4. Lac de Syrie — Céréale — Abréviation d'adolescent (fam.).
5. Champignon — Plante ombellifère, herbacée.
6. Ville de Belgique — Ancienne capitale d'Arménie — Interjection exprimant le mépris.
7. Ligue Nationale — Entendre — Inefficace.
8. Tenaille — Écorce de la noix muscade.
9. Épatant — Fruit de l'olivier.
10. Prairie — Esclave égyptienne d'Abraham — Fibre textile.
11. Orange — Femmes imaginaires.
12. Chouchou — Ville du Pérou — Sélénium.

300

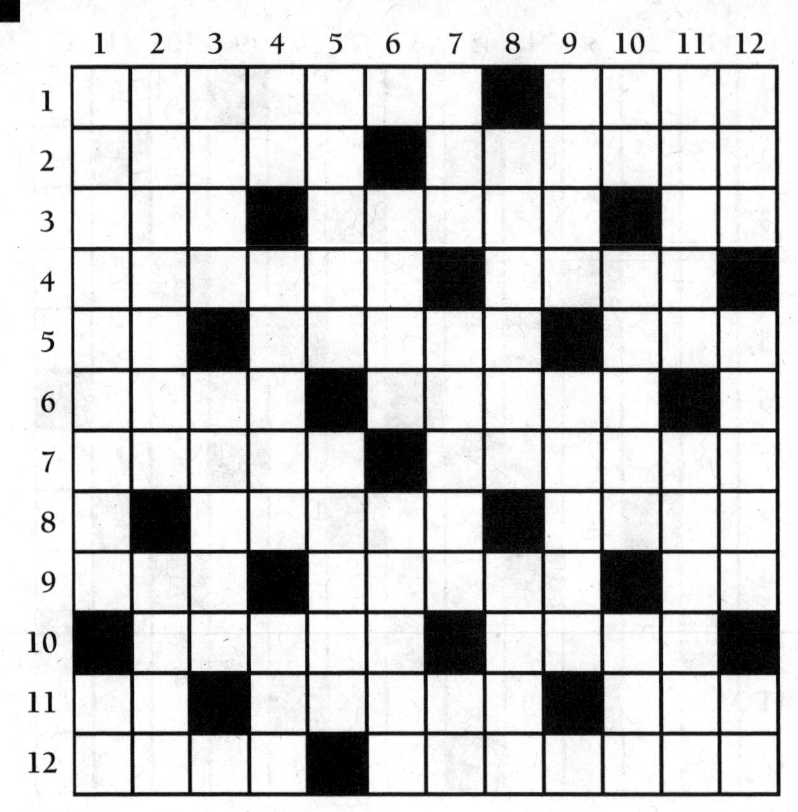


## HORIZONTALEMENT

1. Ville affranchie du joug féodal — Curry.
2. Alliage de fer et de carbone — Encercler.
3. Pianiste français né en 1890 — Se délecte — Adjectif démonstratif.
4. Péter — Un des États-Unis d'Amérique.
5. Ricané — Ville de la Jordanie — Jules.
6. Prince légendaire troyen — Décapite.
7. Planche de bois — Légèrement coloré.
8. Fourbu — Équipe.
9. Réunion où l'on sert du thé, des gâteaux — Convoitise — Germanium.
10. Étoffe croisée de laine — Met bas.
11. Chrome — Plante aux fleurs décoratives — Et le reste.
12. Dévoué, loyal — Exaspérer.

## VERTICALEMENT

1. Blatte d'Amérique — Californium.
2. Petit instrument à vent — Homme misérable.
3. Troué par les mites — Disposition des diverses parties d'une habitation.
4. Pronom personnel — Mathématicien français — Durillon.
5. Être pressé — Endossement.
6. Rivière du Jura suisse — Devoir.
7. Bouclier — Manifestation morbide brutale — Dans.
8. Feint — Éméché.
9. Escarpement rocheux — Haute coiffure de cérémonie.
10. Année — Courtois — Unité monétaire bulgare.
11. Rugueux — Plante herbacée appelée aussi œillet.
12. Rage — Matière grasse du lait — Chrome.

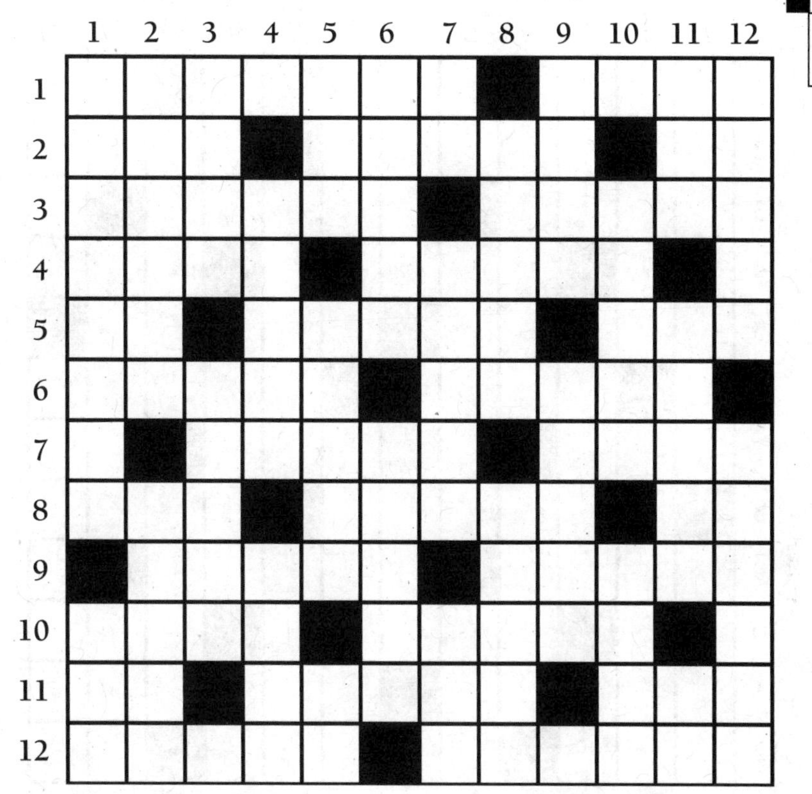

## HORIZONTALEMENT

1. Élocution facile — Invité.
2. Le sujet — Potée de viandes et de légumes — Ultraviolets.
3. Ville d'Italie — Maghrébin.
4. Rognes — Légume.
5. Curie — Cuir d'aspect velouté — Armée féodale.
6. Manifestation morbide brutale — Cétone de la racine d'iris.
7. Royale — Accroche.
8. Lettre grecque — Fromage de Hollande — Dénudé.
9. Arbrisseau à fleurs décoratives — Ville d'Algérie.
10. Triste — Creuser, miner.
11. Exclamation enfantine — Ville de Floride — Rivière de l'Éthiopie.
12. Enchères — Inventeur américain né en 1847.

## VERTICALEMENT

1. Joie profonde — Onagre.
2. Champignon comestible — Monnaie d'or frappée en Iran.
3. Flanc — Hampe d'une bannière.
4. Aboutissement — Prénom féminin.
5. Refus — Emploi — Indium.
6. Sonnerie de clairon — Ville d'Espagne.
7. Article espagnol — Fait de prendre congé — Esprit.
8. Nettoyer — Roi hébreu, il succéda à Saül.
9. Jeune daim — Pierre fine.
10. Languissant — Colossal.
11. Large cuvette — Rivière de Belgique — Molybdène.
12. Narine des cétacés — Grand arbre de l'archipel indien.

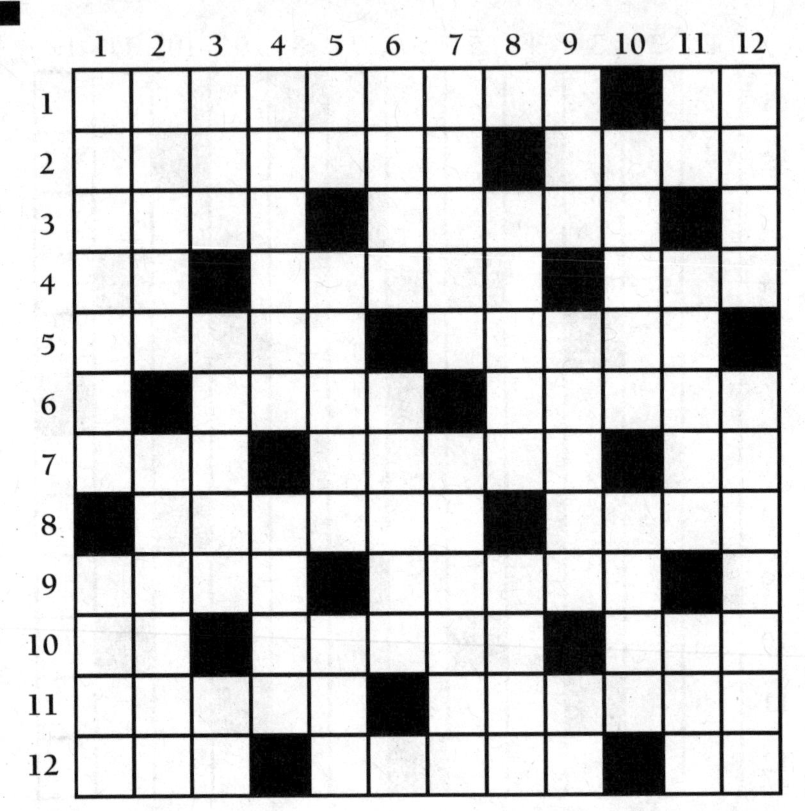

**HORIZONTALEMENT**

1. Caramel coloré — Béryllium.
2. Écosser — Obscurité.
3. Bile des animaux de boucherie — Pierre d'un bleu intense.
4. Quatre — Docteur de la loi — Courbe.
5. Maladie infectieuse — Fonde.
6. Troisième fils de Jacob — Occlusion intestinale.
7. Vallée fluviale noyée par la mer — Religion prêchée par Mahomet — Drame japonais.
8. Allégresse — Prince musulman.
9. Poisson plat — Fabrique.
10. Ricané — Palmier d'Afrique — Triage.
11. Écorce — Haut-le-cœur.
12. De bonne heure — Une des trois parties égales — Argon.

**VERTICALEMENT**

1. Donner — Louage d'un navire.
2. Arc brisé gothique — Immédiatement.
3. Aurochs — Coupure — Astate.
4. Malin — Commune du Morbihan.
5. Pronom indéfini — Ville du Québec — Terme de tennis.
6. Branche de l'Oubangui — Aboutissement.
7. Théâtre — Épargne avec avarice.
8. Personne mise au ban d'une société — Rivière du S.-O. de l'Allemagne.
9. Sans inégalités — Lac de Russie — Traditions.
10. Détérioré — Plat.
11. Bismuth — Combiné — Roue à gorge.
12. Tête de rocher — Envoûteur.

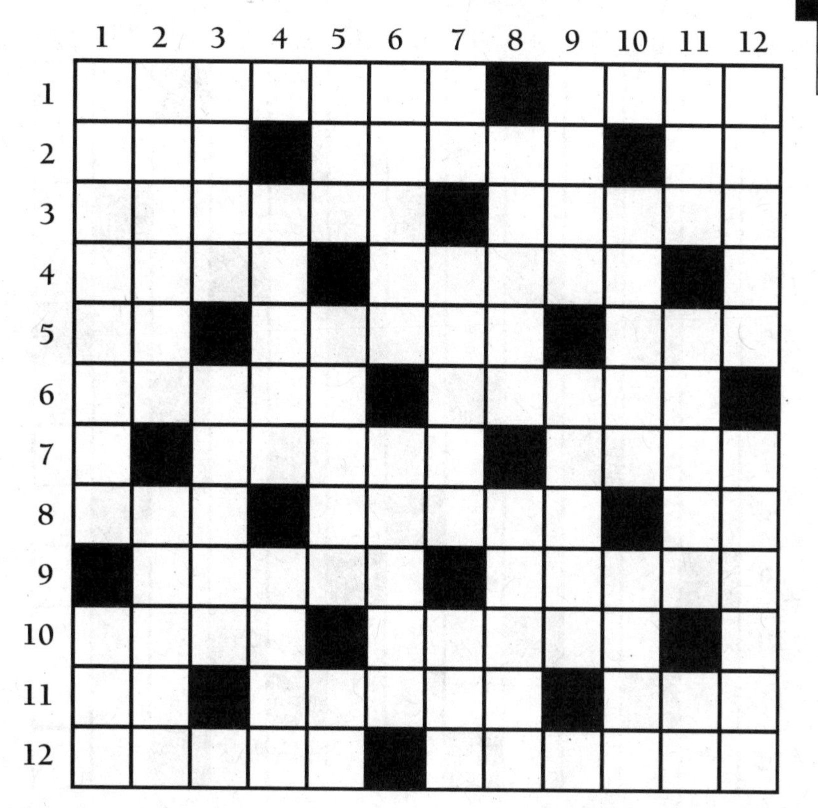

**HORIZONTALEMENT**

1. Paiement annuel — Allure du cheval.
2. Poème lyrique — Douzaine — Adjectif possessif.
3. Procéder — Flétan.
4. Espace vide dans une substance — Poisson salmonidé.
5. Article espagnol — Mauvais film — Lettre grecque.
6. Arachnide aptère minuscule — Tenir secret.
7. Rivière de la Guyane française — Prénom féminin russe.
8. Peuple du Bénin — Amplificateur de micro-ondes — Patrie d'Abraham.
9. Gréement — Comme.
10. Vague — Rationnel.
11. Largeur d'une étoffe — Hausse d'un demi-ton en musique — Plante herbacée.
12. Plante aux fleurs décoratives — État d'attente confiante.

**VERTICALEMENT**

1. Chute temporaire des cheveux — Double coup de baguette.
2. Ville d'Italie — Nom anglais du pays de Galles.
3. Démentir — Général espagnol.
4. Résiliation d'un bail — Fruste.
5. Poisson d'eau douce — Vivant — Iridium.
6. Assemblage de plusieurs gros fils — Mollusque gastéropode carnassier.
7. Europium — Capsule utilisée comme condiment — Dans la rose des vents.
8. Tacheté — Général et homme politique portugais.
9. Colline artificielle — Primate de l'Inde.
10. Variété de poivrier grimpant — Montagne biblique.
11. Rivière de l'Éthiopie — Surveillant vigilant, espion — Lithium.
12. Mammifère cuirassé de plaques cornées — Arriser.

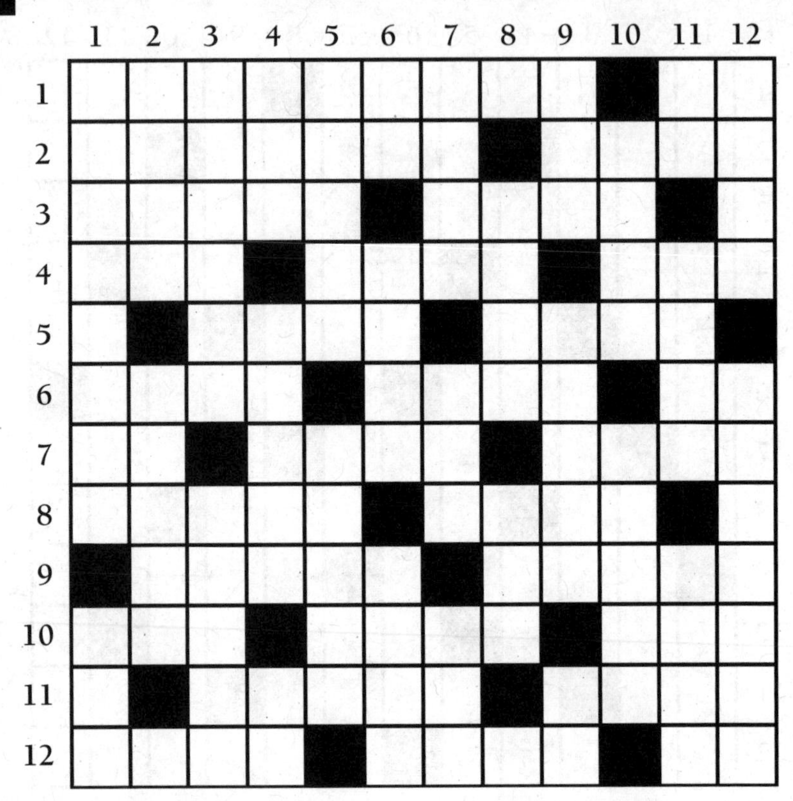

## HORIZONTALEMENT

1. Intégralité — Neptunium.
2. Déraisonner — Ancienne monnaie chinoise.
3. Poinçon — Dans la montagne, versant à l'ombre.
4. Atome — Maintien — Port du Japon.
5. Graisse du sanglier — Interjection.
6. Liaison — Convoqué — Note.
7. Quelqu'un — Interjection — Commune de Belgique.
8. Raconte — Couperose.
9. Général espagnol — Ganses.
10. Délicat — Gouffre — Dérangé.
11. Baiser — Flaire.
12. Secteur — Plaque de neige isolée — Petit morceau cubique.

## VERTICALEMENT

1. Odeur de graisse brûlée — Brin long et fin.
2. Compositeur français mort en 1892 — Lac de la Laponie finlandaise.
3. Port du Danemark — Nettoyé à l'eau.
4. Approprié — Croc de métal ou de bois — Or.
5. Coup frappé dans les arts martiaux — Réglementaire.
6. Laize — Relatif aux Incas — Relatif au mouton.
7. Ville d'Espagne — Ville du Pérou — Dans la rose des vents.
8. Qui est heureux en Dieu — Bête.
9. Lettre grecque — Cinéaste italien mort en 1989 — Pronom personnel.
10. Fond d'un terrier — Rivière d'Allemagne.
11. De naissance — Mât horizontal — Ville de la Suède méridionale.
12. Exercice d'assouplissement — Rare.

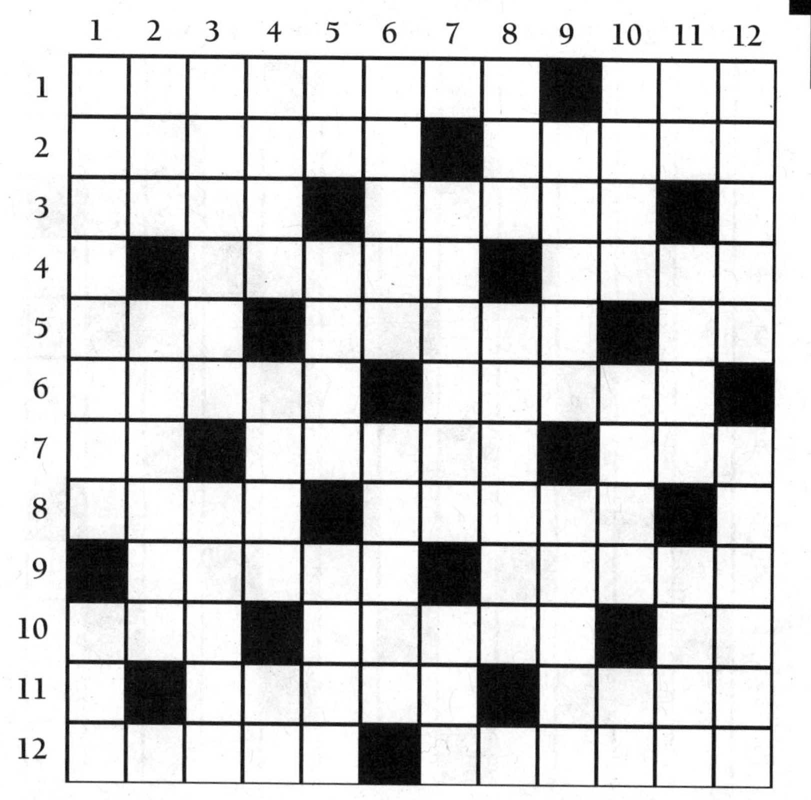

## HORIZONTALEMENT

1. Exagéré — Mec.
2. Oraison — Génisse.
3. Désavantagé — Détérioré.
4. Unité de mesure pour les bois de charpente — Également.
5. Ancienne capitale d'Arménie — Cheval de petite taille — Dieu solaire.
6. Fille du frère ou de la sœur — Parfait.
7. Cérium — Pin cembro — Article.
8. Impulsion — Musique composée pour des grand-messes.
9. Plante grimpante — Instrument de musique.
10. Monnaie du Japon — Gréement — Issu.
11. Ancien navire de commerce — Averse violente.
12. Esquiva — Enduré.

## VERTICALEMENT

1. Revendication — Dégoutte.
2. Époque — Incrustation d'émail noir.
3. Libérateur envoyé par Dieu — De cette façon.
4. Formule — Ville de Galilée — Conjonction.
5. Connu — Ville de Hongrie — Femme.
6. Détérioration — Lettre grecque.
7. Propre à la vieillesse — Période d'activité sexuelle des mammifères.
8. Lettre grecque — Ville de Mésopotamie.
9. Tourmenté — Agave du Mexique.
10. Surveillance — Commune de l'Aude — Béryllium.
11. Patrie d'Abraham — Ourlet — Anarchiste.
12. Qui a un sexe — Garantie.

306

## HORIZONTALEMENT

1. Nigaude — Point d'insertion des vaisseaux sur un organe.
2. Basse vallée d'un cours d'eau — Algue verte marine — À la mode.
3. Éperon des navires de l'antiquité — Chef religieux musulman.
4. Ruisselets — Commune du Morbihan — Vaste étendue d'eau salée.
5. Troisième partie de l'intestin grêle — Pièce de la serrure.
6. Cérium — Étoile — Ville d'Algérie.
7. Eau-de-vie — Nom de quatorze rois de Suède — Rigolé.
8. Lettre grecque — Challenge.
9. Ancien nom de Tokyo — Fleuve de France — Personne avare.
10. Affluent de l'Eure — Peuple de Djibouti et de la Somalie.
11. Do — Chanson populaire du Portugal — Pneumatique.
12. Avidité — Déracine.

## VERTICALEMENT

1. Ferme solidement — Usages.
2. Crouler — De même.
3. Suspend — Entrave que l'on attache aux paturons d'un cheval.
4. La peinture en est un — Grand félin sauvage — Hors champ.
5. Ville du Nevada — Lac d'Éthiopie.
6. Sud-est — Viande vendue en boucherie — Oui.
7. Article espagnol — Épart — Nom d'un couturier français.
8. Abjecte — Dans le calendrier romain.
9. Interjection servant à exprimer le doute — Partie de plaisir — Commune de Belgique.
10. Qui produit un goût désagréable — Loyal.
11. Râpe — Souci — Interjection.
12. Dans — Épouse d'un rajah — Hale.

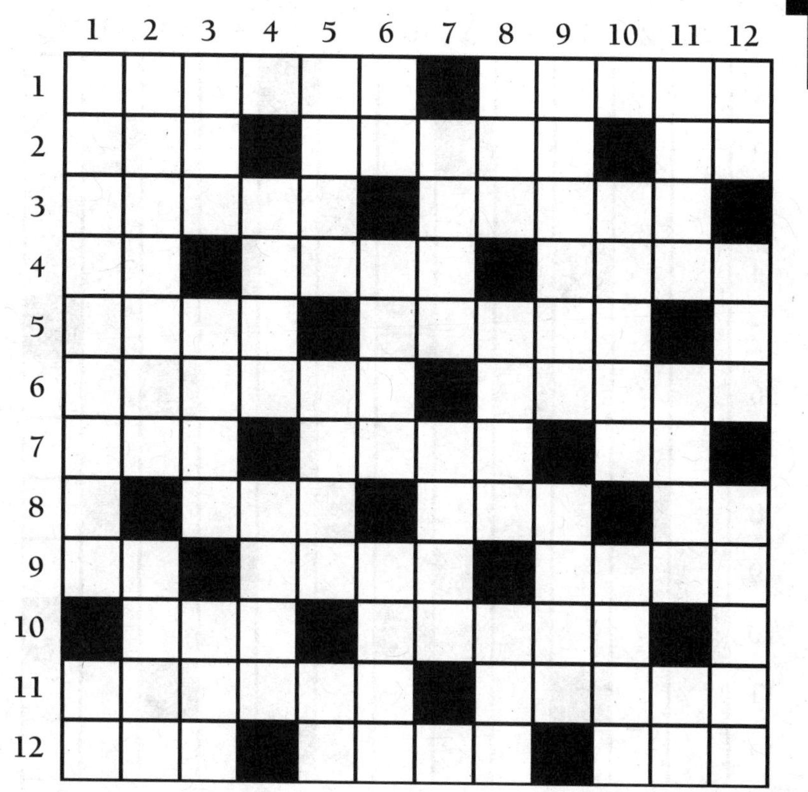

## HORIZONTALEMENT

1. Plateau rocheux des régions désertiques — Argent.
2. Ancien nom de Tokyo — Ch.-l. de c. de la Savoie — Note.
3. Sorte — Personnage niais.
4. Préposition — Envolée — Promptement.
5. Enfant — Ville de Belgique.
6. Loi du silence — Coup frappé dans les arts martiaux.
7. Petit pâté impérial — Se permettre — Rhénium.
8. Bouclier — Ivre — Cône servant à égoutter les bouteilles.
9. Interjection — Ville de Grèce — Affluent de l'Aisne.
10. Terme de tennis — Ville de la Jordanie.
11. Ville du nord-est du Brésil — Qui se développe dans un milieu stérile.
12. Partie du corps — Badiane — Assemblée russe.

## VERTICALEMENT

1. Domination souveraine — Ancien oui.
2. Tumeur d'une glande — Aura.
3. Adjectif possessif — Grand-mère — Poil.
4. Bramer — Fils d'Adam et d'Ève.
5. Affaire d'honneur — Circuit — Oui.
6. Argent — Masse — Grand plat en terre.
7. Ardent — Entretoise.
8. Ancienne capitale d'Arménie — Ville du Japon — Dégradant.
9. Velours de coton — Charge très pesante.
10. Cargo — De même.
11. Hameau — Femme politique israélienne — Conjonction.
12. Roulement de tambour — Inflorescence — Fendre légèrement.

308

| | 1 | 2 | 3 | 4 | 5 | 6 | 7 | 8 | 9 | 10 | 11 | 12 |
|---|---|---|---|---|---|---|---|---|---|---|---|---|
| 1 | | | | | | | | ■ | | | | |
| 2 | | | | | ■ | | | | | | ■ | |
| 3 | | | | | | | ■ | | | | | |
| 4 | | | ■ | | | | | | ■ | | | |
| 5 | | | | | | ■ | | | | | | ■ |
| 6 | | | | ■ | | | | | | ■ | | |
| 7 | | | | | | | | ■ | | | | |
| 8 | | ■ | | | | | ■ | | | | ■ | |
| 9 | | | | | ■ | | | | ■ | | | |
| 10 | ■ | | | | | ■ | | | | | | ■ |
| 11 | | | ■ | | | | | | | ■ | | |
| 12 | | | | | | | | ■ | | | | |

**HORIZONTALEMENT**

1. Faire défaut — Imitant un bruit sec.
2. Fleuve qui sépare la Pologne de l'Allemagne — Cercueil.
3. Mets fait de pommes de terre émincées — Agréable.
4. Lutécium — Gaéliques — Meuble.
5. Plante aquatique — Dépouiller de son écorce.
6. Repaire — Individu chargé de basses besognes — Interjection.
7. Plante herbacée — Qui ne peut plus couler.
8. Démentir — Autocar.
9. Astucieux — Terme de tennis — Trou dans un mur.
10. Accroche — Vedette admirée du public.
11. Note — Idiotes — Article indéfini.
12. Souhaites — Plante tropicale.

**VERTICALEMENT**

1. Faire sortir une bête de son gîte — Fer.
2. Atténuer — Poison végétal.
3. Colère — Port du Danemark.
4. Générateur d'ondes électromagnétiques — Ville d'Italie.
5. Cordon plat fait de fils entrelacés — Brutal.
6. Oiseau échassier — Vent du nord-est — Article.
7. Rigolé — Nom poétique de l'Irlande — Filaments fins.
8. Envol — Consent.
9. Choquant — Benêt — Armée.
10. Royale — Pin cembro.
11. Tourner — Crainte.
12. Escarpement rocheux — Cicatrice — Drame japonais.

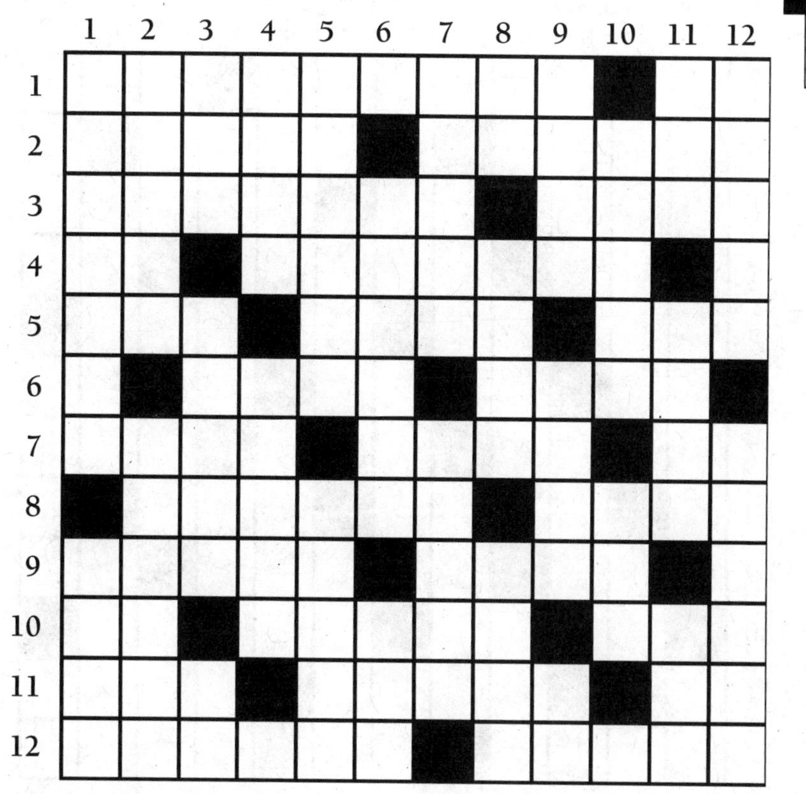

## HORIZONTALEMENT

1. Piquer — Silicium.
2. Générateur d'ondes électromagnétiques — Prière.
3. Laboratoire — Ville de la Côte d'Azur.
4. Pronom personnel — Couette.
5. Vaste étendue couverte de dunes dans les déserts de sable — Allure, train — Ouverture ménagée dans un mur.
6. Malin — Bajoue.
7. Fleuve d'Europe occidentale — Un des États-Unis d'Amérique — Radium.
8. Détérioré, dénaturé — Sorti.
9. Avancer — Panneau routier.
10. Dieu solaire — Nomenclature — Recueil de pensées.
11. Septième lettre de l'alphabet grec — D'ordre indéterminé — Ancien oui.
12. Arrêter — Poinçon servant à percer le cuir.

## VERTICALEMENT

1. Vacarme — Aréquier.
2. Brusquer — Respire à un rythme précipité.
3. Résine extraite de la férule — Restaurant spécialisé dans les grillades — Meilleur en son genre.
4. Qui a perdu ses poils — Individu.
5. Incultes — Crochet pointu.
6. Égarement — Titre d'honneur anglais.
7. Chamarrer — Contrôle.
8. Infinitif — Dès l'heure présente — Port du Ghana.
9. Ville du Nevada — Un des États-Unis d'Amérique — Article espagnol.
10. Petit chat — Commune de Belgique.
11. Liquide — D'une couleur entre le bleu et le vert — Réponse négative.
12. Dép. de la Région Rhônes-Alpes — Hardiesse.

## 310

### HORIZONTALEMENT

1. Destruction des graisses dans un organisme — Style de musique disco.
2. Fondement — Personnage biblique, épouse d'Abraham.
3. Poisson long et mince — Herbe très commune.
4. Fric — Sédum — Article contracté.
5. Personne très crédule — Autrement nommé.
6. Adjectif numéral — Demi — Placement.
7. Filet pour la pêche — Charnière — Dernier.
8. Abhorrer — Trou dans un mur.
9. Ancien nom de Tokyo — Carabine d'origine anglaise — Ego.
10. Paresseux — Loi.
11. Opus — Personne parfaite — Unité monétaire de l'Iran.
12. Rêver, rêvasser — Cadeau.

### VERTICALEMENT

1. Poutre fixée le long d'un mur — Fleuve de Russie.
2. Glucide voisin de l'amidon — Pigeon.
3. Absolues — Poisson.
4. Provocant — Montagne de Thessalie — Rivière de Suisse.
5. Neuvième heure du jour — Ville d'Espagne.
6. Fleuve côtier né en France — Époux — Germanium.
7. Adjectif possessif — Calme — Louage d'un navire.
8. Ville d'Irak — Dieu des Vents.
9. Écrivain allemand — Monde des escrocs.
10. Lettre grecque — Auxiliaire — Fibre textile.
11. Amas — Pantalon de toile.
12. Épieu — Gaélique — Laize.

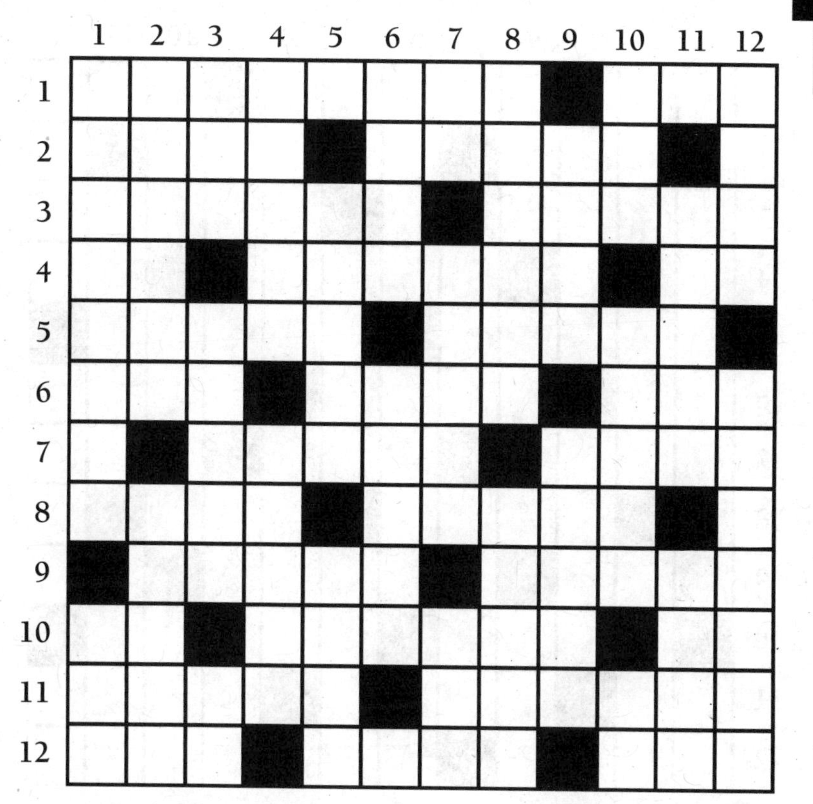

**HORIZONTALEMENT**

1. Oiseau migrateur, voisin du canard — Première page.
2. Fleuve d'Espagne — Mammifère carnivore.
3. Nourrice — Liquide extrait du sang par les reins.
4. Non payé — Inactive — Préfixe privatif.
5. Éléments — Monture.
6. Eau-de-vie — Obstacle équestre — Conscience.
7. Flétrir — Attaches.
8. Ancienne monnaie chinoise — Écrivain français né en 1823.
9. Groupe — Apéritif.
10. Peuple de l'Inde — Instrument de musique à percussion — Argon.
11. Branchies des poissons — Exaspéré.
12. Professionnel — Vitesse acquise d'un navire — Fleuret.

**VERTICALEMENT**

1. Clochard — Interjection servant à stimuler.
2. Réussi — Ornement.
3. Choquant — Lieu destiné au supplice des damnés — Elle fut changée en génisse.
4. Célébrité — Fruit de l'alisier.
5. Petit de l'oie — Baiser.
6. Aurochs — Petit rongeur d'Afrique et d'Asie.
7. Adjectif possessif — Rivière des Alpes du Nord — Coup de fusil.
8. Baigner dans l'eau chaude — Conte.
9. Ville de la C.É.I. — Boire à coups de langue.
10. Sans inégalités — Duvet de certaines plantes — Conifère.
11. Énième — Loser.
12. Paradis — Faire sécher.

## 312

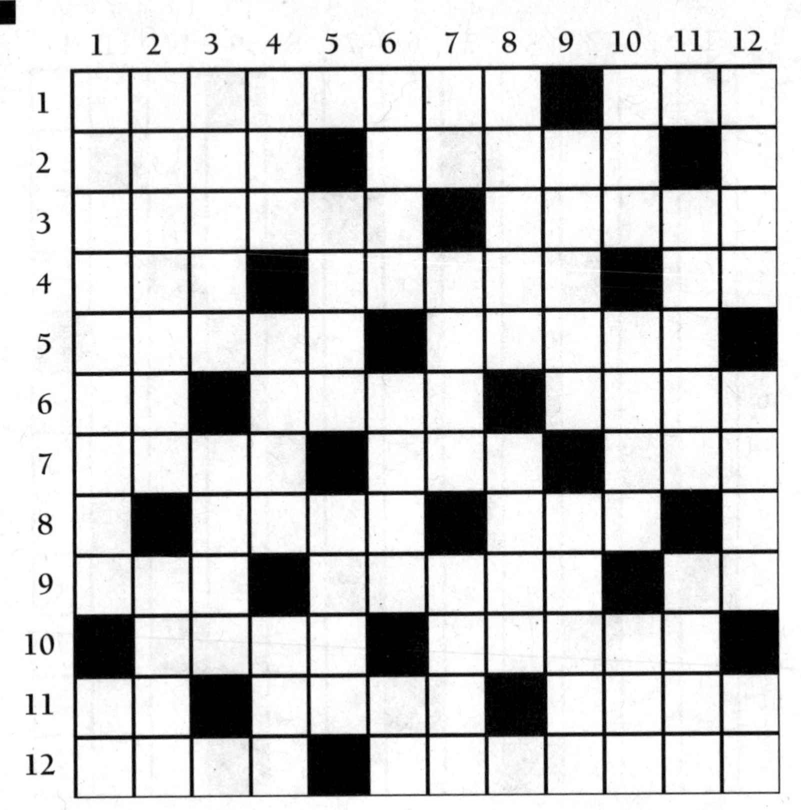

### HORIZONTALEMENT

1. Dégoûté — Coup, au tennis.
2. Interjection marquant la joie — Licenciement.
3. Scier — Gouge.
4. Grabat — Soutenir — Adjectif possessif.
5. Impératrice d'Orient — Lac du nord-ouest de la Russie.
6. Six — Orignal — Coup donné avec la main.
7. Qui n'est pas fondé — Adjectif démonstratif — Parasite intestinal.
8. Coupe de cheveux — Retranche.
9. Marque le doute — Languette mobile — Pronom personnel.
10. Arbuste à feuilles persistantes — Ancien nom d'une partie de l'Asie Mineure.
11. Sodium — Plante vivace rampante — Hameau.
12. Couleur d'un brun orangé — Niaise.

### VERTICALEMENT

1. Inclinaison — Nobélium.
2. Qui a l'apparence de l'ivoire — Versant d'une montagne exposé au nord.
3. Cale d'un navire — Animal fantastique.
4. Partie de la charrue — Qui n'a pas servi — Allez, en latin.
5. Commune du Morbihan — Érythème.
6. Ancienne mesure agraire — Embarcation à fond plat — Yetterbium.
7. Ut — Neuvième heure du jour — Faîte.
8. Instrument — Quartier du centre de Londres.
9. Porcelet — Ver plat et segmenté.
10. Unité monétaire roumaine — Torrent des Pyrénées françaises — Pronom personnel.
11. Escale — Ch.-l. de c. de l'Orne.
12. Lettre grecque — Fleuve d'Irlande — Ferrure.

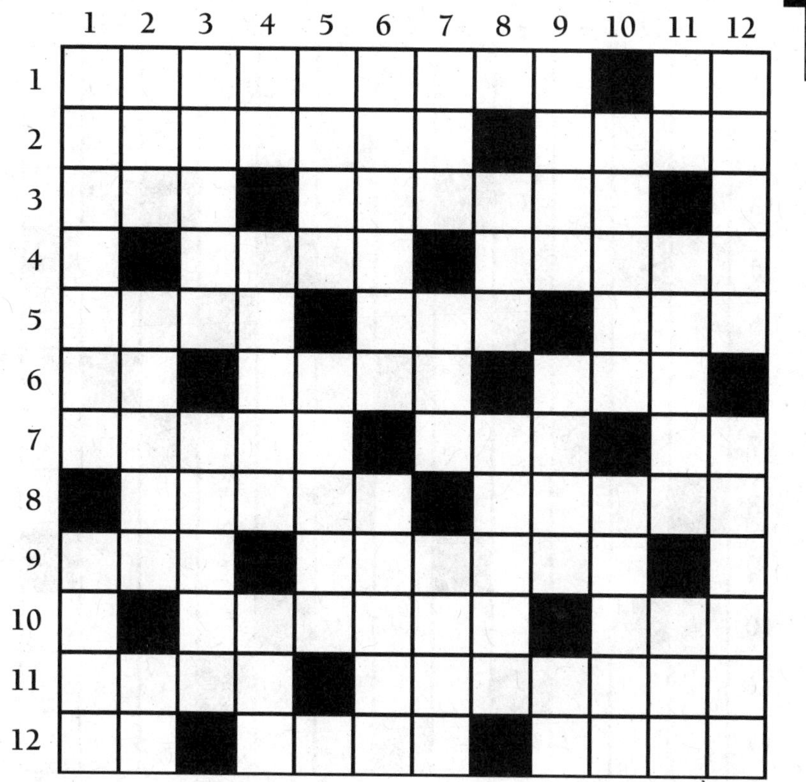

## HORIZONTALEMENT

1. Femme laide et malpropre — Colombium.
2. Ibéris — Homme.
3. Style de musique disco — En publicité, une aguiche.
4. Sert à attacher — Cadet.
5. Faon — Capucin — Durillon.
6. Ancien oui — Proche — Fourgon.
7. Parade — Interjection espagnole — Cérium.
8. Paysan — Halte.
9. Givre — Amas de papiers.
10. Partisan des Papes — Vallée très large.
11. Prénom masculin russe — Suranné.
12. Fleuve d'Italie — Pétrolière — Femmes imaginaires.

## VERTICALEMENT

1. Poste de surveillance — Prise des mains sur un club de golf.
2. Roi de Hongrie — Acerbe — Jeu d'origine chinoise.
3. Recul — Vulgairement.
4. Iridium — Pollué — Urus.
5. Compagnon de Saint Paul — Royale.
6. Port du Danemark — Arbuste ornemental.
7. Roue à gorge — Volcan du Japon — Coupe de cheveux.
8. Voile d'avant sur les voiliers modernes — Générateur d'ondes électromagnétiques.
9. Oiseau ratite de grande taille — Environ — Conifère.
10. Port du Chili septentrional — Désirée.
11. Chlore — Prélat chargé de représenter le pape — Partie d'un hectare.
12. Bégueter — Déployés.

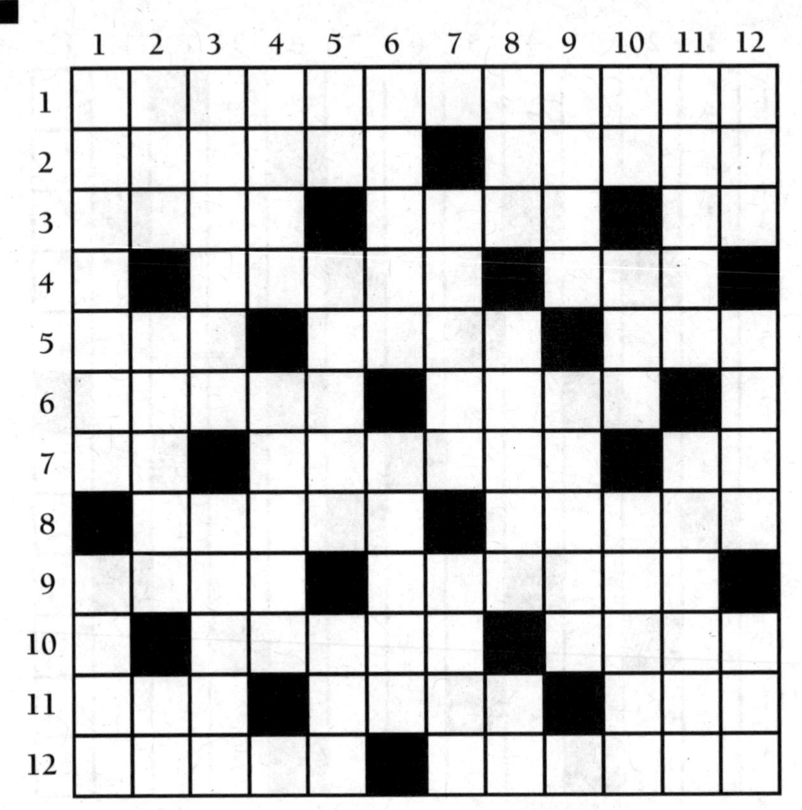

**HORIZONTALEMENT**

1. Mauvais ragoûts.
2. Inflammation de l'iléon — Nettoyé à l'eau.
3. Située — Adopte — Pronom indéfini.
4. Éloigné — Fleuve d'Afrique.
5. Poème lyrique — Maman — Article indéfini (pl.).
6. Têtard — Félin.
7. Erbium — Bureau — Fer.
8. Marchandise sans valeur — Fortifier.
9. Interjection familière d'interrogation — Coiffure sans rebord.
10. Commencement — Prince musulman.
11. Première page — Certain — Ville des Pays-Bas.
12. Fou, compliqué à l'excès — Tamisée.

**VERTICALEMENT**

1. Chausson de pâte feuilletée — Levé.
2. Boxeur célèbre — Tranche de gros poisson — Drame japonais.
3. Troisième poche digestive des oiseaux — Secourir.
4. Personnes sottes — Plaisanterie désobligeante.
5. Ancien do — Lettre grecque — Belle-fille.
6. Prison — Herbue.
7. Homme politique argentin mort en 1974 — Supprimes.
8. Adresse — Enchères — Note de musique.
9. Pronom possessif — Cercle annuel.
10. Étain — Poisson d'eau douce — Semblables.
11. Établissement d'enseignement — Nauséabond.
12. Monnaie du Japon — Dégoutter — Ralle.

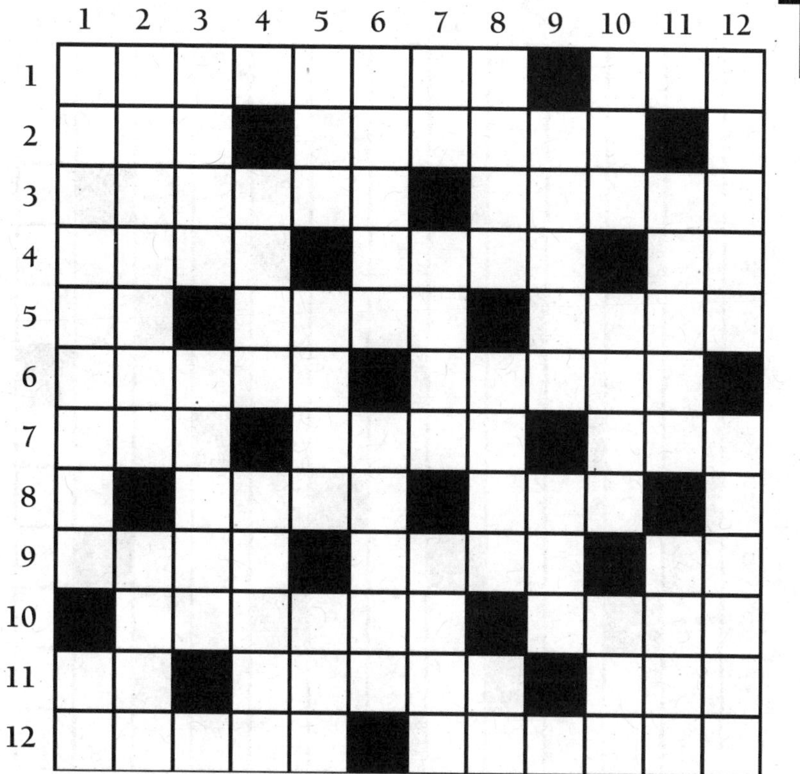

## HORIZONTALEMENT

1. Dépression peu profonde — Graffiti.
2. Bière anglaise — Plante à fleurs ornementales.
3. Pot-pourri — Armature de la selle.
4. Pou — Jeune enfant — Silicium.
5. Pronom personnel — Gardien de but — Partie de plaisir.
6. Lâche — Poire utilisée pour le lavage du conduit auditif.
7. Allez, en latin — Colline de sable — Arme.
8. Hameau — Boisson alcoolisée.
9. Volcan actif de la Sicile — Rivière du S.-O. de l'Allemagne — Centimètre.
10. Énergique — Rivière de Suisse.
11. Impayé — Alarme — Grabat.
12. Plante des marais — Manque total d'aliments.

## VERTICALEMENT

1. Caractère de ce qui est artificiel — Oui.
2. Solution huileuse d'essences végétales — Stratagème.
3. Pressent — Tristesse.
4. État de l'Afrique occidentale — Générateur d'ondes électromagnétiques.
5. Ancien nom de Tokyo — Eau — Ovale.
6. Port de Tanzanie — Qui rend service.
7. Thermie — Commune de Belgique — Graisse des ruminants.
8. Orignal — Fleuve de Russie — Los Angeles.
9. Impératrice d'Orient — Se rendra.
10. Interjection — État de l'extrémité orientale de l'Arabie — Cassius Clay.
11. Haute récompense cinématographique — Poil long et rude.
12. Aptitude supérieure de l'esprit — Tranchefil de relieur.

## HORIZONTALEMENT

1. Récit allégorique des livres saints — Ride.
2. Plante ornementale — Grogner.
3. Ville de Galilée — Impératrice d'Autriche.
4. Obstruction de l'intestin — Poitrine.
5. Personne sotte — Lac du nord-ouest de la Russie — De naissance.
6. Ch.-l. d'arr. de la Corrèze — Moulu.
7. Note de musique — Tissu végétal — Bière blonde.
8. Au revoir — Petite roue de bois.
9. Style vocal propre au jazz — Cessez-le-feu.
10. Bande de gens acharnés — De plus.
11. Recueil de pensées — Éclatés — Opus.
12. Mélange de flocons d'avoine — Petit oiseau marin.

## VERTICALEMENT

1. Cépage du Languedoc — Ancien nom de la Thaïlande.
2. Roi de Hongrie — Père d'Ésaü — Dénudé.
3. Abjures — Acier très fin.
4. Grand lac salé d'Asie — Gratin.
5. Bisexuel — Ancienne contrée de l'Asie Mineure — Agence de presse américaine.
6. Ch.-l. de c. des Hautes-Pyrénées — Colline.
7. Rivière des Alpes du Nord — Filet pour la pêche.
8. Lentille — Poitrine de femme — Sert à lier.
9. État de l'Inde — Averti.
10. Poisson plat — Gâteau sec, rond et plat.
11. Laize — Plante à fleurs jaunes — Agent secret de Louis XV.
12. Cétone de la racine d'iris — Poinçon.

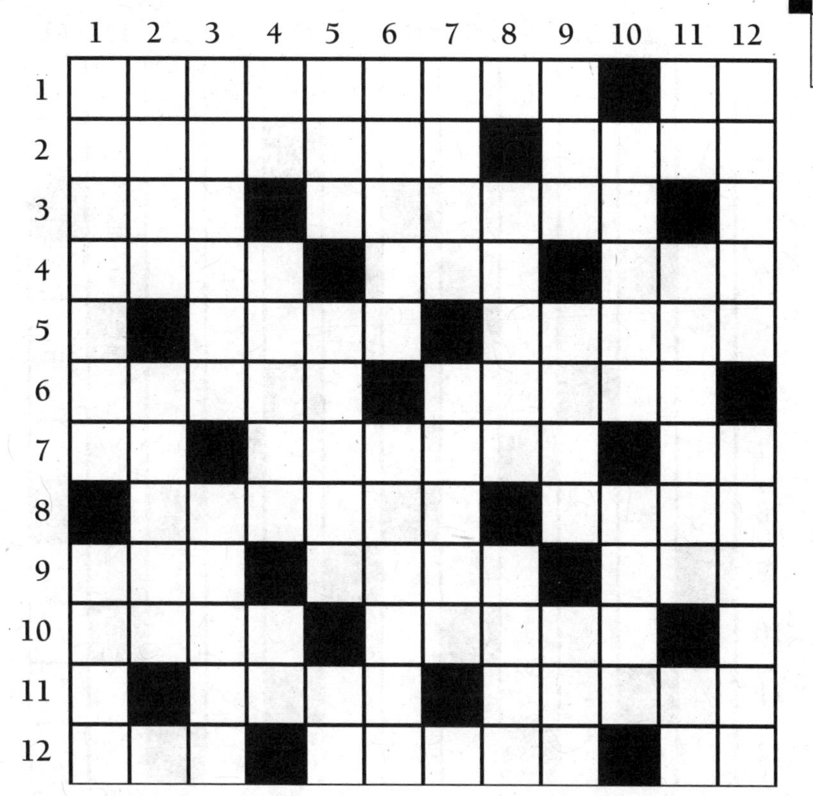

**HORIZONTALEMENT**

1. Contrainte, esclavage — Petit cube.
2. Aigles d'Australie — Récompense.
3. Sigle d'une ancienne formation politique québécoise — Préparé avec soin.
4. Plante dicotylédone — Dans la rose des vents — Vallée.
5. Amalgame — Cordage servant à lier.
6. Énième — Enfoncer dans l'eau.
7. Adverbe de lieu — Muse — Interjection.
8. Poisson marin comestible — Gamin.
9. Manie — Ville du Pérou — Article contracté.
10. Division d'une pièce de théâtre — Fleuve de France.
11. Ville de Finlande — Mentionne.
12. Jour de l'an vietnamien — Grande chaîne de montagnes — Argon.

**VERTICALEMENT**

1. Qui a cessé d'être en usage — Doigté.
2. Nom poétique de l'Irlande — Personne qui dénonce un coupable.
3. Rallume — Groupe comprenant huit éléments binaires.
4. Cale en forme de V — Mettre en terre — En matière de.
5. Allez, en latin — Réglementaire — Baryum.
6. Action de téter — Inventeur américain né en 1847.
7. Droit d'utiliser la chose dont on est propriétaire — Matière grasse.
8. Répit — Ancêtre.
9. Panicule — Hameau — Adjectif possessif (pl.).
10. Inventaire — Itou.
11. Chiffres romains — Immobilise — Adjectif possessif.
12. Proscrit — Arborer.

318

## HORIZONTALEMENT

1. Faisceau de jets d'eau — À la mode.
2. Variété de sorbier — Partie interne d'un navire.
3. Arme d'haste — Censure.
4. Mammifère ruminant — Ensemble de personnes remarquables.
5. Commune de l'Aude — Décrasser.
6. Adjectif possessif — Épart — Jeu de cartes.
7. Argile ocreuse — Ancienne unité monétaire du Pérou — Partie d'un tout.
8. Fabuliste grec — Recueil de pensées.
9. Monsieur — Mammifère carnivore.
10. Monnaie du Mexique — Région aux confins de la Grèce et de l'Albanie.
11. Rivière de la Guyane française — Obstacle équestre.
12. Métal — Enseignement — Silicium.

## VERTICALEMENT

1. Bâtiment à voiles — Exprime un bruit sec.
2. Ville du Nigeria — Lien avec lequel on attache un animal.
3. Enlevé le savon — Liberté.
4. Ermite — Paysan de l'Amérique du Sud.
5. Ne pas reconnaître — Poteau — Pronom personnel.
6. Préposition — Crème renversée, sorte de dessert — Courroie.
7. Fleuve du Languedoc — Ville de Grèce — Piolet.
8. Unité monétaire bulgare — Inscription sur la Croix.
9. Débarrasser de son écale — Frère de Moïse.
10. Officier général d'une marine militaire — Unité de finesse d'une fibre textile.
11. Hameau — Façon — Préposition.
12. Négation — Sortie d'un personnage — Perroquet d'Australie.

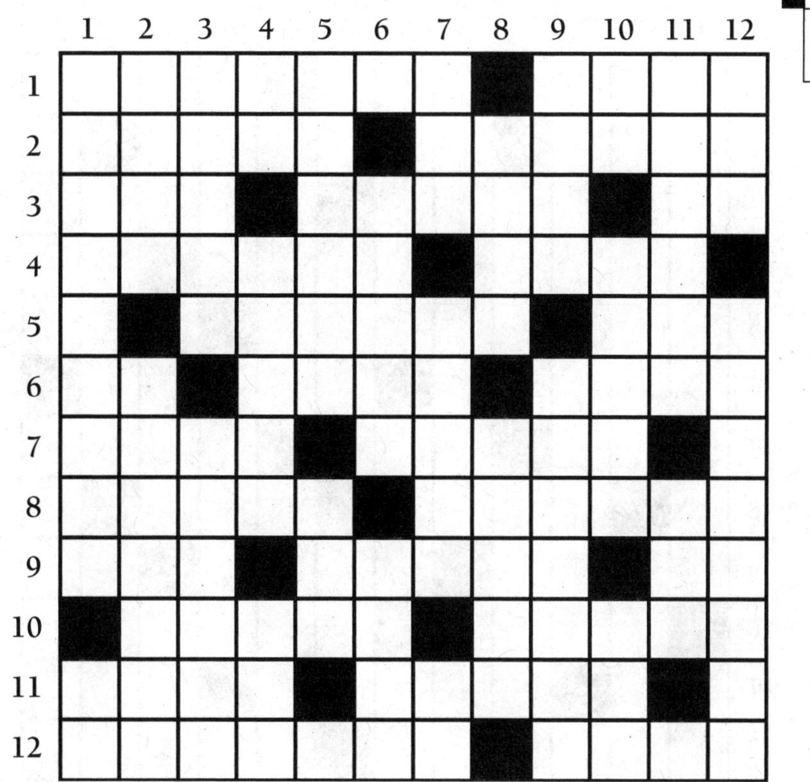

**HORIZONTALEMENT**

1. Complet — Petite construction élevée sur le pont d'un navire.
2. Plante à fleurs jaunes — Volonté de Dieu.
3. Poisson comestible — Géant — Cérium.
4. Décès — Ardent.
5. Jamais encore atteint — Adresse.
6. Patrie d'Abraham — Frigorifié — Vieille.
7. Raller — Perdu.
8. Nymphe des bois et des prés — Hommes de race noire.
9. Désigné par élection — Accablé de dettes — Tellure.
10. Impératrice d'Orient — Greffer.
11. En outre — Vérifié.
12. Plantes herbacées — Symbole du désir.

**VERTICALEMENT**

1. Remise — Conifère.
2. Libertaire — Réalisme.
3. Se prolonger — Purger.
4. Lui — Monde des escrocs — Ébranlé.
5. Mammifère marin — Officier de Louis XV.
6. Seul — Stupide.
7. Assortiment — Pouvoir absolu — Einsteinium.
8. Descente — Rendus moins touffus.
9. Classe — Fortuné.
10. Ancien oui — Flotter — Pour la troisième fois.
11. Irrité — Saison.
12. Femme imaginaire — Tablettes ou jetons.

320

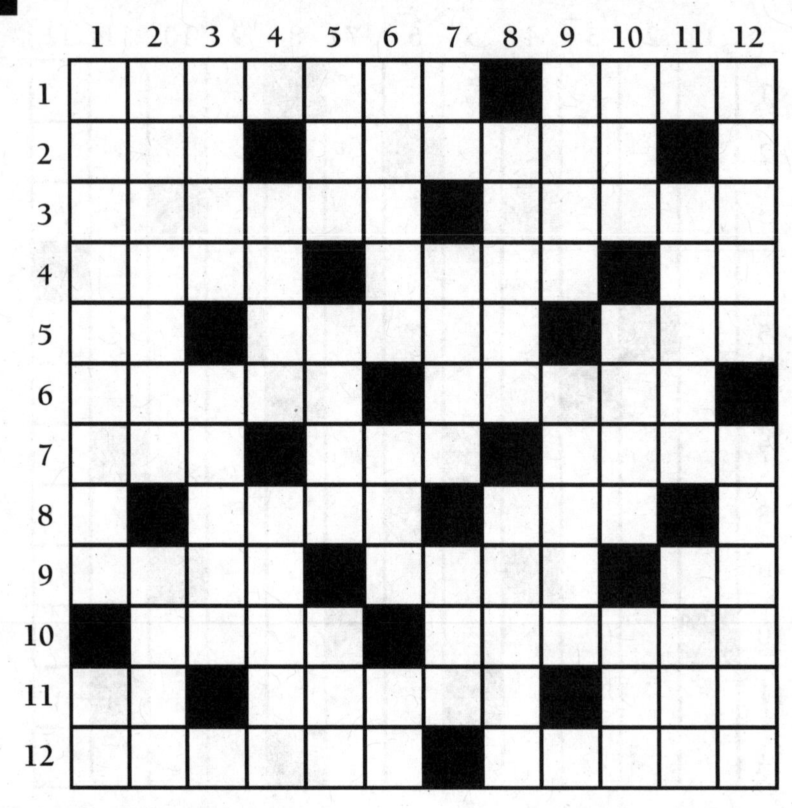

## HORIZONTALEMENT

1. Rien du tout — Style d'improvisation vocale.
2. Agence de presse américaine — Ville du Québec.
3. Qui provoque la mort — Gamète femelle végétal.
4. Exécutes — Nichon — Métal précieux.
5. Infinitif — Entre le chaud et le froid — Partie de l'épaule du cheval.
6. Mamelon du sein — Vêtement liturgique.
7. Canton de Suisse centrale — Écorce — Thune.
8. Ablution — Pièce de bois qui supporte la quille d'un navire.
9. Commune du Morbihan — Hameau — École d'Administration.
10. Également — Sel ou ester.
11. Aluminium — Traite de haut — Mois.
12. Ensemble de perturbations agressantes sur un organisme — Petit rongeur d'Afrique et d'Asie.

## VERTICALEMENT

1. Foule — Expert.
2. Effrayer — Signal indiquant que la partie est interrompue.
3. Assigné — Région autonome de l'ouest de la Chine.
4. Vin blanc — Poisson marin.
5. Épaississement de l'épiderme — Ancienne unité monétaire du Pérou — Pronom indéfini (pl.).
6. Mammifère carnassier — Ancienne capitale d'Arménie — Carcasse.
7. Article espagnol — Paradis — Coup, au tennis.
8. Peintre français — Transmission d'un message sur écran.
9. Liquide nutritif tiré du sol — Inflammation de l'oreille.
10. Choquant — Sulfate double de potassium et d'aluminium — Compagnon de Mahomet.
11. Actrice italienne née en 1934 — Tenaille.
12. Une des trois parties égales — Palmier d'Afrique.

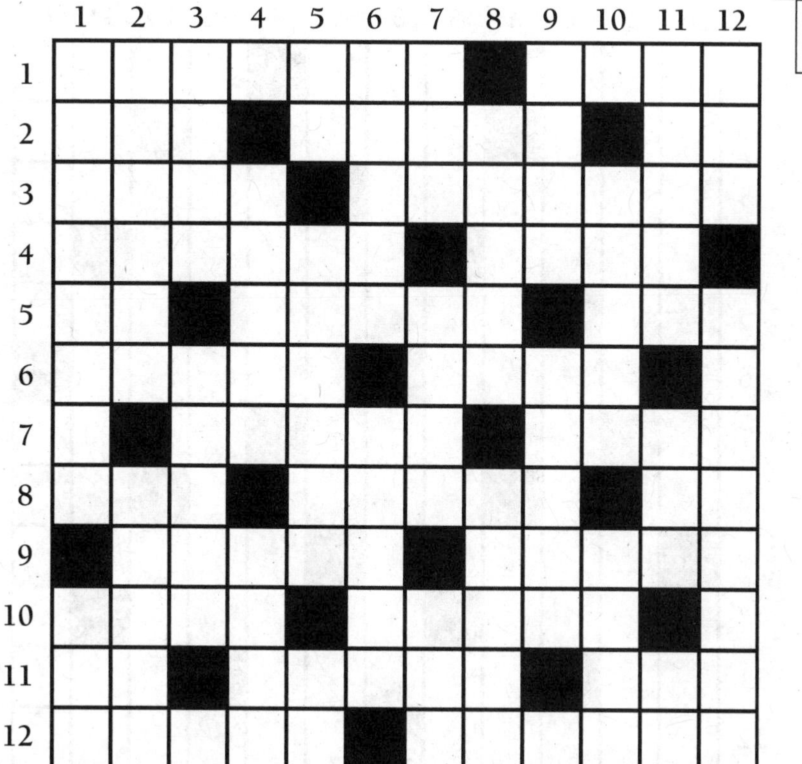

## HORIZONTALEMENT

1. Lanterne vénitienne — Ville d'Italie.
2. Germandrée à fleurs jaunes — Endetté — Richesse.
3. Jeune reine de beauté — Assembler.
4. Langue iranienne — Viande vendue en boucherie.
5. Négation — Mesure de quantité liquide — Chef des armées américaines
6. Langage du milieu — Pin cembro.
7. Esquimau — Rivière d'Auvergne.
8. Vaste étendue couverte de dunes dans les déserts de sable — Partie supérieure du corps humain — Iridium.
9. Motel — Frère de Moïse.
10. Jeu de hasard — Aiguille.
11. Quelqu'un — Être couché — Fringue.
12. Suces avec délectation — Exigeant.

## VERTICALEMENT

1. Fertilisation d'une terre par apport de limon — Partie d'un tout.
2. Informer — Fleuve de Suisse et de France.
3. Popote — Jambe de derrière d'un cheval.
4. D'après — Vêtement d'apparat des Romains.
5. Prêtresse d'Héra — Chancelé — Préposition.
6. Bidule — Chatons de certaines fleurs.
7. Nouveau — Personnes pingres — Mamelle d'une femelle.
8. Riveter — Cacher.
9. Courroie — Vaste étendue d'eau salée.
10. Plancher en béton armé — Idéal.
11. Gros poisson des mers froides — Carnaval célèbre — Infinitif.
12. Période historique — Immortalité.

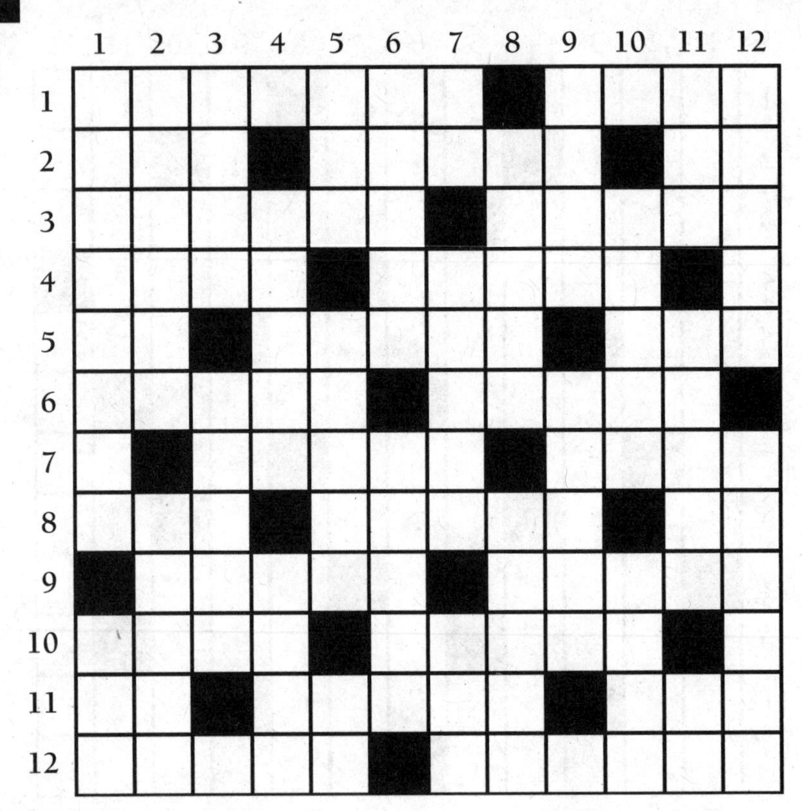

## HORIZONTALEMENT

1. Dissidence — Moineau.
2. Lettre grecque — Tube — Exclamation enfantine.
3. Inventeur américain né en 1847 — Dénonciateur.
4. Ville de Grèce — Zani.
5. Série de coups de baguettes — Répondant — Alcool.
6. Arbre équatorial — Ville de la Jordanie.
7. Signe d'altération qui baisse d'un demi-ton — Affluent de l'Eure.
8. Peuple du Bénin — Leurre — Note de musique.
9. Sarment de vigne — Renforcer.
10. Ville de Hongrie — Meurtrie.
11. Fleuve d'Italie — Boisson — Rivière de Suisse.
12. Rivière de la Guyane française — Absence d'urine dans la vessie.

## VERTICALEMENT

1. Sel ou ester de l'acide stéarique — Panicule.
2. Manuel d'appel d'un téléphone — Fourgon.
3. Adjectif numéral — Endetté.
4. Rivière de l'est de la France — Coche.
5. Dans la rose des vents — Allure, rythme — Lettre grecque.
6. Ville d'Italie — Frottée d'huile.
7. Préposition — Vif — Perroquet.
8. Prendre son dîner — Ruban.
9. Cinéaste américain — Cervoise.
10. Chiffre — Femme politique israélienne.
11. Ancienne capitale d'Arménie — Vedette admirée du public — Conjonction.
12. Comportement — Naseau.

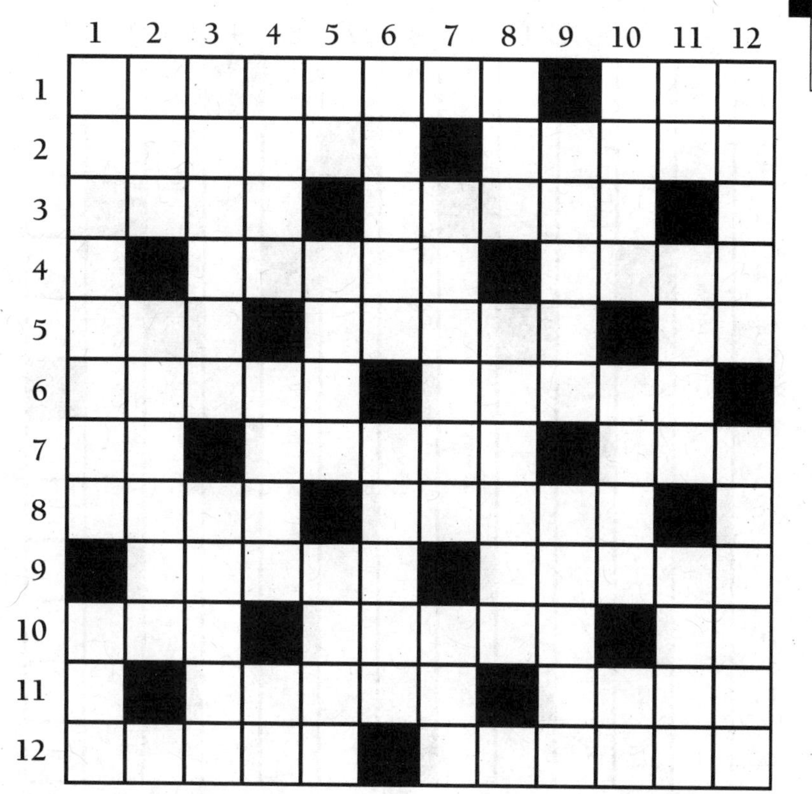

## HORIZONTALEMENT

1. Partie de certains vêtements — Situation engendrant un effet comique.
2. Groupement de quelques maisons rurales — Lac de la Laponie finlandaise.
3. Vétille — Permet de repérer la position d'un avion.
4. État d'Asie — Futur bouvillon.
5. Dans la rose des vents — Pièce de tissu placée sous le drap — Article.
6. Matière fécale — Italien.
7. Cité antique de la basse Mésopotamie — Propre — Terme de bridge.
8. Capitale de l'Arabie saoudite — Célébrité.
9. Ville de Syrie — Énième.
10. Fils aîné de Noé — Avinés — Expert.
11. Plante vivace des bois — Ourlet.
12. Châtiée — Manipuler.

## VERTICALEMENT

1. Déclamateur — Pièce de la charrue.
2. Poème narratif — Rayée.
3. Apporter — Capitale de la Jordanie.
4. Laxatif extrait du cassier — Flot — Curie.
5. Tantale — Couvert de chapelure — Lieu.
6. Agricole — Répit.
7. Fringant — Unité d'équivalent de dose.
8. Repaire — Ville d'Italie.
9. Légume — Petit de l'oie.
10. Endroit où arrêtent les trains — Muni d'armes — Blagué.
11. Argon — Interjection servant d'appel — Homme.
12. Danse — Parler avec un défaut de prononciation.

**HORIZONTALEMENT**

1. Client d'une prostituée — Ancien nom de Tokyo.
2. Charrue simple sans avant-train — Cactus à rameaux aplatis.
3. Chemin de fer — Compositeur français né en 1890.
4. Rivière d'Allemagne — Recouvert.
5. Préjudice — Marqué de raies — Américium.
6. Blanc — Avant placé entre un ailier et l'avant-centre.
7. Argent — Gaz inerte — Piolet.
8. Ville d'Allemagne — Usé.
9. Replet — Envol.
10. Port d'Italie — Île des Philippines.
11. Matière collante — Cédé pour de l'argent — Meilleur en son genre.
12. Milice — Instrument de musique à percussion.

**VERTICALEMENT**

1. Instrument de musique — Gâteux.
2. Avancera — Ville d'Algérie — Lawrencium.
3. Oiseau voisin de la perdrix — Court manteau de laine.
4. Cicatrice — Ville d'Italie.
5. Infinitif — Dép. de la Région Rhônes-Alpes — Prénom féminin.
6. Coloris du visage — Arbrisseau grimpant.
7. Compositeur italien — Signification.
8. Dans la rose des vents — Naturels — Chiffres romains.
9. Lézard apode insectivore — Localisation d'un gène.
10. Affluent de la Seine — Région aux confins de la Grèce et de l'Albanie.
11. Oui — Fleuve de Chine — Poisson marin vorace.
12. Acide sulfurique fumant — Carbonate de plomb.

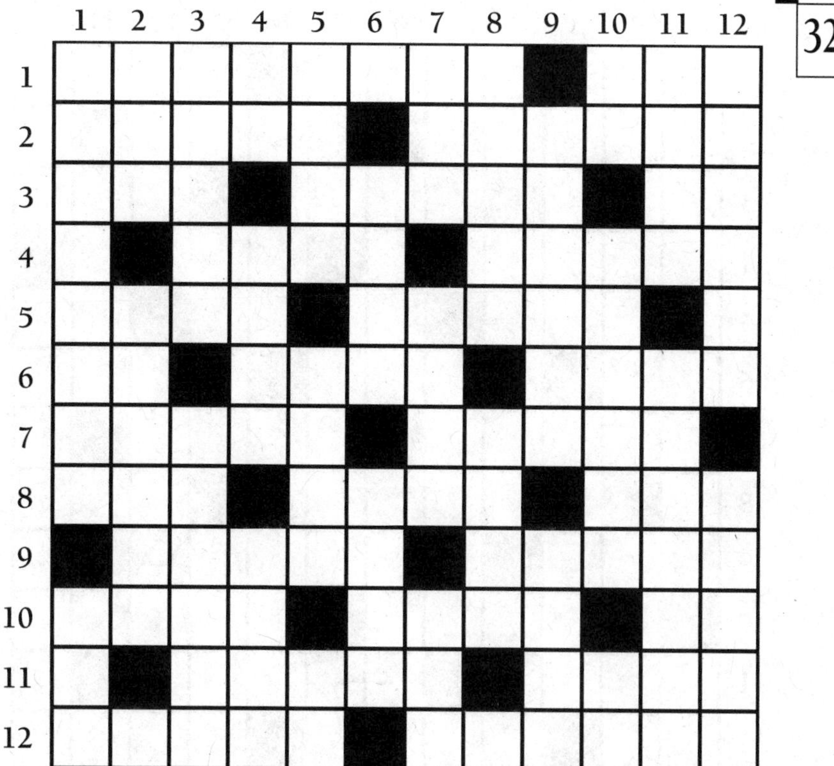

**HORIZONTALEMENT**

1. Foyer d'un four de céramiste — Roi de Hongrie.
2. Alchimie — Relatif à la chèvre.
3. Résine extraite de la férule — Description des animaux d'un pays — Béryllium.
4. D'une très petite taille — Éclatant.
5. Équipe — Emplette.
6. Iridium — Prononcer — Doté.
7. Composé volatil — Bonté.
8. Poulie dont le pourtour présente une gorge — Oiseau à bec long — Musique au rythme martelé sur laquelle sont scandées des paroles.
9. Gus — Personne qui échoue en général.
10. Appui — Embarcation à fond plat — Tellure.
11. Rend hommage — Combat.
12. Ancienne mesure itinéraire — Urgent.

**VERTICALEMENT**

1. Agmydalus — Pièce de vaisselle.
2. Faible — Homme politique nicaraguayen.
3. Émissaire — Majoration.
4. Nickel — Poète grec de l'époque primitive — Récipient.
5. Challenge — Plante à haute tige — Largeur d'une étoffe.
6. Libertaire — Ravissant.
7. Bouclier — Pronom démonstratif — Pied de vigne.
8. Rancho — Ville de Norvège.
9. Chute des cheveux — Eau.
10. Argon — Ornements — Usages.
11. Petit chapeau de femme — Aigles d'Australie.
12. Connerie — Plante des lieux humides.

326

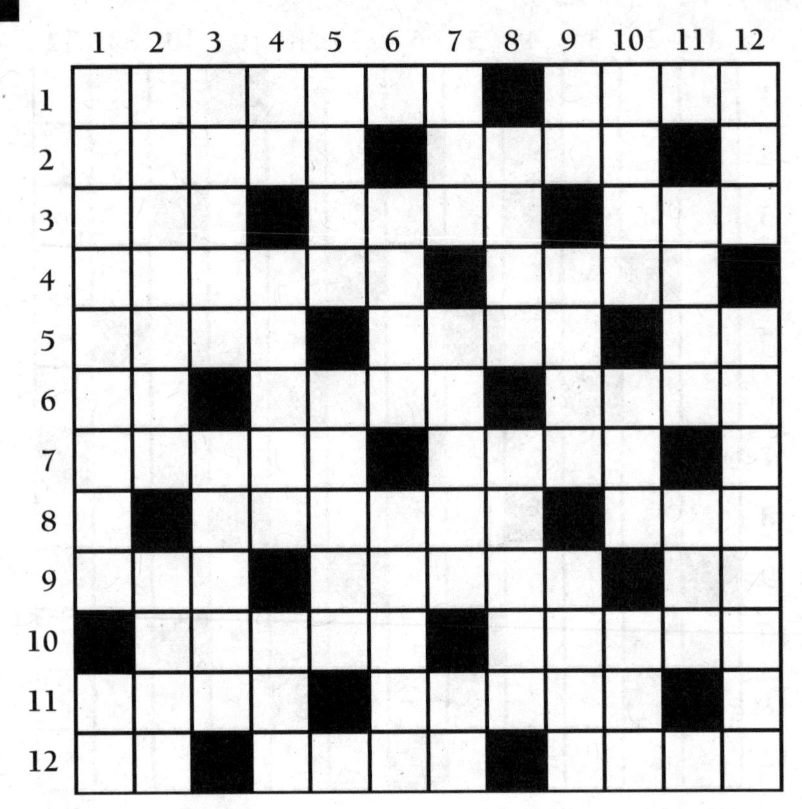

## HORIZONTALEMENT

1. Obscur — Fleuve qui sépare la Pologne de l'Allemagne.
2. Femme musulmane — Homme politique suisse.
3. Double coup de baguette — Fils d'Énée — Partie d'un hectare.
4. Commune de Belgique — Action de ramer.
5. Ville de Norvège — Opérer — Thermie.
6. De naissance — Animal fantastique — Foutu.
7. Motocross — Petit espace isolé.
8. Chiffonne — Abhorré.
9. Style de musique disco — Chaise — Astate.
10. Champignon — Grande place avec boutiques.
11. Secteur — Dieu unique des musulmans.
12. Négation — Ch.-l. d'arr. du Calvados — Corps pesant.

## VERTICALEMENT

1. Rencontrer — Zinc.
2. Mettre des balises — Cri du chien.
3. Femme de lettres française — Point décisif, dans les arts martiaux.
4. Thulium — Relatif aux modes des verbes — Unité monétaire bulgare.
5. Chef d'État dans certains États arabes — Fruit de l'alisier.
6. Un des États-Unis d'Amérique — Instrument de musique.
7. Grand arbre de l'Inde — Sorte — Article.
8. Action de dénier — Juridique.
9. Lac des Pyrénées — Fleuve d'Italie — Identique.
10. Course à courre simulée — Ville de Belgique — Interjection pour appeler.
11. Région de l'ouest de la France — Rivière de Suisse.
12. Grande période de l'histoire — Indécis.

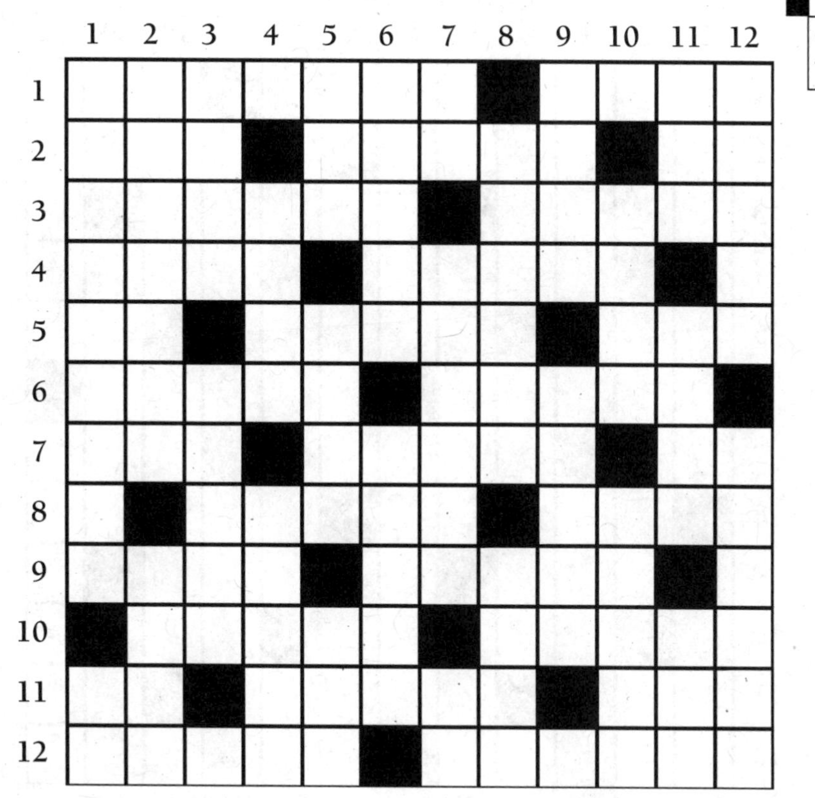

## HORIZONTALEMENT

1. Baguette aplatie à un bout — Feuille.
2. Boisson — Commun — Avant-midi.
3. Flâneur — Ville de Belgique.
4. Ch.-l. de c. d'Eure-et-Loir — Vêtement court sans manches.
5. Ferrure — Existant — Salutation angélique.
6. Vernis — Muse de la Poésie lyrique.
7. Givre — Halte — Infinitif.
8. Cheval de petite taille — Colorant minéral naturel.
9. Commune du Morbihan — Bourgeon.
10. Fenêtre faisant saillie — L'ancienne Estonie.
11. Erbium — Répit — Point cardinal.
12. Vin blanc sec — Petit anneau en cordage.

## VERTICALEMENT

1. Tactique — Ancien.
2. Son d'une langue — Moulure ronde.
3. Poète épique et récitant — Capitale de l'Algérie.
4. Pièce de charpente — Gratin.
5. Personnage d'Alfred Jarry, écrivain français — Onomatopée imitant un bruit sec — Lentille.
6. Ample — Usage.
7. Adverbe de lieu — Inanimé — Cale en forme de V.
8. Démarche — Bramer.
9. Poisson plat — Particule d'un élément chimique.
10. Pays — Arrête.
11. Situation engendrant un effet comique — Distinguer — Supprima.
12. Ville de Syrie — Détritus.

328

## HORIZONTALEMENT

1. Poisson voisin du thon — Principe de vie.
2. Petite cavité glandulaire — Manière de réciter.
3. Bêtes — Plante des marais.
4. Être couché — Fleuve d'Italie.
5. Rivière de l'Éthiopie — Coloris du visage — Quelqu'un.
6. Planche de bois — Rivière de l'est de la France.
7. Infinitif — Insulaire — Armée féodale.
8. Potence — Faire des meurtrissures à des fruits.
9. Pédéraste — Ce qui sert d'excuse.
10. Parcelle — Droit d'utiliser la chose dont on est propriétaire.
11. Marque le doute — Appelées — Notre-Seigneur.
12. Petit avion télécommandé — Ville d'Espagne.

## VERTICALEMENT

1. Trésor — Base.
2. Critique italien — Bord — Patrie d'Abraham.
3. Masse de métal — Un des États-unis d'Amérique.
4. Poignée — Région autonome de l'ouest de la Chine.
5. Lettre grecque — Monument — Poème destiné à être chanté.
6. Prophète hébreu — Aéroport du Japon.
7. Attaque — Mère d'Artémis et d'Apollon.
8. Ancien nom de Tokyo — Qui est bien pourvu — Infinitif.
9. Muse de la Poésie lyrique — Outrepasse.
10. Basse vallée d'un cours d'eau — Fret.
11. Note — Acte de pensée — Pronom indéfini.
12. Crotte — Crie, en parlant de l'hirondelle.

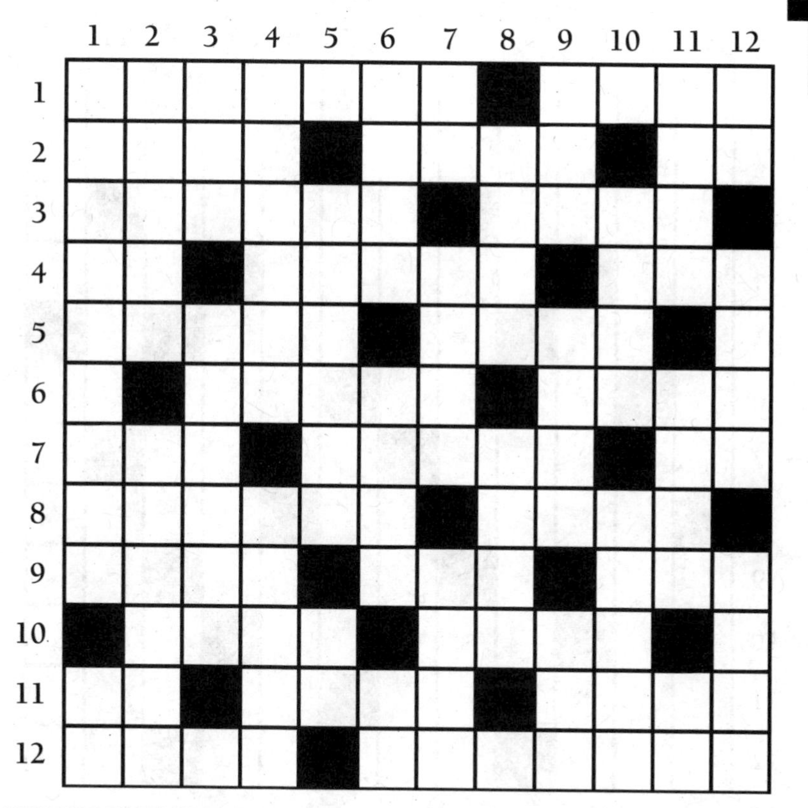

## HORIZONTALEMENT

1. Variété de laitue — Qui est heureux en Dieu.
2. Paradis — Affaire d'honneur — Rhodium.
3. Absence de noblesse — Pronom démonstratif.
4. Lutécium — Tuteurer — Onomatopée.
5. Ville de la Jordanie — Instrument à vent.
6. Souveraine — Un des États-Unis d'Amérique.
7. Jovial — Mathématicien suisse né en 1707 — Article indéfini.
8. Grosse mouche — Promenade publique.
9. Extrêmement — Rabiot — Pied de vigne.
10. Ville d'Espagne — Sud-est.
11. Fer — Patron — Exécuter.
12. Incasique — Serpent venimeux.

## VERTICALEMENT

1. Bonbon — Pouah.
2. Fleuve du sud-ouest de la France — Relatif à l'aviation.
3. Fleuve côtier des Pyrénées-Orientales — Rompre.
4. Absence d'urine dans la vessie — Garde du sabre japonais.
5. Rayer — Nobélium.
6. De même — Peuple du Soudan — Scandium.
7. Or — Commune du Morbihan — Commune de Belgique.
8. Qui est à l'état naturel — Devenu terne.
9. Céréale — Vent du nord-est — Lettre grecque.
10. Titre porté par des souverains du Moyen-Orient — Manifestation morbide brutale.
11. Tracas — Fils d'Énée — Sert à lier.
12. Thermie — Tube fluorescent — Plus mauvais.

330

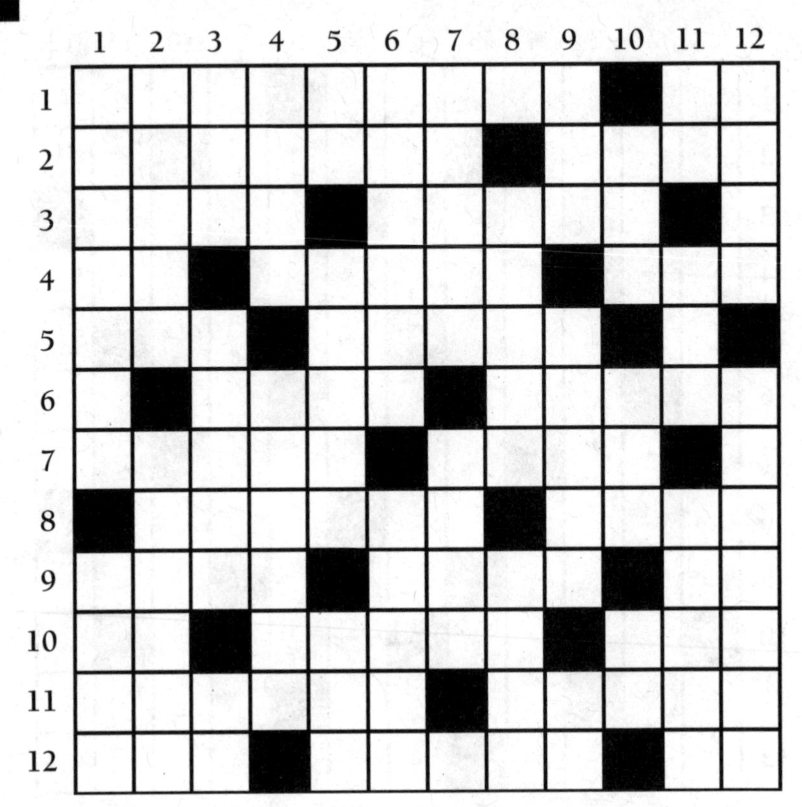

## HORIZONTALEMENT

1. Partie d'un bois dégarnie d'arbres — Interjection.
2. Acteur sans talent — Petite brosse en soies de porc.
3. Paresseux — Polir avec la ripe.
4. Pronom démonstratif — Arrache les poils — Imbécile.
5. Colère — Singe.
6. Égoïne — Finalement.
7. Générateur d'ondes électromagnétiques — Opposition, refus.
8. Bâtiment de guerre — Économiste français.
9. Ouverture dans un mur — Partie de certains ustensiles — Elle fut changée en génisse.
10. Ancien oui — Rigide — Boxeur célèbre.
11. Signe astrologique — Presser.
12. Unité monétaire du Danemark — Fidèle — Xénon.

## VERTICALEMENT

1. Très important — Douleur, en langage enfantin.
2. Paquebot de grande ligne — Hérisser.
3. Recueil de bons mots — Test — Article.
4. Aven — Plante alimentaire.
5. Roulement de tambour — Réunion de deux choses — Afrique Équatoriale Française.
6. Exaspéré — Réer.
7. Conseiller municipal — Dénonce par intérêt.
8. Sommet volcanique de la Martinique — Abandonné.
9. Dans la rose des vents — Parmi — Dieu solaire.
10. Courbe — Croyance — Argent.
11. Paresseux — Réponse positive — Roche constituée de silice.
12. Interjection exprimant la surprise — Connu.

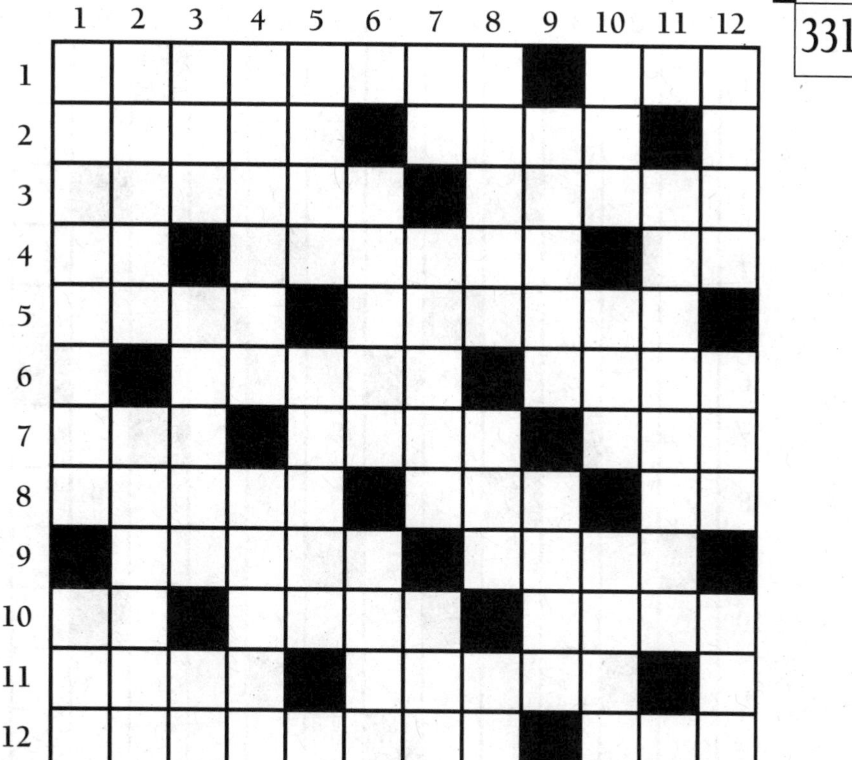

## HORIZONTALEMENT

1. Cupidité — Ancien oui.
2. Académie — Petit cerf d'Asie à bois courts.
3. Bande diminuée de largeur — Dép. de la Région Rhônes-Alpes.
4. Patrie d'Abraham — Crédule — Dans.
5. Soulevé — Pleurnicha.
6. Établissement d'assistance publique — Autant.
7. Fraude — Moi — Manière de lancer.
8. Ville de Syrie — Critique italien — Note.
9. Tréfilé — Personne parfaite.
10. Argon — Donne — Ancienne arme de jet.
11. Cheminée — Ville de Belgique.
12. Groseille rouge — Légumineuse.

## VERTICALEMENT

1. Dérobade — Rivière de Suisse.
2. Plante des marais — Loi du silence.
3. Vase — Carte — Rigolé.
4. Fruits — Situées.
5. Pronom démonstratif — Relatif à l'Ibérie.
6. Comblé — Irlande.
7. Adjectif possessif — Populace — Petit socle.
8. Expatrié — Ville du Pérou — Platine.
9. Héroïne compagne de Tristan — Eau.
10. Hardi — Personne avare — Station de métro.
11. Ranimer.
12. Rapport — Présélection — Article indéfini.

## 332

**HORIZONTALEMENT**

1. Piailler — Argon.
2. Attache profonde à un lieu — Partie du squelette du pied.
3. Armée féodale — Plante potagère annuelle.
4. Érigne — Pareil.
5. Ferré — Plante herbacée annuelle — Déchiffrée.
6. Impératrice d'Orient — Petit loir gris.
7. Métal précieux — De nouveau — République française.
8. Partie d'une église — Chatouiller.
9. Entier — Dispute.
10. Cassier — Tissu végétal épais.
11. Meurtrir — Affluent de la Seine.
12. Matière grasse — Faute.

**VERTICALEMENT**

1. Croupe — Sachet.
2. Chef éthiopien — Stoppe.
3. Jaunisse — Débâcle.
4. Paresseux — Bride — Équipe.
5. Ancienne unité monétaire du Pérou — Greffa — Laize.
6. Cinéaste italien mort en 1989 — Cligné.
7. Cépage rouge — Colère.
8. Lettre grecque — Répété continuellement.
9. Loser — Habiter à nouveau.
10. Conforme à une loi — Ancienne mesure itinéraire.
11. Expert — Différents — Ruisselet.
12. Royale — Donner un navire en location.

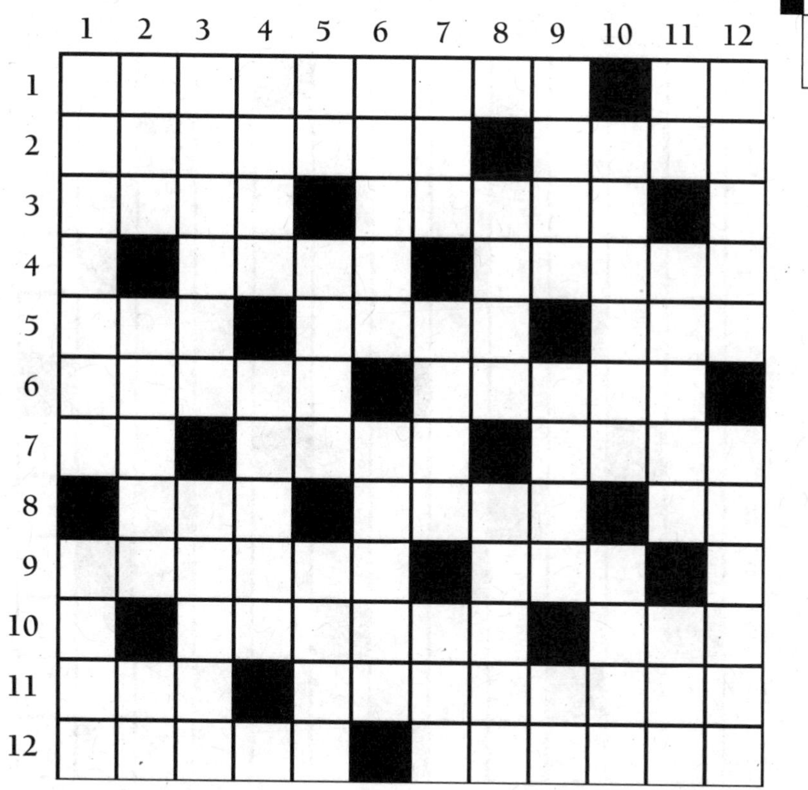

## HORIZONTALEMENT

1. Énergique — Exclamation enfantine.
2. Foncier — Organe de la vue.
3. Espace plat où nichent les oiseaux de proie — Domestique.
4. Exclamation espagnole — Fruit de l'olivier.
5. Agence de presse américaine — Très petite île — Titre d'honneur chez les Anglais.
6. Assembler par une enture — Petit passereau.
7. Dieu solaire — Épreuve — Ancienne monnaie espagnole
8. Sans inégalités — Transmet — Mesure itinéraire chinoise.
9. Ville du Chili méridional — European Southern Observatory.
10. Relatif au système nerveux — Panier plat en osier muni de deux anses.
11. Rivière alpestre de l'Europe centrale — Normal.
12. Une des trois parties égales — Ensemble d'individus.

## VERTICALEMENT

1. Tenter de séduire — Service religieux.
2. Rayon — Pneumatiques — Négation.
3. Habile — Religieuse.
4. Firmament — Tréfilé.
5. Ancien oui — Bouquiner — Crétins.
6. Orange — Marque.
7. Ville du Nigeria — Se décide — Vieux.
8. Favorisé par le sort — Faute.
9. La Nativité — Voisin — Thorium.
10. Extrême maigreur — Relatif à la brebis.
11. Négation — Indispensable — Copain.
12. Capitale de l'Algérie — Descendance.

334

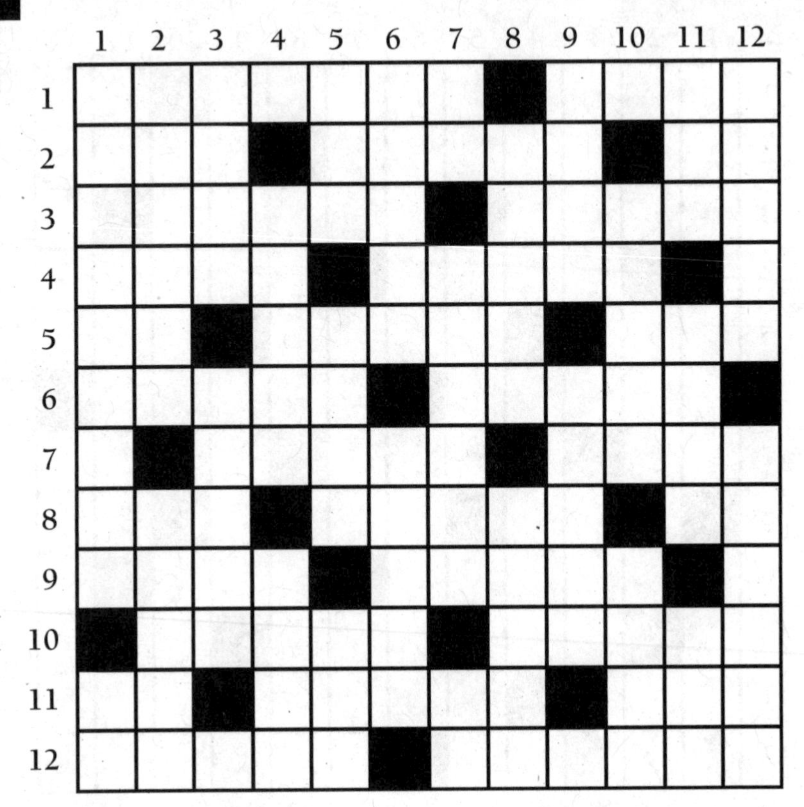

## HORIZONTALEMENT

1. Musicien qui joue du tuba — Nullité.
2. Colère — Femelle de l'ours — Expert.
3. Certaine — Vipère des montagnes, vivant en Europe.
4. Foyer — Usuel.
5. Infinitif — Ville de Suède — Préposition.
6. Agile — Relatif à l'ensemble des citoyens.
7. Capitale de l'Algérie — Ancienne unité monétaire du Pérou.
8. Ancienne monnaie — Ville de Syrie — Restes.
9. Fichu — Ancien nom de l'oxyde d'uranium.
10. État d'Asie — Familier.
11. Cobalt — Tristan et ... — Ancien Premier ministre de l'Ontario.
12. Action de retirer — Songeur.

## VERTICALEMENT

1. Houspiller — Chlore.
2. Canal excréteur — Embarcation légère.
3. Avoir la bouche ouverte — Femme malpropre.
4. Fusil à répétition de petit calibre — Observe.
5. Note — Plante herbacée — Résine malodorante.
6. Meurtrier — Concurrent.
7. Erbium — Blasphémer — Cité antique de la basse Mésopotamie.
8. Happé — Éclate.
9. Interjection marquant le refus — Approches.
10. Ennui — Affluent de la Seine.
11. Rayon — Instrument de la famille des violons — Suc de certains fruits.
12. Trophée du monde du cinéma — Séparer.

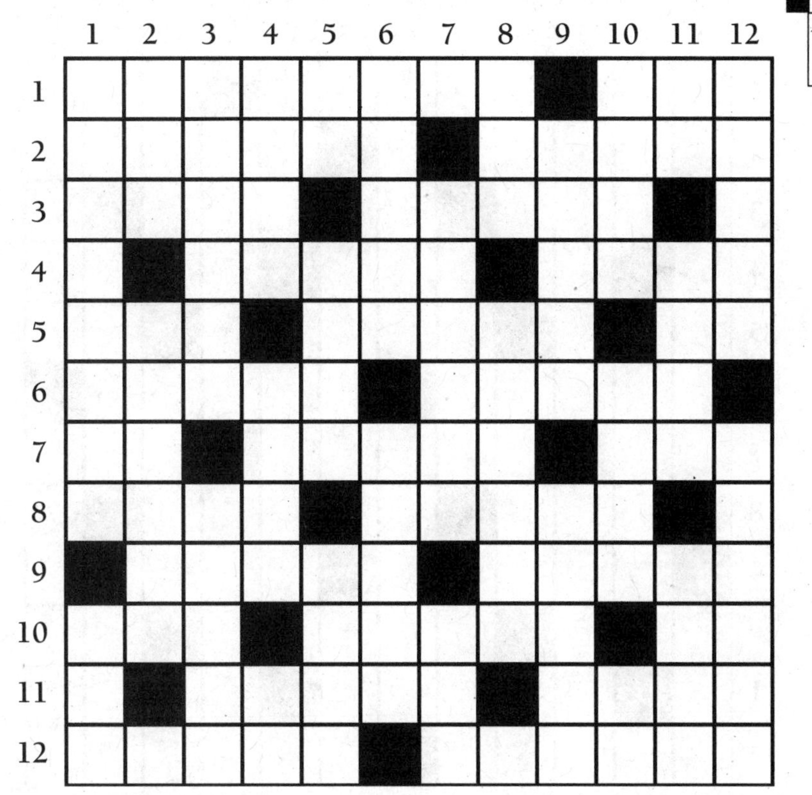

**HORIZONTALEMENT**

1. Fromage de chèvre de forme pyramidale — Chope.
2. Arbre voisin du sapin — Ville de l'Inde.
3. Ligaturer — Acteur français mort en 1989.
4. Manœuvrer — Urne.
5. Officier de Louis XV — Aéroport du Japon — Argon.
6. Plante vomitive — Agave du Mexique.
7. Tantale — Lac de Russie — Asticot.
8. Ancien État situé dans le sud-ouest de l'Iran actuel — Port du Chili septentrional.
9. Occlusion intestinale — Majoration d'une prime d'assurance automobile.
10. Jamais — Combines — Conjonction.
11. Dispersé — Irlande.
12. La rose en est une — Rigidité.

**VERTICALEMENT**

1. Volonté faible — Hors champ.
2. Petite pomme — Blanchâtre.
3. Pièce de charpente oblique — Poète lyrique grec.
4. Qui est à l'état naturel — Sommet — Plutonium.
5. De naissance — Zone externe du globe terrestre — Second calife des musulmans.
6. Moulure concave — Amplificateur de micro-ondes.
7. Mettre de niveau — Drogue hallucinogène.
8. Monnaie japonaise — Très petit.
9. Banlieue de Québec — Placer.
10. Ville de Croatie — Caution — Note.
11. Métal précieux — Malpropre — Assemble.
12. Amplificateur de haute fréquence — Additionné de résine.

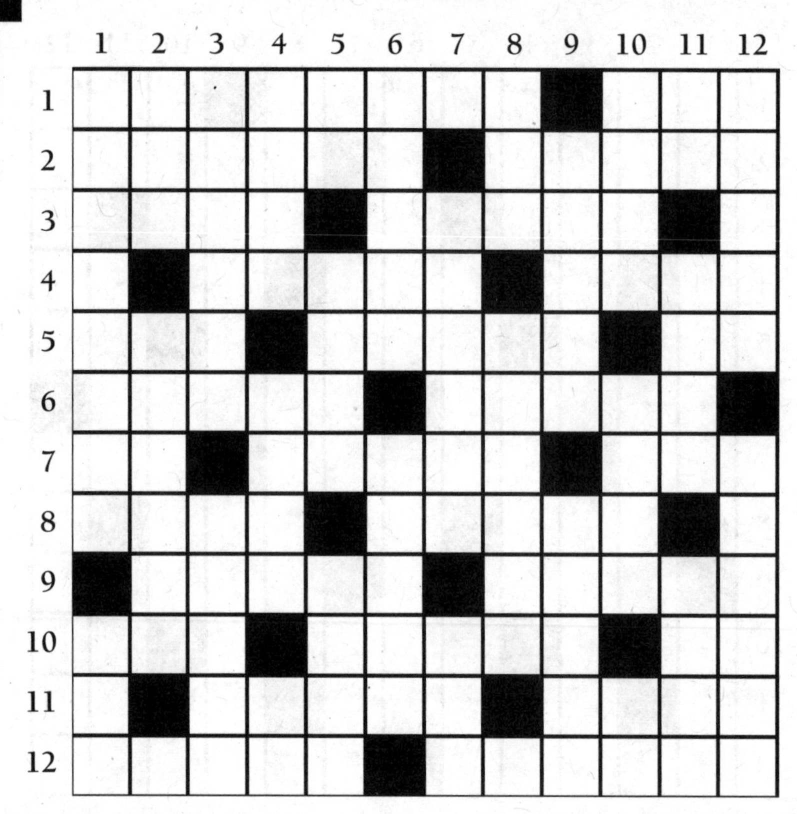


## HORIZONTALEMENT

1. Charment — Massif montagneux du Sahara méridional.
2. Dodu — Outil à long manche.
3. Estonien — Stérile.
4. Vêtement liturgique — Pays voisin de l'Irak.
5. Rivière de Suisse — Agile — Xénon.
6. Conceptuel — Prénom féminin.
7. Ruisselet — Voix d'homme — Rivière de Roumanie.
8. Impulsion — Arbre équatorial.
9. Mouvements folâtres — Fret d'un bateau.
10. Tenta — Éjection — Roulement de tambour.
11. Motif — Viscère pair qui sécrète l'urine.
12. Sommet le plus élevé des Alpes — Cadenette.

## VERTICALEMENT

1. Incertain — Fleuve du sud de la France.
2. Article (pl.) — Encensés.
3. Sans ailes — Matière textile.
4. Hameau — Volcan de la Sicile — Douze mois.
5. Sélénium — Exclamation espagnole — Astuce.
6. Sans mouvement — Fichus.
7. Contrée — Avion rapide.
8. Triage — Faux.
9. Perdu — Pronom possessif.
10. Profond estuaire de rivière en Bretagne — La Nativité — En matière de.
11. Pronom personnel — Figure de patinage artistique — Membrane colorée de l'œil.
12. Domination — Boisson.

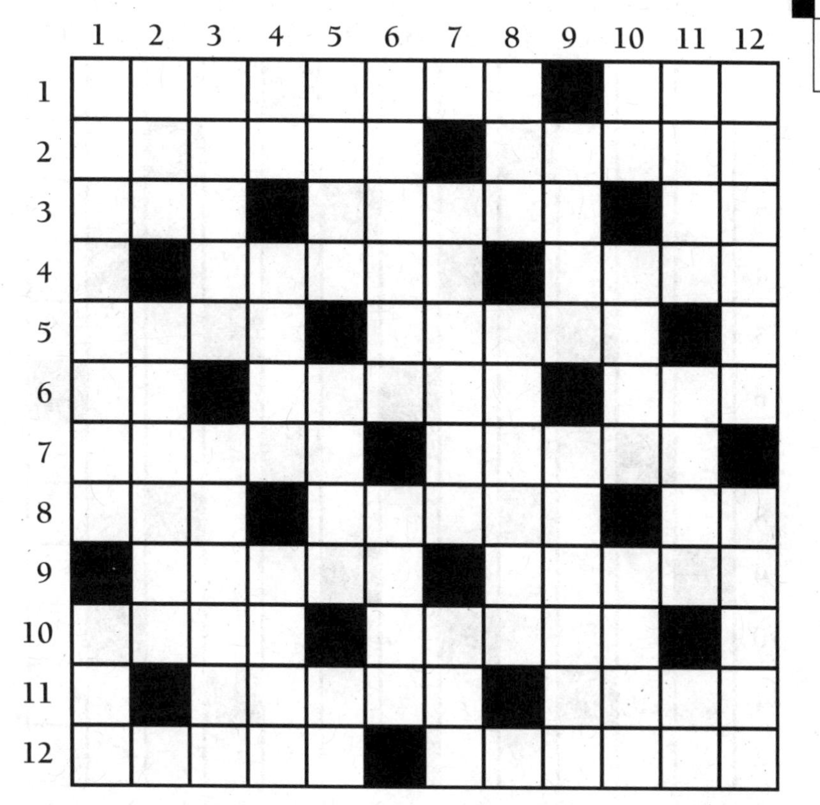

## HORIZONTALEMENT

1. Poisson portant des épines — Assaisonnement.
2. Autorisé — Bandage croisé.
3. Voie urbaine — Personne asservie — Interjection.
4. Vases — État à l'ouest du Vietnam.
5. Frustré — Italien.
6. Lutécium — Perdu — Ville des Pays-Bas.
7. Concurrent — Qui prend les couleurs du prisme.
8. Manche, au tennis — Bavarder — Cela.
9. Petit cigare — Agave du Mexique.
10. Pronom démonstratif — Phase.
11. Exercer une action en justice — Rognes.
12. Vapeur qui se condense — Germandrée à fleurs jaunes.

## VERTICALEMENT

1. Malmènes fortement — Autocar.
2. Insecte parasite — Guêpe solitaire.
3. Occlusion intestinale — Profitables.
4. Issu — Ancienne monnaie espagnole — Nez.
5. Cordage reliant une ancre à la bouée — Dès maintenant — Pronom personnel.
6. Plante alimentaire — Commune de Belgique.
7. Époux d'Isis — Triage.
8. Levant — Religieuse indienne gagnante d'un prix Nobel.
9. Desquama — Qui contient de l'iridium.
10. Tellement — Ch.-l. d'arr. du Gard — Présente.
11. Répétition d'un son — De ce côté-ci — Conjonction.
12. Lien — Fruit de l'alisier.

338

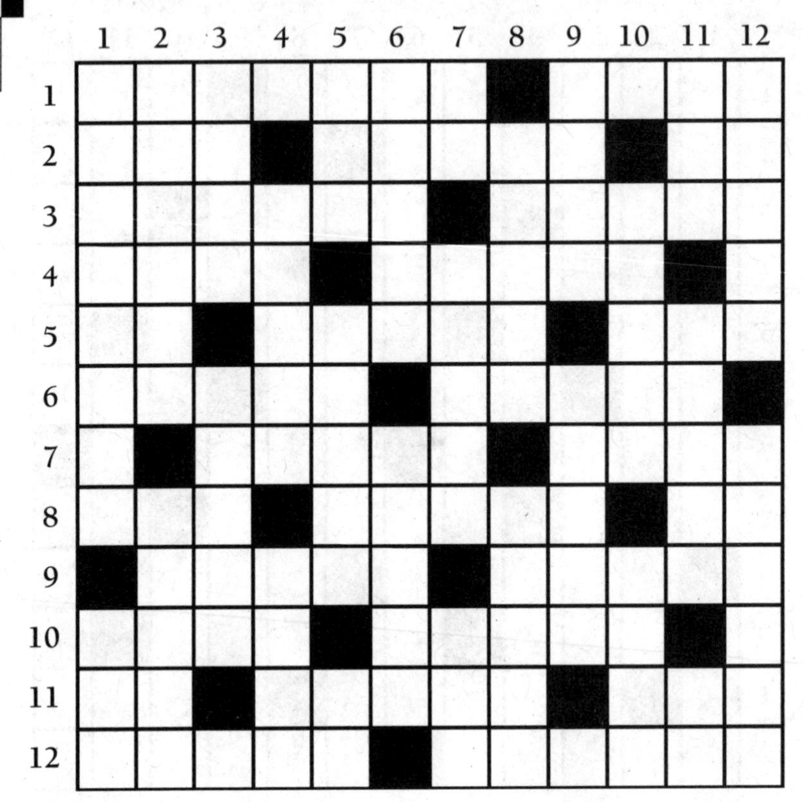


## HORIZONTALEMENT

1. Relatif au doyen — Rafting.
2. Adverbe de lieu — Oiseau échassier — Interjection.
3. Guide de montagne dans l'Himalaya — Long prolongement du neurone.
4. Amoncellement — Déposer.
5. Préposition — Champ, sol cultivé — Esprit.
6. Fruit comestible — Construit.
7. Dépouiller de son écorce — Pédéraste.
8. Panicule — Commune de Belgique — Aluminium.
9. Pierre fine — Image des saints.
10. Ville de Hongrie — État d'Asie.
11. Article indéfini — Salpêtre — Ville des Pays-Bas.
12. Gaz inerte de l'air — Produire de la graine.

## VERTICALEMENT

1. Exemption — Pronom personnel.
2. Colonne vertébrale — Paluche.
3. Espace — Haillon.
4. Conforme à une loi — Fleuve d'Italie.
5. Élégant, distingué — Fusil à répétition de petit calibre — Indium.
6. Repas — Narine des cétacés.
7. Lanthane — Accablé de dettes — Région du Sahara.
8. Amplificateur de micro-ondes — Glisser par frottement.
9. Mêlée — Plante vomitive.
10. Ouragan — Commune de Belgique.
11. Admirateur enthousiaste — Port de l'Indonésie — Petit cube.
12. Doctrine — Édifier.

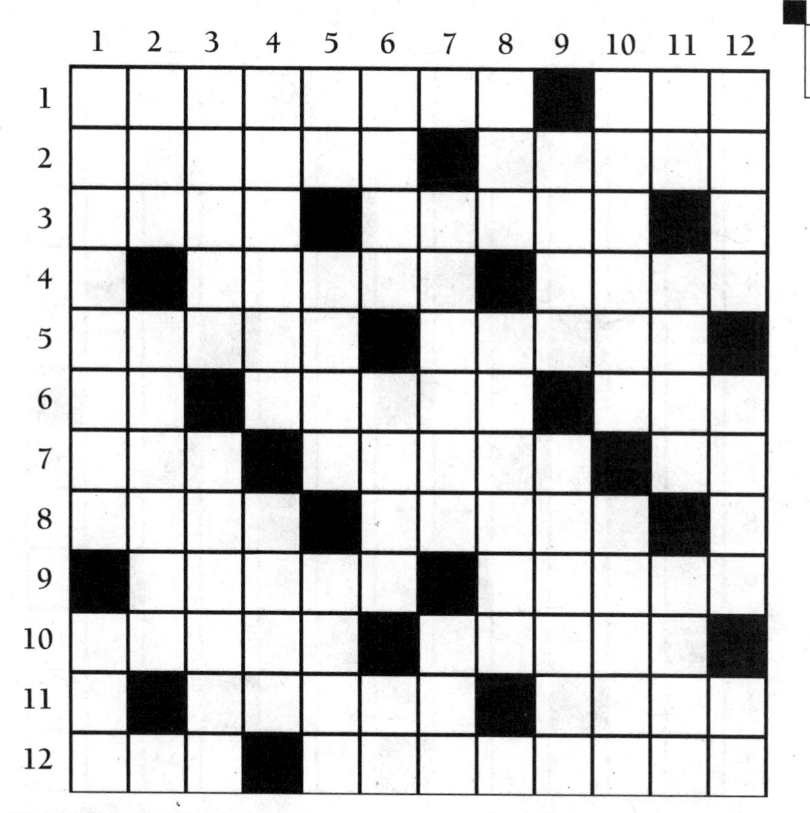

## HORIZONTALEMENT

1. Défense — Comptoir.
2. Animal crustacé — Petite boule percée d'un trou.
3. Cordage reliant une ancre à la bouée — Tourmenté.
4. Vieux — Confession.
5. Vues — Saule à rameaux flexibles.
6. Conjonction — Réer — Triage.
7. Moi — Conformité — Adverbe de lieu.
8. Récépissé — Fruit comestible.
9. Dividende — Ville du sud de l'Inde.
10. Répit — Plante cryptogame.
11. Instrument — Pronom démonstratif.
12. Idiot — Rivière de la Guyane française — Argon.

## VERTICALEMENT

1. Abhorrer — Verso d'une lettre.
2. Normale, au golf — Assimile.
3. Fruit de l'olivier — Grand chat sauvage.
4. Faucon femelle — Paresseux.
5. Pronom indéfini — Fils d'Isaac — Gamin.
6. Oiseau passereau — Couleur bleue tirée de l'indigo — Préfixe privatif.
7. Hymne religieux — Ride.
8. Panicule — Chien.
9. Pièce de charpente — Resserré.
10. Diplôme — Dieu des Vents.
11. Aluminium — Vitesse acquise d'un navire — De ce côté-ci.
12. Rassasié — De naissance — Infinitif.

340

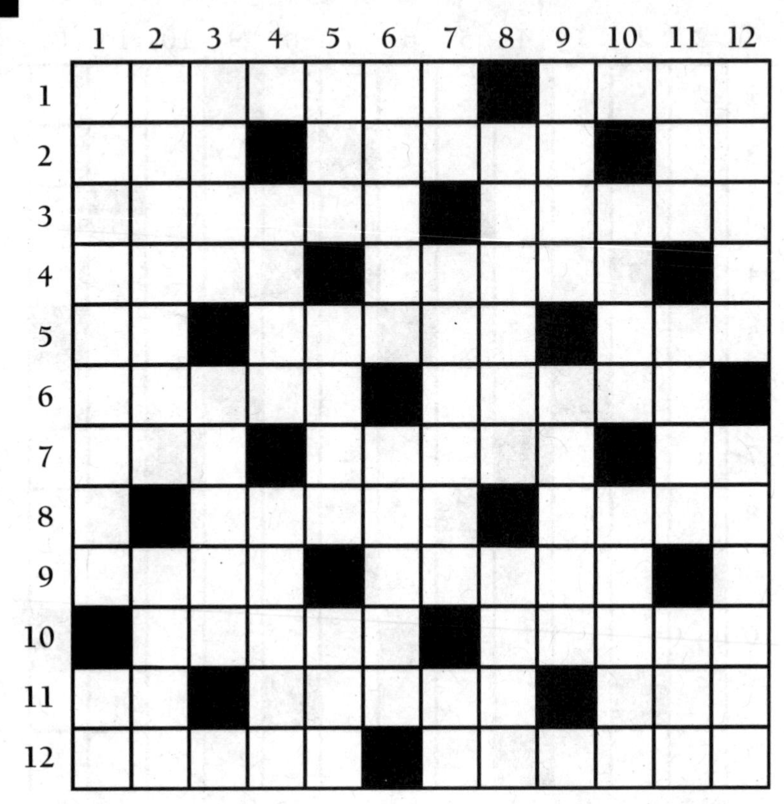

## HORIZONTALEMENT

1. Plumage des oiseaux de proie — Ferveur.
2. Vieux — Cercles concentriques sur la coupe d'un arbre — Aluminium.
3. Placer dans un endroit déterminé pour surveiller — Ville du sud de l'Inde.
4. Rivière du nord de la France — Titre de noblesse.
5. Traditions — Singe — Événement.
6. Unités — Chérir.
7. Terme de tennis — Averti — Ancien oui.
8. Celui qui se distingue par ses exploits — Maladie contagieuse.
9. Ville de Hongrie — Région viticole du Bordelais.
10. Ville d'Italie — Retranchera.
11. Cela — Variété de daphné — Rocher.
12. Paquebot de grande ligne — Ahuri.

## VERTICALEMENT

1. Chatouillement — Chlore.
2. Dur — Oiseau passereau.
3. Lac d'Écosse — Fluide très subtil.
4. Équipe — Institué.
5. Terme de tennis — Souverain serbe — Autocar.
6. Bouquet — Os du nez.
7. Erbium — Protège le matelas — Interjection.
8. Ver marin — Qui possède naturellement.
9. Nullité — Bout de cigarette.
10. Félin — Mordant.
11. Garçon d'écurie — Pin cembro — Éructation.
12. Palmier d'Afrique — Mammifère marin.

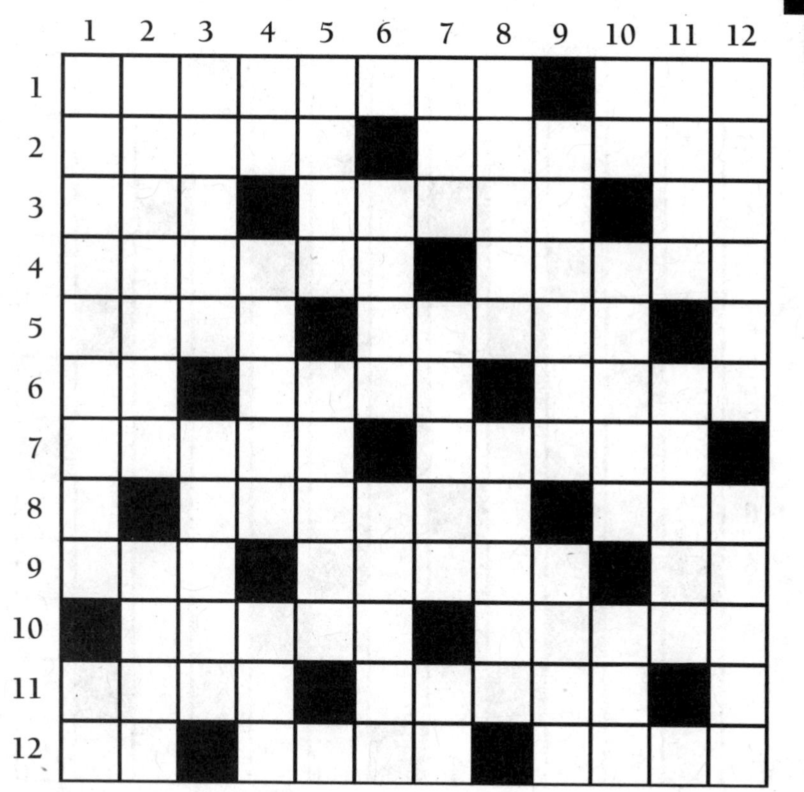

**HORIZONTALEMENT**

1. Baliverne — Explication.
2. Bois noir — Anicroche.
3. Fric — Drap de lit — Note.
4. Joindre — Palmier d'Afrique.
5. Ville d'Espagne — Peser un emballage.
6. Fer — Second calife des musulmans — Toge.
7. Nécessaire — Inculte.
8. Animal marin — Région du Sahara.
9. Panicule — Étendue sableuse — Curie.
10. Bassin — Idéal.
11. Ville de la C.É.I. — Pièces de charpente.
12. Issu — Soûl — Mesure.

**VERTICALEMENT**

1. Antipyrétique — Quelqu'un.
2. Ablier — Chef de famille.
3. Reporté au pouvoir — Singe.
4. Préfixe privatif — Plante à fleurs jaunes — Cassius Clay.
5. Jeune enfant — Port de l'Indonésie.
6. Ville de Grèce — Presser.
7. Étendue d'eau — Met de niveau — Ferrure.
8. Amorcer — Désavoua.
9. Plante potagère — Règlement fait par un magistrat.
10. Chrome — Ville du sud de l'Inde — Dans la rose des vents.
11. Ville d'Italie — Apaise.
12. Partie nord de la Grande-Bretagne — Tricot à manches longues.

342

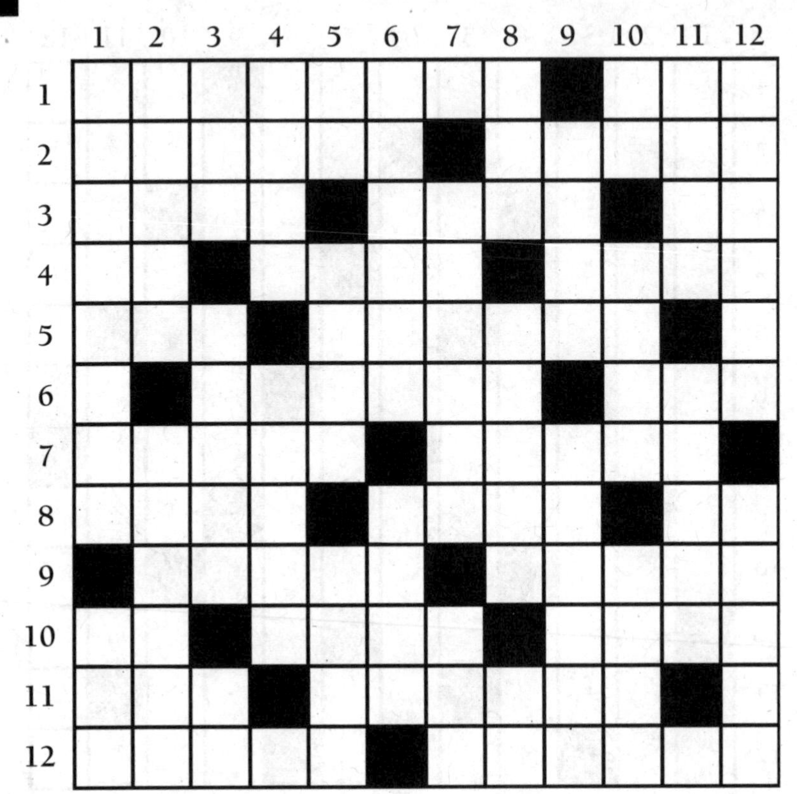

## HORIZONTALEMENT

1. Offense — Fleuret.
2. Qui dénote la mauvaise humeur — Rigide.
3. Chaland à fond plat — Caution — Argent.
4. Sélénium — Virage, en ski — Moitié d'un tout.
5. Marchera — Égayer.
6. Affection de la peau — Rivière alpestre de l'Europe centrale.
7. Éloigné — Arbre équatorial.
8. Rivière de Suisse — Avantage — Pascal.
9. Œuf de pou — Instrument de musique.
10. Gallium — Affluent de la Seine — Bruit rauque de la respiration.
11. Terme de tennis — Troupeau.
12. Gel — Applique.

## VERTICALEMENT

1. Capitale du Brésil — Effet comique rapide.
2. Lier — Lubrique.
3. Moi — Aime — Article espagnol.
4. Direction — Poinçon.
5. Connu — Imbécile — Éprouvette.
6. Pressant — Papa.
7. Commandant d'une force navale — Lettre grecque.
8. Unité de mesure de travail — Minces — Expert.
9. Poète épique et récitant — Époux d'Isis.
10. Interjection exprimant le mépris — Nom poétique de l'Irlande — Meurtri.
11. Ville des Pays-Bas — État d'Asie.
12. Contrée — Étendue sableuse.

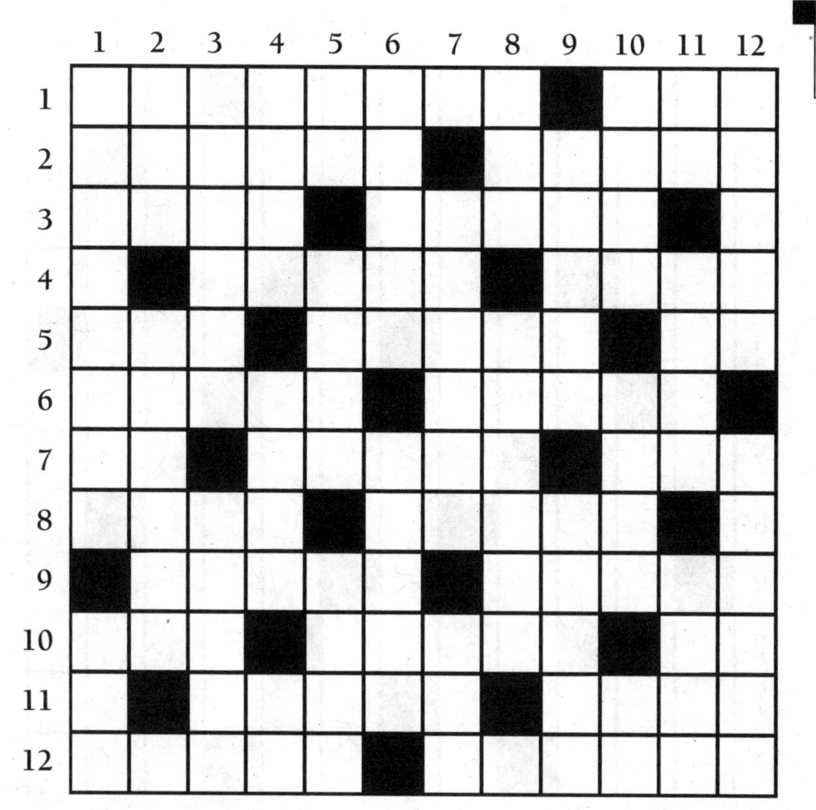

## HORIZONTALEMENT

1. Reconstituer — Terme de tennis.
2. Papillon de grande taille — L'ancienne Estonie.
3. Race — Navire à fond plat.
4. Type — Dieu de l'Amour.
5. Dégoutte — Ville de Belgique — Déshabillé.
6. Ville d'Italie — Liquide extrait du sang par les reins.
7. Tantale — Bout de la mamelle, chez les animaux — Essieu.
8. Impulsion — Songes.
9. Loque — Existant.
10. Volcan actif du Japon — Ivre — Pronom personnel.
11. Portions — Ensemble des réjouissances qui accompagnent un mariage.
12. Le gland est son fruit — Révoltés.

## VERTICALEMENT

1. Aspérité — Petit livre pour apprendre l'alphabet.
2. Époque — Relatives au raisin.
3. Port du Maroc — Dépourvu de pieds.
4. Pilastre cornier — Volcan de la Sicile — Pronom indéfini.
5. Bismuth — Contestée — Urne.
6. Maladie infectieuse — Répit.
7. Renommé — Échelle, en photographie.
8. Roue à gorge — Capitale de l'Arménie.
9. Roche abrasive — Narine des cétacés.
10. Risquer — Nez — Métal précieux.
11. Ancien do — Commune de Suisse — Ch.-l. du dép. des Alpes-Maritimes.
12. Étoffe — Défraîchis.

344

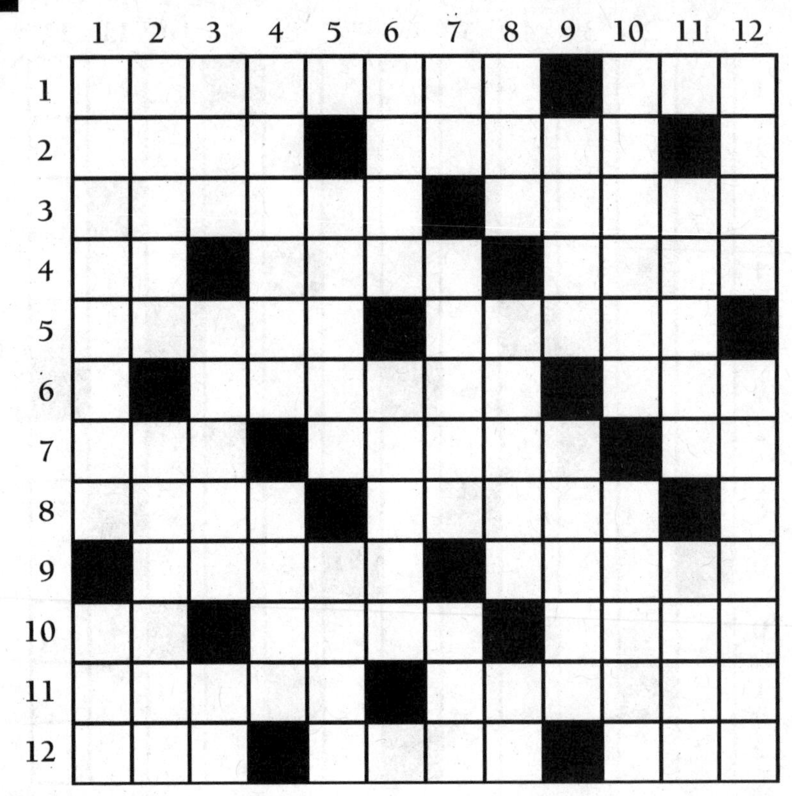

**HORIZONTALEMENT**

1. Rentable — Asticot.
2. Dernier roi d'Israël — Cétone de la racine d'iris.
3. Instrument de musique à cordes — Petit rongeur d'Afrique et d'Asie.
4. Astate — Frotté d'huile — Rivière du nord de la France.
5. Costume — Caribou.
6. Lettré — Ensemble de napperons.
7. Hors champ — Œuvre en prose — Adjectif possessif.
8. Idiots — Relâche.
9. Senne — Prénom féminin.
10. Paresseux — Estime — Pronom personnel.
11. Partie tournante d'une machine — Demi-frère.
12. Recueil de pensées — Hautain — Homme politique français.

**VERTICALEMENT**

1. Bail — Perroquet.
2. Courant — Union.
3. Adjectif démonstratif — Fruit du néflier — Tantale.
4. Contrecoup — Bois d'un arbre africain.
5. Ricaneur — Tendon.
6. Qui t'appartient — Chamarrés.
7. Iridium — Besogne — Obtenue.
8. Chien terrier — Période — Tour.
9. Tube fluorescent — Manchon mobile.
10. Crics — Troisième personne.
11. Communes — Substance noire.
12. Démantelé — Auberge.

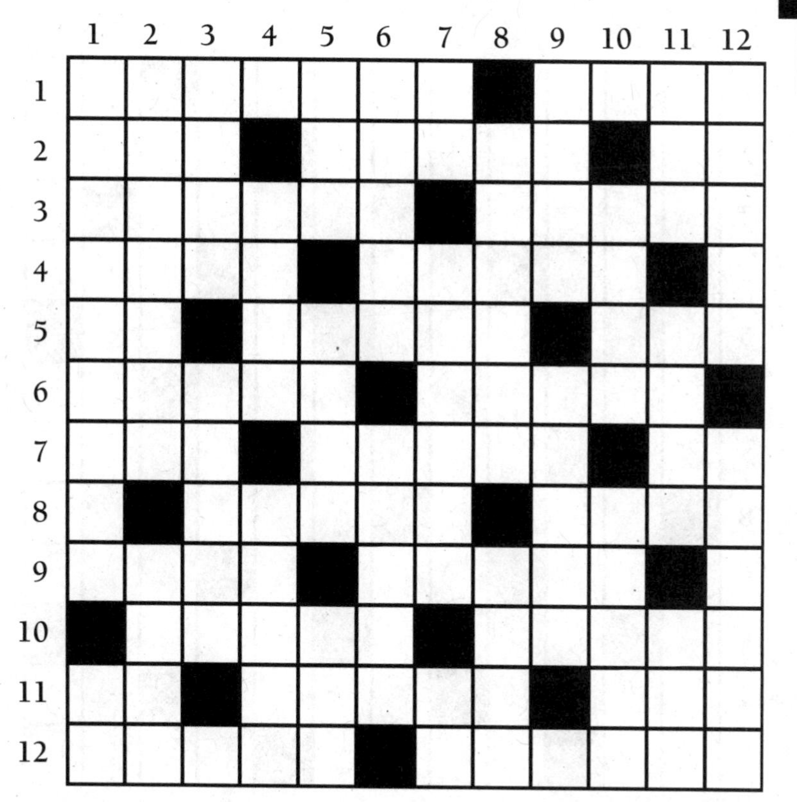

## HORIZONTALEMENT

1. Régler — Pavage.
2. Adverbe de lieu — Gamète femelle végétal — Sert à lier.
3. Fringant — Différent.
4. Ville de Suisse — Relate.
5. Mesure itinéraire chinoise — Interurbain — Roche poreuse légère.
6. Instrument de chirurgie — Énergie, dynamisme.
7. Étendue désertique — Qui présente des veines bleues — Adverbe de lieu.
8. Ce qui n'existe pas — Endroit où arrêtent les trains.
9. Paradis — Commencement.
10. Effet rétrograde — Éloigné.
11. Oui — Astuces — Tranché.
12. Adoptes — Moutarde sauvage.

## VERTICALEMENT

1. Sortilège — Note.
2. Sensé — Pièce de tissu.
3. Firmament — Ardente.
4. Viscère pair qui sécrète l'urine — Parmi.
5. Biens qu'une femme apporte en se mariant — Fleuve de Russie — Ruisselets.
6. Narine des cétacés — Endossement.
7. Ruisselet — Pierre d'aigle — En matière de.
8. Brigand — Baiser.
9. Crainte — Titre porté par les souverains éthiopiens.
10. Obstiné — Sans tonicité.
11. Lombric — Détériorer — Unité monétaire bulgare.
12. Petite balle — Plante à odeur forte.

346

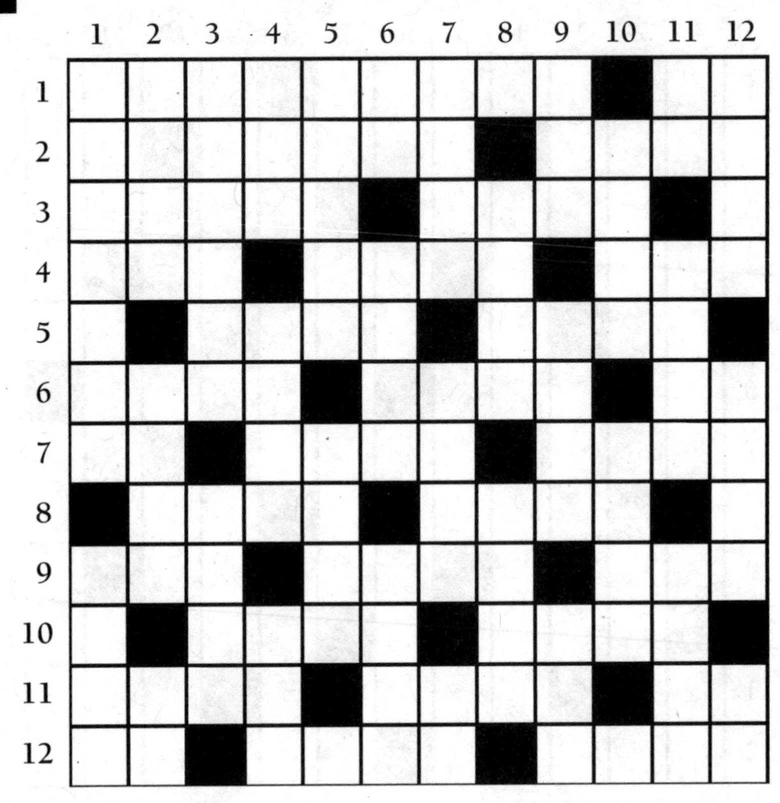

## HORIZONTALEMENT

1. Ancienne arme à feu — Restes.
2. Candeur — Ville de Galilée.
3. Préf. du Gard — Poisson.
4. Dans la rose des vents — Boîte destinée à contenir un objet — Ville du Pérou.
5. Ville du Japon — Sable mouvant.
6. Gratifié — Sert à attacher — 3,1416.
7. Interjection — Désappointé — Commune de Suisse.
8. Itou — Grande abondance.
9. Durillon — Compétition réunissant amateurs et professionnels — Par.
10. Fond d'un terrier — Hasard.
11. Gâteux — Projectile lancé par canon — Adjectif possessif.
12. Adverbe de lieu — Insecte sans ailes — Mammifère ruminant ongulé.

## VERTICALEMENT

1. Réunion de neuf choses semblables — Sert à tenir enfermés des animaux.
2. Tonique — Un des États-Unis d'Amérique — Douze mois.
3. Béton — Course à courre simulée.
4. Ornement en forme d'œuf — Poète épique et récitant — Pointe de terre.
5. Estimer — Oiseau ratite d'Australie.
6. Conjonction — Poudre — Onomatopée imitant un bruit de chute.
7. Obstiné — Chaton de certaines fleurs — Béryllium.
8. Cicatrice — Paresseux.
9. Critique italien — Acier inoxydable — Drogue hallucinogène.
10. Plante dicotylédone — Masse de neige durcie.
11. Pronom indéfini — Champignon — Ville de Roumanie.
12. Ville du Japon — Plante monocotylédone — Avant-midi.

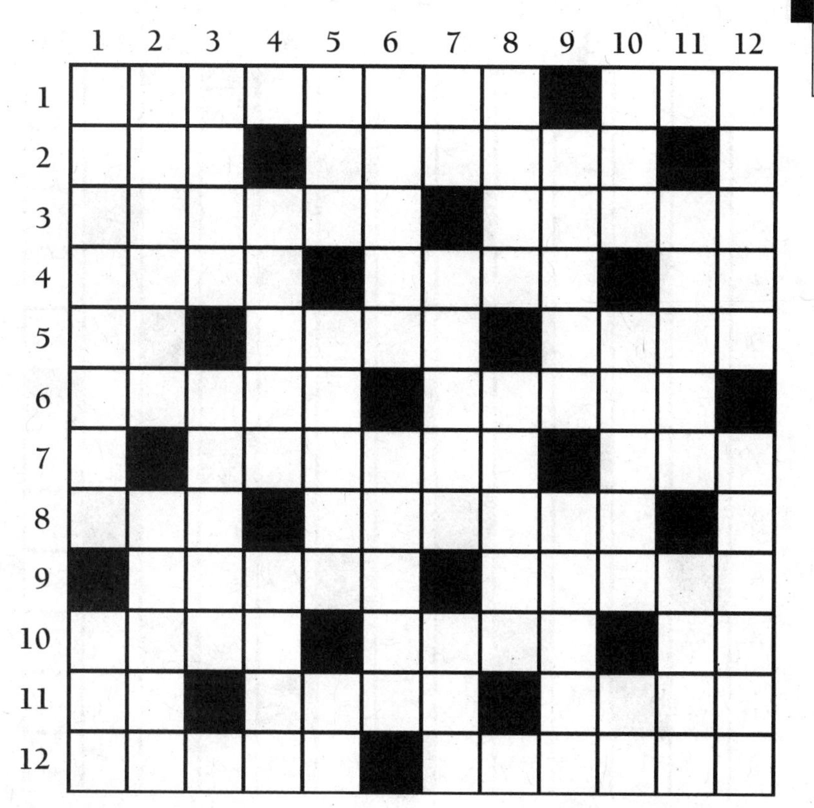

**HORIZONTALEMENT**

1. Titre de certains princes souverains d'Allemagne — Tromperie.
2. Le sujet — Arriser.
3. Bicyclette — Nez.
4. Raide — Émeu — Or.
5. Bisexuel — État du nord du Brésil — Serrée.
6. Groupe comprenant huit éléments binaires — Partie de l'intestin grêle.
7. Charrue simple sans avant-train — Bassin.
8. Officier de Louis XV — Percer.
9. Péninsule montagneuse d'Égypte — Plante vomitive.
10. Femelle du lièvre — Ville d'Italie — Quelqu'un.
11. D'accord — Profit — Éclaire.
12. Morceau de pâte — Ive.

**VERTICALEMENT**

1. Se dit d'un insecte qui subit une métamorphose — Interjection servant à stimuler.
2. Genre de champignons — Ville du Japon.
3. Arrondi — Ville de l'Égypte ancienne.
4. Tromper — Montagne biblique.
5. Ancien Premier ministre de l'Ontario — Atoca — Indium.
6. Fortifier — Qui prend les couleurs du prisme.
7. Six — Officier municipal — Sans variété.
8. Ville de Finlande — Banlieue de Québec.
9. Trompé — Nommé des lettres.
10. Fleuve d'Afrique — Terme de bridge — Ancien do.
11. Bain de vapeur — Accouplement.
12. Mesure de distance — Chantonne.

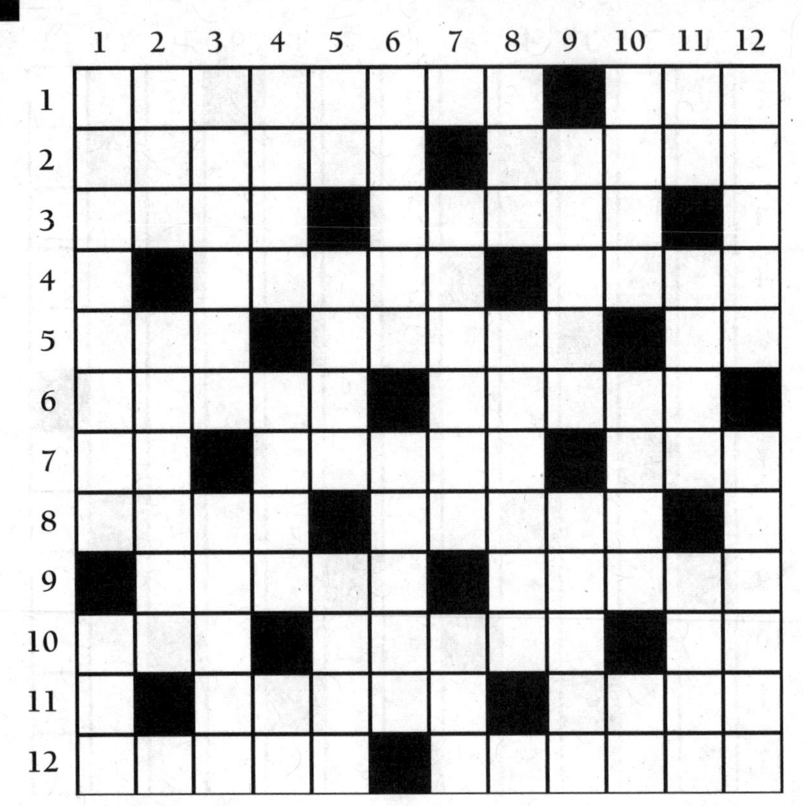

## HORIZONTALEMENT

1. Allègre — Sachet.
2. Autre nom pour ableret — Détérioré.
3. Huche à pain — Pare-étincelles.
4. Instrument de chirurgie — Élimas.
5. Rivière de France — Étoffe de soie — Article.
6. Mesures — Amoureux.
7. Diminutif d'Edward — Fortifié — Molécule.
8. Grossier — Arbre forestier.
9. Arrivé à destination — Nicher.
10. Flatuosité — Ville de Syrie — Dieu solaire.
11. Silence d'un instrument — Fondateur de l'Oratoire d'Italie.
12. Cachet — Broyés.

## VERTICALEMENT

1. Sautiller — Plus mal.
2. Ville du sud-est du Nigeria — Sel de l'acide iodhydrique.
3. Insulaires — Dû.
4. Attacher — Paradis — Association pour alcooliques.
5. Article — Venu — Désappointé.
6. Amphithéâtre sportif — Rhinite.
7. Mammifère marin — Et le reste.
8. Brutal — Parodias.
9. Bain de vapeur — Bagatelles.
10. Aucun — Démentir — En matière de.
11. Argent — Instrument de la famille des violons — Vitesse acquise d'un navire.
12. Suspend — Ver marin.

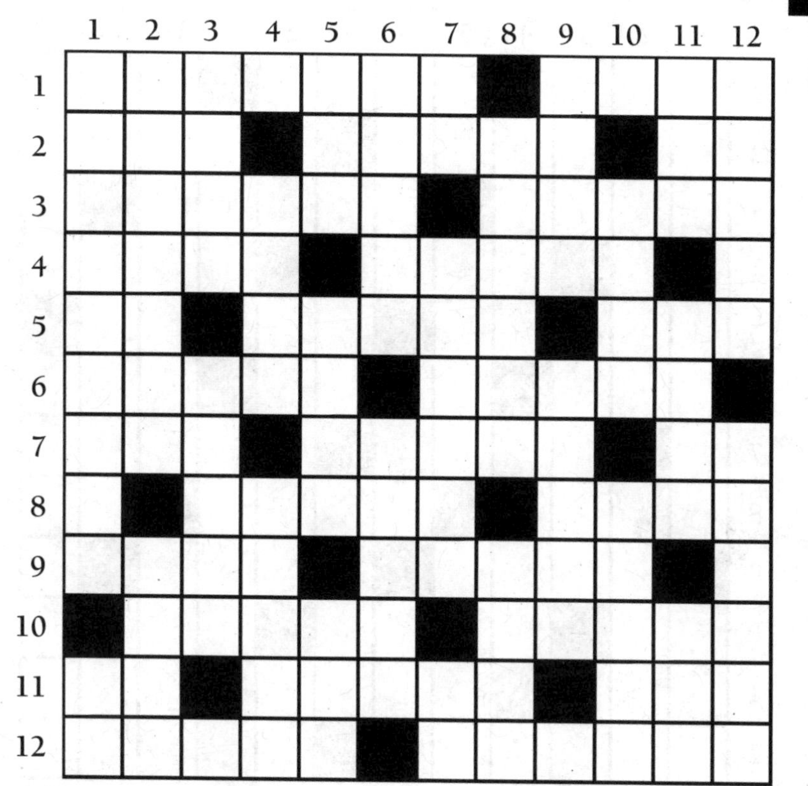

## HORIZONTALEMENT

1. Perdre sa fraîcheur — Bande organisée.
2. Peuple noir du Nigeria oriental — Détérioré — Métal précieux.
3. Sournois — Met de niveau.
4. Finaud — Décontraction.
5. Article espagnol — Trappe — Époque.
6. Enjoué — Pin cembro.
7. Levant — Myriapodes noirs et luisants — Muon.
8. Canasson — Peau.
9. Nom d'un couturier français — État d'Asie.
10. Fringale — Os de poisson.
11. Préfixe privatif — Nom d'une ex-championne de tennis prénommée Chris — Courte lettre.
12. Péché — Bicyclette.

## VERTICALEMENT

1. Désaccord — Conifère.
2. Éboulement — Victoire de Napoléon.
3. Prix — Matière fécale.
4. Rassasié — Reptile saurien.
5. Bassin — Membrane colorée de l'œil — Labiée à fleurs jaunes.
6. Rivière des Alpes du Nord — Lichen filamenteux.
7. Roulement de tambour — Nivelée — Rubidium.
8. Bâtiment de guerre — Préparation à base de farine délayée.
9. Ville d'Allemagne — Trophée du monde du cinéma.
10. Figure de patinage artistique — Docteur de la loi.
11. Adjectif possessif — Prénom masculin — Couleur.
12. Cessation du travail — Aigle d'Australie.

350

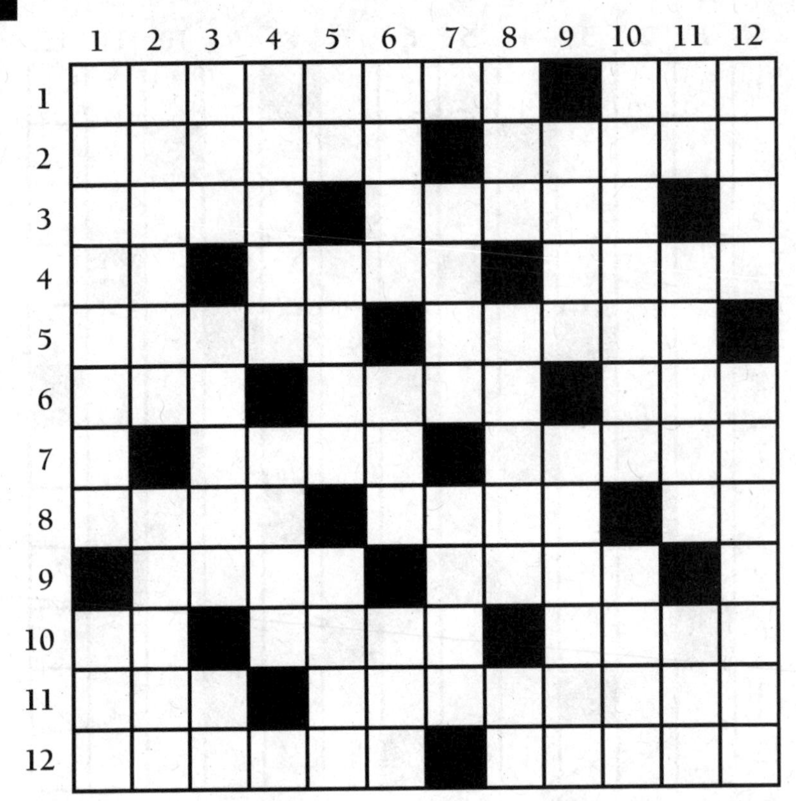


**HORIZONTALEMENT**

1. Chancelant — Bandes d'étoffe.
2. Ingénieur français né en 1822 — Provenu.
3. Égale — Manifestation morbide brutale.
4. Pouah — Un des États-Unis d'Amérique — Rameau imparfaitement élagué.
5. Clivé — Qui procède par huit.
6. Période historique — Partie de plaisir — Aber.
7. Poteau — Générateur d'ondes électromagnétiques.
8. Royal — Silicate naturel de magnésium — Rad.
9. Poisson plat à la chair peu estimée — Nœud coulant.
10. Arbre — Tache opaque de la cornée — Devenu rose.
11. Article indéfini — Disparus.
12. Chétif — Tranchant.

**VERTICALEMENT**

1. Trompeur — Poisson d'eau douce.
2. Déclarer qu'on ne croit plus en quelqu'un — Conséquence.
3. Ancienne capitale d'Arménie — État d'Asie — Silicium.
4. Entrecroisement — Hameau.
5. Lithium — Ancienne pièce de cinq francs — Ancienne monnaie chinoise.
6. Souci — Hors des limites du court — Germandrée à fleurs jaunes.
7. Collision — Événement imprévisible.
8. Jour de l'an vietnamien — Lieu du temple — Sodium.
9. Taciturne — Complication.
10. Hommes malins — Abri pour porcs.
11. Dans — Prêtre français né en 1608 — Titre d'honneur anglais.
12. Flaire — Pierre tendre et feuilletée.

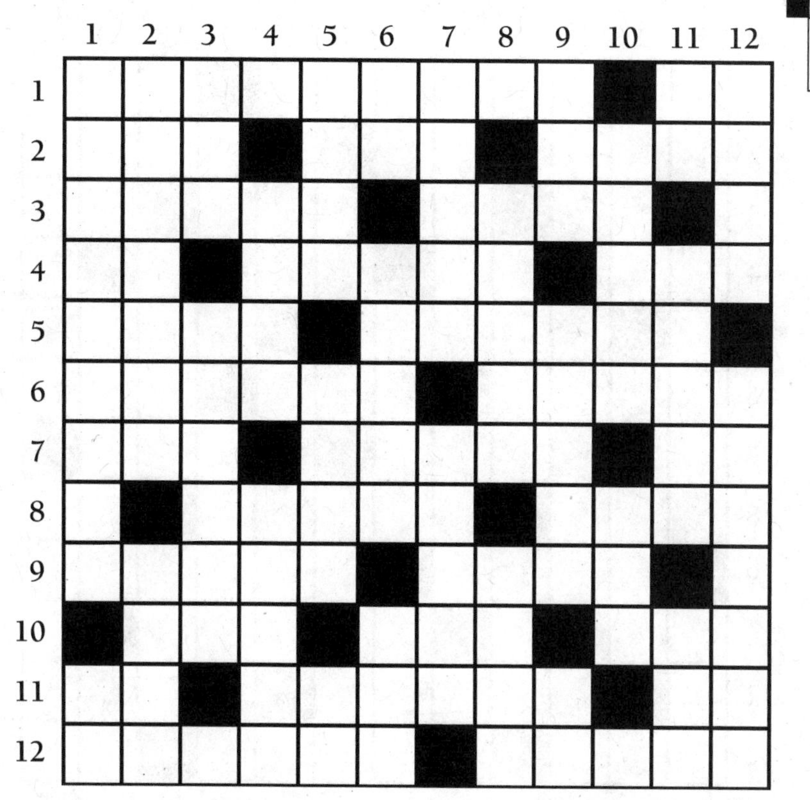

## HORIZONTALEMENT

1. Mayonnaise — Calcium.
2. Peuple noir du Nigeria oriental — Style de musique disco — Résidu.
3. Lâche — Indication pour désigner un morceau de musique.
4. Adjectif numéral — Glucide décomposable par hydrolyse — Baie où se trouve Nagoya.
5. Ligaturer — Basset.
6. Oxyde ferrique — Port d'Italie.
7. Avancera — Casque en métal — Conjonction.
8. Planche — Sandale de plage.
9. Pasteur luthérien norvégien — Commune de Belgique.
10. Roue à gorge — Pioche — Précocement.
11. Lettre grecque — Instrument de supplice — Moi.
12. Irrité — Voix d'homme.

## VERTICALEMENT

1. Qui croît dans les ruisseaux — Plutonium.
2. Arbre des régions équatoriales — Plancher à claire-voie.
3. Nonchalant — Exposée.
4. Perroquet d'Australie — Maxime.
5. Bisons d'Europe — Manie — Argon.
6. Note — Compositeur français né en 1890 — Prairie.
7. Dépourvu de pattes — Mégisser.
8. Droit de passage — Tronc d'arbre.
9. Touché — Emplacement à l'avant du navire — Ferrure.
10. Refuge — Rivière de Roumanie.
11. Chrome — Plaie faite par une arme blanche — Rivière de l'Éthiopie.
12. Couperose — Discuter.

352

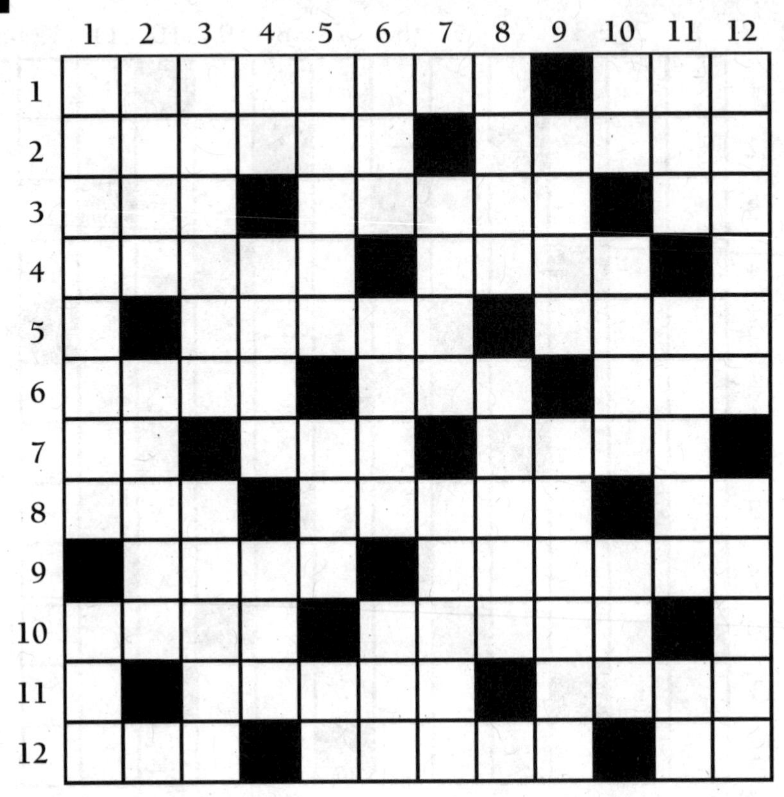

## HORIZONTALEMENT

1. Exemption — Partie de l'épaule du cheval.
2. Acteur français prénommé Philippe — Médiocre.
3. Exprimes — Gouverner — Pronom indéfini.
4. Aboutissement — Nom poétique de l'Irlande.
5. Réveil — La Nativité.
6. Pronom personnel — Extrémité effilée de certains instruments à air — Sert à ouvrir une serrure.
7. Cela — Panicule — Hasard.
8. Manie — Éloigné — Neptunium.
9. Ch.-l. du dép. des Alpes-Maritimes — Poisson aux nageoires en forme d'ailes.
10. Masse de neige durcie — Régir.
11. Fluide très subtil — Viscère pair qui sécrète l'urine.
12. Courte lettre — Poinçon — Issu.

## VERTICALEMENT

1. Détourné — Appellation.
2. Division de l'an — Fibre provenant de la toison de certains ruminants.
3. Livre — Ragoût cuit avec du vin.
4. Cité antique de la basse Mésopotamie — Tunique moyenne de l'œil — Adjectif démonstratif.
5. Père des Néréides — Oiseau — Interjection.
6. Allez, en latin — Oiseau échassier — Givre.
7. Transi — Exécuté.
8. Prince musulman — Enfoncer dans l'eau.
9. Cordage reliant une ancre à la bouée — Grivoise.
10. Actinium — Partie de plaisir — Unité de mesure agraire.
11. Lettre grecque — Impulsions — Préfixe privatif.
12. Propre à la vieillesse — Souffrance.

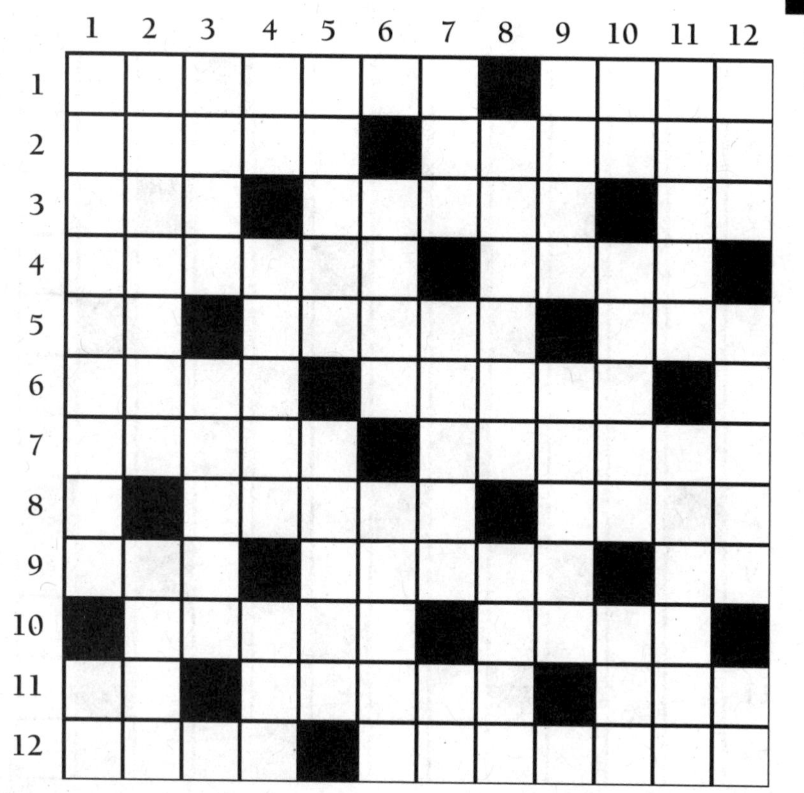

## HORIZONTALEMENT

1. Déversoir d'un étang — Partie d'un cours d'eau.
2. Envolées — Hutte.
3. Moment où une chose s'achève — Rendu plus pur — Restes.
4. Agile — Écrivain français né en 1919.
5. Douze mois — Agiter doucement — Berceau.
6. Caboche — Ivre.
7. Prénom féminin — Magot.
8. Tueur — Nom de plusieurs rois de Hongrie.
9. Repaire — Bourgeon — Article espagnol.
10. Oiseau échassier — Interjection servant d'appel.
11. Paresseux — Canal — Terre entourée d'eau.
12. Souverain serbe — Nuits passées à l'hôtel.

## VERTICALEMENT

1. Diminution durable des prix — Astate.
2. Écarter — Oiseau échassier.
3. Cordon — Crispé.
4. Douze mois — Bois noir — Trois fois.
5. Rivière des Alpes du Nord — Pointe recourbée du tarse.
6. D'une couleur entre le bleu et le vert — Appareil de levage.
7. Ancienne monnaie — Meurtrir — Europium.
8. Empressement — Conjoint.
9. Ouverture donnant passage à l'eau — Fusil à répétition de petit calibre.
10. Commandement — Énorme — Dépôt du vin.
11. Arbre équatorial — Libre, osé.
12. Article — Agricole — En matière de.

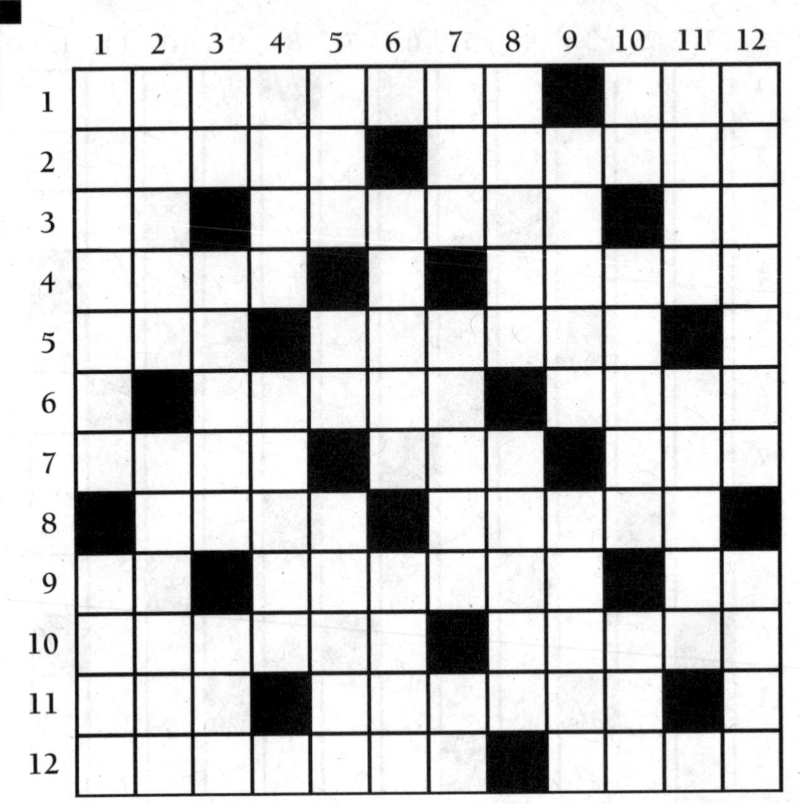

## HORIZONTALEMENT

1. Chatouiller — Gendre de Mahomet.
2. Pierre fine — Architecte suédois né en 1654.
3. Moi — Halte — Europium.
4. Tronc d'arbre — Manifestation morbide brutale.
5. Interjection — Rivé.
6. Structure d'un réseau — Formule.
7. Prince troyen — Région du Sahara — Prairie.
8. Trousse — Impératrice d'Autriche.
9. Pronom personnel — Plante à odeur forte — De naissance.
10. Blessé sauvagement — Rôder.
11. Perroquet — Hectisie.
12. Apprécier — Fichu.

## VERTICALEMENT

1. Petit carreau de terre cuite — Équipe.
2. Plante vomitive — Objectif.
3. Tantale — Groupe comprenant huit éléments binaires — Tondu.
4. Hameau — Combiné.
5. Article — Roulement de tambour — Ville de Belgique.
6. Attentat — Éclaté.
7. Lettre grecque — Épand — Iridium.
8. Attaché — Demeures.
9. Groupe organisé — Petit passereau.
10. Arsenic — Époque — Roue à gorge.
11. Endroit — Érigne.
12. Rare — Grand Lac.

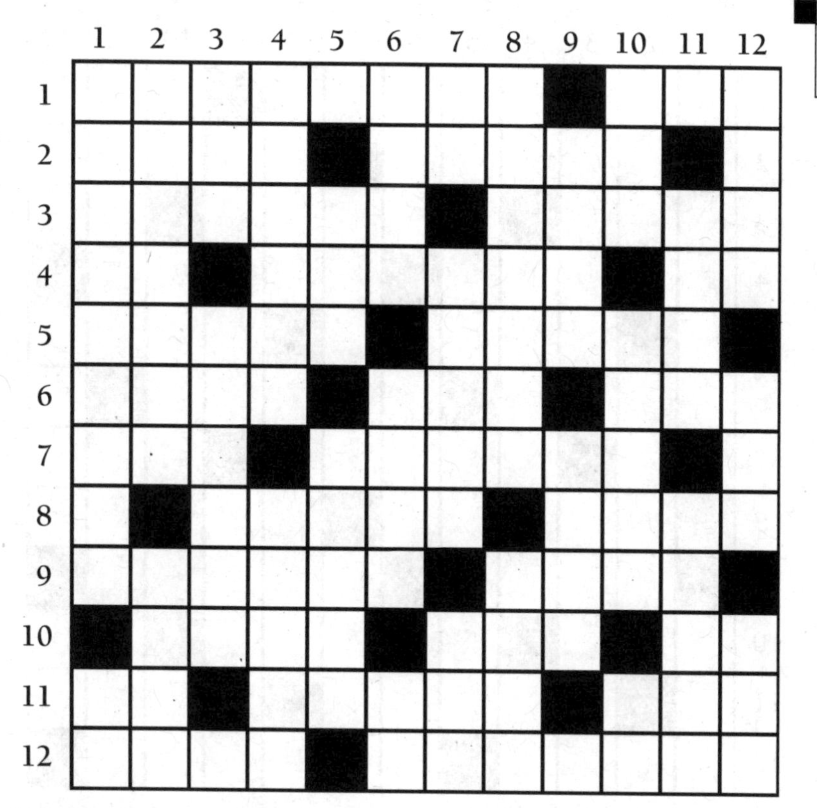

## HORIZONTALEMENT

1. Sauce au vin accompagnant le poisson — Récipient.
2. Rude — Petite automobile de course.
3. Nuit passée à l'hôtel — Édifice consacré à la musique.
4. Soldat américain — Porte un coup — Ruisselet.
5. Fabuliste grec — Organise.
6. Montagne de Grèce — Interjection servant à appeler — Interjection qui marque l'embarras.
7. Avancera — Infortune.
8. Royale — Émou.
9. Leçon des Apôtres — Nom donné à divers sommets.
10. Certain — Matière visqueuse — Conifère.
11. Petit cube — Région autonome de l'ouest de la Chine — Bière.
12. Foyer — Allonger.

## VERTICALEMENT

1. Auge — Oui.
2. Affaiblir énormément — Disposé.
3. Canton de Suisse centrale — Mammifère du Pacifique.
4. Remonta — Décapité.
5. Dans la rose des vents — Filet qui borde la moulure d'une assiette.
6. Bigrement — Cicatrice — Béryllium.
7. Tantale — Ville de Syrie — Givre.
8. Personne chargée de l'administration matérielle — Contralto.
9. Paradis — Rassasié.
10. Prairie — Sujet — Argent.
11. Lisière du bois — Proscrit.
12. Très fin — Personnage d'Alfred Jarry, écrivain français — Fleuret.

356

**HORIZONTALEMENT**

1. Récrimination — Préjudice.
2. Soulèvement populaire — Qui fait preuve de snobisme.
3. Plaisirs — Artère — Ultraviolets.
4. Épée — Rendus moins denses.
5. Mare — Exprime un bruit violent.
6. Bouquiner — Ancienne contrée de l'Asie Mineure.
7. Diminutif d'Edward — Planche de bois — Effet comique rapide.
8. Qui vit isolé du monde — Soûle.
9. Pin cembro — Réaliser.
10. Levée, aux cartes — Manchon mobile — Los Angeles.
11. Procédé d'écriture — Crétins.
12. Action de se ruer — Gigot.

**VERTICALEMENT**

1. Troubler — Préposition.
2. Négligé — Modèle.
3. Charger en remplissant — Dépression.
4. Europium — Opéra en trois actes de Rossini — Ferrure.
5. Canneberge — Bourdaine.
6. Nouveau — Clairs — Incorporé.
7. Commérage — Vague.
8. Ville d'Italie — Défini par la loi.
9. Homme de main — Bagatelle.
10. Molybdène — Réduire les dimensions — Coutumes.
11. Trompa — Cloporte d'eau douce.
12. Unité monétaire bulgare — Action de ramer — Phénomène.

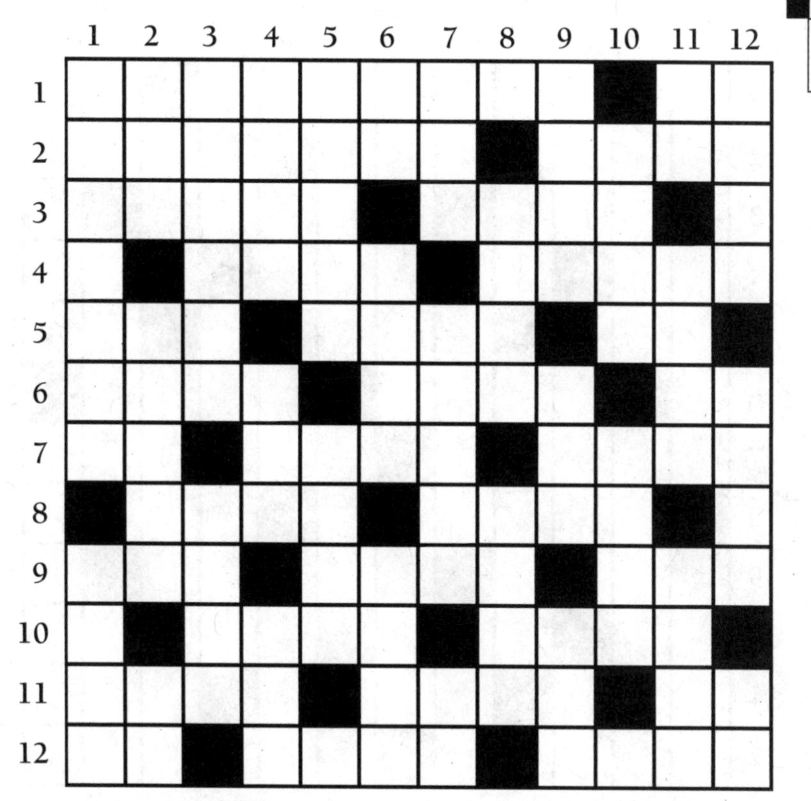

## HORIZONTALEMENT

1. Disposition à s'intéresser à autrui — Chlore.
2. Obliques — Plante tropicale.
3. Mort — Tête de rocher.
4. Hameau — Fruit charnu.
5. Terne — Vide ou incomplètement chargé — Conjonction.
6. Ville de Hongrie — Orge germée — Note.
7. Sodium — Épart — Port du Yémen.
8. Devin — Rivière du nord de la France.
9. Verrue des bovins — Attrait — Métal gris.
10. Arbre à feuilles aiguës — Vieux registre du Parlement de Paris.
11. Ville de la C.É.I. — Volcan de la Sicile — Lac des Pyrénées.
12. Issu — Asséché — S'emploie pour exprimer l'allégresse.

## VERTICALEMENT

1. Bedon — Petit du daim.
2. Dépôt du vin — Oiseau échassier — Dieu solaire.
3. Implicite — Plante à feuilles découpées.
4. Révolutionnaire canadien — Étendue désertique — Rivière de Roumanie.
5. Ch.-l. d'arr. de la Corrèze — Ville de Birmanie.
6. C'est-à-dire — Port du Ghana — Obstacle équestre.
7. Dans la rose des vents — Variété de daphné — Titane.
8. Ancienne monnaie chinoise — Affluent de l'Eure.
9. Ville de Grande-Bretagne — Amoncellement — Fleuve côtier de la Vendée.
10. Chaland à fond plat — Bravade.
11. Chrome — Noyau de la Terre — Émeu.
12. Partie arrondie — Libertaire — Opus.

358

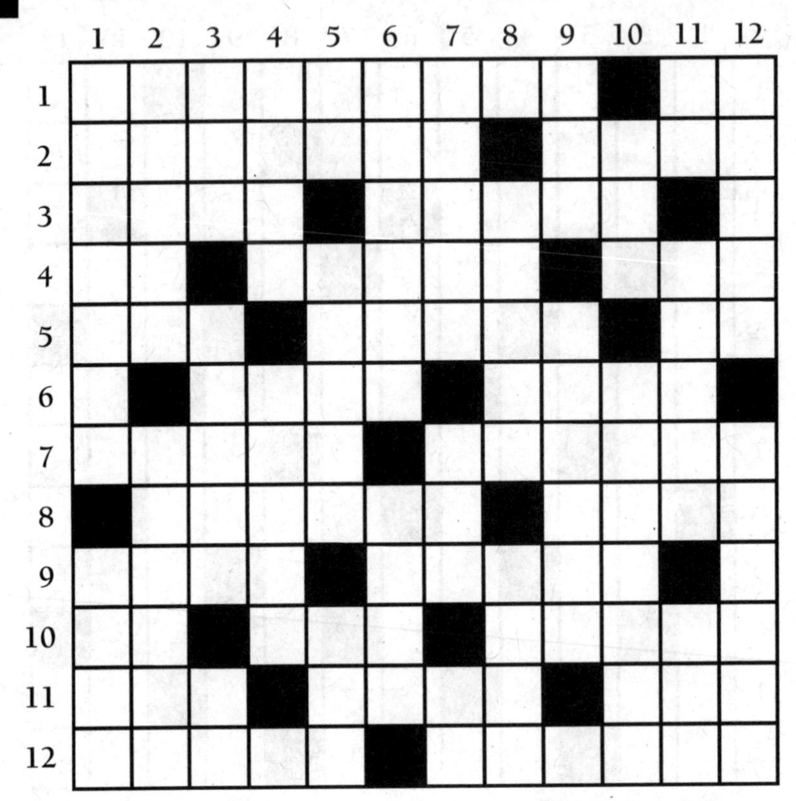

## HORIZONTALEMENT

1. Opposition — Aluminium.
2. Plante herbacée — Colorant minéral naturel.
3. Suçota — Viser avec une arme à feu.
4. Avant-midi — Ancien nom de l'oxyde d'uranium — Allez, en latin.
5. Lombric — Canal — Lui.
6. Bassin en pierre ou en bois — Déchiffrées.
7. Riche — Mouche africaine.
8. Poisson osseux de l'Atlantique — Adjectif possessif.
9. Commune du Morbihan — Déportations.
10. Pronom personnel — Agent secret de Louis XV — Eau congelée.
11. Terme de tennis — Viscère pair qui sécrète l'urine — Suc de certains fruits.
12. Œuf de pou — Rassembler.

## VERTICALEMENT

1. Petite flûte — Table de travail de boucher.
2. Ville d'Allemagne — Ruse.
3. Avion rapide — Odeur forte — Adverbe de lieu.
4. Fils d'Isaac — Nécessaire.
5. Cæsium — Administration — Unité monétaire du Danemark.
6. Fruit sphérique rouge — Nichon.
7. Rivière de la Guyane française — Unité de finesse d'une fibre textile — Infinitif.
8. Authentiques — De naissance.
9. Patriarche biblique — Venelle.
10. Éclat de voix — Qui souffle du nord, en Méditerranée orientale.
11. Argon — Étoffe — Joyeux.
12. Fusil à répétition de petit calibre — Faute.

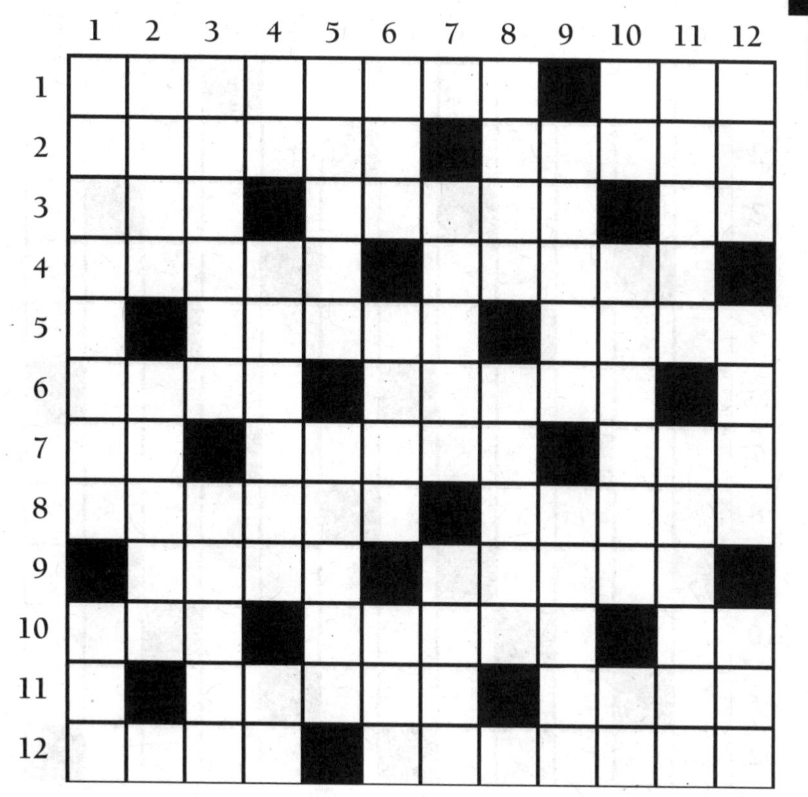

## HORIZONTALEMENT

1. Écart spatial — Armée féodale.
2. Changeant — Petit rongeur appelé rat palmiste.
3. Unité monétaire japonaise — Social — Ruthénium.
4. Plein — Drupe globuleuse et oblongue.
5. Rœsti — Maréchal yougoslave.
6. Stemm — Groupe comprenant huit éléments binaires.
7. Infinitif — Déluge — Petite pomme.
8. Nostalgie — Déluré.
9. Projet — Signe.
10. Article indéfini — Conséquence — Carcasse.
11. Devenir un peu aigre — Rivière née dans le Perche.
12. Fin d'une prière — Farceur.

## VERTICALEMENT

1. Installer — Cri des charretiers.
2. Prince légendaire troyen — Pause.
3. Noyau — Gus.
4. Argent — Casser — Pronom indéfini.
5. Entrelacement — Frustrer.
6. Cassius Clay — Totalité — Ficelle.
7. Préposition — Coupe de cheveux.
8. Expulsion — Côté du front.
9. Ensemble de personnes remarquables — Bons à.
10. Richesse — Fondamentale — Do.
11. Aigrelet — Poteau où était exposé le condamné.
12. Ville du Japon — Filin de retenue d'une mine — Aride.

360

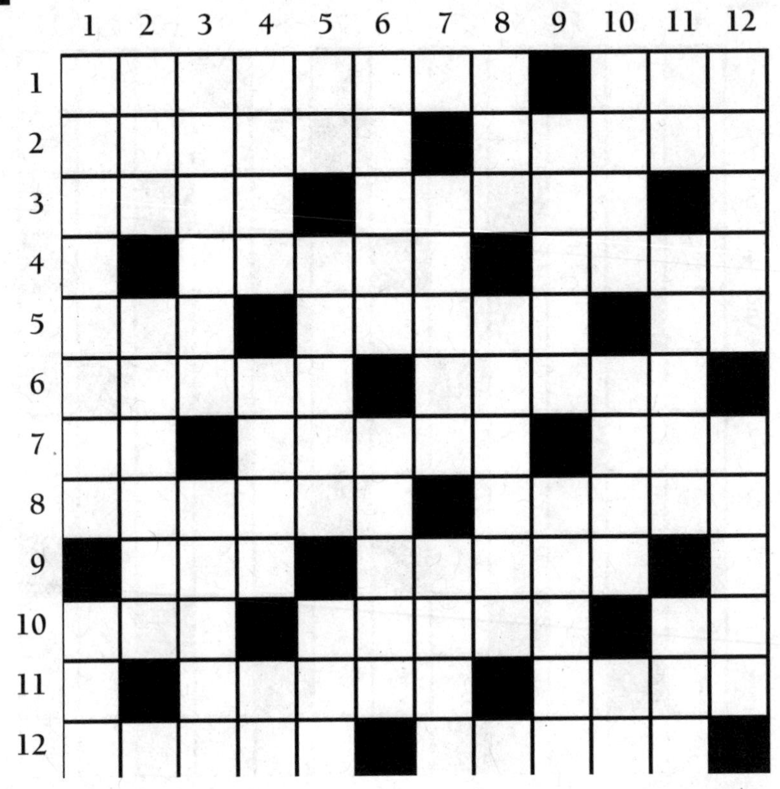

## HORIZONTALEMENT

1. Revendication — Ville du Nigeria.
2. Squelettique — Impôts.
3. Fibre de noix de coco — Éreinté.
4. Plaque de terre cuite — Origine.
5. Ancien nom de Tokyo — Désobligeante — Radon.
6. Énergie, dynamisme — Grimpe.
7. Infinitif — Rouer — Teenager.
8. Ligne — Ensemble d'habitations.
9. Impayée — Préposition.
10. Roue à gorge — Grand mollusque.
11. Peu — Capitale des Samoa occidentales.
12. Anticipé — Gaz inerte de l'air.

## VERTICALEMENT

1. Ordonner — Style de musique disco.
2. Rivière de l'Éthiopie — Daurade.
3. Alliage de cuivre et de zinc — Nue.
4. Qui est à l'état naturel — Presse — Ultraviolets.
5. Bradype — Sortie — Légèrement.
6. Fruit du néflier — Punir.
7. Pourléché — Commune de Suisse.
8. Lettre grecque — Relatif au bouc.
9. Derrière — Mer.
10. Plante monocotylédone — Longue étoffe drapée — Fleuve d'Italie.
11. Laize — Chant religieux — Rivière de France.
12. Ville des Pays-Bas — Lac du nord-ouest de la Russie.

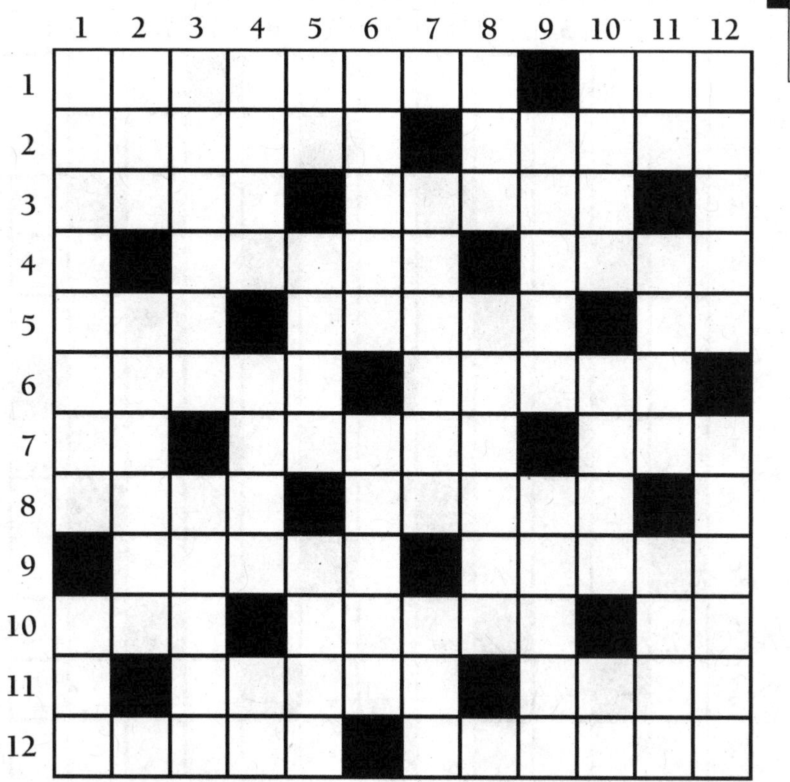

## HORIZONTALEMENT

1. Se rebiffer — Étendue d'herbe à la campagne.
2. Belle plante volubile ou rampante — Saule à rameaux flexibles.
3. Encaustiqua — Avorton.
4. Substance vitreuse fondue à chaud — Affreux.
5. Adjectif démonstratif — Cohue — Préposition.
6. Grimpe — Lichen de couleur grisâtre.
7. Diminutif d'Edward — Plantes herbacées — Comme.
8. Soigné — Royale.
9. Échouai — Embarcations légères.
10. Lettre grecque — Grande chaîne de montagnes — Note.
11. Dieu grec de la Mer — Lieu de délices.
12. Opinion — Boit à petits coups.

## VERTICALEMENT

1. Rebond — Prêt-à-monter.
2. Mèche de cheveux — Canards marins.
3. Cochonnets — Petite.
4. Chef religieux musulman — Bond — Préposition.
5. Moi — Qui produit un goût désagréable — Rivière de Suisse.
6. Consacrée — Pipi.
7. Extravagant — Article indéfini.
8. Extrait du suc de fruit — Éprouvé.
9. Mollusque — Personne qui échoue en général.
10. Pain non levé — Commune du Morbihan — Ut.
11. Dieu solaire — Aperçu — Énonce.
12. Ville du sud de l'Inde — Épargne avec avarice.

362

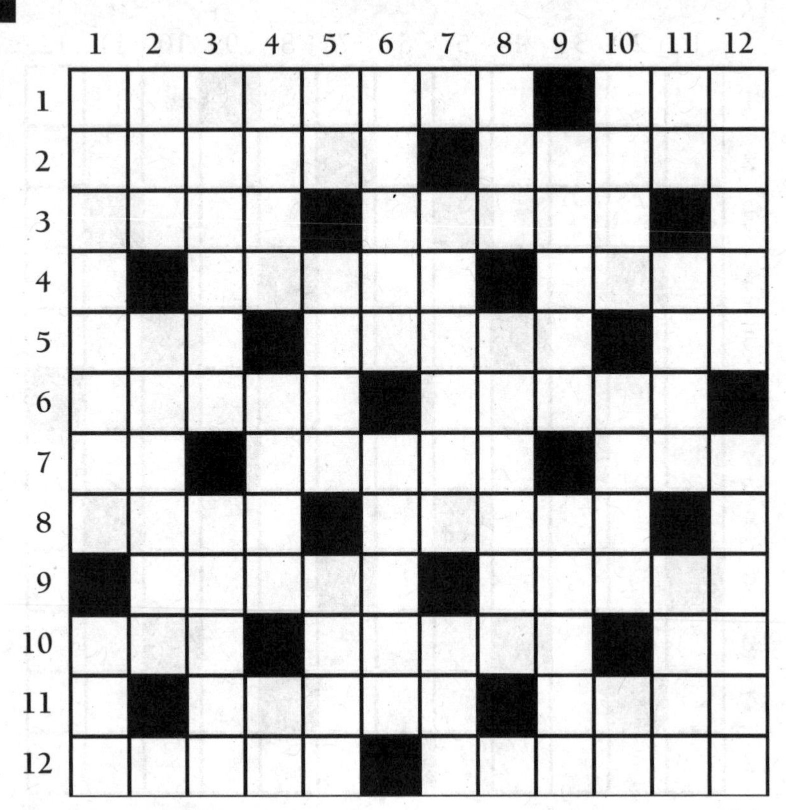

## HORIZONTALEMENT

1. Discrédit — Métal.
2. Purger — Raison.
3. Chevroté — Peinture religieuse.
4. Stressé — Tige métallique.
5. Râpa — Ville de Belgique — Dieu solaire.
6. Pirogue — Arbrisseau d'Amérique du Sud.
7. Interjection exprimant le rire — Lien servant à retenir — Bière anglaise.
8. Fils d'Isaac et de Rébecca — Répit.
9. Sortie — Endossement.
10. Habileté — Personne de race noire — Note.
11. Expulsé — D'une très petite taille.
12. Devenir sur — Joie débordante et collective.

## VERTICALEMENT

1. Dégagé — Épaule d'animal.
2. Initiales d'une province maritime — Prendre.
3. Prince de certains pays musulmans — Plante aux fleurs décoratives.
4. Garni — Ogive — Lettre grecque.
5. Note — Ne pas reconnaître — Fusionner.
6. Stérile — Idéal.
7. Avide — Givre.
8. Critique italien — Commencer à lire, apprendre.
9. Lourd instrument qui immobilise le navire — Fruit charnu.
10. Mazout — Manitou — Carte à jouer.
11. Préposition — Verbal — Négligé.
12. Parade — Matière colorante.

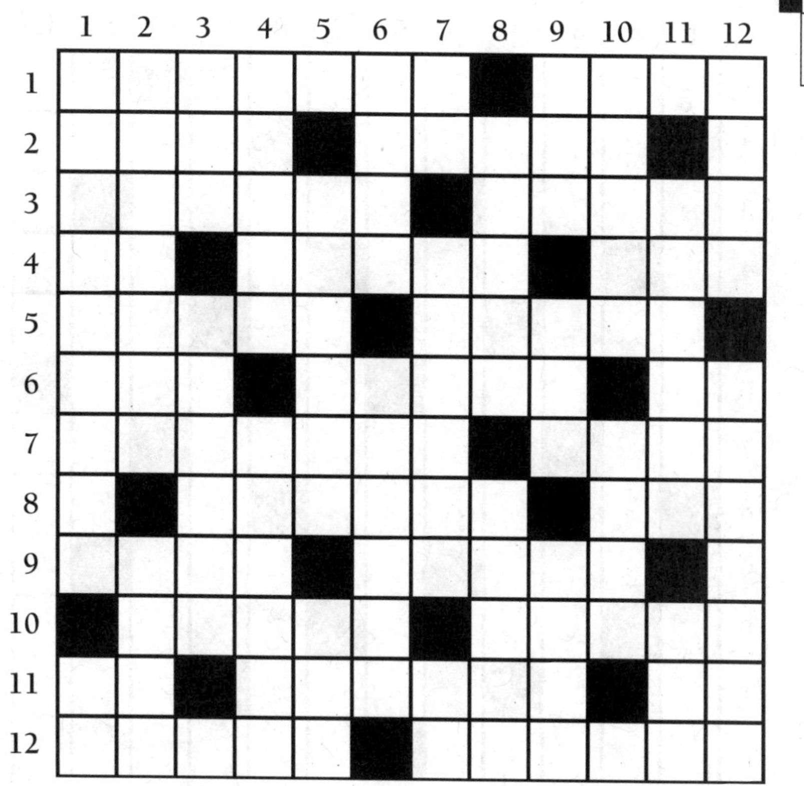

## HORIZONTALEMENT

1. Destruction méthodique de la flore et de la faune — Un des États-Unis d'Amérique.
2. Estime — Prophète juif.
3. Fils d'Agamemnon — Balance doucement.
4. Issu — Île néerlandaise — Unité monétaire du Danemark.
5. Passer sous silence — Symbole graphique.
6. Pronom personnel (pl.) — Pères — Oui.
7. Action de lester — Amalgame métallique.
8. Mammifère carnivore plantigrade — Allez, en latin.
9. Arme — Suçoter.
10. Lichen filamenteux — Instituteur.
11. Erbium — Chanteur français né en 1913 — Sélénium.
12. Vin — Prière.

## VERTICALEMENT

1. Colonne verticale soutenant un pont — Ancien.
2. Plante cultivée — Absolue.
3. Audacieux — Résultats.
4. Empereur romain — Nombre.
5. Décès — Lentille.
6. Divinité — Houleuse.
7. En matière de — Qui a deux pieds — Drame japonais.
8. Matière textile — Canal.
9. Personne sotte — Armée — Prune.
10. Grand oiseau échassier — Façons.
11. Influence — Ville du Japon.
12. Lisière du bois — Bourdes.

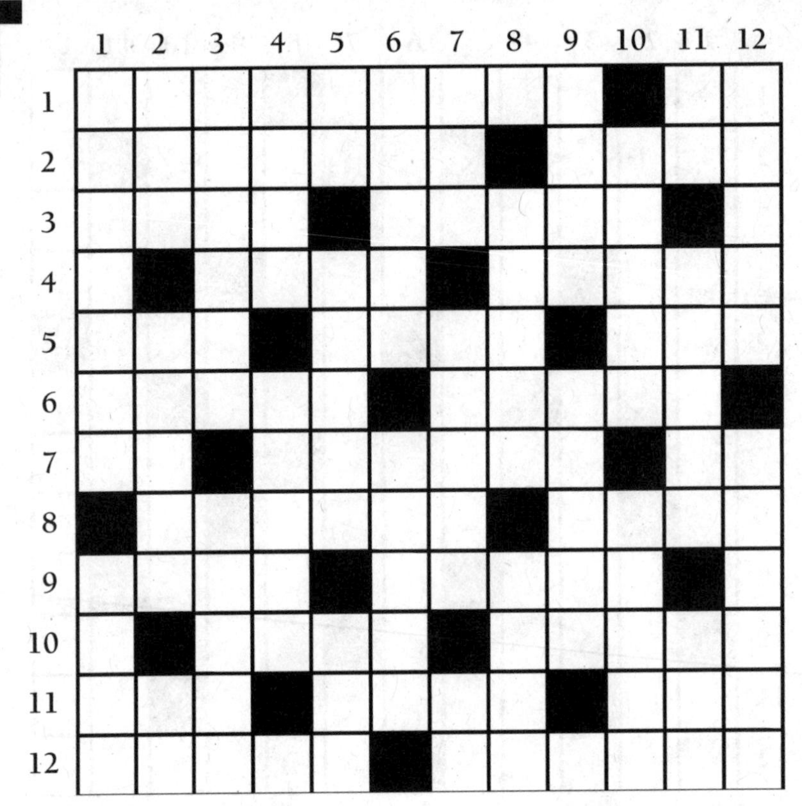

## HORIZONTALEMENT

1. Concision — Gallium
2. Inattendu — Treuil
3. Contribution — Procède
4. Dépité — Champignon siphomycète
5. Carnaval célèbre — Adjoint — Assassine
6. Congénitaux — Haute récompense cinématographique
7. Appris — Charger en remplissant — Pronom personnel
8. Immobile — Émou
9. Câble qui maintient un mât — Sec
10. Femme d'Osiris — Dédaigneux
11. Unité monétaire bulgare — Garni de poils fins — Rivière de Suisse
12. Étudiant — Connerie

## VERTICALEMENT

1. Orchidée sauvage — Pronom personnel
2. Recueil de pensées — Esquimau — Article espagnol
3. Dragonne — Confiante
4. Adopte — Élaeis
5. Nickel — Placer — Germandrée à fleurs jaunes
6. Prodigieux — Congestion
7. Partie de la charrue — Équiper — Los Angeles
8. Ville de Syrie — Ville d'Espagne
9. Qui est à l'état naturel — Foi
10. Très exactement — Mégisser
11. Soldat de l'armée américaine — Nom de deux constellations — Homogène
12. Plante des marais — Guêpe solitaire

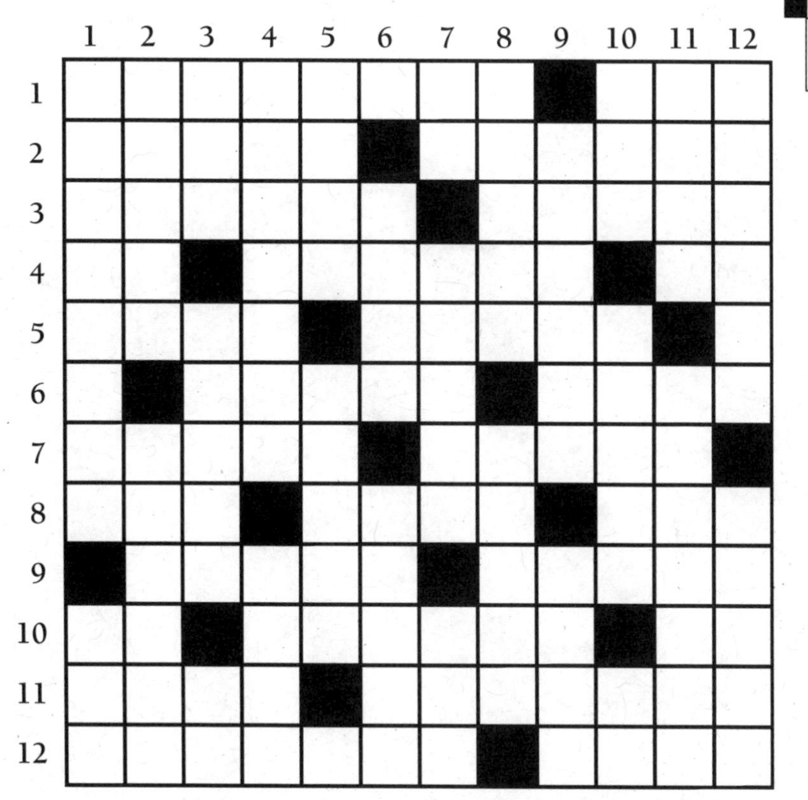

## HORIZONTALEMENT

1. Attirer — Étendue d'herbe à la campagne.
2. Couleur violet pâle — Avare.
3. Inattentif — Déclivité.
4. Préposition — Combiner — Silicium.
5. Olé — Laine obtenue en tondant les moutons.
6. Sortie — Manière d'être.
7. Écrasé — Agave du Mexique.
8. Souverain — Ancienne monnaie chinoise — Terme de tennis de table.
9. Épée — Tentera.
10. Carcasse — Ce qui constitue l'essence d'un genre — Tour.
11. Économiste français — Érigées.
12. Sotte — Gaélique.

## VERTICALEMENT

1. Enjôler — Fleuve du Languedoc.
2. Marque apposée — Poème court.
3. Déchiffrés — Calcaire dur — Saint.
4. Point culminant du globe — Suçota.
5. Dernier repas — Plaie faite par une arme blanche.
6. Jupe de gaze — Contrats.
7. Infinitif — Acte de pensée — Étendue de terre immergée.
8. Peintre sans grand talent — Personne réduite au dernier degré de la misère.
9. Défaites — Liquide nourricier.
10. Arbre résineux — Immobile — Infinitif.
11. Personnes avares — Éveillés.
12. Décoloré — Partie terminale de la patte des insectes.

# *Solutions*

## Jour 1

| | 1 | 2 | 3 | 4 | 5 | 6 | 7 | 8 | 9 | 10 | 11 | 12 |
|---|---|---|---|---|---|---|---|---|---|---|---|---|
| 1 | T | O | R | T | I | L | L | A | ■ | S | E | M |
| 2 | A | R | E | O | L | E | ■ | A | V | I | S | E |
| 3 | V | E | A | U | ■ | V | A | R | I | E | ■ | L |
| 4 | I | ■ | G | E | M | I | R | ■ | S | N | O | B |
| 5 | L | A | I | ■ | I | S | S | U | E | ■ | R | A |
| 6 | L | U | R | O | N | ■ | I | L | E | O | N | ■ |
| 7 | O | R | ■ | L | I | A | N | T | ■ | N | E | M |
| 8 | N | O | N | E | ■ | B | E | I | G | E | ■ | A |
| 9 | ■ | R | A | N | C | E | ■ | M | I | X | E | R |
| 10 | L | E | V | ■ | E | T | H | E | R | ■ | P | I |
| 11 | A | ■ | E | N | L | I | E | ■ | I | R | A | N |
| 12 | C | U | L | E | E | ■ | P | L | E | U | R | S |

## Jour 2

| | 1 | 2 | 3 | 4 | 5 | 6 | 7 | 8 | 9 | 10 | 11 | 12 |
|---|---|---|---|---|---|---|---|---|---|---|---|---|
| 1 | A | L | O | P | E | C | I | E | ■ | F | L | A |
| 2 | N | A | P | O | L | I | ■ | W | A | L | E | S |
| 3 | N | I | E | R | ■ | R | I | E | G | O | ■ | T |
| 4 | U | ■ | R | E | N | O | N | ■ | R | U | D | E |
| 5 | I | D | E | ■ | A | N | I | M | E | ■ | I | R |
| 6 | T | O | R | O | N | ■ | N | A | S | S | E | ■ |
| 7 | E | U | ■ | M | A | C | I | S | ■ | E | S | E |
| 8 | ■ | Z | E | B | R | E | ■ | E | A | N | E | S |
| 9 | T | E | L | L | ■ | L | O | R | I | S | ■ | P |
| 10 | R | ■ | B | E | T | E | L | ■ | N | E | B | O |
| 11 | O | M | O | ■ | A | R | G | U | S | ■ | L | I |
| 12 | T | A | T | O | U | ■ | A | R | I | S | E | R |

## Jour 3

| | 1 | 2 | 3 | 4 | 5 | 6 | 7 | 8 | 9 | 10 | 11 | 12 |
|---|---|---|---|---|---|---|---|---|---|---|---|---|
| 1 | F | L | A | M | B | E | U | R | ■ | B | A | S |
| 2 | R | U | E | ■ | E | P | R | I | S | E | ■ | O |
| 3 | E | T | R | E | C | I | ■ | X | E | R | U | S |
| 4 | D | R | A | P | ■ | C | I | E | L | ■ | R | I |
| 5 | A | I | ■ | I | T | E | M | ■ | O | R | E | E |
| 6 | I | N | U | L | E | ■ | P | I | N | O | T | ■ |
| 7 | N | ■ | R | E | M | O | U | S | ■ | C | E | S |
| 8 | E | T | A | ■ | P | U | R | E | E | ■ | R | A |
| 9 | ■ | A | N | D | E | S | ■ | U | N | T | E | L |
| 10 | A | M | E | R | ■ | T | A | T | E | R | ■ | O |
| 11 | B | I | ■ | U | R | E | S | ■ | M | I | A | M |
| 12 | C | A | S | E | E | ■ | O | R | A | N | G | E |

## Jour 4

| | 1 | 2 | 3 | 4 | 5 | 6 | 7 | 8 | 9 | 10 | 11 | 12 |
|---|---|---|---|---|---|---|---|---|---|---|---|---|
| 1 | F | L | I | N | G | U | E | U | R | ■ | E | N |
| 2 | R | A | D | I | E | R | ■ | B | I | A | X | E |
| 3 | A | B | E | E | ■ | U | S | U | E | L | ■ | S |
| 4 | I | R | ■ | L | I | S | E | ■ | U | P | A | S |
| 5 | S | E | U | L | S | ■ | A | R | R | E | T | ■ |
| 6 | I | ■ | L | E | S | I | N | E | ■ | S | O | C |
| 7 | L | I | T | ■ | U | N | T | E | L | ■ | N | A |
| 8 | ■ | O | R | V | E | T | ■ | L | I | N | E | R |
| 9 | Q | U | A | I | ■ | E | S | S | A | I | ■ | E |
| 10 | U | R | ■ | O | C | R | E | ■ | S | E | N | S |
| 11 | E | T | O | L | E | ■ | R | A | S | S | I | S |
| 12 | L | E | U | ■ | P | A | T | T | E | ■ | D | E |

## Jour 5

| | 1 | 2 | 3 | 4 | 5 | 6 | 7 | 8 | 9 | 10 | 11 | 12 |
|---|---|---|---|---|---|---|---|---|---|---|---|---|
| 1 | B | A | R | R | I | C | A | D | E | ■ | U | S |
| 2 | E | B | O | U | L | E | R | ■ | D | I | T | O |
| 3 | C | E | S | S | E | ■ | A | B | O | T | ■ | I |
| 4 | A | R | T | ■ | O | N | C | E | ■ | O | F | F |
| 5 | S | ■ | R | E | N | O | ■ | T | A | N | A | ■ |
| 6 | S | U | E | T | ■ | V | E | A | U | ■ | D | A |
| 7 | E | L | ■ | E | P | A | R | ■ | D | I | O | R |
| 8 | ■ | V | I | L | E | ■ | I | D | E | S | ■ | R |
| 9 | H | E | M | ■ | N | O | C | E | ■ | S | P | A |
| 10 | I | ■ | A | M | E | R | ■ | F | R | A | N | C |
| 11 | L | I | M | E | ■ | A | R | I | A | ■ | E | H |
| 12 | E | N | ■ | R | A | N | I | ■ | T | O | U | E |

## Jour 6

| | 1 | 2 | 3 | 4 | 5 | 6 | 7 | 8 | 9 | 10 | 11 | 12 |
|---|---|---|---|---|---|---|---|---|---|---|---|---|
| 1 | M | E | N | T | I | S | M | E | ■ | Z | I | P |
| 2 | A | M | E | ■ | D | R | I | S | S | E | ■ | I |
| 3 | R | O | N | D | E | ■ | S | T | E | R | N | E |
| 4 | G | U | E | R | E | T | S | ■ | N | O | I | R |
| 5 | E | L | ■ | U | S | U | E | L | S | ■ | L | R |
| 6 | L | U | N | E | ■ | B | L | U | E | S | ■ | E |
| 7 | L | ■ | I | S | L | E | ■ | R | E | C | R | U |
| 8 | E | V | E | ■ | E | S | S | O | ■ | E | U | X |
| 9 | ■ | A | R | D | U | ■ | E | N | C | A | S | ■ |
| 10 | I | R | ■ | A | R | I | A | ■ | A | U | T | O |
| 11 | L | I | E | R | ■ | V | U | E | S | ■ | R | I |
| 12 | S | A | N | D | R | E | ■ | L | E | B | E | L |

## Jour 7

| | 1 | 2 | 3 | 4 | 5 | 6 | 7 | 8 | 9 | 10 | 11 | 12 |
|---|---|---|---|---|---|---|---|---|---|---|---|---|
| 1 | H | I | P | P | I | A | T | R | E | ■ | A | C |
| 2 | I | N | H | A | L | E | R | ■ | T | I | G | E |
| 3 | D | R | A | ■ | O | G | I | V | E | S | ■ | U |
| 4 | A | I | R | E | R | ■ | P | I | T | E | U | X |
| 5 | L | ■ | E | M | I | R | ■ | S | E | R | S | ■ |
| 6 | G | A | ■ | U | N | I | T | E | ■ | E | N | E |
| 7 | O | R | E | L | ■ | V | I | R | E | ■ | E | S |
| 8 | ■ | G | R | E | N | E | R | ■ | V | I | E | S |
| 9 | C | O | R | ■ | I | S | E | R | A | N | ■ | O |
| 10 | A | T | O | M | E | ■ | T | E | S | T | E | R |
| 11 | N | ■ | N | A | S | E | ■ | P | E | I | N | E |
| 12 | A | R | E | C | ■ | T | O | U | S | ■ | A | R |

## Jour 8

| | 1 | 2 | 3 | 4 | 5 | 6 | 7 | 8 | 9 | 10 | 11 | 12 |
|---|---|---|---|---|---|---|---|---|---|---|---|---|
| 1 | C | L | A | M | E | U | R | ■ | A | R | E | C |
| 2 | H | A | T | E | R | ■ | H | A | L | E | T | E |
| 3 | A | S | E | ■ | G | R | I | L | L | ■ | A | S |
| 4 | P | E | L | E | ■ | U | N | T | E | L | ■ | S |
| 5 | A | R | I | D | E | S | ■ | E | R | I | N | E |
| 6 | R | ■ | E | R | R | E | U | R | ■ | S | I | R |
| 7 | D | O | R | E | R | ■ | T | E | S | T | E | ■ |
| 8 | E | R | ■ | D | E | J | A | ■ | T | E | M | A |
| 9 | R | E | N | O | ■ | O | H | I | O | ■ | E | L |
| 10 | ■ | M | I | N | O | U | ■ | S | P | A | ■ | E |
| 11 | S | U | C | ■ | P | E | R | S | ■ | N | O | N |
| 12 | I | S | E | R | E | ■ | A | U | D | A | C | E |

## Jour 9

| | 1 | 2 | 3 | 4 | 5 | 6 | 7 | 8 | 9 | 10 | 11 | 12 |
|---|---|---|---|---|---|---|---|---|---|---|---|---|
| 1 | I | M | M | U | A | B | L | E | ■ | U | N | S |
| 2 | G | O | A | L | ■ | L | U | R | O | N | ■ | I |
| 3 | N | U | I | T | E | E | ■ | R | U | I | N | E |
| 4 | I | L | ■ | R | A | D | I | E | R | ■ | A | N |
| 5 | T | I | T | A | N | ■ | S | U | S | H | I | ■ |
| 6 | I | N | O | ■ | E | G | E | R | ■ | I | V | E |
| 7 | O | ■ | L | O | S | E | R | ■ | S | T | E | M |
| 8 | N | I | E | R | ■ | S | E | V | E | ■ | S | E |
| 9 | ■ | S | T | A | R | S | ■ | I | P | E | ■ | T |
| 10 | O | S | ■ | L | I | E | U | R | ■ | O | S | T |
| 11 | L | U | R | E | X | ■ | R | E | U | N | I | R |
| 12 | T | E | E | ■ | E | V | E | R | T | ■ | L | E |

# Solutions

## Jour 10

| | 1 | 2 | 3 | 4 | 5 | 6 | 7 | 8 | 9 | 10 | 11 | 12 |
|---|---|---|---|---|---|---|---|---|---|---|---|---|
| 1 | N | A | U | C | O | R | E | ■ | P | A | R | T |
| 2 | E | L | N | E | ■ | I | N | O | U | I | ■ | A |
| 3 | B | E | I | R | A | M | ■ | U | R | G | E | R |
| 4 | U | R | ■ | A | V | E | R | S | ■ | R | A | I |
| 5 | L | I | S | T | E | ■ | E | T | A | I | N | ■ |
| 6 | E | O | N | ■ | C | O | N | ■ | C | R | E | T |
| 7 | U | N | I | R | ■ | G | O | U | T | ■ | S | E |
| 8 | S | ■ | F | I | E | R | ■ | N | E | O | ■ | R |
| 9 | E | L | ■ | E | V | E | R | T | ■ | B | E | R |
| 10 | ■ | O | V | N | I | ■ | H | E | L | I | C | E |
| 11 | C | R | I | ■ | E | P | I | L | E | ■ | R | U |
| 12 | L | I | S | E | R | O | N | ■ | T | O | U | R |

## Jour 11

| | 1 | 2 | 3 | 4 | 5 | 6 | 7 | 8 | 9 | 10 | 11 | 12 |
|---|---|---|---|---|---|---|---|---|---|---|---|---|
| 1 | D | E | C | L | I | V | I | T | E | ■ | N | O |
| 2 | I | V | O | I | R | I | N | ■ | U | B | A | C |
| 3 | S | O | U | T | E | ■ | D | A | H | U | ■ | R |
| 4 | S | E | P | ■ | N | E | U | F | ■ | I | T | E |
| 5 | U | ■ | E | T | E | L | ■ | R | A | S | H | ■ |
| 6 | A | C | R | E | ■ | A | C | O | N | ■ | Y | B |
| 7 | D | O | ■ | N | O | N | E | ■ | C | I | M | E |
| 8 | E | N | G | I | N | ■ | S | O | H | O | ■ | T |
| 9 | ■ | G | O | R | E | T | ■ | T | E | N | I | A |
| 10 | L | E | U | ■ | G | A | V | E | ■ | I | L | S |
| 11 | O | ■ | E | T | A | P | E | ■ | S | E | E | S |
| 12 | B | E | T | A | ■ | E | R | N | E | ■ | T | E |

## Jour 12

| | 1 | 2 | 3 | 4 | 5 | 6 | 7 | 8 | 9 | 10 | 11 | 12 |
|---|---|---|---|---|---|---|---|---|---|---|---|---|
| 1 | G | E | N | I | T | A | L | ■ | A | B | E | R |
| 2 | A | C | O | N | ■ | N | A | E | V | I | ■ | E |
| 3 | N | O | N | N | E | S | ■ | V | E | C | E | S |
| 4 | A | L | ■ | E | T | E | T | E | R | ■ | N | O |
| 5 | D | A | M | E | R | ■ | O | I | S | E | A | U |
| 6 | E | G | O | ■ | O | V | U | L | E | S | ■ | D |
| 7 | R | E | N | T | I | E | R | ■ | S | T | A | R |
| 8 | I | ■ | T | I | T | R | E | R | ■ | R | T | E |
| 9 | A | M | E | N | ■ | S | T | U | D | I | O | ■ |
| 10 | ■ | O | R | T | I | E | ■ | S | I | E | N | S |
| 11 | O | U | ■ | E | L | E | V | E | R | ■ | A | U |
| 12 | H | E | U | R | E | ■ | A | S | E | L | L | E |

## Jour 13

| | 1 | 2 | 3 | 4 | 5 | 6 | 7 | 8 | 9 | 10 | 11 | 12 |
|---|---|---|---|---|---|---|---|---|---|---|---|---|
| 1 | P | A | G | A | I | L | L | E | ■ | B | O | A |
| 2 | E | M | I | G | R | E | ■ | M | E | L | O | N |
| 3 | R | I | T | E | ■ | B | O | U | L | E | ■ | I |
| 4 | F | ■ | A | S | T | E | R | ■ | I | D | E | M |
| 5 | I | N | N | ■ | A | L | B | U | M | ■ | S | E |
| 6 | D | E | S | I | R | ■ | I | T | E | M | S | ■ |
| 7 | I | L | ■ | R | E | C | T | O | ■ | I | O | N |
| 8 | E | S | A | U | ■ | R | E | P | A | S | ■ | I |
| 9 | ■ | O | I | N | T | E | ■ | I | R | E | N | E |
| 10 | O | N | C | ■ | E | V | I | E | R | ■ | E | L |
| 11 | I | ■ | H | A | T | E | R | ■ | E | T | E | L |
| 12 | L | I | E | G | E | ■ | A | T | T | E | L | E |

## Jour 14

| | 1 | 2 | 3 | 4 | 5 | 6 | 7 | 8 | 9 | 10 | 11 | 12 |
|---|---|---|---|---|---|---|---|---|---|---|---|---|
| 1 | F | A | C | T | I | C | I | T | E | ■ | D | A |
| 2 | O | L | E | O | L | A | T | ■ | T | R | U | C |
| 3 | S | E | N | T | ■ | P | E | I | N | E | ■ | O |
| 4 | S | ■ | T | O | G | O | ■ | L | A | S | E | R |
| 5 | E | D | O | ■ | O | N | D | E | ■ | O | V | E |
| 6 | T | A | N | G | A | ■ | U | T | I | L | E | ■ |
| 7 | T | H | ■ | O | L | E | N | ■ | S | U | I | F |
| 8 | E | L | A | N | ■ | N | E | V | A | ■ | L | A |
| 9 | ■ | I | R | E | N | E | ■ | I | R | A | ■ | M |
| 10 | T | A | C | ■ | O | M | A | N | ■ | A | L | I |
| 11 | A | ■ | O | S | C | A | R | ■ | C | R | I | N |
| 12 | G | E | N | I | E | ■ | C | O | M | E | T | E |

## Jour 15

| | 1 | 2 | 3 | 4 | 5 | 6 | 7 | 8 | 9 | 10 | 11 | 12 |
|---|---|---|---|---|---|---|---|---|---|---|---|---|
| 1 | P | E | T | I | L | L | E | R | ■ | C | A | P |
| 2 | A | P | I | ■ | A | I | L | I | E | R | ■ | L |
| 3 | C | U | P | I | D | E | ■ | T | S | U | B | A |
| 4 | A | L | E | S | ■ | U | N | E | S | ■ | A | C |
| 5 | N | I | ■ | A | I | R | E | ■ | A | S | S | E |
| 6 | I | S | L | A | M | ■ | V | O | I | C | I | ■ |
| 7 | E | ■ | E | C | A | L | E | R | ■ | I | N | N |
| 8 | R | E | G | ■ | G | O | U | L | E | E | ■ | E |
| 9 | ■ | X | E | R | E | S | ■ | E | S | S | O | R |
| 10 | C | I | R | E | ■ | E | S | S | O | ■ | C | E |
| 11 | I | L | ■ | P | U | R | E | ■ | P | A | R | I |
| 12 | D | E | B | U | T | ■ | P | O | E | L | E | S |

## Jour 16

| | 1 | 2 | 3 | 4 | 5 | 6 | 7 | 8 | 9 | 10 | 11 | 12 |
|---|---|---|---|---|---|---|---|---|---|---|---|---|
| 1 | R | A | B | A | C | H | A | G | E | ■ | N | A |
| 2 | E | B | E | N | I | E | R | ■ | R | U | E | R |
| 3 | B | A | T | I | ■ | R | A | P | I | N | ■ | S |
| 4 | U | ■ | I | S | I | S | ■ | I | N | I | N | I |
| 5 | T | A | S | ■ | P | E | N | E | ■ | T | A | N |
| 6 | E | M | E | S | E | ■ | A | C | T | E | S | ■ |
| 7 | R | U | ■ | E | C | O | P | E | R | ■ | S | E |
| 8 | ■ | S | A | V | A | N | E | ■ | O | R | E | L |
| 9 | Y | E | T | I | ■ | C | L | O | N | E | ■ | A |
| 10 | O | ■ | O | R | M | E | ■ | S | E | D | A | N |
| 11 | L | I | N | ■ | E | S | S | E | ■ | A | R | C |
| 12 | E | L | E | I | S | ■ | C | E | R | N | E | E |

## Jour 17

| | 1 | 2 | 3 | 4 | 5 | 6 | 7 | 8 | 9 | 10 | 11 | 12 |
|---|---|---|---|---|---|---|---|---|---|---|---|---|
| 1 | G | A | L | E | A | S | S | E | ■ | P | I | F |
| 2 | I | L | A | ■ | L | A | I | S | S | E | ■ | E |
| 3 | R | I | N | C | E | ■ | L | O | I | S | I | R |
| 4 | A | S | C | E | T | E | ■ | P | E | O | N | ■ |
| 5 | N | I | E | R | ■ | P | I | E | U | ■ | I | L |
| 6 | D | E | ■ | F | L | A | N | ■ | R | E | N | E |
| 7 | O | R | B | ■ | A | R | T | A | ■ | P | I | C |
| 8 | L | ■ | L | E | V | ■ | I | N | R | I | ■ | O |
| 9 | E | C | A | L | E | R | ■ | A | A | R | O | N |
| 10 | ■ | A | M | I | R | A | L | ■ | T | E | X | ■ |
| 11 | I | L | E | T | ■ | M | O | D | E | ■ | E | S |
| 12 | N | E | ■ | E | X | I | T | ■ | L | O | R | I |

## Jour 18

| | 1 | 2 | 3 | 4 | 5 | 6 | 7 | 8 | 9 | 10 | 11 | 12 |
|---|---|---|---|---|---|---|---|---|---|---|---|---|
| 1 | R | E | S | I | L | L | E | ■ | I | L | E | T |
| 2 | U | B | E | ■ | I | U | L | E | S | ■ | R | I |
| 3 | S | O | R | B | E | T | ■ | P | E | A | G | E |
| 4 | T | U | T | U | ■ | I | D | I | O | T | ■ | R |
| 5 | I | L | ■ | S | I | N | O | C | ■ | R | A | S |
| 6 | C | I | V | E | T | ■ | L | E | S | E | R | ■ |
| 7 | A | S | O | ■ | O | P | E | R | E | ■ | D | E |
| 8 | G | ■ | T | H | U | I | N | ■ | R | H | U | M |
| 9 | E | C | R | U | ■ | E | T | A | P | E | ■ | P |
| 10 | ■ | L | E | R | O | T | ■ | R | E | T | R | O |
| 11 | O | O | ■ | O | L | E | U | M | ■ | R | A | T |
| 12 | S | U | I | N | T | ■ | R | E | M | E | D | E |

# Solutions

## Jour 19

| | 1 | 2 | 3 | 4 | 5 | 6 | 7 | 8 | 9 | 10 | 11 | 12 |
|---|---|---|---|---|---|---|---|---|---|---|---|---|
| 1 | S | A | C | C | A | D | E | ■ | H | A | S | E |
| 2 | E | L | U | ■ | C | O | N | G | E | ■ | A | S |
| 3 | M | E | T | I | E | R | ■ | E | R | G | O | T |
| 4 | I | S | I | S | ■ | I | G | N | E | E | ■ | O |
| 5 | L | E | ■ | L | A | S | E | R | ■ | O | N | C |
| 6 | L | U | X | E | R | ■ | N | E | F | L | E | ■ |
| 7 | A | R | E | ■ | A | M | E | ■ | I | E | N | A |
| 8 | N | ■ | R | E | C | U | S | E | R | ■ | E | H |
| 9 | T | R | U | C | ■ | T | E | R | M | E | ■ | U |
| 10 | ■ | A | S | I | L | E | ■ | B | E | L | E | R |
| 11 | A | M | ■ | M | E | R | O | U | ■ | A | N | I |
| 12 | G | I | B | E | T | ■ | C | E | R | N | E | R |

## Jour 20

| | 1 | 2 | 3 | 4 | 5 | 6 | 7 | 8 | 9 | 10 | 11 | 12 |
|---|---|---|---|---|---|---|---|---|---|---|---|---|
| 1 | L | I | M | O | N | A | G | E | ■ | L | O | T |
| 2 | A | V | I | S | E | R | ■ | R | H | O | N | E |
| 3 | M | E | S | S | ■ | G | I | G | O | T | ■ | T |
| 4 | P | ■ | S | E | L | O | N | ■ | T | O | G | E |
| 5 | I | O | ■ | T | I | T | U | B | E | ■ | E | S |
| 6 | O | B | J | E | T | ■ | I | U | L | E | S | ■ |
| 7 | N | E | O | ■ | R | A | T | S | ■ | P | I | S |
| 8 | ■ | R | I | V | E | R | ■ | T | A | I | R | E |
| 9 | R | E | N | E | ■ | O | C | E | A | N | ■ | V |
| 10 | O | ■ | D | A | L | L | E | ■ | R | E | V | E |
| 11 | M | O | R | U | E | ■ | R | I | O | ■ | E | R |
| 12 | E | R | E | ■ | E | T | E | R | N | I | T | E |

## Jour 21

| | 1 | 2 | 3 | 4 | 5 | 6 | 7 | 8 | 9 | 10 | 11 | 12 |
|---|---|---|---|---|---|---|---|---|---|---|---|---|
| 1 | T | R | O | T | T | I | N | ■ | V | O | U | S |
| 2 | H | O | P | ■ | A | D | A | G | E | ■ | N | I |
| 3 | E | M | E | R | G | E | ■ | O | R | P | I | N |
| 4 | R | A | N | I | ■ | A | M | U | S | E | ■ | O |
| 5 | I | R | ■ | A | L | L | E | R | ■ | O | N | C |
| 6 | D | I | N | D | E | ■ | U | D | I | N | E | ■ |
| 7 | I | N | O | ■ | G | A | L | E | T | ■ | R | E |
| 8 | O | ■ | L | A | S | S | O | ■ | E | M | I | R |
| 9 | N | O | I | R | ■ | A | N | I | M | E | ■ | R |
| 10 | ■ | E | S | S | E | N | ■ | T | S | U | B | A |
| 11 | F | I | ■ | I | D | A | H | O | ■ | T | A | N |
| 12 | A | L | E | N | E | ■ | I | N | F | E | C | T |

## Jour 22

| | 1 | 2 | 3 | 4 | 5 | 6 | 7 | 8 | 9 | 10 | 11 | 12 |
|---|---|---|---|---|---|---|---|---|---|---|---|---|
| 1 | T | A | R | S | I | E | R | ■ | Z | O | N | E |
| 2 | O | N | U | ■ | D | R | A | M | E | S | ■ | T |
| 3 | U | N | E | S | ■ | S | T | A | R | I | S | E |
| 4 | R | U | S | T | R | E | ■ | S | O | R | T | ■ |
| 5 | I | L | ■ | A | I | S | E | S | ■ | I | R | A |
| 6 | L | E | P | R | E | ■ | T | E | R | S | E | R |
| 7 | L | E | U | ■ | N | A | R | R | E | ■ | S | B |
| 8 | O | ■ | L | A | S | S | O | ■ | I | A | S | I |
| 9 | N | E | P | E | ■ | I | N | I | N | I | ■ | T |
| 10 | ■ | P | E | R | I | L | ■ | L | E | G | E | R |
| 11 | D | A | ■ | E | L | E | V | E | ■ | L | U | E |
| 12 | O | R | D | R | E | ■ | A | T | H | E | E | S |

## Jour 23

| | 1 | 2 | 3 | 4 | 5 | 6 | 7 | 8 | 9 | 10 | 11 | 12 |
|---|---|---|---|---|---|---|---|---|---|---|---|---|
| 1 | M | A | R | I | M | B | A | ■ | G | A | G | A |
| 2 | I | R | A | ■ | A | L | G | E | R | ■ | L | R |
| 3 | C | A | I | L | L | E | ■ | S | A | G | U | M |
| 4 | H | I | L | E | ■ | M | A | S | S | A | ■ | E |
| 5 | E | R | ■ | I | S | E | R | E | ■ | E | V | E |
| 6 | T | E | I | N | T | ■ | G | N | E | T | E | ■ |
| 7 | O | ■ | B | E | R | I | O | ■ | S | E | N | S |
| 8 | N | N | E | ■ | I | N | N | E | S | ■ | D | I |
| 9 | ■ | O | R | V | E | T | ■ | L | O | C | U | S |
| 10 | E | P | T | E | ■ | E | P | I | R | E | ■ | T |
| 11 | D | A | ■ | T | A | R | I | M | ■ | B | A | R |
| 12 | O | L | E | U | M | ■ | C | E | R | U | S | E |

## Jour 24

| | 1 | 2 | 3 | 4 | 5 | 6 | 7 | 8 | 9 | 10 | 11 | 12 |
|---|---|---|---|---|---|---|---|---|---|---|---|---|
| 1 | R | I | P | A | I | L | L | E | ■ | P | I | N |
| 2 | U | N | I | ■ | C | I | E | R | G | E | ■ | A |
| 3 | B | E | T | A | I | L | ■ | O | R | P | I | N |
| 4 | I | R | A | N | ■ | A | S | S | E | ■ | R | A |
| 5 | E | T | ■ | T | E | S | T | ■ | B | A | I | N |
| 6 | T | E | X | A | S | ■ | O | M | E | G | A | ■ |
| 7 | T | ■ | E | N | C | O | R | E | ■ | I | N | O |
| 8 | E | O | N | ■ | O | C | E | L | O | T | ■ | B |
| 9 | ■ | L | O | T | T | E | ■ | B | R | E | M | E |
| 10 | T | E | N | U | ■ | A | V | A | L | ■ | O | R |
| 11 | R | U | ■ | T | U | N | E | ■ | O | N | D | E |
| 12 | I | M | P | U | R | ■ | R | E | N | I | E | R |

## Jour 25

| | 1 | 2 | 3 | 4 | 5 | 6 | 7 | 8 | 9 | 10 | 11 | 12 |
|---|---|---|---|---|---|---|---|---|---|---|---|---|
| 1 | L | E | T | A | L | I | T | E | ■ | H | A | N |
| 2 | A | C | O | R | E | S | ■ | T | R | A | M | E |
| 3 | R | U | S | E | ■ | E | B | A | H | I | ■ | N |
| 4 | G | ■ | S | C | A | R | E | ■ | O | R | I | N |
| 5 | E | D | E | ■ | D | E | L | O | N | ■ | C | I |
| 6 | S | O | R | E | L | ■ | E | V | E | N | T | ■ |
| 7 | S | U | ■ | M | E | T | R | O | ■ | O | U | F |
| 8 | E | T | H | E | R | E | ■ | I | R | I | S | E |
| 9 | ■ | E | A | U | ■ | N | A | D | I | R | ■ | R |
| 10 | U | R | I | ■ | P | O | S | E | S | ■ | C | M |
| 11 | L | ■ | R | A | I | R | E | ■ | E | U | R | E |
| 12 | M | O | E | R | E | ■ | R | H | E | S | U | S |

## Jour 26

| | 1 | 2 | 3 | 4 | 5 | 6 | 7 | 8 | 9 | 10 | 11 | 12 |
|---|---|---|---|---|---|---|---|---|---|---|---|---|
| 1 | A | B | H | O | R | R | E | R | ■ | C | R | U |
| 2 | L | A | I | T | U | E | ■ | A | V | O | I | R |
| 3 | G | R | E | S | ■ | P | O | T | I | N | ■ | G |
| 4 | A | ■ | M | U | T | I | N | ■ | N | E | P | E |
| 5 | R | I | A | ■ | O | T | A | G | E | ■ | I | R |
| 6 | A | P | L | A | T | ■ | G | R | E | B | E | ■ |
| 7 | D | O | ■ | C | O | U | R | U | ■ | I | D | E |
| 8 | E | M | I | R | ■ | L | E | G | A | L | ■ | F |
| 9 | ■ | E | V | E | R | E | ■ | E | T | E | U | F |
| 10 | V | E | R | ■ | A | M | E | R | E | ■ | N | A |
| 11 | I | ■ | E | S | P | A | R | ■ | M | E | I | R |
| 12 | S | O | S | I | E | ■ | G | O | I | T | R | E |

## Jour 27

| | 1 | 2 | 3 | 4 | 5 | 6 | 7 | 8 | 9 | 10 | 11 | 12 |
|---|---|---|---|---|---|---|---|---|---|---|---|---|
| 1 | P | A | C | T | O | L | E | ■ | P | I | E | D |
| 2 | E | C | O | ■ | M | A | R | G | E | ■ | U | R |
| 3 | L | I | N | G | O | T | ■ | I | D | A | H | O |
| 4 | A | N | S | E | ■ | T | I | B | E | T | ■ | N |
| 5 | M | U | ■ | S | T | E | L | E | ■ | O | D | E |
| 6 | I | S | A | I | E | ■ | I | T | A | M | I | ■ |
| 7 | D | ■ | C | R | I | S | E | ■ | L | E | T | O |
| 8 | E | D | O | ■ | N | A | N | T | I | ■ | E | R |
| 9 | ■ | E | R | A | T | O | ■ | A | B | U | S | E |
| 10 | A | B | E | R | ■ | N | O | L | I | S | ■ | N |
| 11 | M | I | ■ | N | O | E | S | E | ■ | U | N | S |
| 12 | E | T | R | O | N | ■ | T | R | I | S | S | E |

# Solutions

### Jour 28

| | 1 | 2 | 3 | 4 | 5 | 6 | 7 | 8 | 9 | 10 | 11 | 12 |
|---|---|---|---|---|---|---|---|---|---|---|---|---|
| 1 | M | A | G | N | E | T | O | ■ | A | L | P | E |
| 2 | U | N | E | ■ | O | I | S | I | F | ■ | R | U |
| 3 | L | E | N | I | N | E | ■ | C | R | O | I | X |
| 4 | A | M | E | N | ■ | R | E | T | O | R | S | ■ |
| 5 | S | I | ■ | F | O | S | S | E | ■ | G | E | L |
| 6 | S | E | T | O | N | ■ | P | R | I | E | ■ | I |
| 7 | I | R | E | ■ | C | R | E | E | R | ■ | I | R |
| 8 | E | ■ | T | U | E | U | R | ■ | O | R | N | E |
| 9 | R | A | I | L | ■ | T | E | R | N | I | S | ■ |
| 10 | ■ | U | N | T | E | L | ■ | I | E | P | E | R |
| 11 | P | T | ■ | R | A | I | R | E | ■ | E | R | E |
| 12 | B | O | Y | A | U | ■ | E | N | T | R | E | E |

### Jour 29

| | 1 | 2 | 3 | 4 | 5 | 6 | 7 | 8 | 9 | 10 | 11 | 12 |
|---|---|---|---|---|---|---|---|---|---|---|---|---|
| 1 | D | A | M | O | I | S | E | A | U | ■ | F | E |
| 2 | E | P | A | U | L | E | R | ■ | R | H | I | N |
| 3 | C | R | I | ■ | I | T | A | L | I | E | ■ | F |
| 4 | H | E | T | R | E | ■ | F | I | E | R | T | E |
| 5 | O | ■ | R | E | N | A | L | E | ■ | M | E | R |
| 6 | I | D | E | M | ■ | G | E | N | T | I | L | ■ |
| 7 | R | U | ■ | U | N | I | R | ■ | U | N | E | S |
| 8 | ■ | I | S | E | U | T | ■ | A | N | E | ■ | O |
| 9 | B | T | U | ■ | R | E | P | U | E | ■ | C | M |
| 10 | R | E | P | A | S | ■ | A | T | R | I | U | M |
| 11 | E | ■ | E | M | E | U | T | E | ■ | C | I | E |
| 12 | F | O | R | E | ■ | R | E | L | U | I | R | E |

### Jour 30

| | 1 | 2 | 3 | 4 | 5 | 6 | 7 | 8 | 9 | 10 | 11 | 12 |
|---|---|---|---|---|---|---|---|---|---|---|---|---|
| 1 | R | E | C | U | L | A | D | E | ■ | A | A | R |
| 2 | A | C | O | R | E | ■ | O | M | E | R | T | A |
| 3 | P | O | T | ■ | V | A | L | E | T | ■ | R | I |
| 4 | A | L | I | S | E | S | ■ | S | I | S | E | S |
| 5 | C | E | C | I | ■ | I | B | E | R | E | ■ | I |
| 6 | I | ■ | E | M | P | L | I | ■ | E | R | I | N |
| 7 | T | A | ■ | P | L | E | B | E | ■ | T | E | E |
| 8 | E | X | I | L | E | ■ | I | C | A | ■ | P | T |
| 9 | ■ | I | S | E | U | T | ■ | O | N | D | E | ■ |
| 10 | O | S | E | ■ | R | A | T | ■ | G | A | R | E |
| 11 | I | ■ | R | E | A | N | I | M | E | R | ■ | R |
| 12 | L | I | E | N | ■ | T | R | I | ■ | D | E | S |

### Jour 31

| | 1 | 2 | 3 | 4 | 5 | 6 | 7 | 8 | 9 | 10 | 11 | 12 |
|---|---|---|---|---|---|---|---|---|---|---|---|---|
| 1 | O | C | C | U | L | T | E | ■ | G | A | L | A |
| 2 | B | A | R | ■ | E | I | D | E | R | ■ | E | R |
| 3 | E | L | U | D | E | R | ■ | P | I | L | U | M |
| 4 | L | I | E | U | ■ | E | C | U | L | E | ■ | E |
| 5 | I | F | ■ | P | E | T | E | R | ■ | G | U | E |
| 6 | S | E | M | E | R | ■ | L | E | B | E | L | ■ |
| 7 | Q | ■ | A | R | I | D | E | ■ | A | R | V | E |
| 8 | U | P | I | ■ | C | A | R | A | T | ■ | E | N |
| 9 | E | U | R | E | ■ | N | I | X | O | N | ■ | C |
| 10 | ■ | R | E | P | A | S | ■ | I | N | U | L | E |
| 11 | G | I | ■ | E | V | E | I | L | ■ | E | O | N |
| 12 | O | N | D | E | E | ■ | R | E | J | E | T | S |

### Jour 32

| | 1 | 2 | 3 | 4 | 5 | 6 | 7 | 8 | 9 | 10 | 11 | 12 |
|---|---|---|---|---|---|---|---|---|---|---|---|---|
| 1 | E | L | A | G | A | G | E | ■ | B | A | I | L |
| 2 | V | I | S | E | R | ■ | T | A | I | L | L | E |
| 3 | O | S | T | ■ | E | P | A | V | E | ■ | E | T |
| 4 | C | E | I | N | T | E | ■ | I | N | S | U | ■ |
| 5 | A | R | ■ | A | E | D | E | S | ■ | C | S | N |
| 6 | T | O | U | T | ■ | E | P | E | L | E | ■ | O |
| 7 | I | N | S | T | I | ■ | U | R | A | N | I | E |
| 8 | O | ■ | I | E | P | E | R | ■ | B | E | C | S |
| 9 | N | E | T | ■ | P | L | E | B | E | ■ | T | E |
| 10 | ■ | M | E | R | O | U | ■ | O | L | L | E | ■ |
| 11 | C | E | ■ | I | N | D | E | X | ■ | E | R | S |
| 12 | S | U | E | Z | ■ | E | N | E | R | V | E | R |

### Jour 33

| | 1 | 2 | 3 | 4 | 5 | 6 | 7 | 8 | 9 | 10 | 11 | 12 |
|---|---|---|---|---|---|---|---|---|---|---|---|---|
| 1 | T | A | M | O | U | R | E | ■ | C | A | P | S |
| 2 | E | C | A | R | T | ■ | D | A | R | T | R | E |
| 3 | N | A | T | ■ | I | P | E | C | A | ■ | I | L |
| 4 | D | U | E | L | L | E | ■ | O | N | C | E | ■ |
| 5 | A | L | ■ | I | E | P | E | R | ■ | H | E | M |
| 6 | N | E | S | S | ■ | I | R | E | N | E | ■ | E |
| 7 | C | ■ | C | E | P | E | E | ■ | O | R | A | L |
| 8 | E | T | A | ■ | A | R | I | D | E | ■ | B | U |
| 9 | ■ | E | T | A | T | ■ | N | I | L | L | E | S |
| 10 | A | N | ■ | D | E | I | T | E | ■ | I | L | I |
| 11 | L | O | I | N | ■ | L | E | T | A | L | ■ | N |
| 12 | E | N | F | E | R | S | ■ | E | G | I | D | E |

### Jour 34

| | 1 | 2 | 3 | 4 | 5 | 6 | 7 | 8 | 9 | 10 | 11 | 12 |
|---|---|---|---|---|---|---|---|---|---|---|---|---|
| 1 | G | O | U | A | I | L | L | E | ■ | I | L | A |
| 2 | A | R | R | I | V | E | ■ | T | E | N | O | N |
| 3 | L | E | I | ■ | R | E | L | A | X | ■ | T | E |
| 4 | L | E | N | T | E | ■ | O | L | I | V | E | ■ |
| 5 | I | ■ | E | S | S | O | R | ■ | L | E | S | T |
| 6 | C | I | R | A | ■ | M | I | S | E | R | ■ | I |
| 7 | A | N | ■ | R | A | B | O | T | ■ | S | I | R |
| 8 | N | U | L | ■ | A | R | T | E | R | E | S | ■ |
| 9 | ■ | L | O | I | R | E | ■ | L | U | R | O | N |
| 10 | R | E | C | T | O | ■ | M | E | S | ■ | L | E |
| 11 | A | ■ | H | O | N | T | E | ■ | E | D | E | N |
| 12 | P | I | E | U | ■ | B | R | I | S | U | R | E |

### Jour 35

| | 1 | 2 | 3 | 4 | 5 | 6 | 7 | 8 | 9 | 10 | 11 | 12 |
|---|---|---|---|---|---|---|---|---|---|---|---|---|
| 1 | H | E | M | O | S | T | A | S | E | ■ | C | U |
| 2 | A | R | E | T | I | E | R | ■ | I | B | I | S |
| 3 | R | E | N | E | ■ | N | E | G | R | O | ■ | I |
| 4 | A | ■ | A | R | E | U | ■ | R | E | B | U | T |
| 5 | S | E | C | ■ | S | E | M | I | ■ | A | N | E |
| 6 | S | P | E | O | S | ■ | E | P | A | R | T | ■ |
| 7 | E | R | ■ | B | E | T | A | ■ | I | D | E | M |
| 8 | ■ | I | V | E | ■ | I | T | E | M | ■ | L | E |
| 9 | O | S | I | R | I | S | ■ | R | E | G | ■ | C |
| 10 | B | ■ | D | E | S | S | U | S | ■ | A | C | E |
| 11 | I | D | E | ■ | S | U | R | ■ | E | L | A | N |
| 12 | T | O | R | T | U | ■ | E | C | R | A | S | E |

### Jour 36

| | 1 | 2 | 3 | 4 | 5 | 6 | 7 | 8 | 9 | 10 | 11 | 12 |
|---|---|---|---|---|---|---|---|---|---|---|---|---|
| 1 | B | A | L | I | V | E | A | U | ■ | D | U | C |
| 2 | O | N | E | X | ■ | L | I | T | R | E | ■ | L |
| 3 | N | O | ■ | I | U | L | E | ■ | I | N | D | E |
| 4 | B | U | B | A | L | E | ■ | C | A | S | E | ■ |
| 5 | O | R | E | ■ | U | S | E | R | ■ | E | G | O |
| 6 | N | E | P | A | L | ■ | C | U | L | ■ | R | U |
| 7 | N | ■ | P | R | E | V | U | ■ | E | G | E | R |
| 8 | E | T | U | I | ■ | I | L | O | T | E | ■ | S |
| 9 | S | A | ■ | D | O | S | E | R | ■ | R | U | E |
| 10 | ■ | B | I | E | R | E | ■ | D | R | A | P | ■ |
| 11 | C | O | L | ■ | A | R | B | R | E | ■ | A | S |
| 12 | L | U | S | I | N | ■ | R | E | M | I | S | E |

# Solutions

## Jour 37

| | 1 | 2 | 3 | 4 | 5 | 6 | 7 | 8 | 9 | 10 | 11 | 12 |
|---|---|---|---|---|---|---|---|---|---|---|---|---|
| 1 | E | D | I | F | I | A | N | T | ■ | O | I | L |
| 2 | M | E | L | E | ■ | C | A | R | A | T | ■ | I |
| 3 | B | R | A | M | E | R | ■ | I | S | A | R | D |
| 4 | L | I | ■ | U | V | A | L | E | S | ■ | I | O |
| 5 | A | V | E | R | E | ■ | A | R | E | T | E | ■ |
| 6 | V | E | R | ■ | N | O | C | E | ■ | E | G | O |
| 7 | E | ■ | S | O | T | T | E | ■ | E | T | O | N |
| 8 | R | E | E | R | ■ | I | S | E | R | E | ■ | U |
| 9 | ■ | A | S | P | E | T | ■ | V | I | R | E | S |
| 10 | S | N | ■ | I | S | E | R | A | N | ■ | B | I |
| 11 | P | E | I | N | T | ■ | A | S | E | L | L | E |
| 12 | I | S | O | ■ | E | P | I | E | ■ | M | A | N |

## Jour 38

| | 1 | 2 | 3 | 4 | 5 | 6 | 7 | 8 | 9 | 10 | 11 | 12 |
|---|---|---|---|---|---|---|---|---|---|---|---|---|
| 1 | L | A | P | I | C | I | D | E | ■ | T | O | I |
| 2 | I | B | E | R | I | S | ■ | A | A | R | O | N |
| 3 | M | A | L | I | ■ | E | L | U | R | U | ■ | S |
| 4 | I | ■ | U | S | U | R | E | ■ | E | C | O | T |
| 5 | C | O | R | ■ | P | E | S | O | N | ■ | P | I |
| 6 | O | M | E | G | A | ■ | A | C | E | R | E | ■ |
| 7 | L | E | ■ | U | S | A | G | E | ■ | U | N | S |
| 8 | E | R | R | E | ■ | T | E | L | L | E | ■ | E |
| 9 | ■ | T | O | T | A | L | ■ | O | A | S | I | S |
| 10 | D | A | M | ■ | N | A | N | T | I | ■ | S | A |
| 11 | O | ■ | A | L | I | S | E | ■ | D | A | I | M |
| 12 | N | I | N | A | S | ■ | T | S | E | T | S | E |

## Jour 39

| | 1 | 2 | 3 | 4 | 5 | 6 | 7 | 8 | 9 | 10 | 11 | 12 |
|---|---|---|---|---|---|---|---|---|---|---|---|---|
| 1 | C | H | E | V | I | O | T | T | E | ■ | O | C |
| 2 | R | E | C | I | T | ■ | R | E | P | O | S | A |
| 3 | A | R | E | N | E | S | ■ | M | I | R | ■ | S |
| 4 | T | E | R | ■ | M | E | L | A | N | G | E | S |
| 5 | E | ■ | V | A | S | T | E | ■ | E | I | R | E |
| 6 | R | I | E | L | ■ | H | U | M | ■ | E | S | T |
| 7 | E | N | L | I | E | ■ | R | A | P | ■ | E | T |
| 8 | ■ | C | E | S | S | E | ■ | T | E | S | ■ | E |
| 9 | M | I | ■ | E | S | A | U | ■ | R | I | A | S |
| 10 | A | S | E | ■ | E | N | R | O | L | E | R | ■ |
| 11 | R | E | C | U | ■ | E | N | R | A | G | E | E |
| 12 | I | R | O | N | I | S | E | ■ | S | E | U | L |

## Jour 40

| | 1 | 2 | 3 | 4 | 5 | 6 | 7 | 8 | 9 | 10 | 11 | 12 |
|---|---|---|---|---|---|---|---|---|---|---|---|---|
| 1 | A | N | I | C | R | O | C | H | E | ■ | O | S |
| 2 | B | A | B | I | O | L | E | ■ | O | V | N | I |
| 3 | A | P | I | ■ | D | E | S | O | L | E | ■ | G |
| 4 | T | O | S | S | E | ■ | E | P | E | R | O | N |
| 5 | T | L | ■ | T | R | O | N | E | ■ | D | R | A |
| 6 | A | I | R | E | ■ | L | A | R | D | O | N | ■ |
| 7 | G | ■ | E | M | O | I | ■ | E | R | N | E | E |
| 8 | E | R | G | ■ | A | V | I | S | E | ■ | E | T |
| 9 | ■ | U | N | I | T | E | S | ■ | V | A | S | E |
| 10 | O | B | E | S | E | ■ | L | I | E | N | ■ | I |
| 11 | B | I | ■ | I | S | A | A | C | ■ | G | I | N |
| 12 | I | S | I | S | ■ | E | M | I | N | E | N | T |

## Jour 41

| | 1 | 2 | 3 | 4 | 5 | 6 | 7 | 8 | 9 | 10 | 11 | 12 |
|---|---|---|---|---|---|---|---|---|---|---|---|---|
| 1 | M | E | T | E | O | R | E | ■ | M | A | L | T |
| 2 | A | B | A | T | S | ■ | C | U | I | C | U | I |
| 3 | L | E | T | ■ | I | C | O | N | E | ■ | T | R |
| 4 | A | N | I | M | E | R | ■ | I | L | O | T | ■ |
| 5 | D | I | ■ | A | R | I | D | E | ■ | M | E | S |
| 6 | R | E | E | R | ■ | N | O | M | M | E | ■ | C |
| 7 | O | R | A | G | E | ■ | S | E | I | G | L | E |
| 8 | I | ■ | N | E | F | L | E | ■ | S | A | I | N |
| 9 | T | H | E | ■ | F | O | R | M | E | ■ | B | E |
| 10 | ■ | A | S | T | E | R | ■ | O | R | G | E | ■ |
| 11 | G | I | ■ | A | T | E | M | I | ■ | E | R | E |
| 12 | E | R | O | S | ■ | N | I | E | L | L | E | R |

## Jour 42

| | 1 | 2 | 3 | 4 | 5 | 6 | 7 | 8 | 9 | 10 | 11 | 12 |
|---|---|---|---|---|---|---|---|---|---|---|---|---|
| 1 | D | E | C | O | N | F | I | T | ■ | O | M | O |
| 2 | I | C | E | L | U | I | ■ | A | D | R | E | T |
| 3 | P | O | L | E | ■ | N | A | C | R | E | ■ | I |
| 4 | L | ■ | E | N | C | A | S | ■ | I | L | O | T |
| 5 | O | R | R | ■ | O | L | T | E | N | ■ | R | E |
| 6 | M | A | I | N | T | ■ | E | L | G | I | N | ■ |
| 7 | E | T | ■ | O | R | D | R | E | ■ | M | E | C |
| 8 | ■ | T | A | L | E | R | ■ | V | O | I | R | E |
| 9 | L | E | V | I | ■ | O | C | E | A | N | ■ | T |
| 10 | O | ■ | A | S | A | N | A | ■ | T | E | M | A |
| 11 | N | I | L | ■ | S | E | I | M | E | ■ | O | C |
| 12 | G | R | E | L | E | ■ | D | I | S | Q | U | E |

## Jour 43

| | 1 | 2 | 3 | 4 | 5 | 6 | 7 | 8 | 9 | 10 | 11 | 12 |
|---|---|---|---|---|---|---|---|---|---|---|---|---|
| 1 | T | U | R | P | I | T | U | D | E | ■ | O | C |
| 2 | O | V | A | I | R | E | ■ | E | X | O | D | E |
| 3 | R | E | G | ■ | A | M | A | S | ■ | C | E | P |
| 4 | P | E | O | N | ■ | P | I | P | I | T | ■ | E |
| 5 | E | ■ | U | E | L | E | ■ | O | B | E | R | E |
| 6 | U | L | T | R | A | ■ | E | T | E | T | E | ■ |
| 7 | R | A | ■ | V | I | S | S | E | R | ■ | A | H |
| 8 | ■ | P | E | I | N | E | S | ■ | I | S | L | E |
| 9 | D | E | B | ■ | E | C | O | S | S | E | ■ | R |
| 10 | O | R | A | L | ■ | O | R | E | ■ | N | O | S |
| 11 | N | ■ | H | E | I | N | ■ | A | S | T | R | E |
| 12 | C | R | I | ■ | O | D | E | U | R | ■ | B | R |

## Jour 44

| | 1 | 2 | 3 | 4 | 5 | 6 | 7 | 8 | 9 | 10 | 11 | 12 |
|---|---|---|---|---|---|---|---|---|---|---|---|---|
| 1 | N | A | N | O | M | E | T | R | E | ■ | G | A |
| 2 | O | C | A | R | I | N | A | ■ | S | P | I | N |
| 3 | R | E | N | E | ■ | E | C | O | T | E | ■ | D |
| 4 | R | ■ | T | E | A | M | ■ | R | E | G | L | E |
| 5 | O | U | I | ■ | R | A | V | I | ■ | R | A | S |
| 6 | I | S | S | U | E | ■ | A | E | D | E | S | ■ |
| 7 | S | A | ■ | S | T | A | L | L | E | ■ | E | L |
| 8 | ■ | G | O | U | E | T | S | ■ | P | U | R | E |
| 9 | C | E | P | E | ■ | L | E | C | O | N | ■ | U |
| 10 | O | ■ | A | L | E | A | ■ | E | T | I | E | R |
| 11 | C | O | L | ■ | T | S | A | R | ■ | O | U | R |
| 12 | A | R | E | N | A | ■ | C | E | R | N | E | E |

## Jour 45

| | 1 | 2 | 3 | 4 | 5 | 6 | 7 | 8 | 9 | 10 | 11 | 12 |
|---|---|---|---|---|---|---|---|---|---|---|---|---|
| 1 | L | E | U | C | O | M | E | ■ | E | M | B | U |
| 2 | A | C | R | E | S | ■ | C | A | M | I | O | N |
| 3 | U | R | I | ■ | E | C | O | L | E | ■ | X | E |
| 4 | D | A | N | G | E | R | ■ | E | R | N | E | ■ |
| 5 | A | N | A | R | ■ | E | T | A | G | E | R | E |
| 6 | T | ■ | L | A | T | T | E | ■ | E | R | ■ | S |
| 7 | I | L | ■ | T | R | E | M | A | ■ | O | T | E |
| 8 | F | O | R | T | E | ■ | A | C | U | L | ■ | R |
| 9 | ■ | N | A | E | V | I | ■ | T | R | I | D | I |
| 10 | A | G | I | ■ | E | S | S | E | N | ■ | O | N |
| 11 | B | ■ | N | A | S | S | E | ■ | E | U | R | E |
| 12 | C | A | E | N | ■ | A | M | A | S | S | E | ■ |

# Solutions

## Jour 46

| | 1 | 2 | 3 | 4 | 5 | 6 | 7 | 8 | 9 | 10 | 11 | 12 |
|---|---|---|---|---|---|---|---|---|---|---|---|---|
| 1 | D | E | C | L | I | V | I | T | E | | A | S |
| 2 | I | V | O | I | R | I | N | | M | A | L | E |
| 3 | V | E | R | S | | N | O | C | I | F | | T |
| 4 | E | | S | E | M | E | | A | R | R | E | T |
| 5 | T | H | E | | A | R | A | C | | O | V | E |
| 6 | T | A | R | E | T | | S | A | C | | E | R |
| 7 | E | N | | P | O | S | E | | A | P | I | |
| 8 | | A | V | E | N | U | | I | N | U | L | E |
| 9 | E | P | A | R | | M | I | L | A | N | | T |
| 10 | R | | I | D | I | O | M | E | | I | C | I |
| 11 | S | I | N | U | S | | B | A | R | R | E | R |
| 12 | E | N | E | | O | V | U | L | E | | S | E |

## Jour 47

| | 1 | 2 | 3 | 4 | 5 | 6 | 7 | 8 | 9 | 10 | 11 | 12 |
|---|---|---|---|---|---|---|---|---|---|---|---|---|
| 1 | P | L | A | N | T | A | I | N | | C | R | U |
| 2 | R | A | M | I | E | R | | A | E | R | E | R |
| 3 | E | P | I | | R | E | P | I | T | | C | E |
| 4 | S | E | T | O | N | | I | N | U | L | E | |
| 5 | A | | I | S | E | R | E | | V | E | L | O |
| 6 | G | U | E | T | | A | T | R | E | S | | L |
| 7 | E | N | | O | U | T | R | E | | T | O | T |
| 8 | R | I | S | | R | E | E | L | S | | R | E |
| 9 | | T | A | P | A | S | | A | L | P | I | N |
| 10 | D | E | B | I | T | | E | X | I | L | E | |
| 11 | U | | O | L | E | U | M | | C | I | L | S |
| 12 | C | I | T | E | | R | U | D | E | S | S | E |

## Jour 48

| | 1 | 2 | 3 | 4 | 5 | 6 | 7 | 8 | 9 | 10 | 11 | 12 |
|---|---|---|---|---|---|---|---|---|---|---|---|---|
| 1 | M | A | R | G | O | U | L | I | N | | C | S |
| 2 | E | M | E | R | I | T | E | | I | M | B | U |
| 3 | L | A | S | E | R | | G | E | L | A | | A |
| 4 | I | S | E | | O | D | O | N | | G | A | G |
| 5 | L | | D | U | N | E | | G | A | M | M | E |
| 6 | O | R | A | N | | B | E | I | R | A | M | |
| 7 | T | E | | T | E | I | G | N | E | | A | C |
| 8 | | L | U | E | T | T | E | | N | O | N | E |
| 9 | G | A | L | L | O | | D | I | E | U | | R |
| 10 | A | X | E | | L | I | E | D | | A | P | T |
| 11 | L | | M | I | E | N | | E | X | I | L | E |
| 12 | A | V | A | L | | N | E | M | E | S | I | S |

## Jour 49

| | 1 | 2 | 3 | 4 | 5 | 6 | 7 | 8 | 9 | 10 | 11 | 12 |
|---|---|---|---|---|---|---|---|---|---|---|---|---|
| 1 | H | A | B | I | L | I | T | E | R | | E | T |
| 2 | Y | E | U | S | E | | E | L | A | N | C | E |
| 3 | A | R | | O | U | R | S | | N | E | O | N |
| 4 | L | E | S | E | | A | T | A | C | A | | S |
| 5 | I | S | A | T | I | S | | C | E | N | S | E |
| 6 | T | | G | E | N | E | R | E | | T | A | U |
| 7 | E | C | U | | F | R | E | R | E | | U | R |
| 8 | | E | M | O | U | | C | E | R | A | T | |
| 9 | C | U | | A | S | T | I | | I | T | E | M |
| 10 | A | X | E | S | | A | T | O | N | E | | U |
| 11 | M | | V | I | O | L | E | T | | L | A | S |
| 12 | P | R | E | S | S | E | | E | X | E | A | T |

## Jour 50

| | 1 | 2 | 3 | 4 | 5 | 6 | 7 | 8 | 9 | 10 | 11 | 12 |
|---|---|---|---|---|---|---|---|---|---|---|---|---|
| 1 | S | E | M | B | L | A | N | T | | D | R | A |
| 2 | A | M | E | | E | N | O | U | E | R | | L |
| 3 | L | A | N | G | U | E | | B | O | U | L | E |
| 4 | A | C | U | L | | T | A | E | L | | E | R |
| 5 | N | I | | A | C | O | N | | I | N | T | I |
| 6 | G | E | S | S | E | | I | D | E | E | | O |
| 7 | A | R | A | | C | A | S | E | | V | A | N |
| 8 | N | | B | R | I | S | | J | E | E | P | |
| 9 | E | B | L | E | | T | S | A | R | | O | B |
| 10 | | L | E | V | U | R | E | | G | A | T | E |
| 11 | G | O | | E | N | E | M | A | | P | R | E |
| 12 | A | C | O | R | E | | E | N | T | I | E | R |

## Jour 51

| | 1 | 2 | 3 | 4 | 5 | 6 | 7 | 8 | 9 | 10 | 11 | 12 |
|---|---|---|---|---|---|---|---|---|---|---|---|---|
| 1 | S | A | N | C | T | I | O | N | | D | U | R |
| 2 | E | P | E | R | O | N | | A | M | U | R | E |
| 3 | M | E | S | | P | O | I | S | E | | G | A |
| 4 | B | U | S | T | E | | N | E | F | L | E | |
| 5 | L | R | | A | R | E | C | | I | A | S | I |
| 6 | A | E | D | E | | P | A | L | A | N | | L |
| 7 | N | | A | L | M | A | | A | I | G | R | E |
| 8 | T | A | N | | A | R | A | C | | E | A | U |
| 9 | | A | S | T | I | | V | E | R | | N | S |
| 10 | O | R | | O | L | G | A | | A | R | C | |
| 11 | P | O | I | L | | A | L | E | R | I | O | N |
| 12 | E | N | N | E | M | I | | R | E | N | N | E |

## Jour 52

| | 1 | 2 | 3 | 4 | 5 | 6 | 7 | 8 | 9 | 10 | 11 | 12 |
|---|---|---|---|---|---|---|---|---|---|---|---|---|
| 1 | P | E | R | A | M | E | L | E | | A | B | C |
| 2 | I | B | E | R | E | | O | N | A | G | R | E |
| 3 | N | E | T | | A | P | T | E | S | | A | R |
| 4 | A | R | R | E | T | E | | R | I | C | I | N |
| 5 | I | L | O | T | | T | I | G | R | E | | E |
| 6 | L | U | | A | U | S | S | I | | P | A | R |
| 7 | L | E | V | I | S | | S | E | M | E | R | |
| 8 | E | | E | N | U | G | U | | A | E | D | E |
| 9 | R | O | T | | R | I | E | G | O | | U | V |
| 10 | | L | I | B | E | R | | A | R | A | S | E |
| 11 | H | E | R | E | | O | U | T | I | L | | I |
| 12 | S | N | | R | E | N | N | E | | I | L | L |

## Jour 53

| | 1 | 2 | 3 | 4 | 5 | 6 | 7 | 8 | 9 | 10 | 11 | 12 |
|---|---|---|---|---|---|---|---|---|---|---|---|---|
| 1 | I | G | N | I | T | I | O | N | | O | L | T |
| 2 | M | O | U | L | I | N | | I | S | S | U | E |
| 3 | M | A | I | | T | O | L | E | T | | R | E |
| 4 | U | L | T | R | A | | O | R | A | L | E | |
| 5 | A | | E | A | N | E | S | | R | I | X | E |
| 6 | B | L | E | D | | G | E | S | S | E | | V |
| 7 | L | U | | I | S | E | R | E | | U | R | E |
| 8 | E | R | R | E | U | R | | V | I | R | E | R |
| 9 | | O | U | R | S | | S | E | P | | U | T |
| 10 | U | N | I | | H | I | T | | E | O | N | |
| 11 | N | | N | A | I | V | E | S | | S | I | L |
| 12 | S | I | E | N | | E | M | E | T | T | R | E |

## Jour 54

| | 1 | 2 | 3 | 4 | 5 | 6 | 7 | 8 | 9 | 10 | 11 | 12 |
|---|---|---|---|---|---|---|---|---|---|---|---|---|
| 1 | V | A | N | T | A | I | L | | A | L | M | A |
| 2 | O | L | E | U | M | | O | S | L | O | | R |
| 3 | C | E | P | | E | M | B | U | | R | E | A |
| 4 | I | | A | P | R | E | | I | N | D | U | |
| 5 | F | I | L | E | | T | O | F | U | | R | E |
| 6 | E | T | | R | A | S | H | | I | L | E | T |
| 7 | R | E | P | I | T | | E | C | R | U | | R |
| 8 | E | | A | L | E | A | | R | E | T | R | O |
| 9 | R | O | C | | M | I | M | I | | T | I | N |
| 10 | | C | H | A | I | N | E | | B | E | C | |
| 11 | V | R | A | I | | S | I | B | E | R | I | E |
| 12 | S | E | | S | P | I | R | E | E | | N | D |

# Solutions

## Jour 55

| | 1 | 2 | 3 | 4 | 5 | 6 | 7 | 8 | 9 | 10 | 11 | 12 |
|---|---|---|---|---|---|---|---|---|---|---|---|---|
| 1 | R | A | T | I | S | S | E | ■ | E | L | N | E |
| 2 | O | P | A | L | E | ■ | T | E | T | E | A | U |
| 3 | M | I | L | ■ | V | L | A | N | ■ | A | S | E |
| 4 | A | ■ | L | A | I | E | ■ | N | O | U | S | ■ |
| 5 | N | E | E | L | ■ | U | T | A | H | ■ | A | A |
| 6 | I | R | ■ | M | A | R | I | ■ | I | R | U | N |
| 7 | T | R | I | A | L | ■ | G | N | O | U | ■ | I |
| 8 | E | O | N | ■ | E | G | E | E | ■ | N | I | S |
| 9 | ■ | N | A | N | A | N | ■ | S | C | E | N | E |
| 10 | R | E | P | U | ■ | O | I | S | E | ■ | U | T |
| 11 | I | ■ | T | I | E | N | S | ■ | C | O | L | T |
| 12 | A | N | E | T | H | ■ | E | T | I | R | E | E |

## Jour 56

| | 1 | 2 | 3 | 4 | 5 | 6 | 7 | 8 | 9 | 10 | 11 | 12 |
|---|---|---|---|---|---|---|---|---|---|---|---|---|
| 1 | G | A | N | A | D | E | R | I | A | ■ | O | H |
| 2 | E | C | O | L | A | G | E | ■ | M | O | U | E |
| 3 | N | O | N | ■ | M | O | N | T | E | R | ■ | U |
| 4 | I | N | N | E | E | ■ | T | I | N | T | E | R |
| 5 | T | ■ | E | T | R | O | I | T | ■ | I | L | E |
| 6 | A | N | S | E | ■ | V | E | R | S | E | E | ■ |
| 7 | L | A | ■ | T | O | U | R | E | T | ■ | V | A |
| 8 | ■ | E | V | E | I | L | ■ | R | U | S | E | S |
| 9 | A | V | E | R | S | E | S | ■ | D | I | R | E |
| 10 | B | I | C | ■ | E | S | T | R | I | E | ■ | L |
| 11 | E | ■ | E | N | A | ■ | A | T | O | N | A | L |
| 12 | R | E | S | O | U | D | R | E | ■ | S | U | E |

## Jour 57

| | 1 | 2 | 3 | 4 | 5 | 6 | 7 | 8 | 9 | 10 | 11 | 12 |
|---|---|---|---|---|---|---|---|---|---|---|---|---|
| 1 | L | A | C | R | Y | M | A | L | ■ | R | A | I |
| 2 | O | G | R | E | ■ | U | R | A | N | E | ■ | N |
| 3 | G | O | I | T | R | E | ■ | N | I | G | E | R |
| 4 | O | N | ■ | R | O | T | A | C | E | ■ | P | I |
| 5 | T | I | S | O | N | ■ | R | E | E | R | A | ■ |
| 6 | Y | E | N | ■ | C | U | R | E | ■ | E | T | C |
| 7 | P | ■ | O | B | E | S | E | ■ | U | V | E | E |
| 8 | E | M | B | U | ■ | U | T | I | L | E | ■ | N |
| 9 | ■ | A | E | R | E | R | ■ | M | U | R | E | T |
| 10 | C | I | ■ | I | N | E | G | A | L | ■ | P | R |
| 11 | O | R | A | N | T | ■ | E | G | E | R | I | E |
| 12 | R | E | A | ■ | E | O | L | E | ■ | D | E | S |

## Jour 58

| | 1 | 2 | 3 | 4 | 5 | 6 | 7 | 8 | 9 | 10 | 11 | 12 |
|---|---|---|---|---|---|---|---|---|---|---|---|---|
| 1 | T | I | G | R | E | S | S | E | ■ | A | R | S |
| 2 | E | N | E | E | ■ | E | C | R | A | N | ■ | U |
| 3 | N | U | L | L | I | T | E | ■ | R | A | T | E |
| 4 | A | I | ■ | I | R | O | N | I | E | ■ | A | R |
| 5 | I | T | O | U | ■ | N | E | R | O | L | I | ■ |
| 6 | L | ■ | B | R | A | S | ■ | O | L | I | E | R |
| 7 | L | O | S | E | R | ■ | U | N | E | S | ■ | E |
| 8 | E | V | E | ■ | C | U | R | E | ■ | E | R | G |
| 9 | R | U | D | E | S | S | E | ■ | E | R | I | N |
| 10 | ■ | L | E | T | ■ | E | T | A | G | E | R | E |
| 11 | L | E | ■ | A | C | E | R | B | E | ■ | E | R |
| 12 | I | S | O | L | E | ■ | E | C | R | A | S | A |

## Jour 59

| | 1 | 2 | 3 | 4 | 5 | 6 | 7 | 8 | 9 | 10 | 11 | 12 |
|---|---|---|---|---|---|---|---|---|---|---|---|---|
| 1 | P | A | C | A | N | I | E | R | ■ | C | I | D |
| 2 | E | P | U | L | I | S | ■ | E | X | I | L | E |
| 3 | T | I | P | E | ■ | L | E | G | E | R | ■ | B |
| 4 | I | ■ | I | S | A | A | C | ■ | R | E | P | U |
| 5 | L | A | D | ■ | I | M | A | G | E | ■ | U | T |
| 6 | L | I | E | U | R | ■ | L | O | S | E | R | ■ |
| 7 | E | L | ■ | N | E | V | E | U | ■ | S | E | P |
| 8 | R | I | T | E | ■ | O | R | L | E | S | ■ | O |
| 9 | ■ | E | S | S | A | I | ■ | E | S | O | P | E |
| 10 | C | R | U | ■ | S | C | I | E | S | ■ | A | L |
| 11 | A | ■ | B | A | S | I | N | ■ | O | C | R | E |
| 12 | P | L | A | C | E | ■ | N | E | R | E | I | S |

## Jour 60

| | 1 | 2 | 3 | 4 | 5 | 6 | 7 | 8 | 9 | 10 | 11 | 12 |
|---|---|---|---|---|---|---|---|---|---|---|---|---|
| 1 | A | B | R | I | C | O | T | ■ | F | O | I | N |
| 2 | S | A | O | ■ | R | U | I | N | E | ■ | R | I |
| 3 | S | I | T | U | E | R | ■ | I | L | I | E | N |
| 4 | O | G | I | V | E | ■ | I | V | E | S | ■ | A |
| 5 | U | N | ■ | A | R | A | S | E | ■ | S | A | S |
| 6 | R | E | A | L | ■ | R | A | L | E | U | R | ■ |
| 7 | D | E | S | ■ | O | S | I | E | R | ■ | T | C |
| 8 | I | ■ | P | I | T | I | E | ■ | O | D | E | R |
| 9 | R | A | I | S | I | N | ■ | I | D | O | L | E |
| 10 | ■ | E | C | O | T | ■ | V | O | E | U | ■ | D |
| 11 | I | D | ■ | L | E | G | A | L | ■ | C | O | I |
| 12 | N | E | N | E | ■ | E | L | E | M | E | N | T |

## Jour 61

| | 1 | 2 | 3 | 4 | 5 | 6 | 7 | 8 | 9 | 10 | 11 | 12 |
|---|---|---|---|---|---|---|---|---|---|---|---|---|
| 1 | C | I | T | E | R | N | E | ■ | I | R | I | S |
| 2 | A | R | E | ■ | E | P | R | I | S | ■ | C | U |
| 3 | L | A | T | T | E | ■ | I | T | A | L | I | E |
| 4 | U | N | E | S | ■ | G | N | E | T | E | ■ | U |
| 5 | M | ■ | R | A | T | E | ■ | M | I | S | E | R |
| 6 | E | H | ■ | R | A | L | E | ■ | S | I | R | ■ |
| 7 | T | U | E | ■ | P | E | T | E | ■ | O | S | T |
| 8 | ■ | E | R | R | E | ■ | A | V | E | N | ■ | I |
| 9 | A | R | I | A | ■ | O | P | E | N | ■ | C | S |
| 10 | N | ■ | N | I | T | R | E | ■ | E | R | O | S |
| 11 | G | R | E | L | O | N | ■ | A | M | E | N | E |
| 12 | E | U | S | ■ | T | E | E | N | A | G | E | R |

## Jour 62

| | 1 | 2 | 3 | 4 | 5 | 6 | 7 | 8 | 9 | 10 | 11 | 12 |
|---|---|---|---|---|---|---|---|---|---|---|---|---|
| 1 | R | U | S | T | I | C | A | G | E | ■ | O | S |
| 2 | E | B | O | U | L | I | S | ■ | C | L | O | U |
| 3 | S | E | R | T | ■ | V | O | T | R | E | ■ | I |
| 4 | I | ■ | B | U | S | E | ■ | H | U | R | O | N |
| 5 | L | I | E | ■ | I | T | O | U | ■ | O | L | T |
| 6 | L | U | T | I | N | ■ | P | I | E | T | E | ■ |
| 7 | E | L | ■ | D | O | L | E | N | T | ■ | U | R |
| 8 | ■ | E | P | I | C | E | R | ■ | A | R | M | E |
| 9 | I | S | E | O | ■ | S | E | R | P | E | ■ | M |
| 10 | L | ■ | A | T | R | E | ■ | H | E | T | R | E |
| 11 | E | R | G | ■ | A | R | D | U | ■ | R | A | D |
| 12 | T | I | E | R | S | ■ | E | M | P | O | T | E |

## Jour 63

| | 1 | 2 | 3 | 4 | 5 | 6 | 7 | 8 | 9 | 10 | 11 | 12 |
|---|---|---|---|---|---|---|---|---|---|---|---|---|
| 1 | B | E | R | N | A | R | D | I | N | ■ | O | N |
| 2 | A | D | O | U | C | I | E | ■ | E | I | R | E |
| 3 | S | E | T | ■ | C | A | F | A | R | D | ■ | N |
| 4 | I | N | U | L | E | ■ | I | S | O | E | T | E |
| 5 | L | ■ | R | A | S | H | ■ | A | L | M | A | ■ |
| 6 | I | T | E | M | ■ | O | V | N | I | ■ | M | U |
| 7 | C | E | ■ | P | A | R | I | A | ■ | A | I | R |
| 8 | ■ | A | M | E | N | D | E | ■ | A | L | L | O |
| 9 | E | M | U | ■ | T | E | I | L | L | E | ■ | P |
| 10 | O | S | C | A | R | ■ | L | U | G | A | N | O |
| 11 | L | ■ | O | S | E | I | L | L | E | ■ | I | D |
| 12 | E | T | R | E | ■ | L | E | U | R | R | E | E |

# Solutions

## Jour 64

| | 1 | 2 | 3 | 4 | 5 | 6 | 7 | 8 | 9 | 10 | 11 | 12 |
|---|---|---|---|---|---|---|---|---|---|---|---|---|
| 1 | B | A | L | B | U | T | I | E | M | E | N | T |
| 2 | I | D | O | I | N | E | ■ | R | O | U | E | R |
| 3 | F | O | U | ■ | I | R | I | S | E | R | ■ | A |
| 4 | I | ■ | E | R | R | E | R | ■ | R | E | A | C |
| 5 | D | O | R | E | ■ | S | O | L | E | ■ | C | A |
| 6 | E | N | ■ | A | S | A | N | A | ■ | A | R | S |
| 7 | ■ | G | A | L | A | ■ | I | R | O | N | E | ■ |
| 8 | E | L | U | ■ | G | U | E | R | I | ■ | T | A |
| 9 | T | E | T | R | A | S | ■ | O | S | I | E | R |
| 10 | A | ■ | O | U | ■ | E | A | N | E | S | ■ | M |
| 11 | I | N | ■ | D | U | E | L | ■ | A | E | D | E |
| 12 | N | O | Y | E | R | ■ | E | A | U | ■ | O | R |

## Jour 65

| | 1 | 2 | 3 | 4 | 5 | 6 | 7 | 8 | 9 | 10 | 11 | 12 |
|---|---|---|---|---|---|---|---|---|---|---|---|---|
| 1 | M | O | U | I | L | L | E | ■ | V | L | A | N |
| 2 | E | T | E | ■ | A | I | N | S | I | ■ | M | U |
| 3 | D | E | L | I | C | E | ■ | I | D | E | E | L |
| 4 | I | L | E | T | ■ | G | I | L | E | T | ■ | L |
| 5 | A | L | ■ | E | M | E | S | E | ■ | U | R | E |
| 6 | S | O | M | M | E | ■ | E | X | O | D | E | ■ |
| 7 | T | ■ | E | S | S | O | R | ■ | B | E | A | T |
| 8 | I | L | L | ■ | S | U | A | V | E | ■ | L | U |
| 9 | N | A | B | I | ■ | I | N | A | R | I | ■ | I |
| 10 | ■ | B | A | N | D | E | ■ | L | E | T | A | L |
| 11 | D | E | ■ | T | A | S | S | E | ■ | O | I | E |
| 12 | A | L | P | I | N | ■ | A | T | O | U | R | S |

## Jour 66

| | 1 | 2 | 3 | 4 | 5 | 6 | 7 | 8 | 9 | 10 | 11 | 12 |
|---|---|---|---|---|---|---|---|---|---|---|---|---|
| 1 | C | O | M | M | A | N | D | E | M | E | N | T |
| 2 | I | D | I | O | T | I | E | ■ | I | D | E | E |
| 3 | N | E | R | I | ■ | V | R | A | C | ■ | N | E |
| 4 | E | ■ | O | E | T | A | ■ | P | A | I | N | ■ |
| 5 | T | O | I | ■ | I | L | E | T | ■ | S | I | S |
| 6 | I | V | R | E | S | ■ | R | E | T | S | ■ | E |
| 7 | R | U | ■ | M | O | R | S | ■ | O | U | I | R |
| 8 | ■ | L | A | I | N | E | ■ | G | U | E | R | I |
| 9 | S | E | I | N | ■ | E | L | I | S | ■ | M | E |
| 10 | A | ■ | E | C | A | L | E | R | ■ | T | A | U |
| 11 | C | R | U | E | L | ■ | S | O | L | E | ■ | S |
| 12 | S | E | L | ■ | E | B | E | N | I | S | T | E |

## Jour 67

| | 1 | 2 | 3 | 4 | 5 | 6 | 7 | 8 | 9 | 10 | 11 | 12 |
|---|---|---|---|---|---|---|---|---|---|---|---|---|
| 1 | C | O | M | P | O | S | A | S | ■ | P | A | F |
| 2 | O | C | E | A | N | ■ | L | O | T | I | ■ | L |
| 3 | N | A | T | ■ | C | A | I | E | U | ■ | N | A |
| 4 | T | R | I | P | E | S | ■ | U | L | V | E | ■ |
| 5 | R | I | S | I | ■ | A | R | R | I | E | R | E |
| 6 | A | N | ■ | L | A | M | A | ■ | P | L | I | S |
| 7 | L | A | V | E | R | ■ | P | R | E | T | ■ | S |
| 8 | T | ■ | I | T | A | L | I | E | ■ | E | D | O |
| 9 | O | S | T | ■ | S | A | N | T | E | ■ | U | R |
| 10 | ■ | C | E | D | E | R | ■ | S | U | E | R | ■ |
| 11 | N | A | ■ | O | R | G | E | ■ | R | O | I | S |
| 12 | E | T | O | N | ■ | E | N | T | E | N | T | E |

## Jour 68

| | 1 | 2 | 3 | 4 | 5 | 6 | 7 | 8 | 9 | 10 | 11 | 12 |
|---|---|---|---|---|---|---|---|---|---|---|---|---|
| 1 | R | U | P | E | S | T | R | E | ■ | C | R | U |
| 2 | A | N | U | R | I | E | ■ | P | I | L | E | S |
| 3 | M | I | N | I | ■ | N | U | I | R | E | ■ | U |
| 4 | B | ■ | I | C | T | U | S | ■ | I | S | A | R |
| 5 | A | C | E | ■ | A | S | A | N | A | ■ | X | E |
| 6 | R | O | S | T | I | ■ | G | A | N | S | E | ■ |
| 7 | D | U | ■ | O | N | D | E | S | ■ | I | L | E |
| 8 | E | P | A | R | ■ | E | R | S | E | S | ■ | L |
| 9 | ■ | O | B | T | U | S | ■ | A | P | E | R | O |
| 10 | A | N | A | ■ | R | I | E | U | R | ■ | A | G |
| 11 | R | ■ | C | O | U | R | U | ■ | I | U | L | E |
| 12 | C | H | A | O | S | ■ | H | I | S | S | E | S |

## Jour 69

| | 1 | 2 | 3 | 4 | 5 | 6 | 7 | 8 | 9 | 10 | 11 | 12 |
|---|---|---|---|---|---|---|---|---|---|---|---|---|
| 1 | E | L | U | C | U | B | R | A | T | I | O | N |
| 2 | C | O | T | E | R | I | E | ■ | O | R | E | E |
| 3 | O | R | ■ | N | A | S | S | A | U | ■ | S | T |
| 4 | L | I | S | T | E | ■ | T | I | R | E | T | ■ |
| 5 | A | S | O | ■ | T | R | E | S | ■ | T | R | I |
| 6 | G | ■ | U | R | E | E | ■ | E | R | R | E | R |
| 7 | E | S | T | E | ■ | I | S | S | U | E | ■ | I |
| 8 | ■ | T | E | T | I | N | E | ■ | I | S | I | S |
| 9 | A | A | ■ | A | L | E | V | I | N | ■ | S | E |
| 10 | T | R | I | P | E | ■ | E | N | E | M | A | ■ |
| 11 | R | ■ | L | E | U | R | ■ | T | R | I | A | L |
| 12 | E | T | E | ■ | S | E | M | I | ■ | E | C | U |

## Jour 70

| | 1 | 2 | 3 | 4 | 5 | 6 | 7 | 8 | 9 | 10 | 11 | 12 |
|---|---|---|---|---|---|---|---|---|---|---|---|---|
| 1 | D | E | C | U | B | I | T | U | S | ■ | F | A |
| 2 | O | C | A | R | I | N | A | ■ | P | A | I | X |
| 3 | L | O | N | G | ■ | P | U | R | I | N | ■ | E |
| 4 | O | ■ | C | E | B | U | ■ | E | C | I | M | E |
| 5 | M | I | R | ■ | U | T | A | H | ■ | S | E | ■ |
| 6 | I | S | E | U | T | ■ | S | E | S | ■ | N | I |
| 7 | T | E | ■ | R | E | T | S | ■ | C | E | U | X |
| 8 | E | R | I | N | ■ | H | E | R | A | T | ■ | I |
| 9 | ■ | A | X | E | N | E | ■ | A | T | A | C | A |
| 10 | I | N | O | ■ | A | M | A | S | ■ | M | O | ■ |
| 11 | N | ■ | D | O | S | E | R | ■ | E | P | T | E |
| 12 | N | I | E | B | E | ■ | S | P | L | E | E | N |

## Jour 71

| | 1 | 2 | 3 | 4 | 5 | 6 | 7 | 8 | 9 | 10 | 11 | 12 |
|---|---|---|---|---|---|---|---|---|---|---|---|---|
| 1 | P | E | N | T | E | C | O | T | E | ■ | N | P |
| 2 | I | V | O | I | R | I | N | ■ | R | H | E | A |
| 3 | C | E | L | E | ■ | V | U | L | G | O | ■ | N |
| 4 | O | ■ | I | N | T | I | ■ | E | S | T | E | S |
| 5 | R | A | S | ■ | A | L | E | T | ■ | T | S | U |
| 6 | E | T | E | U | F | ■ | L | A | C | E | S | ■ |
| 7 | R | A | ■ | N | I | E | L | L | E | ■ | A | S |
| 8 | ■ | C | E | T | A | C | E | ■ | T | R | I | P |
| 9 | T | A | X | E | ■ | U | S | I | T | E | ■ | H |
| 10 | R | ■ | C | L | A | M | ■ | R | E | N | T | E |
| 11 | A | I | L | ■ | R | E | P | U | ■ | D | E | R |
| 12 | C | O | U | I | C | ■ | I | N | J | U | R | E |

## Jour 72

| | 1 | 2 | 3 | 4 | 5 | 6 | 7 | 8 | 9 | 10 | 11 | 12 |
|---|---|---|---|---|---|---|---|---|---|---|---|---|
| 1 | G | A | R | G | O | T | E | ■ | A | G | A | R |
| 2 | U | R | I | ■ | S | I | T | A | R | ■ | A | I |
| 3 | I | R | R | I | T | E | ■ | B | I | E | R | E |
| 4 | G | I | E | N | ■ | R | U | R | A | L | ■ | G |
| 5 | N | E | ■ | T | I | S | S | U | ■ | A | D | O |
| 6 | E | R | B | I | L | ■ | A | T | O | N | E | ■ |
| 7 | T | E | R | ■ | E | N | G | I | N | ■ | C | S |
| 8 | T | ■ | A | C | T | E | E | ■ | G | R | U | E |
| 9 | E | T | U | I | ■ | F | R | E | L | E | ■ | N |
| 10 | ■ | E | N | V | O | L | ■ | S | E | N | A | T |
| 11 | A | N | ■ | E | L | E | I | S | ■ | O | R | E |
| 12 | S | U | I | T | E | ■ | F | E | R | M | E | S |

# Solutions

## Jour 73

| | 1 | 2 | 3 | 4 | 5 | 6 | 7 | 8 | 9 | 10 | 11 | 12 |
|---|---|---|---|---|---|---|---|---|---|---|---|---|
| 1 | L | O | N | G | E | R | O | N | ■ | D | R | A |
| 2 | I | S | A | R | ■ | A | R | E | T | E | ■ | C |
| 3 | M | I | ■ | I | A | S | I | ■ | A | C | O | N |
| 4 | O | D | E | O | N | ■ | N | E | P | E | T | E |
| 5 | N | E | T | T | E | S | ■ | R | O | D | A | ■ |
| 6 | A | ■ | I | T | T | E | N | ■ | N | E | R | E |
| 7 | D | O | R | E | ■ | V | I | A | ■ | R | I | T |
| 8 | E | D | E | ■ | B | I | A | I | S | ■ | E | R |
| 9 | ■ | E | R | I | E | ■ | I | N | C | I | S | E |
| 10 | A | N | ■ | D | A | N | S | ■ | A | R | ■ | N |
| 11 | I | S | O | E | T | E | ■ | I | R | I | A | N |
| 12 | S | E | R | E | ■ | F | U | N | E | S | T | E |

## Jour 74

| | 1 | 2 | 3 | 4 | 5 | 6 | 7 | 8 | 9 | 10 | 11 | 12 |
|---|---|---|---|---|---|---|---|---|---|---|---|---|
| 1 | M | O | U | C | H | E | T | I | S | ■ | D | E |
| 2 | A | D | R | O | I | T | E | ■ | T | O | U | X |
| 3 | L | E | G | S | ■ | H | E | L | A | S | ■ | C |
| 4 | A | ■ | E | Y | R | E | ■ | A | R | I | D | E |
| 5 | B | A | N | ■ | I | R | A | N | ■ | E | R | S |
| 6 | A | C | T | I | F | ■ | I | C | A | R | E | ■ |
| 7 | R | E | ■ | G | L | A | N | E | R | ■ | G | A |
| 8 | ■ | R | E | L | E | V | E | ■ | O | D | E | R |
| 9 | R | E | N | O | ■ | I | S | O | L | E | ■ | T |
| 10 | A | ■ | F | O | I | S | ■ | B | E | R | C | E |
| 11 | P | R | E | ■ | D | E | F | I | ■ | M | U | R |
| 12 | T | A | R | I | E | ■ | A | T | T | E | L | E |

## Jour 75

## Jour 76

## Jour 77

| | 1 | 2 | 3 | 4 | 5 | 6 | 7 | 8 | 9 | 10 | 11 | 12 |
|---|---|---|---|---|---|---|---|---|---|---|---|---|
| 1 | P | E | N | T | A | E | D | R | E | ■ | N | P |
| 2 | A | M | O | R | O | S | O | ■ | P | O | I | L |
| 3 | L | O | T | I | R | ■ | L | A | I | D | ■ | O |
| 4 | E | U | E | ■ | T | A | E | L | ■ | R | O | C |
| 5 | F | ■ | E | G | E | R | ■ | U | T | A | H | ■ |
| 6 | R | U | S | E | ■ | D | A | N | S | ■ | R | B |
| 7 | O | N | ■ | R | O | U | X | ■ | U | S | E | R |
| 8 | I | T | A | M | I | ■ | E | M | B | A | ■ | I |
| 9 | ■ | E | M | E | S | E | ■ | E | A | N | E | S |
| 10 | G | L | U | ■ | O | T | E | R | ■ | I | L | A |
| 11 | R | ■ | R | E | N | O | N | ■ | H | E | I | N |
| 12 | E | D | E | N | ■ | C | E | N | E | ■ | E | T |

## Jour 78

## Jour 79

## Jour 80

## Jour 81

| | 1 | 2 | 3 | 4 | 5 | 6 | 7 | 8 | 9 | 10 | 11 | 12 |
|---|---|---|---|---|---|---|---|---|---|---|---|---|
| 1 | G | E | N | T | L | E | M | A | N | ■ | A | S |
| 2 | A | G | A | R | I | C | ■ | R | O | U | L | E |
| 3 | M | O | R | O | ■ | A | I | S | E | S | ■ | D |
| 4 | E | ■ | S | T | A | R | S | ■ | L | A | M | A |
| 5 | L | I | E | ■ | I | T | E | M | ■ | G | I | N |
| 6 | L | O | S | E | R | ■ | R | E | C | E | L | ■ |
| 7 | E | U | ■ | N | E | V | A | D | A | ■ | E | T |
| 8 | ■ | L | E | T | ■ | A | N | O | N | E | ■ | O |
| 9 | R | E | V | E | R | S | ■ | C | O | S | S | U |
| 10 | A | R | A | ■ | E | T | A | ■ | T | O | U | R |
| 11 | I | ■ | S | E | N | E | V | E | ■ | P | I | N |
| 12 | D | I | E | S | E | ■ | E | N | T | E | T | E |

# Solutions

## Jour 82

| | 1 | 2 | 3 | 4 | 5 | 6 | 7 | 8 | 9 | 10 | 11 | 12 |
|---|---|---|---|---|---|---|---|---|---|---|---|---|
| 1 | N | I | H | I | L | I | S | M | E | ■ | A | S |
| 2 | E | M | E | R | I | T | E | ■ | G | I | T | E |
| 3 | N | I | L | ■ | M | E | R | L | E | S | ■ | N |
| 4 | E | T | E | T | E | ■ | G | O | R | E | T | S |
| 5 | T | E | N | U | ■ | T | E | T | ■ | R | E | E |
| 6 | T | ■ | A | N | I | S | ■ | I | R | A | N | ■ |
| 7 | E | H | ■ | E | T | U | I | ■ | A | N | T | E |
| 8 | ■ | E | B | R | O | ■ | N | I | D | ■ | E | D |
| 9 | D | R | U | ■ | U | L | U | L | E | S | ■ | I |
| 10 | R | E | I | N | ■ | O | L | E | ■ | P | I | S |
| 11 | A | ■ | R | A | T | T | E | ■ | M | O | N | O |
| 12 | G | U | E | P | E | ■ | S | A | N | T | O | N |

## Jour 83

| | 1 | 2 | 3 | 4 | 5 | 6 | 7 | 8 | 9 | 10 | 11 | 12 |
|---|---|---|---|---|---|---|---|---|---|---|---|---|
| 1 | T | O | L | E | R | A | N | T | ■ | P | A | S |
| 2 | A | B | E | T | I | R | ■ | E | T | A | G | E |
| 3 | F | I | G | E | ■ | O | R | L | O | N | ■ | R |
| 4 | F | ■ | I | S | O | L | E | ■ | L | E | U | R |
| 5 | E | G | O | ■ | R | E | C | E | L | ■ | N | E |
| 6 | T | A | N | I | N | ■ | E | P | E | L | E | ■ |
| 7 | A | L | ■ | T | E | R | N | E | ■ | I | S | O |
| 8 | S | E | M | E | ■ | E | T | R | E | S | ■ | B |
| 9 | ■ | R | O | M | A | N | ■ | D | R | E | G | E |
| 10 | S | E | T | ■ | A | T | O | U | R | ■ | A | R |
| 11 | O | ■ | T | I | R | E | S | ■ | E | S | T | E |
| 12 | S | T | E | R | E | ■ | T | E | R | M | E | S |

## Jour 84

| | 1 | 2 | 3 | 4 | 5 | 6 | 7 | 8 | 9 | 10 | 11 | 12 |
|---|---|---|---|---|---|---|---|---|---|---|---|---|
| 1 | C | R | I | A | R | D | E | ■ | L | I | T | S |
| 2 | H | E | U | ■ | A | U | S | S | I | ■ | O | C |
| 3 | A | T | L | A | S | ■ | T | E | N | A | C | E |
| 4 | P | E | E | L | ■ | T | E | N | O | R | ■ | A |
| 5 | I | N | ■ | U | S | U | R | E | ■ | D | R | U |
| 6 | T | U | N | N | E | L | ■ | V | O | U | E | ■ |
| 7 | R | E | A | ■ | A | I | D | E | R | ■ | E | T |
| 8 | E | ■ | S | O | U | P | E | ■ | T | I | R | E |
| 9 | R | O | S | I | ■ | E | N | G | I | N | ■ | S |
| 10 | ■ | T | E | S | T | ■ | T | R | E | N | E | T |
| 11 | N | A | ■ | I | R | I | S | E | ■ | E | R | E |
| 12 | U | N | I | F | I | E | ■ | S | I | E | G | E |

## Jour 85

| | 1 | 2 | 3 | 4 | 5 | 6 | 7 | 8 | 9 | 10 | 11 | 12 |
|---|---|---|---|---|---|---|---|---|---|---|---|---|
| 1 | T | A | I | L | L | O | L | E | ■ | C | L | E |
| 2 | O | P | T | I | O | N | ■ | O | L | E | U | M |
| 3 | U | R | E | ■ | U | C | C | L | E | ■ | C | U |
| 4 | R | E | M | U | E | ■ | R | E | U | N | I | ■ |
| 5 | N | ■ | S | T | R | I | E | ■ | R | U | D | E |
| 6 | U | T | ■ | E | A | N | E | S | ■ | M | E | S |
| 7 | R | E | E | R | ■ | N | E | U | V | E | ■ | S |
| 8 | E | N | T | I | T | E | ■ | B | A | R | B | E |
| 9 | ■ | O | R | N | E | ■ | F | I | L | O | U | ■ |
| 10 | G | R | E | ■ | A | G | I | T | E | ■ | T | A |
| 11 | E | ■ | C | U | M | I | N | ■ | U | N | I | R |
| 12 | L | O | I | N | ■ | N | E | U | R | O | N | E |

## Jour 86

| | 1 | 2 | 3 | 4 | 5 | 6 | 7 | 8 | 9 | 10 | 11 | 12 |
|---|---|---|---|---|---|---|---|---|---|---|---|---|
| 1 | M | A | N | E | T | O | N | ■ | O | D | R | A |
| 2 | E | L | I | S | E | ■ | I | G | O | R | ■ | G |
| 3 | L | I | E | ■ | E | R | N | E | ■ | A | B | A |
| 4 | O | S | M | O | S | E | ■ | R | A | P | E | ■ |
| 5 | N | I | E | R | ■ | N | E | S | S | ■ | U | S |
| 6 | G | E | ■ | P | A | I | R | ■ | S | A | R | A |
| 7 | I | R | B | I | D | ■ | A | P | E | X | ■ | L |
| 8 | N | ■ | I | N | E | P | T | E | ■ | E | M | S |
| 9 | E | D | O | ■ | N | I | O | L | E | ■ | A | A |
| 10 | ■ | E | C | O | T | E | ■ | T | U | P | I | ■ |
| 11 | E | L | O | I | ■ | U | M | A | R | ■ | N | B |
| 12 | N | A | ■ | L | U | X | E | ■ | E | S | T | E |

## Jour 87

| | 1 | 2 | 3 | 4 | 5 | 6 | 7 | 8 | 9 | 10 | 11 | 12 |
|---|---|---|---|---|---|---|---|---|---|---|---|---|
| 1 | A | L | P | A | G | U | E | R | ■ | C | E | S |
| 2 | B | E | E | ■ | I | L | L | I | C | O | ■ | I |
| 3 | B | A | S | A | N | E | ■ | X | E | R | E | S |
| 4 | A | D | O | S | ■ | M | I | E | L | ■ | V | A |
| 5 | T | E | ■ | A | R | A | C | ■ | E | T | A | L |
| 6 | I | R | O | N | E | ■ | O | G | R | E | S | ■ |
| 7 | A | ■ | P | A | T | E | N | E | ■ | R | E | G |
| 8 | L | U | T | ■ | I | S | E | R | A | N | ■ | U |
| 9 | ■ | N | E | U | F | S | ■ | C | R | E | T | E |
| 10 | T | I | R | S | ■ | A | M | E | R | ■ | R | U |
| 11 | U | T | ■ | U | N | I | E | ■ | E | T | E | L |
| 12 | F | E | S | S | E | ■ | C | O | T | I | S | E |

## Jour 88

| | 1 | 2 | 3 | 4 | 5 | 6 | 7 | 8 | 9 | 10 | 11 | 12 |
|---|---|---|---|---|---|---|---|---|---|---|---|---|
| 1 | A | B | A | I | S | S | E | ■ | D | R | A | P |
| 2 | D | O | U | ■ | A | O | R | T | E | ■ | D | O |
| 3 | M | A | B | O | U | L | ■ | A | S | C | O | T |
| 4 | I | ■ | E | R | G | ■ | D | U | P | E | R | ■ |
| 5 | S | T | ■ | G | E | A | I | ■ | O | L | E | N |
| 6 | S | E | R | A | ■ | R | A | T | T | E | ■ | E |
| 7 | I | R | O | N | I | E | ■ | A | E | R | E | R |
| 8 | O | ■ | G | E | N | T | I | L | ■ | I | S | O |
| 9 | N | O | N | ■ | T | E | N | U | S | ■ | T | N |
| 10 | ■ | H | E | R | E | ■ | O | S | I | E | R | ■ |
| 11 | A | I | ■ | A | R | E | U | ■ | E | R | I | E |
| 12 | L | O | R | I | ■ | L | I | G | N | E | E | S |

## Jour 89

| | 1 | 2 | 3 | 4 | 5 | 6 | 7 | 8 | 9 | 10 | 11 | 12 |
|---|---|---|---|---|---|---|---|---|---|---|---|---|
| 1 | B | A | D | I | G | E | O | N | ■ | C | A | P |
| 2 | O | L | I | V | E | S | ■ | I | R | E | N | E |
| 3 | N | O | T | E | ■ | S | A | N | A | ■ | D | U |
| 4 | D | E | ■ | S | T | O | L | ■ | P | R | E | ■ |
| 5 | E | S | E | ■ | A | R | M | E | ■ | A | S | O |
| 6 | L | ■ | P | A | R | ■ | A | M | E | N | ■ | L |
| 7 | L | E | A | D | E | R | ■ | E | R | I | N | E |
| 8 | E | R | I | E | ■ | A | S | T | I | ■ | O | N |
| 9 | ■ | A | S | P | E | C | T | ■ | N | O | N | ■ |
| 10 | A | S | ■ | T | I | E | R | S | ■ | S | E | P |
| 11 | I | M | P | E | R | ■ | I | O | L | E | ■ | O |
| 12 | L | E | U | ■ | E | D | E | N | ■ | E | C | U |

## Jour 90

| | 1 | 2 | 3 | 4 | 5 | 6 | 7 | 8 | 9 | 10 | 11 | 12 |
|---|---|---|---|---|---|---|---|---|---|---|---|---|
| 1 | R | E | M | U | A | N | T | ■ | L | O | N | G |
| 2 | A | N | I | ■ | H | A | I | N | E | ■ | O | R |
| 3 | I | T | E | M | ■ | T | R | E | V | E | ■ | A |
| 4 | D | E | ■ | O | P | T | E | R | ■ | T | A | C |
| 5 | I | T | A | L | I | E | ■ | O | P | A | L | E |
| 6 | L | E | S | E | S | ■ | U | L | U | L | E | ■ |
| 7 | L | E | T | ■ | T | A | P | I | R | ■ | S | S |
| 8 | O | ■ | U | L | E | M | A | ■ | G | U | E | T |
| 9 | N | O | C | E | ■ | A | S | T | E | R | ■ | A |
| 10 | ■ | B | E | N | I | N | ■ | A | R | G | O | T |
| 11 | V | U | ■ | T | O | T | A | L | ■ | E | L | U |
| 12 | E | S | S | E | N | ■ | R | E | G | R | E | T |

# Solutions

## Jour 91

| | 1 | 2 | 3 | 4 | 5 | 6 | 7 | 8 | 9 | 10 | 11 | 12 |
|---|---|---|---|---|---|---|---|---|---|---|---|---|
| 1 | B | A | D | I | A | N | E | ■ | P | U | C | E |
| 2 | O | D | E | ■ | S | O | C | L | E | ■ | I | N |
| 3 | U | R | N | E | ■ | M | O | I | S | I | R | ■ |
| 4 | B | E | I | R | A | M | ■ | B | E | R | E | T |
| 5 | O | S | ■ | S | U | E | D | E | ■ | A | R | A |
| 6 | U | S | U | E | L | ■ | I | R | U | N | ■ | P |
| 7 | L | E | V | ■ | N | E | N | E | S | ■ | P | I |
| 8 | E | ■ | U | L | E | M | A | ■ | I | B | I | S |
| 9 | R | A | L | E | ■ | U | R | E | T | R | E | ■ |
| 10 | ■ | R | E | G | E | L | ■ | P | E | U | R | S |
| 11 | O | N | ■ | E | M | E | R | I | ■ | I | R | A |
| 12 | C | O | U | R | U | ■ | D | E | T | T | E | S |

## Jour 92

| | 1 | 2 | 3 | 4 | 5 | 6 | 7 | 8 | 9 | 10 | 11 | 12 |
|---|---|---|---|---|---|---|---|---|---|---|---|---|
| 1 | B | A | D | I | A | N | E | ■ | P | I | A | F |
| 2 | E | V | A | D | E | ■ | O | D | E | N | S | E |
| 3 | L | O | I | ■ | R | E | N | E | S | ■ | A | U |
| 4 | V | I | S | S | E | R | ■ | C | O | I | N | ■ |
| 5 | E | N | ■ | T | R | O | N | E | ■ | V | A | N |
| 6 | D | E | F | I | ■ | D | O | S | E | R | ■ | I |
| 7 | E | ■ | A | P | P | E | L | ■ | G | E | N | E |
| 8 | R | O | D | E | R | ■ | I | C | A | ■ | O | R |
| 9 | E | V | E | ■ | E | S | S | O | R | E | R | ■ |
| 10 | ■ | U | S | I | T | E | ■ | D | E | C | O | R |
| 11 | I | L | ■ | R | E | M | U | E | ■ | R | I | A |
| 12 | F | E | T | E | ■ | A | S | S | A | U | T | S |

## Jour 93

| | 1 | 2 | 3 | 4 | 5 | 6 | 7 | 8 | 9 | 10 | 11 | 12 |
|---|---|---|---|---|---|---|---|---|---|---|---|---|
| 1 | C | H | A | C | O | N | N | E | ■ | S | E | P |
| 2 | R | I | Z | ■ | H | E | A | U | M | E | ■ | I |
| 3 | E | L | U | D | E | R | ■ | R | A | C | L | E |
| 4 | T | A | R | E | ■ | V | O | E | U | ■ | O | C |
| 5 | E | R | ■ | N | A | I | F | ■ | V | O | U | E |
| 6 | L | E | V | I | S | ■ | F | L | E | U | R | ■ |
| 7 | L | ■ | E | M | I | G | R | E | ■ | I | D | E |
| 8 | E | P | I | ■ | L | I | E | V | R | E | ■ | R |
| 9 | ■ | U | N | T | E | L | ■ | R | U | S | E | R |
| 10 | A | R | E | U | ■ | E | G | E | R | ■ | D | O |
| 11 | M | I | ■ | B | E | T | A | ■ | A | V | E | N |
| 12 | E | N | F | E | U | ■ | G | A | L | E | N | E |

## Jour 94

| | 1 | 2 | 3 | 4 | 5 | 6 | 7 | 8 | 9 | 10 | 11 | 12 |
|---|---|---|---|---|---|---|---|---|---|---|---|---|
| 1 | T | A | B | L | E | T | I | E | R | ■ | A | H |
| 2 | E | P | A | U | L | E | R | ■ | A | F | R | O |
| 3 | C | I | T | E | ■ | N | A | E | V | I | ■ | N |
| 4 | T | ■ | E | S | A | U | ■ | P | I | L | E | T |
| 5 | I | C | A | ■ | C | E | C | I | ■ | O | V | E |
| 6 | T | A | U | L | E | ■ | A | N | O | N | E | ■ |
| 7 | E | R | ■ | A | R | A | S | E | R | ■ | N | P |
| 8 | ■ | R | E | V | E | L | E | ■ | P | O | T | E |
| 9 | F | E | V | E | ■ | G | R | O | I | N | ■ | R |
| 10 | L | ■ | A | R | M | E | ■ | I | N | D | I | C |
| 11 | A | R | S | ■ | I | R | U | N | ■ | E | L | U |
| 12 | T | I | E | D | E | ■ | S | T | R | E | S | S |

## Jour 95

| | 1 | 2 | 3 | 4 | 5 | 6 | 7 | 8 | 9 | 10 | 11 | 12 |
|---|---|---|---|---|---|---|---|---|---|---|---|---|
| 1 | C | O | N | T | O | U | R | ■ | A | N | I | S |
| 2 | A | P | I | A | ■ | V | E | U | L | E | ■ | U |
| 3 | P | I | N | C | E | E | ■ | T | O | M | B | E |
| 4 | T | A | ■ | O | V | A | T | E | S | ■ | U | T |
| 5 | I | C | O | N | E | ■ | O | R | E | E | S | ■ |
| 6 | V | E | R | ■ | R | E | N | I | ■ | S | E | E |
| 7 | I | ■ | I | D | E | M | ■ | N | O | S | ■ | R |
| 8 | T | U | N | E | ■ | B | R | E | V | E | T | E |
| 9 | E | H | ■ | F | L | U | O | ■ | I | N | R | I |
| 10 | ■ | L | A | I | E | ■ | T | A | N | ■ | A | N |
| 11 | C | A | R | ■ | G | R | I | P | ■ | H | I | T |
| 12 | A | N | C | I | E | N | ■ | I | M | I | N | E |

## Jour 96

| | 1 | 2 | 3 | 4 | 5 | 6 | 7 | 8 | 9 | 10 | 11 | 12 |
|---|---|---|---|---|---|---|---|---|---|---|---|---|
| 1 | R | E | P | R | I | M | E | R | ■ | S | E | P |
| 2 | A | C | E | ■ | N | O | T | I | C | E | ■ | O |
| 3 | C | U | T | A | N | E | ■ | V | A | C | H | E |
| 4 | A | M | E | R | ■ | R | E | E | R | ■ | I | L |
| 5 | H | E | ■ | M | U | E | S | ■ | P | I | L | E |
| 6 | O | R | V | E | T | ■ | P | I | E | C | E | ■ |
| 7 | U | ■ | O | R | I | G | A | N | ■ | O | S | A |
| 8 | T | R | I | ■ | L | A | R | D | O | N | ■ | S |
| 9 | ■ | O | C | T | E | T | ■ | E | L | E | I | S |
| 10 | E | M | I | R | ■ | T | A | X | E | ■ | L | U |
| 11 | T | A | ■ | I | D | E | M | ■ | U | S | E | R |
| 12 | A | N | O | N | E | ■ | E | R | M | I | T | E |

## Jour 97

| | 1 | 2 | 3 | 4 | 5 | 6 | 7 | 8 | 9 | 10 | 11 | 12 |
|---|---|---|---|---|---|---|---|---|---|---|---|---|
| 1 | B | L | A | I | R | E | A | U | ■ | H | A | N |
| 2 | R | A | L | L | E | R | ■ | S | T | A | G | E |
| 3 | A | I | L | E | ■ | I | S | E | U | T | ■ | N |
| 4 | D | ■ | E | T | A | G | E | ■ | N | E | R | E |
| 5 | E | R | G | ■ | G | E | R | C | E | ■ | U | S |
| 6 | R | I | E | U | R | ■ | V | A | R | I | E | ■ |
| 7 | I | N | ■ | N | E | P | A | L | ■ | D | E | S |
| 8 | E | C | H | E | ■ | A | L | I | S | E | ■ | I |
| 9 | ■ | E | E | S | T | I | ■ | N | O | M | M | E |
| 10 | G | E | L | ■ | R | E | C | E | L | ■ | U | R |
| 11 | U | ■ | E | R | I | N | E | ■ | D | I | O | R |
| 12 | S | E | R | I | N | ■ | S | T | E | R | N | E |

## Jour 98

| | 1 | 2 | 3 | 4 | 5 | 6 | 7 | 8 | 9 | 10 | 11 | 12 |
|---|---|---|---|---|---|---|---|---|---|---|---|---|
| 1 | D | I | S | G | R | A | C | E | ■ | A | G | A |
| 2 | E | B | A | U | B | I | ■ | S | E | B | O | U |
| 3 | C | O | I | R | ■ | D | A | T | T | E | ■ | C |
| 4 | U | ■ | S | U | M | E | N | ■ | A | R | D | U |
| 5 | S | P | I | ■ | A | R | C | O | N | ■ | I | N |
| 6 | S | I | R | E | T | ■ | H | A | G | E | N | ■ |
| 7 | E | N | ■ | C | O | L | E | T | ■ | P | A | F |
| 8 | ■ | C | L | O | N | E | ■ | E | L | U | R | U |
| 9 | B | E | A | T | ■ | C | A | S | E | R | ■ | T |
| 10 | R | ■ | B | E | B | O | P | ■ | R | E | M | I |
| 11 | A | A | R | ■ | A | N | T | A | N | ■ | A | L |
| 12 | S | C | I | O | N | ■ | E | G | E | R | I | E |

## Jour 99

| | 1 | 2 | 3 | 4 | 5 | 6 | 7 | 8 | 9 | 10 | 11 | 12 |
|---|---|---|---|---|---|---|---|---|---|---|---|---|
| 1 | A | T | L | A | N | T | I | D | E | ■ | A | S |
| 2 | F | A | I | S | E | U | R | ■ | R | A | M | I |
| 3 | F | U | T | E | ■ | T | A | R | I | F | ■ | G |
| 4 | A | ■ | E | S | A | U | ■ | E | C | R | A | N |
| 5 | L | I | A | ■ | I | S | B | A | ■ | O | D | E |
| 6 | E | T | U | I | S | ■ | A | L | I | ■ | A | T |
| 7 | R | E | ■ | L | E | G | S | ■ | S | A | M | ■ |
| 8 | ■ | M | O | I | S | I | ■ | A | A | R | O | N |
| 9 | A | S | S | E | ■ | T | E | R | R | E | ■ | O |
| 10 | L | ■ | I | N | F | A | M | E | ■ | C | O | U |
| 11 | L | A | D | ■ | I | N | I | N | I | ■ | H | E |
| 12 | O | C | E | A | N | ■ | R | A | N | G | E | R |

# Solutions

## Jour 100

| | 1 | 2 | 3 | 4 | 5 | 6 | 7 | 8 | 9 | 10 | 11 | 12 |
|---|---|---|---|---|---|---|---|---|---|---|---|---|
| 1 | B | R | A | V | A | C | H | E | ■ | E | R | S |
| 2 | L | E | A | U | ■ | A | A | R | O | N | ■ | I |
| 3 | A | T | R | E | S | ■ | L | E | S | T | E | S |
| 4 | I | R | ■ | S | A | I | E | ■ | I | E | N | A |
| 5 | R | O | B | ■ | G | R | E | L | E | ■ | E | L |
| 6 | E | ■ | A | V | E | U | ■ | A | R | U | M | ■ |
| 7 | A | I | R | E | ■ | N | O | M | ■ | S | A | C |
| 8 | U | D | I | N | E | ■ | D | E | F | I | ■ | A |
| 9 | ■ | E | L | E | G | I | E | ■ | O | T | S | U |
| 10 | M | A | ■ | R | A | S | S | U | R | E | E | S |
| 11 | A | L | T | E | R | E | ■ | P | E | S | E | E |
| 12 | L | E | E | ■ | D | O | R | I | S | ■ | S | R |

## Jour 101

| | 1 | 2 | 3 | 4 | 5 | 6 | 7 | 8 | 9 | 10 | 11 | 12 |
|---|---|---|---|---|---|---|---|---|---|---|---|---|
| 1 | C | R | E | T | E | L | L | E | ■ | A | N | A |
| 2 | H | A | L | I | T | E | ■ | C | A | L | E | R |
| 3 | A | B | E | R | ■ | B | O | U | G | E | ■ | I |
| 4 | R | ■ | G | E | R | E | R | ■ | R | A | I | D |
| 5 | R | A | I | ■ | O | L | I | V | E | ■ | D | E |
| 6 | I | D | E | E | L | ■ | G | A | S | P | E | ■ |
| 7 | E | R | ■ | M | E | T | A | L | ■ | A | M | E |
| 8 | R | O | S | E | ■ | I | N | I | N | I | ■ | X |
| 9 | ■ | I | N | U | L | E | ■ | D | O | N | N | E |
| 10 | S | T | O | ■ | O | R | V | E | T | ■ | E | R |
| 11 | E | ■ | B | A | I | S | E | ■ | E | T | O | C |
| 12 | P | L | E | I | N | ■ | R | E | S | I | N | E |

## Jour 102

| | 1 | 2 | 3 | 4 | 5 | 6 | 7 | 8 | 9 | 10 | 11 | 12 |
|---|---|---|---|---|---|---|---|---|---|---|---|---|
| 1 | M | A | L | A | N | D | R | I | N | ■ | F | E |
| 2 | I | N | A | V | O | U | E | ■ | I | B | I | S |
| 3 | D | O | S | E | R | ■ | C | U | B | E | ■ | B |
| 4 | S | U | S | ■ | I | R | U | N | ■ | E | D | O |
| 5 | H | ■ | E | T | A | I | ■ | A | C | R | E | ■ |
| 6 | I | V | R | E | ■ | S | A | U | R | ■ | N | A |
| 7 | P | O | ■ | L | A | I | D | ■ | I | R | I | S |
| 8 | ■ | I | S | L | E | ■ | E | T | N | A | ■ | S |
| 9 | A | X | E | ■ | D | U | N | E | ■ | I | D | E |
| 10 | R | ■ | A | V | E | N | ■ | M | O | L | A | ■ |
| 11 | D | O | U | E | ■ | I | S | A | R | ■ | I | L |
| 12 | U | N | ■ | R | A | R | E | ■ | B | O | M | E |

## Jour 103

| | 1 | 2 | 3 | 4 | 5 | 6 | 7 | 8 | 9 | 10 | 11 | 12 |
|---|---|---|---|---|---|---|---|---|---|---|---|---|
| 1 | P | E | R | I | C | A | R | P | E | ■ | A | M |
| 2 | A | D | E | N | I | T | E | ■ | D | I | T | O |
| 3 | L | O | I | R | ■ | O | A | S | I | S | ■ | Y |
| 4 | A | ■ | T | I | E | N | ■ | O | T | A | G | E |
| 5 | D | E | R | ■ | O | E | I | L | ■ | T | I | N |
| 6 | I | D | E | E | L | ■ | V | E | T | I | R | ■ |
| 7 | N | I | ■ | M | E | I | R | ■ | U | S | A | S |
| 8 | ■ | S | P | I | ■ | N | E | O | N | ■ | F | A |
| 9 | F | O | U | R | B | U | ■ | B | I | S | E | T |
| 10 | U | N | I | ■ | A | L | A | I | S | E | ■ | I |
| 11 | T | ■ | N | I | V | E | L | E | ■ | M | E | R |
| 12 | E | B | E | N | E | ■ | I | R | R | I | T | E |

## Jour 104

| | 1 | 2 | 3 | 4 | 5 | 6 | 7 | 8 | 9 | 10 | 11 | 12 |
|---|---|---|---|---|---|---|---|---|---|---|---|---|
| 1 | E | S | T | A | G | N | O | N | ■ | S | A | C |
| 2 | N | A | U | S | E | E | ■ | O | S | C | A | R |
| 3 | G | I | T | E | ■ | N | A | N | T | I | ■ | I |
| 4 | L | ■ | E | R | I | N | E | ■ | A | E | R | E |
| 5 | O | N | U | ■ | T | I | T | A | N | ■ | I | R |
| 6 | B | E | R | C | E | ■ | I | N | D | E | X | ■ |
| 7 | E | R | ■ | I | M | I | T | E | ■ | T | E | S |
| 8 | R | O | L | E | ■ | S | E | M | E | R | ■ | I |
| 9 | ■ | L | I | L | A | S | ■ | I | L | E | O | N |
| 10 | V | I | S | ■ | P | U | R | E | E | ■ | R | I |
| 11 | I | ■ | T | E | T | E | E | ■ | I | S | I | S |
| 12 | A | L | E | N | E | ■ | A | S | S | E | N | E |

## Jour 105

| | 1 | 2 | 3 | 4 | 5 | 6 | 7 | 8 | 9 | 10 | 11 | 12 |
|---|---|---|---|---|---|---|---|---|---|---|---|---|
| 1 | P | A | I | L | L | A | R | D | ■ | E | T | A |
| 2 | E | R | R | E | U | R | ■ | E | I | D | E | R |
| 3 | R | A | I | S | ■ | B | A | R | D | A | ■ | D |
| 4 | G | ■ | S | E | V | I | R | ■ | E | M | B | U |
| 5 | O | P | E | ■ | I | L | O | T | E | ■ | E | S |
| 6 | L | O | R | I | S | ■ | B | A | L | E | N | ■ |
| 7 | A | U | ■ | C | E | D | E | R | ■ | P | E | P |
| 8 | ■ | P | H | A | R | E | ■ | E | P | I | T | E |
| 9 | B | E | U | R | ■ | M | A | T | I | N | ■ | G |
| 10 | O | ■ | R | E | N | O | N | ■ | G | E | R | A |
| 11 | B | A | L | ■ | E | N | G | I | N | ■ | A | S |
| 12 | O | L | E | U | M | ■ | E | L | E | G | I | E |

## Jour 106

| | 1 | 2 | 3 | 4 | 5 | 6 | 7 | 8 | 9 | 10 | 11 | 12 |
|---|---|---|---|---|---|---|---|---|---|---|---|---|
| 1 | B | U | V | E | T | T | E | ■ | H | A | S | E |
| 2 | A | R | A | ■ | L | I | P | P | E | ■ | T | H |
| 3 | I | B | I | S | ■ | S | I | L | I | C | E | ■ |
| 4 | S | A | N | I | E | S | ■ | I | N | U | L | E |
| 5 | S | I | ■ | G | R | U | G | E | ■ | V | E | R |
| 6 | I | N | I | N | I | ■ | O | R | G | E | ■ | R |
| 7 | E | ■ | D | E | G | A | T | ■ | A | R | I | A |
| 8 | R | E | E | ■ | E | G | O | U | T | ■ | N | I |
| 9 | E | M | E | T | ■ | I | N | S | E | R | E | ■ |
| 10 | ■ | P | L | A | N | T | ■ | U | S | A | G | E |
| 11 | D | A | ■ | L | U | E | U | R | ■ | M | A | T |
| 12 | U | N | T | E | L | ■ | S | E | N | I | L | E |

## Jour 107

| | 1 | 2 | 3 | 4 | 5 | 6 | 7 | 8 | 9 | 10 | 11 | 12 |
|---|---|---|---|---|---|---|---|---|---|---|---|---|
| 1 | I | M | P | O | R | T | U | N | ■ | A | C | E |
| 2 | N | A | R | R | E | R | ■ | O | A | S | I | S |
| 3 | S | S | E | ■ | C | I | T | E | R | ■ | V | E |
| 4 | I | O | U | L | E | ■ | O | L | I | V | E | ■ |
| 5 | P | ■ | V | A | L | E | T | ■ | D | O | T | E |
| 6 | I | D | E | M | ■ | B | A | S | E | R | ■ | M |
| 7 | D | A | ■ | B | E | L | L | E | ■ | A | P | I |
| 8 | E | R | M | I | T | E | ■ | L | A | C | E | R |
| 9 | ■ | N | O | N | E | ■ | G | O | R | E | T | ■ |
| 10 | S | E | N | ■ | T | E | R | N | E | ■ | I | L |
| 11 | U | ■ | D | I | E | T | E | ■ | N | O | T | E |
| 12 | C | H | E | R | ■ | C | E | T | A | C | E | S |

## Jour 108

| | 1 | 2 | 3 | 4 | 5 | 6 | 7 | 8 | 9 | 10 | 11 | 12 |
|---|---|---|---|---|---|---|---|---|---|---|---|---|
| 1 | R | A | M | A | D | A | N | ■ | I | N | D | E |
| 2 | E | G | O | ■ | I | N | D | U | S | ■ | A | S |
| 3 | V | O | L | C | A | N | ■ | G | E | A | N | T |
| 4 | U | N | A | U | ■ | A | P | I | O | L | ■ | O |
| 5 | L | I | ■ | L | I | M | A | N | ■ | B | I | C |
| 6 | S | E | C | T | E | ■ | S | E | B | U | M | ■ |
| 7 | E | ■ | R | E | P | O | S | ■ | A | M | A | S |
| 8 | R | E | A | ■ | E | L | E | I | S | ■ | G | A |
| 9 | ■ | I | N | A | R | I | ■ | L | I | N | E | R |
| 10 | O | D | E | R | ■ | V | A | I | N | E | ■ | I |
| 11 | D | E | ■ | A | V | E | R | E | ■ | B | A | N |
| 12 | E | R | I | C | E | ■ | E | N | C | O | R | E |

# Solutions

## Jour 109

| | 1 | 2 | 3 | 4 | 5 | 6 | 7 | 8 | 9 | 10 | 11 | 12 |
|---|---|---|---|---|---|---|---|---|---|---|---|---|
| 1 | L | U | M | I | N | I | S | T | E | ■ | G | A |
| 2 | O | P | A | L | I | N | E | ■ | D | A | I | M |
| 3 | R | A | Z | ■ | C | O | U | T | E | R | ■ | A |
| 4 | E | S | O | P | E | ■ | R | I | N | C | E | R |
| 5 | T | ■ | U | R | E | T | R | E | ■ | S | P | I |
| 6 | T | E | T | U | ■ | A | E | R | E | ■ | A | L |
| 7 | E | T | ■ | D | U | R | ■ | S | C | A | T | ■ |
| 8 | ■ | A | V | E | N | I | R | ■ | R | E | E | R |
| 9 | I | L | A | ■ | I | N | E | D | I | T | ■ | A |
| 10 | D | E | L | I | T | ■ | D | E | N | I | E | R |
| 11 | E | ■ | E | R | E | V | A | N | ■ | T | U | E |
| 12 | M | A | T | E | ■ | E | N | T | R | E | E | S |

## Jour 110

| | 1 | 2 | 3 | 4 | 5 | 6 | 7 | 8 | 9 | 10 | 11 | 12 |
|---|---|---|---|---|---|---|---|---|---|---|---|---|
| 1 | L | A | R | D | O | I | R | E | ■ | A | L | E |
| 2 | I | L | A | ■ | U | L | U | L | E | R | ■ | T |
| 3 | V | E | R | I | T | E | ■ | I | S | S | U | E |
| 4 | I | V | E | S | ■ | U | N | E | S | ■ | S | U |
| 5 | D | I | ■ | O | S | S | U | ■ | O | E | U | F |
| 6 | I | N | U | L | E | ■ | L | A | R | M | E | ■ |
| 7 | T | ■ | R | E | M | P | L | I | ■ | E | L | U |
| 8 | E | A | U | ■ | E | L | E | G | I | R | ■ | T |
| 9 | ■ | S | B | I | R | E | ■ | R | U | I | N | E |
| 10 | S | I | U | M | ■ | B | R | E | L | ■ | E | R |
| 11 | A | L | ■ | B | L | E | U | ■ | E | C | R | U |
| 12 | C | E | L | U | I | ■ | T | I | S | S | E | S |

## Jour 111

| | 1 | 2 | 3 | 4 | 5 | 6 | 7 | 8 | 9 | 10 | 11 | 12 |
|---|---|---|---|---|---|---|---|---|---|---|---|---|
| 1 | T | A | M | O | U | R | E | ■ | I | B | I | S |
| 2 | R | A | I | S | ■ | E | V | I | D | E | N | T |
| 3 | A | R | E | T | E | ■ | E | V | E | N | T | ■ |
| 4 | N | E | T | ■ | P | A | I | R | E | ■ | E | L |
| 5 | S | ■ | T | A | I | L | L | E | ■ | A | G | I |
| 6 | A | D | E | P | T | E | ■ | S | A | C | R | E |
| 7 | T | I | ■ | T | R | A | C | ■ | L | I | E | R |
| 8 | ■ | U | R | E | E | ■ | E | R | I | E | ■ | R |
| 9 | C | R | I | ■ | S | O | D | A | ■ | R | A | E |
| 10 | E | N | E | E | ■ | P | E | N | S | E | R | ■ |
| 11 | L | E | U | R | R | E | ■ | G | O | ■ | A | A |
| 12 | A | ■ | R | E | U | N | I | S | S | E | N | T |

## Jour 112

| | 1 | 2 | 3 | 4 | 5 | 6 | 7 | 8 | 9 | 10 | 11 | 12 |
|---|---|---|---|---|---|---|---|---|---|---|---|---|
| 1 | F | I | O | R | I | T | U | R | E | ■ | A | R |
| 2 | A | T | T | I | R | E | R | ■ | H | E | R | E |
| 3 | C | O | I | ■ | I | L | E | T | ■ | T | A | S |
| 4 | T | U | T | U | S | ■ | S | A | G | A | ■ | C |
| 5 | I | ■ | E | L | E | E | ■ | P | A | L | I | R |
| 6 | C | A | S | E | ■ | S | U | E | Z | ■ | M | I |
| 7 | E | L | ■ | M | U | E | T | ■ | E | D | I | T |
| 8 | ■ | P | L | A | N | ■ | A | D | R | E | T | ■ |
| 9 | F | E | U | ■ | E | C | H | O | ■ | N | E | F |
| 10 | E | ■ | L | I | S | E | ■ | M | A | T | ■ | I |
| 11 | T | O | U | S | ■ | C | H | E | R | ■ | A | S |
| 12 | A | R | ■ | E | R | I | E | ■ | C | R | I | C |

## Jour 113

| | 1 | 2 | 3 | 4 | 5 | 6 | 7 | 8 | 9 | 10 | 11 | 12 |
|---|---|---|---|---|---|---|---|---|---|---|---|---|
| 1 | C | A | B | E | S | T | A | N | ■ | B | L | E |
| 2 | E | M | A | C | I | E | ■ | O | B | L | A | T |
| 3 | L | E | U | R | ■ | L | A | M | I | E | ■ | H |
| 4 | L | ■ | D | U | P | E | R | ■ | D | U | N | E |
| 5 | U | R | E | ■ | E | X | I | L | E | ■ | E | R |
| 6 | L | I | T | E | R | ■ | S | I | T | A | R | ■ |
| 7 | A | G | ■ | X | E | R | E | S | ■ | L | E | T |
| 8 | R | O | T | I | ■ | O | R | I | E | L | ■ | R |
| 9 | ■ | L | U | T | I | N | ■ | E | L | O | G | E |
| 10 | E | O | N | ■ | S | C | A | R | E | ■ | E | N |
| 11 | U | ■ | E | V | I | E | R | ■ | V | I | N | E |
| 12 | X | E | R | U | S | ■ | C | H | E | N | E | T |

## Jour 114

| | 1 | 2 | 3 | 4 | 5 | 6 | 7 | 8 | 9 | 10 | 11 | 12 |
|---|---|---|---|---|---|---|---|---|---|---|---|---|
| 1 | B | A | L | A | D | E | S | ■ | H | A | U | T |
| 2 | I | L | A | ■ | E | L | I | T | E | ■ | S | E |
| 3 | G | O | I | T | R | E | ■ | R | U | E | ■ | T |
| 4 | O | S | ■ | A | N | E | T | O | ■ | T | H | E |
| 5 | R | E | P | L | I | ■ | R | U | I | N | E | ■ |
| 6 | N | ■ | A | C | E | R | E | ■ | D | A | I | M |
| 7 | E | P | I | ■ | R | A | M | P | E | ■ | N | O |
| 8 | A | I | N | E | ■ | P | I | L | E | T | ■ | U |
| 9 | U | N | ■ | C | R | I | E | E | ■ | E | V | E |
| 10 | ■ | C | O | R | A | N | ■ | I | S | L | E | ■ |
| 11 | S | E | R | U | M | ■ | A | N | A | ■ | L | E |
| 12 | A | R | E | ■ | I | L | S | ■ | C | E | U | X |

## Jour 115

| | 1 | 2 | 3 | 4 | 5 | 6 | 7 | 8 | 9 | 10 | 11 | 12 |
|---|---|---|---|---|---|---|---|---|---|---|---|---|
| 1 | D | E | R | E | G | L | E | R | ■ | P | A | R |
| 2 | O | M | I | S | ■ | I | D | E | A | L | ■ | U |
| 3 | L | E | S | T | E | R | ■ | C | R | I | S | E |
| 4 | E | U | ■ | O | T | E | L | L | O | ■ | T | E |
| 5 | A | T | A | C | A | ■ | A | U | L | N | E | ■ |
| 6 | N | E | O | ■ | N | E | T | S | ■ | I | N | C |
| 7 | C | ■ | R | A | G | O | T | ■ | F | L | O | U |
| 8 | E | S | T | E | ■ | L | E | G | A | L | ■ | I |
| 9 | ■ | N | E | R | V | I | ■ | R | I | E | N | S |
| 10 | M | O | ■ | E | L | E | G | I | R | ■ | U | S |
| 11 | A | B | U | S | A | ■ | A | S | E | L | L | E |
| 12 | L | E | V | ■ | N | A | G | E | ■ | A | S | ■ |

## Jour 116

| | 1 | 2 | 3 | 4 | 5 | 6 | 7 | 8 | 9 | 10 | 11 | 12 |
|---|---|---|---|---|---|---|---|---|---|---|---|---|
| 1 | A | C | T | U | A | L | I | S | E | ■ | T | E |
| 2 | V | A | U | R | I | E | N | ■ | D | A | I | S |
| 3 | A | R | M | E | ■ | B | O | C | A | L | ■ | P |
| 4 | C | ■ | E | S | S | E | ■ | O | M | E | G | A |
| 5 | H | E | U | ■ | I | L | O | T | ■ | V | E | R |
| 6 | I | V | R | E | S | ■ | P | E | P | I | N | ■ |
| 7 | R | A | ■ | M | E | L | E | ■ | U | N | E | S |
| 8 | ■ | S | P | A | ■ | I | N | T | I | ■ | P | U |
| 9 | H | E | R | I | T | E | ■ | A | S | P | I | C |
| 10 | A | ■ | O | L | E | ■ | B | L | E | U | ■ | C |
| 11 | S | A | I | ■ | S | C | I | E | ■ | R | E | E |
| 12 | E | M | E | U | T | E | ■ | R | I | E | N | S |

## Jour 117

| | 1 | 2 | 3 | 4 | 5 | 6 | 7 | 8 | 9 | 10 | 11 | 12 |
|---|---|---|---|---|---|---|---|---|---|---|---|---|
| 1 | B | A | L | A | N | C | E | ■ | A | R | C | S |
| 2 | I | L | I | ■ | O | A | S | I | S | ■ | H | S |
| 3 | P | E | S | A | N | T | ■ | C | O | K | E | ■ |
| 4 | A | R | E | C | ■ | I | L | A | ■ | O | R | B |
| 5 | R | I | ■ | T | U | N | E | ■ | P | R | I | E |
| 6 | T | O | L | E | T | ■ | U | V | E | E | ■ | T |
| 7 | I | N | O | ■ | A | P | R | E | S | ■ | F | A |
| 8 | T | ■ | S | O | H | O | ■ | L | E | V | I | ■ |
| 9 | E | M | E | U | ■ | I | R | E | ■ | O | D | E |
| 10 | ■ | E | R | R | O | N | E | ■ | B | L | E | D |
| 11 | M | I | ■ | S | U | T | U | R | E | ■ | L | I |
| 12 | G | R | I | E | F | ■ | S | E | C | R | E | T |

# Solutions

## Jour 118

| | 1 | 2 | 3 | 4 | 5 | 6 | 7 | 8 | 9 | 10 | 11 | 12 |
|---|---|---|---|---|---|---|---|---|---|---|---|---|
| 1 | D | I | S | P | O | S | E | R | ■ | D | I | A |
| 2 | E | N | E | E | ■ | T | R | E | V | E | ■ | M |
| 3 | C | E | N | T | R | E | ■ | G | U | S | S | E |
| 4 | A | G | ■ | R | O | M | P | R | E | ■ | U | N |
| 5 | L | A | C | I | S | ■ | L | E | S | E | R | ■ |
| 6 | A | L | I | ■ | T | O | U | T | ■ | F | I | L |
| 7 | G | ■ | V | O | I | C | I | ■ | A | F | R | O |
| 8 | E | X | I | L | ■ | T | E | M | P | E | ■ | U |
| 9 | ■ | E | L | I | T | E | ■ | A | P | T | E | S |
| 10 | O | R | ■ | V | I | T | A | L | E | ■ | U | T |
| 11 | S | U | R | E | T | ■ | P | I | L | O | R | I |
| 12 | T | S | U | ■ | O | R | I | N | ■ | S | E | C |

## Jour 119

| | 1 | 2 | 3 | 4 | 5 | 6 | 7 | 8 | 9 | 10 | 11 | 12 |
|---|---|---|---|---|---|---|---|---|---|---|---|---|
| 1 | E | F | F | I | C | A | C | E | ■ | A | R | A |
| 2 | M | A | U | S | E | R | ■ | R | A | G | E | R |
| 3 | B | R | I | S | ■ | M | U | S | L | I | ■ | A |
| 4 | A | ■ | T | U | N | E | R | ■ | G | R | I | S |
| 5 | L | E | E | ■ | E | R | I | G | E | ■ | B | E |
| 6 | L | O | S | E | R | ■ | N | E | R | V | I | ■ |
| 7 | E | S | ■ | N | E | P | A | L | ■ | O | S | T |
| 8 | R | I | V | E | ■ | E | L | U | D | E | ■ | O |
| 9 | ■ | N | O | E | U | D | ■ | R | E | U | N | I |
| 10 | M | E | C | ■ | P | U | R | E | S | ■ | O | S |
| 11 | A | ■ | A | L | A | M | O | ■ | I | G | N | E |
| 12 | C | O | L | I | S | ■ | C | A | R | I | E | R |

## Jour 120

| | 1 | 2 | 3 | 4 | 5 | 6 | 7 | 8 | 9 | 10 | 11 | 12 |
|---|---|---|---|---|---|---|---|---|---|---|---|---|
| 1 | C | A | L | A | M | I | T | E | ■ | S | E | E |
| 2 | O | B | I | T | ■ | F | A | C | H | E | ■ | T |
| 3 | G | A | N | T | S | ■ | I | R | O | N | I | E |
| 4 | I | C | A | ■ | O | D | E | O | N | ■ | S | R |
| 5 | T | A | I | L | L | E | ■ | U | N | I | O | N |
| 6 | E | ■ | R | I | S | S | O | L | E | S | ■ | I |
| 7 | R | H | E | A | ■ | S | U | E | T | T | E | S |
| 8 | ■ | A | S | S | A | U | T | ■ | E | H | ■ | E |
| 9 | I | L | ■ | S | E | S | ■ | L | ■ | M | E | R |
| 10 | S | E | M | E | R | ■ | F | I | L | E | R | ■ |
| 11 | E | T | A | ■ | E | L | I | M | E | ■ | R | I |
| 12 | O | E | S | T | R | E | ■ | E | T | H | E | R |

## Jour 121

| | 1 | 2 | 3 | 4 | 5 | 6 | 7 | 8 | 9 | 10 | 11 | 12 |
|---|---|---|---|---|---|---|---|---|---|---|---|---|
| 1 | D | E | B | O | U | C | H | E | ■ | A | R | S |
| 2 | I | P | E | ■ | S | A | I | S | I | R | ■ | U |
| 3 | S | U | L | T | A | N | ■ | A | S | T | E | R |
| 4 | G | R | E | E | ■ | O | B | U | S | ■ | X | I |
| 5 | R | E | ■ | N | I | E | R | ■ | U | N | I | R |
| 6 | A | R | I | D | E | ■ | I | D | E | E | L | ■ |
| 7 | C | ■ | C | U | P | I | D | E | ■ | G | E | L |
| 8 | E | C | O | ■ | E | P | E | L | E | R | ■ | I |
| 9 | ■ | A | N | C | R | E | ■ | A | N | O | N | E |
| 10 | F | U | E | L | ■ | C | A | I | D | ■ | A | S |
| 11 | E | S | ■ | O | R | A | L | ■ | O | M | I | S |
| 12 | R | E | V | U | E | ■ | E | O | S | I | N | E |

## Jour 122

| | 1 | 2 | 3 | 4 | 5 | 6 | 7 | 8 | 9 | 10 | 11 | 12 |
|---|---|---|---|---|---|---|---|---|---|---|---|---|
| 1 | G | A | B | A | R | R | E | ■ | B | R | E | F |
| 2 | O | V | E | ■ | H | O | N | T | E | ■ | P | O |
| 3 | N | A | T | I | O | N | ■ | O | A | S | I | S |
| 4 | F | R | E | T | ■ | D | E | L | T | A | ■ | S |
| 5 | L | I | ■ | E | M | E | S | E | ■ | I | D | E |
| 6 | E | C | U | M | E | ■ | T | R | O | N | E | ■ |
| 7 | T | E | S | ■ | T | A | R | E | T | ■ | F | A |
| 8 | T | ■ | I | N | S | T | I | ■ | A | N | I | S |
| 9 | E | S | T | E | ■ | H | E | R | G | E | ■ | T |
| 10 | ■ | T | E | R | M | E | ■ | I | E | P | E | R |
| 11 | D | A | ■ | V | I | E | L | E | ■ | A | C | E |
| 12 | O | R | T | I | E | ■ | I | N | C | L | U | S |

## Jour 123

| | 1 | 2 | 3 | 4 | 5 | 6 | 7 | 8 | 9 | 10 | 11 | 12 |
|---|---|---|---|---|---|---|---|---|---|---|---|---|
| 1 | M | A | D | A | P | O | L | A | M | ■ | F | I |
| 2 | E | P | I | G | O | N | E | ■ | O | R | A | N |
| 3 | U | R | G | E | R | ■ | N | O | N | E | ■ | C |
| 4 | G | E | O | ■ | T | I | A | N | ■ | A | B | A |
| 5 | L | ■ | N | E | O | N | ■ | C | O | C | O | ■ |
| 6 | E | S | S | O | ■ | O | N | E | X | ■ | N | E |
| 7 | R | A | ■ | L | U | X | E | ■ | E | T | O | C |
| 8 | ■ | F | I | E | L | ■ | P | A | R | E | ■ | H |
| 9 | B | I | S | ■ | V | O | E | U | ■ | S | P | A |
| 10 | A | ■ | L | I | E | N | ■ | R | O | T | I | N |
| 11 | B | I | E | F | ■ | D | R | A | P | ■ | A | G |
| 12 | A | N | ■ | E | P | E | E | ■ | E | L | F | E |

## Jour 124

| | 1 | 2 | 3 | 4 | 5 | 6 | 7 | 8 | 9 | 10 | 11 | 12 |
|---|---|---|---|---|---|---|---|---|---|---|---|---|
| 1 | L | U | G | U | B | R | E | ■ | S | A | U | R |
| 2 | E | R | E | S | ■ | A | L | T | E | R | N | E |
| 3 | O | N | ■ | U | T | I | L | E | ■ | O | I | L |
| 4 | P | E | T | E | R | ■ | E | T | A | L | ■ | A |
| 5 | A | S | I | L | E | S | ■ | E | V | E | R | T |
| 6 | R | ■ | E | S | S | E | S | ■ | A | S | I | E |
| 7 | D | O | N | ■ | S | E | U | I | L | ■ | S | R |
| 8 | ■ | I | S | L | E | ■ | I | S | E | R | E | ■ |
| 9 | O | S | ■ | A | R | E | T | E | ■ | A | E | G |
| 10 | P | E | U | R | ■ | C | E | R | F | S | ■ | R |
| 11 | E | ■ | R | E | C | U | ■ | A | L | E | N | E |
| 12 | N | O | E | ■ | A | S | A | N | A | ■ | E | S |

## Jour 125

| | 1 | 2 | 3 | 4 | 5 | 6 | 7 | 8 | 9 | 10 | 11 | 12 |
|---|---|---|---|---|---|---|---|---|---|---|---|---|
| 1 | O | P | E | R | C | U | L | E | ■ | P | A | F |
| 2 | M | U | S | O | I | R | ■ | T | E | T | R | A |
| 3 | B | R | E | N | ■ | U | B | A | C | ■ | U | V |
| 4 | R | I | ■ | D | O | S | E | ■ | O | R | M | E |
| 5 | I | N | D | I | C | ■ | R | I | T | E | ■ | U |
| 6 | N | ■ | I | N | R | I | ■ | S | E | V | I | R |
| 7 | E | D | E | ■ | E | N | N | A | ■ | E | X | ■ |
| 8 | ■ | E | U | H | ■ | D | O | R | E | ■ | I | F |
| 9 | W | U | ■ | I | R | U | N | ■ | C | H | A | I |
| 10 | E | X | I | L | E | ■ | E | C | R | U | ■ | E |
| 11 | L | ■ | L | E | U | R | ■ | R | I | M | E | R |
| 12 | S | P | I | ■ | S | U | R | I | N | ■ | H | S |

## Jour 126

| | 1 | 2 | 3 | 4 | 5 | 6 | 7 | 8 | 9 | 10 | 11 | 12 |
|---|---|---|---|---|---|---|---|---|---|---|---|---|
| 1 | H | A | L | L | I | E | R | ■ | F | L | I | C |
| 2 | O | R | E | E | ■ | S | A | C | R | A | ■ | I |
| 3 | R | A | S | S | I | S | ■ | H | I | S | S | E |
| 4 | R | I | ■ | E | P | E | L | E | R | ■ | I | L |
| 5 | I | R | I | S | E | ■ | A | R | E | N | A | ■ |
| 6 | F | E | R | ■ | C | A | V | E | ■ | I | L | E |
| 7 | I | ■ | R | E | A | L | E | ■ | E | D | I | T |
| 8 | E | R | I | N | ■ | P | R | I | X | ■ | S | A |
| 9 | R | A | T | I | N | E | ■ | C | I | L | ■ | G |
| 10 | ■ | L | E | G | O | ■ | A | T | T | I | S | E |
| 11 | D | E | ■ | M | E | R | L | U | ■ | M | E | R |
| 12 | O | R | L | E | ■ | D | E | S | S | A | L | E |

# Solutions

## Jour 127

| | 1 | 2 | 3 | 4 | 5 | 6 | 7 | 8 | 9 | 10 | 11 | 12 |
|---|---|---|---|---|---|---|---|---|---|---|---|---|
| 1 | P | E | R | P | L | E | X | E | ■ | M | I | R |
| 2 | A | M | A | R | I | L | ■ | R | A | I | R | E |
| 3 | I | S | L | E | ■ | V | A | G | I | R | ■ | J |
| 4 | L | ■ | E | S | S | E | N | ■ | R | O | L | E |
| 5 | L | E | U | ■ | O | N | G | L | E | ■ | E | T |
| 6 | E | C | R | A | N | ■ | L | A | R | M | E | ■ |
| 7 | T | U | ■ | H | A | G | E | N | ■ | A | R | C |
| 8 | ■ | L | I | U | R | E | ■ | C | E | S | S | E |
| 9 | H | E | U | R | ■ | A | M | E | N | E | ■ | R |
| 10 | O | ■ | L | I | A | N | E | ■ | F | R | A | C |
| 11 | I | D | E | ■ | S | T | A | S | E | ■ | I | L |
| 12 | R | O | S | S | E | ■ | T | R | U | B | L | E |

## Jour 128

| | 1 | 2 | 3 | 4 | 5 | 6 | 7 | 8 | 9 | 10 | 11 | 12 |
|---|---|---|---|---|---|---|---|---|---|---|---|---|
| 1 | E | C | O | N | D | U | I | R | E | ■ | U | S |
| 2 | M | A | N | O | I | R | S | ■ | G | E | N | T |
| 3 | I | S | E | U | T | ■ | O | N | E | X | ■ | O |
| 4 | S | ■ | T | E | E | S | ■ | O | R | I | E | L |
| 5 | S | O | T | ■ | S | A | P | E | ■ | L | R | ■ |
| 6 | O | B | I | T | ■ | K | I | L | T | ■ | N | I |
| 7 | L | E | ■ | O | T | E | R | ■ | A | P | E | X |
| 8 | E | R | A | T | O | ■ | E | M | I | R | ■ | I |
| 9 | ■ | E | C | O | T | E | ■ | O | N | E | G | A |
| 10 | A | R | C | ■ | O | T | S | U | ■ | V | A | ■ |
| 11 | R | ■ | E | N | N | U | I | ■ | A | U | R | A |
| 12 | S | U | S | E | ■ | I | R | I | S | ■ | E | N |

## Jour 129

| | 1 | 2 | 3 | 4 | 5 | 6 | 7 | 8 | 9 | 10 | 11 | 12 |
|---|---|---|---|---|---|---|---|---|---|---|---|---|
| 1 | I | G | N | O | M | I | N | I | E | ■ | I | F |
| 2 | N | E | U | R | O | N | E | ■ | N | E | N | E |
| 3 | C | L | E | ■ | M | O | M | E | N | T | ■ | T |
| 4 | U | ■ | E | D | E | N | ■ | S | U | E | R | A |
| 5 | L | E | S | E | ■ | D | E | S | I | R | E | ■ |
| 6 | P | S | ■ | T | H | E | T | A | ■ | N | E | S |
| 7 | E | P | A | T | E | ■ | A | I | M | E | ■ | I |
| 8 | ■ | A | V | E | R | T | I | ■ | I | L | E | T |
| 9 | C | R | I | ■ | S | E | N | N | E | ■ | O | U |
| 10 | I | ■ | S | I | E | N | ■ | A | N | O | N | E |
| 11 | T | A | E | L | ■ | T | I | S | S | U | ■ | E |
| 12 | E | N | ■ | S | U | E | D | E | ■ | T | A | S |

## Jour 130

| | 1 | 2 | 3 | 4 | 5 | 6 | 7 | 8 | 9 | 10 | 11 | 12 |
|---|---|---|---|---|---|---|---|---|---|---|---|---|
| 1 | R | E | N | D | E | M | E | N | T | ■ | Z | R |
| 2 | A | D | O | U | C | I | R | ■ | A | B | E | E |
| 3 | D | I | N | E | R | ■ | A | L | G | O | L | ■ |
| 4 | I | L | ■ | T | U | T | T | I | ■ | L | E | K |
| 5 | C | E | N | T | ■ | A | O | U | T | E | ■ | I |
| 6 | U | ■ | E | O | L | E | ■ | R | A | T | T | E |
| 7 | L | I | N | ■ | I | L | M | E | N | ■ | I | V |
| 8 | E | C | I | M | E | ■ | O | S | C | A | R | ■ |
| 9 | ■ | T | E | I | N | T | E | ■ | E | D | E | N |
| 10 | M | E | S | S | ■ | E | R | D | R | E | ■ | A |
| 11 | I | R | ■ | T | E | T | E | E | ■ | N | O | S |
| 12 | R | E | S | I | D | U | ■ | S | I | T | U | E |

## Jour 131

| | 1 | 2 | 3 | 4 | 5 | 6 | 7 | 8 | 9 | 10 | 11 | 12 |
|---|---|---|---|---|---|---|---|---|---|---|---|---|
| 1 | P | E | C | H | E | T | T | E | ■ | M | I | L |
| 2 | A | B | O | U | T | I | ■ | M | A | G | M | A |
| 3 | P | A | I | R | ■ | A | C | U | L | ■ | B | I |
| 4 | E | H | ■ | L | E | N | A | ■ | A | B | U | S |
| 5 | G | I | T | E | R | ■ | L | I | M | A | ■ | S |
| 6 | A | ■ | O | R | I | N | ■ | S | O | U | D | E |
| 7 | I | L | I | ■ | C | A | N | A | ■ | R | E | ■ |
| 8 | ■ | E | T | A | ■ | B | O | R | A | ■ | U | T |
| 9 | F | A | ■ | P | A | I | N | ■ | B | O | X | E |
| 10 | E | U | P | E | N | ■ | E | P | A | R | ■ | X |
| 11 | A | ■ | A | X | E | L | ■ | A | C | E | R | E |
| 12 | L | I | S | ■ | T | E | T | R | A | ■ | A | L |

## Jour 132

| | 1 | 2 | 3 | 4 | 5 | 6 | 7 | 8 | 9 | 10 | 11 | 12 |
|---|---|---|---|---|---|---|---|---|---|---|---|---|
| 1 | M | A | N | U | T | E | R | G | E | ■ | A | S |
| 2 | O | C | A | R | I | N | A | ■ | C | H | U | T |
| 3 | R | E | I | N | ■ | F | I | E | R | E | ■ | E |
| 4 | I | ■ | N | E | V | E | ■ | T | U | R | I | N |
| 5 | L | E | E | ■ | I | R | M | A | ■ | I | N | O |
| 6 | L | A | S | E | R | ■ | E | L | I | T | E | ■ |
| 7 | E | N | ■ | D | E | M | I | ■ | L | E | G | S |
| 8 | ■ | E | P | I | ■ | A | R | M | E | ■ | A | I |
| 9 | I | S | O | L | E | R | ■ | E | T | A | L | E |
| 10 | L | ■ | S | E | T | T | E | R | ■ | Z | E | N |
| 11 | O | U | T | ■ | R | E | S | O | L | U | ■ | N |
| 12 | T | R | E | V | E | ■ | T | U | E | R | I | E |

## Jour 133

| | 1 | 2 | 3 | 4 | 5 | 6 | 7 | 8 | 9 | 10 | 11 | 12 |
|---|---|---|---|---|---|---|---|---|---|---|---|---|
| 1 | B | A | C | C | I | F | E | R | E | ■ | N | E |
| 2 | E | P | A | U | L | E | R | ■ | M | E | A | T |
| 3 | N | I | S | ■ | O | N | G | L | E | S | ■ | A |
| 4 | G | A | I | E | T | E | ■ | A | U | T | E | L |
| 5 | A | ■ | E | T | E | T | E | R | ■ | E | T | ■ |
| 6 | L | O | R | I | ■ | R | A | D | E | ■ | N | I |
| 7 | I | R | ■ | E | D | E | N | ■ | R | I | A | L |
| 8 | ■ | G | A | R | O | ■ | E | S | S | O | ■ | O |
| 9 | G | E | L | ■ | P | O | S | E | ■ | L | O | T |
| 10 | R | ■ | M | I | E | L | ■ | V | O | E | U | ■ |
| 11 | I | S | A | R | ■ | E | G | E | R | ■ | I | N |
| 12 | P | I | ■ | A | I | N | E | ■ | B | L | E | U |

## Jour 134

| | 1 | 2 | 3 | 4 | 5 | 6 | 7 | 8 | 9 | 10 | 11 | 12 |
|---|---|---|---|---|---|---|---|---|---|---|---|---|
| 1 | R | E | F | R | A | I | N | ■ | S | O | F | A |
| 2 | E | C | U | ■ | I | S | O | L | E | ■ | E | R |
| 3 | S | I | T | U | E | S | ■ | A | V | A | R | E |
| 4 | E | D | E | N | ■ | U | S | S | E | L | ■ | N |
| 5 | R | I | ■ | T | U | E | E | S | ■ | I | C | A |
| 6 | V | E | N | E | T | ■ | C | O | S | S | U | ■ |
| 7 | O | ■ | A | L | A | M | O | ■ | C | E | R | F |
| 8 | I | C | I | ■ | H | O | N | T | E | ■ | E | U |
| 9 | R | A | N | G | ■ | I | D | E | A | L | ■ | S |
| 10 | ■ | V | E | R | I | N | ■ | N | U | I | R | E |
| 11 | T | E | ■ | A | D | E | N | T | ■ | S | O | L |
| 12 | C | R | I | S | E | ■ | B | E | B | E | T | E |

## Jour 135

| | 1 | 2 | 3 | 4 | 5 | 6 | 7 | 8 | 9 | 10 | 11 | 12 |
|---|---|---|---|---|---|---|---|---|---|---|---|---|
| 1 | N | A | C | E | L | L | E | ■ | D | U | P | E |
| 2 | E | C | O | ■ | I | E | P | E | R | ■ | R | N |
| 3 | G | O | R | G | E | ■ | I | M | A | G | E | ■ |
| 4 | O | R | ■ | A | D | U | L | E | ■ | E | T | A |
| 5 | C | E | C | I | ■ | N | E | R | O | N | ■ | L |
| 6 | I | ■ | A | N | S | E | ■ | I | V | R | E | S |
| 7 | A | R | S | ■ | A | S | O | ■ | I | E | N | A |
| 8 | N | A | E | V | I | ■ | R | I | N | ■ | T | C |
| 9 | T | I | ■ | A | N | T | A | N | ■ | A | I | E |
| 10 | ■ | S | O | S | ■ | A | L | I | E | N | E | ■ |
| 11 | B | O | R | E | A | L | ■ | N | O | I | R | E |
| 12 | A | N | E | ■ | S | E | R | I | N | ■ | S | U |

# Solutions

## Jour 136

| | 1 | 2 | 3 | 4 | 5 | 6 | 7 | 8 | 9 | 10 | 11 | 12 |
|---|---|---|---|---|---|---|---|---|---|---|---|---|
| 1 | A | B | S | T | E | M | E | ■ | M | O | D | E |
| 2 | P | A | U | ■ | R | O | S | T | I | ■ | O | P |
| 3 | O | D | E | N | S | E | ■ | I | M | O | L | A |
| 4 | L | I | S | E | ■ | R | A | P | I | N | ■ | V |
| 5 | O | N | ■ | F | R | E | L | E | ■ | E | D | E |
| 6 | G | E | O | L | E | ■ | B | R | A | G | A | ■ |
| 7 | I | ■ | R | E | N | D | U | ■ | D | A | L | E |
| 8 | E | P | I | ■ | N | A | M | U | R | ■ | O | C |
| 9 | ■ | Y | E | M | E | N | ■ | D | E | L | T | A |
| 10 | O | R | L | E | ■ | A | G | I | T | E | ■ | R |
| 11 | D | E | ■ | I | L | E | O | N | ■ | V | E | T |
| 12 | E | X | T | R | A | ■ | A | E | T | I | T | E |

## Jour 137

| | 1 | 2 | 3 | 4 | 5 | 6 | 7 | 8 | 9 | 10 | 11 | 12 |
|---|---|---|---|---|---|---|---|---|---|---|---|---|
| 1 | T | A | M | A | N | O | I | R | ■ | E | C | O |
| 2 | O | L | I | M | ■ | B | E | A | N | T | ■ | P |
| 3 | N | O | L | I | S | ■ | N | I | A | I | S | E |
| 4 | N | E | ■ | T | E | M | A | ■ | S | O | I | N |
| 5 | A | S | C | I | T | E | ■ | P | E | L | E | ■ |
| 6 | N | ■ | R | E | T | A | P | E | ■ | E | R | S |
| 7 | T | O | I | ■ | E | T | A | L | E | ■ | R | E |
| 8 | ■ | T | S | A | R | ■ | S | L | O | G | A | N |
| 9 | T | A | E | L | ■ | A | T | E | L | E | ■ | T |
| 10 | O | R | ■ | L | I | N | O | ■ | I | N | T | I |
| 11 | R | I | G | O | L | O | ■ | C | E | S | S | E |
| 12 | T | E | E | ■ | A | N | I | O | N | ■ | U | S |

## Jour 138

| | 1 | 2 | 3 | 4 | 5 | 6 | 7 | 8 | 9 | 10 | 11 | 12 |
|---|---|---|---|---|---|---|---|---|---|---|---|---|
| 1 | O | M | B | R | E | L | L | E | ■ | J | A | R |
| 2 | L | A | I | E | ■ | I | M | P | L | O | R | E |
| 3 | I | N | S | A | N | E | ■ | L | O | B | E | ■ |
| 4 | B | I | ■ | L | I | N | G | O | T | ■ | C | A |
| 5 | R | O | D | E | O | ■ | O | R | I | N | ■ | C |
| 6 | I | C | I | ■ | L | O | U | E | ■ | A | A | R |
| 7 | U | ■ | A | G | E | N | T | ■ | A | N | T | E |
| 8 | S | O | N | O | ■ | G | E | A | N | T | E | ■ |
| 9 | ■ | L | E | B | E | L | ■ | V | O | I | L | E |
| 10 | L | I | ■ | E | R | E | V | A | N | ■ | I | R |
| 11 | A | V | E | R | S | ■ | A | L | E | S | E | R |
| 12 | S | E | N | ■ | E | O | L | E | ■ | A | R | E |

## Jour 139

| | 1 | 2 | 3 | 4 | 5 | 6 | 7 | 8 | 9 | 10 | 11 | 12 |
|---|---|---|---|---|---|---|---|---|---|---|---|---|
| 1 | B | A | S | I | L | I | C | ■ | E | T | E | L |
| 2 | O | L | E | N | ■ | L | O | C | H | E | ■ | I |
| 3 | U | T | ■ | C | A | L | M | E | ■ | A | C | E |
| 4 | V | I | T | A | L | ■ | B | L | E | M | E | ■ |
| 5 | R | E | A | ■ | E | G | O | U | T | ■ | L | E |
| 6 | E | R | R | O | N | E | ■ | I | U | L | E | S |
| 7 | U | ■ | O | B | E | R | E | ■ | V | A | R | S |
| 8 | I | N | T | I | ■ | E | T | I | E | R | ■ | A |
| 9 | L | A | ■ | E | C | R | A | N | ■ | G | A | I |
| 10 | ■ | V | I | R | E | ■ | N | I | G | E | R | ■ |
| 11 | T | E | C | ■ | P | I | G | N | E | ■ | D | O |
| 12 | E | L | I | M | E | R | ■ | I | L | E | U | S |

## Jour 140

| | 1 | 2 | 3 | 4 | 5 | 6 | 7 | 8 | 9 | 10 | 11 | 12 |
|---|---|---|---|---|---|---|---|---|---|---|---|---|
| 1 | A | F | F | I | L | I | E | R | ■ | G | I | N |
| 2 | C | R | A | N | E | R | ■ | E | R | A | T | O |
| 3 | C | E | R | E | ■ | M | A | G | E | ■ | O | S |
| 4 | A | L | ■ | P | L | A | N | ■ | B | R | U | T |
| 5 | L | E | S | T | E | ■ | I | G | U | E | ■ | O |
| 6 | M | ■ | M | E | N | U | ■ | A | S | P | I | C |
| 7 | I | C | A | ■ | A | B | E | R | ■ | U | N | ■ |
| 8 | E | O | L | E | ■ | E | C | O | T | ■ | S | C |
| 9 | ■ | R | A | L | E | ■ | H | U | E | R | T | A |
| 10 | C | A | ■ | O | T | S | U | ■ | T | A | I | N |
| 11 | R | I | M | I | N | I | ■ | L | E | V | ■ | O |
| 12 | I | L | A | ■ | A | L | M | A | ■ | E | O | N |

## Jour 141

| | 1 | 2 | 3 | 4 | 5 | 6 | 7 | 8 | 9 | 10 | 11 | 12 |
|---|---|---|---|---|---|---|---|---|---|---|---|---|
| 1 | I | N | T | I | M | E | R | ■ | M | E | I | R |
| 2 | N | U | I | R | E | ■ | O | N | E | X | ■ | I |
| 3 | T | A | G | ■ | S | I | T | E | ■ | I | N | O |
| 4 | R | I | E | U | S | E | ■ | P | I | L | E | ■ |
| 5 | U | S | ■ | L | E | N | T | E | S | ■ | V | U |
| 6 | S | O | R | T | ■ | A | R | T | E | R | E | S |
| 7 | I | N | A | R | I | ■ | A | E | R | E | ■ | I |
| 8 | O | ■ | M | A | R | O | C | ■ | E | C | O | T |
| 9 | N | A | P | ■ | O | P | E | N | ■ | U | R | E |
| 10 | ■ | P | E | I | N | E | ■ | O | U | S | T | ■ |
| 11 | A | T | ■ | S | E | R | E | I | N | ■ | I | F |
| 12 | R | E | N | O | ■ | A | R | R | E | T | E | R |

## Jour 142

| | 1 | 2 | 3 | 4 | 5 | 6 | 7 | 8 | 9 | 10 | 11 | 12 |
|---|---|---|---|---|---|---|---|---|---|---|---|---|
| 1 | C | L | A | V | E | T | T | E | ■ | O | M | O |
| 2 | R | A | M | A | G | E | ■ | D | U | C | A | T |
| 3 | E | P | I | ■ | A | P | I | O | L | ■ | N | E |
| 4 | T | E | ■ | A | S | I | R | ■ | M | A | S | ■ |
| 5 | E | R | N | E | ■ | C | O | L | ■ | L | E | S |
| 6 | L | ■ | A | G | A | ■ | N | E | P | E | ■ | T |
| 7 | L | O | B | ■ | I | S | E | R | E | ■ | S | A |
| 8 | E | T | O | N | N | E | ■ | N | I | P | P | E |
| 9 | ■ | E | T | A | ■ | V | I | E | ■ | A | I | L |
| 10 | A | L | ■ | B | R | I | N | ■ | O | R | R | ■ |
| 11 | A | L | L | I | E | ■ | D | I | L | U | E | S |
| 12 | R | O | I | ■ | E | M | U | L | E | ■ | E | U |

## Jour 143

| | 1 | 2 | 3 | 4 | 5 | 6 | 7 | 8 | 9 | 10 | 11 | 12 |
|---|---|---|---|---|---|---|---|---|---|---|---|---|
| 1 | B | E | L | L | A | T | R | E | ■ | S | P | A |
| 2 | A | M | E | ■ | R | I | E | U | S | E | ■ | G |
| 3 | R | I | V | E | T | E | ■ | R | A | M | P | E |
| 4 | E | R | I | C | ■ | D | U | E | L | ■ | A | N |
| 5 | F | A | ■ | O | L | E | N | ■ | O | B | I | T |
| 6 | O | T | I | T | E | ■ | T | A | P | E | R | ■ |
| 7 | O | ■ | C | E | S | S | E | R | ■ | T | E | C |
| 8 | T | E | T | ■ | T | O | L | E | R | E | ■ | H |
| 9 | ■ | S | U | J | E | T | ■ | T | A | L | C | A |
| 10 | I | S | S | U | ■ | T | A | E | L | ■ | O | S |
| 11 | L | A | ■ | B | E | E | R | ■ | E | D | I | T |
| 12 | S | I | L | E | X | ■ | S | A | R | I | N | E |

## Jour 144

| | 1 | 2 | 3 | 4 | 5 | 6 | 7 | 8 | 9 | 10 | 11 | 12 |
|---|---|---|---|---|---|---|---|---|---|---|---|---|
| 1 | G | A | L | H | A | U | B | A | N | ■ | S | C |
| 2 | E | G | O | I | S | T | E | ■ | A | R | N | O |
| 3 | N | E | F | L | E | ■ | C | A | S | E | ■ | R |
| 4 | O | ■ | T | E | L | S | ■ | L | E | C | O | N |
| 5 | I | L | S | ■ | L | E | S | E | ■ | U | R | E |
| 6 | S | A | ■ | S | E | C | O | N | D | ■ | V | E |
| 7 | E | C | O | T | ■ | T | U | E | R | I | E | ■ |
| 8 | ■ | E | P | E | L | E | R | ■ | I | N | T | I |
| 9 | A | T | O | N | E | ■ | D | I | V | A | ■ | C |
| 10 | S | ■ | N | O | T | E | ■ | D | E | P | O | T |
| 11 | T | I | C | ■ | A | U | B | E | ■ | T | S | U |
| 12 | I | D | E | E | L | ■ | R | E | V | E | E | S |

# Solutions

## Jour 145

| | 1 | 2 | 3 | 4 | 5 | 6 | 7 | 8 | 9 | 10 | 11 | 12 |
|---|---|---|---|---|---|---|---|---|---|---|---|---|
| 1 | D | E | P | R | I | M | E | R | ■ | O | H | E |
| 2 | A | C | A | U | L | E | ■ | O | A | S | I | S |
| 3 | R | O | L | E | ■ | L | A | B | B | E | ■ | S |
| 4 | A | ■ | P | E | S | O | N | ■ | S | E | X | E |
| 5 | I | D | E | ■ | I | N | I | N | I | ■ | I | N |
| 6 | S | I | R | E | T | ■ | M | E | L | B | A | ■ |
| 7 | E | N | ■ | L | A | P | E | R | ■ | I | N | N |
| 8 | ■ | D | O | U | R | O | ■ | V | O | L | G | A |
| 9 | M | E | I | R | ■ | S | P | I | C | A | ■ | I |
| 10 | E | ■ | L | U | T | T | E | ■ | E | N | N | A |
| 11 | S | O | L | ■ | S | E | N | N | A | ■ | I | D |
| 12 | S | C | E | A | U | ■ | D | A | N | U | B | E |

## Jour 146

| | 1 | 2 | 3 | 4 | 5 | 6 | 7 | 8 | 9 | 10 | 11 | 12 |
|---|---|---|---|---|---|---|---|---|---|---|---|---|
| 1 | P | A | L | A | D | I | N | ■ | F | U | T | E |
| 2 | E | D | O | ■ | E | D | I | S | O | N | ■ | B |
| 3 | R | E | I | T | R | E | ■ | P | U | I | N | E |
| 4 | I | N | R | I | ■ | E | M | I | R | ■ | I | N |
| 5 | C | I | ■ | E | O | L | E | ■ | B | A | V | E |
| 6 | A | T | O | N | E | ■ | I | N | U | L | E | ■ |
| 7 | R | E | A | ■ | I | V | R | E | ■ | A | L | I |
| 8 | P | ■ | S | O | L | E | ■ | O | B | I | E | R |
| 9 | E | D | I | T | ■ | T | U | N | I | S | ■ | R |
| 10 | ■ | I | S | A | T | I | S | ■ | S | E | M | I |
| 11 | A | T | ■ | G | I | R | A | F | E | ■ | E | T |
| 12 | M | O | Y | E | N | ■ | S | A | T | I | R | E |

## Jour 147

| | 1 | 2 | 3 | 4 | 5 | 6 | 7 | 8 | 9 | 10 | 11 | 12 |
|---|---|---|---|---|---|---|---|---|---|---|---|---|
| 1 | A | C | C | R | O | I | T | R | E | ■ | U | S |
| 2 | P | A | R | E | S | S | E | ■ | C | A | N | A |
| 3 | H | E | U | ■ | C | O | S | M | O | S | ■ | I |
| 4 | O | N | E | G | A | ■ | S | O | T | T | E | S |
| 5 | N | ■ | L | A | R | D | O | N | ■ | I | C | I |
| 6 | I | S | S | U | ■ | E | N | T | E | ■ | H | E |
| 7 | E | N | ■ | L | A | C | ■ | E | P | E | E | ■ |
| 8 | ■ | O | B | E | R | E | R | ■ | O | N | C | E |
| 9 | U | B | E | ■ | A | L | E | V | I | N | ■ | G |
| 10 | P | ■ | A | S | S | E | N | E | ■ | U | S | E |
| 11 | A | C | T | E | E | ■ | I | N | C | I | S | E |
| 12 | S | U | ■ | C | R | I | E | U | R | ■ | O | N |

## Jour 148

| | 1 | 2 | 3 | 4 | 5 | 6 | 7 | 8 | 9 | 10 | 11 | 12 |
|---|---|---|---|---|---|---|---|---|---|---|---|---|
| 1 | E | N | D | O | C | A | R | D | E | ■ | N | I |
| 2 | C | O | R | R | I | G | E | ■ | P | E | O | N |
| 3 | U | N | I | E | S | ■ | N | O | I | X | ■ | T |
| 4 | M | E | S | ■ | T | A | I | N | ■ | I | L | I |
| 5 | O | ■ | S | T | E | M | ■ | C | O | T | E | ■ |
| 6 | I | S | E | O | ■ | E | M | E | U | ■ | V | I |
| 7 | R | A | ■ | N | O | N | O | ■ | B | A | I | N |
| 8 | E | L | I | T | E | ■ | T | A | L | C | ■ | T |
| 9 | ■ | P | L | E | I | N | ■ | G | I | C | L | E |
| 10 | N | E | O | ■ | L | A | M | A | ■ | E | O | N |
| 11 | I | ■ | T | I | S | S | U | ■ | I | S | I | S |
| 12 | D | U | E | L | ■ | E | R | I | N | ■ | R | E |

## Jour 149

| | 1 | 2 | 3 | 4 | 5 | 6 | 7 | 8 | 9 | 10 | 11 | 12 |
|---|---|---|---|---|---|---|---|---|---|---|---|---|
| 1 | B | A | I | S | S | I | E | R | E | ■ | D | U |
| 2 | U | R | B | A | I | N | ■ | E | M | P | A | N |
| 3 | V | A | I | N | ■ | I | D | E | E | L | ■ | T |
| 4 | E | ■ | S | I | G | N | E | ■ | T | A | L | E |
| 5 | T | L | ■ | E | R | I | G | E | ■ | N | U | L |
| 6 | T | I | S | S | U | ■ | A | G | I | T | E | ■ |
| 7 | E | P | I | ■ | G | O | T | O | N | ■ | U | S |
| 8 | ■ | P | L | I | E | R | ■ | U | S | U | R | E |
| 9 | H | E | I | N | ■ | G | A | T | E | S | ■ | N |
| 10 | A | ■ | C | U | V | E | R | ■ | R | A | M | I |
| 11 | S | T | E | L | E | ■ | I | N | E | G | A | L |
| 12 | E | H | ■ | E | R | R | A | I | ■ | E | T | E |

## Jour 150

| | 1 | 2 | 3 | 4 | 5 | 6 | 7 | 8 | 9 | 10 | 11 | 12 |
|---|---|---|---|---|---|---|---|---|---|---|---|---|
| 1 | J | O | B | A | R | D | E | R | ■ | R | I | A |
| 2 | A | B | A | ■ | I | R | R | I | T | E | ■ | L |
| 3 | C | U | T | A | N | E | ■ | E | R | G | O | L |
| 4 | A | S | I | R | ■ | G | O | N | E | ■ | B | E |
| 5 | S | I | ■ | U | N | E | S | ■ | V | O | E | U |
| 6 | S | E | I | M | E | ■ | S | O | E | U | R | ■ |
| 7 | E | R | G | ■ | V | E | A | U | ■ | T | E | L |
| 8 | U | ■ | N | I | E | R | ■ | F | E | R | R | Y |
| 9 | R | I | E | L | ■ | O | P | A | L | E | ■ | R |
| 10 | ■ | R | E | M | E | D | E | ■ | V | R | A | I |
| 11 | D | U | ■ | E | D | E | S | S | E | ■ | S | C |
| 12 | A | N | O | N | E | ■ | O | I | N | T | E | S |

## Jour 151

| | 1 | 2 | 3 | 4 | 5 | 6 | 7 | 8 | 9 | 10 | 11 | 12 |
|---|---|---|---|---|---|---|---|---|---|---|---|---|
| 1 | T | A | C | H | E | R | O | N | ■ | T | H | E |
| 2 | O | P | I | A | C | E | ■ | I | D | E | E | L |
| 3 | R | I | S | ■ | H | A | R | P | E | ■ | R | U |
| 4 | P | A | T | R | E | ■ | E | P | R | I | S | ■ |
| 5 | I | ■ | R | I | C | A | N | E | ■ | L | E | T |
| 6 | L | I | E | N | ■ | N | O | R | M | E | ■ | E |
| 7 | L | U | ■ | C | R | I | N | ■ | O | U | S | T |
| 8 | E | L | A | E | I | S | ■ | B | U | S | E | ■ |
| 9 | ■ | E | P | E | E | ■ | M | O | T | ■ | V | E |
| 10 | O | S | E | ■ | G | A | I | N | ■ | C | E | P |
| 11 | I | ■ | R | H | O | N | E | ■ | C | I | R | A |
| 12 | E | M | O | I | ■ | A | N | H | E | L | E | R |

## Jour 152

| | 1 | 2 | 3 | 4 | 5 | 6 | 7 | 8 | 9 | 10 | 11 | 12 |
|---|---|---|---|---|---|---|---|---|---|---|---|---|
| 1 | G | A | M | B | E | R | G | E | ■ | E | D | E |
| 2 | I | D | O | I | N | E | ■ | R | E | P | O | S |
| 3 | R | O | L | E | ■ | P | I | G | N | E | ■ | P |
| 4 | E | ■ | E | N | G | I | N | ■ | F | E | T | A |
| 5 | L | I | N | ■ | A | T | O | N | E | ■ | I | R |
| 6 | L | U | E | U | R | ■ | N | O | R | I | A | ■ |
| 7 | E | L | ■ | R | E | C | U | L | ■ | O | N | C |
| 8 | ■ | E | I | G | E | R | ■ | I | N | N | ■ | O |
| 9 | I | S | L | E | ■ | O | S | S | A | ■ | R | U |
| 10 | S | ■ | O | R | P | I | N | ■ | T | R | O | P |
| 11 | B | U | T | ■ | A | X | I | S | ■ | I | S | O |
| 12 | A | V | E | R | S | ■ | F | A | I | S | A | N |

## Jour 153

| | 1 | 2 | 3 | 4 | 5 | 6 | 7 | 8 | 9 | 10 | 11 | 12 |
|---|---|---|---|---|---|---|---|---|---|---|---|---|
| 1 | L | O | R | E | T | T | E | ■ | I | D | E | M |
| 2 | U | P | A | S | ■ | E | T | A | L | E | ■ | A |
| 3 | M | A | Z | O | U | T | ■ | V | A | L | E | T |
| 4 | I | L | ■ | P | R | U | D | E | ■ | I | R | E |
| 5 | N | I | C | E | E | ■ | U | N | I | T | E | ■ |
| 6 | I | N | O | ■ | T | A | R | I | N | ■ | V | E |
| 7 | S | E | U | R | R | E | ■ | R | E | D | A | N |
| 8 | T | ■ | T | I | E | R | S | ■ | D | E | N | T |
| 9 | E | D | E | N | ■ | E | C | R | I | N | ■ | R |
| 10 | ■ | A | R | C | S | ■ | A | E | T | I | T | E |
| 11 | G | I | ■ | E | P | A | T | E | ■ | E | U | E |
| 12 | A | M | A | R | I | L | ■ | R | A | R | E | S |

# Solutions

## Jour 154

| | 1 | 2 | 3 | 4 | 5 | 6 | 7 | 8 | 9 | 10 | 11 | 12 |
|---|---|---|---|---|---|---|---|---|---|---|---|---|
| 1 | V | A | C | U | I | T | E | ■ | C | A | K | E |
| 2 | I | T | E | ■ | D | A | N | S | E | ■ | I | L |
| 3 | R | O | N | C | E | S | ■ | A | C | O | R | E |
| 4 | T | U | E | R | ■ | S | A | P | I | N | ■ | V |
| 5 | U | R | ■ | E | B | E | N | E | ■ | G | R | E |
| 6 | O | S | I | D | E | ■ | O | R | A | L | E | ■ |
| 7 | S | ■ | C | O | T | O | N | ■ | B | E | C | S |
| 8 | E | C | O | ■ | T | R | E | M | A | ■ | T | A |
| 9 | ■ | U | N | T | E | L | ■ | O | C | E | A | N |
| 10 | A | L | E | A | ■ | E | C | R | A | N | ■ | G |
| 11 | A | T | ■ | L | U | S | I | N | ■ | T | E | L |
| 12 | R | E | J | E | T | ■ | L | E | G | E | R | E |

## Jour 155

| | 1 | 2 | 3 | 4 | 5 | 6 | 7 | 8 | 9 | 10 | 11 | 12 |
|---|---|---|---|---|---|---|---|---|---|---|---|---|
| 1 | H | A | R | A | S | S | E | ■ | S | A | I | N |
| 2 | O | H | E | ■ | O | C | T | E | T | ■ | C | O |
| 3 | B | A | I | L | L | E | ■ | P | O | L | A | R |
| 4 | E | N | N | A | ■ | A | G | I | L | E | ■ | I |
| 5 | R | E | ■ | G | O | U | E | T | ■ | I | L | A |
| 6 | E | R | G | O | T | ■ | N | E | N | N | I | ■ |
| 7 | A | ■ | U | S | A | G | E | ■ | I | E | N | A |
| 8 | U | N | I | ■ | R | A | T | E | L | ■ | O | S |
| 9 | ■ | A | D | O | U | R | ■ | P | L | A | N | E |
| 10 | A | B | E | R | ■ | E | P | I | E | R | ■ | L |
| 11 | A | L | ■ | L | A | S | E | R | ■ | A | I | L |
| 12 | R | E | V | E | R | ■ | T | E | I | L | L | E |

## Jour 156

| | 1 | 2 | 3 | 4 | 5 | 6 | 7 | 8 | 9 | 10 | 11 | 12 |
|---|---|---|---|---|---|---|---|---|---|---|---|---|
| 1 | F | A | C | T | I | C | E | ■ | F | E | T | A |
| 2 | I | T | O | U | ■ | A | L | P | E | ■ | O | R |
| 3 | O | T | I | T | E | S | ■ | L | U | L | U | ■ |
| 4 | R | I | ■ | U | L | E | M | A | ■ | I | S | E |
| 5 | I | R | I | S | E | ■ | U | N | E | S | ■ | R |
| 6 | T | E | L | ■ | E | S | E | ■ | C | E | C | I |
| 7 | U | R | E | S | ■ | U | T | A | H | ■ | H | E |
| 8 | R | ■ | T | A | P | E | ■ | D | O | M | E | ■ |
| 9 | E | H | ■ | G | A | Z | E | R | ■ | A | R | C |
| 10 | ■ | E | T | A | L | ■ | D | E | N | T | ■ | R |
| 11 | A | R | A | ■ | I | M | I | T | E | ■ | A | I |
| 12 | R | E | S | C | R | I | T | ■ | F | I | S | C |

## Jour 157

| | 1 | 2 | 3 | 4 | 5 | 6 | 7 | 8 | 9 | 10 | 11 | 12 |
|---|---|---|---|---|---|---|---|---|---|---|---|---|
| 1 | F | L | A | G | A | D | A | ■ | P | L | A | N |
| 2 | R | I | A | ■ | B | R | I | B | E | ■ | R | A |
| 3 | A | T | R | O | C | E | ■ | A | O | R | T | E |
| 4 | T | A | E | L | ■ | G | A | R | N | I | ■ | V |
| 5 | E | N | ■ | L | I | E | G | E | ■ | S | P | I |
| 6 | R | I | V | E | S | ■ | E | M | E | S | E | ■ |
| 7 | N | E | O | ■ | B | E | N | E | T | ■ | N | A |
| 8 | E | ■ | I | S | A | A | C | ■ | O | P | E | N |
| 9 | L | U | L | U | ■ | N | E | F | L | E | ■ | C |
| 10 | ■ | B | A | C | H | E | ■ | L | E | G | E | R |
| 11 | D | A | ■ | R | O | S | S | A | ■ | R | A | E |
| 12 | O | C | T | E | T | ■ | A | C | T | E | U | R |

## Jour 158

| | 1 | 2 | 3 | 4 | 5 | 6 | 7 | 8 | 9 | 10 | 11 | 12 |
|---|---|---|---|---|---|---|---|---|---|---|---|---|
| 1 | L | I | F | T | I | E | R | ■ | B | I | D | E |
| 2 | I | D | E | E | L | ■ | A | L | E | V | I | N |
| 3 | B | E | R | ■ | I | P | S | O | S | ■ | A | S |
| 4 | E | M | U | L | E | S | ■ | B | A | N | N | I |
| 5 | R | ■ | L | E | N | A | U | ■ | C | I | E | L |
| 6 | T | I | E | N | ■ | U | S | N | E | E | ■ | E |
| 7 | I | N | ■ | T | A | M | I | A | ■ | B | A | R |
| 8 | N | U | L | ■ | A | E | T | I | T | E | S | ■ |
| 9 | ■ | L | O | I | R | ■ | E | V | E | ■ | S | E |
| 10 | S | E | U | L | ■ | A | S | E | L | L | E | S |
| 11 | O | ■ | P | A | I | X | ■ | T | E | I | N | T |
| 12 | C | L | E | ■ | F | E | T | E | ■ | S | E | E |

## Jour 159

| | 1 | 2 | 3 | 4 | 5 | 6 | 7 | 8 | 9 | 10 | 11 | 12 |
|---|---|---|---|---|---|---|---|---|---|---|---|---|
| 1 | P | A | G | A | N | I | S | E | R | ■ | A | L |
| 2 | E | C | O | L | A | G | E | ■ | A | I | S | E |
| 3 | P | E | S | E | ■ | N | E | O | N | S | ■ | B |
| 4 | E | ■ | P | A | V | E | ■ | P | I | E | C | E |
| 5 | R | E | E | ■ | I | S | L | A | M | ■ | A | L |
| 6 | I | G | L | O | O | ■ | I | L | E | O | N | ■ |
| 7 | N | I | ■ | B | L | A | S | E | ■ | T | O | I |
| 8 | ■ | D | O | L | E | N | T | ■ | D | A | N | S |
| 9 | R | E | V | A | ■ | C | E | S | A | R | ■ | A |
| 10 | A | ■ | U | T | A | H | ■ | T | R | U | S | T |
| 11 | N | I | L | ■ | X | E | R | U | S | ■ | T | I |
| 12 | G | R | E | L | E | ■ | A | C | E | R | E | S |

## Jour 160

| | 1 | 2 | 3 | 4 | 5 | 6 | 7 | 8 | 9 | 10 | 11 | 12 |
|---|---|---|---|---|---|---|---|---|---|---|---|---|
| 1 | L | A | R | M | O | Y | E | R | ■ | E | M | U |
| 2 | U | N | I | E | M | E | ■ | O | A | S | I | S |
| 3 | M | A | S | ■ | I | N | F | U | S | ■ | X | E |
| 4 | I | L | E | U | S | ■ | R | E | P | I | T | ■ |
| 5 | G | ■ | E | T | E | T | E | ■ | I | D | E | S |
| 6 | N | A | S | E | ■ | R | O | N | C | E | ■ | U |
| 7 | O | R | ■ | R | U | I | N | E | ■ | E | P | I |
| 8 | N | O | M | I | N | E | ■ | P | I | L | E | T |
| 9 | ■ | L | E | N | T | ■ | B | E | C | ■ | L | E |
| 10 | J | E | T | ■ | E | C | O | ■ | I | S | O | ■ |
| 11 | U | ■ | A | L | L | U | R | E | ■ | O | T | A |
| 12 | S | A | L | E | ■ | L | A | R | G | U | E | R |

## Jour 161

| | 1 | 2 | 3 | 4 | 5 | 6 | 7 | 8 | 9 | 10 | 11 | 12 |
|---|---|---|---|---|---|---|---|---|---|---|---|---|
| 1 | N | E | P | H | R | I | T | E | ■ | I | F | E |
| 2 | O | B | L | O | N | G | ■ | P | A | L | A | N |
| 3 | R | A | I | S | ■ | N | O | I | R | ■ | O | C |
| 4 | R | H | ■ | T | A | E | L | ■ | D | O | U | E |
| 5 | O | I | S | I | F | ■ | T | O | U | R | ■ | N |
| 6 | I | ■ | N | E | F | L | E | S | ■ | B | I | S |
| 7 | S | S | O | ■ | I | O | N | I | E | ■ | D | E |
| 8 | ■ | E | B | E | N | E | ■ | E | P | I | E | R |
| 9 | P | I | E | U | ■ | S | A | R | I | N | E | ■ |
| 10 | A | L | ■ | R | I | S | I | ■ | T | A | L | C |
| 11 | I | L | M | E | N | ■ | L | I | E | R | ■ | R |
| 12 | R | E | A | ■ | N | I | E | R | ■ | I | C | I |

## Jour 162

| | 1 | 2 | 3 | 4 | 5 | 6 | 7 | 8 | 9 | 10 | 11 | 12 |
|---|---|---|---|---|---|---|---|---|---|---|---|---|
| 1 | A | C | C | O | M | P | L | I | R | ■ | A | L |
| 2 | B | A | R | B | A | R | E | ■ | O | H | I | O |
| 3 | U | R | E | E | ■ | I | S | O | L | E | ■ | T |
| 4 | S | ■ | T | R | E | S | ■ | C | E | R | N | E |
| 5 | I | F | ■ | E | L | E | V | E | ■ | S | A | S |
| 6 | V | E | R | R | E | ■ | E | A | M | E | S | ■ |
| 7 | E | T | A | ■ | I | M | I | N | E | ■ | S | A |
| 8 | ■ | E | D | I | S | O | N | ■ | G | U | E | T |
| 9 | G | R | I | L | ■ | D | E | M | O | N | ■ | H |
| 10 | R | ■ | C | O | T | E | ■ | E | T | I | R | E |
| 11 | A | G | A | T | E | ■ | A | N | E | R | I | E |
| 12 | S | O | L | ■ | L | I | N | E | R | ■ | A | S |

# Solutions

## Jour 163

| | 1 | 2 | 3 | 4 | 5 | 6 | 7 | 8 | 9 | 10 | 11 | 12 |
|---|---|---|---|---|---|---|---|---|---|---|---|---|
| 1 | M | O | L | E | T | T | E | ■ | V | A | M | P |
| 2 | A | C | E | ■ | H | I | S | S | E | ■ | I | O |
| 3 | G | E | S | T | E | S | ■ | U | N | T | E | L |
| 4 | N | A | T | O | ■ | S | O | T | T | E | ■ | A |
| 5 | E | N | ■ | U | R | U | B | U | ■ | T | E | R |
| 6 | T | I | T | R | E | ■ | E | R | B | U | E | ■ |
| 7 | R | E | A | ■ | G | A | R | E | R | ■ | S | N |
| 8 | O | ■ | S | T | I | P | E | ■ | I | N | T | I |
| 9 | N | A | S | S | E | R | ■ | I | S | A | I | E |
| 10 | ■ | P | E | U | ■ | E | R | S | E | S | ■ | L |
| 11 | A | T | ■ | B | A | S | E | S | ■ | S | O | L |
| 12 | H | E | L | A | S | ■ | E | U | M | E | N | E |

## Jour 164

| | 1 | 2 | 3 | 4 | 5 | 6 | 7 | 8 | 9 | 10 | 11 | 12 |
|---|---|---|---|---|---|---|---|---|---|---|---|---|
| 1 | P | H | I | L | T | R | E | ■ | A | C | H | E |
| 2 | R | O | C | ■ | O | I | R | O | N | ■ | U | S |
| 3 | E | N | O | N | C | E | ■ | R | I | G | A | ■ |
| 4 | S | O | N | O | ■ | N | E | M | ■ | O | I | L |
| 5 | C | R | E | M | E | ■ | T | E | M | A | ■ | O |
| 6 | R | E | ■ | E | L | N | E | ■ | I | L | O | T |
| 7 | I | R | E | ■ | F | E | L | O | N | ■ | L | I |
| 8 | R | ■ | B | L | E | U | ■ | N | E | P | E | ■ |
| 9 | E | Y | R | A | ■ | F | I | C | ■ | O | N | C |
| 10 | ■ | S | O | R | T | ■ | S | E | M | I | ■ | H |
| 11 | D | E | ■ | G | A | G | A | ■ | A | L | T | O |
| 12 | O | R | G | E | ■ | A | R | E | C | ■ | B | U |

## Jour 165

| | 1 | 2 | 3 | 4 | 5 | 6 | 7 | 8 | 9 | 10 | 11 | 12 |
|---|---|---|---|---|---|---|---|---|---|---|---|---|
| 1 | F | A | I | T | I | E | R | E | ■ | O | S | A |
| 2 | E | R | E | ■ | D | R | E | L | I | N | ■ | V |
| 3 | V | A | N | T | E | R | ■ | E | N | C | R | E |
| 4 | E | S | A | U | ■ | E | M | E | U | ■ | A | N |
| 5 | R | E | ■ | R | A | R | E | ■ | I | M | B | U |
| 6 | O | R | G | I | E | ■ | R | A | T | I | O | ■ |
| 7 | L | ■ | I | N | D | I | C | E | ■ | S | T | E |
| 8 | E | R | G | ■ | E | M | I | R | A | T | ■ | T |
| 9 | ■ | A | U | S | S | I | ■ | E | G | I | D | E |
| 10 | A | B | E | E | ■ | T | A | R | E | ■ | E | T |
| 11 | M | A | ■ | A | V | E | C | ■ | N | I | F | E |
| 12 | I | N | O | U | I | ■ | E | N | T | O | I | R |

## Jour 166

| | 1 | 2 | 3 | 4 | 5 | 6 | 7 | 8 | 9 | 10 | 11 | 12 |
|---|---|---|---|---|---|---|---|---|---|---|---|---|
| 1 | P | A | L | I | S | S | O | N | ■ | G | U | S |
| 2 | O | M | O | ■ | E | U | R | O | P | E | ■ | E |
| 3 | R | A | T | I | N | E | ■ | C | E | L | E | R |
| 4 | T | R | I | N | ■ | U | N | E | S | ■ | S | I |
| 5 | L | I | ■ | T | A | R | I | ■ | T | A | P | E |
| 6 | A | L | G | E | R | ■ | O | M | E | G | A | ■ |
| 7 | N | ■ | A | R | E | O | L | E | ■ | I | R | E |
| 8 | D | R | U | ■ | T | R | E | U | I | L | ■ | P |
| 9 | ■ | A | D | R | E | T | ■ | T | R | E | V | E |
| 10 | I | D | E | E | ■ | I | S | E | O | ■ | A | I |
| 11 | C | A | ■ | E | M | E | U | ■ | N | O | I | R |
| 12 | A | R | B | R | E | ■ | S | I | E | N | N | E |

## Jour 167

| | 1 | 2 | 3 | 4 | 5 | 6 | 7 | 8 | 9 | 10 | 11 | 12 |
|---|---|---|---|---|---|---|---|---|---|---|---|---|
| 1 | R | E | C | A | L | C | I | T | R | A | N | T |
| 2 | E | C | O | T | ■ | A | L | I | A | S | ■ | I |
| 3 | C | O | N | T | E | S | ■ | R | I | E | N | S |
| 4 | O | L | E | ■ | P | E | S | E | S | ■ | A | S |
| 5 | N | I | ■ | A | I | S | E | ■ | O | S | S | A |
| 6 | F | E | R | M | E | ■ | N | I | N | A | S | ■ |
| 7 | O | R | E | E | ■ | M | E | R | ■ | S | A | C |
| 8 | R | ■ | U | R | E | E | ■ | I | S | S | U | E |
| 9 | T | O | N | ■ | R | U | S | S | I | E | ■ | R |
| 10 | A | R | I | D | I | T | E | ■ | T | R | A | C |
| 11 | N | D | ■ | E | N | E | R | V | E | ■ | C | L |
| 12 | T | O | R | S | E | ■ | T | E | S | T | E | E |

## Jour 168

| | 1 | 2 | 3 | 4 | 5 | 6 | 7 | 8 | 9 | 10 | 11 | 12 |
|---|---|---|---|---|---|---|---|---|---|---|---|---|
| 1 | C | A | C | A | T | O | I | S | ■ | F | I | L |
| 2 | E | B | A | H | I | R | ■ | A | D | A | M | O |
| 3 | R | A | S | ■ | B | E | I | G | E | ■ | P | I |
| 4 | U | T | I | L | E | ■ | G | A | C | H | E | ■ |
| 5 | M | ■ | N | A | T | A | L | ■ | A | A | R | E |
| 6 | E | T | O | C | ■ | P | O | I | N | G | ■ | P |
| 7 | N | A | ■ | H | E | R | O | N | ■ | E | S | E |
| 8 | ■ | B | I | E | R | E | ■ | U | S | N | E | E |
| 9 | C | O | R | ■ | I | S | O | L | E | ■ | N | S |
| 10 | R | U | B | A | N | ■ | R | E | U | N | I | ■ |
| 11 | A | ■ | I | L | E | O | N | ■ | I | U | L | E |
| 12 | C | O | D | E | ■ | O | E | I | L | L | E | T |

## Jour 169

| | 1 | 2 | 3 | 4 | 5 | 6 | 7 | 8 | 9 | 10 | 11 | 12 |
|---|---|---|---|---|---|---|---|---|---|---|---|---|
| 1 | A | D | I | P | S | I | E | ■ | L | I | M | A |
| 2 | N | I | N | ■ | E | M | U | L | E | ■ | I | R |
| 3 | T | A | T | A | M | I | ■ | A | G | R | E | S |
| 4 | I | B | I | S | ■ | T | A | S | S | E | ■ | I |
| 5 | C | L | ■ | T | I | E | R | S | ■ | V | I | N |
| 6 | L | E | S | E | R | ■ | D | O | G | U | E | ■ |
| 7 | E | ■ | A | R | I | D | E | ■ | R | E | N | D |
| 8 | R | A | I | ■ | S | A | U | C | E | ■ | A | I |
| 9 | I | N | N | E | ■ | B | R | U | L | E | ■ | E |
| 10 | C | I | ■ | A | C | E | ■ | L | O | R | I | S |
| 11 | A | M | O | U | R | ■ | C | O | T | I | S | E |
| 12 | L | E | U | ■ | I | L | O | T | ■ | C | O | L |

## Jour 170

| | 1 | 2 | 3 | 4 | 5 | 6 | 7 | 8 | 9 | 10 | 11 | 12 |
|---|---|---|---|---|---|---|---|---|---|---|---|---|
| 1 | T | R | O | M | P | E | U | R | ■ | A | P | I |
| 2 | R | A | B | A | I | S | ■ | I | C | T | U | S |
| 3 | I | L | ■ | R | E | T | A | P | E | ■ | S | A |
| 4 | P | E | O | N | ■ | R | I | E | N | S | ■ | I |
| 5 | O | ■ | D | E | V | I | N | ■ | E | O | L | E |
| 6 | T | O | I | ■ | R | E | S | I | L | I | E | ■ |
| 7 | E | N | E | M | A | ■ | I | L | L | ■ | N | S |
| 8 | E | C | U | E | I | L | ■ | E | E | S | T | I |
| 9 | ■ | T | S | U | ■ | E | C | U | ■ | T | E | T |
| 10 | L | I | E | G | E | ■ | A | S | I | E | ■ | O |
| 11 | I | O | ■ | L | U | N | E | ■ | F | R | E | T |
| 12 | E | N | T | E | S | ■ | N | A | S | E | S | ■ |

## Jour 171

| | 1 | 2 | 3 | 4 | 5 | 6 | 7 | 8 | 9 | 10 | 11 | 12 |
|---|---|---|---|---|---|---|---|---|---|---|---|---|
| 1 | O | P | T | I | M | A | L | ■ | C | H | O | C |
| 2 | R | A | S | ■ | O | G | I | V | E | ■ | U | R |
| 3 | I | T | A | L | I | E | ■ | I | L | O | T | E |
| 4 | F | E | R | U | ■ | N | E | P | A | L | ■ | T |
| 5 | L | U | ■ | G | A | T | T | E | ■ | E | V | E |
| 6 | A | S | T | E | R | ■ | A | R | E | N | A | ■ |
| 7 | M | E | R | ■ | U | R | G | E | R | ■ | I | F |
| 8 | M | ■ | A | L | M | E | E | ■ | O | R | N | E |
| 9 | E | R | I | E | ■ | G | R | A | D | E | ■ | U |
| 10 | ■ | E | N | G | I | N | ■ | L | E | B | E | L |
| 11 | P | T | ■ | E | V | E | I | L | ■ | U | R | E |
| 12 | U | S | U | R | E | ■ | D | O | U | T | E | R |

# Solutions

## Jour 172

| | 1 | 2 | 3 | 4 | 5 | 6 | 7 | 8 | 9 | 10 | 11 | 12 |
|---|---|---|---|---|---|---|---|---|---|---|---|---|
| 1 | C | A | V | I | T | A | I | R | E | ■ | D | A |
| 2 | A | G | A | C | A | N | T | ■ | C | H | E | Z |
| 3 | L | E | S | T | ■ | S | E | C | H | E | ■ | U |
| 4 | M | ■ | T | E | T | E | ■ | H | E | L | E | R |
| 5 | A | M | E | R | E | ■ | C | E | R | A | T | ■ |
| 6 | N | A | ■ | E | T | H | E | R | ■ | S | U | D |
| 7 | T | U | B | ■ | R | A | P | I | N | ■ | V | E |
| 8 | ■ | R | A | P | A | C | E | ■ | O | P | E | N |
| 9 | D | E | C | U | ■ | H | E | U | R | E | ■ | R |
| 10 | R | ■ | H | I | L | E | ■ | B | O | U | L | E |
| 11 | A | L | O | S | E | ■ | P | A | I | R | I | E |
| 12 | P | E | T | ■ | E | X | A | C | T | ■ | S | S |

## Jour 173

| | 1 | 2 | 3 | 4 | 5 | 6 | 7 | 8 | 9 | 10 | 11 | 12 |
|---|---|---|---|---|---|---|---|---|---|---|---|---|
| 1 | V | E | P | E | C | I | S | T | E | ■ | C | R |
| 2 | I | M | A | G | I | N | E | ■ | C | A | L | I |
| 3 | D | I | G | O | N | ■ | I | R | U | N | ■ | X |
| 4 | U | R | I | ■ | E | T | N | A | ■ | T | H | E |
| 5 | I | ■ | N | A | S | E | ■ | I | S | E | O | ■ |
| 6 | T | A | E | L | ■ | M | O | D | E | ■ | I | F |
| 7 | E | N | ■ | F | I | A | T | ■ | M | I | R | O |
| 8 | ■ | G | R | A | S | ■ | S | A | I | N | ■ | R |
| 9 | L | E | U | ■ | L | O | U | P | ■ | T | O | C |
| 10 | O | ■ | N | U | E | R | ■ | E | P | I | N | E |
| 11 | F | I | E | R | ■ | L | U | X | E | ■ | E | N |
| 12 | T | L | ■ | E | D | E | N | ■ | T | A | X | E |

## Jour 174

| | 1 | 2 | 3 | 4 | 5 | 6 | 7 | 8 | 9 | 10 | 11 | 12 |
|---|---|---|---|---|---|---|---|---|---|---|---|---|
| 1 | P | E | N | I | C | I | L | L | E | ■ | A | S |
| 2 | A | C | I | D | U | L | E | ■ | C | R | I | E |
| 3 | N | U | E | E | ■ | O | U | T | R | E | ■ | N |
| 4 | T | ■ | L | E | S | T | ■ | I | U | L | E | S |
| 5 | O | I | L | ■ | T | E | T | E | ■ | I | C | A |
| 6 | I | R | E | N | E | ■ | U | R | G | E | R | ■ |
| 7 | S | I | ■ | O | R | E | N | S | E | ■ | I | E |
| 8 | ■ | S | I | L | E | N | E | ■ | R | O | N | D |
| 9 | C | E | C | I | ■ | T | R | A | M | E | ■ | I |
| 10 | A | ■ | O | S | E | R | ■ | P | E | I | N | T |
| 11 | M | O | N | ■ | L | E | N | T | ■ | L | I | E |
| 12 | P | R | E | V | U | ■ | P | E | N | S | E | R |

## Jour 175

| | 1 | 2 | 3 | 4 | 5 | 6 | 7 | 8 | 9 | 10 | 11 | 12 |
|---|---|---|---|---|---|---|---|---|---|---|---|---|
| 1 | P | A | T | A | U | G | A | S | ■ | E | R | G |
| 2 | E | B | U | R | N | E | ■ | I | E | P | E | R |
| 3 | R | A | R | E | ■ | N | U | R | S | E | ■ | U |
| 4 | I | ■ | B | U | R | I | N | ■ | T | E | M | A |
| 5 | D | R | A | ■ | O | L | I | V | E | ■ | A | U |
| 6 | O | I | N | T | S | ■ | O | I | S | O | N | ■ |
| 7 | T | E | ■ | A | T | O | N | E | ■ | R | I | A |
| 8 | ■ | G | E | M | I | R | ■ | L | A | V | E | R |
| 9 | J | O | L | I | ■ | A | C | E | R | E | ■ | O |
| 10 | A | ■ | U | L | U | L | E | ■ | E | T | O | N |
| 11 | L | A | D | ■ | S | E | L | O | N | ■ | I | D |
| 12 | E | M | E | S | E | ■ | E | R | A | B | L | E |

## Jour 176

| | 1 | 2 | 3 | 4 | 5 | 6 | 7 | 8 | 9 | 10 | 11 | 12 |
|---|---|---|---|---|---|---|---|---|---|---|---|---|
| 1 | D | E | D | I | C | A | C | E | ■ | I | T | E |
| 2 | E | P | I | L | E | S | ■ | R | A | D | A | R |
| 3 | P | I | C | ■ | L | O | G | I | S | ■ | F | E |
| 4 | L | E | T | A | L | ■ | R | E | T | I | F | ■ |
| 5 | I | ■ | O | M | E | G | A | ■ | E | N | E | E |
| 6 | A | C | N | E | ■ | A | V | A | R | E | ■ | S |
| 7 | N | A | ■ | N | A | V | E | L | ■ | R | D | S |
| 8 | T | R | I | E | R | E | ■ | O | R | T | I | E |
| 9 | ■ | A | C | R | E | ■ | O | S | I | E | R | ■ |
| 10 | E | T | A | ■ | N | O | T | E | R | ■ | H | O |
| 11 | R | ■ | R | E | A | L | E | ■ | A | N | A | R |
| 12 | G | U | E | T | ■ | T | R | U | I | S | M | E |

## Jour 177

| | 1 | 2 | 3 | 4 | 5 | 6 | 7 | 8 | 9 | 10 | 11 | 12 |
|---|---|---|---|---|---|---|---|---|---|---|---|---|
| 1 | A | B | D | O | M | E | N | ■ | F | A | O | N |
| 2 | L | I | E | ■ | A | G | A | M | I | ■ | R | E |
| 3 | T | A | C | I | T | E | ■ | A | C | H | E | ■ |
| 4 | R | I | E | L | ■ | R | E | G | ■ | O | L | T |
| 5 | U | S | S | E | L | ■ | P | E | G | U | ■ | A |
| 6 | I | E | ■ | T | E | M | A | ■ | O | X | E | R |
| 7 | S | S | E | ■ | G | A | R | O | U | ■ | T | I |
| 8 | M | ■ | T | A | E | L | ■ | I | T | O | N | ■ |
| 9 | E | T | O | N | ■ | T | A | S | ■ | L | A | Y |
| 10 | ■ | A | C | O | N | ■ | D | E | F | I | ■ | O |
| 11 | C | R | ■ | N | I | F | E | ■ | E | M | O | U |
| 12 | L | O | B | E | ■ | A | N | A | R | ■ | O | P |

## Jour 178

| | 1 | 2 | 3 | 4 | 5 | 6 | 7 | 8 | 9 | 10 | 11 | 12 |
|---|---|---|---|---|---|---|---|---|---|---|---|---|
| 1 | B | I | G | A | R | R | E | ■ | S | O | F | A |
| 2 | A | D | O | ■ | A | U | T | R | E | ■ | U | N |
| 3 | F | I | A | B | L | E | ■ | I | T | E | M | ■ |
| 4 | O | O | ■ | O | L | E | U | M | ■ | V | E | R |
| 5 | U | T | I | L | E | ■ | N | E | P | E | T | E |
| 6 | I | S | L | E | ■ | E | T | R | O | N | ■ | V |
| 7 | L | ■ | O | T | A | G | E | ■ | I | T | O | U |
| 8 | L | O | T | ■ | M | E | L | O | N | ■ | B | E |
| 9 | E | P | E | L | E | R | ■ | A | T | R | E | ■ |
| 10 | ■ | A | S | E | R | ■ | A | S | S | U | R | E |
| 11 | I | L | ■ | V | E | R | N | I | ■ | D | E | S |
| 12 | F | E | L | E | ■ | D | E | S | S | E | R | T |

## Jour 179

| | 1 | 2 | 3 | 4 | 5 | 6 | 7 | 8 | 9 | 10 | 11 | 12 |
|---|---|---|---|---|---|---|---|---|---|---|---|---|
| 1 | F | A | C | T | I | C | I | T | E | ■ | B | E |
| 2 | O | U | R | A | G | A | N | ■ | P | A | I | X |
| 3 | L | E | E | ■ | U | L | U | L | E | R | ■ | P |
| 4 | I | R | O | N | E | ■ | L | U | E | T | T | E |
| 5 | A | ■ | L | A | S | S | E | S | ■ | A | I | R |
| 6 | C | L | E | S | ■ | I | S | I | S | ■ | A | T |
| 7 | E | U | ■ | S | O | T | ■ | N | O | I | R | ■ |
| 8 | ■ | T | R | E | P | A | S | ■ | N | O | E | L |
| 9 | E | T | A | ■ | E | R | I | V | A | N | ■ | I |
| 10 | R | E | G | I | R | ■ | P | E | R | I | M | E |
| 11 | O | ■ | E | P | E | R | O | N | ■ | S | U | E |
| 12 | S | U | R | E | ■ | A | S | T | R | E | E | ■ |

## Jour 180

| | 1 | 2 | 3 | 4 | 5 | 6 | 7 | 8 | 9 | 10 | 11 | 12 |
|---|---|---|---|---|---|---|---|---|---|---|---|---|
| 1 | D | E | C | R | E | T | E | R | ■ | R | A | P |
| 2 | O | M | O | ■ | D | O | R | A | D | E | ■ | R |
| 3 | L | A | I | T | O | N | ■ | N | U | A | G | E |
| 4 | E | C | R | U | ■ | U | R | G | E | ■ | U | V |
| 5 | A | I | ■ | I | S | S | U | E | ■ | P | E | U |
| 6 | N | E | F | L | E | ■ | S | E | V | I | R | ■ |
| 7 | C | ■ | L | E | C | H | E | ■ | O | N | E | X |
| 8 | E | T | A | ■ | H | I | R | C | I | N | ■ | E |
| 9 | ■ | A | P | R | E | S | ■ | O | C | E | A | N |
| 10 | I | X | I | A | ■ | S | A | R | I | ■ | P | O |
| 11 | L | E | ■ | C | R | E | D | O | ■ | A | I | N |
| 12 | A | S | S | E | N | ■ | O | N | E | G | A | ■ |

# Solutions

## Jour 181

| | 1 | 2 | 3 | 4 | 5 | 6 | 7 | 8 | 9 | 10 | 11 | 12 |
|---|---|---|---|---|---|---|---|---|---|---|---|---|
| 1 | E | M | I | N | E | N | C | E | ■ | O | I | L |
| 2 | B | A | L | E | ■ | E | A | N | E | S | ■ | E |
| 3 | A | I | L | I | E | R | ■ | T | S | A | R | S |
| 4 | U | T | ■ | G | R | I | S | E | S | ■ | E | T |
| 5 | C | R | I | E | R | ■ | E | T | E | T | E | ■ |
| 6 | H | E | M | ■ | E | T | R | E | ■ | A | L | I |
| 7 | E | ■ | A | R | R | E | T | ■ | R | U | ■ | O |
| 8 | R | A | G | E | ■ | N | I | C | E | ■ | Z | N |
| 9 | ■ | M | E | T | R | O | ■ | R | A | S | E | ■ |
| 10 | I | O | ■ | R | I | N | C | E | ■ | O | S | T |
| 11 | C | U | L | O | T | ■ | I | V | E | T | T | E |
| 12 | I | R | A | ■ | E | L | L | E | S | ■ | E | L |

## Jour 182

| | 1 | 2 | 3 | 4 | 5 | 6 | 7 | 8 | 9 | 10 | 11 | 12 |
|---|---|---|---|---|---|---|---|---|---|---|---|---|
| 1 | L | E | O | P | A | R | D | ■ | O | P | E | N |
| 2 | U | R | N | E | S | ■ | O | I | S | E | ■ | O |
| 3 | G | E | ■ | T | I | E | N | S | ■ | U | R | E |
| 4 | U | S | U | E | L | S | ■ | L | A | R | E | ■ |
| 5 | B | ■ | T | R | E | S | S | E | R | ■ | C | A |
| 6 | R | A | I | ■ | S | E | E | ■ | E | C | U | S |
| 7 | E | L | L | E | ■ | S | U | I | T | E | ■ | A |
| 8 | ■ | T | E | T | E | ■ | I | S | E | R | A | N |
| 9 | S | E | ■ | A | V | A | L | E | ■ | F | L | A |
| 10 | A | R | O | L | E | S | ■ | R | A | S | E | ■ |
| 11 | U | N | I | ■ | R | I | S | E | E | ■ | N | E |
| 12 | R | E | L | A | T | E | R | ■ | G | R | E | S |

## Jour 183

| | 1 | 2 | 3 | 4 | 5 | 6 | 7 | 8 | 9 | 10 | 11 | 12 |
|---|---|---|---|---|---|---|---|---|---|---|---|---|
| 1 | L | I | G | N | A | G | E | ■ | B | L | E | T |
| 2 | A | N | I | ■ | I | O | U | L | E | ■ | R | I |
| 3 | M | U | T | E | R | ■ | R | A | M | A | G | E |
| 4 | B | L | E | D | ■ | L | E | C | O | N | ■ | D |
| 5 | O | I | S | I | V | E | ■ | U | L | U | L | E |
| 6 | U | N | ■ | S | A | T | I | N | ■ | R | A | S |
| 7 | R | E | N | O | N | ■ | D | E | S | I | R | ■ |
| 8 | D | ■ | A | N | I | M | E | ■ | C | E | R | F |
| 9 | E | V | E | ■ | T | E | M | P | O | ■ | O | R |
| 10 | ■ | E | V | I | E | R | ■ | A | R | E | N | A |
| 11 | P | A | I | R | ■ | L | E | G | E | R | ■ | I |
| 12 | O | U | ■ | E | P | U | R | E | ■ | S | O | S |

## Jour 184

| | 1 | 2 | 3 | 4 | 5 | 6 | 7 | 8 | 9 | 10 | 11 | 12 |
|---|---|---|---|---|---|---|---|---|---|---|---|---|
| 1 | A | M | B | I | A | N | C | E | ■ | R | E | A |
| 2 | C | A | R | ■ | N | O | I | R | C | I | ■ | V |
| 3 | E | B | A | H | I | R | ■ | I | R | O | N | E |
| 4 | S | O | I | E | ■ | M | I | C | A | ■ | O | R |
| 5 | C | U | ■ | T | A | E | L | ■ | S | O | T | S |
| 6 | E | L | U | R | U | ■ | O | M | E | G | A | ■ |
| 7 | N | ■ | R | E | C | I | T | E | ■ | R | I | A |
| 8 | T | O | I | ■ | U | R | E | T | R | E | ■ | S |
| 9 | ■ | A | N | O | N | E | ■ | R | E | S | T | E |
| 10 | O | S | E | R | ■ | N | E | O | N | ■ | I | L |
| 11 | L | I | ■ | G | R | E | S | ■ | D | U | E | L |
| 12 | E | S | S | E | N | ■ | T | O | U | R | N | E |

## Jour 185

| | 1 | 2 | 3 | 4 | 5 | 6 | 7 | 8 | 9 | 10 | 11 | 12 |
|---|---|---|---|---|---|---|---|---|---|---|---|---|
| 1 | E | M | I | S | S | O | L | E | ■ | A | R | S |
| 2 | C | A | S | ■ | O | B | E | R | E | R | ■ | U |
| 3 | O | N | E | T | T | I | ■ | A | C | C | E | S |
| 4 | N | O | U | E | ■ | T | O | T | O | ■ | N | E |
| 5 | D | I | T | E | S | ■ | T | O | T | O | N | ■ |
| 6 | U | R | ■ | S | A | K | E | ■ | E | T | U | I |
| 7 | I | S | O | ■ | P | I | R | E | ■ | S | I | R |
| 8 | R | ■ | N | O | E | L | ■ | M | O | U | ■ | I |
| 9 | E | G | E | R | ■ | T | A | I | N | ■ | A | S |
| 10 | ■ | E | X | I | L | ■ | P | R | E | V | U | ■ |
| 11 | U | N | ■ | E | R | N | E | ■ | G | A | R | E |
| 12 | S | T | O | L | ■ | I | X | I | A | ■ | A | N |

## Jour 186

| | 1 | 2 | 3 | 4 | 5 | 6 | 7 | 8 | 9 | 10 | 11 | 12 |
|---|---|---|---|---|---|---|---|---|---|---|---|---|
| 1 | M | A | L | L | E | O | L | E | ■ | S | A | C |
| 2 | I | P | E | ■ | S | U | I | V | R | E | ■ | H |
| 3 | R | O | S | S | E | R | ■ | O | I | N | T | E |
| 4 | O | T | E | E | ■ | S | I | E | N | ■ | I | F |
| 5 | I | R | ■ | B | R | E | L | ■ | C | A | R | ■ |
| 6 | T | E | N | U | E | ■ | A | V | E | R | E | R |
| 7 | E | ■ | E | M | I | R | ■ | A | R | A | ■ | I |
| 8 | R | A | P | ■ | N | E | R | I | ■ | C | E | P |
| 9 | ■ | G | E | L | ■ | A | I | N | E | ■ | C | O |
| 10 | C | A | ■ | A | L | L | O | ■ | L | A | O | S |
| 11 | A | M | I | D | E | ■ | T | R | U | C | ■ | T |
| 12 | P | I | N | ■ | V | O | E | U | ■ | E | R | E |

## Jour 187

| | 1 | 2 | 3 | 4 | 5 | 6 | 7 | 8 | 9 | 10 | 11 | 12 |
|---|---|---|---|---|---|---|---|---|---|---|---|---|
| 1 | R | E | T | E | N | D | O | I | R | ■ | F | E |
| 2 | O | P | I | N | I | O | N | ■ | A | D | A | M |
| 3 | S | I | T | E | ■ | S | C | O | R | E | ■ | U |
| 4 | S | ■ | R | E | N | E | ■ | B | E | C | H | E |
| 5 | A | C | E | ■ | O | R | G | E | ■ | R | A | S |
| 6 | R | U | R | A | L | ■ | A | S | D | I | C | ■ |
| 7 | D | I | ■ | L | I | M | I | E | R | ■ | H | A |
| 8 | ■ | T | O | I | S | O | N | ■ | A | B | E | R |
| 9 | V | E | R | S | ■ | D | E | S | I | R | ■ | D |
| 10 | I | ■ | G | E | R | E | ■ | A | N | I | M | E |
| 11 | S | U | E | ■ | A | M | E | R | ■ | S | O | U |
| 12 | A | S | S | E | Z | ■ | S | A | V | E | U | R |

## Jour 188

| | 1 | 2 | 3 | 4 | 5 | 6 | 7 | 8 | 9 | 10 | 11 | 12 |
|---|---|---|---|---|---|---|---|---|---|---|---|---|
| 1 | P | A | P | E | G | A | I | ■ | F | E | A | L |
| 2 | E | B | A | H | I | ■ | L | E | A | U | ■ | I |
| 3 | C | O | I | ■ | T | O | I | T | ■ | P | A | S |
| 4 | H | U | R | L | E | R | ■ | A | P | E | X | ■ |
| 5 | E | T | ■ | E | R | I | C | ■ | A | N | E | T |
| 6 | T | I | A | N | ■ | N | A | B | I | ■ | L | E |
| 7 | T | ■ | C | A | L | ■ | N | O | N | E | ■ | T |
| 8 | E | M | U | ■ | I | S | A | R | ■ | P | A | R |
| 9 | ■ | A | L | A | M | O | ■ | A | B | A | C | A |
| 10 | M | G | ■ | B | A | U | R | ■ | O | R | E | ■ |
| 11 | I | M | B | U | ■ | D | E | U | X | ■ | R | A |
| 12 | L | A | I | S | S | E | ■ | T | E | X | E | L |

## Jour 189

| | 1 | 2 | 3 | 4 | 5 | 6 | 7 | 8 | 9 | 10 | 11 | 12 |
|---|---|---|---|---|---|---|---|---|---|---|---|---|
| 1 | P | L | A | T | R | A | S | ■ | A | M | A | S |
| 2 | R | E | G | ■ | O | R | I | E | L | ■ | V | E |
| 3 | E | V | E | I | L | ■ | C | I | T | E | E | ■ |
| 4 | C | ■ | E | T | E | S | ■ | D | O | N | N | E |
| 5 | I | V | ■ | A | S | I | L | E | ■ | O | U | T |
| 6 | S | A | U | L | ■ | G | I | R | O | N | ■ | A |
| 7 | I | N | S | I | G | N | E | ■ | A | C | U | L |
| 8 | O | ■ | A | E | R | E | ■ | E | T | A | T | ■ |
| 9 | N | O | N | ■ | E | S | O | P | E | ■ | E | T |
| 10 | ■ | E | T | O | N | ■ | M | A | S | U | R | E |
| 11 | L | I | ■ | S | U | B | I | T | ■ | N | I | L |
| 12 | E | L | L | E | ■ | E | S | E | R | I | N | E |

# Solutions

## Jour 190

| | 1 | 2 | 3 | 4 | 5 | 6 | 7 | 8 | 9 | 10 | 11 | 12 |
|---|---|---|---|---|---|---|---|---|---|---|---|---|
| 1 | O | F | F | I | C | I | N | E | ■ | P | O | P |
| 2 | P | E | I | N | E | R | ■ | T | R | O | N | E |
| 3 | P | R | E | T | ■ | B | I | A | I | S | ■ | T |
| 4 | R | ■ | R | I | C | I | N | ■ | F | E | T | E |
| 5 | O | U | T | ■ | I | D | E | A | L | ■ | E | R |
| 6 | B | L | E | M | E | ■ | R | I | E | N | S | ■ |
| 7 | R | U | ■ | E | L | I | T | E | ■ | O | T | A |
| 8 | E | L | A | N | ■ | R | E | U | N | I | ■ | S |
| 9 | ■ | E | M | E | S | E | ■ | L | O | R | I | S |
| 10 | C | R | U | ■ | E | N | F | E | R | ■ | L | E |
| 11 | R | ■ | S | C | I | E | E | ■ | M | I | E | N |
| 12 | I | L | E | O | N | ■ | E | V | E | N | T | E |

## Jour 191

| | 1 | 2 | 3 | 4 | 5 | 6 | 7 | 8 | 9 | 10 | 11 | 12 |
|---|---|---|---|---|---|---|---|---|---|---|---|---|
| 1 | R | E | S | E | R | V | O | I | R | ■ | T | C |
| 2 | E | C | I | D | I | E | ■ | C | A | V | E | R |
| 3 | F | U | T | E | ■ | N | A | I | N | E | ■ | I |
| 4 | R | ■ | U | N | T | E | L | ■ | G | R | A | S |
| 5 | A | I | E | ■ | U | T | A | H | ■ | I | D | E |
| 6 | I | S | S | U | E | ■ | M | O | I | N | E | ■ |
| 7 | N | O | ■ | S | E | C | O | N | D | ■ | N | B |
| 8 | ■ | L | A | S | S | O | ■ | T | E | N | T | E |
| 9 | S | E | V | E | ■ | S | C | E | A | U | ■ | B |
| 10 | O | ■ | A | L | I | S | E | ■ | L | I | S | E |
| 11 | F | E | R | ■ | C | U | R | E | ■ | R | O | T |
| 12 | A | R | E | N | A | ■ | F | U | S | E | L | E |

## Jour 192

| | 1 | 2 | 3 | 4 | 5 | 6 | 7 | 8 | 9 | 10 | 11 | 12 |
|---|---|---|---|---|---|---|---|---|---|---|---|---|
| 1 | T | A | I | L | L | I | S | ■ | F | A | D | O |
| 2 | O | C | R | E | ■ | D | U | P | E | ■ | I | N |
| 3 | L | E | A | U | T | E | ■ | R | U | D | E | ■ |
| 4 | E | T | ■ | R | A | M | P | E | ■ | O | U | T |
| 5 | R | O | S | S | E | ■ | U | S | U | S | ■ | A |
| 6 | A | N | A | ■ | L | I | N | ■ | R | E | E | R |
| 7 | N | E | N | E | ■ | S | I | T | E | ■ | V | E |
| 8 | C | ■ | A | C | R | A | ■ | E | S | S | E | ■ |
| 9 | E | H | ■ | H | E | R | O | N | ■ | O | I | L |
| 10 | ■ | E | C | O | T | ■ | R | U | E | L | L | E |
| 11 | I | L | A | ■ | R | E | L | E | V | E | ■ | S |
| 12 | D | E | S | P | O | T | E | ■ | E | N | T | E |

## Jour 193

| | 1 | 2 | 3 | 4 | 5 | 6 | 7 | 8 | 9 | 10 | 11 | 12 |
|---|---|---|---|---|---|---|---|---|---|---|---|---|
| 1 | N | O | V | A | T | I | O | N | ■ | B | I | S |
| 2 | A | V | A | L | E | R | ■ | E | M | U | L | E |
| 3 | R | E | N | E | ■ | B | R | O | U | T | ■ | M |
| 4 | C | ■ | I | S | A | I | E | ■ | F | E | V | E |
| 5 | E | S | T | ■ | I | D | E | A | L | ■ | O | S |
| 6 | I | L | E | U | S | ■ | L | I | E | G | E | ■ |
| 7 | N | O | ■ | N | E | F | L | E | ■ | R | U | T |
| 8 | E | G | E | E | ■ | R | E | U | N | I | ■ | U |
| 9 | ■ | A | S | S | A | I | ■ | L | O | S | E | R |
| 10 | O | N | C | ■ | I | M | P | E | R | ■ | S | B |
| 11 | R | ■ | H | U | M | E | R | ■ | M | I | S | A |
| 12 | B | I | E | R | E | ■ | E | P | E | R | O | N |

## Jour 194

| | 1 | 2 | 3 | 4 | 5 | 6 | 7 | 8 | 9 | 10 | 11 | 12 |
|---|---|---|---|---|---|---|---|---|---|---|---|---|
| 1 | N | A | V | A | R | I | N | ■ | A | B | A | T |
| 2 | O | V | E | ■ | A | C | I | E | R | ■ | C | A |
| 3 | N | O | L | I | S | E | ■ | V | O | L | E | T |
| 4 | N | I | E | R | ■ | U | P | O | L | U | ■ | O |
| 5 | E | N | ■ | B | O | X | E | R | ■ | T | S | U |
| 6 | T | E | P | I | C | ■ | R | A | T | T | E | ■ |
| 7 | T | ■ | A | D | E | L | E | ■ | I | E | N | A |
| 8 | E | P | I | ■ | L | O | T | I | R | ■ | S | M |
| 9 | ■ | R | E | P | L | I | ■ | V | E | R | ■ | E |
| 10 | M | E | ■ | L | E | S | E | R | ■ | I | O | N |
| 11 | A | L | T | O | ■ | I | N | E | G | A | L | E |
| 12 | L | E | C | T | U | R | E | ■ | E | L | E | E |

## Jour 195

| | 1 | 2 | 3 | 4 | 5 | 6 | 7 | 8 | 9 | 10 | 11 | 12 |
|---|---|---|---|---|---|---|---|---|---|---|---|---|
| 1 | U | N | G | U | E | A | L | E | ■ | F | L | A |
| 2 | R | E | A | ■ | T | U | E | R | I | E | ■ | T |
| 3 | B | R | U | T | A | L | ■ | I | D | E | E | L |
| 4 | A | E | R | E | ■ | N | I | C | E | ■ | L | A |
| 5 | N | I | ■ | T | I | E | N | ■ | A | V | I | S |
| 6 | I | S | L | A | M | ■ | D | A | L | O | T | ■ |
| 7 | T | ■ | E | S | P | O | I | R | ■ | L | E | U |
| 8 | E | D | O | ■ | I | N | C | I | T | E | ■ | R |
| 9 | ■ | O | N | D | E | E | ■ | D | A | T | T | E |
| 10 | A | R | E | U | ■ | G | R | E | S | ■ | U | T |
| 11 | N | I | ■ | E | T | A | I | ■ | S | U | E | R |
| 12 | A | S | I | L | E | ■ | S | I | E | R | R | E |

## Jour 196

| | 1 | 2 | 3 | 4 | 5 | 6 | 7 | 8 | 9 | 10 | 11 | 12 |
|---|---|---|---|---|---|---|---|---|---|---|---|---|
| 1 | E | N | S | O | U | P | L | E | ■ | G | A | G |
| 2 | M | O | I | ■ | B | E | A | N | T | E | ■ | U |
| 3 | P | L | A | C | E | R | ■ | T | O | L | L | E |
| 4 | L | I | M | A | ■ | I | T | E | M | ■ | A | R |
| 5 | A | S | ■ | V | E | L | U | ■ | B | I | S | E |
| 6 | T | E | L | E | X | ■ | N | I | E | M | E | ■ |
| 7 | R | ■ | E | R | I | G | E | R | ■ | P | R | E |
| 8 | E | R | S | ■ | G | E | R | O | M | E | ■ | P |
| 9 | ■ | A | T | O | U | R | ■ | N | O | R | M | E |
| 10 | A | V | E | C | ■ | M | I | E | L | ■ | A | I |
| 11 | M | I | ■ | R | E | E | L | ■ | L | O | I | R |
| 12 | E | N | F | E | R | ■ | S | I | E | C | L | E |

## Jour 197

| | 1 | 2 | 3 | 4 | 5 | 6 | 7 | 8 | 9 | 10 | 11 | 12 |
|---|---|---|---|---|---|---|---|---|---|---|---|---|
| 1 | A | C | C | A | L | M | I | E | ■ | C | R | I |
| 2 | F | R | E | L | E | ■ | C | O | R | A | I | L |
| 3 | F | A | R | ■ | S | M | A | L | A | ■ | M | A |
| 4 | I | N | E | P | T | E | ■ | E | L | O | I | ■ |
| 5 | L | E | ■ | L | E | N | A | ■ | E | T | N | A |
| 6 | I | R | M | A | ■ | U | B | E | ■ | S | I | L |
| 7 | E | ■ | A | N | I | ■ | E | C | H | U | ■ | M |
| 8 | R | E | G | ■ | G | A | R | O | U | ■ | L | A |
| 9 | ■ | R | E | B | U | S | ■ | T | E | T | E | ■ |
| 10 | G | A | ■ | R | E | P | U | ■ | R | A | V | E |
| 11 | I | T | O | U | ■ | I | N | S | T | I | ■ | O |
| 12 | N | O | S | T | O | C | ■ | C | A | N | O | N |

## Jour 198

| | 1 | 2 | 3 | 4 | 5 | 6 | 7 | 8 | 9 | 10 | 11 | 12 |
|---|---|---|---|---|---|---|---|---|---|---|---|---|
| 1 | L | A | L | L | A | T | I | O | N | ■ | E | H |
| 2 | E | B | O | U | L | I | S | ■ | O | P | T | E |
| 3 | N | A | I | N | ■ | R | O | N | C | E | ■ | R |
| 4 | T | ■ | S | E | V | E | ■ | O | E | I | L | S |
| 5 | I | C | I | ■ | I | T | O | U | ■ | N | I | E |
| 6 | G | A | R | E | R | ■ | R | E | C | E | L | ■ |
| 7 | O | S | ■ | B | E | T | A | ■ | L | E | A | U |
| 8 | ■ | E | T | A | ■ | A | L | T | O | ■ | S | R |
| 9 | T | R | A | H | I | R | ■ | R | U | T | ■ | E |
| 10 | O | ■ | L | I | B | I | D | O | ■ | A | R | T |
| 11 | T | A | U | ■ | I | R | O | N | I | S | E | R |
| 12 | O | A | S | I | S | ■ | S | E | N | S | E | E |

# Solutions

## Jour 199

| | 1 | 2 | 3 | 4 | 5 | 6 | 7 | 8 | 9 | 10 | 11 | 12 |
|---|---|---|---|---|---|---|---|---|---|---|---|---|
| 1 | A | G | N | A | T | H | E | ■ | T | R | U | C |
| 2 | N | E | O | ■ | R | A | N | G | E | ■ | R | A |
| 3 | N | O | N | D | I | T | ■ | O | L | T | E | N |
| 4 | A | L | E | A | ■ | I | N | U | L | E | ■ | A |
| 5 | L | E | ■ | L | O | F | E | R | ■ | N | I | L |
| 6 | I | S | O | L | E | ■ | R | A | I | D | E | ■ |
| 7 | S | ■ | N | E | U | M | E | ■ | P | U | P | E |
| 8 | T | A | G | ■ | V | I | E | L | E | ■ | E | L |
| 9 | E | O | L | I | E | N | ■ | A | C | E | R | E |
| 10 | ■ | R | E | G | ■ | C | A | B | A | N | ■ | G |
| 11 | E | T | ■ | N | O | E | S | E | ■ | N | U | I |
| 12 | X | E | R | E | S | ■ | O | L | E | A | T | E |

## Jour 200

| | 1 | 2 | 3 | 4 | 5 | 6 | 7 | 8 | 9 | 10 | 11 | 12 |
|---|---|---|---|---|---|---|---|---|---|---|---|---|
| 1 | D | O | U | B | L | E | A | U | ■ | O | K | A |
| 2 | E | R | E | ■ | A | V | I | N | E | R | ■ | R |
| 3 | G | E | L | O | S | E | ■ | E | M | B | U | E |
| 4 | E | G | E | R | ■ | R | O | S | E | ■ | S | N |
| 5 | N | O | ■ | A | R | E | C | ■ | S | A | N | A |
| 6 | E | N | U | G | U | ■ | T | I | E | D | E | ■ |
| 7 | R | ■ | R | E | I | S | E | R | ■ | R | E | G |
| 8 | E | T | A | ■ | N | O | T | I | C | E | ■ | E |
| 9 | ■ | E | N | F | E | U | ■ | S | A | T | A | N |
| 10 | O | X | E | R | ■ | C | R | E | T | ■ | L | E |
| 11 | F | E | ■ | E | L | I | E | ■ | I | D | E | S |
| 12 | F | L | U | T | E | ■ | A | N | N | A | T | E |

## Jour 201

| | 1 | 2 | 3 | 4 | 5 | 6 | 7 | 8 | 9 | 10 | 11 | 12 |
|---|---|---|---|---|---|---|---|---|---|---|---|---|
| 1 | B | A | R | E | F | O | O | T | ■ | I | L | S |
| 2 | E | M | I | R | A | T | ■ | E | S | S | A | I |
| 3 | L | E | V | I | ■ | I | C | T | U | S | ■ | L |
| 4 | L | ■ | E | C | O | T | E | ■ | J | U | B | E |
| 5 | A | R | T | ■ | L | E | S | T | E | ■ | E | X |
| 6 | T | I | E | D | E | ■ | S | O | T | T | E | ■ |
| 7 | R | E | ■ | U | N | T | E | L | ■ | A | R | S |
| 8 | E | U | R | E | ■ | A | R | E | T | E | ■ | A |
| 9 | ■ | S | A | L | O | P | ■ | R | A | L | E | R |
| 10 | S | E | M | ■ | B | E | T | E | L | ■ | D | I |
| 11 | P | ■ | P | A | I | R | E | ■ | C | O | I | N |
| 12 | A | G | E | N | T | ■ | C | H | A | S | T | E |

## Jour 202

| | 1 | 2 | 3 | 4 | 5 | 6 | 7 | 8 | 9 | 10 | 11 | 12 |
|---|---|---|---|---|---|---|---|---|---|---|---|---|
| 1 | P | E | C | T | O | R | A | L | ■ | M | E | C |
| 2 | U | R | A | E | T | E | ■ | O | D | E | U | R |
| 3 | R | E | G | ■ | E | D | I | T | E | ■ | R | E |
| 4 | I | ■ | E | C | R | A | N | ■ | C | R | E | T |
| 5 | T | R | O | U | ■ | N | I | C | H | E | ■ | I |
| 6 | A | U | T | R | E | ■ | T | O | U | C | A | N |
| 7 | I | R | ■ | E | N | F | I | N | ■ | U | N | ■ |
| 8 | N | A | P | ■ | T | R | E | V | E | ■ | S | S |
| 9 | ■ | L | I | T | E | E | ■ | O | C | T | E | T |
| 10 | M | E | S | A | ■ | L | O | I | R | E | ■ | R |
| 11 | A | ■ | S | O | L | E | N | ■ | I | N | T | I |
| 12 | C | H | E | N | E | ■ | C | A | N | U | L | E |

## Jour 203

| | 1 | 2 | 3 | 4 | 5 | 6 | 7 | 8 | 9 | 10 | 11 | 12 |
|---|---|---|---|---|---|---|---|---|---|---|---|---|
| 1 | M | E | R | L | U | C | H | E | ■ | S | S | E |
| 2 | A | R | A | I | R | E | ■ | U | S | T | E | R |
| 3 | C | E | D | E | ■ | L | A | H | T | I | ■ | G |
| 4 | H | ■ | I | N | D | E | X | ■ | A | F | R | O |
| 5 | A | C | E | ■ | E | R | O | D | E | ■ | A | T |
| 6 | O | U | R | A | L | ■ | N | O | L | I | S | ■ |
| 7 | N | I | ■ | M | A | S | E | R | ■ | C | E | P |
| 8 | ■ | T | E | P | I | C | ■ | I | N | A | R | I |
| 9 | T | E | L | L | ■ | E | S | S | O | R | ■ | L |
| 10 | S | ■ | B | E | R | N | E | ■ | Y | E | T | I |
| 11 | A | S | O | ■ | H | E | R | N | E | ■ | H | E |
| 12 | R | A | T | I | O | ■ | T | O | R | E | E | R |

## Jour 204

| | 1 | 2 | 3 | 4 | 5 | 6 | 7 | 8 | 9 | 10 | 11 | 12 |
|---|---|---|---|---|---|---|---|---|---|---|---|---|
| 1 | C | R | E | V | A | S | S | E | ■ | N | A | O |
| 2 | H | A | B | I | L | E | ■ | P | I | P | I | T |
| 3 | A | I | L | ■ | E | M | A | I | L | ■ | G | E |
| 4 | U | ■ | O | A | T | E | S | ■ | E | C | U | ■ |
| 5 | S | T | U | C | ■ | R | I | G | O | L | E | S |
| 6 | S | O | I | N | S | ■ | L | E | N | A | ■ | O |
| 7 | O | N | ■ | E | A | M | E | S | ■ | N | A | T |
| 8 | N | I | S | ■ | P | E | S | T | E | ■ | P | T |
| 9 | ■ | F | I | G | E | S | ■ | U | C | C | L | E |
| 10 | A | I | N | E | ■ | S | T | E | R | E | O | ■ |
| 11 | G | E | O | L | E | ■ | A | L | I | S | M | E |
| 12 | A | R | C | ■ | T | R | U | S | T | ■ | B | R |

## Jour 205

| | 1 | 2 | 3 | 4 | 5 | 6 | 7 | 8 | 9 | 10 | 11 | 12 |
|---|---|---|---|---|---|---|---|---|---|---|---|---|
| 1 | E | C | H | E | L | I | E | R | ■ | A | P | I |
| 2 | P | O | I | S | O | N | ■ | A | R | M | E | T |
| 3 | I | D | E | ■ | S | O | B | R | E | ■ | G | E |
| 4 | N | E | M | E | E | ■ | I | E | P | E | R | ■ |
| 5 | O | ■ | A | P | R | E | S | ■ | O | P | E | N |
| 6 | C | A | L | E | ■ | M | E | S | S | E | ■ | E |
| 7 | H | O | ■ | L | A | I | T | E | ■ | R | D | S |
| 8 | E | R | R | E | U | R | ■ | R | O | D | E | S |
| 9 | ■ | T | O | R | T | ■ | S | I | N | U | S | ■ |
| 10 | J | E | U | ■ | R | E | I | N | E | ■ | U | N |
| 11 | O | ■ | L | I | E | G | E | ■ | G | E | N | E |
| 12 | B | R | E | L | ■ | O | N | T | A | R | I | O |

## Jour 206

| | 1 | 2 | 3 | 4 | 5 | 6 | 7 | 8 | 9 | 10 | 11 | 12 |
|---|---|---|---|---|---|---|---|---|---|---|---|---|
| 1 | A | L | T | I | P | O | R | T | ■ | C | O | L |
| 2 | M | A | U | V | E | ■ | H | A | L | E | ■ | I |
| 3 | B | I | N | E | T | T | E | ■ | I | S | L | E |
| 4 | I | S | E | ■ | U | R | A | N | E | ■ | A | U |
| 5 | A | S | ■ | A | N | I | ■ | A | N | E | T | ■ |
| 6 | N | E | S | S | ■ | N | E | T | ■ | P | E | P |
| 7 | C | ■ | T | O | N | ■ | V | A | L | I | N | E |
| 8 | E | D | O | ■ | I | S | O | L | E | ■ | T | I |
| 9 | ■ | E | L | E | A | T | E | ■ | T | A | E | L |
| 10 | C | I | ■ | I | S | O | ■ | M | A | S | ■ | L |
| 11 | O | T | E | R | ■ | U | T | I | L | I | T | E |
| 12 | D | E | T | E | S | T | E | R | ■ | R | U | ■ |

## Jour 207

| | 1 | 2 | 3 | 4 | 5 | 6 | 7 | 8 | 9 | 10 | 11 | 12 |
|---|---|---|---|---|---|---|---|---|---|---|---|---|
| 1 | E | F | F | R | E | N | E | ■ | P | E | Z | E |
| 2 | G | E | O | ■ | D | E | R | M | E | ■ | U | T |
| 3 | U | L | U | L | E | R | ■ | A | O | S | T | E |
| 4 | E | U | R | E | ■ | O | P | I | N | E | ■ | U |
| 5 | U | R | ■ | X | E | N | O | N | ■ | T | I | F |
| 6 | L | E | V | I | S | ■ | L | E | C | O | N | ■ |
| 7 | E | ■ | E | S | S | A | I | ■ | U | N | A | U |
| 8 | R | A | S | ■ | O | U | R | S | E | ■ | R | H |
| 9 | ■ | C | O | U | R | T | ■ | E | V | E | I | L |
| 10 | R | H | U | M | ■ | R | A | D | A | R | ■ | A |
| 11 | A | A | ■ | A | V | E | N | U | ■ | I | N | N |
| 12 | E | T | I | R | E | ■ | A | M | E | N | E | ■ |

# Solutions

## Jour 208

| | 1 | 2 | 3 | 4 | 5 | 6 | 7 | 8 | 9 | 10 | 11 | 12 |
|---|---|---|---|---|---|---|---|---|---|---|---|---|
| 1 | C | R | A | I | N | D | R | E | ■ | A | N | A |
| 2 | L | A | N | D | A | U | ■ | R | O | L | E | S |
| 3 | I | D | ■ | E | ■ | P | E | G | R | E | ■ | T |
| 4 | G | ■ | B | E | L | E | R | ■ | N | A | S | E |
| 5 | N | U | E | ■ | I | R | O | N | E | ■ | A | R |
| 6 | O | L | E | U | M | ■ | D | E | S | I | R | ■ |
| 7 | T | U | ■ | R | E | B | E | C | ■ | D | I | A |
| 8 | E | L | A | N | ■ | O | R | T | I | E | ■ | R |
| 9 | ■ | E | V | E | N | T | ■ | A | R | M | E | R |
| 10 | C | R | I | ■ | E | T | I | R | E | ■ | R | E |
| 11 | A | ■ | S | U | R | E | S | ■ | N | U | I | T |
| 12 | S | C | E | N | E | ■ | O | P | E | R | E | E |

## Jour 209

| | 1 | 2 | 3 | 4 | 5 | 6 | 7 | 8 | 9 | 10 | 11 | 12 |
|---|---|---|---|---|---|---|---|---|---|---|---|---|
| 1 | E | B | O | U | R | I | F | F | E | ■ | P | I |
| 2 | M | A | S | S | I | V | E | ■ | P | A | O | N |
| 3 | B | I | S | E | T | ■ | R | A | I | S | ■ | T |
| 4 | O | L | E | ■ | A | Z | U | R | ■ | I | L | I |
| 5 | U | ■ | T | A | L | E | ■ | A | C | R | E | ■ |
| 6 | C | H | E | R | ■ | L | I | C | E | ■ | G | A |
| 7 | H | A | ■ | R | I | E | L | ■ | L | E | S | T |
| 8 | E | M | P | A | N | ■ | A | P | E | X | ■ | T |
| 9 | ■ | P | E | S | O | N | ■ | I | R | O | N | E |
| 10 | M | E | C | ■ | N | E | P | E | ■ | D | O | L |
| 11 | O | ■ | H | E | U | R | E | ■ | J | E | T | E |
| 12 | T | R | E | S | ■ | E | U | R | E | ■ | E | R |

## Jour 210

## Jour 211

## Jour 212

| | 1 | 2 | 3 | 4 | 5 | 6 | 7 | 8 | 9 | 10 | 11 | 12 |
|---|---|---|---|---|---|---|---|---|---|---|---|---|
| 1 | G | A | L | E | T | A | S | ■ | F | E | T | E |
| 2 | O | M | O | ■ | O | V | A | T | E | ■ | U | T |
| 3 | Y | O | U | R | T | E | ■ | O | R | O | B | E |
| 4 | A | R | E | U | ■ | N | E | P | A | L | ■ | U |
| 5 | V | A | ■ | P | O | U | C | E | ■ | T | U | F |
| 6 | I | L | M | E | N | ■ | A | R | T | E | L | ■ |
| 7 | E | ■ | A | L | G | E | R | ■ | E | N | T | E |
| 8 | R | E | G | ■ | L | A | T | E | X | ■ | R | N |
| 9 | ■ | S | O | L | E | N | ■ | G | A | Y | A | L |
| 10 | L | O | G | E | ■ | E | V | A | S | E | ■ | I |
| 11 | O | P | ■ | G | E | S | I | R | ■ | T | E | S |
| 12 | B | E | M | O | L | ■ | A | E | T | I | T | E |

## Jour 213

## Jour 214

## Jour 215

| | 1 | 2 | 3 | 4 | 5 | 6 | 7 | 8 | 9 | 10 | 11 | 12 |
|---|---|---|---|---|---|---|---|---|---|---|---|---|
| 1 | J | O | U | F | F | L | U | ■ | I | D | E | M |
| 2 | A | R | E | ■ | E | A | N | E | S | ■ | D | O |
| 3 | S | E | L | L | E | S | ■ | R | I | V | E | T |
| 4 | P | A | E | A | ■ | S | E | N | S | E | ■ | E |
| 5 | I | D | ■ | R | H | O | N | E | ■ | L | U | T |
| 6 | N | E | U | M | E | ■ | G | E | N | E | T | ■ |
| 7 | E | ■ | R | E | U | N | I | ■ | I | R | I | S |
| 8 | R | E | G | ■ | R | O | N | D | O | ■ | L | I |
| 9 | ■ | R | E | J | E | T | ■ | O | L | I | E | R |
| 10 | R | A | R | E | ■ | E | S | S | E | N | ■ | E |
| 11 | E | T | ■ | T | A | R | E | E | ■ | T | I | N |
| 12 | M | O | Y | E | U | ■ | C | R | O | I | R | E |

## Jour 216

| | 1 | 2 | 3 | 4 | 5 | 6 | 7 | 8 | 9 | 10 | 11 | 12 |
|---|---|---|---|---|---|---|---|---|---|---|---|---|
| 1 | O | B | N | U | B | I | L | E | R | ■ | S | C |
| 2 | C | R | I | T | E | R | E | ■ | E | M | B | A |
| 3 | C | A | D | E | T | ■ | G | O | G | O | ■ | I |
| 4 | U | V | ■ | R | A | B | A | N | ■ | L | A | D |
| 5 | L | O | R | I | ■ | E | T | A | B | L | I | ■ |
| 6 | T | ■ | I | N | C | A | ■ | G | A | I | N | E |
| 7 | E | D | O | ■ | O | T | A | R | U | ■ | E | N |
| 8 | R | E | N | O | N | ■ | M | E | M | E | ■ | D |
| 9 | ■ | F | I | A | N | C | E | ■ | E | M | O | U |
| 10 | P | I | ■ | T | U | A | N | T | ■ | S | P | I |
| 11 | I | N | N | E | ■ | L | E | U | R | ■ | E | R |
| 12 | F | I | A | S | C | O | ■ | F | A | I | N | E |

# Solutions

## Jour 217

| | 1 | 2 | 3 | 4 | 5 | 6 | 7 | 8 | 9 | 10 | 11 | 12 |
|---|---|---|---|---|---|---|---|---|---|---|---|---|
| 1 | C | L | A | B | A | U | D | E | R | ■ | I | L |
| 2 | R | A | M | A | S | S | E | ■ | A | L | F | A |
| 3 | E | D | I | T | ■ | I | S | O | L | E | ■ | V |
| 4 | S | ■ | T | I | A | N | ■ | B | E | V | U | E |
| 5 | S | A | I | ■ | R | E | P | U | ■ | A | S | E |
| 6 | O | M | E | G | A | ■ | O | S | T | I | E | ■ |
| 7 | N | E | ■ | E | C | O | T | ■ | U | N | E | S |
| 8 | ■ | N | O | M | ■ | N | E | N | E | ■ | S | A |
| 9 | D | E | P | I | T | E | ■ | O | R | B | ■ | I |
| 10 | A | ■ | A | R | A | G | O | N | ■ | E | R | G |
| 11 | N | U | L | ■ | P | A | S | ■ | E | T | O | N |
| 12 | S | T | E | L | E | ■ | T | E | N | A | C | E |

## Jour 218

| | 1 | 2 | 3 | 4 | 5 | 6 | 7 | 8 | 9 | 10 | 11 | 12 |
|---|---|---|---|---|---|---|---|---|---|---|---|---|
| 1 | N | E | C | T | A | I | R | E | ■ | R | H | O |
| 2 | A | C | A | R | U | S | ■ | C | O | U | I | C |
| 3 | R | O | S | I | ■ | O | V | U | L | E | ■ | T |
| 4 | C | ■ | I | N | U | L | E | ■ | T | E | M | A |
| 5 | E | O | N | ■ | S | E | R | P | E | ■ | I | L |
| 6 | I | N | O | N | U | ■ | S | O | N | A | R | ■ |
| 7 | N | A | ■ | A | R | C | O | N | ■ | M | E | C |
| 8 | E | G | A | R | E | R | ■ | T | I | A | R | E |
| 9 | ■ | R | A | D | ■ | A | L | O | R | S | ■ | N |
| 10 | F | E | R | ■ | A | N | O | N | E | ■ | R | D |
| 11 | I | ■ | O | L | I | E | R | ■ | N | O | I | R |
| 12 | C | A | N | A | R | ■ | I | N | E | P | T | E |

## Jour 219

| | 1 | 2 | 3 | 4 | 5 | 6 | 7 | 8 | 9 | 10 | 11 | 12 |
|---|---|---|---|---|---|---|---|---|---|---|---|---|
| 1 | P | L | A | C | E | T | T | E | ■ | B | A | L |
| 2 | R | E | I | M | S | ■ | A | C | A | U | L | E |
| 3 | E | M | S | ■ | T | A | B | L | A | ■ | O | U |
| 4 | D | E | N | I | E | R | ■ | O | R | L | Y | ■ |
| 5 | I | L | E | T | ■ | N | O | S | ■ | E | A | U |
| 6 | C | I | ■ | A | C | O | N | ■ | P | E | U | L |
| 7 | A | N | I | M | E | ■ | C | H | E | R | ■ | U |
| 8 | N | ■ | L | I | D | O | ■ | U | S | S | E | L |
| 9 | T | O | I | ■ | E | L | I | M | E | ■ | B | E |
| 10 | ■ | M | E | P | R | I | S | E | ■ | F | A | ■ |
| 11 | M | I | N | I | ■ | V | A | R | I | E | T | E |
| 12 | A | S | ■ | N | I | E | R | ■ | L | E | S | T |

## Jour 220

| | 1 | 2 | 3 | 4 | 5 | 6 | 7 | 8 | 9 | 10 | 11 | 12 |
|---|---|---|---|---|---|---|---|---|---|---|---|---|
| 1 | L | A | N | T | A | N | I | E | R | ■ | B | U |
| 2 | O | R | A | I | S | O | N | ■ | I | B | I | S |
| 3 | P | E | U | R | ■ | L | O | C | A | L | ■ | N |
| 4 | E | ■ | S | E | M | I | ■ | U | L | U | L | E |
| 5 | T | H | E | ■ | A | S | T | I | ■ | E | U | E |
| 6 | T | I | E | R | S | ■ | I | R | I | S | E | ■ |
| 7 | E | S | ■ | I | S | M | A | E | L | ■ | U | S |
| 8 | ■ | S | A | V | E | U | R | ■ | O | C | R | E |
| 9 | H | E | R | E | ■ | T | E | S | T | E | ■ | V |
| 10 | A | ■ | A | R | M | E | ■ | T | E | R | R | E |
| 11 | L | E | S | ■ | O | R | L | E | ■ | A | A | R |
| 12 | E | X | E | A | T | ■ | A | M | I | T | I | E |

## Jour 221

| | 1 | 2 | 3 | 4 | 5 | 6 | 7 | 8 | 9 | 10 | 11 | 12 |
|---|---|---|---|---|---|---|---|---|---|---|---|---|
| 1 | O | F | F | I | C | I | E | L | ■ | A | G | A |
| 2 | C | L | I | S | S | E | ■ | E | D | F | O | U |
| 3 | T | A | L | E | ■ | P | O | K | E | R | ■ | T |
| 4 | A | ■ | T | O | P | E | R | ■ | V | O | I | R |
| 5 | V | E | R | ■ | E | R | A | T | O | ■ | C | E |
| 6 | I | L | E | U | S | ■ | N | I | T | R | A | ■ |
| 7 | N | I | ■ | D | O | U | T | E | ■ | O | R | B |
| 8 | ■ | M | O | I | N | S | ■ | R | A | S | E | R |
| 9 | J | E | A | N | ■ | S | O | S | I | E | ■ | A |
| 10 | O | ■ | T | E | L | E | X | ■ | R | E | M | I |
| 11 | N | N | E | ■ | E | L | E | V | E | ■ | O | S |
| 12 | C | O | S | S | U | ■ | R | A | R | E | T | E |

## Jour 222

| | 1 | 2 | 3 | 4 | 5 | 6 | 7 | 8 | 9 | 10 | 11 | 12 |
|---|---|---|---|---|---|---|---|---|---|---|---|---|
| 1 | R | A | S | C | A | S | S | E | ■ | A | R | S |
| 2 | E | L | U | ■ | C | A | I | M | A | N | ■ | T |
| 3 | N | I | C | H | E | R | ■ | O | G | I | V | E |
| 4 | I | S | E | O | ■ | R | O | U | E | ■ | E | R |
| 5 | F | I | ■ | I | D | E | M | ■ | N | O | N | E |
| 6 | L | E | P | R | E | ■ | R | A | T | T | E | ■ |
| 7 | A | R | A | ■ | F | A | I | M | ■ | E | T | C |
| 8 | R | ■ | C | O | I | R | ■ | A | A | R | ■ | E |
| 9 | D | R | A | P | ■ | A | C | N | E | ■ | O | P |
| 10 | ■ | E | N | T | A | M | E | ■ | D | I | R | E |
| 11 | G | U | E | E | R | ■ | N | I | E | L | L | E |
| 12 | O | S | ■ | R | E | V | E | R | ■ | L | E | S |

## Jour 223

| | 1 | 2 | 3 | 4 | 5 | 6 | 7 | 8 | 9 | 10 | 11 | 12 |
|---|---|---|---|---|---|---|---|---|---|---|---|---|
| 1 | P | A | N | T | E | L | E | R | ■ | P | R | O |
| 2 | E | B | U | R | N | E | ■ | O | B | I | E | R |
| 3 | L | A | M | A | ■ | G | O | B | E | R | ■ | N |
| 4 | A | ■ | E | C | H | E | R | ■ | L | E | V | E |
| 5 | M | I | R | ■ | U | R | A | N | E | ■ | O | R |
| 6 | I | D | O | L | E | ■ | C | I | R | R | E | ■ |
| 7 | D | I | ■ | I | S | O | L | E | ■ | H | U | M |
| 8 | E | O | L | E | ■ | D | E | L | A | I | ■ | I |
| 9 | ■ | T | E | N | U | E | ■ | L | E | N | T | E |
| 10 | L | E | V | ■ | R | O | B | E | R | ■ | E | T |
| 11 | A | ■ | R | O | G | N | E | ■ | E | T | A | T |
| 12 | D | I | E | S | E | ■ | C | A | R | E | M | E |

## Jour 224

| | 1 | 2 | 3 | 4 | 5 | 6 | 7 | 8 | 9 | 10 | 11 | 12 |
|---|---|---|---|---|---|---|---|---|---|---|---|---|
| 1 | B | O | U | F | F | A | R | D | E | ■ | N | O |
| 2 | A | B | S | U | R | D | E | ■ | U | B | A | C |
| 3 | R | E | E | R | ■ | E | B | A | H | I | R | ■ |
| 4 | B | I | ■ | I | G | N | E | S | ■ | G | A | G |
| 5 | E | R | R | E | R | ■ | C | I | E | L | ■ | R |
| 6 | A | ■ | I | S | I | S | ■ | A | V | E | R | E |
| 7 | U | B | E | ■ | P | A | T | T | E | ■ | A | S |
| 8 | ■ | O | N | C | ■ | U | R | E | ■ | P | I | ■ |
| 9 | A | N | ■ | H | E | R | E | ■ | P | I | L | E |
| 10 | A | N | G | O | R | ■ | S | I | A | L | ■ | M |
| 11 | R | ■ | A | U | N | E | ■ | S | I | E | G | E |
| 12 | E | P | I | ■ | E | S | S | O | R | ■ | A | U |

## Jour 225

| | 1 | 2 | 3 | 4 | 5 | 6 | 7 | 8 | 9 | 10 | 11 | 12 |
|---|---|---|---|---|---|---|---|---|---|---|---|---|
| 1 | P | E | P | O | N | I | D | E | ■ | D | R | A |
| 2 | O | M | O | ■ | U | S | I | T | E | E | ■ | I |
| 3 | P | U | T | T | ■ | L | E | A | U | ■ | I | R |
| 4 | E | L | ■ | A | L | E | S | ■ | P | A | L | E |
| 5 | L | E | R | N | E | ■ | E | T | E | L | ■ | D |
| 6 | I | ■ | E | T | A | T | ■ | E | N | E | M | A |
| 7 | N | I | N | ■ | N | A | I | N | ■ | A | I | L |
| 8 | E | T | O | N | ■ | S | O | I | E | ■ | C | E |
| 9 | ■ | A | N | E | T | ■ | L | A | P | E | R | ■ |
| 10 | I | L | ■ | S | A | P | E | ■ | A | C | O | N |
| 11 | F | I | A | S | C | O | ■ | A | R | U | B | A |
| 12 | S | E | N | ■ | T | E | N | U | S | ■ | E | T |

# Solutions

## Jour 226

| | 1 | 2 | 3 | 4 | 5 | 6 | 7 | 8 | 9 | 10 | 11 | 12 |
|---|---|---|---|---|---|---|---|---|---|---|---|---|
| 1 | S | A | G | O | U | I | N | ■ | H | A | I | S |
| 2 | E | G | O | ■ | N | O | E | S | E | ■ | C | E |
| 3 | M | O | U | L | I | N | ■ | M | I | T | A | N |
| 4 | I | N | T | I | ■ | I | C | O | N | E | ■ | A |
| 5 | L | I | ■ | A | B | E | L | L | ■ | R | O | T |
| 6 | L | E | O | N | E | ■ | O | T | A | R | U | ■ |
| 7 | O | ■ | F | E | L | O | N | ■ | B | E | T | A |
| 8 | N | E | F | ■ | O | N | E | G | A | ■ | I | N |
| 9 | ■ | G | R | A | N | D | ■ | E | C | O | L | E |
| 10 | K | I | E | V | ■ | E | I | L | A | T | ■ | M |
| 11 | I | D | ■ | E | P | E | L | E | ■ | S | A | I |
| 12 | F | E | M | U | R | ■ | A | R | M | U | R | E |

## Jour 227

| | 1 | 2 | 3 | 4 | 5 | 6 | 7 | 8 | 9 | 10 | 11 | 12 |
|---|---|---|---|---|---|---|---|---|---|---|---|---|
| 1 | R | I | V | A | L | I | S | E | R | ■ | A | L |
| 2 | E | C | O | L | A | G | E | ■ | E | S | A | U |
| 3 | N | I | C | E | ■ | N | E | A | N | T | ■ | B |
| 4 | F | ■ | A | A | R | E | ■ | R | E | A | G | I |
| 5 | O | I | L | ■ | E | S | T | E | ■ | E | R | E |
| 6 | R | U | E | R | A | ■ | U | T | I | L | E | ■ |
| 7 | T | L | ■ | A | L | E | N | E | S | ■ | E | H |
| 8 | ■ | E | M | P | E | S | E | ■ | E | C | R | U |
| 9 | U | S | E | E | ■ | O | R | D | R | E | ■ | M |
| 10 | B | ■ | T | R | O | P | ■ | R | E | N | N | E |
| 11 | A | N | A | ■ | B | E | T | A | ■ | S | O | U |
| 12 | C | E | L | U | I | ■ | A | G | R | E | E | R |

## Jour 228

| | 1 | 2 | 3 | 4 | 5 | 6 | 7 | 8 | 9 | 10 | 11 | 12 |
|---|---|---|---|---|---|---|---|---|---|---|---|---|
| 1 | M | I | S | E | R | E | R | E | ■ | B | L | E |
| 2 | A | C | O | R | E | S | ■ | P | A | L | A | N |
| 3 | L | A | I | S | ■ | S | E | I | N | E | ■ | F |
| 4 | L | ■ | G | E | N | E | T | ■ | T | U | N | E |
| 5 | E | O | N | ■ | I | X | O | D | E | ■ | I | R |
| 6 | O | B | E | S | E | ■ | I | R | E | N | E | ■ |
| 7 | L | E | ■ | U | L | U | L | E | ■ | O | R | B |
| 8 | E | R | I | C | ■ | L | E | G | A | T | ■ | L |
| 9 | ■ | E | X | E | A | T | ■ | E | M | E | S | E |
| 10 | C | R | I | ■ | P | R | O | S | E | ■ | P | T |
| 11 | O | ■ | O | U | R | A | L | ■ | N | U | I | T |
| 12 | B | O | N | T | E | ■ | T | I | E | R | C | E |

## Jour 229

| | 1 | 2 | 3 | 4 | 5 | 6 | 7 | 8 | 9 | 10 | 11 | 12 |
|---|---|---|---|---|---|---|---|---|---|---|---|---|
| 1 | A | B | L | E | T | T | E | ■ | F | A | D | O |
| 2 | F | A | I | X | ■ | A | X | E | L | ■ | R | U |
| 3 | F | U | S | I | O | N | ■ | C | A | N | A | ■ |
| 4 | A | M | ■ | L | I | T | E | R | ■ | O | P | E |
| 5 | D | E | C | E | S | ■ | D | U | I | T | ■ | R |
| 6 | I | ■ | A | R | E | T | E | ■ | D | E | F | I |
| 7 | R | A | B | ■ | A | H | A | N | E | ■ | R | E |
| 8 | ■ | D | A | G | U | E | ■ | E | M | B | A | ■ |
| 9 | P | U | N | A | ■ | S | E | P | ■ | L | I | S |
| 10 | I | L | ■ | I | N | E | G | A | L | E | ■ | U |
| 11 | L | I | G | N | E | ■ | E | L | I | M | E | R |
| 12 | E | S | E | ■ | M | E | R | ■ | N | E | N | E |

## Jour 230

| | 1 | 2 | 3 | 4 | 5 | 6 | 7 | 8 | 9 | 10 | 11 | 12 |
|---|---|---|---|---|---|---|---|---|---|---|---|---|
| 1 | T | A | C | O | N | E | O | S | ■ | B | E | R |
| 2 | O | P | E | R | E | R | ■ | E | B | E | N | E |
| 3 | U | R | I | ■ | N | E | U | V | E | ■ | F | A |
| 4 | R | E | N | O | N | ■ | R | E | N | T | E | ■ |
| 5 | E | ■ | T | R | I | P | E | ■ | E | R | R | E |
| 6 | L | I | E | N | ■ | O | T | I | T | E | ■ | G |
| 7 | L | U | ■ | A | U | T | R | E | ■ | N | O | E |
| 8 | E | L | E | I | S | ■ | E | P | A | T | E | R |
| 9 | ■ | E | N | N | U | I | ■ | E | M | E | U | ■ |
| 10 | O | S | T | ■ | E | G | A | R | E | ■ | V | S |
| 11 | N | ■ | A | U | L | N | E | ■ | R | A | R | E |
| 12 | C | O | I | N | ■ | E | G | R | E | N | E | S |

## Jour 231

| | 1 | 2 | 3 | 4 | 5 | 6 | 7 | 8 | 9 | 10 | 11 | 12 |
|---|---|---|---|---|---|---|---|---|---|---|---|---|
| 1 | S | A | L | T | A | T | I | O | N | ■ | A | L |
| 2 | I | N | E | R | T | E | S | ■ | O | P | T | E |
| 3 | L | I | G | I | E | ■ | I | R | M | A | ■ | G |
| 4 | I | S | E | ■ | M | U | S | E | ■ | R | H | O |
| 5 | O | ■ | R | E | I | N | ■ | A | R | I | A | ■ |
| 6 | N | I | E | R | ■ | I | S | L | E | ■ | I | L |
| 7 | N | U | ■ | A | P | R | E | ■ | F | A | R | O |
| 8 | E | L | I | T | E | ■ | P | E | U | R | ■ | R |
| 9 | ■ | E | X | O | D | E | ■ | U | S | A | G | E |
| 10 | P | S | I | ■ | U | T | A | H | ■ | B | A | T |
| 11 | I | ■ | O | R | M | E | S | ■ | V | E | N | T |
| 12 | F | A | N | E | ■ | L | O | T | E | ■ | T | E |

## Jour 232

| | 1 | 2 | 3 | 4 | 5 | 6 | 7 | 8 | 9 | 10 | 11 | 12 |
|---|---|---|---|---|---|---|---|---|---|---|---|---|
| 1 | B | A | N | N | E | T | O | N | ■ | H | A | N |
| 2 | I | S | O | E | T | E | ■ | I | R | O | N | E |
| 3 | G | O | L | O | ■ | P | I | N | O | T | ■ | U |
| 4 | A | ■ | I | N | D | I | C | ■ | S | U | I | F |
| 5 | R | A | S | ■ | O | C | T | E | T | ■ | S | S |
| 6 | R | I | E | U | R | ■ | E | D | I | L | E | ■ |
| 7 | E | R | ■ | P | E | G | R | E | ■ | I | O | N |
| 8 | R | A | T | A | ■ | R | E | S | T | E | ■ | A |
| 9 | ■ | I | S | S | U | E | ■ | S | O | N | A | R |
| 10 | A | N | A | ■ | N | E | V | E | U | ■ | R | I |
| 11 | R | ■ | R | A | I | R | E | ■ | E | L | A | N |
| 12 | C | A | S | S | E | ■ | R | E | S | U | M | E |

## Jour 233

| | 1 | 2 | 3 | 4 | 5 | 6 | 7 | 8 | 9 | 10 | 11 | 12 |
|---|---|---|---|---|---|---|---|---|---|---|---|---|
| 1 | C | O | N | T | O | U | R | ■ | D | A | I | M |
| 2 | O | U | I | ■ | B | R | A | V | O | ■ | C | I |
| 3 | U | T | E | R | I | N | ■ | E | N | C | A | N |
| 4 | R | A | R | E | ■ | E | P | I | C | E | ■ | U |
| 5 | B | R | ■ | A | R | S | I | N | ■ | P | U | S |
| 6 | E | D | I | L | E | ■ | T | E | X | A | S | ■ |
| 7 | T | E | L | ■ | P | I | E | ■ | E | G | A | L |
| 8 | T | ■ | O | B | U | S | ■ | A | R | E | N | A |
| 9 | E | S | T | E | ■ | O | R | L | E | ■ | T | I |
| 10 | ■ | L | E | G | O | ■ | A | I | S | E | ■ | S |
| 11 | P | I | ■ | U | L | V | E | S | ■ | C | A | S |
| 12 | A | P | R | E | T | E | ■ | E | M | U | L | E |

## Jour 234

| | 1 | 2 | 3 | 4 | 5 | 6 | 7 | 8 | 9 | 10 | 11 | 12 |
|---|---|---|---|---|---|---|---|---|---|---|---|---|
| 1 | A | F | F | U | B | L | E | ■ | A | S | S | E |
| 2 | B | A | R | R | E | ■ | U | B | A | C | ■ | D |
| 3 | D | U | E | ■ | T | A | X | E | ■ | I | B | O |
| 4 | U | T | I | L | E | S | ■ | A | B | E | E | ■ |
| 5 | C | E | N | E | ■ | T | O | U | R | ■ | E | H |
| 6 | T | U | ■ | V | A | I | R | ■ | A | A | R | E |
| 7 | I | R | B | I | D | ■ | V | A | I | N | ■ | L |
| 8 | O | ■ | U | S | A | G | E | R | ■ | I | C | A |
| 9 | N | I | S | ■ | G | A | T | E | R | ■ | H | S |
| 10 | ■ | D | E | P | I | T | ■ | C | E | P | E | ■ |
| 11 | C | E | ■ | H | O | T | E | ■ | N | A | N | A |
| 12 | L | E | V | I | ■ | E | N | J | O | L | E | R |

# Solutions

## Jour 235

| | 1 | 2 | 3 | 4 | 5 | 6 | 7 | 8 | 9 | 10 | 11 | 12 |
|---|---|---|---|---|---|---|---|---|---|---|---|---|
| 1 | C | H | A | I | N | A | G | E | ■ | U | P | I |
| 2 | L | A | I | N | E | S | ■ | M | A | L | L | E |
| 3 | A | B | E | E | ■ | P | S | A | U | M | E | ■ |
| 4 | R | I | ■ | P | L | I | A | N | T | ■ | I | L |
| 5 | I | L | O | T | E | ■ | S | E | R | I | N | E |
| 6 | S | E | V | E | R | E | S | ■ | E | D | E | N |
| 7 | S | ■ | I | S | O | L | E | E | ■ | E | S | T |
| 8 | E | O | N | ■ | T | I | E | R | C | E | ■ | I |
| 9 | ■ | M | E | C | ■ | T | S | A | R | ■ | T | L |
| 10 | C | E | ■ | I | F | E | ■ | S | I | S | A | L |
| 11 | A | G | I | L | E | ■ | E | M | E | U | T | E |
| 12 | P | A | N | ■ | R | E | N | E | ■ | C | E | S |

## Jour 236

| | 1 | 2 | 3 | 4 | 5 | 6 | 7 | 8 | 9 | 10 | 11 | 12 |
|---|---|---|---|---|---|---|---|---|---|---|---|---|
| 1 | D | E | B | O | R | D | E | R | ■ | C | R | I |
| 2 | I | N | I | T | I | E | ■ | E | T | H | E | R |
| 3 | S | E | T | S | ■ | P | A | G | R | E | ■ | O |
| 4 | S | ■ | T | U | R | I | N | ■ | I | R | A | N |
| 5 | I | V | E | ■ | A | T | O | C | A | ■ | C | E |
| 6 | P | E | R | I | L | ■ | D | A | L | L | E | ■ |
| 7 | E | R | ■ | S | E | V | I | R | ■ | O | R | E |
| 8 | R | I | A | L | ■ | I | N | E | R | T | E | S |
| 9 | ■ | T | H | E | M | E | ■ | M | U | E | ■ | P |
| 10 | R | E | A | ■ | A | L | G | E | R | ■ | T | E |
| 11 | I | ■ | N | I | G | E | R | ■ | A | R | E | C |
| 12 | F | R | E | N | E | ■ | E | C | L | A | T | E |

## Jour 237

| | 1 | 2 | 3 | 4 | 5 | 6 | 7 | 8 | 9 | 10 | 11 | 12 |
|---|---|---|---|---|---|---|---|---|---|---|---|---|
| 1 | B | E | G | U | E | U | L | E | ■ | D | A | N |
| 2 | A | G | E | N | T | ■ | E | S | S | O | R | E |
| 3 | S | E | N | ■ | A | M | U | S | E | ■ | M | O |
| 4 | T | R | E | M | I | E | ■ | E | N | T | E | ■ |
| 5 | I | ■ | P | A | N | S | U | ■ | T | E | S | T |
| 6 | L | O | I | N | ■ | O | R | P | I | N | ■ | O |
| 7 | L | A | ■ | G | A | N | G | E | ■ | A | T | T |
| 8 | E | S | T | E | R | ■ | E | D | E | N | S | ■ |
| 9 | ■ | I | S | S | U | E | ■ | U | N | T | E | L |
| 10 | T | S | U | ■ | B | R | A | M | E | ■ | T | A |
| 11 | U | ■ | B | L | A | S | E | ■ | M | A | S | O |
| 12 | B | E | A | U | ■ | E | F | F | A | C | E | S |

## Jour 238

| | 1 | 2 | 3 | 4 | 5 | 6 | 7 | 8 | 9 | 10 | 11 | 12 |
|---|---|---|---|---|---|---|---|---|---|---|---|---|
| 1 | D | A | N | A | I | D | E | ■ | D | E | S | K |
| 2 | E | G | O | ■ | D | I | N | E | R | ■ | I | R |
| 3 | F | R | I | S | E | R | ■ | C | A | M | P | ■ |
| 4 | L | E | S | E | ■ | E | U | H | ■ | I | O | N |
| 5 | A | G | E | N | T | ■ | T | E | M | A | ■ | A |
| 6 | T | E | ■ | S | A | G | A | ■ | A | M | O | S |
| 7 | I | R | E | ■ | L | A | H | T | I | ■ | L | E |
| 8 | O | ■ | C | L | E | F | ■ | A | L | M | A | ■ |
| 9 | N | E | R | E | ■ | F | E | S | ■ | I | V | E |
| 10 | ■ | R | I | P | P | E | R | ■ | S | N | ■ | M |
| 11 | P | I | T | R | E | ■ | I | D | O | I | N | E |
| 12 | O | C | ■ | E | P | I | N | E | S | ■ | O | U |

## Jour 239

| | 1 | 2 | 3 | 4 | 5 | 6 | 7 | 8 | 9 | 10 | 11 | 12 |
|---|---|---|---|---|---|---|---|---|---|---|---|---|
| 1 | E | C | H | A | L | O | T | E | ■ | E | T | E |
| 2 | M | A | U | S | E | R | ■ | C | U | M | I | N |
| 3 | B | R | I | S | ■ | D | R | O | N | E | ■ | F |
| 4 | R | ■ | T | E | R | R | E | ■ | T | U | N | E |
| 5 | A | I | R | ■ | H | E | N | N | E | ■ | E | R |
| 6 | S | T | E | N | O | ■ | F | I | L | E | R | ■ |
| 7 | S | A | ■ | O | N | G | L | E | ■ | C | E | P |
| 8 | E | L | A | N | ■ | I | E | P | E | R | ■ | I |
| 9 | ■ | I | D | E | E | L | ■ | P | R | U | D | E |
| 10 | P | E | I | ■ | M | E | L | E | R | ■ | R | U |
| 11 | A | ■ | E | P | I | T | E | ■ | A | M | A | S |
| 12 | F | L | U | O | R | ■ | V | I | S | A | G | E |

## Jour 240

| | 1 | 2 | 3 | 4 | 5 | 6 | 7 | 8 | 9 | 10 | 11 | 12 |
|---|---|---|---|---|---|---|---|---|---|---|---|---|
| 1 | E | M | P | L | A | T | R | E | ■ | A | M | E |
| 2 | N | O | L | I | S | E | ■ | R | A | V | I | N |
| 3 | S | I | A | M | ■ | L | E | S | T | E | ■ | F |
| 4 | O | ■ | C | A | V | E | R | ■ | O | C | R | E |
| 5 | U | B | E | ■ | E | X | I | G | U | ■ | E | R |
| 6 | P | E | R | I | L | ■ | G | E | R | M | E | ■ |
| 7 | L | A | ■ | T | U | N | E | R | ■ | I | L | S |
| 8 | E | N | T | E | ■ | I | R | O | N | E | ■ | I |
| 9 | ■ | T | O | M | B | E | ■ | M | O | L | L | E |
| 10 | G | E | L | ■ | I | M | P | E | R | ■ | O | C |
| 11 | A | ■ | L | A | S | E | R | ■ | M | A | I | L |
| 12 | G | U | E | R | E | ■ | E | P | E | I | R | E |

## Jour 241

| | 1 | 2 | 3 | 4 | 5 | 6 | 7 | 8 | 9 | 10 | 11 | 12 |
|---|---|---|---|---|---|---|---|---|---|---|---|---|
| 1 | C | A | D | A | V | R | E | S | ■ | H | U | M |
| 2 | H | A | I | R | ■ | U | S | I | T | E | ■ | U |
| 3 | A | ■ | A | I | D | E | ■ | C | A | R | A | T |
| 4 | I | G | N | A | R | E | S | ■ | B | A | S | E |
| 5 | S | E | E | ■ | A | S | A | N | A | ■ | I | R |
| 6 | E | L | ■ | M | I | ■ | S | I | S | A | L | ■ |
| 7 | ■ | E | P | I | N | E | ■ | E | S | S | E | S |
| 8 | E | R | O | S | ■ | M | A | R | E | E | ■ | C |
| 9 | C | ■ | I | E | P | E | R | ■ | E | L | F | E |
| 10 | L | E | V | R | A | U | T | S | ■ | L | I | N |
| 11 | A | R | R | E | T | ■ | E | O | C | E | N | E |
| 12 | T | E | E | ■ | E | N | L | I | E | ■ | S | S |

## Jour 242

| | 1 | 2 | 3 | 4 | 5 | 6 | 7 | 8 | 9 | 10 | 11 | 12 |
|---|---|---|---|---|---|---|---|---|---|---|---|---|
| 1 | F | A | C | O | N | D | E | ■ | A | R | A | C |
| 2 | O | P | E | ■ | E | A | N | E | S | ■ | I | O |
| 3 | L | A | R | D | O | N | ■ | S | C | E | N | E |
| 4 | L | I | N | O | ■ | S | I | T | E | S | ■ | U |
| 5 | I | S | E | R | E | ■ | S | E | T | T | E | R |
| 6 | C | E | ■ | E | T | A | L | ■ | E | R | G | ■ |
| 7 | U | R | E | ■ | E | M | E | T | ■ | I | O | N |
| 8 | L | ■ | P | A | L | E | ■ | A | R | E | T | E |
| 9 | E | D | A | M | ■ | R | I | X | E | ■ | I | F |
| 10 | ■ | O | R | E | L | ■ | D | E | C | E | S | ■ |
| 11 | A | U | ■ | N | U | E | E | ■ | T | O | M | E |
| 12 | N | E | V | E | ■ | D | E | T | O | N | E | R |

## Jour 243

| | 1 | 2 | 3 | 4 | 5 | 6 | 7 | 8 | 9 | 10 | 11 | 12 |
|---|---|---|---|---|---|---|---|---|---|---|---|---|
| 1 | A | L | A | R | M | I | S | T | E | ■ | D | O |
| 2 | D | A | R | A | I | S | E | ■ | I | D | E | M |
| 3 | I | S | A | R | ■ | A | C | O | R | E | ■ | I |
| 4 | P | ■ | S | E | M | I | ■ | T | E | L | E | S |
| 5 | S | E | E | ■ | I | E | N | A | ■ | I | R | E |
| 6 | I | V | R | E | S | ■ | E | R | A | T | O | ■ |
| 7 | E | R | ■ | R | E | C | L | U | S | ■ | D | A |
| 8 | ■ | O | S | I | R | I | S | ■ | T | A | E | L |
| 9 | G | N | O | N | ■ | L | O | R | I | S | ■ | T |
| 10 | A | ■ | L | E | N | I | N | E | ■ | A | V | E |
| 11 | T | R | I | S | O | C | ■ | N | A | N | A | R |
| 12 | A | I | N | ■ | M | E | L | O | M | A | N | E |

# Solutions

## Jour 244

| | 1 | 2 | 3 | 4 | 5 | 6 | 7 | 8 | 9 | 10 | 11 | 12 |
|---|---|---|---|---|---|---|---|---|---|---|---|---|
| 1 | M | A | R | N | A | G | E | ■ | J | E | A | N |
| 2 | O | B | I | ■ | B | E | T | T | E | ■ | C | O |
| 3 | R | O | S | A | C | E | ■ | U | T | A | H | ■ |
| 4 | F | U | E | L | ■ | L | O | B | ■ | C | E | P |
| 5 | O | L | E | U | M | ■ | D | A | H | U | ■ | O |
| 6 | N | I | ■ | N | A | Z | E | ■ | I | L | E | T |
| 7 | D | E | S | ■ | L | A | R | V | E | ■ | T | E |
| 8 | R | ■ | O | R | I | N | ■ | I | R | U | N | ■ |
| 9 | E | L | I | E | ■ | I | S | O | ■ | R | A | B |
| 10 | ■ | I | N | C | A | ■ | E | C | H | U | ■ | U |
| 11 | T | C | ■ | H | I | L | E | ■ | I | S | I | S |
| 12 | H | E | R | E | ■ | A | S | I | E | ■ | N | E |

## Jour 245

| | 1 | 2 | 3 | 4 | 5 | 6 | 7 | 8 | 9 | 10 | 11 | 12 |
|---|---|---|---|---|---|---|---|---|---|---|---|---|
| 1 | L | A | M | B | I | N | E | R | ■ | B | R | U |
| 2 | O | L | E | O | L | E | ■ | A | E | R | E | R |
| 3 | N | E | R | I | ■ | F | R | I | P | E | ■ | A |
| 4 | G | ■ | I | S | O | L | E | ■ | I | L | O | T |
| 5 | E | S | T | ■ | C | E | T | T | E | ■ | L | E |
| 6 | R | I | E | U | R | ■ | I | O | U | L | E | ■ |
| 7 | O | R | ■ | N | E | A | N | T | ■ | I | N | O |
| 8 | N | O | T | A | ■ | G | E | O | L | E | ■ | B |
| 9 | ■ | T | H | U | Y | A | ■ | N | I | E | M | E |
| 10 | R | E | A | ■ | O | M | I | S | E | ■ | U | R |
| 11 | A | ■ | N | O | L | I | S | ■ | G | A | R | E |
| 12 | P | I | E | C | E | ■ | O | P | E | R | E | R |

## Jour 246

| | 1 | 2 | 3 | 4 | 5 | 6 | 7 | 8 | 9 | 10 | 11 | 12 |
|---|---|---|---|---|---|---|---|---|---|---|---|---|
| 1 | G | A | M | M | A | R | E | ■ | S | I | A | M |
| 2 | O | R | E | ■ | N | I | L | L | E | ■ | S | I |
| 3 | U | R | A | N | I | E | ■ | I | N | D | E | X |
| 4 | R | I | T | E | ■ | G | O | B | E | R | ■ | T |
| 5 | M | E | ■ | O | R | O | B | E | ■ | A | V | E |
| 6 | E | R | I | N | E | ■ | E | R | I | G | E | ■ |
| 7 | T | E | S | ■ | P | U | R | E | S | ■ | R | H |
| 8 | T | ■ | A | D | U | L | E | ■ | A | P | T | E |
| 9 | E | P | I | E | ■ | T | R | I | A | L | ■ | U |
| 10 | ■ | L | E | V | E | R | ■ | S | C | I | E | R |
| 11 | A | I | ■ | I | N | A | R | I | ■ | A | R | T |
| 12 | S | E | N | S | E | ■ | A | S | S | I | S | E |

## Jour 247

| | 1 | 2 | 3 | 4 | 5 | 6 | 7 | 8 | 9 | 10 | 11 | 12 |
|---|---|---|---|---|---|---|---|---|---|---|---|---|
| 1 | P | A | P | I | L | L | O | M | E | ■ | O | S |
| 2 | E | B | E | N | I | E | R | ■ | C | A | N | A |
| 3 | S | A | N | T | E | ■ | B | A | R | I | ■ | U |
| 4 | S | ■ | T | I | G | E | ■ | R | U | G | I | R |
| 5 | A | I | E | ■ | E | T | O | C | ■ | U | N | ■ |
| 6 | I | S | S | A | ■ | A | I | S | E | ■ | R | E |
| 7 | R | A | ■ | G | A | I | N | ■ | T | A | I | N |
| 8 | E | T | A | I | N | ■ | T | A | E | L | ■ | T |
| 9 | ■ | I | V | R | E | E | ■ | B | L | I | E | R |
| 10 | P | S | I | ■ | T | R | A | C | ■ | S | U | A |
| 11 | O | ■ | D | A | H | I | R | ■ | N | E | R | I |
| 12 | P | R | E | S | ■ | C | A | V | E | ■ | E | N |

## Jour 248

| | 1 | 2 | 3 | 4 | 5 | 6 | 7 | 8 | 9 | 10 | 11 | 12 |
|---|---|---|---|---|---|---|---|---|---|---|---|---|
| 1 | R | O | U | S | S | E | L | E | T | ■ | B | A |
| 2 | U | L | N | A | I | R | E | ■ | I | R | U | N |
| 3 | S | E | I | N | ■ | S | U | C | R | A | ■ | G |
| 4 | T | ■ | E | T | H | E | R | E | ■ | I | D | E |
| 5 | A | I | M | E | E | ■ | R | A | I | D | E | ■ |
| 6 | U | R | E | ■ | T | I | E | N | S | ■ | C | A |
| 7 | D | O | ■ | O | R | R | ■ | S | A | P | E | R |
| 8 | ■ | N | E | R | E | I | S | ■ | R | O | S | E |
| 9 | F | E | T | A | ■ | S | T | A | D | E | ■ | T |
| 10 | U | ■ | A | G | R | E | E | R | ■ | T | O | I |
| 11 | T | A | P | E | E | ■ | L | E | G | E | R | E |
| 12 | E | R | E | ■ | G | R | E | C | E | ■ | E | R |

## Jour 249

| | 1 | 2 | 3 | 4 | 5 | 6 | 7 | 8 | 9 | 10 | 11 | 12 |
|---|---|---|---|---|---|---|---|---|---|---|---|---|
| 1 | O | B | U | S | I | E | R | ■ | C | A | I | D |
| 2 | P | A | R | ■ | S | L | A | V | E | ■ | D | E |
| 3 | I | R | E | N | E | E | ■ | E | C | H | E | C |
| 4 | N | I | E | E | ■ | I | M | P | I | E | ■ | E |
| 5 | I | O | ■ | V | I | S | E | R | ■ | R | A | S |
| 6 | A | L | O | E | S | ■ | S | E | M | E | R | ■ |
| 7 | T | E | T | ■ | L | A | S | S | E | ■ | E | H |
| 8 | R | ■ | A | C | E | R | E | ■ | L | A | C | E |
| 9 | E | C | R | U | ■ | A | S | T | E | R | ■ | B |
| 10 | ■ | R | U | B | I | S | ■ | E | R | I | N | E |
| 11 | F | I | ■ | E | V | E | N | T | ■ | D | O | T |
| 12 | A | C | O | R | E | ■ | E | U | M | E | N | E |

## Jour 250

| | 1 | 2 | 3 | 4 | 5 | 6 | 7 | 8 | 9 | 10 | 11 | 12 |
|---|---|---|---|---|---|---|---|---|---|---|---|---|
| 1 | S | O | P | H | I | S | M | E | ■ | P | R | O |
| 2 | A | L | I | ■ | N | I | E | L | L | E | ■ | D |
| 3 | C | E | N | T | O | N | ■ | N | E | U | M | E |
| 4 | R | O | S | A | ■ | O | N | E | X | ■ | O | O |
| 5 | I | D | ■ | P | I | C | A | ■ | I | R | U | N |
| 6 | P | U | R | I | N | ■ | S | I | S | A | L | ■ |
| 7 | A | C | E | ■ | T | A | E | L | ■ | T | E | T |
| 8 | N | ■ | C | H | I | C | ■ | E | T | A | ■ | R |
| 9 | T | O | U | E | ■ | O | S | T | O | ■ | C | I |
| 10 | ■ | A | L | L | U | R | E | ■ | P | A | L | E |
| 11 | C | H | ■ | E | B | E | N | E | ■ | A | I | R |
| 12 | L | U | C | R | E | ■ | S | T | E | R | N | E |

## Jour 251

| | 1 | 2 | 3 | 4 | 5 | 6 | 7 | 8 | 9 | 10 | 11 | 12 |
|---|---|---|---|---|---|---|---|---|---|---|---|---|
| 1 | R | I | S | S | O | L | E | ■ | P | E | U | R |
| 2 | E | S | T | E | R | ■ | C | L | I | C | ■ | I |
| 3 | P | A | R | ■ | P | I | R | O | G | U | E | S |
| 4 | U | R | I | N | I | F | E | R | E | ■ | U | T |
| 5 | G | ■ | E | O | N | ■ | M | I | R | E | R | ■ |
| 6 | N | E | R | I | ■ | N | E | O | ■ | B | E | L |
| 7 | E | L | ■ | R | A | I | ■ | T | R | I | ■ | U |
| 8 | R | A | B | ■ | E | D | O | ■ | E | S | S | E |
| 9 | ■ | B | E | A | T | ■ | C | A | G | E | O | T |
| 10 | P | O | R | T | I | E | R | E | ■ | L | I | T |
| 11 | A | R | E | ■ | T | U | E | R | I | E | ■ | E |
| 12 | N | E | T | T | E | S | ■ | E | R | S | E | S |

## Jour 252

| | 1 | 2 | 3 | 4 | 5 | 6 | 7 | 8 | 9 | 10 | 11 | 12 |
|---|---|---|---|---|---|---|---|---|---|---|---|---|
| 1 | S | T | E | P | P | E | R | ■ | P | A | I | X |
| 2 | P | A | R | ■ | U | T | I | L | E | ■ | S | E |
| 3 | A | L | I | N | E | A | ■ | A | R | C | O | N |
| 4 | C | I | N | E | ■ | N | A | S | S | E | ■ | O |
| 5 | I | O | ■ | R | O | G | N | E | ■ | D | A | N |
| 6 | E | N | D | O | S | ■ | U | R | G | E | R | ■ |
| 7 | U | ■ | E | N | T | E | R | ■ | R | E | I | N |
| 8 | S | E | N | ■ | O | P | I | N | E | ■ | A | A |
| 9 | E | S | S | E | ■ | R | E | I | N | E | ■ | U |
| 10 | ■ | S | E | N | T | I | ■ | G | U | R | U | S |
| 11 | T | A | ■ | T | A | S | S | E | ■ | I | P | E |
| 12 | C | I | R | E | S | ■ | A | R | I | C | I | E |

# Solutions

## Jour 253

| | 1 | 2 | 3 | 4 | 5 | 6 | 7 | 8 | 9 | 10 | 11 | 12 |
|---|---|---|---|---|---|---|---|---|---|---|---|---|
| 1 | C | O | M | M | I | S | S | O | I | R | E | S |
| 2 | A | M | O | U | R | E | U | X | ■ | I | R | A |
| 3 | R | O | U | L | E | ■ | C | E | P | E | ■ | U |
| 4 | A | ■ | S | E | N | E | ■ | R | A | G | O | T |
| 5 | M | A | S | ■ | E | U | H | ■ | R | O | I | ■ |
| 6 | E | G | E | R | ■ | R | E | P | U | ■ | S | B |
| 7 | L | I | ■ | A | V | E | R | E | ■ | V | E | R |
| 8 | ■ | L | I | C | E | ■ | E | O | L | E | ■ | I |
| 9 | D | E | M | E | N | T | ■ | N | I | N | A | S |
| 10 | A | ■ | I | R | I | S | E | ■ | A | U | R | A |
| 11 | R | A | T | ■ | S | U | R | I | N | ■ | I | N |
| 12 | D | I | E | S | E | ■ | G | R | E | N | A | T |

## Jour 254

| | 1 | 2 | 3 | 4 | 5 | 6 | 7 | 8 | 9 | 10 | 11 | 12 |
|---|---|---|---|---|---|---|---|---|---|---|---|---|
| 1 | S | O | F | F | I | T | E | ■ | S | T | O | P |
| 2 | E | L | E | I | S | ■ | D | E | C | U | ■ | R |
| 3 | C | E | S | ■ | S | T | O | L | ■ | R | H | O |
| 4 | R | O | S | E | A | U | ■ | A | L | F | A | ■ |
| 5 | E | D | E | N | ■ | N | E | N | E | ■ | L | M |
| 6 | T | U | ■ | T | R | E | S | ■ | G | O | L | O |
| 7 | I | C | A | R | E | ■ | O | R | E | L | ■ | I |
| 8 | N | ■ | G | E | N | E | P | I | ■ | T | A | N |
| 9 | E | T | A | ■ | F | L | E | A | U | ■ | U | S |
| 10 | ■ | A | R | O | L | E | ■ | D | R | A | G | ■ |
| 11 | S | U | ■ | S | E | V | E | ■ | G | R | E | S |
| 12 | E | X | I | T | ■ | E | U | N | E | C | T | E |

## Jour 255

| | 1 | 2 | 3 | 4 | 5 | 6 | 7 | 8 | 9 | 10 | 11 | 12 |
|---|---|---|---|---|---|---|---|---|---|---|---|---|
| 1 | C | A | D | U | C | I | T | E | ■ | I | V | E |
| 2 | O | B | E | R | E | R | ■ | X | E | R | E | S |
| 3 | H | E | P | ■ | D | E | P | I | T | ■ | X | E |
| 4 | E | R | O | D | E | ■ | O | T | I | T | E | ■ |
| 5 | S | ■ | S | E | R | P | E | ■ | E | R | R | E |
| 6 | I | D | E | M | ■ | U | L | T | R | A | ■ | P |
| 7 | O | U | ■ | E | V | I | E | R | ■ | C | O | I |
| 8 | N | I | L | L | E | S | ■ | I | P | E | C | A |
| 9 | ■ | T | A | E | L | ■ | S | P | I | R | E | ■ |
| 10 | L | E | S | ■ | U | N | T | E | L | ■ | L | A |
| 11 | O | ■ | S | O | S | I | E | ■ | E | R | O | S |
| 12 | B | I | E | N | ■ | E | M | E | R | I | T | E |

## Jour 256

| | 1 | 2 | 3 | 4 | 5 | 6 | 7 | 8 | 9 | 10 | 11 | 12 |
|---|---|---|---|---|---|---|---|---|---|---|---|---|
| 1 | B | A | D | I | G | E | O | N | ■ | R | O | C |
| 2 | O | L | E | ■ | U | L | C | E | R | E | ■ | A |
| 3 | R | A | C | L | E | E | ■ | O | U | A | I | S |
| 4 | N | I | A | I | ■ | I | G | N | E | ■ | N | E |
| 5 | O | S | ■ | B | A | S | E | ■ | L | A | C | ■ |
| 6 | Y | E | M | E | N | ■ | L | I | L | I | A | L |
| 7 | E | ■ | A | R | D | U | ■ | S | E | N | ■ | O |
| 8 | R | A | B | ■ | E | N | T | E | ■ | S | I | R |
| 9 | ■ | M | O | I | S | I | R | ■ | A | I | D | E |
| 10 | B | O | U | T | ■ | T | A | U | X | ■ | E | T |
| 11 | E | U | L | E | R | ■ | B | R | E | V | E | T |
| 12 | C | R | ■ | M | A | R | E | E | ■ | A | L | E |

## Jour 257

| | 1 | 2 | 3 | 4 | 5 | 6 | 7 | 8 | 9 | 10 | 11 | 12 |
|---|---|---|---|---|---|---|---|---|---|---|---|---|
| 1 | A | C | C | O | T | O | I | R | ■ | B | A | H |
| 2 | P | O | U | C | E | ■ | L | A | M | I | N | E |
| 3 | P | L | I | ■ | T | O | I | L | E | ■ | S | U |
| 4 | R | O | T | I | E | S | ■ | L | I | B | E | R |
| 5 | O | N | E | X | ■ | L | O | I | R | E | ■ | T |
| 6 | C | I | ■ | I | S | O | L | E | ■ | H | I | E |
| 7 | H | E | R | O | N | ■ | T | R | I | A | L | ■ |
| 8 | E | ■ | A | N | O | N | E | ■ | G | N | O | N |
| 9 | S | E | P | ■ | B | E | N | I | N | ■ | T | A |
| 10 | ■ | P | I | P | E | R | ■ | V | E | C | E | S |
| 11 | C | A | N | A | ■ | V | I | R | E | E | ■ | S |
| 12 | O | R | ■ | F | A | I | N | E | ■ | P | I | E |

## Jour 258

| | 1 | 2 | 3 | 4 | 5 | 6 | 7 | 8 | 9 | 10 | 11 | 12 |
|---|---|---|---|---|---|---|---|---|---|---|---|---|
| 1 | E | C | R | A | B | O | U | I | L | L | E | R |
| 2 | P | O | U | R | R | I | R | ■ | I | E | N | A |
| 3 | A | I | R | E | ■ | S | E | L | O | N | ■ | V |
| 4 | N | ■ | A | U | T | O | ■ | I | N | O | U | I |
| 5 | O | I | L | ■ | I | N | D | E | ■ | I | S | E |
| 6 | U | L | E | M | A | ■ | E | G | A | R | E | ■ |
| 7 | I | O | ■ | E | R | I | G | E | R | ■ | E | T |
| 8 | ■ | T | A | G | E | T | E | ■ | I | S | S | A |
| 9 | C | E | C | I | ■ | E | L | U | D | E | ■ | L |
| 10 | A | ■ | T | R | A | M | ■ | B | E | I | G | E |
| 11 | P | O | E | ■ | I | S | B | A | ■ | N | I | N |
| 12 | E | S | S | O | R | ■ | A | C | C | E | N | T |

## Jour 259

| | 1 | 2 | 3 | 4 | 5 | 6 | 7 | 8 | 9 | 10 | 11 | 12 |
|---|---|---|---|---|---|---|---|---|---|---|---|---|
| 1 | A | P | H | O | N | I | E | ■ | R | A | P | T |
| 2 | B | L | A | S | A | ■ | U | R | E | T | R | E |
| 3 | L | E | S | ■ | T | A | X | E | S | ■ | I | R |
| 4 | A | N | E | R | I | E | ■ | G | I | T | E | ■ |
| 5 | S | I | ■ | A | F | R | O | ■ | G | R | E | S |
| 6 | T | E | A | M | ■ | E | R | I | N | E | ■ | I |
| 7 | I | R | B | I | D | ■ | P | R | E | V | U | S |
| 8 | N | ■ | R | E | U | N | I | E | ■ | E | T | A |
| 9 | E | P | I | ■ | V | A | N | N | E | ■ | I | L |
| 10 | ■ | A | S | T | E | R | ■ | E | G | A | L | ■ |
| 11 | F | I | ■ | E | T | R | E | ■ | E | M | E | T |
| 12 | E | X | I | T | ■ | E | X | E | R | E | S | E |

## Jour 260

| | 1 | 2 | 3 | 4 | 5 | 6 | 7 | 8 | 9 | 10 | 11 | 12 |
|---|---|---|---|---|---|---|---|---|---|---|---|---|
| 1 | B | A | N | D | A | N | A | ■ | A | L | F | A |
| 2 | I | V | E | ■ | X | E | N | O | N | ■ | R | U |
| 3 | D | A | V | I | E | R | ■ | P | I | P | A | ■ |
| 4 | O | N | E | X | ■ | V | I | E | ■ | O | N | C |
| 5 | N | I | ■ | I | S | I | S | ■ | P | U | C | E |
| 6 | N | E | R | O | N | ■ | O | R | E | L | ■ | T |
| 7 | A | ■ | A | N | O | R | ■ | A | N | E | T | O |
| 8 | N | O | N | ■ | B | A | D | G | E | ■ | A | N |
| 9 | T | I | G | E | ■ | P | R | O | ■ | A | L | E |
| 10 | ■ | L | E | U | R | ■ | O | T | A | G | E | ■ |
| 11 | I | L | ■ | R | E | A | L | ■ | P | A | N | E |
| 12 | F | E | V | E | ■ | G | E | A | I | ■ | T | H |

## Jour 261

| | 1 | 2 | 3 | 4 | 5 | 6 | 7 | 8 | 9 | 10 | 11 | 12 |
|---|---|---|---|---|---|---|---|---|---|---|---|---|
| 1 | S | A | I | S | I | N | E | ■ | O | N | C | E |
| 2 | U | R | N | E | ■ | O | U | R | S | ■ | A | N |
| 3 | S | T | R | I | E | ■ | H | E | L | A | S | ■ |
| 4 | P | E | I | N | T | E | ■ | G | O | S | S | E |
| 5 | I | R | ■ | E | R | R | E | R | ■ | S | E | P |
| 6 | C | E | P | ■ | E | G | R | E | N | E | ■ | A |
| 7 | I | S | I | S | ■ | O | S | T | O | ■ | P | I |
| 8 | O | ■ | S | U | I | T | E | ■ | N | O | I | R |
| 9 | N | O | T | E | R | ■ | S | U | C | R | E | ■ |
| 10 | ■ | M | E | T | A | L | ■ | R | E | N | T | E |
| 11 | N | E | ■ | T | I | A | R | E | ■ | E | R | S |
| 12 | A | T | R | E | ■ | D | E | S | I | R | E | E |

# Solutions

## Jour 262

| | 1 | 2 | 3 | 4 | 5 | 6 | 7 | 8 | 9 | 10 | 11 | 12 |
|---|---|---|---|---|---|---|---|---|---|---|---|---|
| 1 | T | H | E | R | I | D | I | O | N | ■ | F | A |
| 2 | R | O | M | A | R | I | N | ■ | O | E | I | L |
| 3 | O | P | E | N | ■ | N | O | L | I | S | ■ | E |
| 4 | T | ■ | R | I | A | D | ■ | A | R | S | I | N |
| 5 | T | A | G | ■ | L | E | G | S | ■ | E | D | E |
| 6 | I | D | E | A | L | ■ | A | S | A | N | A | ■ |
| 7 | N | A | ■ | M | E | U | L | O | N | ■ | H | I |
| 8 | ■ | G | O | U | R | D | E | ■ | I | T | O | N |
| 9 | V | E | R | S | ■ | I | T | E | M | S | ■ | F |
| 10 | O | ■ | P | E | O | N | ■ | M | E | U | T | E |
| 11 | U | N | I | ■ | N | E | R | I | ■ | B | A | C |
| 12 | S | I | N | O | C | ■ | E | R | R | A | N | T |

## Jour 263

| | 1 | 2 | 3 | 4 | 5 | 6 | 7 | 8 | 9 | 10 | 11 | 12 |
|---|---|---|---|---|---|---|---|---|---|---|---|---|
| 1 | C | L | E | M | E | N | C | E | ■ | N | E | F |
| 2 | R | A | T | I | N | E | ■ | B | L | A | S | E |
| 3 | A | G | A | ■ | J | O | U | L | E | ■ | S | U |
| 4 | P | U | I | N | E | ■ | T | E | N | I | A | ■ |
| 5 | O | N | ■ | A | U | R | A | ■ | I | S | I | S |
| 6 | T | E | T | S | ■ | A | H | A | N | E | ■ | O |
| 7 | E | ■ | R | E | T | S | ■ | C | E | R | A | T |
| 8 | R | I | A | ■ | O | H | I | O | ■ | E | S | T |
| 9 | ■ | S | C | A | T | ■ | O | N | C | ■ | S | I |
| 10 | T | E | ■ | P | O | O | L | ■ | L | O | I | S |
| 11 | H | U | E | R | ■ | B | E | C | A | S | S | E |
| 12 | E | T | R | E | C | I | ■ | A | N | T | E | ■ |

## Jour 264

| | 1 | 2 | 3 | 4 | 5 | 6 | 7 | 8 | 9 | 10 | 11 | 12 |
|---|---|---|---|---|---|---|---|---|---|---|---|---|
| 1 | P | A | R | A | L | L | E | L | E | ■ | A | A |
| 2 | E | M | A | C | I | E | R | ■ | R | O | N | D |
| 3 | R | I | S | T | ■ | G | E | M | I | R | ■ | U |
| 4 | I | ■ | S | E | X | E | ■ | U | N | T | E | L |
| 5 | P | L | I | ■ | E | R | S | E | ■ | E | V | E |
| 6 | L | O | S | E | R | ■ | E | T | A | G | E | ■ |
| 7 | E | N | ■ | C | U | I | R | ■ | L | A | R | D |
| 8 | ■ | G | L | O | S | S | I | N | E | ■ | T | A |
| 9 | R | E | A | L | ■ | S | E | I | N | E | ■ | N |
| 10 | A | ■ | T | E | T | U | ■ | T | E | M | P | S |
| 11 | N | E | T | ■ | R | E | E | R | ■ | I | R | E |
| 12 | G | U | E | R | I | ■ | S | E | R | R | E | R |

## Jour 265

| | 1 | 2 | 3 | 4 | 5 | 6 | 7 | 8 | 9 | 10 | 11 | 12 |
|---|---|---|---|---|---|---|---|---|---|---|---|---|
| 1 | R | U | B | I | E | T | T | E | ■ | T | R | I |
| 2 | I | N | E | R | T | E | ■ | O | L | E | U | M |
| 3 | P | I | T | A | ■ | X | E | N | O | N | ■ | P |
| 4 | A | ■ | A | N | T | A | N | ■ | T | U | T | U |
| 5 | I | C | I | ■ | E | S | C | O | T | ■ | U | R |
| 6 | L | I | L | A | S | ■ | O | C | E | A | N | ■ |
| 7 | L | E | ■ | S | T | O | R | E | ■ | V | E | R |
| 8 | E | R | O | S | ■ | M | E | L | B | A | ■ | E |
| 9 | ■ | G | R | E | B | E | ■ | O | R | L | O | N |
| 10 | P | E | P | ■ | A | G | I | T | E | ■ | N | I |
| 11 | I | ■ | I | R | I | A | N | ■ | M | O | D | E |
| 12 | N | A | N | A | N | ■ | O | B | E | R | E | R |

## Jour 266

| | 1 | 2 | 3 | 4 | 5 | 6 | 7 | 8 | 9 | 10 | 11 | 12 |
|---|---|---|---|---|---|---|---|---|---|---|---|---|
| 1 | E | B | O | U | R | I | F | F | E | ■ | P | I |
| 2 | M | A | S | S | I | V | E | ■ | P | A | O | N |
| 3 | B | I | S | E | T | ■ | R | A | I | S | ■ | T |
| 4 | O | L | E | ■ | A | Z | U | R | ■ | I | L | I |
| 5 | U | ■ | T | A | L | E | ■ | A | C | R | E | ■ |
| 6 | C | H | E | R | ■ | L | I | C | E | ■ | G | A |
| 7 | H | A | ■ | R | I | E | L | ■ | L | E | S | T |
| 8 | E | M | P | A | N | ■ | A | P | E | X | ■ | T |
| 9 | ■ | P | E | S | O | N | ■ | I | R | O | N | E |
| 10 | M | E | C | ■ | N | E | P | E | ■ | D | O | L |
| 11 | O | ■ | H | E | U | R | E | ■ | J | E | T | E |
| 12 | T | R | E | S | ■ | E | U | R | E | ■ | E | R |

## Jour 267

| | 1 | 2 | 3 | 4 | 5 | 6 | 7 | 8 | 9 | 10 | 11 | 12 |
|---|---|---|---|---|---|---|---|---|---|---|---|---|
| 1 | R | A | C | I | N | A | L | ■ | F | L | O | P |
| 2 | E | C | U | ■ | I | N | U | L | E | ■ | M | U |
| 3 | T | I | R | A | D | E | ■ | A | A | R | O | N |
| 4 | I | D | E | S | ■ | T | O | I | L | E | ■ | I |
| 5 | C | U | ■ | T | A | O | N | S | ■ | V | E | R |
| 6 | E | L | E | I | S | ■ | A | S | T | E | R | ■ |
| 7 | N | E | M | ■ | P | I | G | E | R | ■ | O | R |
| 8 | C | ■ | P | L | I | E | R | ■ | A | I | S | E |
| 9 | E | T | A | I | ■ | P | E | P | I | N | ■ | G |
| 10 | ■ | A | N | T | R | E | ■ | A | N | T | A | N |
| 11 | A | R | ■ | R | U | R | A | L | ■ | E | R | E |
| 12 | A | D | R | E | T | ■ | S | E | V | R | E | R |

## Jour 268

| | 1 | 2 | 3 | 4 | 5 | 6 | 7 | 8 | 9 | 10 | 11 | 12 |
|---|---|---|---|---|---|---|---|---|---|---|---|---|
| 1 | M | U | L | A | S | S | I | E | R | ■ | P | B |
| 2 | A | N | E | M | I | E | R | ■ | A | U | T | O |
| 3 | G | E | N | E | ■ | T | E | T | I | N | ■ | Y |
| 4 | N | ■ | I | N | F | O | ■ | U | L | T | R | A |
| 5 | E | O | N | ■ | O | N | C | E | ■ | E | A | U |
| 6 | T | I | E | R | S | ■ | R | U | T | L | I | ■ |
| 7 | O | S | ■ | E | S | P | E | R | E | ■ | R | E |
| 8 | ■ | I | C | T | E | R | E | ■ | R | I | E | N |
| 9 | A | F | R | O | ■ | I | R | O | N | E | ■ | T |
| 10 | L | ■ | O | R | G | E | ■ | R | I | P | E | R |
| 11 | P | R | I | S | E | ■ | I | N | S | E | R | E |
| 12 | E | U | X | ■ | L | I | R | E | ■ | R | E | E |

## Jour 269

| | 1 | 2 | 3 | 4 | 5 | 6 | 7 | 8 | 9 | 10 | 11 | 12 |
|---|---|---|---|---|---|---|---|---|---|---|---|---|
| 1 | G | O | Y | A | V | I | E | R | ■ | L | O | B |
| 2 | A | M | O | R | A | L | ■ | E | S | O | P | E |
| 3 | L | O | U | E | ■ | M | A | G | O | G | ■ | M |
| 4 | E | ■ | R | U | P | E | L | ■ | L | E | G | O |
| 5 | T | O | T | ■ | O | N | G | L | E | ■ | E | L |
| 6 | A | V | E | N | U | ■ | E | A | N | E | S | ■ |
| 7 | S | A | ■ | E | C | A | R | T | ■ | V | I | A |
| 8 | ■ | T | O | P | E | R | ■ | E | G | A | R | E |
| 9 | F | E | R | A | ■ | T | E | X | A | S | ■ | T |
| 10 | E | ■ | O | L | T | E | N | ■ | Y | E | T | I |
| 11 | T | U | B | ■ | U | L | T | R | A | ■ | E | T |
| 12 | E | T | E | U | F | ■ | E | N | L | I | S | E |

## Jour 270

| | 1 | 2 | 3 | 4 | 5 | 6 | 7 | 8 | 9 | 10 | 11 | 12 |
|---|---|---|---|---|---|---|---|---|---|---|---|---|
| 1 | C | H | A | P | A | R | D | E | R | ■ | A | N |
| 2 | R | I | V | A | G | E | ■ | C | A | L | M | E |
| 3 | E | P | A | R | ■ | P | A | U | M | E | ■ | N |
| 4 | U | ■ | R | U | B | I | S | ■ | P | I | O | N |
| 5 | S | O | I | ■ | U | T | I | L | E | ■ | P | I |
| 6 | E | V | E | R | T | ■ | L | A | R | M | E | ■ |
| 7 | R | U | ■ | A | I | D | E | R | ■ | O | R | E |
| 8 | ■ | L | A | I | N | E | ■ | V | A | T | A | N |
| 9 | P | E | R | D | ■ | P | O | E | M | E | ■ | T |
| 10 | A | ■ | M | E | D | O | C | ■ | E | L | L | E |
| 11 | I | L | E | ■ | E | T | R | O | N | ■ | E | T |
| 12 | X | E | R | U | S | ■ | E | N | E | R | V | E |

# Solutions

## Jour 271

| | 1 | 2 | 3 | 4 | 5 | 6 | 7 | 8 | 9 | 10 | 11 | 12 |
|---|---|---|---|---|---|---|---|---|---|---|---|---|
| 1 | A | L | B | A | C | O | R | E | ■ | A | R | C |
| 2 | N | E | U | M | E | ■ | A | M | U | S | E | R |
| 3 | A | R | T | ■ | L | O | P | I | N | ■ | N | I |
| 4 | M | E | T | I | E | R | ■ | R | I | E | N | ■ |
| 5 | N | ■ | E | C | R | I | T | ■ | O | P | E | N |
| 6 | E | R | R | E | ■ | E | R | I | N | E | ■ | O |
| 7 | S | E | ■ | L | I | L | A | S | ■ | E | P | I |
| 8 | E | C | H | U | S | ■ | C | O | B | ■ | U | S |
| 9 | ■ | T | O | I | S | E | ■ | L | O | I | R | E |
| 10 | A | A | R | ■ | U | R | G | E | N | T | ■ | T |
| 11 | I | ■ | D | R | E | G | E | ■ | T | E | S | T |
| 12 | L | I | E | U | ■ | S | O | L | E | ■ | C | E |

## Jour 272

| | 1 | 2 | 3 | 4 | 5 | 6 | 7 | 8 | 9 | 10 | 11 | 12 |
|---|---|---|---|---|---|---|---|---|---|---|---|---|
| 1 | J | A | S | P | I | N | E | R | ■ | R | E | M |
| 2 | O | R | E | A | D | E | ■ | E | R | A | T | O |
| 3 | U | E | L | E | ■ | U | R | G | E | R | ■ | Y |
| 4 | F | ■ | L | A | R | M | E | ■ | J | E | T | E |
| 5 | F | E | E | ■ | H | E | U | R | E | ■ | A | U |
| 6 | L | A | S | S | O | ■ | N | O | T | E | R | ■ |
| 7 | U | N | ■ | E | N | G | I | N | ■ | S | E | C |
| 8 | ■ | E | R | N | E | E | ■ | D | O | S | E | R |
| 9 | I | S | I | S | ■ | N | I | O | L | E | ■ | O |
| 10 | D | ■ | V | E | L | E | R | ■ | I | N | T | I |
| 11 | E | D | E | ■ | U | T | I | L | E | ■ | I | R |
| 12 | M | O | T | E | T | ■ | S | I | R | E | N | E |

## Jour 273

| | 1 | 2 | 3 | 4 | 5 | 6 | 7 | 8 | 9 | 10 | 11 | 12 |
|---|---|---|---|---|---|---|---|---|---|---|---|---|
| 1 | E | G | L | O | G | U | E | ■ | E | S | S | E |
| 2 | C | A | A | ■ | A | D | R | E | T | ■ | O | C |
| 3 | O | B | V | I | E | R | ■ | C | U | C | U | L |
| 4 | N | I | E | N | T | ■ | E | R | I | E | ■ | O |
| 5 | D | O | ■ | E | E | S | T | I | ■ | P | A | R |
| 6 | U | N | I | R | ■ | E | C | R | U | ■ | C | E |
| 7 | I | S | A | T | I | S | ■ | E | L | A | N | ■ |
| 8 | R | ■ | S | E | D | A | N | ■ | V | I | E | S |
| 9 | E | P | I | ■ | I | M | I | T | E | R | ■ | C |
| 10 | ■ | O | ■ | P | O | E | T | E | ■ | A | M | E |
| 11 | S | U | R | E | T | ■ | R | E | G | I | O | N |
| 12 | C | R | I | T | E | R | E | ■ | I | N | N | E |

## Jour 274

| | 1 | 2 | 3 | 4 | 5 | 6 | 7 | 8 | 9 | 10 | 11 | 12 |
|---|---|---|---|---|---|---|---|---|---|---|---|---|
| 1 | T | U | R | P | I | T | U | D | E | ■ | A | R |
| 2 | A | R | A | I | R | E | S | ■ | C | A | N | A |
| 3 | D | A | T | T | E | ■ | T | A | U | D | ■ | M |
| 4 | O | N | ■ | O | S | I | E | R | ■ | U | R | I |
| 5 | R | E | I | N | ■ | V | R | I | L | L | E | ■ |
| 6 | N | ■ | T | S | A | R | ■ | C | U | E | V | A |
| 7 | E | T | A | ■ | S | E | C | A | M | ■ | I | N |
| 8 | ■ | A | M | U | S | E | R | ■ | E | L | N | E |
| 9 | A | L | I | S | E | ■ | E | T | N | A | ■ | M |
| 10 | B | I | ■ | A | N | E | T | O | ■ | I | S | O |
| 11 | B | O | U | G | ■ | M | E | I | R | ■ | E | N |
| 12 | A | N | N | E | A | U | ■ | T | E | X | T | E |

## Jour 275

| | 1 | 2 | 3 | 4 | 5 | 6 | 7 | 8 | 9 | 10 | 11 | 12 |
|---|---|---|---|---|---|---|---|---|---|---|---|---|
| 1 | T | H | A | N | A | T | O | S | ■ | P | U | S |
| 2 | R | E | G | ■ | N | A | R | I | T | A | ■ | T |
| 3 | A | L | E | V | I | N | ■ | M | A | N | T | E |
| 4 | N | I | E | R | ■ | G | O | A | L | ■ | O | N |
| 5 | S | C | ■ | A | R | A | C | ■ | O | S | L | O |
| 6 | F | O | R | C | E | ■ | R | I | N | C | E | ■ |
| 7 | U | N | I | ■ | A | P | E | X | ■ | E | D | E |
| 8 | G | ■ | C | A | L | O | ■ | I | P | P | O | N |
| 9 | E | M | I | R | ■ | T | I | A | R | E | ■ | C |
| 10 | ■ | A | N | U | R | I | E | ■ | A | L | L | O |
| 11 | B | R | ■ | B | O | N | N | E | T | ■ | S | R |
| 12 | I | S | A | A | C | ■ | A | R | O | N | D | E |

## Jour 276

| | 1 | 2 | 3 | 4 | 5 | 6 | 7 | 8 | 9 | 10 | 11 | 12 |
|---|---|---|---|---|---|---|---|---|---|---|---|---|
| 1 | N | A | R | C | E | I | N | E | ■ | F | I | C |
| 2 | E | C | O | ■ | O | N | A | G | R | E | ■ | A |
| 3 | C | A | S | I | N | O | ■ | A | A | R | O | N |
| 4 | T | R | I | N | ■ | N | A | R | D | ■ | L | A |
| 5 | A | U | ■ | U | S | U | R | E | ■ | A | I | R |
| 6 | I | S | O | L | E | ■ | C | R | A | N | E | ■ |
| 7 | R | ■ | V | E | R | S | O | ■ | L | O | R | I |
| 8 | E | C | U | ■ | P | O | N | T | O | N | ■ | N |
| 9 | ■ | O | L | T | E | N | ■ | I | R | E | N | E |
| 10 | R | U | E | E | ■ | A | M | A | S | ■ | O | P |
| 11 | H | I | ■ | M | I | R | E | R | ■ | R | I | T |
| 12 | O | C | T | A | L | ■ | C | E | N | D | R | E |

## Jour 277

| | 1 | 2 | 3 | 4 | 5 | 6 | 7 | 8 | 9 | 10 | 11 | 12 |
|---|---|---|---|---|---|---|---|---|---|---|---|---|
| 1 | R | E | P | A | R | T | I | R | ■ | T | E | S |
| 2 | E | M | A | C | I | E | ■ | A | V | I | D | E |
| 3 | A | M | I | ■ | O | R | A | G | E | ■ | I | L |
| 4 | L | E | R | O | T | ■ | C | E | R | A | T | ■ |
| 5 | I | N | ■ | S | E | A | U | ■ | I | T | E | M |
| 6 | S | E | N | E | ■ | I | L | O | T | E | ■ | I |
| 7 | T | ■ | A | S | A | D | ■ | R | E | L | A | X |
| 8 | E | P | I | ■ | R | E | I | N | ■ | E | S | T |
| 9 | ■ | A | N | G | E | ■ | N | E | T | ■ | T | E |
| 10 | P | T | ■ | A | C | O | N | ■ | R | I | A | ■ |
| 11 | L | I | E | U | ■ | R | E | C | O | L | T | E |
| 12 | A | N | U | R | I | E | ■ | R | U | S | E | R |

## Jour 278

| | 1 | 2 | 3 | 4 | 5 | 6 | 7 | 8 | 9 | 10 | 11 | 12 |
|---|---|---|---|---|---|---|---|---|---|---|---|---|
| 1 | F | I | F | R | E | L | I | N | ■ | F | I | N |
| 2 | O | D | E | O | N | ■ | F | I | G | E | ■ | E |
| 3 | L | O | R | I | O | T | ■ | D | A | L | O | T |
| 4 | A | L | ■ | S | U | I | F | ■ | L | E | N | T |
| 5 | T | E | C | ■ | E | P | E | L | E | ■ | D | O |
| 6 | R | ■ | A | R | R | E | T | E | ■ | B | E | Y |
| 7 | E | T | U | I | ■ | R | E | P | L | I | ■ | E |
| 8 | ■ | A | S | T | I | ■ | E | R | I | N | E | S |
| 9 | I | L | E | A | L | E | ■ | E | G | E | R | ■ |
| 10 | B | E | ■ | L | O | T | O | ■ | U | R | N | E |
| 11 | I | N | N | ■ | T | A | L | L | E | ■ | E | R |
| 12 | S | T | E | L | E | ■ | T | A | S | S | E | S |

## Jour 279

| | 1 | 2 | 3 | 4 | 5 | 6 | 7 | 8 | 9 | 10 | 11 | 12 |
|---|---|---|---|---|---|---|---|---|---|---|---|---|
| 1 | O | C | T | A | V | I | N | ■ | J | O | N | C |
| 2 | F | L | A | ■ | E | L | I | M | E | ■ | N | O |
| 3 | F | I | L | T | R | E | ■ | O | A | T | E | S |
| 4 | I | S | E | O | ■ | U | D | I | N | E | ■ | S |
| 5 | C | S | ■ | P | E | S | O | N | ■ | L | E | U |
| 6 | I | E | P | E | R | ■ | U | S | S | E | L | ■ |
| 7 | E | ■ | O | R | A | N | T | ■ | O | X | E | R |
| 8 | L | E | K | ■ | T | I | E | R | S | ■ | V | A |
| 9 | ■ | D | E | V | O | T | ■ | A | I | R | E | R |
| 10 | A | F | R | O | ■ | R | O | S | E | E | ■ | E |
| 11 | G | O | ■ | I | C | A | R | E | ■ | M | O | T |
| 12 | A | U | T | R | E | ■ | B | R | A | I | S | E |

# Solutions

## Jour 280

| | 1 | 2 | 3 | 4 | 5 | 6 | 7 | 8 | 9 | 10 | 11 | 12 |
|---|---|---|---|---|---|---|---|---|---|---|---|---|
| 1 | S | A | L | I | C | O | L | E | ■ | A | S | E |
| 2 | E | L | U | D | E | R | ■ | R | A | V | I | N |
| 3 | D | I | T | E | ■ | D | I | G | U | E | ■ | S |
| 4 | I | ■ | R | E | T | R | O | ■ | S | U | M | O |
| 5 | T | O | I | ■ | A | E | D | E | S | ■ | U | R |
| 6 | I | N | N | E | E | ■ | L | E | I | N | E | ■ |
| 7 | O | C | ■ | P | L | I | E | S | ■ | O | S | T |
| 8 | N | I | E | E | ■ | O | R | T | I | E | ■ | H |
| 9 | ■ | A | V | E | N | U | ■ | I | N | U | L | E |
| 10 | F | L | A | ■ | A | L | E | ■ | A | D | A | M |
| 11 | I | ■ | D | E | G | E | L | E | R | ■ | V | E |
| 12 | C | H | E | N | E | ■ | U | T | I | L | E | S |

## Jour 281

| | 1 | 2 | 3 | 4 | 5 | 6 | 7 | 8 | 9 | 10 | 11 | 12 |
|---|---|---|---|---|---|---|---|---|---|---|---|---|
| 1 | T | A | C | H | I | N | E | ■ | T | U | T | U |
| 2 | U | N | I | O | N | ■ | R | H | E | S | U | S |
| 3 | M | I | R | ■ | T | A | G | A | L | ■ | T | E |
| 4 | E | M | A | N | E | R | ■ | I | L | E | T | ■ |
| 5 | F | A | ■ | O | R | P | I | N | ■ | P | I | F |
| 6 | I | L | O | T | ■ | E | V | E | R | T | ■ | I |
| 7 | E | ■ | B | E | I | G | E | ■ | H | E | I | N |
| 8 | R | A | I | ■ | M | E | T | R | O | ■ | S | I |
| 9 | ■ | S | T | O | P | ■ | T | O | N | U | S | ■ |
| 10 | C | S | ■ | S | U | J | E | T | ■ | R | A | Z |
| 11 | R | E | I | T | R | E | ■ | O | B | I | ■ | U |
| 12 | I | N | F | O | ■ | T | O | R | R | E | N | T |

## Jour 282

| | 1 | 2 | 3 | 4 | 5 | 6 | 7 | 8 | 9 | 10 | 11 | 12 |
|---|---|---|---|---|---|---|---|---|---|---|---|---|
| 1 | B | A | R | B | E | A | U | ■ | A | A | R | E |
| 2 | O | B | E | I | R | ■ | B | O | N | N | ■ | P |
| 3 | U | S | E | ■ | R | I | E | N | ■ | G | A | I |
| 4 | F | U | R | I | E | S | ■ | C | H | O | U | ■ |
| 5 | F | R | ■ | G | R | I | P | ■ | E | R | N | E |
| 6 | A | D | E | N | ■ | S | A | U | R | ■ | E | S |
| 7 | R | E | B | E | C | ■ | T | R | E | S | ■ | S |
| 8 | D | ■ | A | S | I | A | T | E | ■ | I | S | O |
| 9 | E | U | H | ■ | E | V | E | ■ | P | A | I | R |
| 10 | ■ | B | I | G | L | E | ■ | P | I | L | E | ■ |
| 11 | N | A | R | A | ■ | R | A | I | L | ■ | G | A |
| 12 | O | C | ■ | G | R | E | S | ■ | E | M | E | U |

## Jour 283

| | 1 | 2 | 3 | 4 | 5 | 6 | 7 | 8 | 9 | 10 | 11 | 12 |
|---|---|---|---|---|---|---|---|---|---|---|---|---|
| 1 | T | A | I | L | L | O | L | E | ■ | A | R | C |
| 2 | O | R | B | ■ | I | S | E | R | A | N | ■ | R |
| 3 | N | A | I | V | E | S | ■ | I | M | A | G | E |
| 4 | I | S | S | U | ■ | U | R | N | E | ■ | E | T |
| 5 | F | E | ■ | E | P | E | E | ■ | N | O | N | ■ |
| 6 | I | R | E | ■ | A | S | T | I | ■ | B | E | C |
| 7 | E | ■ | R | H | O | ■ | S | U | R | I | ■ | H |
| 8 | R | E | S | I | N | E | ■ | L | A | T | T | E |
| 9 | ■ | L | E | S | ■ | T | A | E | L | ■ | I | F |
| 10 | O | B | ■ | S | C | A | T | ■ | E | S | T | ■ |
| 11 | B | O | X | E | R | ■ | R | A | S | S | I | S |
| 12 | I | T | E | ■ | U | R | E | S | ■ | O | S | E |

## Jour 284

| | 1 | 2 | 3 | 4 | 5 | 6 | 7 | 8 | 9 | 10 | 11 | 12 |
|---|---|---|---|---|---|---|---|---|---|---|---|---|
| 1 | R | A | N | C | A | R | D | E | R | ■ | E | N |
| 2 | E | B | E | R | L | U | E | ■ | E | S | B | O |
| 3 | G | E | N | I | E | ■ | O | N | G | L | E | ■ |
| 4 | L | E | I | ■ | S | A | N | A | ■ | I | N | O |
| 5 | I | ■ | E | T | E | L | ■ | R | A | C | E | R |
| 6 | S | U | S | E | ■ | B | A | R | R | E | ■ | M |
| 7 | S | N | ■ | N | A | I | V | E | S | ■ | B | E |
| 8 | E | T | A | I | N | ■ | E | R | I | N | E | ■ |
| 9 | ■ | E | M | A | N | E | R | ■ | N | A | S | E |
| 10 | F | L | A | ■ | A | M | E | R | ■ | N | O | N |
| 11 | I | ■ | N | O | M | E | ■ | I | S | A | I | E |
| 12 | L | O | T | O | ■ | U | B | A | C | ■ | N | E |

## Jour 285

| | 1 | 2 | 3 | 4 | 5 | 6 | 7 | 8 | 9 | 10 | 11 | 12 |
|---|---|---|---|---|---|---|---|---|---|---|---|---|
| 1 | M | A | L | L | E | O | L | E | ■ | C | O | B |
| 2 | I | C | A | ■ | O | B | E | R | E | R | ■ | O |
| 3 | S | O | I | G | N | E | ■ | I | X | I | O | N |
| 4 | E | R | S | E | ■ | S | U | C | E | ■ | U | T |
| 5 | R | E | ■ | N | I | E | L | ■ | A | P | R | E |
| 6 | E | S | S | E | X | ■ | U | L | T | R | A | ■ |
| 7 | R | ■ | E | T | O | I | L | E | ■ | O | L | T |
| 8 | E | P | I | ■ | D | R | E | G | E | S | ■ | I |
| 9 | ■ | A | N | T | E | E | ■ | A | M | E | N | E |
| 10 | B | L | E | U | ■ | N | O | T | E | ■ | U | R |
| 11 | L | A | ■ | N | I | E | R | ■ | S | P | I | C |
| 12 | E | N | F | E | R | ■ | B | L | E | T | T | E |

## Jour 286

| | 1 | 2 | 3 | 4 | 5 | 6 | 7 | 8 | 9 | 10 | 11 | 12 |
|---|---|---|---|---|---|---|---|---|---|---|---|---|
| 1 | D | E | C | U | S | S | E | ■ | E | P | E | E |
| 2 | I | N | O | ■ | S | I | L | E | X | ■ | U | T |
| 3 | S | T | R | I | E | R | ■ | R | I | C | H | E |
| 4 | S | E | I | N | ■ | L | I | S | T | E | ■ | T |
| 5 | E | T | ■ | N | A | I | V | E | ■ | P | I | E |
| 6 | R | E | V | E | S | ■ | E | A | N | E | S | ■ |
| 7 | T | R | I | ■ | S | I | T | U | E | ■ | I | N |
| 8 | E | ■ | E | V | E | N | T | ■ | P | O | S | E |
| 9 | R | O | L | E | ■ | D | E | B | A | T | ■ | P |
| 10 | ■ | C | E | N | S | E | ■ | E | L | I | T | E |
| 11 | E | R | ■ | T | E | X | T | E | ■ | T | E | T |
| 12 | X | E | R | E | S | ■ | A | R | T | E | R | E |

## Jour 287

| | 1 | 2 | 3 | 4 | 5 | 6 | 7 | 8 | 9 | 10 | 11 | 12 |
|---|---|---|---|---|---|---|---|---|---|---|---|---|
| 1 | F | R | A | N | C | H | I | R | ■ | A | P | I |
| 2 | L | A | M | I | E | ■ | L | A | U | T | E | R |
| 3 | O | I | E | ■ | L | U | S | I | N | ■ | R | E |
| 4 | T | E | N | D | U | S | ■ | S | I | P | O | ■ |
| 5 | T | ■ | E | R | I | N | E | ■ | T | O | U | R |
| 6 | I | V | R | E | ■ | E | N | T | E | S | ■ | A |
| 7 | L | E | ■ | G | R | E | E | S | ■ | E | R | S |
| 8 | L | I | T | E | E | ■ | M | E | P | R | I | S |
| 9 | E | L | U | ■ | E | P | A | T | E | ■ | T | A |
| 10 | ■ | L | I | U | R | E | ■ | S | I | T | E | S |
| 11 | T | E | L | S | ■ | R | I | E | N | S | ■ | I |
| 12 | C | R | E | A | T | I | F | ■ | E | U | R | E |

## Jour 288

| | 1 | 2 | 3 | 4 | 5 | 6 | 7 | 8 | 9 | 10 | 11 | 12 |
|---|---|---|---|---|---|---|---|---|---|---|---|---|
| 1 | S | I | L | I | O | N | N | E | ■ | P | I | F |
| 2 | A | N | I | S | ■ | I | U | L | E | S | ■ | A |
| 3 | L | E | G | E | R | E | ■ | I | X | I | O | N |
| 4 | T | R | I | ■ | E | R | A | T | O | ■ | R | E |
| 5 | A | T | E | M | I | ■ | P | E | D | U | M | ■ |
| 6 | T | E | ■ | U | N | I | R | ■ | E | T | E | L |
| 7 | I | S | I | S | ■ | S | E | P | ■ | A | S | O |
| 8 | O | ■ | R | E | A | L | ■ | E | U | H | ■ | T |
| 9 | N | O | M | ■ | R | E | F | U | S | ■ | V | E |
| 10 | ■ | P | A | R | I | ■ | A | R | A | B | E | ■ |
| 11 | A | T | ■ | H | A | I | R | ■ | G | A | N | T |
| 12 | L | E | G | O | ■ | L | O | R | E | T | T | E |

# Solutions

## Jour 289

| | 1 | 2 | 3 | 4 | 5 | 6 | 7 | 8 | 9 | 10 | 11 | 12 |
|---|---|---|---|---|---|---|---|---|---|---|---|---|
| 1 | E | N | V | A | H | I | S | S | A | N | T | E |
| 2 | D | I | A | L | E | C | T | E | ■ | O | I | L |
| 3 | E | N | N | A | ■ | O | E | U | V | E | ■ | I |
| 4 | N | ■ | S | I | E | N | ■ | L | I | L | A | S |
| 5 | T | A | ■ | S | C | E | N | E | S | ■ | V | E |
| 6 | E | V | I | E | R | ■ | I | S | E | R | E | ■ |
| 7 | R | I | T | ■ | I | T | E | ■ | S | O | R | S |
| 8 | ■ | S | A | N | T | O | N | S | ■ | S | E | T |
| 9 | V | E | L | U | ■ | I | T | E | M | S | ■ | R |
| 10 | O | ■ | I | L | E | T | ■ | M | O | E | R | E |
| 11 | I | D | E | ■ | A | S | T | E | R | ■ | U | S |
| 12 | R | E | N | D | U | ■ | A | S | T | R | E | S |

## Jour 290

| | 1 | 2 | 3 | 4 | 5 | 6 | 7 | 8 | 9 | 10 | 11 | 12 |
|---|---|---|---|---|---|---|---|---|---|---|---|---|
| 1 | M | E | S | C | L | U | N | ■ | G | R | A | F |
| 2 | A | M | E | ■ | I | L | O | T | E | ■ | A | I |
| 3 | L | O | N | G | E | S | ■ | H | A | I | R | E |
| 4 | S | U | E | E | ■ | A | L | A | I | N | ■ | R |
| 5 | T | L | ■ | M | E | N | I | N | ■ | I | S | E |
| 6 | R | U | P | I | N | ■ | B | E | A | N | T | ■ |
| 7 | O | ■ | O | R | G | U | E | ■ | P | I | R | E |
| 8 | M | A | L | ■ | I | V | R | E | E | ■ | I | N |
| 9 | ■ | S | A | U | N | A | ■ | P | R | I | E | R |
| 10 | P | A | R | T | ■ | L | E | R | O | T | ■ | O |
| 11 | O | N | ■ | A | B | E | T | I | ■ | O | I | L |
| 12 | P | A | C | H | A | ■ | A | S | S | U | R | E |

## Jour 291

| | 1 | 2 | 3 | 4 | 5 | 6 | 7 | 8 | 9 | 10 | 11 | 12 |
|---|---|---|---|---|---|---|---|---|---|---|---|---|
| 1 | B | A | S | T | I | L | L | E | ■ | T | U | B |
| 2 | E | G | E | R | ■ | O | A | S | I | S | ■ | E |
| 3 | G | E | N | E | P | I | ■ | T | S | U | B | A |
| 4 | U | N | ■ | M | A | N | G | E | S | ■ | L | U |
| 5 | E | T | A | I | N | ■ | A | R | U | B | A | ■ |
| 6 | U | ■ | M | E | S | O | N | ■ | E | R | S | E |
| 7 | L | E | U | ■ | U | R | G | E | ■ | A | E | F |
| 8 | E | S | S | E | ■ | P | E | D | U | M | ■ | F |
| 9 | ■ | S | E | N | T | I | ■ | E | N | E | M | A |
| 10 | D | O | ■ | T | E | N | A | N | T | ■ | A | C |
| 11 | A | R | M | E | S | ■ | T | S | E | T | S | E |
| 12 | N | E | O | ■ | T | O | T | ■ | L | A | O | S |

## Jour 292

| | 1 | 2 | 3 | 4 | 5 | 6 | 7 | 8 | 9 | 10 | 11 | 12 |
|---|---|---|---|---|---|---|---|---|---|---|---|---|
| 1 | F | A | I | L | L | I | B | L | E | ■ | I | F |
| 2 | E | C | L | A | I | R | E | ■ | C | U | R | E |
| 3 | N | E | O | N | ■ | A | A | R | O | N | ■ | R |
| 4 | D | ■ | T | I | E | N | N | E | ■ | E | C | U |
| 5 | A | G | E | E | S | ■ | T | I | S | S | U | ■ |
| 6 | N | E | ■ | R | O | D | E | N | T | ■ | M | E |
| 7 | T | O | C | ■ | P | U | S | ■ | A | V | I | S |
| 8 | ■ | L | A | S | E | R | ■ | A | G | E | N | T |
| 9 | Z | E | B | U | ■ | C | I | R | E | R | ■ | I |
| 10 | E | ■ | L | I | P | I | D | E | ■ | S | E | M |
| 11 | T | R | E | V | E | ■ | E | C | R | E | M | E |
| 12 | A | A | ■ | I | U | L | E | ■ | U | S | U | S |

## Jour 293

| | 1 | 2 | 3 | 4 | 5 | 6 | 7 | 8 | 9 | 10 | 11 | 12 |
|---|---|---|---|---|---|---|---|---|---|---|---|---|
| 1 | A | N | E | C | D | O | T | E | ■ | B | T | U |
| 2 | S | E | R | R | E | S | ■ | P | R | I | E | R |
| 3 | T | R | I | ■ | P | A | T | T | E | ■ | R | E |
| 4 | H | E | G | E | L | ■ | R | E | P | A | R | E |
| 5 | E | ■ | E | P | U | R | E | ■ | L | I | E | ■ |
| 6 | N | E | R | I | ■ | E | T | U | I | ■ | A | C |
| 7 | I | L | ■ | E | A | N | E | S | ■ | S | U | E |
| 8 | E | O | N | ■ | L | E | A | U | T | E | ■ | L |
| 9 | ■ | N | I | V | E | ■ | U | R | A | N | I | E |
| 10 | E | G | O | I | N | E | ■ | P | U | I | T | S |
| 11 | S | E | L | L | E | T | T | E | ■ | L | E | T |
| 12 | T | R | E | S | ■ | A | E | R | E | E | ■ | E |

## Jour 294

| | 1 | 2 | 3 | 4 | 5 | 6 | 7 | 8 | 9 | 10 | 11 | 12 |
|---|---|---|---|---|---|---|---|---|---|---|---|---|
| 1 | C | A | U | S | E | R | I | E | ■ | S | E | L |
| 2 | O | B | T | E | N | U | ■ | C | I | R | R | E |
| 3 | R | A | I | ■ | E | M | E | U | S | ■ | R | U |
| 4 | M | ■ | L | I | E | E | S | ■ | A | D | O | ■ |
| 5 | O | R | E | L | ■ | U | T | E | R | I | N | E |
| 6 | R | I | ■ | E | C | R | I | T | ■ | M | E | S |
| 7 | A | G | I | T | E | ■ | M | I | R | E | ■ | S |
| 8 | N | O | S | ■ | N | O | E | S | E | ■ | P | A |
| 9 | ■ | L | O | T | E | S | ■ | I | N | I | N | I |
| 10 | R | E | E | R | ■ | T | I | E | N | N | E | ■ |
| 11 | I | ■ | T | E | N | O | R | ■ | E | T | U | I |
| 12 | O | B | E | S | E | ■ | A | S | S | I | S | E |

## Jour 295

| | 1 | 2 | 3 | 4 | 5 | 6 | 7 | 8 | 9 | 10 | 11 | 12 |
|---|---|---|---|---|---|---|---|---|---|---|---|---|
| 1 | M | A | G | I | S | T | E | R | E | ■ | O | O |
| 2 | I | M | A | G | I | E | R | ■ | G | A | N | G |
| 3 | R | E | I | N | ■ | T | E | L | E | X | ■ | R |
| 4 | A | ■ | N | E | R | I | ■ | I | R | E | N | E |
| 5 | D | U | E | ■ | A | N | I | S | ■ | L | A | ■ |
| 6 | O | S | S | U | S | ■ | D | E | S | ■ | I | F |
| 7 | R | A | ■ | S | E | V | E | ■ | O | P | T | E |
| 8 | ■ | G | U | I | S | E | ■ | V | I | E | ■ | N |
| 9 | Z | E | S | T | ■ | R | A | I | N | U | R | E |
| 10 | E | ■ | N | E | R | V | I | N | ■ | R | A | T |
| 11 | L | I | E | ■ | A | E | R | E | R | ■ | I | R |
| 12 | E | L | E | I | S | ■ | S | E | N | I | L | E |

## Jour 296

| | 1 | 2 | 3 | 4 | 5 | 6 | 7 | 8 | 9 | 10 | 11 | 12 |
|---|---|---|---|---|---|---|---|---|---|---|---|---|
| 1 | B | L | A | N | C | H | I | R | ■ | I | C | A |
| 2 | R | A | L | E | R | A | ■ | E | A | N | E | S |
| 3 | I | B | I | S | ■ | L | I | G | N | E | ■ | A |
| 4 | C | I | ■ | S | E | T | E | ■ | A | D | E | N |
| 5 | O | L | T | ■ | M | E | N | E | ■ | I | L | A |
| 6 | L | E | I | N | E | ■ | A | R | E | T | E | ■ |
| 7 | E | ■ | R | O | U | F | ■ | E | N | E | M | A |
| 8 | R | I | E | L | ■ | L | E | S | T | ■ | E | T |
| 9 | ■ | S | T | I | P | E | S | ■ | A | R | N | O |
| 10 | L | A | ■ | S | I | T | O | T | ■ | E | T | C |
| 11 | A | R | T | E | L | ■ | P | I | O | N | ■ | A |
| 12 | I | D | E | ■ | E | T | E | R | N | E | L | S |

## Jour 297

| | 1 | 2 | 3 | 4 | 5 | 6 | 7 | 8 | 9 | 10 | 11 | 12 |
|---|---|---|---|---|---|---|---|---|---|---|---|---|
| 1 | D | E | L | I | B | E | R | A | T | I | O | N |
| 2 | A | C | U | M | I | N | E | ■ | A | S | S | E |
| 3 | R | O | T | I | S | ■ | G | A | G | A | ■ | F |
| 4 | I | ■ | I | T | E | M | ■ | P | E | R | I | L |
| 5 | O | R | N | E | ■ | O | B | I | T | ■ | S | E |
| 6 | L | A | ■ | R | A | M | I | ■ | E | R | S | ■ |
| 7 | E | D | O | ■ | S | E | N | S | ■ | H | A | N |
| 8 | ■ | A | B | A | T | ■ | G | O | G | O | ■ | O |
| 9 | P | R | E | T | R | E | ■ | C | O | N | G | E |
| 10 | O | ■ | R | E | E | L | S | ■ | B | E | A | U |
| 11 | T | A | E | L | ■ | F | O | R | E | ■ | I | D |
| 12 | E | N | ■ | E | M | E | U | ■ | R | I | S | S |

# Solutions

## Jour 298

| | 1 | 2 | 3 | 4 | 5 | 6 | 7 | 8 | 9 | 10 | 11 | 12 |
|---|---|---|---|---|---|---|---|---|---|---|---|---|
| 1 | P | H | I | L | A | N | T | H | E | ■ | A | A |
| 2 | R | A | V | I | S | E | R | ■ | M | U | S | C |
| 3 | O | S | E | ■ | T | O | I | S | E | R | ■ | R |
| 4 | F | E | T | E | R | ■ | P | O | S | A | D | A |
| 5 | A | ■ | T | R | E | S | ■ | R | E | N | O | ■ |
| 6 | N | I | E | R | ■ | P | O | T | ■ | I | R | A |
| 7 | E | N | ■ | E | M | I | R | ■ | T | U | E | R |
| 8 | ■ | T | A | R | E | ■ | A | R | U | M | ■ | I |
| 9 | K | I | R | ■ | T | A | L | O | N | ■ | H | A |
| 10 | A | ■ | M | E | S | S | ■ | S | E | A | U | ■ |
| 11 | R | E | E | R | ■ | T | U | E | R | I | E | S |
| 12 | T | H | ■ | G | U | I | S | E | ■ | R | E | A |

## Jour 299

| | 1 | 2 | 3 | 4 | 5 | 6 | 7 | 8 | 9 | 10 | 11 | 12 |
|---|---|---|---|---|---|---|---|---|---|---|---|---|
| 1 | C | A | N | A | I | L | L | E | ■ | P | I | C |
| 2 | U | P | A | S | ■ | I | N | T | E | R | ■ | H |
| 3 | C | E | T | A | C | E | ■ | A | X | E | N | E |
| 4 | U | T | ■ | D | E | G | O | U | T | ■ | A | R |
| 5 | T | A | C | ■ | P | E | U | ■ | R | A | V | I |
| 6 | E | L | I | M | E | ■ | I | M | A | G | E | ■ |
| 7 | R | E | M | I | ■ | A | R | A | ■ | A | L | I |
| 8 | I | ■ | E | L | A | N | ■ | C | O | R | ■ | C |
| 9 | E | O | N | ■ | C | I | V | I | L | ■ | F | A |
| 10 | ■ | U | T | A | H | ■ | A | S | I | L | E | ■ |
| 11 | C | R | ■ | D | E | F | I | ■ | V | I | E | S |
| 12 | E | S | S | O | ■ | I | N | T | E | N | S | E |

## Jour 300

| | 1 | 2 | 3 | 4 | 5 | 6 | 7 | 8 | 9 | 10 | 11 | 12 |
|---|---|---|---|---|---|---|---|---|---|---|---|---|
| 1 | C | O | M | M | U | N | E | ■ | C | A | R | I |
| 2 | A | C | I | E | R | ■ | C | E | R | N | E | R |
| 3 | N | A | T | ■ | G | O | U | T | E | ■ | C | E |
| 4 | C | R | E | V | E | R | ■ | U | T | A | H | ■ |
| 5 | R | I | ■ | I | R | B | I | D | ■ | M | E | C |
| 6 | E | N | E | E | ■ | E | C | I | M | E | ■ | R |
| 7 | L | A | T | T | E | ■ | T | E | I | N | T | E |
| 8 | A | ■ | R | E | N | D | U | ■ | T | E | A | M |
| 9 | T | H | E | ■ | D | E | S | I | R | ■ | G | E |
| 10 | ■ | E | S | C | O | T | ■ | V | E | L | E | ■ |
| 11 | C | R | ■ | A | S | T | E | R | ■ | E | T | C |
| 12 | F | E | A | L | ■ | E | N | E | R | V | E | R |

## Jour 301

| | 1 | 2 | 3 | 4 | 5 | 6 | 7 | 8 | 9 | 10 | 11 | 12 |
|---|---|---|---|---|---|---|---|---|---|---|---|---|
| 1 | F | A | C | O | N | D | E | ■ | H | O | T | E |
| 2 | E | G | O | ■ | O | I | L | L | E | ■ | U | V |
| 3 | L | A | T | I | N | A | ■ | A | R | A | B | E |
| 4 | I | R | E | S | ■ | N | A | V | E | T | ■ | N |
| 5 | C | I | ■ | S | U | E | D | E | ■ | O | S | T |
| 6 | I | C | T | U | S | ■ | I | R | O | N | E | ■ |
| 7 | T | ■ | R | E | A | L | E | ■ | P | E | N | D |
| 8 | E | T | A | ■ | G | O | U | D | A | ■ | N | U |
| 9 | ■ | O | B | I | E | R | ■ | A | L | G | E | R |
| 10 | A | M | E | R | ■ | C | A | V | E | R | ■ | I |
| 11 | N | A | ■ | M | I | A | M | I | ■ | O | M | O |
| 12 | E | N | C | A | N | ■ | E | D | I | S | O | N |

## Jour 302

| | 1 | 2 | 3 | 4 | 5 | 6 | 7 | 8 | 9 | 10 | 11 | 12 |
|---|---|---|---|---|---|---|---|---|---|---|---|---|
| 1 | R | O | U | D | O | U | D | O | U | ■ | B | E |
| 2 | E | G | R | E | N | E | R | ■ | N | U | I | T |
| 3 | F | I | E | L | ■ | L | A | P | I | S | ■ | O |
| 4 | I | V | ■ | U | L | E | M | A | ■ | A | R | C |
| 5 | L | E | P | R | E | ■ | E | R | I | G | E | ■ |
| 6 | E | ■ | L | E | V | I | ■ | I | L | E | U | S |
| 7 | R | I | A | ■ | I | S | L | A | M | ■ | N | O |
| 8 | ■ | L | I | E | S | S | E | ■ | E | M | I | R |
| 9 | F | L | E | T | ■ | U | S | I | N | E | ■ | C |
| 10 | R | I | ■ | E | L | E | I | S | ■ | T | R | I |
| 11 | E | C | A | L | E | ■ | N | A | U | S | E | E |
| 12 | T | O | T | ■ | T | I | E | R | S | ■ | A | R |

## Jour 303

| | 1 | 2 | 3 | 4 | 5 | 6 | 7 | 8 | 9 | 10 | 11 | 12 |
|---|---|---|---|---|---|---|---|---|---|---|---|---|
| 1 | A | N | N | U | I | T | E | ■ | T | R | O | T |
| 2 | L | A | I | ■ | D | O | U | Z | E | ■ | M | A |
| 3 | O | P | E | R | E | R | ■ | E | L | B | O | T |
| 4 | P | O | R | E | ■ | O | M | B | L | E | ■ | O |
| 5 | E | L | ■ | N | A | N | A | R | ■ | T | A | U |
| 6 | C | I | R | O | N | ■ | C | E | L | E | R | ■ |
| 7 | I | ■ | I | N | I | N | I | ■ | O | L | G | A |
| 8 | E | W | E | ■ | M | A | S | E | R | ■ | U | R |
| 9 | ■ | A | G | R | E | S | ■ | A | I | N | S | I |
| 10 | F | L | O | U | ■ | S | E | N | S | E | ■ | S |
| 11 | L | E | ■ | D | I | E | S | E | ■ | B | L | E |
| 12 | A | S | T | E | R | ■ | E | S | P | O | I | R |

## Jour 304

| | 1 | 2 | 3 | 4 | 5 | 6 | 7 | 8 | 9 | 10 | 11 | 12 |
|---|---|---|---|---|---|---|---|---|---|---|---|---|
| 1 | G | L | O | B | A | L | I | T | E | ■ | N | P |
| 2 | R | A | D | O | T | E | R | ■ | T | A | E | L |
| 3 | A | L | E | N | E | ■ | U | B | A | C | ■ | I |
| 4 | I | O | N | ■ | M | I | N | E | ■ | U | B | E |
| 5 | L | ■ | S | A | I | N | ■ | A | L | L | O | ■ |
| 6 | L | I | E | N | ■ | C | I | T | E | ■ | M | I |
| 7 | O | N | ■ | C | L | A | C | ■ | O | L | E | N |
| 8 | N | A | R | R | E | ■ | A | C | N | E | ■ | U |
| 9 | ■ | R | I | E | G | O | ■ | O | E | I | L | S |
| 10 | F | I | N | ■ | A | V | E | N | ■ | N | U | I |
| 11 | I | ■ | C | A | L | I | N | ■ | S | E | N | T |
| 12 | L | I | E | U | ■ | N | E | V | E | ■ | D | E |

## Jour 305

| | 1 | 2 | 3 | 4 | 5 | 6 | 7 | 8 | 9 | 10 | 11 | 12 |
|---|---|---|---|---|---|---|---|---|---|---|---|---|
| 1 | D | E | M | E | S | U | R | E | ■ | G | U | S |
| 2 | O | R | E | M | U | S | ■ | T | A | U | R | E |
| 3 | L | E | S | E | ■ | U | S | A | G | E | ■ | X |
| 4 | E | ■ | S | T | E | R | E | ■ | I | T | O | U |
| 5 | A | N | I | ■ | G | E | N | E | T | ■ | R | E |
| 6 | N | I | E | C | E | ■ | I | D | E | A | L | ■ |
| 7 | C | E | ■ | A | R | O | L | E | ■ | L | E | S |
| 8 | E | L | A | N | ■ | M | E | S | S | E | ■ | U |
| 9 | ■ | L | I | A | N | E | ■ | S | I | T | A | R |
| 10 | S | E | N | ■ | A | G | R | E | S | ■ | N | E |
| 11 | U | ■ | S | E | N | A | U | ■ | A | B | A | T |
| 12 | E | V | I | T | A | ■ | T | O | L | E | R | E |

## Jour 306

| | 1 | 2 | 3 | 4 | 5 | 6 | 7 | 8 | 9 | 10 | 11 | 12 |
|---|---|---|---|---|---|---|---|---|---|---|---|---|
| 1 | B | E | C | A | S | S | E | ■ | H | I | L | E |
| 2 | A | B | E | R | ■ | U | L | V | E | ■ | I | N |
| 3 | R | O | S | T | R | E | ■ | I | M | A | M | ■ |
| 4 | R | U | S | ■ | E | T | E | L | ■ | M | E | R |
| 5 | I | L | E | O | N | ■ | P | E | N | E | ■ | A |
| 6 | C | E | ■ | N | O | V | A | ■ | O | R | A | N |
| 7 | A | R | A | C | ■ | E | R | I | C | ■ | R | I |
| 8 | D | ■ | B | E | T | A | ■ | D | E | F | I | ■ |
| 9 | E | D | O | ■ | A | U | D | E | ■ | R | A | T |
| 10 | ■ | I | T | O | N | ■ | I | S | S | A | ■ | O |
| 11 | U | T | ■ | F | A | D | O | ■ | P | N | E | U |
| 12 | S | O | I | F | ■ | A | R | R | A | C | H | E |

# Solutions

## Jour 307

| | 1 | 2 | 3 | 4 | 5 | 6 | 7 | 8 | 9 | 10 | 11 | 12 |
|---|---|---|---|---|---|---|---|---|---|---|---|---|
| 1 | H | A | M | A | D | A | | A | V | O | I | R |
| 2 | E | D | O | | U | G | I | N | E | | L | A |
| 3 | G | E | N | R | E | | G | I | L | L | E | |
| 4 | E | N | | E | L | A | N | | V | I | T | E |
| 5 | M | O | M | E | | M | E | N | E | N | | P |
| 6 | O | M | E | R | T | A | | A | T | E | M | I |
| 7 | N | E | M | | O | S | E | R | | R | E | |
| 8 | I | | E | C | U | | P | A | F | | I | F |
| 9 | E | H | | A | R | T | A | | A | I | R | E |
| 10 | | A | C | E | | I | R | B | I | D | | L |
| 11 | O | L | I | N | D | A | | A | X | E | N | E |
| 12 | C | O | L | | A | N | I | S | | M | I | R |

## Jour 308

| | 1 | 2 | 3 | 4 | 5 | 6 | 7 | 8 | 9 | 10 | 11 | 12 |
|---|---|---|---|---|---|---|---|---|---|---|---|---|
| 1 | F | A | I | L | L | I | R | | C | R | A | C |
| 2 | O | D | R | A | | B | I | E | R | E | | R |
| 3 | R | O | E | S | T | I | | S | U | A | V | E |
| 4 | L | U | | E | R | S | E | S | | L | I | T |
| 5 | A | C | O | R | E | | R | O | B | E | R | |
| 6 | N | I | D | | S | B | I | R | E | | E | H |
| 7 | C | R | E | S | S | O | N | | T | A | R | I |
| 8 | E | | N | I | E | R | | C | A | R | | L |
| 9 | R | U | S | E | | A | C | E | | O | P | E |
| 10 | | P | E | N | D | | I | D | O | L | E | |
| 11 | F | A | | N | U | L | L | E | S | | U | N |
| 12 | E | S | P | E | R | E | S | | T | A | R | O |

## Jour 309

| | 1 | 2 | 3 | 4 | 5 | 6 | 7 | 8 | 9 | 10 | 11 | 12 |
|---|---|---|---|---|---|---|---|---|---|---|---|---|
| 1 | C | H | A | P | A | R | D | E | R | | S | I |
| 2 | L | A | S | E | R | | O | R | E | M | U | S |
| 3 | A | T | E | L | I | E | R | | N | I | C | E |
| 4 | M | E | | E | D | R | E | D | O | N | | R |
| 5 | E | R | G | | E | R | R | E | | O | P | E |
| 6 | U | | R | U | S | E | | J | O | U | E | |
| 7 | R | H | I | N | | U | T | A | H | | R | A |
| 8 | | A | L | T | E | R | E | | I | S | S | U |
| 9 | A | L | L | E | R | | S | T | O | P | | D |
| 10 | R | E | | L | I | S | T | E | | A | N | A |
| 11 | E | T | A | | N | I | E | M | E | | O | C |
| 12 | C | E | S | S | E | R | | A | L | E | N | E |

## Jour 310

| | 1 | 2 | 3 | 4 | 5 | 6 | 7 | 8 | 9 | 10 | 11 | 12 |
|---|---|---|---|---|---|---|---|---|---|---|---|---|
| 1 | L | I | P | O | L | Y | S | E | | R | A | P |
| 2 | A | N | U | S | | S | A | R | A | H | | I |
| 3 | M | U | R | E | N | E | | B | R | O | M | E |
| 4 | B | L | E | | O | R | P | I | N | | A | U |
| 5 | O | I | S | O | N | | A | L | I | A | S | |
| 6 | U | N | | S | E | M | I | | M | I | S | E |
| 7 | R | E | T | S | | A | X | E | | D | E | R |
| 8 | D | | H | A | I | R | | O | P | E | | S |
| 9 | E | D | O | | R | I | F | L | E | | J | E |
| 10 | | U | N | A | U | | R | E | G | L | E | |
| 11 | O | P | | A | N | G | E | | R | I | A | L |
| 12 | B | E | E | R | | E | T | R | E | N | N | E |

## Jour 311

| | 1 | 2 | 3 | 4 | 5 | 6 | 7 | 8 | 9 | 10 | 11 | 12 |
|---|---|---|---|---|---|---|---|---|---|---|---|---|
| 1 | M | A | C | R | E | U | S | E | | U | N | E |
| 2 | E | B | R | E | | R | A | T | O | N | | D |
| 3 | N | O | U | N | O | U | | U | R | I | N | E |
| 4 | D | U | | O | I | S | I | V | E | | I | N |
| 5 | I | T | E | M | S | | S | E | L | L | E | |
| 6 | G | I | N | | O | X | E | R | | A | M | E |
| 7 | O | | F | A | N | E | R | | L | I | E | S |
| 8 | T | A | E | L | | R | E | N | A | N | | S |
| 9 | | T | R | I | B | U | | A | P | E | R | O |
| 10 | H | O | | S | I | S | T | R | E | | A | R |
| 11 | O | U | I | E | S | | I | R | R | I | T | E |
| 12 | P | R | O | | E | R | R | E | | F | E | R |

## Jour 312

| | 1 | 2 | 3 | 4 | 5 | 6 | 7 | 8 | 9 | 10 | 11 | 12 |
|---|---|---|---|---|---|---|---|---|---|---|---|---|
| 1 | D | I | S | S | U | A | D | E | | L | O | B |
| 2 | E | V | O | E | | C | O | N | G | E | | E |
| 3 | C | O | U | P | E | R | | G | O | U | E | T |
| 4 | L | I | T | | T | E | N | I | R | | T | A |
| 5 | I | R | E | N | E | | O | N | E | G | A | |
| 6 | V | I | | E | L | A | N | | T | A | P | E |
| 7 | I | N | D | U | | C | E | S | | V | E | R |
| 8 | T | | A | F | R | O | | O | T | E | | N |
| 9 | E | U | H | | A | N | C | H | E | | S | E |
| 10 | | B | U | I | S | | I | O | N | I | E | |
| 11 | N | A | | T | H | Y | M | | I | L | E | T |
| 12 | O | C | R | E | | B | E | T | A | S | S | E |

## Jour 313

| | 1 | 2 | 3 | 4 | 5 | 6 | 7 | 8 | 9 | 10 | 11 | 12 |
|---|---|---|---|---|---|---|---|---|---|---|---|---|
| 1 | M | A | R | I | T | O | R | N | E | | C | B |
| 2 | I | B | E | R | I | D | E | | M | A | L | E |
| 3 | R | A | P | | T | E | A | S | E | R | | L |
| 4 | A | | L | I | E | N | | P | U | I | N | E |
| 5 | D | A | I | M | | S | A | I | | C | O | R |
| 6 | O | C | | P | R | E | S | | V | A | N | |
| 7 | R | E | V | U | E | | O | L | E | | C | E |
| 8 | | R | U | R | A | L | | A | R | R | E | T |
| 9 | G | E | L | | L | I | A | S | S | E | | A |
| 10 | R | | G | U | E | L | F | E | | V | A | L |
| 11 | I | G | O | R | | A | R | R | I | E | R | E |
| 12 | P | O | | E | S | S | O | | F | E | E | S |

## Jour 314

| | 1 | 2 | 3 | 4 | 5 | 6 | 7 | 8 | 9 | 10 | 11 | 12 |
|---|---|---|---|---|---|---|---|---|---|---|---|---|
| 1 | R | A | G | O | U | G | N | A | S | S | E | S |
| 2 | I | L | E | I | T | E | | R | I | N | C | E |
| 3 | S | I | S | E | | O | P | T | E | | O | N |
| 4 | S | | I | S | O | L | E | | N | I | L | |
| 5 | O | D | E | | M | E | R | E | | D | E | S |
| 6 | L | A | R | V | E | | O | N | C | E | | U |
| 7 | E | R | | A | G | E | N | C | E | | F | E |
| 8 | | N | A | N | A | R | | A | R | M | E | R |
| 9 | H | E | I | N | | B | O | N | N | E | T | |
| 10 | A | | D | E | B | U | T | | E | M | I | R |
| 11 | U | N | E | | R | E | E | L | | E | D | E |
| 12 | T | O | R | D | U | | S | A | S | S | E | E |

## Jour 315

| | 1 | 2 | 3 | 4 | 5 | 6 | 7 | 8 | 9 | 10 | 11 | 12 |
|---|---|---|---|---|---|---|---|---|---|---|---|---|
| 1 | F | O | S | S | E | T | T | E | | T | A | G |
| 2 | A | L | E | | D | A | H | L | I | A | | E |
| 3 | C | E | N | T | O | N | | A | R | C | O | N |
| 4 | T | O | T | O | | G | O | N | E | | S | I |
| 5 | I | L | | G | O | A | L | | N | O | C | E |
| 6 | C | A | P | O | N | | E | N | E | M | A | |
| 7 | I | T | E | | D | U | N | E | | A | R | C |
| 8 | T | | I | L | E | T | | V | I | N | | O |
| 9 | E | T | N | A | | I | S | A | R | | C | M |
| 10 | | R | E | S | O | L | U | | A | A | R | E |
| 11 | D | U | | E | V | E | I | L | | L | I | T |
| 12 | A | C | O | R | E | | F | A | M | I | N | E |

# Solutions

## Jour 316

| | 1 | 2 | 3 | 4 | 5 | 6 | 7 | 8 | 9 | 10 | 11 | 12 |
|---|---|---|---|---|---|---|---|---|---|---|---|---|
| 1 | P | A | R | A | B | O | L | E | ■ | P | L | I |
| 2 | I | B | E | R | I | S | ■ | R | A | L | E | R |
| 3 | C | A | N | A | ■ | S | I | S | S | I | ■ | O |
| 4 | P | ■ | I | L | E | U | S | ■ | S | E | I | N |
| 5 | O | I | E | ■ | O | N | E | G | A | ■ | N | E |
| 6 | U | S | S | E | L | ■ | R | O | M | P | U | ■ |
| 7 | L | A | ■ | L | I | B | E | R | ■ | A | L | E |
| 8 | ■ | A | D | I | E | U | ■ | G | A | L | E | T |
| 9 | S | C | A | T | ■ | T | R | E | V | E | ■ | A |
| 10 | I | ■ | M | E | U | T | E | ■ | I | T | E | M |
| 11 | A | N | A | ■ | P | E | T | E | S | ■ | O | P |
| 12 | M | U | S | L | I | ■ | S | T | E | R | N | E |

## Jour 317

| | 1 | 2 | 3 | 4 | 5 | 6 | 7 | 8 | 9 | 10 | 11 | 12 |
|---|---|---|---|---|---|---|---|---|---|---|---|---|
| 1 | S | E | R | V | I | T | U | D | E | ■ | D | E |
| 2 | U | R | A | E | T | E | S | ■ | P | R | I | X |
| 3 | R | I | N | ■ | E | T | U | D | I | E | ■ | I |
| 4 | A | N | I | S | ■ | E | S | E | ■ | V | A | L |
| 5 | N | ■ | M | E | L | E | ■ | L | I | U | R | E |
| 6 | N | I | E | M | E | ■ | C | A | L | E | R | ■ |
| 7 | E | N | ■ | E | G | E | R | I | E | ■ | E | H |
| 8 | ■ | D | O | R | A | D | E | ■ | T | I | T | I |
| 9 | T | I | C | ■ | L | I | M | A | ■ | D | E | S |
| 10 | A | C | T | E | ■ | S | E | I | N | E | ■ | S |
| 11 | C | ■ | E | S | B | O | ■ | N | O | M | M | E |
| 12 | T | E | T | ■ | A | N | D | E | S | ■ | A | R |

## Jour 318

| | 1 | 2 | 3 | 4 | 5 | 6 | 7 | 8 | 9 | 10 | 11 | 12 |
|---|---|---|---|---|---|---|---|---|---|---|---|---|
| 1 | G | I | R | A | N | D | O | L | E | ■ | I | N |
| 2 | A | L | I | S | I | E | R | ■ | C | A | L | E |
| 3 | L | A | N | C | E | ■ | B | L | A | M | E | ■ |
| 4 | E | ■ | C | E | R | F | ■ | E | L | I | T | E |
| 5 | A | L | E | T | ■ | L | A | V | E | R | ■ | X |
| 6 | S | A | ■ | E | P | A | R | ■ | R | A | M | I |
| 7 | S | I | L | ■ | I | N | T | I | ■ | L | O | T |
| 8 | E | S | O | P | E | ■ | A | N | A | ■ | D | ■ |
| 9 | ■ | S | I | E | U | R | ■ | R | A | T | E | L |
| 10 | P | E | S | O | ■ | E | P | I | R | E | ■ | O |
| 11 | I | ■ | I | N | I | N | I | ■ | O | X | E | R |
| 12 | F | E | R | ■ | L | E | C | O | N | ■ | S | I |

## Jour 319

| | 1 | 2 | 3 | 4 | 5 | 6 | 7 | 8 | 9 | 10 | 11 | 12 |
|---|---|---|---|---|---|---|---|---|---|---|---|---|
| 1 | R | A | D | I | C | A | L | ■ | R | O | U | F |
| 2 | I | N | U | L | E | ■ | O | R | A | C | L | E |
| 3 | S | A | R | ■ | T | I | T | A | N | ■ | C | E |
| 4 | T | R | E | P | A | S | ■ | I | G | N | E | ■ |
| 5 | O | ■ | R | E | C | O | R | D | ■ | A | R | T |
| 6 | U | R | ■ | G | E | L | E | ■ | A | G | E | E |
| 7 | R | E | E | R | ■ | E | G | A | R | E | ■ | S |
| 8 | N | A | P | E | E | ■ | N | E | G | R | E | S |
| 9 | E | L | U | ■ | O | B | E | R | E | ■ | T | E |
| 10 | ■ | I | R | E | N | E | ■ | E | N | T | E | R |
| 11 | I | T | E | M | ■ | T | E | S | T | E | ■ | E |
| 12 | F | E | R | U | L | E | S | ■ | E | R | O | S |

## Jour 320

| | 1 | 2 | 3 | 4 | 5 | 6 | 7 | 8 | 9 | 10 | 11 | 12 |
|---|---|---|---|---|---|---|---|---|---|---|---|---|
| 1 | M | A | C | A | C | H | E | ■ | S | C | A | T |
| 2 | U | P | I | ■ | A | Y | L | M | E | R | ■ | I |
| 3 | L | E | T | A | L | E | ■ | O | V | U | L | E |
| 4 | T | U | E | S | ■ | N | E | N | E | ■ | O | R |
| 5 | I | R | ■ | T | I | E | D | E | ■ | A | R | S |
| 6 | T | E | T | I | N | ■ | E | T | O | L | E | ■ |
| 7 | U | R | I | ■ | T | A | N | ■ | T | U | N | E |
| 8 | D | ■ | B | A | I | N | ■ | T | I | N | ■ | L |
| 9 | E | T | E | L | ■ | I | L | E | T | ■ | E | A |
| 10 | ■ | I | T | O | U | ■ | O | L | E | A | T | E |
| 11 | A | L | ■ | S | N | O | B | E | ■ | M | A | I |
| 12 | S | T | R | E | S | S | ■ | X | E | R | U | S |

## Jour 321

| | 1 | 2 | 3 | 4 | 5 | 6 | 7 | 8 | 9 | 10 | 11 | 12 |
|---|---|---|---|---|---|---|---|---|---|---|---|---|
| 1 | L | A | M | P | I | O | N | ■ | R | O | M | E |
| 2 | I | V | E | ■ | O | B | E | R | E | ■ | O | R |
| 3 | M | I | S | S | ■ | J | O | I | N | D | R | E |
| 4 | O | S | S | E | T | E | ■ | V | E | A | U | ■ |
| 5 | N | E | ■ | L | I | T | R | E | ■ | L | E | E |
| 6 | A | R | G | O | T | ■ | A | R | O | L | ■ | T |
| 7 | G | ■ | I | N | U | I | T | ■ | C | E | R | E |
| 8 | E | R | G | ■ | B | U | S | T | E | ■ | I | R |
| 9 | ■ | H | O | T | E | L | ■ | A | A | R | O | N |
| 10 | L | O | T | O | ■ | E | P | I | N | E | ■ | I |
| 11 | O | N | ■ | G | E | S | I | R | ■ | V | E | T |
| 12 | T | E | T | E | S | ■ | S | E | V | E | R | E |

## Jour 322

| | 1 | 2 | 3 | 4 | 5 | 6 | 7 | 8 | 9 | 10 | 11 | 12 |
|---|---|---|---|---|---|---|---|---|---|---|---|---|
| 1 | S | C | H | I | S | M | E | ■ | P | I | A | F |
| 2 | T | A | U | ■ | S | O | N | D | E | ■ | N | A |
| 3 | E | D | I | S | O | N | ■ | I | N | D | I | C |
| 4 | A | R | T | A | ■ | Z | A | N | N | I | ■ | O |
| 5 | R | A | ■ | O | T | A | G | E | ■ | G | I | N |
| 6 | A | N | O | N | E | ■ | I | R | B | I | D | ■ |
| 7 | T | ■ | B | E | M | O | L | ■ | I | T | O | N |
| 8 | E | W | E | ■ | P | I | E | G | E | ■ | L | A |
| 9 | ■ | A | R | C | O | N | ■ | A | R | M | E | R |
| 10 | E | G | E | R | ■ | T | A | L | E | E | ■ | I |
| 11 | P | O | ■ | A | P | E | R | O | ■ | I | N | N |
| 12 | I | N | I | N | I | ■ | A | N | U | R | I | E |

## Jour 323

| | 1 | 2 | 3 | 4 | 5 | 6 | 7 | 8 | 9 | 10 | 11 | 12 |
|---|---|---|---|---|---|---|---|---|---|---|---|---|
| 1 | P | L | A | S | T | R | O | N | ■ | G | A | G |
| 2 | H | A | M | E | A | U | ■ | I | N | A | R | I |
| 3 | R | I | E | N | ■ | R | A | D | A | R | ■ | G |
| 4 | A | ■ | N | E | P | A | L | ■ | V | E | A | U |
| 5 | S | S | E | ■ | A | L | E | S | E | ■ | L | E |
| 6 | E | T | R | O | N | ■ | R | I | T | A | L | ■ |
| 7 | U | R | ■ | N | E | T | T | E | ■ | R | O | B |
| 8 | R | I | A | D | ■ | R | E | N | O | M | ■ | L |
| 9 | ■ | E | M | E | S | E | ■ | N | I | E | M | E |
| 10 | S | E | M | ■ | I | V | R | E | S | ■ | A | S |
| 11 | E | ■ | A | C | T | E | E | ■ | O | R | L | E |
| 12 | P | U | N | I | E | ■ | M | A | N | I | E | R |

## Jour 324

| | 1 | 2 | 3 | 4 | 5 | 6 | 7 | 8 | 9 | 10 | 11 | 12 |
|---|---|---|---|---|---|---|---|---|---|---|---|---|
| 1 | M | I | C | H | E | T | O | N | ■ | E | D | O |
| 2 | A | R | A | I | R | E | ■ | N | O | P | A | L |
| 3 | R | A | I | L | ■ | I | B | E | R | T | ■ | E |
| 4 | I | ■ | L | E | I | N | E | ■ | V | E | T | U |
| 5 | M | A | L | ■ | S | T | R | I | E | ■ | A | M |
| 6 | B | L | E | M | E | ■ | I | N | T | E | R | ■ |
| 7 | A | G | ■ | A | R | G | O | N | ■ | P | I | C |
| 8 | ■ | E | S | S | E | N | ■ | E | L | I | M | E |
| 9 | G | R | A | S | ■ | E | S | S | O | R | ■ | R |
| 10 | A | ■ | G | A | E | T | E | ■ | C | E | B | U |
| 11 | G | L | U | ■ | V | E | N | D | U | ■ | A | S |
| 12 | A | R | M | E | E | ■ | S | I | S | T | R | E |

# Solutions

## Jour 325

| | 1 | 2 | 3 | 4 | 5 | 6 | 7 | 8 | 9 | 10 | 11 | 12 |
|---|---|---|---|---|---|---|---|---|---|---|---|---|
| 1 | A | L | A | N | D | I | E | R | ■ | A | B | A |
| 2 | M | A | G | I | E | ■ | C | A | P | R | I | N |
| 3 | A | S | E | ■ | F | A | U | N | E | ■ | B | E |
| 4 | N | ■ | N | A | I | N | ■ | C | L | A | I | R |
| 5 | D | O | T | E | ■ | A | C | H | A | T | ■ | I |
| 6 | I | R | ■ | D | I | R | E | ■ | D | O | U | E |
| 7 | E | T | H | E | R | ■ | C | O | E | U | R | ■ |
| 8 | R | E | A | ■ | I | B | I | S | ■ | R | A | P |
| 9 | ■ | G | U | S | S | E | ■ | L | O | S | E | R |
| 10 | B | A | S | E | ■ | A | C | O | N | ■ | T | E |
| 11 | O | ■ | S | A | L | U | E | ■ | D | U | E | L |
| 12 | L | I | E | U | E | ■ | P | R | E | S | S | E |

## Jour 326

| | 1 | 2 | 3 | 4 | 5 | 6 | 7 | 8 | 9 | 10 | 11 | 12 |
|---|---|---|---|---|---|---|---|---|---|---|---|---|
| 1 | A | B | S | T | R | U | S | ■ | O | D | R | A |
| 2 | F | A | T | M | A | ■ | A | D | O | R | ■ | G |
| 3 | F | L | A | ■ | I | U | L | E | ■ | A | R | E |
| 4 | R | I | E | M | S | T | ■ | N | A | G | E | ■ |
| 5 | O | S | L | O | ■ | A | G | I | R | ■ | T | H |
| 6 | N | E | ■ | D | A | H | U | ■ | N | A | Z | E |
| 7 | T | R | I | A | L | ■ | I | L | O | T | ■ | S |
| 8 | E | ■ | P | L | I | S | S | E | ■ | H | A | I |
| 9 | R | A | P | ■ | S | I | E | G | E | ■ | A | T |
| 10 | ■ | B | O | L | E | T | ■ | A | G | O | R | A |
| 11 | Z | O | N | E | ■ | A | L | L | A | H | ■ | N |
| 12 | N | I | ■ | V | I | R | E | ■ | L | E | S | T |

## Jour 327

| | 1 | 2 | 3 | 4 | 5 | 6 | 7 | 8 | 9 | 10 | 11 | 12 |
|---|---|---|---|---|---|---|---|---|---|---|---|---|
| 1 | S | P | A | T | U | L | E | ■ | P | A | G | E |
| 2 | T | H | E | ■ | B | A | N | A | L | ■ | A | M |
| 3 | R | O | D | E | U | R | ■ | L | I | E | G | E |
| 4 | A | N | E | T | ■ | G | I | L | E | T | ■ | S |
| 5 | T | E | ■ | A | V | E | N | U | ■ | A | V | E |
| 6 | E | M | A | I | L | ■ | E | R | A | T | O | ■ |
| 7 | G | E | L | ■ | A | R | R | E | T | ■ | I | R |
| 8 | I | ■ | G | E | N | E | T | ■ | O | C | R | E |
| 9 | E | T | E | L | ■ | G | E | R | M | E | ■ | S |
| 10 | ■ | O | R | I | E | L | ■ | E | E | S | T | I |
| 11 | E | R | ■ | T | R | E | V | E | ■ | S | U | D |
| 12 | X | E | R | E | S | ■ | E | R | S | E | A | U |

## Jour 328

| | 1 | 2 | 3 | 4 | 5 | 6 | 7 | 8 | 9 | 10 | 11 | 12 |
|---|---|---|---|---|---|---|---|---|---|---|---|---|
| 1 | P | E | L | A | M | I | D | E | ■ | A | M | E |
| 2 | A | C | I | N | U | S | ■ | D | E | B | I | T |
| 3 | C | O | N | S | ■ | A | C | O | R | E | ■ | R |
| 4 | T | ■ | G | E | S | I | R | ■ | A | R | N | O |
| 5 | O | M | O | ■ | T | E | I | N | T | ■ | O | N |
| 6 | L | A | T | T | E | ■ | S | A | O | N | E | ■ |
| 7 | E | R | ■ | I | L | I | E | N | ■ | O | S | T |
| 8 | ■ | G | I | B | E | T | ■ | T | A | L | E | R |
| 9 | P | E | D | E | ■ | A | L | I | B | I | ■ | I |
| 10 | I | ■ | A | T | O | M | E | ■ | U | S | U | S |
| 11 | E | U | H | ■ | D | I | T | E | S | ■ | N | S |
| 12 | D | R | O | N | E | ■ | O | R | E | N | S | E |

## Jour 329

| | 1 | 2 | 3 | 4 | 5 | 6 | 7 | 8 | 9 | 10 | 11 | 12 |
|---|---|---|---|---|---|---|---|---|---|---|---|---|
| 1 | B | A | T | A | V | I | A | ■ | B | E | A | T |
| 2 | E | D | E | N | ■ | D | U | E | L | ■ | R | H |
| 3 | R | O | T | U | R | E | ■ | C | E | C | I | ■ |
| 4 | L | U | ■ | R | A | M | E | R | ■ | H | A | N |
| 5 | I | R | B | I | D | ■ | T | U | B | A | ■ | E |
| 6 | N | ■ | R | E | I | N | E | ■ | O | H | I | O |
| 7 | G | A | I | ■ | E | U | L | E | R | ■ | U | N |
| 8 | O | E | S | T | R | E | ■ | M | A | I | L | ■ |
| 9 | T | R | E | S | ■ | R | A | B | ■ | C | E | P |
| 10 | ■ | I | R | U | N | ■ | S | U | E | T | ■ | I |
| 11 | F | E | ■ | B | O | S | S | ■ | T | U | E | R |
| 12 | I | N | C | A | ■ | C | E | R | A | S | T | E |

## Jour 330

| | 1 | 2 | 3 | 4 | 5 | 6 | 7 | 8 | 9 | 10 | 11 | 12 |
|---|---|---|---|---|---|---|---|---|---|---|---|---|
| 1 | C | L | A | I | R | I | E | R | E | ■ | A | H |
| 2 | R | I | N | G | A | R | D | ■ | S | A | I | E |
| 3 | U | N | A | U | ■ | R | I | P | E | R | ■ | I |
| 4 | C | E | ■ | E | P | I | L | E | ■ | C | O | N |
| 5 | I | R | E | ■ | A | T | E | L | E | ■ | U | ■ |
| 6 | A | ■ | S | C | I | E | ■ | E | N | F | I | N |
| 7 | L | A | S | E | R | ■ | V | E | T | O | ■ | O |
| 8 | ■ | G | A | L | E | R | E | ■ | R | I | S | T |
| 9 | B | A | I | E | ■ | A | N | S | E | ■ | I | O |
| 10 | O | C | ■ | R | A | I | D | E | ■ | A | L | I |
| 11 | B | E | L | I | E | R | ■ | U | R | G | E | R |
| 12 | O | R | E | ■ | F | E | A | L | E | ■ | X | E |

## Jour 331

| | 1 | 2 | 3 | 4 | 5 | 6 | 7 | 8 | 9 | 10 | 11 | 12 |
|---|---|---|---|---|---|---|---|---|---|---|---|---|
| 1 | R | A | P | A | C | I | T | E | ■ | O | I | L |
| 2 | E | C | O | L | E | ■ | A | X | I | S | ■ | I |
| 3 | C | O | T | I | C | E | ■ | I | S | E | R | E |
| 4 | U | R | ■ | S | I | M | P | L | E | ■ | E | N |
| 5 | L | E | V | E | ■ | P | L | E | U | R | A | ■ |
| 6 | A | ■ | A | S | I | L | E | ■ | T | A | N | T |
| 7 | D | O | L | ■ | B | I | B | I | ■ | T | I | R |
| 8 | E | M | E | S | E | ■ | E | C | O | ■ | M | I |
| 9 | ■ | E | T | I | R | E | ■ | A | N | G | E | ■ |
| 10 | A | R | ■ | S | E | R | T | ■ | D | A | R | D |
| 11 | A | T | R | E | ■ | I | E | P | E | R | ■ | E |
| 12 | R | A | I | S | I | N | E | T | ■ | E | R | S |

## Jour 332

| | 1 | 2 | 3 | 4 | 5 | 6 | 7 | 8 | 9 | 10 | 11 | 12 |
|---|---|---|---|---|---|---|---|---|---|---|---|---|
| 1 | C | R | I | A | I | L | L | E | R | ■ | A | R |
| 2 | R | A | C | I | N | E | ■ | T | A | R | S | E |
| 3 | O | S | T | ■ | T | O | M | A | T | E | ■ | A |
| 4 | U | ■ | E | R | I | N | E | ■ | E | G | A | L |
| 5 | P | A | R | E | ■ | E | R | S | ■ | L | U | E |
| 6 | I | R | E | N | E | ■ | L | E | R | O | T | ■ |
| 7 | O | R | ■ | E | N | C | O | R | E | ■ | R | F |
| 8 | N | E | F | ■ | T | I | T | I | L | L | E | R |
| 9 | ■ | T | O | T | A | L | ■ | N | O | I | S | E |
| 10 | S | E | N | E | ■ | L | I | E | G | E | ■ | T |
| 11 | A | ■ | T | A | L | E | R | ■ | E | U | R | E |
| 12 | C | R | E | M | E | ■ | E | R | R | E | U | R |

## Jour 333

| | 1 | 2 | 3 | 4 | 5 | 6 | 7 | 8 | 9 | 10 | 11 | 12 |
|---|---|---|---|---|---|---|---|---|---|---|---|---|
| 1 | D | R | A | C | O | N | I | E | N | ■ | N | A |
| 2 | R | A | D | I | C | A | L | ■ | O | E | I | L |
| 3 | A | I | R | E | ■ | V | A | L | E | T | ■ | G |
| 4 | G | ■ | O | L | L | E | ■ | O | L | I | V | E |
| 5 | U | P | I | ■ | I | L | O | T | ■ | S | I | R |
| 6 | E | N | T | E | R | ■ | P | I | P | I | T | ■ |
| 7 | R | E | ■ | T | E | S | T | ■ | R | E | A | L |
| 8 | ■ | U | N | I | ■ | C | E | D | E | ■ | L | I |
| 9 | O | S | O | R | N | O | ■ | E | S | O | ■ | G |
| 10 | B | ■ | N | E | U | R | A | L | ■ | V | A | N |
| 11 | I | N | N | ■ | L | E | G | I | T | I | M | E |
| 12 | T | I | E | R | S | ■ | E | T | H | N | I | E |

# Solutions

## Jour 334

| | 1 | 2 | 3 | 4 | 5 | 6 | 7 | 8 | 9 | 10 | 11 | 12 |
|---|---|---|---|---|---|---|---|---|---|---|---|---|
| 1 | T | U | B | I | S | T | E | ■ | Z | E | R | O |
| 2 | I | R | E | ■ | O | U | R | S | E | ■ | A | S |
| 3 | R | E | E | L | L | E | ■ | A | S | P | I | C |
| 4 | A | T | R | E | ■ | U | S | I | T | E | ■ | A |
| 5 | I | R | ■ | B | O | R | A | S | ■ | P | A | R |
| 6 | L | E | G | E | R | ■ | C | I | V | I | L | ■ |
| 7 | L | ■ | A | L | G | E | R | ■ | I | N | T | I |
| 8 | E | C | U | ■ | E | M | E | S | E | ■ | O | S |
| 9 | R | A | P | E | ■ | U | R | A | N | E | ■ | O |
| 10 | ■ | N | E | P | A | L | ■ | U | S | U | E | L |
| 11 | C | O | ■ | I | S | E | U | T | ■ | R | A | E |
| 12 | L | E | V | E | E | ■ | R | E | V | E | U | R |

## Jour 335

| | 1 | 2 | 3 | 4 | 5 | 6 | 7 | 8 | 9 | 10 | 11 | 12 |
|---|---|---|---|---|---|---|---|---|---|---|---|---|
| 1 | V | A | L | E | N | C | A | Y | ■ | P | O | T |
| 2 | E | P | I | C | E | A | ■ | E | L | U | R | U |
| 3 | L | I | E | R | ■ | V | A | N | E | L | ■ | N |
| 4 | L | ■ | R | U | S | E | R | ■ | V | A | S | E |
| 5 | E | O | N | ■ | I | T | A | M | I | ■ | A | R |
| 6 | I | P | E | C | A | ■ | S | I | S | A | L | ■ |
| 7 | T | A | ■ | I | L | M | E | N | ■ | V | E | R |
| 8 | E | L | A | M | ■ | A | R | I | C | A | ■ | E |
| 9 | ■ | I | L | E | U | S | ■ | M | A | L | U | S |
| 10 | O | N | C | ■ | M | E | L | E | S | ■ | N | I |
| 11 | F | ■ | E | P | A | R | S | ■ | E | R | I | N |
| 12 | F | L | E | U | R | ■ | D | U | R | E | T | E |

## Jour 336

| | 1 | 2 | 3 | 4 | 5 | 6 | 7 | 8 | 9 | 10 | 11 | 12 |
|---|---|---|---|---|---|---|---|---|---|---|---|---|
| 1 | P | L | A | I | S | E | N | T | ■ | A | I | R |
| 2 | R | E | P | L | E | T | ■ | R | A | B | L | E |
| 3 | E | S | T | E | ■ | A | R | I | D | E | ■ | G |
| 4 | C | ■ | E | T | O | L | E | ■ | I | R | A | N |
| 5 | A | A | R | ■ | L | E | G | E | R | ■ | X | E |
| 6 | I | D | E | E | L | ■ | I | R | E | N | E | ■ |
| 7 | R | U | ■ | T | E | N | O | R | ■ | O | L | T |
| 8 | E | L | A | N | ■ | A | N | O | N | E | ■ | I |
| 9 | ■ | E | B | A | T | S | ■ | N | O | L | I | S |
| 10 | O | S | A | ■ | R | E | J | E | T | ■ | R | A |
| 11 | R | ■ | C | A | U | S | E | ■ | R | E | I | N |
| 12 | B | L | A | N | C | ■ | T | R | E | S | S | E |

## Jour 337

| | 1 | 2 | 3 | 4 | 5 | 6 | 7 | 8 | 9 | 10 | 11 | 12 |
|---|---|---|---|---|---|---|---|---|---|---|---|---|
| 1 | E | P | I | N | O | C | H | E | ■ | S | E | L |
| 2 | T | O | L | E | R | E | ■ | S | P | I | C | A |
| 3 | R | U | E | ■ | I | L | O | T | E | ■ | H | I |
| 4 | I | ■ | U | R | N | E | S | ■ | L | A | O | S |
| 5 | L | E | S | E | ■ | R | I | T | A | L | ■ | S |
| 6 | L | U | ■ | A | D | I | R | E | ■ | E | D | E |
| 7 | E | M | U | L | E | ■ | I | R | I | S | E | ■ |
| 8 | S | E | T | ■ | J | A | S | E | R | ■ | C | A |
| 9 | ■ | N | I | N | A | S | ■ | S | I | S | A | L |
| 10 | C | E | L | A | ■ | S | T | A | D | E | ■ | I |
| 11 | A | ■ | E | S | T | E | R | ■ | I | R | E | S |
| 12 | R | O | S | E | E | ■ | I | V | E | T | T | E |

## Jour 338

| | 1 | 2 | 3 | 4 | 5 | 6 | 7 | 8 | 9 | 10 | 11 | 12 |
|---|---|---|---|---|---|---|---|---|---|---|---|---|
| 1 | D | E | C | A | N | A | L | ■ | R | A | F | T |
| 2 | I | C | I | ■ | A | G | A | M | I | ■ | A | H |
| 3 | S | H | E | R | P | A | ■ | A | X | O | N | E |
| 4 | P | I | L | E | ■ | P | O | S | E | R | ■ | S |
| 5 | E | N | ■ | G | L | E | B | E | ■ | A | M | E |
| 6 | N | E | F | L | E | ■ | E | R | I | G | E | ■ |
| 7 | S | ■ | R | O | B | E | R | ■ | P | E | D | E |
| 8 | E | P | I | ■ | E | V | E | R | E | ■ | A | L |
| 9 | ■ | O | P | A | L | E | ■ | I | C | O | N | E |
| 10 | E | G | E | R | ■ | N | E | P | A | L | ■ | V |
| 11 | U | N | ■ | N | I | T | R | E | ■ | E | D | E |
| 12 | X | E | N | O | N | ■ | G | R | E | N | E | R |

## Jour 339

| | 1 | 2 | 3 | 4 | 5 | 6 | 7 | 8 | 9 | 10 | 11 | 12 |
|---|---|---|---|---|---|---|---|---|---|---|---|---|
| 1 | A | P | O | L | O | G | I | E | ■ | B | A | R |
| 2 | B | A | L | A | N | E | ■ | P | E | R | L | E |
| 3 | O | R | I | N | ■ | A | G | I | T | E | ■ | P |
| 4 | M | ■ | V | I | E | I | L | ■ | A | V | E | U |
| 5 | I | D | E | E | S | ■ | O | S | I | E | R | ■ |
| 6 | N | I | ■ | R | A | I | R | E | ■ | T | R | I |
| 7 | E | G | O | ■ | U | N | I | T | E | ■ | E | N |
| 8 | R | E | C | U | ■ | D | A | T | T | E | ■ | N |
| 9 | ■ | R | E | N | T | E | ■ | E | R | O | D | E |
| 10 | D | E | L | A | I | ■ | P | R | E | L | E | ■ |
| 11 | O | ■ | O | U | T | I | L | ■ | C | E | C | I |
| 12 | S | O | T | ■ | I | N | I | N | I | ■ | A | R |

## Jour 340

| | 1 | 2 | 3 | 4 | 5 | 6 | 7 | 8 | 9 | 10 | 11 | 12 |
|---|---|---|---|---|---|---|---|---|---|---|---|---|
| 1 | P | E | N | N | A | G | E | ■ | Z | E | L | E |
| 2 | A | G | E | ■ | C | E | R | N | E | ■ | A | L |
| 3 | P | O | S | T | E | R | ■ | E | R | O | D | E |
| 4 | O | I | S | E | ■ | B | A | R | O | N | ■ | I |
| 5 | U | S | ■ | A | T | E | L | E | ■ | C | A | S |
| 6 | I | T | E | M | S | ■ | A | I | M | E | R | ■ |
| 7 | L | E | T | ■ | A | V | I | S | E | ■ | O | C |
| 8 | L | ■ | H | E | R | O | S | ■ | G | A | L | E |
| 9 | E | G | E | R | ■ | M | E | D | O | C | ■ | T |
| 10 | ■ | E | R | I | C | E | ■ | O | T | E | R | A |
| 11 | C | A | ■ | G | A | R | O | U | ■ | R | O | C |
| 12 | L | I | N | E | R | ■ | H | E | B | E | T | E |

## Jour 341

| | 1 | 2 | 3 | 4 | 5 | 6 | 7 | 8 | 9 | 10 | 11 | 12 |
|---|---|---|---|---|---|---|---|---|---|---|---|---|
| 1 | F | A | R | I | B | O | L | E | ■ | C | L | E |
| 2 | E | B | E | N | E | ■ | A | C | C | R | O | C |
| 3 | B | L | E | ■ | B | A | C | H | E | ■ | D | O |
| 4 | R | E | L | I | E | R | ■ | E | L | E | I | S |
| 5 | I | R | U | N | ■ | T | A | R | E | R | ■ | S |
| 6 | F | E | ■ | U | M | A | R | ■ | R | O | B | E |
| 7 | U | T | I | L | E | ■ | A | R | I | D | E | ■ |
| 8 | G | ■ | M | E | D | U | S | E | ■ | E | R | G |
| 9 | E | P | I | ■ | A | R | E | N | E | ■ | C | I |
| 10 | ■ | E | T | A | N | G | ■ | I | D | E | E | L |
| 11 | O | R | E | L | ■ | E | T | A | I | S | ■ | E |
| 12 | N | E | ■ | I | V | R | E | ■ | T | E | S | T |

## Jour 342

| | 1 | 2 | 3 | 4 | 5 | 6 | 7 | 8 | 9 | 10 | 11 | 12 |
|---|---|---|---|---|---|---|---|---|---|---|---|---|
| 1 | B | L | E | S | S | U | R | E | ■ | F | E | R |
| 2 | R | A | G | E | U | R | ■ | R | A | I | D | E |
| 3 | A | C | O | N | ■ | G | A | G | E | ■ | A | G |
| 4 | S | E | ■ | S | T | E | M | ■ | D | E | M | I |
| 5 | I | R | A | ■ | A | N | I | M | E | R | ■ | O |
| 6 | L | ■ | D | A | R | T | R | E | ■ | I | N | N |
| 7 | I | S | O | L | E | ■ | A | N | O | N | E | ■ |
| 8 | A | A | R | E | ■ | P | L | U | S | ■ | P | A |
| 9 | ■ | L | E | N | T | E | ■ | S | I | T | A | R |
| 10 | G | A | ■ | E | U | R | E | ■ | R | A | L | E |
| 11 | A | C | E | ■ | B | E | T | A | I | L | ■ | N |
| 12 | G | E | L | E | E | ■ | A | S | S | E | N | E |

# Solutions

## Jour 343

| | 1 | 2 | 3 | 4 | 5 | 6 | 7 | 8 | 9 | 10 | 11 | 12 |
|---|---|---|---|---|---|---|---|---|---|---|---|---|
| 1 | R | E | T | A | B | L | I | R | ■ | O | U | T |
| 2 | U | R | A | N | I | E | ■ | E | E | S | T | I |
| 3 | G | E | N | T | ■ | P | R | A | M | E | ■ | S |
| 4 | O | ■ | G | E | N | R | E | ■ | E | R | O | S |
| 5 | S | U | E | ■ | I | E | P | E | R | ■ | N | U |
| 6 | I | V | R | E | E | ■ | U | R | I | N | E | ■ |
| 7 | T | A | ■ | T | E | T | T | E | ■ | A | X | E |
| 8 | E | L | A | N | ■ | R | E | V | E | S | ■ | C |
| 9 | ■ | E | P | A | V | E | ■ | A | V | E | N | U |
| 10 | A | S | O | ■ | A | V | I | N | E | ■ | I | L |
| 11 | B | ■ | D | O | S | E | S | ■ | N | O | C | E |
| 12 | C | H | E | N | E | ■ | O | U | T | R | E | S |

## Jour 344

| | 1 | 2 | 3 | 4 | 5 | 6 | 7 | 8 | 9 | 10 | 11 | 12 |
|---|---|---|---|---|---|---|---|---|---|---|---|---|
| 1 | L | U | C | R | A | T | I | F | ■ | V | E | R |
| 2 | O | S | E | E | ■ | I | R | O | N | E | ■ | A |
| 3 | C | I | S | T | R | E | ■ | X | E | R | U | S |
| 4 | A | T | ■ | O | I | N | T | ■ | O | I | S | E |
| 5 | T | E | N | U | E | ■ | R | E | N | N | E | ■ |
| 6 | I | ■ | E | R | U | D | I | T | ■ | S | E | T |
| 7 | O | F | F | ■ | R | O | M | A | N | ■ | S | A |
| 8 | N | U | L | S | ■ | R | E | P | I | T | ■ | V |
| 9 | ■ | S | E | I | N | E | ■ | E | L | I | S | E |
| 10 | A | I | ■ | P | E | S | E | ■ | L | E | U | R |
| 11 | R | O | T | O | R | ■ | U | T | E | R | I | N |
| 12 | A | N | A | ■ | F | I | E | R | ■ | S | E | E |

## Jour 345

| | 1 | 2 | 3 | 4 | 5 | 6 | 7 | 8 | 9 | 10 | 11 | 12 |
|---|---|---|---|---|---|---|---|---|---|---|---|---|
| 1 | D | E | C | I | D | E | R | ■ | P | A | V | E |
| 2 | I | C | I | ■ | O | V | U | L | E | ■ | E | T |
| 3 | A | L | E | R | T | E | ■ | A | U | T | R | E |
| 4 | B | A | L | E | ■ | N | A | R | R | E | ■ | U |
| 5 | L | I | ■ | I | N | T | E | R | ■ | T | U | F |
| 6 | E | R | I | N | E | ■ | T | O | N | U | S | ■ |
| 7 | R | E | G | ■ | V | E | I | N | E | ■ | E | N |
| 8 | I | ■ | N | E | A | N | T | ■ | G | A | R | E |
| 9 | E | D | E | N | ■ | D | E | B | U | T | ■ | P |
| 10 | ■ | R | E | T | R | O | ■ | I | S | O | L | E |
| 11 | D | A | ■ | R | U | S | E | S | ■ | N | E | T |
| 12 | O | P | T | E | S | ■ | S | E | N | E | V | E |

## Jour 346

| | 1 | 2 | 3 | 4 | 5 | 6 | 7 | 8 | 9 | 10 | 11 | 12 |
|---|---|---|---|---|---|---|---|---|---|---|---|---|
| 1 | E | S | C | O | P | E | T | T | E | ■ | O | S |
| 2 | N | A | I | V | E | T | E | ■ | C | A | N | A |
| 3 | N | I | M | E | S | ■ | T | H | O | N | ■ | G |
| 4 | E | N | E | ■ | E | T | U | I | ■ | I | C | A |
| 5 | A | ■ | N | A | R | A | ■ | L | I | S | E | ■ |
| 6 | D | O | T | E | ■ | L | I | E | N | ■ | P | I |
| 7 | E | H | ■ | D | E | C | U | ■ | O | N | E | X |
| 8 | ■ | I | D | E | M | ■ | L | U | X | E | ■ | I |
| 9 | C | O | R | ■ | O | P | E | N | ■ | V | I | A |
| 10 | A | ■ | A | C | U | L | ■ | A | L | E | A | ■ |
| 11 | G | A | G | A | ■ | O | B | U | S | ■ | S | A |
| 12 | E | N | ■ | P | U | C | E | ■ | D | A | I | M |

## Jour 347

| | 1 | 2 | 3 | 4 | 5 | 6 | 7 | 8 | 9 | 10 | 11 | 12 |
|---|---|---|---|---|---|---|---|---|---|---|---|---|
| 1 | M | A | R | G | R | A | V | E | ■ | D | O | L |
| 2 | E | G | O | ■ | A | R | I | S | E | R | ■ | I |
| 3 | T | A | N | D | E | M | ■ | B | L | A | S | E |
| 4 | A | R | D | U | ■ | E | M | O | U | ■ | A | U |
| 5 | B | I | ■ | P | A | R | A | ■ | D | R | U | E |
| 6 | O | C | T | E | T | ■ | I | L | E | O | N | ■ |
| 7 | L | ■ | A | R | A | I | R | E | ■ | B | A | C |
| 8 | E | O | N | ■ | C | R | E | V | E | R | ■ | H |
| 9 | ■ | S | I | N | A | I | ■ | I | P | E | C | A |
| 10 | H | A | S | E | ■ | S | U | S | E | ■ | O | N |
| 11 | O | K | ■ | B | I | E | N | ■ | L | U | I | T |
| 12 | P | A | T | O | N | ■ | I | V | E | T | T | E |

## Jour 348

| | 1 | 2 | 3 | 4 | 5 | 6 | 7 | 8 | 9 | 10 | 11 | 12 |
|---|---|---|---|---|---|---|---|---|---|---|---|---|
| 1 | G | A | I | L | L | A | R | D | ■ | S | A | C |
| 2 | A | B | L | I | E | R | ■ | U | S | A | G | E |
| 3 | M | A | I | E | ■ | E | C | R | A | N | ■ | S |
| 4 | B | ■ | E | R | I | N | E | ■ | U | S | A | S |
| 5 | A | I | N | ■ | S | A | T | I | N | ■ | L | E |
| 6 | D | O | S | E | S | ■ | A | M | A | N | T | ■ |
| 7 | E | D | ■ | D | U | R | C | I | ■ | I | O | N |
| 8 | R | U | D | E | ■ | H | E | T | R | E | ■ | E |
| 9 | ■ | R | E | N | D | U | ■ | A | I | R | E | R |
| 10 | P | E | T | ■ | E | M | E | S | E | ■ | R | E |
| 11 | I | ■ | T | A | C | E | T | ■ | N | E | R | I |
| 12 | S | C | E | A | U | ■ | C | A | S | S | E | S |

## Jour 349

| | 1 | 2 | 3 | 4 | 5 | 6 | 7 | 8 | 9 | 10 | 11 | 12 |
|---|---|---|---|---|---|---|---|---|---|---|---|---|
| 1 | D | E | C | A | T | I | R | ■ | G | A | N | G |
| 2 | I | B | O | ■ | U | S | A | G | E | ■ | O | R |
| 3 | F | O | U | R | B | E | ■ | A | R | A | S | E |
| 4 | F | U | T | E | ■ | R | E | L | A | X | ■ | V |
| 5 | E | L | ■ | P | I | E | G | E | ■ | E | R | E |
| 6 | R | I | E | U | R | ■ | A | R | O | L | E | ■ |
| 7 | E | S | T | ■ | I | U | L | E | S | ■ | M | U |
| 8 | N | ■ | R | O | S | S | E | ■ | C | U | I | R |
| 9 | D | I | O | R | ■ | N | E | P | A | L | ■ | A |
| 10 | ■ | E | N | V | I | E | ■ | A | R | E | T | E |
| 11 | I | N | ■ | E | V | E | R | T | ■ | M | O | T |
| 12 | F | A | U | T | E | ■ | B | E | C | A | N | E |

## Jour 350

| | 1 | 2 | 3 | 4 | 5 | 6 | 7 | 8 | 9 | 10 | 11 | 12 |
|---|---|---|---|---|---|---|---|---|---|---|---|---|
| 1 | B | R | A | N | L | A | N | T | ■ | L | E | S |
| 2 | L | E | N | O | I | R | ■ | E | M | A | N | E |
| 3 | U | N | I | E | ■ | I | C | T | U | S | ■ | N |
| 4 | F | I | ■ | U | T | A | H | ■ | E | C | O | T |
| 5 | F | E | N | D | U | ■ | O | C | T | A | L | ■ |
| 6 | E | R | E | ■ | N | O | C | E | ■ | R | I | A |
| 7 | U | ■ | P | I | E | U | ■ | L | A | S | E | R |
| 8 | R | E | A | L | ■ | T | A | L | C | ■ | R | D |
| 9 | ■ | F | L | E | T | ■ | L | A | C | S | ■ | O |
| 10 | I | F | ■ | T | A | I | E | ■ | R | O | S | I |
| 11 | D | E | S | ■ | E | V | A | N | O | U | I | S |
| 12 | E | T | I | O | L | E | ■ | A | C | E | R | E |

## Jour 351

| | 1 | 2 | 3 | 4 | 5 | 6 | 7 | 8 | 9 | 10 | 11 | 12 |
|---|---|---|---|---|---|---|---|---|---|---|---|---|
| 1 | R | E | M | O | U | L | A | D | E | ■ | C | A |
| 2 | I | B | O | ■ | R | A | P | ■ | M | A | R | C |
| 3 | V | E | U | L | E | ■ | O | P | U | S | ■ | N |
| 4 | U | N | ■ | O | S | I | D | E | ■ | I | S | E |
| 5 | L | I | E | R | ■ | B | E | A | G | L | E | ■ |
| 6 | A | E | T | I | T | E | ■ | G | A | E | T | E |
| 7 | I | R | A | ■ | A | R | M | E | T | ■ | O | R |
| 8 | R | ■ | L | A | T | T | E | ■ | T | O | N | G |
| 9 | E | G | E | D | E | ■ | G | E | E | L | ■ | O |
| 10 | ■ | R | E | A | ■ | P | I | C | ■ | T | O | T |
| 11 | P | I | ■ | G | A | R | R | O | T | ■ | M | E |
| 12 | U | L | C | E | R | E | ■ | T | E | N | O | R |

# Solutions

## Jour 352

| | 1 | 2 | 3 | 4 | 5 | 6 | 7 | 8 | 9 | 10 | 11 | 12 |
|---|---|---|---|---|---|---|---|---|---|---|---|---|
| 1 | I | M | M | U | N | I | T | E | ■ | A | R | S |
| 2 | N | O | I | R | E | T | ■ | M | O | C | H | E |
| 3 | D | I | S | ■ | R | E | G | I | R | ■ | O | N |
| 4 | I | S | S | U | E | ■ | E | R | I | N | ■ | I |
| 5 | R | ■ | E | V | E | I | L | ■ | N | O | E | L |
| 6 | E | L | L | E | ■ | B | E | C | ■ | C | L | E |
| 7 | C | A | ■ | E | P | I | ■ | A | L | E | A | ■ |
| 8 | T | I | C | ■ | I | S | O | L | E | ■ | N | P |
| 9 | ■ | N | I | C | E | ■ | P | E | G | A | S | E |
| 10 | N | E | V | E | ■ | G | E | R | E | R | ■ | I |
| 11 | O | ■ | E | T | H | E | R | ■ | R | E | I | N |
| 12 | M | O | T | ■ | A | L | E | N | E | ■ | N | E |

## Jour 353

| | 1 | 2 | 3 | 4 | 5 | 6 | 7 | 8 | 9 | 10 | 11 | 12 |
|---|---|---|---|---|---|---|---|---|---|---|---|---|
| 1 | D | A | R | A | I | S | E | ■ | A | V | A | L |
| 2 | E | L | A | N | S | ■ | C | A | B | A | N | E |
| 3 | F | I | N | ■ | E | P | U | R | E | ■ | O | S |
| 4 | L | E | G | E | R | E | ■ | D | E | O | N | ■ |
| 5 | A | N | ■ | B | E | R | C | E | ■ | B | E | R |
| 6 | T | E | T | E | ■ | S | O | U | L | E | ■ | U |
| 7 | I | R | E | N | E | ■ | T | R | E | S | O | R |
| 8 | O | ■ | N | E | R | V | I | ■ | B | E | L | A |
| 9 | N | I | D | ■ | G | E | R | M | E | ■ | E | L |
| 10 | ■ | B | U | T | O | R | ■ | A | L | L | O | ■ |
| 11 | A | I | ■ | E | T | I | E | R | ■ | I | L | E |
| 12 | T | S | A | R | ■ | N | U | I | T | E | E | S |

## Jour 354

| | 1 | 2 | 3 | 4 | 5 | 6 | 7 | 8 | 9 | 10 | 11 | 12 |
|---|---|---|---|---|---|---|---|---|---|---|---|---|
| 1 | T | I | T | I | L | L | E | R | ■ | A | L | I |
| 2 | O | P | A | L | E | ■ | T | E | S | S | I | N |
| 3 | M | E | ■ | E | S | C | A | L | E | ■ | E | U |
| 4 | E | C | O | T | ■ | R | ■ | I | C | T | U | S |
| 5 | T | A | C | ■ | R | I | V | E | T | E | ■ | I |
| 6 | T | ■ | T | R | A | M | E | ■ | E | M | E | T |
| 7 | E | N | E | E | ■ | E | R | G | ■ | P | R | E |
| 8 | ■ | E | T | U | I | ■ | S | I | S | S | I | ■ |
| 9 | T | U | ■ | N | E | P | E | T | E | ■ | N | E |
| 10 | E | T | R | I | P | E | ■ | E | R | R | E | R |
| 11 | A | R | A | ■ | E | T | I | S | I | E | ■ | I |
| 12 | M | E | S | U | R | E | R | ■ | N | A | S | E |

## Jour 355

| | 1 | 2 | 3 | 4 | 5 | 6 | 7 | 8 | 9 | 10 | 11 | 12 |
|---|---|---|---|---|---|---|---|---|---|---|---|---|
| 1 | M | E | U | R | E | T | T | E | ■ | P | O | T |
| 2 | A | P | R | E | ■ | R | A | C | E | R | ■ | E |
| 3 | N | U | I | T | E | E | ■ | O | D | E | O | N |
| 4 | G | I | ■ | A | S | S | E | N | E | ■ | R | U |
| 5 | E | S | O | P | E | ■ | M | O | N | T | E | ■ |
| 6 | O | E | T | A | ■ | H | E | M | ■ | H | E | U |
| 7 | I | R | A | ■ | M | I | S | E | R | E | ■ | B |
| 8 | R | ■ | R | E | A | L | E | ■ | E | M | E | U |
| 9 | E | P | I | T | R | E | ■ | A | P | E | X | ■ |
| 10 | ■ | R | E | E | L | ■ | G | L | U | ■ | I | F |
| 11 | D | E | ■ | T | I | B | E | T | ■ | A | L | E |
| 12 | A | T | R | E | ■ | E | L | O | N | G | E | R |

## Jour 356

| | 1 | 2 | 3 | 4 | 5 | 6 | 7 | 8 | 9 | 10 | 11 | 12 |
|---|---|---|---|---|---|---|---|---|---|---|---|---|
| 1 | D | O | L | E | A | N | C | E | ■ | M | A | L |
| 2 | E | M | E | U | T | E | ■ | S | N | O | B | E |
| 3 | R | I | S | ■ | A | O | R | T | E | ■ | U | V |
| 4 | E | S | T | O | C | ■ | A | E | R | E | S | ■ |
| 5 | G | ■ | E | T | A | N | G | ■ | V | L | A | N |
| 6 | L | I | R | E | ■ | E | O | L | I | E | ■ | A |
| 7 | E | D | ■ | L | A | T | T | E | ■ | G | A | G |
| 8 | R | E | C | L | U | S | ■ | G | R | I | S | E |
| 9 | ■ | A | R | O | L | ■ | F | A | I | R | E | ■ |
| 10 | P | L | I | ■ | N | I | L | L | E | ■ | L | A |
| 11 | A | ■ | S | T | E | N | O | ■ | N | U | L | S |
| 12 | R | U | E | E | ■ | C | U | I | S | S | E | ■ |

## Jour 357

| | 1 | 2 | 3 | 4 | 5 | 6 | 7 | 8 | 9 | 10 | 11 | 12 |
|---|---|---|---|---|---|---|---|---|---|---|---|---|
| 1 | A | L | T | R | U | I | S | M | E | ■ | C | L |
| 2 | B | I | A | I | S | E | S | ■ | T | A | R | O |
| 3 | D | E | C | E | S | ■ | E | T | O | C | ■ | B |
| 4 | O | ■ | I | L | E | T | ■ | A | N | O | N | E |
| 5 | M | A | T | ■ | L | E | G | E | ■ | N | I | ■ |
| 6 | E | G | E | R | ■ | M | A | L | T | ■ | F | A |
| 7 | N | A | ■ | E | P | A | R | ■ | A | D | E | N |
| 8 | ■ | M | A | G | E | ■ | O | I | S | E | ■ | A |
| 9 | F | I | C | ■ | G | O | U | T | ■ | F | E | R |
| 10 | A | ■ | H | O | U | X | ■ | O | L | I | M | ■ |
| 11 | O | R | E | L | ■ | E | T | N | A | ■ | O | O |
| 12 | N | E | ■ | T | A | R | I | ■ | Y | O | U | P |

## Jour 358

| | 1 | 2 | 3 | 4 | 5 | 6 | 7 | 8 | 9 | 10 | 11 | 12 |
|---|---|---|---|---|---|---|---|---|---|---|---|---|
| 1 | O | B | J | E | C | T | I | O | N | ■ | A | L |
| 2 | C | R | E | S | S | O | N | ■ | O | C | R | E |
| 3 | T | E | T | A | ■ | M | I | R | E | R | ■ | B |
| 4 | A | M | ■ | U | R | A | N | E | ■ | I | T | E |
| 5 | V | E | R | ■ | E | T | I | E | R | ■ | I | L |
| 6 | I | ■ | A | U | G | E | ■ | L | U | E | S | ■ |
| 7 | N | A | N | T | I | ■ | T | S | E | T | S | E |
| 8 | ■ | S | C | I | E | N | E | ■ | L | E | U | R |
| 9 | E | T | E | L | ■ | E | X | I | L | S | ■ | R |
| 10 | T | U | ■ | E | O | N | ■ | N | E | I | G | E |
| 11 | A | C | E | ■ | R | E | I | N | ■ | E | A | U |
| 12 | L | E | N | T | E | ■ | R | E | U | N | I | R |

## Jour 359

| | 1 | 2 | 3 | 4 | 5 | 6 | 7 | 8 | 9 | 10 | 11 | 12 |
|---|---|---|---|---|---|---|---|---|---|---|---|---|
| 1 | D | E | C | A | L | A | G | E | ■ | O | S | T |
| 2 | I | N | E | G | A | L | ■ | X | E | R | U | S |
| 3 | S | E | N | ■ | C | I | V | I | L | ■ | R | U |
| 4 | P | E | T | R | I | ■ | O | L | I | V | E | ■ |
| 5 | O | ■ | R | O | S | T | I | ■ | T | I | T | O |
| 6 | S | T | E | M | ■ | O | C | T | E | T | ■ | R |
| 7 | E | R | ■ | P | L | U | I | E | ■ | A | P | I |
| 8 | R | E | G | R | E | T | ■ | M | A | L | I | N |
| 9 | ■ | V | U | E | S | ■ | A | P | P | E | L | ■ |
| 10 | D | E | S | ■ | E | F | F | E | T | ■ | O | S |
| 11 | I | ■ | S | U | R | I | R | ■ | E | U | R | E |
| 12 | A | M | E | N | ■ | L | O | U | S | T | I | C |

## Jour 360

| | 1 | 2 | 3 | 4 | 5 | 6 | 7 | 8 | 9 | 10 | 11 | 12 |
|---|---|---|---|---|---|---|---|---|---|---|---|---|
| 1 | D | O | L | E | A | N | C | E | ■ | I | L | A |
| 2 | E | M | A | C | I | E | ■ | T | A | X | E | S |
| 3 | C | O | I | R | ■ | F | L | A | P | I | ■ | S |
| 4 | R | ■ | T | U | I | L | E | ■ | R | A | C | E |
| 5 | E | D | O | ■ | S | E | C | H | E | ■ | R | N |
| 6 | T | O | N | U | S | ■ | H | I | S | S | E | ■ |
| 7 | E | R | ■ | R | U | S | E | R | ■ | A | D | O |
| 8 | R | A | N | G | E | E | ■ | C | O | R | O | N |
| 9 | ■ | D | U | E | ■ | V | O | I | C | I | ■ | E |
| 10 | R | E | A | ■ | P | I | N | N | E | ■ | A | G |
| 11 | A | ■ | G | U | E | R | E | ■ | A | P | I | A |
| 12 | P | R | E | V | U | ■ | X | E | N | O | N | ■ |

# Solutions

## Jour 361

| | 1 | 2 | 3 | 4 | 5 | 6 | 7 | 8 | 9 | 10 | 11 | 12 |
|---|---|---|---|---|---|---|---|---|---|---|---|---|
| 1 | R | E | G | I | M | B | E | R | ■ | P | R | E |
| 2 | I | P | O | M | E | E | ■ | O | S | I | E | R |
| 3 | C | I | R | A | ■ | N | A | B | O | T | ■ | O |
| 4 | O | ■ | E | M | A | I | L | ■ | L | A | I | D |
| 5 | C | E | T | ■ | M | E | L | E | E | ■ | D | E |
| 6 | H | I | S | S | E | ■ | U | S | N | E | E | ■ |
| 7 | E | D | ■ | A | R | U | M | S | ■ | T | E | L |
| 8 | T | E | N | U | ■ | R | E | A | L | E | ■ | E |
| 9 | ■ | R | A | T | A | I | ■ | Y | O | L | E | S |
| 10 | K | S | I | ■ | A | N | D | E | S | ■ | M | I |
| 11 | I | ■ | N | E | R | E | E | ■ | E | D | E | N |
| 12 | T | H | E | S | E | ■ | S | I | R | O | T | E |

## Jour 362

| | 1 | 2 | 3 | 4 | 5 | 6 | 7 | 8 | 9 | 10 | 11 | 12 |
|---|---|---|---|---|---|---|---|---|---|---|---|---|
| 1 | D | I | S | G | R | A | C | E | ■ | F | E | R |
| 2 | E | P | U | R | E | R | ■ | C | A | U | S | E |
| 3 | B | E | L | E | ■ | I | C | O | N | E | ■ | V |
| 4 | O | ■ | T | E | N | D | U | ■ | C | L | O | U |
| 5 | U | S | A | ■ | I | E | P | E | R | ■ | R | È |
| 6 | C | A | N | O | E | ■ | I | P | E | C | A | ■ |
| 7 | H | I | ■ | B | R | I | D | E | ■ | A | L | E |
| 8 | E | S | A | U | ■ | D | E | L | A | I | ■ | O |
| 9 | ■ | I | S | S | U | E | ■ | E | N | D | O | S |
| 10 | A | R | T | ■ | N | E | G | R | O | ■ | M | I |
| 11 | R | ■ | E | X | I | L | E | ■ | N | A | I | N |
| 12 | S | U | R | I | R | ■ | L | I | E | S | S | E |

## Jour 363

| | 1 | 2 | 3 | 4 | 5 | 6 | 7 | 8 | 9 | 10 | 11 | 12 |
|---|---|---|---|---|---|---|---|---|---|---|---|---|
| 1 | E | C | O | C | I | D | E | ■ | O | H | I | O |
| 2 | P | E | S | E | ■ | I | S | A | I | E | ■ | R |
| 3 | O | R | E | S | T | E | ■ | B | E | R | C | E |
| 4 | N | E | ■ | A | R | U | B | A | ■ | O | R | E |
| 5 | T | A | I | R | E | ■ | I | C | O | N | E | ■ |
| 6 | I | L | S | ■ | P | A | P | A | S | ■ | D | A |
| 7 | L | E | S | T | A | G | E | ■ | T | A | I | N |
| 8 | L | ■ | U | R | S | I | D | E | ■ | I | T | E |
| 9 | E | P | E | E | ■ | T | E | T | E | R | ■ | R |
| 10 | ■ | U | S | N | E | E | ■ | I | N | S | T | I |
| 11 | E | R | ■ | T | R | E | N | E | T | ■ | S | E |
| 12 | X | E | R | E | S | ■ | O | R | E | M | U | S |

## Jour 364

| | 1 | 2 | 3 | 4 | 5 | 6 | 7 | 8 | 9 | 10 | 11 | 12 |
|---|---|---|---|---|---|---|---|---|---|---|---|---|
| 1 | L | A | C | O | N | I | S | M | E | ■ | G | A |
| 2 | I | N | O | P | I | N | E | ■ | C | R | I | C |
| 3 | P | A | R | T | ■ | O | P | E | R | E | ■ | O |
| 4 | A | ■ | D | E | C | U | ■ | M | U | C | O | R |
| 5 | R | I | O | ■ | A | I | D | E | ■ | T | U | E |
| 6 | I | N | N | E | S | ■ | O | S | C | A | R | ■ |
| 7 | S | U | ■ | L | E | S | T | E | R | ■ | S | E |
| 8 | ■ | I | N | E | R | T | E | ■ | E | M | E | U |
| 9 | E | T | A | I | ■ | A | R | I | D | E | ■ | M |
| 10 | L | ■ | I | S | I | S | ■ | R | O | G | U | E |
| 11 | L | E | V | ■ | V | E | L | U | ■ | I | N | N |
| 12 | E | L | E | V | E | ■ | A | N | E | R | I | E |

## Jour 365

| | 1 | 2 | 3 | 4 | 5 | 6 | 7 | 8 | 9 | 10 | 11 | 12 |
|---|---|---|---|---|---|---|---|---|---|---|---|---|
| 1 | A | L | L | E | C | H | E | R | ■ | P | R | E |
| 2 | M | A | U | V | E | ■ | R | A | P | I | A | T |
| 3 | A | B | S | E | N | T | ■ | P | E | N | T | E |
| 4 | D | E | ■ | R | E | U | N | I | R | ■ | S | I |
| 5 | O | L | L | E | ■ | T | O | N | T | E | ■ | N |
| 6 | U | ■ | I | S | S | U | E | ■ | E | T | A | T |
| 7 | E | P | A | T | E | ■ | S | I | S | A | L | ■ |
| 8 | R | O | I | ■ | T | A | E | L | ■ | L | E | T |
| 9 | ■ | E | S | T | O | C | ■ | O | S | E | R | A |
| 10 | O | S | ■ | E | N | T | I | T | E | ■ | T | R |
| 11 | R | I | S | T | ■ | E | L | E | V | E | E | S |
| 12 | B | E | T | A | S | S | E | ■ | E | R | S | E |